हिन्दी-साहित्य का अतीत

दूसरा भाग : शृंगारकाल

हिन्दी-साहित्य का अतीत

दूसरा भाग

शृंगारकाल

आचार्य विश्वनाथ प्रसाद मिश्र

वाणी प्रकाशन

सजिल्द पहला संस्करण : 2000
सजिल्द दूसरा संस्करण : 2008
सजिल्द तीसरा संस्करण : 2023

वाणी प्रकाशन

4695, 21-ए, दरियागंज, नयी दिल्ली 110 002

फ़ोन : +91 11 23273167 फ़ैक्स : +91 11 23275710

शाखाएँ

अशोक राजपथ, पटना 800 004, बिहार
कॉफ़ी हाउस कैम्पस, महात्मा गांधी मार्ग, इलाहाबाद 211 001, उत्तर प्रदेश
महात्मा गांधी अन्तरराष्ट्रीय हिन्दी विश्वविद्यालय, वर्धा 442 001, महाराष्ट्र
36/ए, शेक्सपीयर सरणी, रानी बिरला गर्ल्स कॉलेज के पास, कोलकाता 700 017, प. बंगाल

www.vaniprakashan.com
marketing@vaniprakashan.in
sales@vaniprakashan.in

Hindi Sahitya ka Ateet-2
by Acharya Vishwanath Prasad Mishra

ISBN : 978-81-8143-607-8
Criticism/History

मूल्य : ₹ 700

आर. टेक ऑफसेट प्रिंटर्स, दिल्ली-110 032 में मुद्रित

वाणी प्रकाशन का लोगो मक़बूल फ़िदा हुसेन की कूची से

अनुवचन

साहित्य शुद्ध रूप में अन्य वाङ्मयों से स्पष्टतः पृथक् है। भारतीय साहित्यशास्त्रियों ने कई प्रकार से उसे अन्य वाङ्मयों से भिन्न बताया है। राजशेखर ने वाङ्मय के दो प्रकार कहे—काव्य और शास्त्र। अन्य वाङ्मय प्रधानतया शास्त्रमूलक होते हैं। शास्त्र का कार्य हित का शासन है। शासन में शास्ता और शासित दोनों आते हैं। इसलिए प्रत्येक वाङ्मय के दो पक्ष होते हैं—एक व्यवहार-पक्ष और दूसरा सिद्धांत-पक्ष। सिद्धांत की उद्‌भावना का आधार व्यवहार है। सिद्धांत शास्ता और व्यवहार शासित है। जैसे अन्य वाङ्मयों में उभयविध-पक्ष हैं वैसे ही साहित्य में भी हैं। अतः साहित्य में भी व्यवहार-पक्ष या निर्माण-पक्ष अथवा कर्तृत्व-पक्ष और सिद्धांत-पक्ष या भावना-पक्ष अथवा शास्त्र-पक्ष दोनों होते हैं। शास्त्र इस प्रकार काव्य से भिन्न भी है और हितशासन के नाते उसका अंग भी।

काव्य और शास्त्र में भेद होते हुए भी अन्य वाङ्मय शास्त्ररूप में काव्य में यथावसर अनुस्यूत रहते हैं। साहित्य का उदर बृहत् है, गंभीर है। विश्व की कोई विद्या या कला अथवा उपविद्या ऐसी नहीं जिसका इससे साहित्य न हो। साहित्य की प्रसक्ति 'सहितस्य भावः' अथवा 'सहितयोः शब्दार्थयोः भावः' ही तक नहीं है, 'सहितानां शब्दार्थानां भावः' तक भी है। साहित्य का स्वकीय शास्त्र तो उसका अंग है ही, अन्य वाङ्मय या शास्त्र भी उपकारक हो उसके अंग बन जाते हैं। तो क्या काव्य और शास्त्र की भेदक विशेषता और है। अन्य भेदक तत्त्व को दृष्टिगम कर साहित्य को इतर वाङ्मयों से पृथक् करने की कल्पना अपर प्रकार से की गई।

जब किसी विचार, भाव या तथ्य को प्रकट करने का माध्यम शब्द ही है और जब शब्द किसी-न-किसी अर्थ को संकेतित करता है तब इन दो (शब्द और अर्थ) से त्रिधा स्थिति हो जाती है। कहीं शब्द का प्राधान्य, कहीं अर्थ का प्राधान्य और कहीं शब्द-अर्थ उभय का प्राधान्य या तुल्यबलत्व हो जाता है। लक्ष्य या उद्देश्य एक ही हो पर प्रस्थानभेद स्थिति त्रिधा कर देगा—वेदों में शब्द का प्राधान्य, पुराण-इतिहास-शास्त्र में अर्थ का प्राधान्य और साहित्य में शब्द-अर्थ का यथावत् सहभाव। वेद प्रत्यक्ष कहता है या साक्षात् संकेत करता है। पुराणेतिहास में साक्षात् संकेत न होकर शब्द की विश्रांति अर्थ में होती है। एक ही प्रसंग से संबद्ध परस्पर विरोधी वाक्य वहाँ एक ही तात्पर्य का प्रकाश कर देते हैं। साहित्य में दोनों समबल प्रयोजनीय होते हैं। इस विवेक ने भारतीय साहित्यपरंपरा को विभ्रांति से बचाया। इस परंपरा ने न कभी विज्ञान या ज्ञान को साहित्य माना और न कला को। सहायता सबकी स्वीकृत की।

शब्द और अर्थ के इस साहित्य ने दो सरणियाँ स्वीकृत कीं। एक वाणी की भंगिमा की और दूसरी रसात्मकता की। एक को वर्णना का वैशिष्ट्य मान्य हुआ, दूसरी को चर्वणा का वैशिष्ट्य। वर्णना में भी दो शैलियाँ दिखाई पड़ीं। एक बाँकपन से विशिष्ट और दूसरी स्वभाव से संश्लिष्ट। जो वर्णना में ही विरम गए उन्होंने वक्रोक्ति और स्वभावोक्ति रूप में वाङ्मय या साहित्य को द्विधा घोषित किया और जिन्हें मन की जीभ का चटकारना भी रुचा वे रसोक्तिसहित उसे त्रिधा कहने लगे। पर ज्ञानोक्ति, काव्य कभी न कहलाई। स्वभावोक्ति और वक्रोक्ति में कला का कलन और रसोक्ति में भाव का भावन या रस का विभावन मानकर संगति बैठाने में भी विसंगति है। भारतीय परंपरा कला को काव्य नहीं सकारती। साहित्य को वह विद्या कह ले, पर कला उपविद्या ही है। उपविद्या, विद्या की सहायता कर सकती है, स्वयं विद्या नहीं हो सकती। यहाँ सौंदर्य और शिल्प को एक नहीं माना गया। सुषमा केवल शिल्प नहीं है। सुषमा में जो तरलत्व है, वह शिल्प से भिन्न है। शिल्प सुषमा के उत्पादन में साधन या सहायक मात्र है। अतः कला या शिल्प से अर्थात् साधन से जिस साध्य की, जिस परमा की सिद्धि होती है वह शिल्प से भिन्न है। शिल्प रसात्मकता के निष्पादन में भी सहायक होता है, पर वह स्वयं रसात्मकता कहाँ है। इसलिए काव्य भारतीय परंपरा में कला नहीं माना गया। चौंसठ कलाओं में काव्य परिगणित नहीं है। हाँ, समस्यापूरण उनमें एक कला अवश्य है। पश्चिम ने काव्य को कला कहा। उसने साधन और साध्य में पार्थक्य नहीं किया।

जो वक्रोक्ति और स्वभावोक्ति को स्वीकार करते थे वे भी रसात्मक प्रतीति से अनवगत नहीं थे। जो रसोक्ति या रसानुभूति को ही सर्वस्व मानते थे वे भी वक्रोक्ति और स्वभावोक्ति की सत्ता समझते थे। रसोन्मुखता के बढ़ने का फल हुआ प्रकीर्णक या मुक्तक के माहात्म्य का अल्पीकरण, प्रबंध के प्रकर्ष का प्रवर्धन और रस के प्रवाह या धारा का स्वीकरण। मुक्तावली की रस-अंजली काव्यपिपासा की परिशांति फिर कैसे करती। अनुज्झितार्थसंबंध प्रबंध का रवारस्य रसविहीन निर्बंध को सरस करने लगा; सरित्प्रवाह का दृष्टांत तो सम्मुख था। भारत में इसी से आदि से ही प्रबंध की प्रकृष्टता रही। आदिकाव्य यहाँ प्रबंधरूप में प्रस्तुत हुआ। प्रबंध की प्रमुखता को मान्यता संस्कृत, प्राकृत और अपभ्रंश तक चली आई। प्रकीर्ण का अपेक्षाकृत अधिक चलन प्राकृत से धीरे-धीरे गतिशील हुआ। अपभ्रंश में उसका प्रचलन होने लगा। देशी भाषाओं के सिर उठाते ही यह चरमसीमा पर पहुँच गया। प्रकीर्ण या मुक्तक तो सहजोदाहर रहे और प्रबंध सचमुच दुरुदाहर हो गए।

प्राकृतकाल में प्रकीर्ण और मुक्तक के ईषत् उन्मेष का हेतु जनसमाज या प्राकृतजन में काव्य-प्रणयन के उल्लास का जागरण था। लोकजन में प्रबंध के बंध की अभिरुचि परिमित होती है। काव्य के व्यापक और समयसाध्य व्यापार से वह प्रायः पराङ्मुख होता है। संस्कृत तक यह स्थिति नहीं थी। वहाँ प्रकीर्ण की रचना भी जब हुई तब समयसापेक्षता के बाधक होने से। जहाँ सावकाश था वहाँ महाकाव्य का महत्प्रयास ही

दिखाई दिया। अपभ्रंशकाल में एक दूसरी परिस्थिति भी इस प्रवृत्ति का हेतु बन गई। अपभ्रंश को दी गई आभीरादिगिरा की अभिधा इसका संबंध विशेष प्रकार के लोकप्रवाह से जोड़ती है। यह लोकप्रवाह विदेशी प्रवाह से संबद्ध है। उस प्रवाह में प्रकीर्ण प्रयास पर जितनी आस्था थी उतनी प्रबंधप्रयास पर नहीं। जहाँ सावकाश था वहाँ अवश्य प्रबंधों का प्रणयन प्रकाम हुआ। जैनों के सांप्रदायिक कर्ताओं को परिपूर्ण अवकाश था। उन्होंने प्रबंधात्मक कृतियाँ प्रचुर परिमाण में प्रस्तुत कीं। हाँ, वे लोकसमन्वित अवश्य नहीं हैं। परिमित सीमा में ही उनका प्रचार-प्रसार होता रहा।

लोकानुबद्ध अपभ्रंश का रिक्थ देशी भाषाओं को मिला। इसी से इनमें प्रबंधों के प्रति वैसा उत्साह नहीं रहा। राजसभा की गोष्ठियाँ इस युग में बहुत बढ़ गईं। पहले भी ऐसी गोष्ठियों में प्रकीर्ण ही कला-कौशल दिखाया करते थे। पर पुराचीन युग में उनकी संख्या उतनी नहीं थी। देशी भाषाओं के उत्थान के समय दरबार दमक उठे। दरबारों में प्रशस्तिकाव्य तो यदा-कदा प्रबंधबद्ध भी लिखे जाते थे, पर अन्य रचनाएँ अधिकतर प्रकीर्ण ही होती रहीं।

देशी भाषाओं में सबसे ज्येष्ठ हिंदी है। हिंदी में काव्य-रचना का श्रीगणेश होते न होते भक्ति का आंदोलन उठ खड़ा हुआ। यह धार्मिक आंदोलन भी प्रबंध की धारा छेंकने लगा। फिर भी अपभ्रंश में धार्मिक सिद्धांतों के अनुकूल रसमय प्रबंध प्रस्तुत करने की जैसी वृत्ति जैनों में दिखाई पड़ी हिंदी में धार्मिक मतप्रचार के लिए सूफियों ने भी वैसी ही वृत्ति प्रदर्शित की। भेद यह है कि जैनों की कृतियाँ जहाँ अतिपरिमित क्षेत्र में ही पड़ी रहीं वहाँ सूफियों की मसनवियाँ कुछ विस्तृत भू-भाग में फैलीं। इस वृत्ति ने लोकमानस का स्पर्श करने को हाथ बढ़ाए। फिर भी पहुँच परिमित ही रही, क्योंकि अभिव्यक्ति की भाषा सर्वसामान्य नहीं थी, प्रादेशिक ही थी। धार्मिक प्रचार का प्रोल्लास होने पर भी सूफियों ने साहित्य की सरणि का परिपूर्ण ग्रहण किया। फारसी-साहित्य की मसनवी-पद्धति का सुस्थ प्रकर्ष इनकी कृतियों में दृष्टिगोचर हुआ। जैनों ने भी साहित्य की भारतीय सरणि का सहारा लिया था। यद्यपि प्रभविष्णुता उसमें पर्याप्त है तथापि उसका आभोग विस्तृत नहीं था। वह घेरे के बाहर आया ही कब। नाना प्रकार के गच्छों और भांडागारों तक जिनकी पहुँच थी उन्हीं को वह सुलभ था। इसीसे उसने प्रकृत हिंदीसाहित्य को प्रभावित नहीं किया। जो हिंदी के पाठकों को यह समझाते फिरते हैं कि उसकी भूमिका जैनों और बौद्धों की सांप्रदायिक सर्जना में है वे स्वयं भ्रम में हैं और उन्हें भी इस इलहाम से भ्रमित करना चाहते हैं। हिंदी के शुद्ध साहित्य की भूमिका संस्कृत और प्राकृत की सर्जना में तो ढूँढी जा सकती है, पर अपभ्रंश की सांप्रदायिक अर्चना में नहीं। अपभ्रंश के नैसर्गिक साहित्यप्रवाह से भी उसका संबंध जोड़ा जा सकता है पर जैनों के सांप्रदायिक संवाह से नहीं।

हाँ, सूफियों के सांप्रदायिक संवेदन ने हिंदी-साहित्य पर अवश्य प्रभाव डाला। सूफियों का प्रयास सांप्रदायिक और साहित्यिक दोनों था और वह शुद्ध साहित्य के

सर्जकों को सुलभ भी था। बौद्धों का प्रभाव सिद्धों और नाथों पर तो था, पर वह धर्मगत ही था। वहाँ साहित्य कहाँ। जैनों की सांप्रदायिक सर्जना में साहित्यिक संवेदना भी थी अवश्य, पर सर्वसुलभ कहाँ थी।

अस्तु! हिंदी-साहित्य के अतीत में शुद्ध साहित्यिक सर्जन सबका नहीं माना जा सकता। भक्ति की सारी-की-सारी रचनाएँ शुद्ध साहित्य के आयाम में कहाँ अटती हैं। कबीर आदि संतों की कथनी का धर्म या तत्त्वदर्शन की दृष्टि से चाहे कितना ही माहात्म्य हो और ये चाहे कितने ही बड़े दिव्यदर्शी महात्मा क्यों न हों, भारतीय काव्यपरंपरा और साहित्य की परिभाषा उसे साहित्य मानने को प्रस्तुत नहीं। विशुद्ध हिंदी-साहित्य की धारा में इनकी त्रिवेणी की बूँद नहीं पड़ी। साहित्यधारा को कोई विचारधारा तभी प्रभावित करती है जब उसमें साहित्य का लोकरसामृत होता है, सहस्रदल की मधुमयी अमृतधारा उसे अलोकसामान्य लगती है। सूफियों की सर्जना में साहित्य का संदीपन है। इसी से पूर्ववर्ती सूफियों की प्रेम की पीर ने परवर्ती साहित्य की प्रेमपीड़ा कुछ उभार दी। सूरदास और तुलसीदास का संवेदन शुद्ध धार्मिक नहीं है। उसमें साहित्यसंदीपन का सुप्रकाश प्राप्त है। अतः उसने भी परवर्ती साहित्य को प्रभावित किया सूर्य-चंद्रवत्। जिस सर्वसामान्य संवेदनात्मक सत्ता का संग्रह जायसी, सूर और तुलसी की वाणी ने किया उसका आग्रह तक कबीर आदि निर्गुनिया संतों की बानियों में नहीं है। साहित्य की सर्वसामान्य संवेदना की लोकभूमि से वे हटी हैं, दूर पड़ गई हैं। साहित्य, रहस्यदर्शी होकर लोकसामान्य भावलोक से अतींद्रिय होने लगता है और रहस्य के अलौकिक व्यापार को सँभाल नहीं पाता। सूफियों की रहस्यदर्शिता प्रबंधक्षेत्र में भावात्मक भूमि के कारण न तो केवल चाकचिक्य ही उत्पन्न करके रह जाती है और न प्रबंध में सर्वव्याप्त है। इसी से उसके ग्रहण को कुछ के हाथ बढ़े, विशेष रूप से स्वच्छंद काव्यधारा के कतिपय कवियों के, पर रहस्य की जितनी अधिक रति या व्यामोहमति निर्गुण के प्रति है उतनी सगुण के प्रति नहीं। इसलिए प्रत्यक्ष सगुणसत्ता में श्रद्धा रखनेवाला साहित्य उसके प्रति अधिक छोह नहीं दिखा पाता। अंत में उसका विछोह ही उसके हेतु श्रेयस्कर होता है। स्वच्छंदधारा के जिन कवियों में रहस्यदर्शिता की प्रणाली आई भी उनमें वह सगुणात्मक वेग के कारण टिक नहीं सकी। विश्वास न हो तो घनआनंद की साहित्यिक कृतियों से पूछ लीजिए।

जो भी हो, भक्तिकाल की जो सर्जना साहित्यिक शबलता से युक्त है वह भी विशुद्ध साहित्यिक नहीं कही जा सकती। जिसका साध्य और साधन दोनों साहित्यिक हैं ऐसी विशुद्ध सर्जना शृंगारकाल में हुई। उसकी साहित्यगत संपत्ति को अपेक्षाकृत हीन भी कह लिया जाय तो भी कोई आपत्ति नहीं। सूर और तुलसी अथवा सूर्य और शशि की कक्षा में चाहे शृंगारकाल का एक भी नक्षत्र न पहुँच सके पर विशुद्ध साहित्य की संदीप्ति उस काल के प्रत्येक प्रकाशपिंड में है, इससे विमति रखनेवाले लोचन चाहे जो दर्शन करते हों उनमें भारतीय साहित्यपरंपरा की दृष्टि तो नहीं ही है। सामाजिक स्वीकृति की दृष्टि से

भक्त होना परम गौरव का आस्पद है। भक्त, कवि से बड़ा हो इसमें किसी कवि को या साहित्यिक को कोई विप्रतिपत्ति नहीं। पर किसी भक्त या भगत की कोई निर्मिति तभी शुद्ध साहित्य हो सकती है जब उसका साध्य और साधन दोनों साहित्य हो। किसी कृति में, वह चाहे भक्त की हो या कवि की, राधाकृष्ण आलंबन हो सकते हैं। भक्त भी उन्हें अलौकिक मानता है और कवि भी। पर दोनों में दृष्टिभेद है। भक्त की दृष्टि भगवान् पर रहती है, कवि की दृष्टि साहित्य या काव्य पर। भक्त का साध्य भक्ति या भगवान् है। कवि का साध्य साहित्य या काव्य है। कवि भगवान् के प्रति आस्था रखता हुआ भी, उन्हें भगवान् मानता हुआ भी, भक्ति साहित्य की करता है। सूर और तुलसी भक्त भी हैं साहित्यिक भी। पर बिहारी भक्त नहीं, कवि ही हैं। केशवदास ने भी रामचंद्रचंद्रिका की फलश्रुति में भगवान् राम की भक्ति पाने का उल्लेख किया है। तुलसीदास ने भी रामचरितमानस की फलश्रुति में तत्सदृश ही कहा है। फिर भी केशवदास कवि ही हैं। तुलसीदास भक्त और कवि दोनों हैं। राम-कृष्ण, शृंगारकाल के शुद्ध कवियों की कृति के काव्य-विषय मात्र हैं। भक्तों की रचना के वे काव्य-विषय मात्र नहीं हैं, उनकी भक्ति के आलंबन हैं। किसी अवतार या अवतारी का काव्य-विषय होना अन्य स्थिति है और भक्ति का आलंबन होना अन्य स्थिति।

इस प्रकार हिंदी के शृंगारकाल में जो रचनाएँ राम या कृष्ण को आलंबन मानकर कवियों ने कीं, उनको भक्तिकाव्य नहीं कहा जा सकता। किसी अनालोचक की उपस्थापना है कि हिंदी का मध्यकाल भक्तिकाल है। उसे भक्तिकाल और रीतिकाल या शृंगारकाल में विभाजित करना उचित नहीं। ऐसी ही दिव्यदृष्टि हिंदी रामभक्तिकाव्य की परंपरा को आधुनिककाल में साकेत तक घसीट लाती है और कृष्णभक्तिपरंपरा को प्रियप्रवास तक। साहित्य-क्षेत्र में इस प्रकार की धारणा सुस्थ विचारित कभी नहीं मानी जा सकती। साहित्य-विवेक की दृष्टि नाना रूपात्मक जगत् में प्रतीत होनेवाले सम्यक् भेद और अभेद दोनों पर रहती है। तत्त्वज्ञान या वेदांत के अभेद दर्शन से साहित्य का समालोचक प्रज्ञाचक्षु हो जाता है।

अब शुद्ध साहित्यिक सर्जना की साजसज्जावाले शृंगार की अभिधा का किंचित् विमर्श-परामर्श भी प्रसंग प्राप्त है। उत्तरवर्ती मध्यकाल को किसी ने अलंकृतकाल, किसी ने रीतिकाल और किसी ने शृंगारकाल नाम से अभिहित किया। अलंकृतकाल नाम में दो विशेषताओं पर ध्यान रहा। एक तो इस पर कि इस युग में अलंकारशास्त्र या साहित्यशास्त्र के निर्माण की वृत्ति प्रमुख रही और दूसरे अलंकरण या साजसज्जा की। शास्त्र-निर्माण और व्यवहार व्यवस्थापन दोनों की समाई उसमें स्पष्ट है। पर रीतिकाल नाम में काव्यरीति या साहित्यशास्त्र से संबद्ध ग्रंथों के निर्माण की वृत्ति का तो संकेत है, पर अलंकरण की वृत्ति का इंगित नहीं है। सच पूछा जाय तो अलंकृतकाल नाम रीतिकाल नाम से कहीं अधिक युगगत प्रवृत्ति का प्रदर्शक है। हाँ, अलंकार शब्द का व्यापक अर्थ [illegible] को ग्राह्य नहीं। इधर 'रीति' का व्यापक अर्थ जो रीतिकाल नाम से प्रत्यक्ष है,

संस्कृत को अमान्य है। इन दोनों नामों के ग्रहण में कठिनाई यह है कि इस युग की विपुल सामग्री जो तत्तत् विशेषता से विरहित है इनमें अंतर्मुक्त नहीं हो पाती। अलंकृतकाल नामकरण के कर्ता को युग का विभाजन करने में बाधा पड़ी। प्रमुख कवियों के नाम से बिहारीकाल, पद्माकरकाल आदि अनन्वर्थक शीर्षकों की तालिका से येन-केन-प्रकारेण काम चलाया गया। रीतिकाल नाम के ग्रहीता को रीतिमुक्त नानाविध प्रकृष्ट ग्रंथराशि फुटकल खाते में फेंकनी या झोंकनी पड़ी। पर शृंगारकाल के अंतर्गत अधिकाधिक काव्यसामग्री आपसे आप सिमट आती है। केवल शृंगाररसपरक सर्जना की व्यापक प्रवृत्ति का द्योतन ही इस नाम से नहीं होता, साजसज्जा का, अलंकरण के सर्वव्यापक स्वरूप का भी सम्यक् संकेत मिलता है। 'शृंगार' का केवल रसमूलक अर्थ ही गज में रखकर यह कहना कि इस युग में अन्य रसों की भी व्यंजना हुई है, अतः इस नाम में उसका समाहार नहीं, बालबुद्धि का लेपन मात्र है। शृंगार का अर्थ आदिरस मात्र ही लिया जाए तो भी इस नियम से अवगत होना चाहिए कि किसी युग की प्रधान और बहुव्यापक प्रवृत्ति ही नामकरण में हेतु होती है। क्या रीतिकाल नाम अन्वर्थक रह जाता है जब उसमें अनरीतिवाली पुष्कल कृतियों के ग्रहण की अनरीति मौजूद है। किसी साहित्यिक वत्स का कहना कि शृंगारकाल नाम के प्रस्तावक की यह अपनी सूझ नहीं है, बचपन का विलपन मात्र है। जिस आचार्य ने रीतिकाल नाम रखा उसीने इस नाम का भी इस दृष्टि से संकेत किया था। कोई यदि आचार्यपाद की सूझ का समादर करता है और उस नाम के ग्रहण में अनेक नूतन तर्कणा और अन्वर्थकता इंगित करता है तो इसमें सौकर्य द्रष्टव्य है या सूझबूझ। आचार्यपाद ने स्पष्ट कहा है कि अभी विभाजन का मार्ग नहीं दिखाई पड़ता। किसी की प्रज्ञा-उपज्ञा ने सूझबूझ द्वारा मार्ग या पगडंडी ही अब तक क्यों नहीं सुझाई। इस युग की प्रेमव्यंजना का माहात्म्य बखाननेवाले आत्मार्थी यदि इसे शृंगारकाल नाम से अभिहित करने में विमति व्यक्त करें तो वदतो व्याघात दोष स्पष्ट है।

शृंगारकाल नाम प्रथित होने पर कुछ महानुभावों ने समन्वय का मार्ग पकड़ा। उन्होंने रीति-शृंगारयुग नाम धर दिया। यहाँ मुख्य विचार्य है 'रीति' शब्द को विशेषण बनाना। रीति विशेषण से केवल उन्हीं कृतियों की भेदकता होगी जो रीतिबद्ध होंगी। इस युग में रीतिबद्ध रचना का प्रचलन था, इसे कौन अस्वीकार करता है। पर कहना यही है कि युगबोधक नाम में 'रीति' शब्द जुड़ा नहीं कि व्याप्ति कम हुई नहीं एवं विभाजन की मति किंकर्त्तव्यविमूढ़ हो भाग खड़ी हुई नहीं।

यही क्यों, जिन्होंने रीतिकाल नाम दिया उन्होंने भी मुक्तकंठ ने कहा कि इस युग के कर्ताओं का लक्ष्य काव्यशास्त्र का लेखन नहीं था। उनकी काव्यात्मक अभिव्यक्ति माध्यम या आधार चाहती थी। वह उन्हें काव्यशास्त्रीय अंगों-उपांगों में मिला, जिन्हें उन्होंने काव्य-विषय बनाया। इस युग के निर्माता, शास्त्र के आचार्य नहीं थे, कवि ही थे। काव्यशास्त्र के ग्रंथों में गुत्थियों को सुलझाने में जैसी वाद-विवाद की सरणि ईप्सित है वैसी यहाँ कहाँ। यहाँ है संस्कृत की पकी पकाई शास्त्रसामग्री का लक्षणरूप में संग्रह और

वह भी बहुधा अनुवाद-उल्था। साथ ही अनुवदन में बहुत भ्रांतियाँ हैं। उदाहरण-पद्यों के रूप में काव्यकर्तृत्व के कौशल का प्रदर्शन ही इनका मुख्य प्रयोजन है। यहाँ यह भी स्मरण रखना है कि उन्होंने संस्कृतसाहित्यशास्त्र में प्रचलित सभी मतों को ग्रहण नहीं किया। हिंदी को सुबोध-सरल मार्ग अपेक्षित था। इस अपेक्षा के लिए मतवाद के बहुत से प्रसंग परित्यक्त कर दिए गए। जो हिंदी के इस युग के काव्यशास्त्र की परंपरा दिखाते हुए संस्कृत के वक्रोक्तिवाद की चर्चा करना परमावश्यक समझते हैं वे परमार्थतः अपने ग्रंथ का उपबृंहणमात्र करते हैं। इस प्रसंग में उसकी उधेड़बुन अनर्थक है।

हाँ, यह बता देना आनुषंगिक है कि जिसने शृंगारकाल नाम प्रस्तावित किया उसका सौभाग्य है कि इस नामोल्लेख के अनंतर जितने हिंदी-साहित्य के इतिहास हाट में बिकने आए उन्होंने किसी-न-किसी रूप में उसके किए इस युग के विभाजन की अर्घता सकार ली। रीतिबद्ध, रीतिमुक्त और स्वच्छंद काव्यधारा का उल्लेख वे भी करते हैं जो इस युग का नाम रीतिकाल रखना ही किसी पूर्वग्रह, आग्रह, अग्रह या विग्रह से समीचीन समझते हैं। कहाँ 'रीतिकाल' नाम और कहाँ ये विभाजन। किसी ने बचाव का पंथ नहीं पाया तो रीतिमुक्त के अंतर्गत रीतिबद्ध के अतिरिक्त अन्य सर्वविध सर्जना को समेटकर धर दिया। जिन्हें 'फुटकल' खाते में चढ़ाना चाहिए उन्हें 'रीतिमुक्त' के पेटे में पटक दिया। जो भी हो, इस नाम को मान लेना भी किसी-न-किसी रूप में उसकी प्रस्तावना की स्वीकृति ही तो है। शृंगारकाल नाम देनेवाला 'रीति' का बहिष्कार कब करता है। प्रवृत्ति के अधिकार शीर्षक में शृंगार को और उसके पेटे में रीतिबद्ध-काव्य को रखने में पूर्ण सौकर्य है। यह विधा या सुविधा आज नहीं तो कल सर्वमान्य होकर रहेगी, ऐसा दृढ़ विश्वास है।

रीतिबद्ध और रीतिमुक्त प्रवृत्तियों को सम्मुख रखने से क्या सरलता और इतिहासगत उपयोगिता है इनकी पड़ताल के हेतु ठाकुर और बोधा नाम के एकाधिक कवियों के प्रवृत्तिगत विमर्श को सामने रखा जा सकता है। प्रमुख रूप से ठाकुर तीन माने जाते रहे। इधर निश्छल भाव से होनेवाले अनुसंधान ने सिद्ध कर दिया है कि प्राचीन ठाकुर भ्रांतिवश माने गए हैं। इसका उत्स शिवसिंहसरोज में है। इसके प्रणेता श्री शिवसिंह संगर को किसी परवर्ती संग्रह के संबंध में भ्रम हो गया कि यह कालिदासहजारा है। इसलिए उन्होंने उसमें आई कई कृतियों में उन कवियों का नाम देखकर, जो कालिदास के परवर्ती प्रख्यात हैं, उन्हें प्राचीन घोषित कर दिया। इसलिए हिंदी के इतिहासकारों के समक्ष प्राचीन ठाकुर ही नहीं प्राचीन बिहारी भी आ विराजे। शिवसिंहसरोज के सन्-संवतों पर विचार करते हुए सबसे प्रथम यह बतलाया गया था कि इसमें आए सन्-संवतों को भ्रांतिवश जन्मकाल माना जा रहा है। इधर शोध की कड़ी कसौटी पर कसने से यही तथ्य प्रमाणित हो गया है। ज्यों-ज्यों अनुसंधान की तटस्थ वृत्ति जागरित होती जाएगी अनेक नवीन उपलब्धियाँ होती रहेंगी और हिंदी-साहित्य का इतिहास प्रकृत एवं शुद्ध रूप पाता जाएगा। इधर की छानबीन ने यह भी प्रमाणित कर

दिया है कि भूषण दो थे। प्रत्युत नवीन ज्ञात कवि भूषण शिवाजी के प्रशस्तिकार भूषण कवि से भी प्राचीन हैं। इसी प्रकार दो मतिरामों की भी संभावना है। एक ओर एक ही नाम के कई कवि एक होते जा रहे हैं जैसे आलम, तो दूसरी ओर एक ही नामवाले दो-दो कवियों की भी संभावना सप्रमाण सामने आ रही है। हिंदी कवियों का जो वृत्तसंग्रह आरंभ में किया गया उसके प्रणयनकाल में साधन और सामग्री परिमित थी। संग्राहक ने जितना और जैसा कार्य करके पथिकृत् होने का गौरव प्राप्त किया उसके लिए वह धन्यवादार्ह और वंद्य है। पर उन्हीं के आधार पर आधुनिक जिज्ञासा और शोधवृत्ति की पिपासा परितृप्त नहीं हो सकती।

अस्तु ! प्रकृत में कहना यह था कि तीन ठाकुरों के स्थान पर दो ठाकुर रह गए हैं। इन दोनों ठाकुरों की रचनाएँ मिश्रित हो गई हैं। उनको पृथक् करने का उद्योग करनेवालों को कठिनाई हुई और स्वकल्पित मानदंड से वे उन्हें पृथक् घोषित करते हुए भी भिन्न नहीं कर सके। पर इन ठाकुरों की प्रवृत्तियाँ रीतिबद्धता और रीतिमुक्तता के रूप में इतनी विलग हैं कि इन्हें सरलता से अलग किया जा सकता है। यही स्थिति बोधा की भी है। दोनों बोधा कवियों की रचनाएँ पृथक् हैं। एक शास्त्रानुयायी शास्त्रस्थितिसंपादन के प्रेमी रीतिबद्ध बोधा हैं तो दूसरे स्वच्छंदमार्गी प्रेमोमग के गायक रीतिमुक्त बोधा। सबको संपिंडित करके कहना है कि तटस्थ दृष्टि के लिए यह विचार अनपेक्षित है कि प्रस्तावक कौन है। उचित या उपयोगी का वक्ता वत्स भी मान्य हो सकता है और अनुचित या अनुपयोगी का उपदेशक ब्रह्मा भी अमान्य ही रहेगा।

मूल ग्रंथों और उनकी प्रवृत्तियों का यत्किंचित् विमर्श कर लेने के अनंतर कुछ टीका-तिलक का भी विचार कर लेना है। आधुनिक युग में समालोचना का चलन और मान इतना अधिक हो गया है कि सभी समालोचक बनने के हेतु पाँचों सवारों में अपनी गिनती कराने को लालायित रहते हैं। समालोचना या समीक्षा के लिए समालोच्य-समीक्ष्य की तलस्पर्शी लोचना या ईक्षा होनी चाहिए। इस ईक्षा, दृष्टि या दर्शन के निगित्त मूल के पद-पदार्थ का परिज्ञान वांछनीय है। संप्रति समीक्षा में सतृणाभ्यवहारी प्रवृत्ति न होने से देखादेखी एक ही विषय या कवि अथवा लेखक पर रंग-बिरंगे ग्रंथ प्रायः प्रकाशित हो रहे हैं। अधिकतर उन विषयों या कर्ताओं पर ये समीक्षक विशेष टूट रहे हैं जिनकी शिक्षाक्षेत्र में स्थापना हो चुकी है। हिंदी-साहित्य के अतीत के कवियों पर भी इनकी कृपादृष्टि हुई है। ये समीक्षक टीका का स्तर नीचा बताते हैं और समीक्षा का स्तर ऊँचा। फल यह है कि जो ग्रंथ जिन्हें लगते भी नहीं वे भी उन ग्रंथों के बने-ठने समीक्षक हैं। जिन प्राचीन महापुरुषों ने टीका-टिप्पणी का कार्य किया उनको अधःस्थ और अपने को उपरिस्थ मानते हैं। पर भारतीय परंपरा टीका-टिप्पणी करनेवालों का भी मान साहित्य-क्षेत्र में पुराकल्प से मानती आई है। रसविमर्शक आचार्यों में जिन मनीषी अभिनवगुप्त का सर्वोपरि संधान है वे साहित्यशास्त्र के टीका-भाष्यकार मात्र हैं। वे प्रत्यभिज्ञादर्शन के परमाचार्य हों उन्होंने तंत्रालोक नामक बृहत् ग्रंथ उस दर्शन के द्योतन के लिए भले ही लिखा हो, पर साहित्य में

कोई मूल ग्रंथ नहीं लिखा। अभी तक कोई मूल ग्रंथ लिखने की न उनकी ख्याति है और न कोई कहीं उपलब्ध ही हुआ है। भारतीय दृष्टि टीका-भाष्य नहीं उसका महत्त्व देखती आई है। साहित्य के क्षेत्र में ही नहीं वाङ्मय के अन्य क्षेत्रों में भी यही मान्यता है। महाभाष्यकार पतंजलि आदि इसके प्रमाण हैं। हिंदी के प्राचीन साहित्य का मर्म उद्घाटित करने के लिए कितने ही टीकाकारों का परिश्रम परम श्लाघ्य है। यों तो मध्यकाल के कई कवियों की कृतियों की टीकाएँ हुईं, पर सबसे अधिक टीकाएँ बिहारी की सतसैया और केशवदास के साहित्यिक ग्रंथों की हुईं। भक्तिशवलित साहित्य की टीकाएँ भी नहीं हुईं साहित्यिकों द्वारा। तुलसीदास के 'मानस' की टीका का भार भक्तों और व्यासों ने उठाया। साहित्यिक उधर नहीं गए। तुलसीदास के अतिरिक्त अन्यों की चर्चा ही व्यर्थ है। इस तथ्य ने स्पष्ट कर दिया है कि परंपरा शुद्ध साहित्य पर विशेष ध्यान देती आई है, उसका विमर्श-विवेचन सतत होता आया है। साहित्य के टीकाकारों में सूरति मिश्र का कार्य सबसे महत्त्वपूर्ण है। ये कोरे टीकाकार ही नहीं थे। इन्होंने साहित्यशास्त्र पर स्वतंत्र ग्रंथ भी लिखे हैं। इतना ही नहीं, हिंदी के लिए संस्कृत साहित्यशास्त्र का कौन-कौन-सा अंश ग्राह्य है और कहाँ नूतन उद्भावना या कल्पना वांछित है इसके निर्णय के लिए आगरा में इनकी अध्यक्षता में विद्वत्परिषद् का भी आह्वान किया गया था। इसमें कुछ निश्चय भी हुए और उनके अनुसार प्रवर्तन का प्रयास भी किया गया।

आधुनिक युग में इसी परंपरा में गुरुवर्य स्व. लाला भगवानदीन भी थे। इन्होंने भी केशव और बिहारी के ग्रंथों की टीका लिखी और फिर 'मानस' की टीका लिखने में भी हाथ लगाया। साहित्यशास्त्र के ग्रंथ भी लिखे। लालाजी की टीकाओं का महत्त्व स्वतःसिद्ध है। यदि वे बुंदेलखंड-प्रवास के ज्ञान का प्रकाश न देते तो केशव की कौमुदी सामने न आती। बिहारीबोधिनी में उन्होंने जैसी मार्मिक टीका का उद्योग किया उसकी महत्ता इतने से ही समझी जा सकती है कि बिहारीरत्नाकर ऐसी प्रौढ़ टीका बाईस वर्षों के अथक परिश्रम से करनेवाले बाबू जगन्नाथदास 'रत्नाकर' ने कई स्थलों पर लालाजी की टिप्पणियाँ नामोल्लेखपूर्वक ससम्मान उद्धृत की हैं। इन्होंने युग के अनुरूप समीक्षा लिखने का भी साहस किया। ऐसे महापुरुषों को केवल टीका-संप्रदाय का कहकर उनकी अवहेलना करनेवाले भारतीय परंपरा का माहात्म्य क्या जानें। उनके छिछले ज्ञान की पहुँच उस अगाध ज्ञानराशि तक हो ही नहीं सकती। लालाजी बड़े मनस्वी और आन-बान के साहित्यिक थे। उनकी इस मनस्विता की बानगी दिखाने के हेतु प्रस्तुत ग्रंथ में उनका कुछ वृत्त केशव के टीकाकारों के प्रसंग में दे देना अप्रासंगिक नहीं समझा गया, यही घोषित करने के लिए यह चर्चा यहाँ छेड़ी गई है।

अब इस विषय की चर्चा के साथ ही प्रस्तुत ग्रंथ की सरणि-पद्धति का भी उल्लेख-क्रम प्राप्त है। यह हिंदी-साहित्य के अतीत का इतिहास नहीं है। उस अतीत की कुछ झाँकियाँ दिखाना मात्र इसका प्रयोजन है। सब कवियों के सन्-संवतों का ब्यौरा देना, उनके जीवनवृत्त की छानबीन में प्रवृत्त होना प्रयोजनीय नहीं था। प्रत्येक के संबंध में

जो-जो ज्ञातव्य और स्वदृष्टि से कथितव्य था उसी का आकलन इसका लक्ष्य रहा है। जिन-जिन के संबंध में साहित्य के इतिहास बहुत कम सूचना देते हैं उनके विषय में यथालब्ध सामग्री के आधार पर यत्किंचित् नूतन कहने का प्रयास किया गया है। जहाँ जीवनवृत्त संबंधी जानकारी अपेक्षाकृत कम थी वहाँ उसका भी ऊहापोह किया गया है। इन कवियों के संबंध में नूतन विचार करते हुए कुछ पहले के प्रस्तुत लेख भी सामने आ गए और माँग करने लगे कि हमारा भी कहीं विनियोग हो जाना चाहिए। इसलिए उनको भी यथावसर और यथावकाश बैठाना पड़ा। ये लेख स्वतः यथास्थिति का संकेत करते दिखाई देंगे।

कई कवियों के विषय में वही सामग्री आकलित है जो पहले से उनकी कृतियों के संपादन की भूमिका के रूप में प्रस्तुत की जा चुकी है अथवा उन पर लिखे समीक्षात्मक ग्रंथ में यथास्थान प्रकाशित हो चुकी है। अध्यापक की आजीविका से लेखक के जीवन में भिन्नता है। जिसे दोनों प्रकार के कार्य करने पड़ते हैं उसे अध्यापन के पलड़े के झुकाव की ओर अधिक देखना पड़ता है। नाना प्रकार के साहित्यिक कार्यों की भीड़ में और साथ ही छात्रों और अनुसंधित्सुओं की मंडली में घिरकर वह लेखक के कार्य के लिए पर्याप्त अवकाश नहीं निकाल पाता। फिर जिसके अध्यापन के दो-तीन युग हो गए हों और जो साहित्य के व्यवसाय में स्वास्थ्य की पूँजी लगा चुका हो, उसे वृद्धता में चक्रवृद्धि ब्याज नहीं मिला करता। उस पूँजी के ही खो जाने की चिंता साहित्य-चिंता में अधिक होती दिखती है। फल यह है कि जिन प्रवृत्तियों और जिन कवियों पर विस्तृत कहना अपेक्षित था वह भी पूर्णरीति से संभव न हो सका। इधर काया कृश होकर लेखनी को चलने से वर्जित करती है और उधर अतीत की विशाल ग्रंथराशि पर अल्पात्यल्प लिखने पर भी पोथी महाकाय होकर चलती लेखनी का मार्ग छेक लेती है। इसलिए भी मन-की-मन में ही गोए रखने में ही कल्याण दिखाई पड़ा। पर यह विश्वास है कि इसमें जो भी यत्किंचित् है उसमें नई सामग्री पर्याप्त है, अल्प या अनल्प।

यहाँ कुछ ऐसी सामग्री भी संकलित है जिसने साहित्य-क्षेत्र या अन्यत्र फैले भ्रम के निवारण में योग दिया है या देगी। उदाहरण के लिए दो प्रसंगों का उल्लेख किया जाता है। हिंदी में आलम कवि दो माने जाते रहे हैं। एक अकबर के समसामयिक और दूसरे औरंगजेब के पुत्र मुअज्जम के समकालिक। आलम के समय का विस्तृत विचार करते हुए इस पुस्तक में यथास्थान प्रतिपादित है कि वस्तुतः आलम एक ही हैं और वे अकबर के समसामयिक हैं। इस लेख ने बहुत बड़े विवाद को शांत करने में सहायता की। यह लेखक का अहोभाग्य है। आलम की माधवानल-कामकंदला में 'रागमाला' नामक अंश है जो गुरुग्रंथ साहब में संकलित है। सिखों के दो दलों में इसे लेकर विवाद उठ खड़ा हुआ। एक दल का कहना था कि आलम औरंगजेब के पुत्र मुअज्जमशाह के समकालिक थे। इसलिए गुरुग्रंथ साहब में 'रागमाला' का अंश बाद में संयुक्त किया गया। इस प्रकार उक्त अंश वहाँ प्रक्षेप है। दूसरा दल कहता कि नहीं आलम, अकबर के

समकालिक हैं इसलिए 'रागमाला' का अंश क्षेपक नहीं है। उक्त लेख ओरियंटल कांफ्रेंस के उस अधिवेशन में सबसे पहले पढ़ा गया था जो काशी विश्वविद्यालय में हुआ था और जिसकी हिंदी-शाखा के सभापति स्व. श्यामसुंदर दास थे। पर लेखक उस कांफ्रेंस का नियमित सदस्य नहीं था, इसलिए लेख उसके कार्यविवरण और लेखमाला में स्थान न पा सका। पर वह उस समय नागरी प्रचारिणी पत्रिका का संपादक था इसलिए उसने इसे उसमें प्रकाशित करा दिया। उसके प्रकाशित हो जाने पर भ्रम का ध्वांत विलीन हो गया और विवाद की शांति हो गई।

दूसरा प्रसंग देव कवि के उस उद्गार से संबंध रखता है जिसमें अभिधा को उत्तम काव्य कहा गया है और जिसका उल्लेख स्व. आचार्यपाद रामचंद्र शुक्ल ने स्वमत के प्रतिपादन में दो स्थलों पर किया है। भारतीय परंपरा अभिधा को उत्तम काव्य नहीं मानती। देव कवि ने उलटी गंगा बहाई। 'अधम व्यंजना' पर तो शुक्लजी कुछ ठिठके, पर उसका समाधान उन्होंने यह कहकर कर लिया कि यहाँ उनका प्रयोजन वस्तुव्यंजना के क्रीड़ाकौतुक से होगा। देव के 'शब्दरसायन' में अभिधा, लक्षणा और व्यंजना का अर्थ कुछ और ही है और यहाँ उसका अर्थ परंपरासिद्ध रूप में माना गया है। इस लेख से प्रमाणित हो जाएगा कि देव ने अभिधा आदि शब्दों का प्रयोग नायिकाओं और उनके काव्य में नियोजन को लेकर किया है। उन्होंने अभिधा में अभिधा आदि जो चकपकाहट लानेवाले अनेक भेद किए हैं उन्हें प्रकृत अर्थ में न लेने से भारी भ्रम फैला हुआ था और है। इसके द्वारा उसके निवारण में विशेष सहायता प्राप्त होगी।

अस्तु! अपने मुख अपनी करनी का आख्यान-व्याख्यान उत्तम नहीं। अतः इस चर्चा का समापन करते हुए अब उस पुनीत कार्य में संलग्न होता हूँ जो कृतज्ञताज्ञापन कहलाता है। इस ग्रंथ के इस रूप में प्रस्तुत होने का सबसे अधिक श्रेय मेरे प्रिय शिष्य और अनुसंधायक श्री गोवर्धनलाल उपाध्याय को है। प्राध्यापक की सबसे प्रकृष्ट सहायता कदाचित् कोई उपाध्याय ही कर सकता है। इस कार्यभार से मुक्ति उन्हीं की उपासना ने दिलाई। समय के संकोच में भी उन्होंने यह सब कैसे संपन्न करा लिया, मैं स्वयं नहीं बता सकता। उनका नैत्यिक कार्य करने का आग्रह टाला न जा सका और नैमित्तिक साधना पूर्ण हो गई। इस होम की पूर्णाहुति पर सफलता का सारा आशीर्वाद उन्हीं को है। होता के लिए सामग्री-समिधा का संग्रह करनेवाले यदि कई न हों तो फिर अवभृथ स्नान करने का पुण्य वह कथमपि नहीं प्राप्त कर सकता। इस संग्रह-संकलन में सर्वश्री रामबली पांडेय, रामदास, चंद्रशेखर मिश्र आदि कई का योग है। मूर्ति को चरम सुषमासंयुक्त करने में सबसे अधिक तन्मनस्कता श्री पांडेय की रही। नामानुक्रमणी के संयोजन में तथा अक्षरशोधन में उनका मनोयोग तथा अन्यों का सहयोग साधुवादार्ह है।

अंत में उन सभी के प्रति आनी कृतज्ञता प्रकाशित करता हूँ जिनका ज्ञाताज्ञात रूप में इसके परिपूर्ण होने में किसी प्रकार की बड़ी या छोटी सहायता प्राप्त हुई है। उन कर्ताओं के प्रति शतशः प्रणतियाँ हैं जिनकी सामग्री की आधारशिला पर सब कुछ उरेहा

गया है। हिंदी में अतीत के क्षेत्र में सर्वतोदिक् कार्य हो रहा है और नाना प्रकार की अज्ञात सामग्री सामने आ रही है। परमित साधनों के कारण सबकी उपलब्धि संभव नहीं थी। जितना पुष्कल वाङ्मय नित्य निर्मित हो रहा है उसका आलोड़न थकी-बूढ़ी आँखें कैसे करतीं। इसलिए इसमें यथास्थान बहुत-सी सूचनाएँ अपूर्ण हो सकती हैं और अनेक त्रुटियाँ दिखाई दे सकती हैं। इसके लिए इतना ही निवेदन है कि इसके प्रस्तुत करने में जो गुण दिखाई दे उसी पर ध्यान दिया जाए। अवगुण या दोष के संबंध में विपश्चितों से क्या कहूँ। यही विश्वास है कि

सदोषमपि निर्दोषं भवत्यग्रे विपश्चिताम्।

श्रीकृष्णाष्टमी, २०१७ —विश्वनाथप्रसाद मिश्र
वाणी-वितान भवन
ब्रह्मनाल, वाराणसी।

द्वितीय परिवर्धित संस्करण

इस द्वितीय परिवर्धित संस्करण में कुछ सन्-संवतों तथा विवरण में संशोधन शिष्यों के नूतन अनुसंधान के परिणामस्वरूप और करना पड़ा है। विशेषतया सहायता श्री किशोरीलाल गुप्त एम. ए., पी-एच. डी. डी. लिट्. से मिली है। कुछ संशोधन-वर्धन नए हस्तलेखों के मिल जाने से करना पड़ा है। कुछ विषयों पर दिए गए भाषण या अभिभाषण भी जुट गए हैं। सर्वश्री किशोरीलाल गुप्त, बटेकृष्ण, जनार्दन चेलेर एतदर्थ आशीर्वादार्ह हैं।

इतने शीघ्र इस महाकाय ग्रंथ की मुद्रित प्रतियाँ समाप्त हो जाएंगी इसकी स्वप्न में भी कल्पना नहीं की थी। पर वह प्रत्यक्ष दिख रही है। अब चर्म मांस से स्नेहसंबंध परित्यक्त करने लगा है। इसलिए शृंगारकालीन बृहत् साहित्य का आलोड़न-विलोड़न अशक्य होता जा रहा है। जो कुछ मस्तिष्क में संगृहीत है उसका दान लेनेवाला कोई है ही नहीं। सत्पात्र का विचार दान में किया जाता है, पर पात्र भी कोई नहीं मिलता है। जो हैं वे शत योजन की दूरी पर हैं। शरीर भौतिक कमाई तो छोड़ जाएगा पर मानसिक साथ ही ले जाएगा, ऐसा प्रतीत होता है। कलियुग में रीतियुग या शृंगारयुग की चर्चा बहुत पुरानी पड़ती जा रही है, यद्यपि 'क' में 'एकार' की कमी नहीं है। फिर भी आशा बलवती है। आशाएँ दीप्तिमती दिखती हैं। शं वो भवतु।

श्रीकृष्णाष्टमी, २०२३ —विश्वनाथप्रसाद मिश्र
स्नानकोत्तर हिंदी विभाग
मगध विश्वविद्यालय, गया

तृतीय संशुद्ध संस्करण

यह तृतीय संशुद्ध संस्करण है। इसमें कुछ कवियों के विषय में अनुमित धारणाएँ नवीन अनुसंधान ने बदल दी हैं, जैसे गिरिधर कविराय और गुमान मिश्र में। कतिपय संशोधन फिर भी किसी कारण छूट गए हैं। अगले संस्करण तक उसकी प्रतीक्षा करनी पड़ेगी। इसमें परिवर्धन का विचार करके भी महार्घता के कारण नहीं कर पाया। इस संस्करण के प्रकाशन ने अधिक समय लिया। हिंदी में पुस्तकों की क्रयशक्ति क्षीण हो रही है।

श्रीकृष्णजन्माष्टमी, २०३६ —विश्वनाथप्रसाद मिश्र
वाणीवितान,
ब्रह्मनाल, वाराणसी

विषय-सूची

रीतिमुक्त काव्य

हास्यकाव्य

प्रशस्तिकाव्य

नीति की सूक्तियाँ

नाट्यकाव्य

अनुवादकाव्य

गद्य

परिशिष्ट

हिंदी-साहित्य

का

अतीत

दूसरा भाग

श्रृंगारकाल

- रीतिकाव्य
- रीतिसिद्धकवि
- हास्यकाव्य
- नीति की सूक्तियाँ
- अनुवादकाव्य
- रीतिबद्ध
- रीतिमुक्त
- प्रशस्तिकाव्य
- नाट्यकाव्य
- गद्य
- परिशिष्ट

*

भारतीय आलोचना

भारत में साहित्यशास्त्र या आलोचना का जो मौलिक विचार हुआ है वह संस्कृत भाषा में ही। आलोचना का मौलिक विचार न प्राकृत में है, न अपभ्रंश में, न देशी भाषाओं (हिंदी, बंगाली, मराठी, गुजराती आदि) में। सांप्रतिक साहित्य में आलोचना का जो विचार होता है वह या तो संस्कृत साहित्यशास्त्र का आधार लेकर या पश्चिमी अँगरेजी भाषा के आलोचनाशास्त्र का अवलंबन करके। स्वतंत्र रूप से विचार करने की परंपरा अभी तक स्थापित ही नहीं हुई है। एकाध विचारक ऐसे अवश्य मिलते हैं जिन्होंने स्वच्छंदता का आभास दिया है, जैसे हिंदी में स्व. आचार्य रामचंद्र शुक्ल ने। इन्होंने पुरानी धाराओं का विमर्श कुछ नए ढंग से किया है। इस प्रकार मौलिकता की दृष्टि से भारतीय आलोचना का अर्थ है संस्कृत भाषा में हुई आलोचना।

संस्कृत में आलोचना का जो रूप दिखाई देता है उसे आधुनिक पदावली में कहना चाहें तो कहेंगे कि उसमें सैद्धांतिक आलोचना तो है पर व्यावहारिक आलोचना नाममात्र की। जो है भी वह यत्र-तत्र टीकाओं और भाष्यों में पड़ी है। किसी एक कवि को अथवा उसके किसी एक ग्रंथ को लेकर विस्तृत पुस्तकाकार आलोचना नहीं मिलती। यही परंपरा आधुनिक युग का आरंभ होने के पूर्व अर्थात् अँगरेजी भाषा की आलोचना के संपर्क में आने के पूर्व अन्य उत्तरकालिक सभी भाषाओं में मिलती है। कोई नूतन उन्मेष नहीं दिखाई देता। अँगरेजी भाषा के पूर्व फारसी भाषा का संपर्क भी यहाँ की देशी भाषाओं से हुआ था, पर फारसी में आलोचनाशास्त्र छंद-अलंकार से अधिक नहीं था। उस आलोचना का चलन या ग्रहण यहाँ की देशी भाषाओं में इसलिए भी नहीं हुआ कि उसका बहुत प्रत्यक्ष प्रभाव यहाँ की साहित्यधारा पर नहीं पड़ा। निर्माणपक्ष पर जो प्रभाव पड़ा उसे आत्मसात् करने का प्रयास हुआ और काव्य में वे सारी प्रवृत्तियाँ घुल-मिल गईं। छंद नाममात्र को ही लिए गए। कुछ अलंकार अवश्य लिए गए, पर उनका रूप यहाँ के अलंकारशास्त्र में भी मिल गया। अतः पृथक् से उनके विचार की बात ही नहीं उठी।

इस प्रकार भारतीय आलोचना या संस्कृत-साहित्यशास्त्र अक्षुण्ण बना रहा। उसके अक्षुण्ण बने रहने का हेतु यह भी है कि आलोचना का यह विचार बहुत प्राचीनकाल से होता चला आ रहा है और साहित्य के विविध रूपों का उसमें बड़ी गंभीरता से विचार किया गया है। यह तो नहीं कहा जा सकता कि जो कुछ विचार-विमर्श संस्कृत में हो गया उसके आगे होने की संभावना ही नहीं है, पर यह अवश्य कहा जा सकता है कि यह विमर्श बहुत प्रौढ़ है।

अब देखना चाहिए कि वह दृष्टि कौन-सी है जिसके अनुसार यहाँ साहित्यशास्त्र या अलंकारशास्त्र का विवेचन किया गया। साहित्य का निर्माण त्रिकोणात्मक होता है। एक साहित्य का निर्माता, कर्ता या कवि होता है। दूसरे जिनको वह काव्य में निबद्ध करता है, जिनका वर्णन करता है, जिनकी कथा कहता है वे वर्ण्य होते हैं। तीसरे वे होते हैं जो उस काव्य को पढ़ते, सुनते या ग्रहण करते हैं—पाठक, श्रोता या ग्राहक। साहित्य का सारा संभार इन्हीं तीन के बीच होता रहता है। इसलिए यह स्वाभाविक है कि साहित्यशास्त्र का विवेचन करनेवाले इन तीनों को दृष्टिपथ में रखकर विचार करें। जो निर्माता होता है उसकी निर्मिति विशेष प्रकार की शैली में होती है। व्यक्ति-व्यक्ति के भेद से शैली में भेद होता है, हो सकता है। यदि निर्माता की दृष्टि से काव्य का विवेचन हो तो प्रकृत्या शैली की मीमांसा करनी पड़ेगी और यह निष्कर्ष निकालना होगा कि वह कौन-सी शैली या शैलियाँ हैं जिनके कारण कोई उक्ति काव्य कही जाती है। यदि इस प्रकार की विशेषता की खोज न की जाय तो फिर मानना पड़ेगा कि कोई भी उक्ति काव्य की उक्ति हो सकती है और कोई भी वक्ता या शब्दशिल्पी कवि हो सकता है।

इस दृष्टि से संस्कृत के आचार्यों ने यह निश्चित किया कि काव्य की उक्ति सामान्य उक्ति से भिन्न होती है, वह विशेष होती है। सामान्य वार्ता और काव्य में भेद है। कवि जो कुछ कहता या करता है वह विशिष्ट होता है। उसकी यह विशिष्टता क्या है इसी की खोज में साहित्यशास्त्र में अलंकार, गुण, रीति, वक्रोक्ति संबंधी मतों का प्रवर्तन हुआ। कहना चाहें तो कह सकते हैं कि इन मतों ने कर्ता या उसकी कृति की दृष्टि से काव्य का विवेचन किया। वर्ण्य अथवा ग्राहक का विचार इन संप्रदायों ने अपने विचारक्षेत्र के आयाम के बाहर ही रखा अथवा उसका जितना विवेचन किया वह नगण्य ही है। हाँ, यह अवश्य कह सकते हैं कि वर्ण्य और अलंकार्य का विचार इन्होंने ग्राहक की अपेक्षा कुछ अधिक रखा है। इनके अनुसार कोई उक्ति काव्य की उक्ति हो गई यदि उसमें अलंकार, गुण, रीति या वक्रोक्ति का समुचित नियोजन कर दिया गया। इनकी दृष्टि से यह कह सकते हैं कि किसी दृश्य, व्यक्ति या वस्तु को देखकर उसके कारण क्या भाव जगा, इसका महत्त्व कम है। किस प्रकार किसी ने देखा और किस विधि से उसने उसे काव्यबद्ध किया यही महत्त्वपूर्ण है। यह भी कह सकते हैं कि इनके सम्मुख 'शब्द' का महत्त्व था, ये चमत्कार या बुद्धि के खेल को प्रमुख समझते थे। अर्थ अर्थात् पदार्थ और उस पदार्थ की प्रेरणा से हृदय में उठनेवाले भाव को उतना महत्त्वपूर्ण नहीं मानते थे, पहले काव्य के सौंदर्य की खोज की जाती थी और कहा जाता था कि काव्य का ग्रहण अलंकार (शैली) के कारण होता है। अलंकार सौंदर्य है। फिर काव्य के प्राण की भी खोज होने लगी। इस प्राण को उन्होंने 'वक्रता' में पाया। चारुत्व की खोज में कहीं वे शब्दमात्रनिष्ठ रूप (अलंकार) को खोजते और कहीं संधान में वे कुछ और गहरे उतरते, बाह्य पक्ष से आंतर पक्ष या कक्ष में पहुँचते, पर यह आंतरिकता उक्ति की ही थी। भाव से इसका सीधा संबंध न था। भंगीभणिति का ही माहात्म्य रहा, भावाभिव्यंजन का नहीं।

काव्य सुनने, पढ़ने, मनन करने के लिए ही समझा जाता था; लीन होने, भावमग्न होने के लिए नहीं। कहना चाहें तो कहेंगे कि श्रव्यकाव्य की जो परंपरा चल रही थी उसमें उक्ति का ही वैशिष्ट्य सब कुछ था।

इसके साथ ही एक दूसरी दृष्टि से भी साहित्य या काव्य का विचार किया जा रहा था। यह दृष्टि कर्ता पर न थी, ग्राहक पर थी। काव्य को ग्रहण करनेवाले की क्या स्थिति होती है, उसे इससे सुख क्यों मिलता है। इस दृष्टि का विवेचन काव्य के दूसरे भेद का विवेचन करनेवालों ने किया। नाट्यशास्त्र में इसका विचार किया गया। इसी से केवल ग्राहक का नहीं, अभिनेता का भी विचार इसमें किया गया। कर्ता, नेता, अभिनेता और ग्रहीता—चार को दृष्टिपथ में रखकर इनकी विवेचना चली। यद्यपि कर्ता का विचार इन्होंने प्रधानतया नहीं किया, पर एकदम उसे छोड़ भी नहीं दिया है। प्रधान दृष्टि इनकी यही रही है कि ग्राहक को काव्य से सुख मिलता है। काव्य की वह कौन-सी विशेषता है जो ग्राहक को सुख देती है। इसका निश्चय किया गया कि वस्तुतः 'रस' ही वह तत्त्व है जो ग्राहक के सुख का कारण है। पर यह 'रस' कहाँ रहता है—कर्ता में, नेता में, अभिनेता में या ग्रहीता में। कर्ता में यदि हो तो वह ग्रहीता के समान ही तो है। निर्माण के अनंतर कर्ता भी उसका ग्राहक है। कर्तृत्वकाल में बीजरूप से रस उसमें हो सकता है। देखना चाहिए कि वह नेता (वर्ण्य, अनुकार्य) में होता है, अभिनेता (अनुकर्ता, नट) में होता है या ग्रहीता (दर्शक) में। किसी ने कहा वह नेता में होता है और किसी ने कहा वह नेता और अभिनेता दोनों में होता है और किसी ने कहा वह ग्रहीता में होता है।

साथ ही प्रश्न हुआ कि क्यों होता है, कैसे होता है। इसी के विचार के लिए साधारणीकरण की चर्चा की गई। जो काव्य में 'वर्ण्य' या अनुकार्य होते हैं उनकी विशेषता हट जाती है, जो ग्रहीता होते हैं उनकी भी विशेषता हट जाती है। दोनों साधारण हो जाते हैं। इसी से एक की अनुभूति दूसरे में हो जाती है। एक भोक्ता हो जाता है दूसरा भोगा जाता है। पर प्रश्न हुआ कि एक की अनुभूति दूसरे की कैसे होगी तो इसका उत्तर दिया गया कि ग्रहीता की ही अनुभूति आस्वाद का हेतु है। जो अनुभूति दबी पड़ी रहती है, अव्यक्त रहती है वही व्यक्त हो जाती है। व्यक्त होने से ही उसमें आस्वाद प्राप्त होता है। इन्हीं सब बातों को लेकर उत्पत्तिवाद, अनुमितिवाद, भुक्तिवाद और व्यक्तिवाद नाम के वाद चले। इसका भी विचार किया गया कि अनुभूतिलोक में पाई जानेवाली अनुभूति, से आकार-प्रकार में भिन्न दिखाई देती है। अतः इसे अलौकिक अनुभूति कहा गया।

इस प्रकार श्रव्यकाव्यवालों का वक्रोक्तिवाद या अतिशयोक्तिवाद और दृश्यकाव्य या नाट्यशास्त्रवालों का रसवाद दो भिन्न-भिन्न दृष्टियों से चले वाद थे। रसवाद के ही प्रसंग में ध्वनिवाद और अनुमितिवाद भी आया। आगे चलकर दोनों मिल गए और 'रस', साहित्य या काव्य का मुख्य साध्य माना गया। सौंदर्य की खोज, प्राण की खोज, फिर आत्मा की खोज की गई। यह आत्मा 'रस' में मिली। रसशास्त्र या साहित्यशास्त्र में आत्मा का विचार हुआ। आत्मा का विचार होने के कारण 'साहित्य' भी 'दर्शन' कहा गया।

अब इसकी विशेषताओं का निरूपण करना चाहिए। एक तो यहाँ काव्य के निर्माण और काव्य के ग्रहण को पृथक् रूप में माना गया। कर्ता और ग्रहीता में तुल्यता होती अवश्य है पर दोनों में शक्तियाँ भिन्न-भिन्न होती हैं। एक शक्ति निर्माता से निर्माण कराती है दूसरी ग्राहक से ग्रहण। पहली को कारयित्री और दूसरी को भावयित्री कहा गया। वाङ्मय में दो भेद माने गए। एक तो निर्माण की दृष्टि से 'काव्य' कहलाया, दूसरा ग्रहण की विशेषता, निर्माण के लिए अंकुश या शासन के रूप में होने से 'शास्त्र' हुआ। निर्माण को, काव्य को, रमणीय होना चाहिए; उसे भावात्मक होना चाहिए। उसमें हृदयपक्ष प्रबल है, मुख्य है। बुद्धिपक्ष गौण है। काव्य का यदि कोई ग्राहक मात्र रह गया तो वह 'भावुक' ही है। यदि वह टीका-टिप्पणी करने लगा, विचारपूर्वक कहने लगा, आलोचना में लगा तो 'भावक' हो गया। भावुक केवल सहृदय है। भावक सहृदय भी है और विचारक भी। इसलिए काव्य यहाँ 'अविचारित रमणीय' हुआ और शास्त्र 'विचारित सुस्थ'। यदि काव्य ''विचारित सुस्थ' हो, उसमें भाव की रमणीयता के स्थान पर विचार या ज्ञान का बोध और व्यवस्था मुख्य हो तो वह काव्य नहीं रह जाएगा। यदि शास्त्र 'अविचारित रमणीय' हो, उसमें भावात्मकता हो तो वह शास्त्र नहीं रह जाएगा। स्पष्ट क्षेत्रभेद हो गया, रूपभेद हो गया। इसी से काव्य का काम शुद्ध उपदेश देना नहीं है। शुद्ध उपदेश दूसरे वाङ्मय का कार्य है। काव्य में उपदेश कांतासम्मित रहेगा, अभिधा या लक्षणा में नहीं, व्यंजना में रहेगा। इसलिए भारतीय दृष्टि से 'नीति' आदि के श्लोक, दोहे काव्य नहीं हो सकते। न चाणक्यनीतिदर्पण काव्य माना गया और न उसके अनुसार कबीर आदि शताधिक संतों की उपदेशात्मक सब्दी, साखी, रमैनी आदि काव्य कही जा सकती हैं।

दूसरी विशेषता यह है कि यह साहित्यशास्त्र सामाजिक भूमि पर स्थित है, वह चाहे वक्रोक्तिवाद या अतिशयोक्तिवाद हो चाहे रसवाद। कर्ता की दृष्टि प्रधान होने पर भी यहाँ लोक की मर्यादा का विचार रखकर, परंपरा का ध्यान रखकर व्यवस्था की गई। 'अतिशय' का, जो 'वक्र' का पर्यायवाची माना गया है, अर्थ है लोकसीमा का उल्लंघन। पर लोकसीमा या मर्यादा के उल्लंघन का अर्थ यह नहीं कि सामाजिक मर्यादा का उल्लंघन हो। उक्ति में ऐसे ढंग से बातें कही जा सकती हैं जो लोकप्रवाह में मिलनेवाले ढंग से भिन्न ढंग की हों। पर लोकमर्यादा का त्याग यहाँ की साहित्यपरंपरा को मान्य नहीं। कोई तथ्य (फैक्ट) ऐसा लिया ही नहीं जाएगा। हाँ, उसके उपस्थित करने में विलक्षणता हो सकती है। रूपकातिशयोक्ति अलंकार की शैली में ही चमत्कार है। जिस प्रस्तुत या उपमेय को उपमान निगीर्ण किए रहता है वह लोकमर्यादा के विरुद्ध नहीं होता। काव्य का आलंबन यहाँ भी लौकिक ही होता है। शैली में भी परंपरास्वीकृत उपमानों से ही उपमेय व्यंजित होता है। यदि ऐसा न होगा तो कबीरदास की 'उलटवाँसी' भी रूपकातिशयोक्ति हो जाएगी। इसी से यहाँ रहस्य शैली में ही रहा, काव्यार्थ रहस्य नहीं माना गया। आधुनिक ढंग से कहें तो छायावाद, जिसमें शैली का चमत्कार होता है, काव्य हो सकता है, पर रहस्यवाद जो काव्य के विषयगत चमत्कार से युक्त होता है, काव्य में

कभी स्वीकृत नहीं हुआ। फारसी भाषा और साहित्य के बहुत दिनों यहाँ प्रचलित रहने पर भी उसका रहस्यवाद भारतीय धारा में पनप न सका। कवींद्र रवींद्र ने कबीर की प्रशस्ति और उनके रहस्यवाद का अभिनंदन परमार्थतः अँगरेजी-साहित्य के रहस्यात्मक प्रवाह के कारण किया। इसके पूर्व उन्हें कोई काव्य-क्षेत्र में नहीं मानता था। रवींद्र ऐसे महापुरुष के कहने के कारण जो कबीर का माहात्म्य काव्य-क्षेत्र में आलोचक भी मानने लगे वह भारतीय साहित्यशास्त्र की दृष्टि से अविचारित रमणीय ही है, विचारित सुस्थ नहीं। अर्थात् भावुकतावश ऐसा हुआ है, मीमांसा की प्रकृत सरणि के कारण नहीं।

रसवादियों में तो सामाजिकता बहुत स्पष्ट है। वे सामाजिक मान्यता को औचित्य कहते हैं और अनौचित्य को रसभंग का हेतु मानते हैं। उनके दर्शक या ग्राहक सामाजिक ही होते हैं। सामाजिक कहने का तात्पर्य यही है कि जो सबकी सब प्रकार की अनुभूति कर सकने में समर्थ हो। सहृदय कहने का भी यही अर्थ है।

इन सब मान्यताओं का परिणाम यह हुआ कि भारतीय आलोचना लोक-भूमि पर दिखाई देती है। व्यक्तिबद्ध अनुभूति के लिए उसमें स्थान नहीं रह गया। उनकी सारी व्यवस्था रस की दृष्टि से या समाज की दृष्टि से है। अलंकार, रस सर्वत्र यह सामाजिकता व्याप्त है। यह सामाजिकता किसी वर्ग विशेष से संबद्ध नहीं। रस की दृष्टि से उन्होंने भाव के जो रूप गृहीत किए वे सर्वव्यापी हैं। जो यह समझते हैं कि रस केवल आनंद को ध्यान में रखता हैं वे भ्रम में हैं। रस के आनंद की भूमि लोकभूमि है। रसाभास के प्रसंग इसे और स्पष्ट कर देते हैं।

यहीं पर एक बात और समझ लेनी होगी। भारतीय आलोचना में सदा नवीन उन्मेष होता रहा है। उसमें नए-नए स्कंध निकलते रहे हैं और निकल सकते हैं। जो यह समझते हैं कि रसों की संख्या नौ ही है, जो यह समझते हैं कि अलंकारों का स्वरूप नियत है, उन्हें भारतीय आलोचना का इतिहास देखना चाहिए। उन्हें पता चलेगा कि किस प्रकार उनकी संख्या बढ़ती रही है और किस प्रकार उनमें नूतनता का समावेश होता रहा है। यह आलोचना आज भी काम की है। यदि सारे समाज को वह जैसा है वैसा ही उसे सामने रखकर प्रयोग करना है अथवा यदि उसमें किसी प्रकार का वैषम्य हो गया है और उसे बदलना है तो रसदृष्टि आज भी काम दे सकती है। जो इसे बिना पढ़े केवल यह कहने के अभ्यासी हो गए हैं कि वह पुरानी पड़ गई है, वे वस्तुतः अपनी अज्ञता का ही परिचय देते हैं। रस द्वारा वृत्तियों का परिष्कार होता है। नूतन मनोविज्ञान जिस परिष्कार या परीवाह की चर्चा करता हैं वह अपने ढंग से रसवादियों को स्वीकृत है। हाँ, काव्य का पुरुषार्थ केवल अर्थ यहाँ नहीं माना गया, केवल काम नहीं माना गया। एकांगी दृष्टि से शास्त्र का विवेचन यहाँ हुआ ही नहीं। चतुर्वर्गफलप्राप्ति काव्य का भी लक्ष्य है। यह फलप्राप्ति सरलतापूर्वक हो सकती है साहित्य से और अन्य मतवालों को भी उसकी प्राप्ति हो सकती है। जो लोग साहित्य की आर्थिक भूमिका का विचार करते हैं वे कर्ता को तो ध्यान में रखते हैं, पर श्रोता को भूल जाते हैं। इसलिए उनका विचार और भी एकांगी हो

जाता है। तत्व की बात यह है कि विवेचन की सूक्ष्मता के कारण भारतीय आलोचना पद्धति दुरूह हो गई।

काव्यमीमांसा

काव्य की मीमांसा भारत में बहुत प्राचीनकाल से होती आ रही है। काव्य के श्रव्य और दृश्य भेद भी पुरातन हैं और जहाँ तक काव्यमीमांसा की बात है दोनों में मान्यताएँ भी भिन्न-भिन्न रही हैं। आगे चलकर दोनों का एकीकरण हो गया। श्रव्यकाव्य के मीमांसक वाणी के वैचित्र्य को काव्य का लक्षण मानते थे और दृश्यकाव्य के विवेचक रस को। एक पक्ष की दृष्टि निर्मित कृति पर थी और दूसरे की उसके प्रभाव-परिणाम पर। एक कर्ता को देखता था, दूसरा ग्राहक को। एक कथन और कथनकर्ता को सामने रखता था और दूसरा दृश्यत्व और दर्शक को। 'शब्दार्थौ सहितौ काव्यम्' कहनेवाला रस-भाव से अपरिचित रहा हो ऐसी बात नहीं है। काव्यकृति में वेद या व्याकरण की भाँति 'शब्द' और पुराणेतिहास की भाँति 'अर्थ' का प्राधान्य नहीं है, 'शब्दार्थ' का सहितत्त्व ही सब कुछ है। इसी 'सहित' से साहित्य भी बन गया। इसके पूर्व 'काव्य' का 'साहित्य' अभिधान नहीं। 'साहित्य' में, 'काव्य' में, 'वागर्थ' संपृक्त होते थे। आगे चलकर 'शब्दार्थ' काव्य का शरीर कहा गया, उसके चारुत्व की खोज होने लगी, उसके सौंदर्य की छानबीन की जाने लगी। वामन को कहना पड़ा 'काव्यं ग्राह्यं अलंकारात् सौन्दर्यमलंकारः'। शरीर और सौंदर्य के अन्वेषण से भी परितुष्ट न होकर उसके प्राण की प्रतिष्ठा का विचार किया गया और कुंतक ने घोषणा की—'वक्रोक्तिः काव्यजीवितम्'। श्रव्यकाव्य शास्त्रपरंपरा की यह चरमसीमा है।

दृश्यकाव्य के विवेचकों की परंपरा 'रस' से ही आरंभ होती है। 'रस' के क्षेत्र में फिर ध्वनि-व्यंजना का विचार अग्रसर हुआ और सामाजिक, सहृदय, भावुक को लेकर विषय-विमर्श किया जाने लगा। श्रव्यकाव्य के मीमांसक दोष का परिहार करने पर ध्यान देते थे। पंडित-बुध उसके लिए कसौटी थे—'कविः करोति काव्यानि स्वादं जानन्ति पंडिताः'। पर 'रस' के निर्णायक सहृदय हुए। काव्य हृदय से हृदय का व्यापार माना गया। समाज उसमें प्रधान हुआ। अतः औचित्य (सामाजिक मर्यादा) रस के लिए आवश्यक माना गया। रस का रहस्य औचित्य में मिला। इसकी परमावधि औचिती हुई। भामह, वामन, कुंतक आदि की परंपरा और भरत, भट्टनायक, अभिनवगुप्त की परंपरा भिन्न-भिन्न है। आगे चलकर दोनों का सम्मिश्रण हो गया। साहित्य-दर्पणाकार ने कहा 'वाक्यं रसात्मकं काव्यम्'। काव्यमीमांसा में रसमीमांसा का प्राधान्य हुआ। सौंदर्यानुभूति से आगे बढ़कर रसानुभूति का चिंतन-मनन होने लगा।

यह कहना बहुत कठिन है कि श्रव्यकाव्य की मीमांसा प्राचीन है या दृश्यकाव्य की, पर यह प्रसिद्ध है कि 'अलंकारा एव काव्ये प्रधानमिति प्रच्यानां मतम्'। श्रव्यकाव्यवालों का पक्ष अलंकार या सौंदर्य है। श्रव्यकाव्य के कर्ता वाल्मीकि ही आदिकवि कहलाते हैं। भरत के नाट्यशास्त्र में अलंकारों का उल्लेख है। जो भी हो, समाज के विकास के साथ ही समाज का प्राधान्य भी हुआ होगा। कर्ता के स्थान पर ग्राहक का महत्त्व बढ़ा होगा। वाल्मीकिकृत सारी कथा कुश-लव ने गाकर सुनाई थी। नटों का नाम 'कुशीलव' भी है। तो क्या श्रव्यकाव्य की दृश्यकाव्य में परिणति इतनी पुरानी है, राम जाने। चाहे जो हो, सौंदर्यानुभूति पर अड़ना आरंभिक स्थिति है और रसानुभूति से पूरा पड़ना पश्चात्कालिक निश्चिति। भारत प्राचीन देश है इसमें काव्यसंबधी विचार-विमर्श भी पुरातन है। इसी से सौंदर्यानुभूति से संतुष्ट न होकर यह रसानुभूति में लीन हुआ। तो क्या पाश्चात्य देशों का सौंदर्यानुभूति (एस्थेटिक टेस्ट) पर रुकना अर्वाचीनत्व का द्योतक है। रसानुभूति की-सी चर्चा वहाँ भी आरंभ हो चुकी है। रिचर्ड्स की व्याख्या में इसके संकेत मिलने लगे हैं। पूर्व जिस रसभूमि तक कभी का पहुँच चुका है, पश्चिम को अभी वहाँ तक आना है। काव्य का चमत्कार उक्ति में है, पर कोई उक्ति काव्य तभी है जब उसके मूल में भाव हो। काव्य अभिव्यक्ति है, यह पूर्व को भी मान्य है, केवल पश्चिम को नहीं। अभिव्यक्ति रसमत को भी स्वीकृत है। अभिनवगुप्त- पादाचार्य का अभिव्यक्तिवाद कर्ता और ग्राहक दोनों को सामने रखता है। पर काव्यवस्तु या विभाव का कुछ भी महत्त्व नहीं; इसे क्रोचे कह सकता है। न कुंतक को यह मान्य है न अभिनवगुप्त को। विभावन व्यापार रसप्रक्रिया की सुदृढ़ भूमिका है। विभाव ही रस का हेतु है। काव्यवस्तु (मैटर) कुछ नहीं, अभिव्यक्ति (फार्म) ही सब कुछ है, इसे भारत के अलंकारवादी भी नहीं मानते, जिनके विचार से काव्य में सौंदर्य ही प्रमुख है।

भारतीय शास्त्राभ्यासी रसमीमांसा में आत्मा का भी विचार करते हैं। पंडितराज जगन्नाथ ने रसप्रक्रिया को अद्वैत वेदांत की प्रक्रिया में ढालकर उसे आध्यात्मिक ही सिद्ध किया है। विचारणीय है कि क्या काव्य-विवेचना के लिए मनोमय कोश के आगे जाने की अपेक्षा है। रस को अलौकिक कहना अर्थवाद नहीं है क्या? मन का राग-द्वेष के बंधन से छूटकर शुद्ध भाव की अनुभूति में लीन होना क्या अपने क्षेत्र से बाहर जाना है। मन जिस मुक्तावस्था में, जिस मुक्तिलोक में विहार किया करता है क्या उसके मुक्तिलोक के उस विचरण को अलौकिक व्यापार ही कहना चाहिए? यहाँ और अधिक न कहकर इतना ही कह देना पर्याप्त होगा कि भरत मुनि ने भी रस को अलौकिक नहीं कहा है। रस को अलौकिक कहने की चाल दार्शनिक व्याख्याकारों के कारण पड़ गई है। भारतीय शास्त्रचिंतक साहित्यप्रक्रिया को 'विज्ञान' न मानकर 'दर्शन' मानता है, आत्मा या चैतन्य का विचार दर्शन का लक्षण है।

मध्यकाल की रसमीमांसा

संस्कृत में रसमीमांसा बहुत प्राचीन कल्प से होती आ रही है। प्राकृत और अपभ्रंश में रसमीमांसा के ग्रंथ नहीं मिलते। देशी भाषाओं में जेठी होने के कारण हिंदी की दृष्टि रसमीमांसा की ओर सबसे पहले गई। यह दूसरी बात है कि रसमीमांसा संस्कृत की भाँति उसमें न हो। प्राकृत-अपभ्रंशवालों को रसमीमांसा की अपेक्षा नहीं हुई। भाषा के लिए व्याकरण की आवश्यकता उन्हें थी, शब्दों के लिए कोश अपेक्षित था। पर काव्य के लिए प्राकृत को न छंद की विशेष आवश्यकता थी और न उसके शास्त्र के लिए रसमीमांसा की। संस्कृत की सामग्री से ही उनका अधिकतर कार्य चल गया। पर अपभ्रंश ने अपना पथ बदला। उसे छंदों की आवश्यकता थी। अतः व्याकरण के साथ ही पिंगल के ग्रंथ भी उसमें बने। संस्कृत-प्राकृत में प्रायः वर्णवृत्त चलते थे। अपभ्रंश में मात्रावृत्तों का बाहुल्य हुआ। वर्णवृत्तों में नियमित वर्णयोजना से नादसौंदर्य की पूर्ति बहुत कुछ हो जाती है पर मात्रावृत्त में नियमित वर्णयोजना न होने से न्यूनता आती थी, उसकी पूर्ति तुकांत से की गई। इस प्रस्थानभेद ने छंदःशास्त्र के ग्रंथों के निर्माण का मार्ग उद्घाटित किया। शब्दादि भी भिन्न होते थे, कुछ कोश भी बने। पर रसमीमांसा का उन्मेष अपभ्रंश में नहीं हुआ। प्राकृत का काम संस्कृत की रसमीमांसा से ही चल गया, अपभ्रंश का भी। कोई नूतन विचार करना हो तभी उसकी ओर प्रवृत्ति भी हो।

प्राकृत कदाचित् संस्कृत भाषा की परुषता से ऊबकर कोमल-सुकुमार सर्जना में प्रवृत्त हुई और अपभ्रंश भाषा वर्णवृत्तों की कठोर कारा से मुक्त होने में लगी। हिंदी तक आते-आते परुषता और कठोरता का प्रश्न ही नहीं रह गया। अतः रसमीमांसा की ओर दृष्टि जाना स्वाभाविक था। हिंदी, संस्कृत से दूर हो गई थी। पर परंपरा वही थी, प्राकृत-अपभ्रंश में काव्यपरंपरा की स्वीकृति नहीं बदली थी, हिंदी में भी नहीं। पर प्राकृत-अपभ्रंश में साहित्य-निर्माण करनेवाले संस्कृत के निकट थे, अतः काव्यपरंपरा को उसी भाषा में देख-सुन लेते थे। हिंदी तक आते-आते अपनी परंपरा का ज्ञान दूर पड़ने लगा। दूसरा कारण राजनीतिक उपस्थित हुआ। हिंदी के उत्थान के समय तक भारत में उत्तरापथ में मुसलमानों का प्रसार हो चुका था। उनके साथ फारसी भाषा और साहित्य का माहात्म्य हो चला था। फारसी-साहित्य में प्रेमकाव्य प्रचुर परिमाण में था। कवियों के आश्रयदाता मुसलमानी या देशी राजाओं के दरबार थे। दरबार में मुक्तकरचना से चमत्कार दिखाने का चलन उस समय क्या, उसके पूर्व से था। मुक्तकरचना शृंगार या प्रेम के क्षेत्र में फारसी के जोड़-तोड़ में नायिकाभेद में चमत्कारक हो सकती थी। अलंकारों के चमत्कार में भी शृंगार का मेल रहता था। अतः हिंदी में रसमीमांसा की

आवश्यकता काव्य-दंगलों में हाथ दिखाने के लिए रचे जानेवाले लक्ष्यों के लक्षणों के लिए पड़ी। शृंगार के ही अधिकतर लक्ष्य क्यों निर्मित हुए, शृंगार के ही लक्षणग्रंथ अधिक क्यों बने, अलंकारों के लक्षणग्रंथ शृंगार से ही बहुधा ओतप्रोत क्यों हैं, मुक्तक का ही लक्षणग्रंथों में प्रायः विचार क्यों हुआ, प्रबंध के लक्षण आदि क्यों नहीं मिलते? इन सबका समाधान तात्कालिक माँग के हेतु से हो जाता है।

'भाखा' में निर्माण की आवश्यकता का अनुभव तुलसीदास ने किया सो तो किया ही, वे जनकवि थे, पर केशवदास ने भी किया जिनके कुल के दास भी 'भाखा' बोलना नहीं जानते थे, संस्कृत ही बोलते थे और जो दरबारी कवि थे। पर तुलसीदास को न लक्षणग्रंथ लिखने की अपेक्षा हुई और न उनके ग्रंथ में काव्यलक्षण का आग्रह ही है। हिंदी के मध्यकाल में रसमीमांसा की ओर प्रवृत्ति दरबारों में पांडित्य और काव्यकौशल दिखाने के लिए हुई। अतः लक्षणग्रंथ लिखनेवाले आरंभ में तो दरबारी कवि, पंडित या विदग्ध थे और आगे चलकर जो लोग इस प्रकार के ग्रंथ लिखते थे वे भी दरबार या आश्रयदाताओं की खोज में रहते थे। संस्कृत में लक्षणग्रंथों या रसमीमांसा का आरंभ दरबारों से नहीं हुआ। हाँ, आगे चलकर दरबारों के पंडितों ने उसमें योग दिया, यह सत्य है। फिर भी वहाँ जो विवेचन पहले हो चुका था उसका विकास दरबारों में आकर नहीं हुआ। जो हुआ भी उसका अनुगमन नहीं हुआ। भोजराज के 'शृंगारप्रकाश' में शृंगार को ही 'एको रसः' कहा गया है और रस से स्थायीभाव के पोषण की नूतन उद्भावना की गई, पर उनका ग्राहक कोई दिखाई नहीं पड़ा।

हिंदी के मध्यकालिक लक्षणग्रंथ, शास्त्रचिंतन के गांभीर्य के अनुरोध से बने ही नही। संस्कृत में शास्त्र-विमर्श के लिए प्रायः दूसरों के पहले से बने उदाहरण ही लिए जाते थे। कहीं-कहीं 'यथा मम या ममापि' से अपनी कृति की योजना कर दी जाती थी। यही ठीक है। पर हिंदी में उदाहरण स्वयं अपने गढ़कर दिए जाने लगे। काव्यसरोज में और वह भी दोषप्रकरण में केशवदास के उदाहरण दिए गए हैं। अन्यथा सर्वत्र एक ही व्यवस्था है। यही इसका पक्का प्रमाण है कि लक्षणग्रंथ वस्तुतः लक्ष्य बनाने के लिए सहारे का काम करते थे। विवेचन से उनका कोई संबंध ही न था। वार्ता या वाचनिका में कहीं-कहीं गद्य में जो विवेचन मिलता है वह भी निर्माताओं के स्वतंत्र चिंतन से संबद्ध नहीं। पुराने विषय को ही, वहीं विवेचित प्रणाली के आधार पर, ज्यों-का-त्यों रखा गया है। रसनिष्पत्ति के विभिन्न मतों, निष्पत्ति और संयोग का विचार, ध्वनिस्थापना के हेतु आदि विषयों का स्पर्श भी हिंदी के मध्यकालिक रसमीमांसकों ने नहीं किया। यदि हिंदी में मुक्तकों के लिए काव्य-विषय सुनिश्चित होता तो कदाचित् इन ग्रंथों के निर्माण की भी अपेक्षा न होती। 'राजसभा में बड़प्पन' पाने के लिए सारे संभार हुए। किंतु यह भी साथ ही ध्यान में रखना होगा कि स्वकीय परंपरा की रक्षा और हिंदी के कवियों द्वारा उसके पालन की बुद्धि भी इसमें निहित थी। लिखने को तो लक्षणग्रंथ केशवदास के पहले भी लिखे गए पर उसे व्यवस्थित करनेवाले वे ही हैं, यह सर्ववादिसम्मत है। उन्होंने पहले 'रसिकप्रिया' लिखी और उसके

पश्चात् ही 'कविप्रिया' का निर्माण किया। 'कविप्रिया' का निर्माण उक्त बुद्धि का प्रमाण है। उसके द्वारा भारतीय काव्यपरंपरा हिंदी में स्थापित की गई है। यद्यपि उसके आधारग्रंथ संस्कृत के हैं, पर उसकी व्यवस्था यह अवश्य सूचित करती है। केशवदास ने अलंकार शब्द का व्यापक अर्थ लिया है। फिर उसके दो भेद किए हैं—सामान्य और विशिष्ट। सामान्य के चार भेद किए गए हैं—वर्ण, वर्ण्य, भूमिश्री और राज्यश्री। इनमें वर्ण का अर्थ रंग, वर्ण्य का आकारादि गुण है, भूमिश्री में देश, नगर आदि के वर्णन की शैली बताई गई है और राज्यश्री में यह बतलाया गया है कि राज्य का वर्णन करने में राजा-रानी आदि किन-किन का वर्णन अपेक्षित है। यह भेद ही बतलाता है कि केशवदास दरबारी प्रवृत्ति से प्रेरित हैं। कविशिक्षा में राज्यश्री का महत्त्व तात्कालिक है।

यह सब कहने का तात्पर्य यह नहीं कि उस समय परिष्कार, सुधार, संस्कार की ओर किसी की दृष्टि नहीं जाती थी और प्रत्यक्ष रूप से सभी राजसभा को उत्कट आवश्यकता से ही निर्माण करते थे। सुधार की प्रवृत्ति होती थी इसका प्रमाण यही है कि सूरति मिश्र के संचालकत्त्व में आगरा में कवियों का एक सम्मेलन हुआ था और उसमें नवनिर्माण की बात सोची गई थी। पर वह नवनिर्माण साधारण था और प्रभावकारी नहीं हुआ। इसी प्रकार यदि किसी ने काव्य, साहित्य, रस आदि का लक्षणग्रंथ आरंभ में लिखा तो संस्कृतग्रंथों की देखा-देखी संक्षेप में लिखकर ही काम चलाया। संस्कृत ग्रंथों की-सी न पूर्वपक्ष-उत्तरपक्ष की विस्तृत योजना की और न कोई नूतन विचारसरणि ही प्रस्तुत की। जिस युग में प्रभूत ग्रंथराशि एकत्र हुई और शास्त्रपक्ष की ओट में हुई उस युग में भाषा के व्याकरण के ग्रंथ भी क्यों नहीं बने। इसी से कि उनके बनाने में काव्यकौशल- प्रदर्शन का अवसर न मिलता। केवल शास्त्र का विवेचन किसी का लक्ष्य न था। पिछले काँटे भिखारीदास भाषा का विचार या निर्णय करने बैठे तो उन्होंने यह कहकर छुट्टी ली कि व्रजभाषा का ज्ञान व्रजवास से ही प्रकट नहीं होता, 'एते एते कबिन की बानीहू सों जानिए'। व्रजभाषा का ज्ञान, उसके प्रयोग आदि का बोध, कवियों की वाणी से ही लोग करते आ रहे थे और करते रहे। बहुत पीछे एक मुसलमान ने व्रजभाषा का व्याकरण अवश्य प्रस्तुत किया।

आधुनिक युग में हिंदी-साहित्य फिर विदेशी साहित्य से टकराया। अतः काव्यमीमांसा तथा रसमीमांसा की प्रवृत्ति फिर जगी। यहाँ भी अपनी परंपरा का ज्ञान कराना और उसका यथोचित रक्षण ही प्रयोजन है। भारतेंदु हरिश्चंद्र ने नाटकों का निर्माण किया, संस्कृत, बँगला, अँगरेजी से कुछ रूपकों का अनुवाद किया और 'नाटक' नाम की छोटी-सी पोथी भी लिखी। इसी से कि भारतीय परंपरा का ज्ञान हो। उन्होंने इसमें स्पष्ट कहा कि भारतीय रसपद्धति के साथ विदेशी चरित्रवैशिष्ट्यपद्धति का समन्वय होना चाहिए। रस पर उनकी दृष्टि अधिक थी। इसी से उनके नाटकों में रसव्यंजना स्पष्ट है। पर आगे चलकर यह बात नहीं रह गई। रस का विचार करते हुए हरिश्चंद्र ने भक्ति-संप्रदाय के दास्य, सख्य, वात्सल्य, मधुर के साथ 'आनंद' को जोड़कर रसों की

संख्या १४ कर दी। विस्तृत विवेचन या मीमांसा इनकी नहीं की।

फिर तो हिंदी में पूरी रसचर्चा चल पड़ी। अनेक ग्रंथ लिखे गए। पर इन ग्रंथों में भी 'मीमांसा' नहीं है। संस्कृत में जो विचार हो चुका है वही समझाया गया है। समझाने में भ्रांतियाँ भी हुई हैं। पर मध्यकालिक स्वकीय उदाहरण रखने की प्रवृत्ति इनमें नहीं है। संस्कृत-ग्रंथों के उदाहरणों का कहीं अनुवाद है या जहाँ संभव हुआ है हिंदी से उदाहरण खोजे गए हैं। उस युग के प्रतिनिधि जब निर्माण करते हैं तो उदाहरण अपना भी अवश्य देते हैं। श्री अर्जुनदास केडिया के 'भारतीभूषण' से यह सिद्ध है। आज भी जिसे रसमीमांसा कहते हैं वह हिंदी में नहीं हो रही है। अब रसमीमांसा को मनोवैज्ञानिक आधार पर देखने का प्रयास हो रहा है। नवीन मनोविज्ञान के आधार पर-अब भी उसका विचार नहीं हुआ है। सांप्रतिक युग में हिंदी में यदि किसी ने रस की स्वच्छंद मीमांसा की है तो वह थोड़ी बहुत स्व. आचार्य रामचंद्र शुक्ल ने ही। मनोविज्ञान के आधार पर विचार तो और लोगों ने भी किया है, संधान के साथ अनुसंधान भी हुए हैं। पर भारतीय रस की मीमांसा के लिए प्राचीन ग्रंथों में से उसकी मान्यताओं और स्वीकृतियों को ठीक-ठीक हृदयंगम कर सकना श्रमसाध्य हो गया है। इसी से बहुत चलती आलोचना भर हो सकी है और वह भी भ्रांतिपूर्ण। साहित्यिकों की दृष्टि निर्माण और शास्त्र दोनों के लिए विदेशी साहित्य या साहित्यों को ही देखने में लगी है। पढ़ाई में भी विदेशी साहित्य की शिक्षा का माहात्म्य होने से और देशी साहित्य में भी विदेशी कसौटियों की जाँच की महत्ता बढ़ने से रसमीमांसा में एक तो कोई प्रवृत्त ही नहीं होता, यदि होता भी है तो उसके सामने संस्कृत ग्रंथों में प्रवेश पाने की कठिनाई आ जाती है। यों उनको कठिनाई न होती, पर रसमीमांसा में विभिन्न दार्शनिक सिद्धांतों के अनुसार विवेचन होने के कारण, उनके खंडन-मंडन की तार्किक शैली के प्रयोग के कारण कठिनाई बढ़ गई है। दर्शन और न्याय या तर्क ने साहित्यशास्त्र को पुष्ट किया, पर उसे कठिन भी बना दिया। इसी से हिंदी के बहुत से 'अहंमन्य' शास्त्रचर्चा से भड़कते हैं।

हिंदी में कैसी रसमीमांसा हुई है इसे उदाहरणस्वरूप उद्धृत करके विस्तार करना अनावश्यक है। पर इन ग्रंथों में रसभाव के उदाहरणों में जो त्रुटि है उस पर किसी ने ध्यान नहीं दिया। स्थायीभाव के उदाहरणों में 'भावत्व' नहीं है। इस प्रकार के दोष आधुनिक युग तक चले आए हैं। तर्क द्वारा प्रत्येक भाव की व्यंजना का निरूपण और विवेचन न होने से सांकर्य भी बहुत हुआ है। मध्यकाल में केवल श्रव्यकाव्य की ही विवेचना हुई, नाट्य की नहीं। उसकी आवश्यकता ही नहीं थी। नाटक न होते थे, न लिखे जाते थे। श्रव्य में ही नाट्य भी प्रविष्ट हो रहा था। संवादों के लिखने का चलन बहुत था। केशवदास के सभी प्रबंधकाव्य संवादों से भरे हैं। बहुत से कवियों ने 'वाद' या 'चर्चा' नाम से संवाद लिखे हैं। वर्तमान युग में भी नाट्यशास्त्र की मीमांसा नहीं है। यद्यपि नाटक की प्रवृत्ति बहुत है तथापि वह भिन्न आदर्श पर है, अतः उसके भारतीय स्वरूप के चिंतन में कौन प्रवृत्त हो? अनुवाद-उल्था ही हुआ है। पर रसमीमांसा का गहरा

संबंध 'नाट्य' या दृश्यकाव्य से है। ऐसा प्रतीत होता है कि पुराकाल में श्रव्य और दृश्य अथवा काव्य और नाटक की भिन्न-भिन्न परंपराएँ थीं। उनके शास्त्रों का विचार भी भिन्न-भिन्न दृष्टियों से होता था। श्रव्यकाव्य की ही परंपरा में अलंकार, गुण, रीति और वक्रोक्ति का शास्त्रीय विवेचन हुआ। इस परंपरा में कर्तृपक्ष से विचार होता था। रस आदि का संबंध नाट्य से था और उसमें औचित्य का माहात्म्य था। श्रव्यकाव्य में और उसकी मुक्तकरचना में सामाजिक अनौचित्य रह सकता था, 'रसाभास' हो सकता था। पर दृश्यकाव्य में ऐसा नहीं। आगे चलकर दोनों का सम्मिश्रण हो गया। रस, प्रधान और 'अलंकार्य' हुआ और अलंकार, रीति, गुण आदि अप्रधान और 'अलंकार' या शैली। रीतिकाल या शृंगारकाल में 'अलंकार' पर, शैली पर, चमत्कार-योजना पर विशेष ध्यान दिया गया। नाट्य के औचित्य का विचार न रखकर जो शृंगार में कुछ अश्लील कही जानेवाली रचनाएँ हुईं उनका हेतु यही है कि वे रस और अलंकार को अलग-अलग जानते हुए भी कर्तृपक्ष से उसे देखते थे; ग्रहीता पक्ष से, सामाजिक की दृष्टि से नहीं। ग्रहीता जनता न होकर विशेष प्रकार का सहृदय-वर्ग था। औचित्य का एक ही मार्ग निकाल लिया गया कि शृंगाररस संबंधी रचनाओं के आलंबन राधा-कृष्ण कह दिए गए।

राधा-कृष्ण को आलंबन देखकर कुछ लोग रीतिकाल को भक्तिकाव्य या उसका अंग कहना चाहते हैं। रसमीमांसा की विचारपरंपरा यदि चलती होती तो ऐसी अविचारित बातें न कही जातीं। यदि ऐसा मान लिया जाएगा तो काव्य में भेदोपभेद का मार्ग ही रुक जाएगा। भक्तिकाव्य से रीतिकाव्य अवश्य प्रभावित हुआ। वर्ण्य, आलंबन तो उसने कृष्णभक्तिवालों का लेकर उसे सामाजिक औचित्य के भीतर रखा, अन्यथा परकीया की उक्तियाँ बाजारू हो जातीं और काव्य का सामाजिक महत्त्व नष्ट हो जाता। परकीया की उक्तियाँ उन्हें क्यों कहनी पड़ीं यह पहले ही कहा जा चुका है—फारसी-काव्य के जोड़-तोड़ में, राजसभा में बड़प्पन पाने के लिए। भाषा का आदर्श मिला-जुला हुआ। व्रजी-अवधी का, पूरबी-पछाहीं का मेल करना पड़ा। अधिकतर कवि पिछले काँटे अवध में हुए थे। पर शैली उन्हें 'चमत्कार' की, श्रव्यकाव्य की, भारतीय परंपरा की ही रखनी पड़ी। प्रमुख कवियों को ध्यान में रखकर कहें तो कहना पड़ेगा कि सूरदास, तुलसीदास और केशवदास से कुछ-न-कुछ लेकर रीतिकाव्य का प्रसार हुआ। अतः 'सूर सूर तुलसी ससी उडुगन केसवदास' कहने में कुछ रहस्य है। यह कहना ठीक नहीं कि केशवदास का प्रभाव रीतिकाव्य पर कुछ भी नहीं पड़ा। उन्होंने जो परंपरा प्रतिष्ठित की थी उसका अनुगमन बिहारी, देव, भूषण, मतिराम सभी में है। बिना केशवदास के ग्रंथों (रसिकप्रिया और कविप्रिया) को पढ़े कोई हिंदी में प्रतिष्ठा ही नहीं पाता था। यह दूसरी बात है कि हिंदी के नायिकाभेद के उत्तरवर्ती सब ग्रंथ रसिकप्रिया का अनुगमन नहीं करते। पर उसकी भी एक अखंड परंपरा है और वह रीतिकाल के अंत तक चली गई है। संस्कृत के भानुभट्ट की रसमंजरी और रसतरंगिणी की प्रणाली सीधी-सरल होने से आगे अनुगमन-अनुकथन उसी का विशेष हुआ।

उत्तरवर्ती मध्यकाल में चमत्कार की प्रधानता का कारण अलंकार का वह अर्थ लेना है जो व्यापक है और जो साथ ही श्रव्यकाव्य की कर्तृपक्षदर्शनी परंपरा का ग्रहण करता है। अतः रस की दृष्टि से रीतिकाल को जैसे शृंगारकाल कहा जा सकता है वैसे ही शैली और प्रवृत्ति की दृष्टि से 'अलंकारकाल' भी। पर शृंगार की प्रवृत्ति इससे अधिक व्यापक थी अर्थात् उस युग में कुछ ऐसे कवि भी थे जो शृंगार की रचना तो अवश्य करते थे, पर रीति या अलंकार, चमत्कार या काव्य की बाहरी तड़क-भड़क से अपना विशेष सरोकार नहीं रखते थे। उनका उत्थान भिन्न आदर्श पर था। वे फारसी की विदेशी परंपरा को हिंदी में प्रवर्तित करना चाहते थे, उसकी अंतर्वृत्ति के स्वरूप के कारण। पर उसे रखना वे भारतीय ढंग से ही चाहते थे। उनमें चमत्कारभेद के स्थान पर भावनाभेद पर अधिक दृष्टि थी और उनका सौंदर्यभेद भी चमत्कारभेद से भिन्न था। यदि अँगरेजी-साहित्य की भाँति फारसी-साहित्य में भी शास्त्रीय विवेचन का पुष्ट-प्रवाह होता तो भारतीय और फारसी-साहित्य के विवेचन का समन्वय करके उसके शास्त्रीय विवेचन के कुछ ग्रंथ भी कदाचित् बनते। पर फारसी में इसका विस्तार न पाकर कुछ भी न हो सका। कहीं-कहीं प्रेम के निरूपण की प्रवृत्ति अवश्य दिखाई पड़ी है, जिसमें भारतीय प्रेमसाधना और सूफी प्रेमसाधना के सिद्धांतों का मेल करने का आभास मात्र है, जैसे रसखानि की 'प्रेमवाटिका' में। पर उसे साहित्य का शास्त्रीय ढंग का विवेचन कहने में अत्यंत संकोच होता है। व्यवस्थित ढंग से भी निरूपण नहीं हुआ है। भक्तिसंप्रदाय के आचार्यों ने जैसा भक्ति-साहित्य के मेल से विस्तृत विवेचन किया, यथा 'उज्ज्वलनीलमणि' में उसकी संभावना भी साहित्य-क्षेत्र में न हो सकी।

आधुनिक युग में समन्वित विवेचन होने के पूर्व भारतीय रसमीमांसा और पश्चिमी 'कलामीमांसा' का पृथक्-पृथक् ऐतिहासिक विवेचन तटस्थ और विदग्ध बुद्धि से हिंदी में होना चाहिए। फिर दोनों की परस्पर तुलना और युगानुरूप ग्राह्यता का विचार होना चाहिए। यों ही उड़न-छू उक्तियों और सूक्तियों से काम न चलेगा। 'रस' की विशिष्ट प्रक्रिया है। वह प्रक्रिया देश-कालबद्ध नहीं है। जो उसका अर्थ शुद्ध आनंद समझते हों और उसका कुछ भी सामाजिक या लौकिक पक्ष न मानते हों उन्हें साहित्यशास्त्र में होनेवाली 'औचित्य' की पुनः-पुनः पुकार का मनन करना चाहिए। यह औचित्य अलौकिक तत्त्व नहीं। समाज या लोक और सामाजिक या लौकिक को ध्यान में रखकर ही इसका उद्‌घोष किया गया है। जो 'रस' को देशकालपरिच्छिन्न मानकर उसका विचार-विमर्श या उसके प्राचीन विवेचन का संग्रह उसी दृष्टि से करना चाहते हों जिस दृष्टि से कोई पुरातत्त्ववेत्ता शुंग, गुप्त आदि युगों के ईंट-पत्थर का संग्रह और उसका विचार-विवेचन करता है तो उसे प्राचीन साहित्याचार्यों द्वारा रस के लिए कहे गए 'चिन्मय' शब्द को भी ध्यान में लाना चाहिए। रसमीमांसा और भी विकसित की जा सकती है और आलोचना के काम भी आ सकती है, यही मेरी धारणा है। अधिक अध्ययनसापेक्ष, श्रमसाध्य और विचारित सुस्थ वह अवश्य है।

मायारस

'मायारस' को उसी प्रकार समझिए जिस प्रकार शृंगाररस, वीररस, करुणरस आदि का नाम और व्यवहार होता है। विचारित सुस्थ बुद्धि से यह नाम लिया जा रहा है यह कोई 'हास्यरस' या हास-भाव अथवा व्यंग्य-विनोद नहीं, शुद्ध शास्त्रीय चर्चा है। भक्ति का प्राबल्य होने पर उसकी 'भक्त' और 'भगवान्' के आश्रयालंबनत्व से रसवत्ता होने पर दास्य, सख्य, मधुर नाम के रसों की चर्चा की गई। वात्सल्य को भी विशेष चमत्कारकारी कहकर माना गया और 'नवरस' से संख्या ११, फिर १३ और आनंद को भी रस कह देने से १४ हो गई। जिन्हें 'नवरस' का आग्रह था उन्होंने देवादिविषया रति को भाव कह दिया। जैसे हिंदी में मिश्रबंधुओं ने ग्रंथ का नाम 'हिंदी-नवरत्न' रखा, पर संख्या बढ़ने लगी। कबीर भी एक 'रत्न' माने गए। फिर 'भूषण' और 'मतिराम' त्रिपाठी-बंधु नाम से एक ही रत्न माने गए। जैसे मिश्रबंधु कहने से एक नाम जान पड़ता है पर उसमें चार-चार, तीन-तीन, दो-दो, बंधु रहे हैं।

किसी ने इन्हें भाव कहकर टाला और किसी ने इन्हें शृंगार का ही अंग कहा। उधर चैतन्य-संप्रदाय के आचार्यों ने मधुररस को ही एकमात्र रस माना तथा अन्य रसों को गौण, भाव आदि कहकर साधारण ठहराया। किसी ने शृंगार को ही एकमात्र रस, किसी ने करुण को एक रस, किसी ने अद्‌भुत को ही मूल रस आदि कहकर अनेकत्व में एकत्व के दर्शन किए। एक से अनेक और अनेक से एक की ओर जाना सहज है, स्वाभाविक है। फिर भी यही कहा जा सकता है कि 'मायारस' को आप किसी भी प्रचलित, मान्य या संभावित रस में अंतर्भुक्त नहीं कर सकते। हाँ, यह अवश्य कहा जा सकता है कि 'मायारस' में अन्य सभी रस अंतर्भुक्त हो सकते हैं, केवल शांतरस उसमें अंतर्भुक्त नहीं हो सकता। वह 'मायारस' का प्रतिद्वंद्वी है। प्रत्युत कहना यह चाहिए कि यदि शांतरस रस माना जाता है तो कोई कारण नहीं है कि मायारस को भी स्वतंत्र रस क्यों न माना जाए।

जब भौतिकता का विशेष प्रसार और विचार हो रहा है, अर्थ और काम के अनेक वाद नित्य नवीन वैज्ञानिकों द्वारा सामने रखे जाते हैं, उनकी छानबीन हो रही है तब इसी रसचर्चा के नाम पर नूतन अनुसंधान और उपलब्धि करें तो इसमें अविचारित रमणीय क्या है। केवल बात ही बात हो, केवल मनोरंजन ही को लक्ष्य करके कुछ कहा जा रहा हो तो भी उपेक्षा की जा सकती है, पर जब कोई विचार शास्त्रीय सरणि के अनुसार किया जा रहा हो तब उसकी उपेक्षा क्यों हो। शांतरस में निवृत्तिपथ होता है, 'मायारस' में प्रवृत्तिपथ होता है। चित्तवृत्ति दो प्रकार की होती है—प्रवृत्ति और निवृत्ति। उपादेयताभाव को प्रवृत्ति और हेयताभाव को निवृत्ति कहते हैं। यह संसार उपादेय है, इसमें लगना चाहिए, यह जगत् हेय है इससे हटना या बचना चाहिए। यही क्रमशः प्रवृत्ति और निवृत्ति का भेद है। जगत् के प्रति निवृत्ति में तो रस मानें पर जगत् के प्रति

प्रवृत्ति में रस न मानें यह तो ठीक नहीं। निष्कर्ष यह कि शांतरस की प्रतिपक्षिता में मायारस होना चाहिए, हो सकता है।

यह कहा जा सकता है कि 'मायारस' क्यों मानते हो, 'मायाभाव' मानो। देवादिविषया रति की भाँति 'मायाविषया रति' को भी भाव ही रखो, रस मत कहो। तो ऐसा कहना ठीक नहीं। फिर शांत को ही रस क्यों कहें, भाव क्यों न मानें। 'शान्तोऽपि नवमो रसः' कहकर स्पष्ट बतला दिया गया कि वस्तुतः आठ ही रस थे। नाटक में 'शांत-रस' नहीं माना जाता। पर कौन समझाए हिंदी के आलोचकों को जो अजातशत्रु या स्कंदगुप्त नाटकों को लेकर उसमें शांतरस की स्थापना के लिए मूड़ मारा करते हैं। कौन समझाए कि इन नाटकों को पढ़ने-देखने के अनंतर जगद्वैराग्य सामाजिक के हृदय में स्थायी नहीं दिखाई देता। उसका (निर्वेद का) परिपाक होता ही नहीं। उक्त नाटकों में निर्वेद न भाव है, न स्थायीभाव है, वहाँ वह 'स्वभाव' है। वह अँगरेजी के चरित्र-चित्रण (कैरेक्टराइजेशन) का अंग है। उसका रस से कोई संबंध नहीं।

यदि शांतरस है तो मायारस भी है। 'निर्वेद' जहाँ स्थायी होता है वहाँ शांतरस और जहाँ निर्वेद भाव या संचारी मात्र रहता है वहाँ वह किसी दूसरे रस का अंग होता है। अब यह कहा जा सकता है कि 'माया' को क्यों न 'व्यभिचारी' माना जाए। इसमें क्या हानि है। जैसे निर्वेद व्यभिचारी और स्थायीभाव दोनों है वैसे ही 'माया' भाव को भी व्यभिचारी और स्थायी दोनों मानें। 'निर्वेद' वहाँ व्यभिचारी होता है जहाँ अपने प्रति हेयता की बुद्धि होती है। जब जगत् के प्रति हेयता की बुद्धि जगती है तब निर्वेद स्थायी कहा जाता है। बस, जब अपने प्रति उपादेयता की बुद्धि जगे तब उसे व्यभिचारी कहिए और जब संसार के प्रति उपादेयता की बुद्धि जगे तब उसे स्थायीभाव कहिए।

अब यह आपत्ति हो सकती है कि 'मायारस' सामान्य नाम है और शृंगारादि उसके विशेष नाम हैं। क्योंकि शृंगारादि उसमें व्यभिचारी के रूप में दिखाई देते हैं। यदि ऐसा है तो फिर शांति भी सामान्य नाम हो जाएगा, उसमें भी विशेषता न रह जाएगी। जगद्विषयक हेयताबुद्धि में तो शृंगारादि की स्थिति हेयतारूप में दिखाई देती है। 'मायारस' में वह उपादेयता के रूप में दिखाई देगी। इससे ऐसा कहना भी व्यर्थ है।

यदि कहा जाय कि मायारस के अवयवों की व्यवस्था क्या होगी तो लीजिए—

स्थायीभाव—माया या मिथ्याज्ञान।

विभा (आलंबन)—सांसारिक भोग का अर्जन करनेवाले धर्म या अधर्म।

अनुभाव—पुत्र, स्त्री, विजय, साम्राज्य आदि।

समाजवादी, प्रगतिवादी, यथार्थवादी, प्रकृतिवादी जो भी संसार के प्रति उपादेयता की बुद्धि से प्रवृत्त होते हैं, सभी के वर्णन और उस वर्णन को पढ़कर तद्वत् वृत्ति उत्पन्न होने से, पाठकों के लीन होने में 'मायारस' होता है। चुनाव लड़ना, सभा-समितियों की बैठकों में नाना प्रकार के दाँव-पेंच दिखाना, खाओ, पीओ मस्त रहो में लगे रहना, अपने स्त्री-बच्चों के स्वार्थ के लिए दूसरों का धन अपहरण करना, बड़े-बड़े साम्राज्य स्थापित

करने के आयोजन करना सब इसी मायारस की विस्तार-सीमा में हैं। जो रावण के वर्णन, कंस की कथा, हिरण्यकशिपु के अत्याचार आदि को स्वाद के साथ पढ़ते हैं, जो हिटलर व मुसोलिनी के प्रकांड वीरत्व और जगत्-प्रवृत्ति में तल्लीन होते हैं उनमें मायारस ही होता है। संसार में प्रवृत्त होने की वृत्ति पढ़ने-सुननेवाले में जिस किसी अच्छे या बुरे कार्य के द्वारा हो, सबका अंतर्भाव मायारस में हो जाएगा। भक्तों या चैतन्यसंप्रदाय के गोस्वामियों द्वारा कथित मधुररस में भी प्रवृत्ति है। भक्तिमूलक धर्म प्रवृत्तिलक्षण है, 'प्रवृत्तिलक्षणश्चैव धर्मो नारायणात्मकः' कहा भी गया है। पर यह प्रवृत्ति मायारस की प्रवृत्ति से भिन्न है। मधुररस की प्रवृत्ति में आलंबन, पाठक के विषय, राधा-कृष्ण हैं। उसमें जगत् के प्रति हेयताबुद्धि मूल में है। शांत, दास्य, सख्य, वात्सल्य के अनंतर माधुर्य की स्थिति है। सबसे पहली सीढ़ी उसमें शांत है। भक्त सारे संसार के भोग से निवृत्त या तटस्थ हो जाता है। फिर भी सारे संसार में प्रवृत्त रहता है—'सीयराममय सब जग जानी' अर्थात् वह सारे जगत् को अपने भगवान् के ही रूप में अनुभव करता और उसमें इसी बुद्धि से प्रवृत्त रहता है। 'मायारस' में यह बात नहीं रहती। वहाँ की प्रवृत्ति उपादेयतामति से रहती है, उसका संबंध सांसारिक भोग से होता है।

हिंदी के रीतिकालीन ग्रंथ जिस संस्कृतग्रंथ के आधार पर बने, देव ने 'छल' नाम का नया संचारी जहाँ से लेकर बहुतों को चकपकाया, उसी ग्रंथ में मायारस की चर्चा बहुत दिनों पहले ही की गई। वह है भानुदत्त की रसतरंगिणी। मायारस का उदाहरण उन्होंने यह दिया है—

वाटी लाटी दृगंभोरुहरभसकरी वापिका कापि कान्ता
तल्पं चन्द्रानुकल्पं प्रकटयति मिथः कामिनी कामनीतिम्।
रूपं कामानुरूपं मणिमयभवनं बन्धुरं बन्धुरागो
लोके लोकोशकस्य त्वमसि न भवते सर्वदा सर्वदाता॥

संप्रति फ्रायड, युंग, होमरलेन, हेडफील्ड, एडगर, मैगडूगल आदि काम-नीति के आचार्यों की चर्चा बहुत होती है। मार्क्स के अनुयायी बहुत कोलाहल कर रहे हैं। उन्हें 'मायारस' का पूर्ण विचार भी करना चाहिए। उनके काम की चर्चा यहाँ भी है। 'मायारस' को 'लोकायतरस' भी कह सकते हैं। आजकल शुद्ध लोकस्थ लोकायत व्यक्तियों का बाहुल्य हो रहा है। उनकी 'विकसित' मनोवृत्ति का रससंप्रदाय ने पहले ही विचार कर रखा है। 'माया' का चाहे जो अर्थ लगाइए—विश्वम्माति यस्याम्, मीनीते वा मां याति वा मीयते अनया वा।

नायिकाभेदमीमांसा

नायक-नायिका भेद का संबंध रसप्रवाह और नाट्यप्रवाह से है। वहाँ अभिनय के लिए नायकादि के भेद की अपेक्षा थी। उसी दृष्टि से उसका विचार वहाँ किया गया। नाट्यशास्त्र में नायिका के जो भेद दिए गए हैं वे कई प्रकार के हैं। जब नाट्य और काव्य दोनों का भेदक अभिनय नहीं रह गया, केवल स्वरूपभेद रह गया, तब नायिकाभेद नाटक के रूपभेद के अंतर्गत व्यवस्थित कर दिया गया। भरत नाट्यशास्त्र से दशरूपक तक आते-आते यही स्थिति रह गई थी। इसलिए आगे चलकर यह अंश केवल काव्योपयोगी समझकर पृथक् कर लिया गया। भानुदत्त ने रसतरंगिणी और रसमंजरी ग्रंथ लिखकर इसे स्पष्ट कर दिया है। पर इसके पूर्व रस के साथ ही नायिकाभेद का विचार होता था, पार्थक्य नहीं किया गया था।

भरत के नाट्यशास्त्र के अनंतर काव्यप्रवाह या श्रव्यप्रवाह के जिस ग्रंथ में सर्वप्रथम नायिकाभेद का उल्लेख मिलता है वह रुद्रट का काव्यालंकार है। रुद्रट के अनंतर रुद्र या रुद्रभट्ट ने 'शृंगारतिलक' नाम के ग्रंथ में प्रधान रूप से शृंगार का और तदंतर्गत नायक-नायिकाभेद का पर्याप्त विवेचन किया है। अंत में अन्य रसों का संक्षेप में निरूपण है। यही हिंदी के शृंगारी ग्रंथों की मूल वृत्ति है। विस्तार से शृंगार का विचार करना और संक्षेप में अन्य रसों का विवेचन कर देना। अन्य रसों का विवेचन होने पर भी रुद्रभट्ट ने अपने ग्रंथ का नाम 'शृंगारतिलक' ही रखा है, 'रसतिलक' नहीं। अतः जो यह कहते हैं कि हिंदी के रीतिकाल का नाम शृंगारकाल नहीं होना चाहिए, क्योंकि उसमें शृंगार के अतिरिक्त अन्य रसों का भी साथ ही विवेचन किया गया है, उन्हें 'शृंगारतिलक' तथा इसी प्रकार के अन्य अनेक ग्रंथों का अध्ययन करना चाहिए और परंपरा से परिचय प्राप्त करने का अभ्यास डालना चाहिए। संस्कृत में स्वयं 'रस' शब्द शृंगार का पर्यायवाची हो गया था।

रुद्रट का समय आनंदवर्धन के पूर्व माना जाता है, क्योंकि उन्होंने आनंदवर्धन के ध्वनि-सिद्धांत की चर्चा अपने ग्रंथ में नहीं की है। इसलिए विक्रम की नवीं शताब्दी के अंत में इनका सत्ताकाल प्रतीत होता है। इनका दूसरा नाम शतानंद भी था।[१] पहले कुछ सज्जन रुद्रहभट्ट और रुद्रभट्ट को एक ही मानते थे। पर अब यह सिद्ध हो गया है कि ये दो पृथक् व्यक्ति हैं—एक का नाम रुद्रट है और दूसरे का केवल रुद्र। काव्यसंबंधी दृष्टि भी दोनों की भिन्न है। रुद्रट अलंकारप्रवाह के आचार्य हैं और रुद्रभट्ट रसप्रवाह के।

---

१. **शतानन्दापराख्येन भट्टवामुकसूनुना।**
साधितं रुद्रटेनेदं साम ज्जा धीमतां हितम् ।।—काव्यालंकार-टीका।

रुद्रभट्ट ने रुद्रट के ग्रंथ से सहायता भी प्राप्त की है। इसलिए ये विशिष्ट आचार्य नहीं माने जाते। रुद्रभट्ट संकलयिता के रूप में ही माने जाते हैं। रुद्रट उद्‌भावना करनेवाले आचार्य हैं। उन्होंने रसप्रवाह के नौ रसों के अतिरिक्त 'प्रेयस्' नामक दसवें रस की कल्पना की है। अन्यत्र भी उनमें नवीन कल्पनाएँ मिलती हैं।

रुद्रभट्ट का केवल एक ही ग्रंथ 'शृंगारतिलक' मिलता है। इन्होंने और भी ग्रंथ लिखे या नहीं, कुछ पता नहीं। हिंदी में केशवदास ने शृंगारतिलक का प्रधानरूप से आधार लेकर 'रसिकप्रिया' का निर्माण किया। केशवदास की परंपरा भी हिंदी में कुछ दूर तक दिखाई देती है। 'देव' ने एक ओर केशव की शैली लेकर शृंगारतिलक से अपने को जोड़ा दूसरी ओर रसतरंगिणी से सहायता ली। शृंगार और नायिकाभेद के इस प्रकार हिंदी में दो प्रवाह हैं। एक का संबंध रुद्रट-रुद्रभट्ट से जुड़ता है दूसरे का भानुभट्ट या भानुदत्त से। नायिकाभेद की शाखा ने भानुभट्ट का ही प्रधानरूप से ग्रहण किया है। उज्ज्वल-नीलमणि में जो भक्तिभावित नायिकाभेद आया है उसका प्रवाह हिंदी में नहीं चला। उसका हिंदी की परंपरा में ग्वाल ने अपने रसिकानंद में उल्लेख किया है। वह भी नायिकाभेद के प्रसंग में नहीं।

'रसिकप्रिया' और 'शृंगारतिलक' का मिलान करने से स्पष्ट हो जाता है कि केशव ने उसी ग्रंथ को सामने रखा है। सामग्री कामशास्त्र से भी ली गई है, पर बहुत थोड़ी। केशव ने वेश्या का उल्लेख भर किया है। रसों के प्रकाश-प्रच्छन्न रूप भी इन्होंने वहीं से रखे हैं। प्रकाश-प्रच्छन्न का उल्लेख रुद्रट ने भी किया है। फिर आगे भी ये भेद चले। शृंगारतिलक के नायिकाभेदसंबंधी प्रवाह में रसमंजरी से मुख्य पार्थक्य है मुग्धा, मध्या और प्रौढ़ा के निरूपण में। मुग्धादि के जो विशेषण दिए गए हैं वे भिन्न-भिन्न प्रकार के हैं। रुद्रट के यहाँ भी इनके विशेषण भिन्न हैं। यहाँ विस्तारभय से दिग्दर्शनमात्र कराया जाता है। काव्यालंकार और शृंगारतिलक के साथ साहित्यदर्पण को इसलिए जोड़ लिया जाता है कि हिंदी में नायिकाभेद के प्रसंग में आधारग्रंथ के रूप में उसका भी उल्लेख किया गया है—

	काव्यालंकार	**शृंगारतिलक**	**साहित्यदर्पण**	**रसमंजरी**
मुग्धा—				
१.	नवोढ़ा	नववधू	प्रथमावतीर्णयौवना	नवोढ़ा
२.	नवयौवनजनित-मन्मथोत्साहा	नवयौवनभूषिता	प्रथमावतीर्ण-मदनविकारा	विश्रब्धनवोढ़ा
३.	रतिनैपुणानभिज्ञा	नवानंगरहस्या	रतिवामा	अंकुरितअज्ञात-यौवना
४.	साध्वसपिहितानुरागा	लज्जाप्रायरति	मानमृदु	अंकुरितज्ञात-यौवना
५.	×	×	समधिकलज्जावती	×

मध्या—

१. आरूढ़यौवनभरा	आरूढ़यौवना	प्ररूढ़यौवना	×
२. आविर्भूतमन्मथोत्साहा	प्रादुर्भूतमनोभवा	प्ररूढ़स्मरा	×
३. उद्भिन्नप्रागल्भ्या	प्रगल्भवचना	ईषत्प्रगल्भवचना	×
४. किंचिद्धृतसुरतचातुर्या	किंचिद्विचित्रसुरता	विचित्रसुरता	×
५. ×	×	मध्यमव्रीडिता	×

प्रौढ़ा—

१. लब्धायति	लब्धायति	गाढतारुण्या	रतिप्रीता
२. रतिकर्मपंडिता	समस्तरतिकोविदा	समस्तरतिकोविदा	आनंदसंमोहा
३. आक्रांतनायकमना	आक्रांतनायका	आक्रांता	×
४. निर्व्यूढ़विलासविस्तारा	विराजद्विभ्रमा	भावोन्नता	×
५. ×	×	स्मरांधा	×
६. ×	×	दरव्रीडा	×

इन विशेषणों में यौवन, काम, लज्जा, रति, प्रगल्भता और अधिकार के तारतम्य का विचार किया गया है। 'लब्धायति' विशेषण को न समझने के कारण हिंदी में आचार्यमन्य और आलोचकंमन्य इसे 'लब्धापति' या 'लुब्धापति' समझते हैं। संस्कृत-व्याकरण से न 'लब्धापति' बनेगा न 'लुब्धापति'। तत्त्वतः शब्द 'लब्धायति' है—'लब्धा आयतिर्यया सा लब्धायतिः'। 'आयति' शब्द के अनेक अर्थ हैं—भविष्य, विस्तार आदि। 'साहित्यदर्पण' की 'गाढतारुण्या' कदाचित् 'लब्धायति' है। 'भावोन्नता' विराजद्विभ्रमा ही है। काव्यालंकार, शृंगारतिलक और साहित्यदर्पण एक ही परंपरा में हैं। रसमंजरी का प्रवाह भिन्न है।

हिंदी में नायिकाभेद के क्षेत्र में भी कोई नई उद्भावना नहीं की गई है। जो उद्भावना नई समझी जाती है उससे पहले कोई उद्भावना भी हो। हिंदी के दो आचार्यों में कुछ नवीन क़हने का हौसला दिखाई देता है—देव में और दास में। 'देव' की जैसी उद्भावना जातिविलास में दिखाई देती है वह साहित्यिक मर्यादा के अंतर्गत नहीं आती। यथार्थवाद के नाम पर कहाँ तक उसकी पुष्टि की जाएगी। दास ने जो भी नूतन सरणि रखी है वह विमर्शपूर्वक है, भले ही उसका विशेष महत्त्व न हो। हिंदी में विशेष महत्त्व की उद्भावना के लिए अवकाश भी संस्कृत के आचार्य नहीं छोड़ गए थे। इसलिए यदि किसी की दृष्टि नवीन विचारपरंपरा की ओर जाती है तो यही उसके लिए बहुत बड़ी बात

है। जैसे, दास ने यह सोचा कि श्रीमानों के यहाँ अनेक महिलाएँ रहती हैं और वे एक ही पति की अनेक महिलाएँ होती हैं। पाणिगृहीता तो स्वकीया है, पर ये 'रक्षिताएँ' या 'परदायतें' क्या मानी जाएँ—परकीया या स्वकीया। इनके परकीया मानने में बाधा थी। उसके लिए 'परपुरुष' की शर्त थी। अतः इन्होंने उन्हें स्वकीया ही घोषित किया—

श्रीमाननि के भौन में भोग्य भामिनी और।
तिनहूँ कों सुकियाहि में गनैं सुकविसिरमौर॥

—*शृंगारनिर्णय।*

जातिविलास में जिन्हें आलंबन के रूप में रखा गया उनमें से अधिकतर को उद्दीपन के अंतर्गत दूती के रूप में दास ने जो उपस्थित किया वह पारंपरिक प्रवाह के कारण। केशवदास ने इनमें से अधिकतर को सखीरूप में रखा है, वह भी रुद्रभट्ट के शृंगारतिलक के ही आधार पर[1]। हिंदी में अधिकांश संस्कृत का ही है, नवीन उद्भावना के कण उसमें नहीं के समान हैं। परकीया में उद्बुद्ध और उद्बोधिता वस्तुतः भेद नहीं हैं, उसकी स्थिति का कथन मात्र है। उसमें अवैज्ञानिकता नहीं है। जैसा कहा जाता है, वह भी पारंपरिक कथन है। परकीया के मिलने के प्रयत्न की त्रिधा स्थिति हो सकती है—नायिका की ओर से प्रयत्न, नायक की ओर से प्रयत्न, दोनों की ओर से प्रयत्न। इनमें से उभयात्मक स्थिति का उल्लेख नहीं है। नायिका की ओर से प्रयत्न होने पर वह उद्बुद्धा है, नायक की ओर से प्रयत्न होने पर उद्बोधिता है। 'शृंगारतिलक' में भी इस स्थिति का उल्लेख है—

विज्ञ तनायिकाचित्ता सखी वदति नायकम्।
नायको वा सखीं तस्याः प्रेमाभिव्यक्तये यथा॥

दोनों स्थितियों के दो उदाहरण भी वहाँ दिए गए हैं। यह कहना भ्रांतिशून्य नहीं कि उद्बोधिता तो अनूढ़ा ही है। ऊढ़ा और अनूढ़ा दोनों ही उद्बोधिता हो सकती हैं। कैसी अविचारितरमणीय उक्ति है—अनूढ़ा को न स्वकीया में ही रखा जा सकता है और न परकीया में। जब तक अनूढ़ा है तब तक वह परकीया ही रहेगी और जब प्रेमी से ही उसका विवाह हो जाएगा तब वह स्वकीया होगी—स्थितिभेद से स्वरूपभेद होगा।

संस्कृत में कार्यभेद से नायिकाओं के आठ रूप माने गए हैं, पर हिंदी में बहुत पहले से 'अष्टनायिका' के स्थान पर 'दशनायिका' का निरूपण होता आया है। इस आठ और दस में कोई बड़ा अंतर नहीं है। सात भेद तो उभयनिष्ठ हैं। केवल प्रोषितभर्तृका के ही तीन-चार भेद और कर डाले गए हैं, अथवा यों कहिए कि नायक के प्रवास-प्रसंग को लेकर इन भेदों की कल्पना कर ली गई है—प्रोषितपतिका, प्रवत्सत्पतिका, प्रवत्स्यत्पतिका

---

१. **कारुर्दासी नटी धात्री प्रातिवेश्या च शिल्पिनी।**
बाला प्रव्रजिता चेति स्त्रीणां ज्ञेयः सखीजनः॥

और आगतपतिका। प्रवत्स्यत्पतिका को किसी ने छोड़ भी दिया है, जैसे पद्माकर ने। कहीं-कहीं यह भेद मिलता है, जैसे भाषाभूषण में।

इनमें से प्रोस्यत्पतिका का उदाहरण प्राचीनों के अनुसार भानुदत्त ने भी रसमंजरी में रखा है।[१] उन्होंने बतलाया है कि इसका अंतर्भाव यदि विप्रलब्धा, कलहांतरिता या खंडिता में करना चाहें तो नहीं हो सकता। इसलिए इसे स्वतंत्र भेद ही स्वीकार करना चाहिए।

दास विचारशील आचार्य थे। उन्होंने नायिकाभेद के प्रसंग में कुछ स्थितियाँ कल्पित की हैं। रससारांश में वे लिखते हैं—

गुप्त बिदग्धा लक्षिता मुदिता तिय को भाइ।
किये बनै सुकियाहु में त्रपा हास्यरस पाइ॥
त्योंही परकीयाहु में मुग्धादिक के कर्म।
जैसे अस्त्र कोऊ गहै क्षत्रिजाति को धर्म॥

उस युग में इतना ही विचार क्या कम है। आज जब नायिकाभेद में ही अपनी सारी साहित्यिक योग्यता का व्यय करनेवाले भी इस विषय पर कुछ नहीं सोच पाते तब संस्कृत की समृद्ध चिंतनपरंपरा में हिंदी के मध्यकाल के इन श्रृंगारयुगीन कवियों या आचार्यों ने इतना भी सोचा तो बहुत किया। शृंगारकाल के आचार्यों ने महत्त्वपूर्ण बातें चाहे न सोची हों, पर उन्होंने अपने क्षेत्र में समय-समय पर कुछ चिंतन अवश्य किया है। उनके चिंतन के कणों को संचित करने से पर्याप्त राशि इकट्ठी हो सकती है।

अलंकारमीमांसा

वेद में अलंकार

'वेदोऽखिलतो धर्ममूलम्'—वेद ही संपूर्ण धर्मों का, समस्त विद्याओं का मूल है। धनुर्विद्या और वैद्यविद्या तो धनुर्वेद और आयुर्वेद के नाम से प्रसिद्ध ही हैं, ज्योतिष वेद के छह अंगों में से है। साहित्य अथवा नाट्य और काव्य का भी उद्भव वेदों से है। काव्य के दो भेदों दृश्य-श्रव्य में से रसात्मक बोध की दृष्टि से मुख्य है दृश्य। उसका मूल वेदों में है। भरतमुनि के नाट्यशास्त्र में नाटकों के उदय की जो कथा दी गई है उससे नाटकों के उद्भव का वास्तविक पता चलता है। नाटकों में संवाद, गान और रस प्रधान हैं। ये तीनों भिन्न-भिन्न वेदों से गृहीत हुए। यही नहीं, आधुनिक युग में

१. **प्राचीनलेखनादग्रिमक्षणे देशान्तरनिश्चितगमने प्रेयसि प्रोस्यत्पतिका नवमी नायिका भवितु-मर्हति।**

'साहित्य' के अंतर्गत जो नए-नए विभाग हो रहे हैं उनका मूल भी वेद हैं। हिंदी में भाषाविज्ञान का विचार अँगरेजी से आया। भाषाविज्ञान द्वारा भाषा के अध्ययन का आविष्कार करने का अधिक श्रेय पाश्चात्य विद्वानों को दिया जाता है। 'बाप' नामक जर्मन विद्वान् उस विद्या का 'बाप' ही माना जाता है। पर यास्क का निरुक्त एक प्रकार का भाषाविज्ञान ही तो है। निरुक्त वेद के अंगों में है। यही स्थिति व्याकरण और छंद की भी है। ये भी वेद के अंग हैं। पद्य के व्याकरण के अंग हैं अलंकार। छंद तो पद्यरूप ही है, गद्य से छंद का तो संबंध ही क्या। इस प्रकार अलंकारों का भी मूल वेदों में ही है।

बोलने अथवा लिखने की शैली अलंकार है। जिन देशों अथवा जातियों में साहित्य अथवा काव्य का विकास नहीं हो पाया उनमें भी आलंकारिक प्रणाली का प्रयोग होता है। मनुष्य ने जब से भावविनिमय के संकेतों को छोड़ भाषा का व्यवहार आरंभ किया तभी से अलंकार भी उसकी वाणी में आप-से-आप आने लगे। शैली भावविनिमय के ढंग में इस प्रकार छिपी रहती है कि उसे सामान्यतया अलग नहीं कर सकते। जिस प्रकार व्याकरण भाषा के प्रयोगों का विश्लेषण करता है उसी प्रकार अलंकारशास्त्र भावप्रकाशन के ढंग का। अलंकारों की शैली मूढ़-विद्वान् सभी में चलती है। भेद उनकी पहुँच का होता है, साधु-असाधु प्रयोग का होता है। कोई अपढ़ किसी की बड़ी-बड़ी आँखों को 'कौड़ी सी' कहेगा, पर सुपढ़ 'कमल के समान'।

कुछ लोगों का विचार है कि अलंकारों का निरूपण हो लेने पर साहित्य में आलंकारिक पद्धति का प्रचार हुआ। पुराणों के अनुसार अलंकारों की शैली का निरूपण सबसे पहले भगवान् वेदव्यास ने 'अग्निपुराण' में किया। इसके पहले महर्षि वाल्मीकि का रामायण प्रस्तुत हो चुका था। कौन कह सकता है कि उसमें अलंकारों का अस्तित्व नहीं। वेदों से पहले कोई व्यवस्थित रचना संसार को अज्ञात है। जब वेदों में ही अलंकार पाए जाते हैं तब उक्त स्थापना ठीक नहीं प्रतीत होती। आलंकारिक शैली का उस समय तक अधिक विकास नहीं हुआ था। उस समय ऐसे ही अलंकार पाए जाते हैं जो भावाभिव्यंजन के लिए बहुत आवश्यक थे। चमत्कारमात्र दिखानेवाले अलंकारों की बाढ़ पीछे आई।

वेदों में कुछ ही अलंकार मिलते हैं। अलंकाराभ्यासी चाहें तो येन-केन-प्रकारेण वहाँ सभी प्रमुख अलंकारों की स्थिति दिखला सकते हैं। परमार्थतः वहाँ कुछ स्वाभाविक अलंकारों का ही प्रयोग पाया जाता है। परोक्ष सत्ता का संकेत करनेवाले सूक्तों में लाक्षणिकता प्रधान है, वाच्य के बदले व्यंग्य प्रधान है। 'अजामेकां लोहितशुक्लकृष्णां' में केवल रूपकातिशयोक्ति मान लेने से काम नहीं चलेगा। उक्त परंपरा अनेक कवियों ने पकड़ी। हिंदी में तुलसीदास ने भी संसार की सदसद्विलक्षणता के लिए इसी प्रणाली का अनुसरण किया है—

सून्य भीति पर चित्ररंग नहिं तनु बिनु लिखा चितेरे।
धोए मिटै न मरें भीति-दुख पाइय यहि तन हेरे।
रबिकरनीर बसै अति दारुन मकररूप तेहि माहीं।
बदनहीन सो ग्रसै चराचर पान करन जे जाहीं।
कोउ कह सत्य झूठ कह कोऊ जुगल प्रबल करि मानै।

परोक्ष सत्ता को प्रत्यक्ष करने के फेर में सगुणसंप्रदाय के कवियों से अधिक निर्गुनिये संत पड़े हैं। हिंदी में इन सबमें कबीर मुख्य हैं। कबीर में लाक्षणिक प्रयोगों की भरमार है। कबीर ने मनमाने प्रयोग किए हैं, अर्थात् लक्षणा द्वारा मनमाना अर्थ लिया है। परिणाम यह हुआ कि उनकी वाणी पंथाइयों के ही काम की रह गई। जनता के लिए तो वह उलटी-सीधी बानी गोरखधंधा हो गई, 'कमर बरसै भीजै पानी' ऐसी उलटवासियाँ चकपकाहट भर उत्पन्न करती हैं। तथ्यनिरूपण अथवा विषयविवेचन स्पष्टतया नहीं करतीं। वेदों में स्पष्टता है, बात शीघ्र समझ में आ जाती है—

द्वा सुपर्णा सयुजा सखाया समानं वृक्षं परिषस्वजाते।
तयोरन्यः पिप्पल स्वाद्वत्त्यनश्नन्नन्योऽभिचाकशीति॥

(मुण्डकोपनिषद् मु. ३, खं. १ । १)

(एक साथ रहनेवाले, परस्पर मित्र के समान बर्ताव करनेवाले दो पक्षी एक ही वृक्ष पर आश्रय ग्रहण करते हैं। उनमें से एक फल का भोग करता है दूसरा भोग न करता हुआ देखता है)।

इसमें वृक्ष शरीर के लिए, दो पक्षी जीवात्मा और परमात्मा के लिए, पिप्पल (फल) कर्मभोग के लिए उपमान हैं। रूपकातिशयोक्ति के ढंग की उक्ति है। रूपकातिशयोक्ति में परंपरा में प्रसिद्ध उपमान ही मान्य होते हैं।

विततौ किरणौ द्वौ तावा पिनष्टि पुरुषः।
न वै कुमारि तत् तथा यथा कुमारि मन्यसे।

(अथर्ववेद, कांड २०)

(दार्शनिक तत्त्व के लिए रूपकातिशयोक्ति की पद्धति का प्रयोग है। पूर्वार्द्ध में बताया गया है कि एक पुरुष पीसनेवाली चक्की के दो पाटों को बराबर चलाता रहता है। पुरुष परब्रह्म है और चक्की के दो पाट पृथ्वी और आकाश हैं।)

यही परंपरा अन्य दार्शनिक ग्रंथों में भी सुरक्षित है। श्रीमद्‌भगवद्गीता में भगवान् श्रीकृष्ण कहते हैं—

उद्‌र्ध्वमूलमधः शाखा अश्वत्थः प्राहुरव्ययम्।
छन्दांसि यस्य पर्णानि यस्तं वेद स वेदवित्॥

अग्निपुराण में आलंकारिक शैली का निरूपण किया गया है। शब्दालंकार, अर्थालंकार और उभयालंकार तीन भेद किए गए हैं और अर्थालंकार को सबसे ऊँचा स्थान दिया गया है। यहाँ तक कहा गया है कि 'अर्थालंकाररहिता विधवेव सरस्वती'। अर्थालंकार में उपमा, रूपक आदि मुख्य अलंकार ही लिए गए हैं। भरतमुनि केवल चार अलंकार मानते हैं—उपमा, रूपक, दीपक और यमक। इसका कारण यही है कि उस समय तक आलंकारिक शैली में चमत्कारप्रियता नहीं बढ़ी थी। वेदों में उपमा और रूपक का आधिक्य है। वस्तुतः उपमा ही आलंकारिक शैली का प्राण है। रूपक आदि तो उसी के विकार हैं—

परा हि मे विमन्यवः पतन्ति वस्यइष्टये वयो न्वसतीरूप।

(ऋ० मं० १, सूक्त २५)

(हमारी प्रार्थनाएँ इष्टसिद्धि के लिए उसी प्रकार ऊपर की ओर जाएँ जिस प्रकार पक्षी घोंसले की ओर उड़ते हैं।—उपमा)

सूर्य्यो देविमुषसं रोचमानां मर्य्यो न योषामभ्येति पश्चात्।

(ऋ. मंडल १, सूक्त ११५)

(देदीप्यमान उषा देवी का अनुगमन सूर्य उसी प्रकार करते हैं जिस प्रकार पुरुष सुंदर स्त्री के पश्चात् चलता है।—उपमा)

अबोध्यग्निः समिधा जनानां प्रति धेनुमिवातीमुषासम्।
यह्वा इव प्र वयामुज्जिहानाः प्र मानवः सस्रते नाकमच्छ॥

(सामवेद, प्रथम अध्याय, अष्टमी दशति)

(अग्नि जिस समय यज्ञकर्ताओं की समिधा से प्रज्ज्वलित होती है उस समय दूध देनेवाली गौ के समान आती उषा की ओर उसकी लपटें इस प्रकार फैलती हैं जिस प्रकार पक्षी छोटे बच्चों को छोड़कर अच्छे प्रकार आकाश की ओर जाते हैं।—उपमा)

ओजस्तदस्य तित्विष उभे यत्समवर्तयत्। इन्द्रश्चर्मेव रोदसी।

(सा० अ० २, दश० ७, सं० ८)

(जब इस—राजा या परमात्मा—का बल प्रकाश करता है तब इंद्र दोनों—पृथ्वी और द्युलोक—को ढाल के समान चारों ओर से ढक लेता है।—उपमा)

त्र्यम्बकं यजामहे सुगन्धिं पुष्टिवर्धनम्।
उर्वारुकमिव बन्धनान्मृत्योर्मुक्षीय मामृतात्॥

(यजुर्वेद अ० ३, ६०)

(त्र्यंबक का हम पूजन करते हैं जो उत्तम मार्ग में प्रेरणा करनेवाले और पोषण करनेवाले हैं। इससे मैं मृत्यु के बंधन से उसी प्रकार मुक्त हो जाऊँ जिस प्रकार लता के बंधन से लौआ अलग हो जाता है। पर अमृत (जीवन) से मुक्त न होऊँ।—उपमा)

पुत्रमिव पितरावश्विनौ भेन्द्रावथुः कात्यैर्दंसनाभिः।
यत्सुरामं व्यपिबः शचीभिः सरस्वती त्वा मघवन्नभिष्णक् ॥

(यजु० अ० १०, ३४)

(जिस प्रकार माता-पिता पुत्र की रक्षा करते हैं उसी प्रकार अश्विनौ—दो अश्विन, दो घुड़सवार—विद्वानों द्वारा रचे गए उपायों और प्रयोगों से हे इंद्र, तेरी रक्षा करें।—उपमा)

अयमु ते समतसि कपोत इव गर्भधिम्। वचस्तच्चिन्न ओहसे ॥

(अथर्व० कां० २०)

(यह साधक आत्मा तेरी ही है। जिस प्रकार कबूतर गर्भ धारण करने में समर्थ कबूतरी का समरूप होकर प्रेम से उसके समीप आता है उसी प्रकार हे इंद्र, तेरी शक्ति धारण करनेवाले को भली-भाँति प्राप्त हो।—उपमा)

शन्नो देवीरभीष्टये शन्नो भवन्तु पीतये। शं योरभिस्रवन्तु नः ॥

(साम० अ० १, ३३)

(परमात्मा की दिव्य शक्तियाँ हमारे मनचाहे आनंद के लिए सुखदायी हों, हमारी तृप्ति के लिए सुखद हों, हमारे लिए अभीष्ट सुख की वर्षा करें। 'शन्नो' में लाटानुप्रास और यदि प्रथम 'शन्नो' के साथ 'भवंतु' भी लगावें, जैसा अर्थ में है, तो 'दीपक'।

यत्र बाणाः सम्पतन्ति कुमारा विशिखा इव।

(शुक्ल यजु०, अ० १७, ४९)

(वहाँ बाण बालकों के शिखाहीन बालों की तरह गिरते हैं।—'बाणाः' और 'विशिखाः' में 'पुनरुक्तवदाभास' है।)

अहरहप्रयावं भरन्तोऽश्वायेव तिष्ठते घासमस्मै।
रायस्पोषेण समिषा मदन्तोऽग्ने मा ते प्रतिवेशा रिषाम ॥

(यजु० सं० अं० ११, ७५)

(घर पर बँधे घोड़े को प्रतिदिन बिना नागा जैसे घास दी जाती है, वैसे खाने-पीने योग्य, भोग्य सामग्री प्राप्त करते हुए और तुझे प्रदान करते हुए धनैश्वर्य की समृद्धि से और अन्न की समृद्धि से अतिहृष्ट आनंदतृप्त होते हुए हम लोग तेरे पड़ोसी के समान तुझमें प्रविष्ट होकर कभी पीड़ित न हों।)

औपम्यमूलक अलंकारों के अतिरिक्त अन्य सभी अलंकार कम हैं। जो हैं भी वे स्वयमेव आए हैं, बलात् आनीत नहीं हैं। लाटानुप्रास और पुनरुक्तवदाभास के उदाहरण इसी प्रकार के हैं।

हिंदी के मध्यकालीन अलंकार-ग्रंथ

विक्रम की सोलहवीं शती तक हिंदी में किसी लक्षणाग्रंथ का पता नहीं चलता।

सूरदास की 'साहित्यलहरी' एक तो उनकी कृति नहीं है, किसी भाट ने उसकी रचना बहुत बाद में की है, दूसरे उसमें दृष्टिकूट के पद हैं, साथ ही नायिकादि के लक्षण भी नियोजित हैं, अतः वह लक्षण का व्यवस्थित ग्रंथ नहीं।

कहा जाता है कि अकबर के दरबारी कवियों में से करनेस बंदीजन ने तीन ग्रंथ बनाए—कर्णाभरण, श्रुतिभूषण और भूपभूषण, पर ग्रंथ प्राप्त नहीं हैं। सबसे प्रथम निर्भ्रांत रूप से जिसके ग्रंथ प्राप्त हैं वे आचार्य केशवदास ही हैं। सत्रहवीं शती के मध्य में इन्होंने रसिकप्रिया और कविप्रिया नामक दो ग्रंथों का प्रणयन किया। कविप्रिया में काव्यशिक्षा की आवश्यक सामग्री दी गई है। केशव ने अलंकार को व्यापक रूप में लिया है। उसके दो भेद हैं—सामान्यालंकार और विशेषालंकार। सामान्यालंकार के चार भेद हैं—(१) वर्णालंकार, कवि संप्रदाय में किन-किन वस्तुओं का कौन-कौन-सा रंग है, (२) वर्ण्यालंकार (वस्तुओं के आकार का निर्देश), (३) भूमिभूषण (स्थलविशेष के वर्णन में अपेक्षित वर्ण्य) और (४) राजश्रीभूषण (राजवर्ग के वर्णनीय विषय)। विशेषालंकार में उममादि अलंकारों का विवेचन है। 'कविप्रिया' का व्यवहार कविसंप्रदाय में इतना अधिक था कि बिना इस ग्रंथ के पढ़े किसी की काव्य-विषयक योग्यता अपूर्ण ही समझी जाती थी। रसिकप्रिया नायिकाभेद की पोथी है। इसमें शृंगाररस को रसनायक सिद्ध करने के लिए उसके अंतर्गत उदाहरण देकर सब रस-भाव दिखा दिए गए हैं। इनके नखशिख, शिखनख और बारहमासा पृथक् रूप में मिलते अवश्य हैं पर वे कविप्रिया के ही साथ पहले थे। हिंदी में अधिकतर ग्रंथ शृंगाररस, नायिकाभेद और अलंकार के बने। पहले प्रकार के ग्रंथों के आधार भानुदत्त के दो ग्रंथ थे—रसतरंगिणी (रसविवेचन) और रसमंजरी (नायिकाभेद)। अलंकारग्रंथों का आधार पीयूषवर्षी जयदेवकृत चंद्रालोक और विशेषतः इसके अलंकार-प्रकरण पर लिखी अप्पय दीक्षित की कुवलयानंद टीका है। चंद्रालोक में एक ही श्लोक में लक्षण और उदाहरण दोनों संपुटित हैं। कुवलयानंद में 'चंद्रालोक' के लक्षणों का स्पष्टीकरण है तथा नए उदाहरण भी दिए गए हैं। इस काल में केवल कुछ ही व्यक्ति ऐसे हुए जिन्होंने आचार्यपद का उत्तरदायित्व कुछ समझा। जब कुवलयानंद के हिंदी- अनुवाद चल पड़े तब परवर्ती कवियों में से अधिकांश ने हिंदी के ग्रंथों का भी सहारा लिया। महाराज जसवंतसिंह का भाषाभूषण बहुतों की सहायता करता रहा। कुछ स्थलों को छोड़कर यह चंद्रालोक के पंचम मयूख अर्थात् कुवलयानंद का अनुवाद है। इसमें नायिकाभेद का प्रकरण भी रसमंजरी और रसतरंगिणी के आधार पर जोड़ दिया गया है।

अठारहवीं शताब्दी में चिंतामणि त्रिपाठी ने 'काव्यांग' पर तीन ग्रंथ लिखे—कविकुलकल्पतरु, काव्यविवेक और काव्यप्रकाश। कहीं कविकुलकल्पतरु के ही दो नए

---

१. शृगारमंजरी के संबंध में श्री सत्यदेव चौधरी का मत है कि यह मूलरूप में तेलुगु में लिखी गई। इसका संस्कृत उल्था हुआ। उस संस्कृत उल्थे से हिंदी में चिंतामणि ने अनुवाद किया। इसमें कुछ सामग्री रसमंजरी और रसतरंगिणी से मिलती-जुलती भी है।

नाम काव्यप्रकाश और काव्यविवेक तो नहीं हैं। खोज में इनकी शृंगारमंजरी[1] मिली है। चिंतामणि की विवेचनशैली अच्छी है, गद्य में वचनिका भी रखी है।

महाराज जसवंतसिंह ने भाषाभूषण नामक ग्रंथ इसी शताब्दी में लिखा। आदि में कुछ नायक-नायिकाओं और रसभावादि के लक्षण भी जोड़ दिए गए हैं। अलंकारशास्त्र में प्रवेश और कंठस्थ करने की दृष्टि से पुस्तक काम की है। स्पष्ट है कि यह पुस्तक कवित्वशक्ति दिखलाने के लिए नहीं लिखी गई। इन्होंने कहीं-कहीं कुछ बातें बढ़ाई भी हैं। भाषाभूषण को कई परवर्ती कवियों ने आधार मानकर रचना की है। अतः इसका अच्छा सम्मान हुआ। इस पर कई टीकाएँ भी हैं। जिनमें से छह का ठीक-ठीक पता चलता है। उनमें से वंशीधरकृत अलंकाररत्नाकर, प्रतापसाहि की टीका और गुलाब कवि की भूषणचंद्रिका अच्छी हैं।

निर्माताओं में दो प्रकार की प्रवृत्तियाँ पाई जाती हैं। कुछ ने तो केवल दोहों में ही लक्षण-उदाहरण दोनों दिए और कुछ ने उदाहरणों की प्रचुरता रखी। कुछ ऐसे भी थे जिन्होंने पूर्वप्रचलित ग्रंथों के लक्षण रखकर अपने उदाहरणों का ढेर लगा दिया। ऐसों में बहुतों ने सभी उदाहरण आश्रयदाता अथवा इष्टदेव पर ही घटाए। कुछ उदाहरणों में विषयवैभिन्र्य भी रखा। जो शास्त्रीयपद्धति पर रीतिशास्त्र का सम्यक् विवेचन करना चाहते थे ऐसों ने दूसरों की कविता भी उदाहरणस्वरूप उद्धृत की। कहीं-कहीं विषय को स्पष्ट करने के लिए लक्षण और उदाहरण का समन्वय गद्य में भी मिलता है।

रीतिकाव्य में रीतिविवेचन की दो पद्धतियाँ थीं। एक संक्षिप्त जिस पर भाषाभूषण लिखा गया है, दूसरी विस्तृत। पहली में काव्य के किसी एक या दो अंगों का संक्षेप में दोहे आदि में ही विवेचन होता था। दूसरी में उदाहरण में कवित्त-सवैये बड़े छंद होते थे और सभी अंगों का विवेचन करने का प्रयास किया जाता था। विवेचनात्मक विस्तृत पद्धति पर कुलपति मिश्र ने १७१७ में 'रसरहस्य' नामक ग्रंथ लिखा। इसमें काव्यप्रकाश और साहित्यदर्पण का आश्रय लिया गया है। इन्होंने शास्त्रीय पद्धति से आचार्यों के मत का विवेचन करके उसे ग्रहण किया है। कहीं-कहीं अपनी स्वतंत्र सम्मति भी लिखी है। ये अच्छे आचार्य थे, पर व्रजभाषा पद्य में ही संपूर्ण विषय कहने से समुचित विवेचन बन नहीं पड़ा। शब्दशक्ति और भावप्रकरण में इन्होंने अधिकांश लक्षण- उदाहरण आधार-ग्रंथों से ही लिए हैं, पर अलंकार-प्रकरण में आश्रयदाता रामसिंह की प्रशंसा के स्वरचित उदाहरण दिए हैं। कुमारमणि भट्ट ने सं० १७७६ में रसिकरसाल नामक ग्रंथ बनाया जो काव्य-प्रकाश के आधार पर है। कालपी-निवासी श्रीपति ने काव्यरीति पर कई ग्रंथ लिखे—कविकल्पद्रुम, रससागर, अनुप्रासविनोद और अलंकारगंगा। इनका सबसे उत्तम ग्रंथ काव्यसरोज या श्रीपतिसरोज है। इन्होंने अलंकार का अच्छा विवेचन किया है। ये केशव की भाँति चमत्कारवादी थे, पर थे अच्छे काव्याभ्यासी। इन्होंने केशव के पद्य, दोषों के उदाहरण में रखे हैं। काव्यसरोज का आधार काव्यप्रकाश ही है। विवेचना अच्छी है, ग्रंथ प्रौढ़ है। कहते हैं कि भिखारीदास ने श्रीपति की बहुत-सी सामग्री चुपचाप

काव्यनिर्णय में रख ली है। तथ्य यह है कि दोनों ने काव्यप्रकाश को अपना आधार बनाया है इसी.से बहुत-सी सामग्री मिलती-जुलती है।

विक्रमी उन्नीसवीं शताब्दी में काव्यनिर्णय (निर्माणकाल सं० १८०३) नामक प्रौढ़ रीतिग्रंथ बना। इसमें काव्यप्रकाश के अतिरिक्त चंद्रालोक, साहित्यदर्पण आदि कई संस्कृतग्रंथों का आधार लिया गया है। इन्होंने हिंदी के रीतिग्रंथों का भी भरपूर आलोड़न किया था। ध्वनि का विवेचन इसमें सावधानी से किया गया है। पर विवेचन कहीं-कहीं अस्पष्ट और कहीं-कहीं संस्कृत के अंधानुकरण से अशुद्ध भी है। अलंकार के विवेचन में अधिक सावधानी बरती गई है। अलंकारों के वर्गीकरण पर भी ध्यान दिया है। संप्रति अलंकारों का प्रचलित क्रम कुवलयानंद का ही है। इसमें मिलते-जुलते कुछ अलंकार पास-पास हैं। काव्यनिर्णय में वैयाकरणों के 'तुदादि, चुरादि', वैद्यों के 'चंदनादि' की भाँति 'उपमादि', 'उल्लासादि' वर्ग में अलंकार बाँटे गए हैं। नए अलंकारों के निकालने के प्रयत्न भी हैं। 'तद्गुण' के सहारे 'स्वगुण' अलंकार की कल्पना की गई है, जिसमें कोई अपने अंगी का गुण ग्रहण करता है। अलंकार के अतिरिक्त इनका 'तुक-निर्णय' हिंदी में नई वस्तु है। पाँचवें आचार्य सोमनाथ हैं, इन्होंने रसपीयूषनिधि की रचना की। यह ग्रंथ भी संस्कृत के रीतिकारों की तर्कसिद्ध शैली पर बना है।

संक्षिप्त शैली में महाराज जसवंतसिंह के भाषाभूषण के पश्चात् दूसरी पुस्तक सूरति मिश्र की अलंकारमाला है जो सं० १७६६ में बनी। इसमें भी दोहे की संक्षिप्त पद्धति ही है। यह भी कुवलयानंद के आधार पर है। रसिकसुमति का अलंकारचंद्रोदय सं० १७८५ के लगभग बना। पुस्तक दोहों में है और कुवलयानंद के आधार पर है। गुरुदत्तसिंह भूपति का कंठाभरण भी दोहों में है और ये दोहे कवि की सतसई में भी संकलित हैं। अलंकार-रत्नाकर के रचयिता दलपतिराय और वंशीधर दो व्यक्ति हैं। यह भाषाभूषण की टीका है। इसमें उदाहरण काव्यग्रंथों से चुन-चुनकर और प्रसिद्ध कवियों के भी रखे गए हैं और लक्षणों के साथ उदाहरणों का समन्वय गद्य में है। कहीं-कहीं उदाहरण दंडी आदि संस्कृत के आचार्यों के भी हैं।

मतिराम ने ललितललाम बूँदी के भाऊसिंह के प्रीत्यर्थ बनाया। मतिराम के लक्षण और उदाहरण स्पष्ट हैं। भूषण ने शिवाजी पर शिवभूषण सं० १७३० में बनाया। इसके लक्षण कई स्थलों पर अस्पष्ट और भ्रामक हैं। कहीं-कहीं उदाहरण भी नहीं बन पड़े हैं। इन्होंने दो नए अलंकार निकाले हैं। एक 'सामान्य विशेष' है, जिसमें 'विशेष' का कथन करके 'सामान्य' लक्षित कराया जाता है। यह प्राचीन आलंकारिकों के अप्रस्तुत-प्रशंसाशंकार की 'विशेष-निबंधना' से भिन्न नहीं। दूसरा अलंकार है 'भाविक छवि'— 'दूरस्थित वस्तु को सम्मुख देखना'। 'भावुक' में 'समय की दूरी' है और 'भाविक छवि' में 'स्थान की दूरी'। 'भाविक छवि', भाविक का अंग मात्र है। शिवभूषण को अलंकार की दृष्टि से देखने पर नैराश्य ही होता है। देव ने काव्यरसायन या शब्दरसायन काव्यरीति पर लिखा। इसमें अलंकारों का भी वर्णन है। देव ने उपमा का तो कुछ विस्तार किया है,

जैसा दंडी और केशव ने, पर शेष अलंकारों में से बहुत थोड़े लिए हैं और उन्हें भी चलता कर दिया है। एक ही छंद में चार-चार पाँच-पाँच अलंकार निबटाए हैं। कुछ सज्जन त्वरा का हेतु यह कल्पित करते हैं कि देव ने पहले से प्रस्तुत कविता के सहारे अलंकार का ठाठ बाँधा, जिस अलंकार के उदाहरण नहीं थे उन्हें छोड़ दिया और कुछ छंदों में कई अलंकार दर्शा दिए। दत्त ने सं० १७९१ में लालित्यलता नामक अलंकार-ग्रंथ बनाया। ये चमत्कारवादी जान पड़ते हैं। विवेचन और ढंग मतिराम का-सा है।

धनीराम ने १८६७ के लगभग 'काव्यप्रकाश' का उल्था आरंभ किया, पर वह पूरा न हो सका। किसी-किसी ने साहित्यदर्पण का भी अनुवाद किया। कुछ की दृष्टि केशव की ओर भी गई। कविप्रिया की परिपाटी के दर्शन फिर हुए। गुमान मिश्र ने शास्त्र में ही नहीं, काव्य में भी उनका अनुगमन किया, कृष्णचंद्रिका में तरह-तरह के छंद रखे। ये संस्कृत के भारी पंडित और नैषध के अनुवादकर्ता थे। इन्होंने सं० १८१८ में अलंकारदर्पण बनाया। केशव के दूसरे अनुगामी गुरुदीन पांडे हैं जिन्होंने बागबहार सं० १८६० में रचा। इसमें बीस प्रकाश हैं। रामचंद्रचंद्रिका के समान बहुमेल छंद भी हैं। केशव के तीसरे अनुगामी प्रसिद्ध कवि बेनीप्रबीन हैं। इनका नानारावप्रकाश कविप्रिया के ही ढंग पर है।

भाषाभूषण-शैली के ग्रंथ प्रायः दोहों में होते थे, अब बड़े छंदों में विशेषतः कवित्त, सवैया, छप्पय में उदाहरण रचे जाने लगे। उदाहरण कुवलयानंद के अनुवाद न होकर वैसे ही नए बनने लगे। शृंगार के अतिरिक्त अन्य रसों के उदाहरण भी दिए गए। दूलह का कविकुलकंठाभरण, शंभुनाथ का अलंकारदीपक, रूपसाहि का रूपविलास, ऋषिनाथ की अलंकारमणिमंजरी, बैरीसाल का भाषाभरण, नाथ का अलंकारदर्पण, रामसिंह का अलंकारदर्पण, पद्माकर का पद्माभरण और प्रतापसाहि की अलंकारचिंतामणि उन्नीसवीं शताब्दी की विशिष्ट कृतियाँ हैं। कुछ में रस और नायिकाभेद का भी थोड़ा-सा परिचय आदि में है। कुछ के आदि में अलंकारों के लक्षण और पीछे उनके उदाहरण एकत्र दिए हैं। बड़े छंदों में उदाहरण के कारण विषय कुछ अधिक स्पष्ट हुआ।

कवित्त-सवैये के उदाहरणवाली पद्धति पर लिखा रघुनाथ का रसिकमोहन बहुत ही उत्तम बन पड़ा है। इसमें शृंगार के ही नहीं अन्य रसों के भी पद्य हैं। उदाहरण कई दिए गए हैं। पद्य के प्रायः प्रत्येक चरण में अलंकार लाया गया है। उन्नीसवीं शताब्दी के अंतिम चरण में भाषाभूषण के तिलककार प्रतापसाहि बड़े प्रौढ़ काव्याभ्यासी हुए। टीकाकार भी ये अच्छे थे। इन्होंने व्यंजना का भी विचार किया है व्यंग्यार्थकौमुदी में।

उन्नीसवीं शताब्दी के मध्य में उत्तमचंद भंडारी ने अलंकार आशय बनाया जो दलपतिराय वंशीधर की शैली पर है। उदाहरण अन्य कवियों के दिए गए हैं और व्याख्या गद्य में भी की गई है। इस शताब्दी के अलंकारग्रंथों में चंदन का काव्याभरण (१८४५), भानु का नरेंद्रभूषण (१८४५), थान का दलेलप्रकाश (१८४८), बेनी बंदीजन का टिकैतरायप्रकाश (१८४९), देवकीनंदन का अवधूतभूषण (१८५७), ब्रह्म भट्ट का दीपप्रकाश (१८६५), रामसहायदास का वाणीभूषण (१८७३) और रघुनाथ के पुत्र

गोकुलनाथ की चेतचंद्रिका एवं कविमुखमंडन उल्लेखनीय हैं। पहले यमक आदि के भेदोपभेदों के उदाहरण रचने में चमत्कार दिखाया जाता था जैसे अब्दुर्रहमान के यमकशतक (१७६३) में, पर अब चित्रालंकार के ग्रंथ भी बने, जिनमें काशिराज की चित्रचंद्रिका में चित्रालंकार का सांगोपांग वर्णन है। प्रवीणसागर (जो काव्यांगों पर विस्तृत ग्रंथ है) के अंत में भी चित्रालंकार के अनेक चित्र लहराए गए हैं।

बीसवीं शताब्दी में सेवक ने काव्यप्रकाश (१९३८) का उल्था किया। भाषाभूषण अथवा चंद्रालोक-कुवलयानंद की पद्धति भी चल रही थी। गुलाब ने भाषाभूषण की टीका भूषणचंद्रिका लिखी। इन्होंने कई अलंकारग्रंथ लिखे और अलंकारग्रंथों पर टीका की। मतिराम के ललितललाम पर इनकी ललितकौमुदी टीका अच्छी है। इसमें कविरायजी ने गद्य में अलंकार समझाए हैं और स्थान-स्थान पर विषय स्पष्ट करने के लिए अपने वनिताभूषण से भी उदाहरण उद्धृत किए हैं। इन्होंने काव्य के अन्य अंगों पर भी लिखा है। इसी के आस-पास चतुर्भुज मिश्र ने 'अलंकारआभा' नाम से कुवलयानंद का पद्यानुवाद किया।

इस शताब्दी के आदि में लछिराम ने काव्यांगों पर विभिन्न राजाओं के नाम से कई ग्रंथ रचे। जिनमें से रामचंद्रभूषण और महाराज गिद्धौर के नाम पर बना हुआ रावणेश्वर-कल्पतरु बहुत प्रसिद्ध हैं। लछिराम की शैली मतिराम की-सी है। कई स्थानों पर उदाहरण अस्पष्ट और अपूर्ण हैं।

अन्य ग्रंथों में भारतेंदु के पिता श्री गोपालचंद्र (गिरिधरदास) का भारतीभूषण, प्रसिद्ध टीकाकार सरदार कवि के हनुमतभूषण तुलसीभूषण मानसभूषण, लेखराज के गंगाभूषण और लघुभूषण, बलदेव कवि का प्रतापविनोद, द्विज गंग की महेश्वरचंद्रिका, रसिकबिहारी का काव्यसुधाकर और गोविंद गिल्लाभाई की भूषणमंजरी उल्लेख्य हैं।

शृंगारकाल

आधुनिक इतिहासों में हिंदी-साहित्य की लगभग एक सहस्र वर्षों की दीर्घकालीन परंपरा तीन भागों में विभाजित की गई है—आदिकाल, मध्यकाल और आधुनिककाल[१]। मध्यकाल को ऐतिहासिकों ने कई प्रकार से बाँटा। मिश्रबंधुओं ने उसके तीन उपविभाग किए—पूर्व, प्रौढ़ और अलंकृत[२]। पं० रामचंद्रजी शुक्ल ने उसके दो खंड माने—पूर्व-

१. मिश्रबंधु विनोद—मिश्रबंधु-कृत, चतुर्थ संस्करण (सं० १९९४); हिंदी-साहित्य का इतिहास—पं० रामचंद्र शुक्ल-कृत, संशोधित और प्रवर्धित संस्करण (सं० १९९९); हिंदी भाषा प्र० संस्करण।

२. मिश्रबंधु विनोद, चतुर्थ संस्करण। हिंदी-साहित्य का इतिहास, संशोधित और प्रवर्धित संस्करण।

मध्यकाल और उत्तर-मध्यकाल। पहले का नाम भक्तिकाल और दूसरे का रीतिकाल रखा। 'मिश्रबंधु विनोद' के अनुसार दूसरा 'अलंकारकाल' है और 'हिंदी-साहित्य' का इतिहास के अनुसार 'रीतिकाल'[१]। मिश्रबंधुओं ने 'अलंकृत' शब्द का व्यापक अर्थ ग्रहण किया है। संस्कृत में अलंकार शब्द का व्यवहार साहित्य के समस्त शास्त्रपक्ष के लिए भी होता है।[२] अलंकारशास्त्र कहने से रस, अलंकार, रीति, पिंगल आदि समस्त काव्यांगों का भी बोध होता है। हिंदी में संस्कृत के ही अनुगमन पर केशवदास ने 'अलंकार' शब्द 'कविप्रिया' में व्यापक अर्थ में स्वीकृत किया।[३] वहाँ काव्य की सारी सामग्री—वर्ण्य विषय और वर्णन-प्रणाली—'भूषण' अर्थात् अलंकार मानी गई है। संस्कृत में 'रीति' शब्द का व्यवहार ऐसे व्यापक अर्थ में नहीं होता, पर 'हिंदी-साहित्य का इतिहास' में 'रीति' शब्द का प्रयोग रस, अलंकार, पिंगल आदि काव्यांगों के लिए किया गया है, जिसे हिंदी-काव्य-परंपरा का मान्य अर्थ समझना चाहिए। 'रीति' वस्तुतः 'काव्य-रीति' का संक्षिप्त रूप है।[४]

साहित्य के विविध कालों का विभाजन और नामकरण किस आधार पर हो, यह विचारणीय है। मुख्यतया कृति, कर्ता, विषय और पद्धति को दृष्टिपथ में रखकर विभाजन तथा नामकरण होता है। साहित्य के किसी विशिष्ट काल या युग की एकरूप कृतियों के विचार से विभाजन और नामकरण का दृष्टांत है। हिंदी का आदिकाल, जिसमें उपलब्ध अधिकांश रचनाओं का नाम 'रासो' है। अतः कुछ लोग उसे 'रासो-काल' कहना ठीक समझते हैं। कर्ताओं की एकरूपता को लक्ष्य करके उसे 'चारण-काल' भी कहा गया है।[५] प्रतिपाद्य विषय की दृष्टि से उसका नाम 'वीरगाथा-काल' भी रखा गया है।[६] पर कभी-कभी विशिष्ट पद्धति की बहुलता भी नामकरण का हेतु होती है। हिंदी का आधुनिककाल 'गद्यकाल' कहा जाता है।[७] जब विभाजन और नामकरण का कोई मार्ग नहीं मिलता, तब किसी विवेच्यकाल का कोई विशिष्ट कवि या लेखक सामने किया जाता है; अथवा राजनीतिक या सामाजिक इतिहास की शरण ली जाती है। अँगरेजी-साहित्य के इतिहासों में पूर्व-शेक्सपियर-युग, उत्तर-शेक्सपियर-युग आदि नाम[८] और उन्हीं की अनुकृति पर संस्कृत-साहित्य के इतिहास में पूर्व-कालिदास-युग, पर-कालिदास-युग आदि नाम[९] पहले

---

१. उत्तरवर्ती अन्य इतिहासों में शुक्लजी का ही विभाजन और नाम स्वीकृत हुआ है, अतः वे भी इसी में गतार्थ हैं।

२. आप्टे का संस्कृत कोश, पृ० १५६।

३. कविप्रिया, तृतीय प्रभाव।

४. भिखारीदास ने लिखा है—काव्य की रीति सिखी सुकबीन सों देखीं = सुनीं बहुलोक की बातैं।
—काव्यनिर्णय, प्रथम उल्लास।

५. सेलेक्शन्स फ्रॉम हिंदी-पोयट्री—लाला सीताराम संगृहीत प्रथम भाग।

६. हिंदी-साहित्य का इतिहास—पं० रामचंद्र शुक्ल-कृत।

७. मिश्रबंधु-विनोद तथा हिंदी-साहित्य का इतिहास।

८. ए हिस्ट्री आव् इंग्लिश लिटरेचर—श्री आर्थर काम्प्टन रिकेट कृत (सन् १९३१), पृ० १५४।

९. संस्कृत-लिटरेचर—श्री कीथ-कृत।

प्रकार के उदाहरण हैं। हिंदी में 'मिश्रबंधु-विनोद' के उपविभाग सूर-काल, तुलसी-काल, बिहारी-काल इसी के बोधक हैं और आधुनिककाल के भारतेंदु-युग, द्विवेदी-युग खंड भी यही सूचित करते हैं। अँगरेजी-साहित्य के इतिहास में एलिजाबेथन या विक्टोरियन पीरियद नाम दूसरे प्रकार के उदाहरण हैं। हिंदी में अकबर-काल, दयानंद-काल नाम भी वैसे ही हैं।

विभाजन और नामकरण में एक ओर तो किसी विशेष काल या युग की व्यापक प्रवृत्तियों के बोध का लक्ष्य होता है और दूसरी ओर अंतर्विभाग का सुभीता। जहाँ तक प्रवृत्तियों के बोध का पक्ष है इतर क्षेत्रों से नाम का ग्रहण आलस्य का सूचक है। साहित्य का इतिहास जनता की मानस-परंपरा का इतिहास होता है, उसे किसी शासक के नाम से प्रकट करना साहित्य की भावधारा के अज्ञान की घोषणा करना है। किसी विशिष्ट कवि या लेखक का नाम तब तक युग के साथ नहीं जुड़ना चाहिए जब तक उसकी प्रवृत्तियाँ सर्वमान्य न हो गई हों। 'भारतेंदु-युग' और 'द्विवेदी-युग' नाम को इसी दृष्टि से उचित कहा जा सकता है।[१] अंतर्विभाग के लिए ध्यान में रखना होगा विभाग के नाम की व्याप्ति को। अंतर्विभाग व्यापक प्रवृत्तियों के स्कंधों का बोधक होता ही है, साथ ही किसी विभाग की दीर्घ सीमा के विवेचन की कठिनाई भी सुगम करता है। प्रत्येक काल के पृथक्-पृथक् युग या सामान्य प्रवृत्तियों के पृथक्-पृथक् स्कंध बतलाने और समझने की दृष्टि से अनिवार्य होते हैं। अतः ऐतिहासिक विद्वान् सदा विभाजन करके ही विवेचन में प्रवृत्त होते हैं। शुक्लजी ने हिंदी-साहित्य का पूर्व-मध्यकाल विवेचन-सौकर्य के ही लिए चार अंतर्विभागों में विभक्त किया है। निर्गुण तथा सगुण धारा की दो-दो शाखाएँ मानकर ये नाम रखे हैं—ज्ञानमार्गी-प्रेममार्गी तथा रामभक्ति-कृष्णभक्ति।

इस प्रकार किसी साहित्य-काल के नामकरण की उपयुक्तता के दो तत्त्व उपलब्ध होते हैं। एक तो नाम सर्वसामान्य प्रवृत्ति का बोधक हो, दूसरे अंतर्विभाग का मार्ग अनवरुद्ध रखे। सर्वसामान्य प्रवृत्ति की बोधकता का संबंध किसी विशेषकाल में प्रस्तुत ग्रंथराशि के बाहुल्य से है, समस्तता से नहीं। किसी काल में बहुत-सी प्रवृत्तियाँ पूर्वकाल की भी चलती रहती हैं और कुछ नए काल का आभास देती हुई भी सामने आती हैं। इसलिए बाहुल्य की दृष्टि ही सर्वव्याप्त प्रवृत्तियों का प्रकृत रूप निर्दिष्ट कर सकती है।

इस विचार से साहित्य का इतिहास प्रस्तुत करनेवाले आलोचकों और राजनीतिक तथा सामाजिक दृष्टि से शासकों का शासन सामने लानेवाले ऐतिहासिकों में बड़ा भेद है। परंपरा के अनुसार किसी देश के इतिहास का कर्ता किसी काल के नामकरण या विभाजन में बहुधा शासक-वर्ग के नाम या जाति का ही सहारा लेता है। यद्यपि जनता की मनोवृत्तियों की झलक भी उसे देनी पड़ती है तथापि वह शासकों की व्यवस्था और कार्य-कलाप पर ही अधिक दृष्टि रखता है, अतः उसे नामकरण में कोई विशेष कठिनाई

१. आधुनिक हिंदी-साहित्य का इतिहास—श्री कृष्णशंकर शुक्ल-कृत।

नहीं पड़ती। हिंदूकाल, मुस्लिमकाल, ब्रिटिशकाल या अफगानकाल, मुगलकाल आदि नाम किसी गहरी छानबीन के परिणाम नहीं। पर साहित्य में व्यक्तिवाचक या जातिबोधक नाम यदि कहीं रख भी दिए जाएँ तो भी सर्वत्र यही ऋजु पथ न मिलेगा। साहित्य जनता के मन की छाया है और जनता का संघटन सब प्रकार की जातियों, वर्गों आदि से होता है। इसी से साहित्य में एक ही प्रकार की रचना प्रस्तुत करनेवाले विविध जातियों, वर्गों, संप्रदायों आदि के लोग हो सकते हैं क्या, होते ही हैं। हिंदी-साहित्य के किसी काल या युग की रचना उठा लीजिए, प्रमाण मिल जाएगा। हिंदी के आधुनिककाल में एक ही प्रकार की रचना करनेवाले ब्राह्मण, क्षत्रिय, वैश्य, शूद्र, मुसलमान, सिख, ईसाई, जैन, बौद्ध आदि सभी जाति तथा मत के लोग मिलते हैं। वस्तुतः साहित्य भेद में अभेद की स्थापना करनेवाला होता है। इसी से किसी देश की सार्वजनिक एकता का प्राण होता है एक साहित्य और एक भाषा। इसलिए विभागोपविभाग के नामकरण में कवियों और लेखकों की सर्वनिष्ठ प्रवृत्तियाँ ही प्रयोजनीय होती हैं। अतः कर्ताओं की एकरूपता के अनुसार नामकरण, यदि कहीं ऐसी एकरूपता मिले भी तो, विशेष उपयुक्त नहीं प्रतीत होता। इसलिए अंत में कृति, विषय और पद्धति की एकरूपता ही बच रहती है।

अब देखना चाहिए कि साहित्य में प्रवृत्ति की एकरूपता का कौन-सा लक्ष्य चुना जाय—कृति, पद्धति या विषय। 'रासो' की भाँति सदा कृति की नामावली एकरूप नहीं हुआ करती, अतः यह ढंग भी बहुत स्थूल लक्ष्य का परिचायक है। पद्धतियाँ एक ही समय में कई होती हैं। आधुनिककाल 'गद्यकाल' तो कहा जाता है पर पद्य की रचना भी प्रचुर परिमाण में हो रही है। इसी गद्यकाल में 'छायावाद' का डंका पिट चुका है, पर उसकी समाई गद्यकाल में कहाँ है। इस प्रकार व्याप्ति निर्दुष्ट नहीं रह जाती। वस्तुतः इस प्रकार के नामकरण तभी ठीक माने जा सकते हैं जब साहित्य के वर्ण्य-विषय की एकरूपता किसी प्रकार घटित न होती हो।

इससे निश्चित है कि साहित्य के इतिहासों में विभाजन और नामकरण का सर्वोत्कृष्ट ढंग वर्ण्य-विषय की व्याप्ति के अनुसंधान से संबद्ध है। पर वर्ण्य-विषय की दृष्टि से भी वस्तुतः दो पक्ष हो जाते हैं—एक बाह्य और दूसरा आभ्यंतर। हिंदी के आदिकाल को ही लीजिए। इस काल में वीर पुरुषों की गाथाओं का वर्णन करनेवाले ग्रंथ अधिक मिलते हैं। अतः वीरगाथा उनका वर्ण्य हुआ अर्थात् इन ग्रंथों में बाह्यार्थ वीरकथा है। पर कवियों ने जिस भाव या रस की अभिव्यक्ति लक्ष्य करके ये गाथाएँ काव्यबद्ध कीं वह भी तो वर्ण्य ही है। वह बाह्यार्थ नहीं पर काव्यार्थ तो है ही, अर्थात् प्रवृत्ति का मानस या आभ्यंतर पक्ष है। अतः इस दृष्टि से यदि 'आदिकाल' को 'वीरगाथा-काल' न कहकर 'वीररस-काल' या संक्षेप में 'वीरकाल' कहा जाए तो कोई हानि नहीं। भारतीय दृष्टि से साहित्य या काव्य का प्रतिपाद्य भाव या रस ही होता है। इसी से उसमें कर्ताओं के मानस-पक्ष का प्रसार दूर तक दिखाई पड़ता है अर्थात् उसकी व्याप्ति प्रकृत्या अधिक होती है। 'भक्तिकाल' नाम में भक्ति शब्द की व्याप्ति उसके भाव होने से अधिक है। यदि

'रीतिकाल' नाम की ओर देखते हैं तो उसमें रीति अर्थात् रस, अलंकार, शब्द-शक्ति, नायक, नायिका, पिंगल आदि काव्यरीति अवश्य वर्ण्य-विषय ही हैं, पर 'रीति' शब्द बाह्यार्थ का ही बोधक है, आभ्यंतरार्थ का नहीं। उस काल का आभ्यंतर वर्ण्य 'शृंगार' था। 'रीति' की सीमा में जितनी कृतियाँ समाविष्ट हैं वे अधिकतर 'शृंगार' की हैं। थोड़ी सी वीररस या शुद्ध भक्ति की रचनाएँ शृंगार की सीमा में आबद्ध नहीं होतीं। जिन्होंने 'नवरस' का प्रतिपादन लक्ष्य बनाया उन्होंने भी शृंगार की व्यापक प्रवृत्ति के कारण विस्तार से 'शृंगार' का ही वर्णन किया। हाँ, गिनाने के लिए एक-एक उदाहरण अन्य रसों का भी रख दिया और प्रतिज्ञा पूरी की। केशव, देव, पद्माकर, दास आदि की भी, जो अच्छे प्रतिपादक आचार्य हैं, यही दशा है। औरों का कहना ही क्या! वीररस की रचना करनेवाले शृंगाररस से कोरे हों ऐसा भी नहीं है। 'भूषण' ने शिवाजी की प्रशंसा 'शिवभूषण' में की। सारी रचना वीररस में की, पर उनके बहुत से फुटकल छंद शृंगार के भी मिलते हैं, जो 'रीति' के पूरे कायदे-कानून के अनुसार निर्मित हैं। बहुत संभव है, उन्होंने रस या नायिकाभेद का कोई ग्रंथ ही लिखा हो, पर वह अब न मिलता हो। 'भूषणउल्लास', 'दूषणउल्लास' और 'भूषणहजारा' नाम से जो इनके ग्रंथ जनश्रुति में सुने जाते हैं वीररस के होंगे, ऐसी संभावना नहीं प्रतीत होती। उनके फुटकल श्रृंगार के छंद इन्हीं ग्रंथों के होंगे, अतः भूषण की यदि सारी रचना मिल जाए तो कदाचित् वे बाहुल्य के विचार से शृंगार के ही कवि ठहरेंगे। शिवाजी के दरबार में पहुँचने से पूर्व वे कई दरबारों में गए थे। उन्होंने वहाँ शृंगार की ही रचना से श्रीगणेश किया होगा। उनके भाई चिंतामणि, मतिराम, जटाशंकर भी तो शृंगाररस का ही चषक भरते रहे।

यदि रीतिकाल के समस्त ग्रंथों की छानबीन की जाए तो यह स्पष्ट हो जाता है कि सभी प्रकार के ग्रंथों में शृंगार तो किसी-न-किसी रूप या परिमाण में अवश्य मिल जाता है, अर्थात् दूसरे रस का वर्णन करनेवाले भी शृंगार का वर्णन अवश्य करते थे, पर शृंगार की अभिव्यक्ति करनेवाले बहुत से ऐसे मिलेंगे जिन्होंने दूसरे रसों का नाम भी नहीं लिया। नायक-नायिकाभेद के ग्रंथों की तो कोई बात ही नहीं, वे शृंगार के ही ग्रंथ हैं, शृंगार का आलंबन पक्ष ही सामने रखते हैं। नख-शिख के ग्रंथ भी ऐसे ही हैं। षड्ऋतु के ग्रंथों में शृंगार का ही उद्दीपन विभाव लिया गया है। अलंकार, शब्दशक्ति और पिंगल के ग्रंथों में सर्वत्र अधिकतर उदाहरण शृंगार के हैं। कुछ पिंगल या अलंकार के ग्रंथ ऐसे अवश्य हैं जिनमें आश्रयदाताओं के शौर्य की गाथा है। पर 'भूषण' के 'शिवभूषण' या उसी प्रकार के दो-एक ग्रंथों को छोड़कर ये ग्रंथ शृंगाररस से शून्य हों, ऐसा नहीं है। भक्ति के ग्रंथ, हैं तो भक्ति के ही, पर वे श्रृंगार-रहित हैं, यह नहीं कह सकते। काव्यदृष्टि से उनमें राधा-कृष्ण के शृंगार की कथा ही तो है। सूरदास के 'सूरसागर' में गोपीकृष्ण का शृंगार है, इसे तो मानना ही पड़ेगा। वह लौकिक शृंगार न सही अलौकिक ही सही, पर है तो शृंगार ही। इस प्रकार रीति के अधिकांश ग्रंथ तो शृंगार-प्रधान हैं ही और ग्रंथ भी शृंगार- संवलित हैं।

रीतिकाल के कुछ कवि ऐसे भी हैं जिन्होंने रीतिशास्त्र पर कोई ग्रंथ नहीं लिखा पर वे रीति के ही प्रतिनिधि कवि माने गए हैं, क्योंकि उन पर रीतिशास्त्र की भरपूर छाप है। इनमें मुख्य बिहारी हैं। बिहारी ने अपनी सतसैया रीतिग्रंथ के रूप में नहीं प्रस्तुत की, पर उनकी सारी रचना टीकाकारों ने शृंगार के आलंबन, उद्दीपन, अनुभाव आदि के भेदोपभेदों में खतियाकर रख दी है। अतः लक्षणग्रंथ लिखनेवालों से ऐसी रचनाएँ पृथक् अवश्य हैं। हाँ, इन्हें हम रीतिबद्ध रचना ही मानेंगे। जैसे रीतिग्रंथ के प्रणेताओं ने शृंगार के भेद का क्रमबद्ध वर्णन किया है वैसा इन्होंने क्रमबद्ध वर्णन नहीं किया और समग्र भेदों के उदाहरण जुटाने पर दृष्टि नहीं रखी। साधारणतः दोनों प्रकार की रचनाओं में कोई भेद नहीं लक्षित होता, पर ध्यान देने से भिन्नता स्पष्ट हो जाती है। रीतिग्रंथ लिखनेवाले शास्त्र में गिनाई सामग्री की योजना करने में सावधान रहते थे। उन्हें लक्ष्य और लक्षण का समन्वय भी करना पड़ता था, पर 'सतसई', 'नौसई' या 'हजारा' लिखनेवाले रीति की सामग्री का उपयोग अपने ढंग से करते थे। यही कारण है कि इन्हें कहने के लिए कुछ स्वच्छंदता मिल गई थी। इसी से सतसई आदि प्रस्तुत करनेवालों की रचना रीतिग्रंथ लिखनेवालों से प्रायः उत्कृष्ट दिखाई देती है। बंधन ढीला करके ये कविता में रमणीयता लाने में अवश्य सफल हुए। ऐसे कवियों को रीति का प्रतिनिधि कहने में इसी से विशेष तर्क से काम लेना पड़ा है। यह कहना पड़ा है कि 'बिहारी ने यद्यपि लक्षण-ग्रंथ के रूप में अपनी सतसई नहीं लिखी है, पर 'नखशिख', 'नायिकाभेद', 'षड्ऋतु' के अंतर्गत उनके सब शृंगारी दोहे आ जाते हैं और कई टीकाकारों ने दोहों को इस प्रकार के साहित्यिक क्रम के साथ रखा भी है। जैसा कहा जा चुका है, दोहों की रचना करते समय बिहारी का ध्यान लक्षणों पर अवश्य था। इसीलिए हमने बिहारी को रीतिकाल के फुटकल कवियों में न रखकर उक्त काल के प्रतिनिधि कवियों में ही रखा है।'[१] टीकाकारों या संग्रहकर्ताओं के अनुसार चलें तो बहुतों को रीतिकाल का प्रतिनिधि मानना पड़ेगा। क्योंकि उन्होंने तो आलम, ठाकुर, घनआनंद आदि की भी रचनाएँ नायक-नायिकाभेद के अंतर्गत ही खींचकर बैठाई हैं, फिर भी बिहारी को रीतिकाल का प्रतिनिधि माननेवाले शुक्लजी ने उन्हें उस काल के फुटकल कवियों की श्रेणी में आसन दिया है। ठाकुर आदि की कुछ रचनाएँ लक्षणों से समन्वित होने का आभास मात्र देती हैं। पर ये 'रीति' के प्रतिनिधि कवि नहीं हैं। यहाँ यह प्रतिपाद्य नहीं है कि बिहारी रीति के प्रतिनिधि नहीं थे। कहना इतना ही है कि 'रीतिकाल' की सीमा बढ़ाने से 'रीति' के नाम पर उन रचनाओं को भी समेटना पड़ा है जो रीतिशास्त्र का उदाहरण प्रस्तुत करने के उद्देश्य से नहीं निर्मित हुई थीं। दूसरे शब्दों में इन कवियों का साध्य शृंगार था, रीति से ये कभी-कभी साधन का काम अवश्य लेते थे। यदि शृंगारकाल नाम रखा जाता तो यह तर्क देने की भी आवश्यकता न पड़ती

१. हिन्दी-साहित्य का इतिहास, संशोधित और वर्धित संस्करण १९९९, पृ० २७९

और वे तथा उनके अतिरिक्त फुटकल खाते में फेंके हुए और भी बहुत से कवि उसकी सीमा में आप-से-आप आ जाते।

'रीतिकाल' वस्तुतः उन ग्रंथों के समुदाय का बोधक है जिनकी राशि 'रीति' के नाम पर एकत्र हुई है। विचार करने पर रीतिग्रंथ-प्रणेता अधिकतर आचार्य नहीं सिद्ध होते। इन्होंने रीति का पल्ला सहारे के लिए पकड़ा, कहना ये चाहते थे शृंगार ही। किसी ने अलंकारों की माला बनाई, किसी ने पिंगल का प्रस्तार किया, किसी ने रसभाव की धारा बहाई और किसी ने सीधे नायक-नायिकाभेद, नखशिख, षड्ऋतु, बारहमासा आदि के बने बनाए साँचे ले लिये। सच पूछिए तो इन्हें रीतिशास्त्र का विवेचन करने के लिए बुद्धि दौड़ाने की आवश्यकता ही कहाँ थी, संस्कृत में शास्त्रपक्ष की सारी सामग्री जुटी-जुटाई रखी थी, उसे उठाकर हिंदी-पद्यों में ढाल भर देना था। यदि 'रीति' का विवेचन इनका साध्य होता तो ये संस्कृत के आचार्यों की भाँति प्रत्येक विषय के विमर्श में लगते, दोहों में लक्षण देकर काम चलता न करते। शास्त्र के पुराने विवेचक पहले से प्रस्तुत ग्रंथों या विवेचित पक्षों को हृदयंगम करते थे, तब उसपर अपना स्वच्छंद मत प्रकट करते थे। हिंदी के ये आचार्य तो काव्यप्रकाश, साहित्यदर्पण, काव्यादर्श, रसतरंगिणी, रसमंजरी, चंद्रालोक, कुवलयानंद, वृत्तरत्नाकर में से एक या दो ग्रंथ सामने रख लेते और लक्षणों का टेढ़ा-सीधा पद्यबद्ध उल्था करके हिंदी में संस्कृत-उदाहरण से मिलता-जुलता दूसरा उदाहरण गढ़ देते थे। कहीं-कहीं लक्ष्य का भी उल्था ही दिया जाता था। फल यह हुआ कि जहाँ रीतिकाल के विवेचन का अल्प प्रयास दिखाई भी पड़ा वहाँ भी सारा ग्रंथ भ्रांति-शून्य न बन सका। विषय पूर्णतया हृदयंगम करके यदि ग्रंथ प्रस्तुत किए जाते तो ऐसा प्रायः न होता। केशव, देव, दास, पद्माकर ऐसे आचार्यों से भी संस्कृत की विवेचित सामग्री का संग्रह करने में भ्रांति हो गई है, फिर औरों की बात ही क्या। जैसा इतिहासकारों ने भी स्वीकार किया है ये सबके सब वस्तुतः कवि थे। इनका प्रधान वर्ण्य-विषय शृंगार ही था। इसी से नायक-नायिकाभेद, नख-शिख, षड्ऋतु, बारहमासा, रस आदि के रीतिग्रंथ ही प्रचुर परिमाण में प्रणीत हुए, शब्दशक्ति ऐसे दुरूह विषय के ग्रंथ दो-तीन ही मिलते हैं। अलंकार के ग्रंथों की संख्या अधिक अवश्य है, पर शृंगार से ही वे भी भरे हैं।

यदि तत्कालीन परिस्थिति पर विचार करते हैं तो भी इनका प्रतिपाद्य शृंगार ही ठहरता है। इस काल के अधिकांश कर्ता दरबारी कवि थे। कोई देशी नरेशों की दरबारदारी करता था तो कोई विदेशी या मुसलमान बादशाहों, शाहों या दीवानों की। देशी दरबारों या सभाओं में हिंदी के कवियों को अपना चमत्कार दिखाने में संस्कृत के पंडितों से जोड़-तोड़ भिड़ाना पड़ता था और मुसलमानी दरबारों में भी अपना रंग जमाने में फारसी या उर्दू के शायरों से मोर्चा लेना पड़ता था। संस्कृतवाले शृंगार की मुक्तक रचना सामने लाते थे, जिसमें वे नायक-नायिका, ऋतुवर्णन, रूपकथन आदि की छटा दिखाते थे, हिंदीवालों को भी वही करना पड़ता था। नरेश ही नहीं, छोटे-छोटे

ताल्लुकेदार और जमींदार तक ऐसी रचना के शौकीन हो गए थे। कविकर्म करनेवालों के ये ही तो आश्रयदाता थे। मुसलमानी दरबारों में फारसी या उर्दू की रचना प्रेम का ही बँधा-बँधाया विषय (थीम) लेकर चलती थी। उसके जोड़ में हिंदी-कवियों ने शृंगार या नायक-नायिका- भेद की रचना सामने की। उधर से वे शेर पढ़ते या गजल गाते थे, इधर से ये कवित्त, सवैया या दोहा भनते थे। मुक्तक रचना के आधिक्य का प्रमुख कारण यह दरबारदारी ही है, क्योंकि मुक्तक द्वारा ही थोड़े में रस के छींटे उछाले जा सकते थे। दरबारी कवियों ने प्रबंध छुआ तक नहीं, उनका काम मुक्तकों से ही चल जाता था।

'रीतिकाल' नाम ग्रहण करने का दुष्परिणाम यह हुआ कि उस काल के अच्छे-अच्छे शृंगारी कवियों को छाँटकर पृथक् करना पड़ा। आलम, ठाकुर, घनआनंद, बोधा, द्विजदेव ऐसे प्रेम के उमंग-भरे कवि किसी रीति-ग्रंथकार से काव्योत्कर्ष में कम नहीं हैं, पर 'रीति' की सीमा में ये न समा सके। रीतिकाल की 'शृंगारगत व्यापक प्रवृत्ति'. 'रीतिकाल' नाम देनेवालों ने भी लक्षित की है, और 'अलंकृतकाल' नाम रखनेवालों ने भी। पर रीति या अलंकारशास्त्र की ग्रंथराशि ने एकत्र होकर उन्हीं नामों की ओर उन्हें आकृष्ट किया। फलतः शृंगार की सर्वनिष्ठ प्रवृत्ति नामकरण के संबंध में पीछे छूट गई। बात यहीं तक होती तो भी कोई बात थी। सबसे बड़ी कठिनाई काल के विभाजन की आ गई, पर गृहीत नामों ने यह मार्ग छेंक रखा। 'अलंकृत' नाम देकर उसके पूर्व और उत्तर नाम दिए गए, पर उनमें भेद का स्पष्ट संकेत कोई नहीं है। केवल वर्णन का विस्तार कम हो गया है। 'रीतिकाल' नाम देकर स्पष्ट स्वीकार करना पड़ा कि इसका विभाजन करने का कोई मार्ग अभी नहीं मिल रहा है। कुछ लोगों ने समस्त काव्यांगों का वर्णन करनेवाले और किसी एक अंग का वर्णन करनेवालों को पृथक् किया है। पर सभी काव्यांगों के विवेचकों ने भी एक-एक काव्यांग का पृथक् वर्णन किया है, जैसे चिंतामणि, दास आदि ने। अतः 'रीति' में उपविभाग का मार्ग संकीर्ण ही है। इस प्रकार चाहे जिस दृष्टि से देखें, अलंकृतकाल और रीतिकाल नाम व्याप्ति से बोधक नहीं प्रतीत होते। उन्हें हटाने की आवश्यकता है और उनके स्थान पर 'शृंगारकाल' की स्पष्ट अपेक्षा जान पड़ती है।

विभाजन

शृंगारकाल नाम स्वीकृत करने से वर्ण्य विषय की व्याप्ति के बोध के साथ ही फुटकल खाते से निकलकर कई उत्कृष्ट कवि असल खाते में आ जाते हैं। विभाजन का मार्ग सुस्पष्ट और सरल हो जाता है। रीति की सारी सामग्री रीति-ग्रंथकारों का साधन थी, वह उनकी काव्य-सामग्री थी, शास्त्र-सामग्री नहीं। शृंगारिक रचना रीतिबद्ध थी। रीतिबद्ध कृति उन्हीं की नहीं थी जो लक्षण लिखकर और लक्ष्य बनाकर उसमें उसका विनियोग करते थे, प्रत्युत उनकी कृति भी रीतिबद्ध ही थी जो लक्षणग्रंथ न रचकर रीति का संभार लेकर केवल लक्ष्य प्रस्तुत करते थे, जैसे बिहारी, रसनिधि आदि। उन्होंने लक्षण क्यों न

लिखे, लक्ष्य ही क्यों प्रस्तुत किए। ये वस्तुतः लक्षण के बखेड़े में फँसना नहीं चाहते थे, कुछ चुने हुए प्रसंगों पर ही कविता रचना चाहते थे। ये रीति का बंधन ढीला करके चलते थे, यद्यपि ये उससे मुक्त नहीं हुए थे। इसी से लक्षणबद्ध रचना से इनकी कविता अपेक्षाकृत उत्कृष्ट है। लक्षण और लक्ष्य का समन्वय करने में काव्योत्कर्ष को क्षति पहुँचती थी। इसका पक्का प्रमाण 'भूषण' की रचना में मिलता है, जिनकी फुटकल रचना उनके लक्षण-ग्रंथ 'शिवभूषण' की कविता से उत्तम है। लक्षणकार लक्षण से तिल-भर हट नहीं सकता। वह रत्ती-भर भी हटा कि लक्ष्य बेमेल हुआ। लक्षण-ग्रंथों में ऐसी बेमेल रचनाएँ भी कभी-कभी मिल जाती हैं। इसका कारण यही होता है कि कवि की वह लक्षणानुगामिनी निर्मिति न होकर पहले से स्वीकृत उक्ति होती है जिसे वह बरबस वहाँ खोंसना चाहता है। रीति की केवल प्रेरणा ग्रहण करनेवाले की कविता में ऐसा न होगा। रीति उसके ध्यान में रहे, रहा करे, पर उक्ति बाँधने में उसे एकदम बँध ही न जाना पड़ेगा। बिहारी की रचना में रीति का आधार अवश्य है पर उक्ति का वैशिष्ट्य उन्हें लक्षणबद्ध कर्ताओं से पृथक् कर देता है। बिहारी आदि को रीतिबद्ध मानने का हेतु था बंधन बाँधे रहना, भले ही वह ढीला हो। उन्हें रीति की अपेक्षा अवश्य थी, कम-से-कम उन्होंने उसकी उपेक्षा नहीं की। बिहारी की सतसैया में खंडिता के उदाहरण अनेक हैं। अधिक ऐसे मिलेंगे जिनमें केवल आँखों की ललाई का वर्णन है। लक्षणानुधावन करनेवालों को संभोग-चिह्नों का लंबा-चौड़ा वर्णन करना पड़ता है। बिहारी उक्तिवैचित्र्य पर विशेष ध्यान देनेवाले थे, अतः उन्होंने खंडिता के लक्ष्य में प्रमुख चिह्नों का तिरस्कार करके केवल ललाई पकड़ी और ऐसी उक्तियाँ बाँध दीं—

रह्यौ चकित चहुँधा चितै चित मेरो मति भूलि।
सूर उदै आएँ रही, दृगनि साँझ सी फूलि॥

इन कवियों से वे सरलतापूर्वक पृथक् किए जा सकते हैं जो रीतिबद्ध रचना को उपेक्षा की दृष्टि से देखते थे। ये रीति में बँधना नहीं चाहते थे। इसी से इन्हें 'रीतिमुक्त' या 'स्वच्छंद' कवि कहना उपयुक्त प्रतीत होता है। वे रीतिबद्ध कवि जो बँधी-बँधाई उक्तियाँ सुनाते या शास्त्रकथित सामग्री के भरोसे पाण्डित्य प्रदर्शित करते थे, इन्हें नहीं रुचते थे। सिखी-सिखाई काव्यसामग्री के बल पर छंद जोड़नेवालों को 'ठाकुर' ने कविता के साथ खेल करने या कविता को खेल समझनेवाले कहा है—

सीखि लीनो मीन मृग खंजन कमल नैन सीखि लीनो जस औ प्रताप को कहानो है।
सीखि लीनो कल्पबृक्ष कामधेनु चिंतामनि सीखि लीनो मेर औ कुबेरगिरि आनो है।
ठाकुर कहत याकी बड़ी है कठिन बात याको नहीं भूलि कहूँ बाँधियत बानो है।
डेल सो बनाय आय मेलत सभा के बीच लोगन कबित्त कीबो खेल करि जानो है।

कुछ रटी-रटाई उपमाएँ जोड़ने या प्रशस्ति करनेवाले काव्यमर्मज्ञों की सभा में ढेला सा

फेंका करते थे। स्वच्छंद कवियों को इन कृतियों से चोट लगती थी और वे इन्हें मिट्टी ही समझते भी थे। घनआनंद के कबित्तों के संग्रहकर्त्ता व्रजनाथ ने ऐसी रीतिबद्ध रचना को 'जग की कविता' अर्थात् साधारण रचना कहा है—

जग की कबिताई के धोखें रहे ह्याँ प्रबीनन की मति जाति जकी।

और उससे घनआनंद की कविता को गूढ़ और पृथक् घोषित किया है। स्वच्छंद कवियों की रचना का वैशिष्ट्य उन्होंने बड़े ही मार्मिक ढंग से बतलाया है। घनआनंद के काव्यमीमांसक के गुण निर्दिष्ट करते हुए उन्होंने घनआनंद ऐसे रीतिमुक्त कवि के काव्योत्कर्ष का जो रूप इस प्रकार उद्‌घाटित किया है उसे स्वच्छंद कवियों का स्वरूप-लक्षण ही समझना चाहिए—

नेही महा ब्रजभाषाप्रबीन औ सुंदरतानि के भेद कों जानै।
जोग-बियोग की रीति मैं कोबिद भावना-भेद स्वरूप कों ठानै।
चाह के रंग मैं भीज्यौ हियौ, बिछुरें मिलें प्रीतम सांति न मानै।
भाषाप्रबीन, सुछंद सदा रहै, सो घनजी के कबित्त बखानै॥

पद्य में प्रयुक्त 'सुछंद' शब्द ध्यान देने योग्य है। 'सुछंद' शब्द का तात्पर्य है—रीति से स्वच्छंद, रीतिमुक्त। रीतिबद्ध या शास्त्रबद्ध (क्लासिकल) प्रवृत्ति के बंधन से छूटकर ही ये रीतिमुक्त या स्वच्छंद (रोमांटिक) होनेवाले कवि थे। उनके अनुसार ये प्रेम की अनेक अंतर्वृत्तियों के उद्‌घाटक, काव्यगत रमणीयता के नाना भेदों के विधायक, संयोग और वियोग की अनेक प्रेमदशाओं के मार्मिक द्रष्टा, भावनाभेदों के सहृदय चितेरे, प्रेमरस से सिक्त भावुक, मिलन और विरह की हृद्गत अशांति के अनुभावक और भाषा प्रयोग की सीमा के सच्चे ज्ञाता थे। ये वासना से पंकिल राजाओं के मानस का रंजन करनेवाले चाटुकार नहीं थे। ये अपनी उमंग के आदेश पर थिरकनेवाले और काव्यविभूति द्वारा काव्यमर्मज्ञों को प्रभावित करनेवाले थे। ये प्रेम के पंथ पर अग्रसर होनेवाले, रचना में मोतियों की-सी निर्मल वाग्धारा प्रवाहित करनेवाले और उससे काव्यमाला गूँथनेवाले थे—मनमोहिनी और प्रभावुक। काव्यकोविदों की बृहत्सभा में ये काव्यसौष्ठव के प्रदर्शन के अभिलाषी थे। 'ठाकुर' कहते हैं—

मोतिन कैसी मनोहर माल गुहै तुक अच्छर जोरि बनावै।
प्रेम को पंथ कथा हरिनाम की बात अनूठी बनाय सुनावै।
ठाकुर सो कबि भावत मोहिं जो राजसभा में बड़प्पन पावै।
पंडित और प्रबीनन को जोइ चित्त हरै सो कबित्त कहावै॥

ये अनूठी उक्तियाँ बाँधनेवाले थे, पर हृदय से संपृक्त। जूठी उक्ति का पुनर्विधान या पिष्टपेषण इन्हे अरुचिकर था। यह निःसंकोच कहा जा सकता है कि रीतिबद्ध रचना में

हृदय-पक्ष दब गया था, कला-पक्ष उभर आया था। मस्तिष्क के पूरे व्यायाम के साथ उनका रीतिबद्ध काव्य अखाड़े में उतरता था। 'जग के कवि' काव्य के बहिरंग में ही लिपटे रह गए, उसके अंतरंग में प्रविष्ट नहीं हुए। इसी से 'स्वच्छंद कवि' हृदय की दौड़ के लिए राजमार्ग चाहते थे, रीति की सँकरी गली में धक्कमधक्का करना नहीं। ये कविता की नपी-तुली नाली खोदनेवाले न थे। ये काव्य का उत्स प्रवाहित करनेवाले या मानस-रस का उन्मुक्त दान देनेवाले थे। पश्चिमी समीक्षकों के ढंग से कहें तो रीतिबद्ध कर्ता की कृति चेतनावस्था (कान्सस स्टेट) में गढ़ी जाती थी और रीतिमुक्त कर्ता की कविता अंतःसंज्ञा (सबकांसस या अनकांसस स्टेट) में लीन हो जाने पर आप-से-आप उद्भूत होती थी। घनआनंद ने स्पष्ट कहा है—

तीछन ईछन बान बखान सो पैनी दसान लै सान चढ़ावत।
प्राननि प्यारे भरे अति पानिप मायल घायल चोप चटावत।
हैं घनआनँद छावत भावत जान सजीवन ओर तें आवत।
लोग हैं लागि कबित्त बनावत मोहि तौ मेरे कबित्त बनावत॥

'लोग' अर्थात रीतिबद्ध कवि रच-रचकर कविता बनाने, शब्दरत्न की पच्चीकारी करने में मरते-पचते रहते थे, पर रीतिमुक्त कवि का काव्यस्रोत स्वतः उद्भावित होता था। रीतिबद्ध कवि की काव्यप्रणाली, उसकी बुद्धि के संकेत पर टेढ़े-सीधे मार्ग पर बहती थी, पर रीतिमुक्त या स्वच्छंद कवि अपनी भावधारा में स्वतः डूब जाता है। इस प्रकार दोनों का अंतर स्पष्ट है। रीतिमुक्त कवियों में भी अंतर्भेद हो सकते हैं। इसके लिए शृंगारकाल के पूर्व तरंगित होनेवाली काव्यधाराओं की ओर दृष्टि करनी होगी। भक्तिकाल में एक ओर तो सगुणधारा बह रही थी और दूसरी ओर निर्गुणधारा। पहली का प्रसार भारतीय काव्यपरंपरा के प्रकृत राजपथ पर हुआ था और दूसरी का विदेशी सूफी रहस्यमार्ग पर। स्वयं हिंदी के कवि सूफी 'प्रेम की पीर' का उद्घाटन प्रेममार्गी शाखा में कर ही रहे थे। कबीर आदि संतों की ज्ञानमार्गी शाखा भी सूफियों की 'प्रेम की पीर' से प्रभावित थी। सूफियों की इस 'प्रेम की पीर' का हिंदी-काव्य पर बहुत व्यापक प्रभाव पड़ा। आगे चलकर सगुणधारा का कृष्णभक्तिप्रवाह तक इससे विशेष प्रभावित हुआ। नागरीदास (सावंतसिंह), कुंदनशाह आदि में तो यह 'प्रेम की पीर' इतनी व्याप्त हुई कि उसका विदेशी रूप तक न छिप सका। सूफी प्रेम की पीर ही नहीं फारसी काव्य के प्रेमवैषम्य ने भी कवियों को छोप रखा। व्यापक प्रभाव का अनुभव इसी से किया जा सकता है कि शुद्ध भारतीय काव्यपरंपरा में जब इसकी समाई न हो सकी तब यह जनता की संगीतपरंपरा में भरपूर प्रसरित हुआ। लावनी और ख्याल में लोकभाषा रेखता या खड़ीबोली के सहारे इसकी दौड़ दूर तक हो गई। इसका स्पष्ट रूप है लौकिक प्रेम का अलौकिक प्रेम में लय। इश्कमजाजी की इश्कहकीकी में परिणति। आलम, ठाकुर और द्विजदेव शुद्ध भारती प्रेमपद्धति के प्रतिनिधि हैं, पर रसखानि, घनआनंद और बोधा में वह अपनी झलक मारती

है। रसखानि और घनआनंद ने बड़े ढंग से इसे ग्रहण किया है। पर बोधा इसे अपने रंग में रँग न सके। उन्होंने तो बार-बार उसकी डुग्गी पीटी है—

इस्कमजाजी में जहाँ इस्कहकीकी खूब।

—*विरह-वारीश*।

रसखानि ने भी यही कहा है, इससे भी स्पष्ट, पर ढंग से—

आनँद-अनुभव होत नहिं बिना प्रेम जग जान।
कै वह बिषयानंद कै ब्रह्मानंद बखान॥

घनआनंद ने भी लौकिक प्रेमलीला को अलौकिक प्रेमलीला का कण कहा है, किंतु रसखानि और घनआनंद दोनों ने कृष्ण-प्रेम में इसे छिपा रखा। बोधा ने उधर इतना ध्यान नहीं दिया। वे कृष्णभक्ति में लीन नहीं हुए। यदि कृष्णभक्ति का अवलंब वे लेते भी तो उनकी प्रवृत्ति और रंग-ढंग से यह जान पड़ता है कि बहुत कुछ नहीं तो कुछ-कुछ कुंदनशाह की-सी वृत्ति होती। बोधा प्रेम की प्रकृत गंभीरता को प्रायः सँभाल नहीं पाते। कृष्ण की प्रेमलक्षणाभक्ति का विकास आचार्यों ने लौकिक क्रीड़ा से संबद्ध रखकर किया। इसलिए सूफियों की 'प्रेम की पीर' को उसी में लय हो जाने का अवसर मिल गया। घनआनंद ने सुजान के प्रति अपने प्रेम (इश्कमजाजी) को राधा-कृष्ण की अलौकिक प्रेमलीला (इश्कहकीकी) का क्षुद्र अंश कहा है—

प्रेम को महोदधि अपार हेरिकै बिचार बापुरो हहरि वार ही त फिरि आयौ है।
ताही एकरस ह्वै बिबस अवगाहैं दोऊ नेही हरि-राधा जिन्हैं देखें सरसायौ है।
ताकी कोऊ तरल तरंग-संग छूट्यौ कन पूरि लोकलोकनि उमगि उफनायौ है।
सोई घनआनँद सुजान लागि हेत होत ऐसें मथि मन पै सरूप ठहरायौ है।

संसार में फैला प्रेम-व्यापार उसी प्रेममहोदधि का एक कण है जिसमें राधा-कृष्ण जल-केलि किया करते हैं। वही कण घनआनंद और सुजान के प्रेम में भी लगा हुआ है। सूफियों की भाँति घनआनंद ने लौकिक प्रेम में कई स्थानों पर ब्रह्मप्रेम का आभास भी दिया है—

उघरौ जग छाय रहे घनआनँद चातिक लौं तकिय अब तौ।

सूफियों का ब्रह्म-विरह इस सवैये में स्पष्ट है—

अंतर हौ किधौं अंत रहौ दृग फारि फिरौं कि अभागनि भीरौं।
आगि जरौं अकि पानि परौं अब कैसी करौं हिय का बिधि धीरौं।
जौ घनआनँद ऐसी रुची तौ कहा बस है अहो प्राननि पीरौं।
पाऊँ कहाँ हरि हाय तुम्हैं धरनी में धँसौं कि अकासहि चीरौं।

इसलिए उन्हें रहस्योन्मुख प्रेमी कवि तथा दूसरों को उदात्त-प्रेम-लीन शुद्ध प्रेमी कवि कह सकते हैं। इस प्रकार शृंगारकाल का विभाजित रूप यों हुआ—

शृंगारकाल

- रीतिबद्ध काव्यधारा
  - लक्षणबद्ध काव्य
  - लक्ष्यमात्र काव्य
- रीतिमुक्त या स्वच्छंद काव्यधारा
  - रहस्योन्मुख काव्य
  - शुद्ध प्रेमकाव्य

सीमा

साहित्य के इतिहास में काल-विभाजन ऐसा सटीक नहीं हो सकता कि किसी निश्चित संवत् से नए युग या काल का प्रवर्तन मान लिया जाय। अर्थात् यह नहीं कहा जा सकता कि अमुक संवत् से पूर्ववर्ती काल की प्रधान प्रवृत्ति समाप्त हो गई और परवर्ती काल की नई विशिष्ट प्रवृत्ति का उद्भव हो गया। वस्तुतः साहित्य में कई प्रकार की प्रवृत्तियाँ चलती रहती हैं, उन्हीं में से किसी काल में कोई प्रवृत्ति प्रधान होकर और अनेक रूप-रंग पकड़कर व्याप्त हो जाती है। जिस साहित्य की परंपरा प्राचीन होती है उसमें परवर्ती काल में पहले से जगी हुई प्रवृत्तियों में से कोई एक किसी समय प्रबल होकर छा जाती है और अन्य क्षीण होकर धीरे-धीरे दब जाती हैं। ऐतिहासिकों ने साहित्य-धारा को पहाड़ी सरिता का रूपक इसी से दिया है। पर्वत से उद्गत सरिता आरंभ में लघु-लघु कुल्याओं के रूप में बहती है और फिर परस्पर मिलकर वे ही वन्याएँ सरिता बन प्रसरित होती हैं। पटपर (समतल) पर पहुँचकर सरिता का पाट बढ़ जाता है, कभी-कभी ढाल के कारण कई धाराएँ भी हो जाती हैं, समय-समय पर सहायक नदियाँ भी मिलती रहती हैं। वस्तुतः साहित्य में भी जो प्रवृत्ति एक बार जागरित हो विकसित हो जाती है वह सदा के लिए गुप्त या म्लान नहीं हो जाती। हिंदी-साहित्य का इतिहास इसका साक्षी है। उसमें जो प्रवृत्ति एक बार जागरित हुई वह किसी-न-किसी रूप में निरंतर बनी रही। किसी काल में जब कोई प्रवृत्ति प्रधान होने लगती है तब कुछ समय तक तो पूर्ववर्ती प्रमुख प्रवृत्ति के साथ-साथ बढ़ती है, पर आगे बढ़कर नूतन प्रवृत्ति प्रधान और पूर्ववर्ती प्रवृत्ति गौण हो जाती है। शृंगारकाल के पूर्व भक्ति की प्रवृत्ति प्रधान थी। पर भक्ति का प्राधान्य होने के साथ ही शृंगार भी अपना सिर उठाने लगा और आगे चलकर वह सर्वांग से उत्थित दिखाई पड़ा। भक्ति की रचना उसके साथ ठिगनी दिखाई देने लगी, पर भक्ति का लोप नहीं हुआ।

शृंगार की प्रवृत्ति का लोप साहित्य में कभी नहीं होता। हिंदी की ही दृष्टि से विचार करें तो स्पष्ट दिखाई देता है कि प्राकृत और अपभ्रंश काल में शृंगार और वीररस की धाराएँ

प्रवाहित थीं। हिंदी के वीरगाथाकाल या वीरकाल में शृंगार या प्रेम शौर्य या उत्साह से संपृक्त था। वीरता का जो प्रदर्शन 'रासो' ग्रंथों में हुआ वह प्रीति और वीरता की गंगा-जमुनी धारा के रूप में। जैसे यूरोप के पुराने काव्यों ('इलियद' और 'ओदेसी') में प्रेम और युद्ध ('लव ऐंद वार') का मेल था वैसे ही इन काव्यों में भी। प्रेम हेतु के रूप में अंकित है और शौर्य कार्यरूप में। लोकदृष्टि से विचार करें तो अवगत होगा कि प्रेम और साथ ही उत्साह दोनों के आलंबन लौकिक ही थे। प्रेम और उत्साह के आलंबनों का लौकिकता से अलौकिकता की ओर धीरे-धीरे बढ़ाव होने लगा। जयदेव ने संस्कृत में राधा-कृष्ण के प्रेमगीत गाए तो उसकी प्रतिध्वनि विद्यापति के गीतों में हुई। सूरदास तथा कृष्ण-भक्ति-शाखा के कवियों में प्रेम का लौकिक आलंबन भक्ति का मधुर या अलौकिक आलंबन हो गया और प्रेमलक्षणा भक्ति का वाङ्मय पुंजीभूत हुआ। भागवत के लीलापुरुषोत्तम वृंदावन में अपनी प्रेमलीला का अभिनय करते दिखाई पड़े। भारतीय वीरों के लौकिक वीरोल्लास की गाथा पराजित देश किस मन से गाता और किस कान से सुनता, इसलिए वाल्मीकि के मर्यादापुरुषोत्तम तुलसी के लोकरक्षक भगवान् रामचंद्र का रूप धरकर सामने आए। प्रेम की पुकार न कबीर आदि संतों में मंद पड़ी और न 'प्रेम की पीर' जायसी आदि सूफी कवियों में ठंडी। लौकिक प्रेम, अलौकिक प्रेम या भक्ति में परिवर्तित हो गया। काव्य की शुद्ध प्रेमधारा अपना मार्ग खोज रही थी। भक्तिकाल में ही भक्ति से पृथक् होकर शृंगार ने अपना अलग पथ पकड़ना आरंभ कर दिया। भक्ति के बीच से आने के ही कारण 'शृंगार' के प्रधान आलंबन राधा और कृष्ण ही रहे। नहीं तो प्राकृत, अपभ्रंश तथा लोकगीतों तक में प्रेम की अभिव्यक्ति ऐसा आवरण लेकर नहीं हुई है। आदिकाल या वीरकाल में लौकिक जीवन के वीरोल्लास का ही चित्रण था। उस समय तक हिंदी-साहित्य ने अपनी 'प्राकृत'-परंपरा ही रक्षित रखी। पर भक्तिकाल में साहित्य संस्कृत की ओर गया। श्रीमद्भागवत और ब्रह्मवैवर्तपुराण की कृष्णलीला दृष्टिगत रही। अलौकिकता में प्रविष्ट हो जाने से फिर जब कवि लोग जीवन की ओर मुड़े तब 'भाषा' की परंपरा पीछे छूट गई। भक्ति अपनी छाप शृंगार पर छोड़ती गई। कृष्णभक्ति से ही शृंगारिक रचना का संबंध रहा। यह भी एक हेतु है कि शृंगार में परकीया-प्रेम की उक्तियाँ अधिक कही गईं। भक्ति में श्रीकृष्ण की वृंदावनव्यापिनी लीला ही ली गई थी। अपभ्रंश या लोक-वाङ्मय की-सी स्वकीयाप्रीतिपरक मार्मिकता शृंगारकाल के कवि भूल ही बैठे।

'शृंगारकाल', जिसे इतिहासकारों ने 'अलंकृतकाल' या 'रीतिकाल' कहा है, साधारणतया संवत् १७०० के आसपास से आरम्भ माना जाता है। विचार करने पर अवगत होता है कि साहित्य की शृंखला में इस काल की कड़ी भक्तिकाल की कड़ी के गर्भ से घूमती हुई आगे बढ़ी है। शुद्ध या पृथक् रूप में शृंगार की प्रस्तावना इससे कम-से-कम सौ वर्ष पूर्व, अर्थात् संवत् १६०० के आसपास, अवश्य हो गई थी। यदि आदर्श की बात देखी जाय तो पता चलता है कि अकबर के दरबारी कहे जानेवाले 'करनेस' कवि ने 'कर्णाभरण', 'श्रुतिभूषण' और 'भूपभूषण' उसी आदर्श पर निर्मित किए

जिस आदर्श पर आगे चलकर अन्य अनेक अलंकार-ग्रंथों का निरूपण हुआ। जयदेव का 'चंद्रालोक' ही इनका भी आधार था। अलंकार-निरूपण में जैसे संस्कृत के इन ग्रंथों का सहारा लिया गया वैसे ही रसनिरूपण में भानुदत्त की 'रसतरंगिणी' का आधार रहा और नायिकाभेद में उन्हीं की 'रसमंजरी' का। चंद्रालोक, रसतरंगिणी और रसमंजरी संस्कृत की पिछले कैंडे की रचनाएँ हैं जिनमें विवेच्य विषय का निरूपण बड़ी ही बोधगम्य शैली से किया गया है। केशवदास की 'कविप्रिया' को सामने रखकर यह कहना कि वह वामन, दंडी आदि अलंकारवादी आचार्यों के अनुगमन पर निर्मित हुई है और हिंदी के आदर्श ग्रंथ कुवलयानंद या चंद्रालोक के भिन्न आदर्श पर खड़े हुए हैं, सोलह आने ठीक नहीं है। वामन और दंडी रीतिवादी या अलंकारवादी थे, पर जयदेव (चंद्रालोक के कर्ता) तो कट्टर अलंकारवादी थे, उनसे भी बढ़कर। वे तो यहाँ तक कह डालते हैं कि काव्य को निरलंकार कहना वैसा ही है जैसे अग्नि को अनुष्ण कहना अर्थात् उनकी दृष्टि में अलंकार काव्य का नित्य धर्म है। ऐसा उन्होंने मम्मटाचार्य का खंडन करने के लिए लिखा है; क्योंकि मम्मटाचार्य ने काव्यलक्षण का विचार करते हुए कहा है कि कहीं-कहीं अनलंकृत भी हो सकता है (अनलंकृती पुनः क्वापि)। उसी का यह अलंकारवादियों की ओर से उत्तर था। वामन ने भी ऐसी ही बात कही थी। उन्होंने कहा कि 'काव्य सौंदर्य की विशेषता के ही कारण ग्राह्य होता है' (काव्यं ग्राह्यमलंकारात्) और सौंदर्य ही अलंकार है (सौन्दर्यमलंकारः)। इनकी दृष्टि काव्य के 'सौंदर्य' पर ही थी, उसकी 'रमणीयता' पर नहीं, अर्थात् ये काव्य का बाह्य ही देखते थे, उसका अभ्यंतर नहीं। इसी से रसों और भावों को भी इन्होंने अलंकार मान लिया। ये वस्तुतः आधुनिक शब्दों में 'कलावादी' थे। यह (आलंकारिकों का) संप्रदाय पुराना है। आगे चलकर रससंप्रदाय खड़ा हुआ। अलंकार्य (वर्ण्य-विषय) और अलंकार (वर्णन-प्रणाली) का जो भेद रसवादी आचार्यों ने प्रतिपन्न किया उसका प्रभाव काव्य-क्षेत्र के समस्त संप्रदायों पर पूरा-पूरा नहीं पड़ा, अलंकारवादियों पर तो बहुत कम।

केशवदास ने 'कविप्रिया' में शुद्ध अलंकारवादी दृष्टि से काम नहीं लिया है। उन्होंने काव्य की सारी सामग्री को 'अलंकार' कहकर भी वर्ण्य-वस्तु और वर्णन-प्रणाली का भेद अवश्य दिखलाया है, पर रसदृष्टि उन्होंने त्याग दी हो, ऐसा प्रतीत नहीं होता। दंडी के 'काव्यदर्श' पर ही वह अवलंबित भी नहीं है। बात यह है कि वह केवल 'अलंकार' की दृष्टि से प्रस्तुत ही नहीं की गई है। वह वस्तुतः 'कवि-शिक्षा' की पुस्तक है। उसमें कवि होने का हौसला रखनेवालों को 'कवि-समय' से परिचित कराने का प्रयास ही अधिक है। इसके लिए उसमें अधिक सामग्री 'कविकल्पलतावृत्ति' से उठाकर रखी गई है। वह वस्तुतः काव्य की सीमा, उसका स्वरूप, उसकी धारणा आदि का पता देनेवाली है, इसी से उसका नाम 'कविप्रिया' है। अलंकारों का प्रतिपादन उसमें वर्णन-प्रणाली की रूपरेखा मात्र खींचने के लिए हुआ है, अर्थात् वह गौण है। यह मानने में कोई आनाकानी नहीं कि केशवदास चमत्कारवादी थे। पर वे अलंकार्य और अलंकार का भेद माननेवाले

नहीं थे, ऐसा नहीं है। अलंकारों के संबंध में उन्होंने यह कभी नहीं कहा कि जो कुछ कहा जाय वह सब अलंकार ही है। यदि ऐसा होता तो 'नग्नत्व' दोष उन्होंने स्वीकार ही न किया होता, जहाँ निरलंकार कविता रखी गई है। यही क्यों, उन्होंने 'हीनरस' दोष भी माना है; कविता में रस होना उन्हें मान्य है। वही उनकी दृष्टि में काव्यार्थ है। पर वे यह अवश्य मानते थे कि 'भूषन बिन न बिराजई कबिता बनिता मित्त'। पर वह कविता कैसी हो— 'जदपि सुजाति सुलच्छनी सुबरन सरस सुवृत्त'। यहाँ 'सरस' शब्द क्या कह रहा है! यही कि केशव को रस अमान्य नहीं था। उन्होंने 'रसिकप्रिया' भी तो लिखी है—संस्कृत के रसवादी रुद्रभट्ट के 'शृंगारतिलक' के आधार पर। वहाँ रसवत् अलंकार मात्र नहीं कहे गए हैं। इसलिए केशवदास को पुराना या अलंकारवादी कहकर छाँटने की आवश्यकता नहीं प्रतीत होती।

रही अखंड परंपरा की बात। इतिहास के पास पर्याप्त सामग्री का दारिद्र्य है। पर संवत् १६०० से लेकर संवत् १७०० तक रीतिग्रंथ की अखंड परंपरा रही है। इस संबंध में इतिहास मुखर है। देखिए—

संवत् (रचनाकाल)	**कवि**	**रचना**
१६१६	गंग	फुटकल
१६१६	मोहनलाल	शृंगारसागर
१६२०	मनोहर	फुटकल
१६२०	गंगाप्रसाद	कोई रीतिग्रंथ बनाया, जिसका नाम अज्ञात है
१६३७	करनेस	कर्णाभरण, श्रुतिभूषण, भूपभूषण
१६४०	बलभद्र मिश्र	नखशिख
१६४०	रहीम	बरवै-नायिकाभेद
१६५०	केशवदास	रसिकप्रिया, कविप्रिया
१६५०	मोहनदास	बारहमासा
१६५७	बालकृष्ण	रसचंद्रिका (पिंगल)
१६६०	मुबारक	अलकशतक, तिलशतक
१६७६	लीलाधर	नखशिख
१६८८	सुंदर	सुंदरशृंगार
१७००	सेनापति	षड्ऋतुवर्णन

इस प्रकार अखंडता का बोध सरलता से हो जाता है। ये सब कवि रीतिबद्ध लिखनेवाले थे, किसी ने लक्षणबद्ध लिखा, किसी ने शास्त्र का अंगोपांग लेकर लक्ष्य मात्र—जैसे नखशिख, ऋतुवर्णन, बारहमासा आदि। परंपरा बराबर जुड़ती चली आ रही है। इनके अतिरिक्त इसी शैली में ऐसे कोड़ियों कवि और हैं जिन्होंने बिहारी आदि की भाँति काव्यांगबद्ध रचना न करके रीतिसिद्ध मुक्तक रचना की है। वस्तुतः सत्रहवीं शती विक्रमी

के आरंभ में एक ओर भक्ति की सरिता कई धाराओं में बह रही थी तो दूसरी ओर शृंगार की पृथक् धारा भी भक्ति की कृष्णपरक भक्तिधारा के ठीक समानांतर। भक्ति में भी शृंगार की रीतिबद्ध रचना होती थी। उसमें नखशिख, षड्ऋतु, बारहमासा आदि के वर्णन भरे पड़े हैं। हिंदीवालों को स्वतंत्र निरूपण करना ही कहाँ था। संस्कृत की पकी- पकाई सरस सामग्री पहले से थी ही, उठाकर हिंदी-पद्यों के साँचे में ढाल भर देना था। रीति का जो कोई विकास नहीं दिखाई देता उसका कारण संस्कृत से विवेच्य विषय ज्यों-का-त्यों ले लेना है। संस्कृत में विचार हो भी बहुत चुका है। हिंदी में सच पूछिए तो भिन्न-भिन्न संप्रदायों का चलन हुआ ही नहीं। कहीं-कहीं जो अलंकारवादी कवि दिखाई पड़ते हैं वे वैसे हैं नहीं। अनुकार्य ग्रंथों से अनुवाद का ही परिणाम है कि वे अलंकारवादी प्रतीत होते हैं, इसी से रीतिकाल या शृंगारकाल की सीमा कुछ पीछे हटानी पड़ती है। संवत् १६०० के आगे-पीछे ही शृंगारकाल की सारी प्रवृत्तियाँ प्रवर्तित हो जाती हैं। रीतिमुक्त रचना करनेवाले रसखानि और आलम भी १६४० के आसपास अपनी वाग्धारा बहा रहे थे।

इस संबंध में यह कह देना आवश्यक है कि भक्ति और शृंगार की रचनाओं के क्षेत्र भिन्न थे। शृंगारी कवि अधिकतर दरबारी थे। भक्त कवियों का संबंध दरबारों से बिलकुल नहीं था। उनकी रचना वस्तुतः जनता की हृत्तंत्री की प्रतिध्वनि थी। पूर्वोक्त तथा अन्य बहुत से कवि दरबारों में ही अपनी 'कबिताई' का चमत्कार दिखा रहे थे। अकबर के दरबार के कई कवि थे जो अधिकतर शृंगार की ही रचना करते थे। उनके नामों की उद्धरणी इस सवैये में इस प्रकार है—

पूखी प्रसिद्ध पुरंदर ब्रह्म सुधारस अंमृत अंमृतबानी।
गोकुल गोप गोपाल गनेस गुनी गुनसागर गंग सुज्ञानी।
जोध जगन्न जगे जगदीस जगामग जैत जगत्त है जानी।
को रे अकब्बर सों न कथी इतने मिलिकै कबिता जु बखानी।

शृंगारकाल की अधिकांश रीतिबद्ध और रीतिसिद्ध रचना दरबारों में बनी—दरबार चाहे बादशाहों, शाहों या शहजादों के रहे हों, चाहे राजा-महाराजा, दीवानों, ताल्लुकेदारों या जमींदारों के। इस रचना को 'दरबारी' कहना सोलह आने ठीक है। रीतिमुक्त कवियों (रसखानि घनआनंद, बोधा आदि) में से कई का संबंध दरबारों से है अवश्य, पर वे अपनी स्वच्छंद वृति के कारण दरबारों के आसन पर बहुत दिनों तक टिकनेवाले नहीं थे। इसी से उन्होंने दरबार का त्याग किया। वहाँ से छूटकर जनता के सान्निध्य में आते ही वे जो भक्ति की रचना में प्रवृत्त हुए उसका हेतु भी स्पष्ट हो जाता है।

इस प्रकार इस 'काल' का आरंभ संवत् १६०० के आसपास से ही मानना चाहिए। पर १६०० से १७०० तक वस्तुतः इस काल की प्रस्तावना ही है। शृंगार के अभिनय का आरंभ इसके अनंतर ही हुआ। धारा का वेग तभी प्रखर हुआ। भक्ति की

रचनाएँ संवत् १७०० तक छाई हुई थीं। इधर भक्ति का वेग कम पड़ा, उधर शृंगार की धारा वेगवती हुई। भक्ति अपना प्रभाव इन कवियों पर भी डाल गई। इन्होंने नायक और नायिका के रूप में श्रीकृष्ण और राधिका या गोपियों को स्वीकार किया। रचना की लोक-स्वीकृति के संबंध में ये अपने मन को भक्ति की आड़ में यों फुसला लेते थे—

आगे के सुकबि रीझि हैं कबिताई नतु राधिका कन्हाई सुमिरन को बहानो है।

शृंगारकाल की उत्तर-सीमा बहुत कुछ स्पष्ट है। भारतेंदु बाबू हरिश्चंद्र ने हिंदी में आधुनिक या नूतन विचारधारा प्रवाहित की, यद्यपि उन्होंने पुरानी वाग्धारा भी अक्षुण्ण रखी। कबित्त-सवैयों में प्रेम की—निश्चय ही स्वच्छंद प्रेम की—रीतिमुक्त शृंगारिक रचना की और पदों में भक्ति की। पुराने ढंग की शृंगारी रचनाएँ तो द्विवेदीजी के समय तक होती आई हैं और अधिक परिमाण में। कविसम्मेलनों में समस्यापूर्ति की और पढ़ंत गोष्ठियों में अनुप्रास-यमक आदि की बहार देखने-सुनने योग्य होती थी।भारतेंदु बाबू के समय में शृंगारिक कविता करनेवाले सभी थे, एक कपोल से पुरानी शृंगारी कविता निकलती थी और दूसरे से नए ढंग की देश-प्रेम आदि की कविता। उसी युग में काशी, कानपुर, आजमगढ़ आदि कई स्थानों पर कविमंडल, कविसमाज, कविसभा आदि की स्थापना हो चुकी थी, जिनमें अधिकतर समस्यापूर्ति के रूप में प्रायः शृंगारिक कविता ही होती थी। संवत् १९५० के अनंतर शृंगार की पुरानी धारा मंद पड़ने लगी और लगभग १९७५ तक आते-आते वह विलीन हो गई। जैसे संवत् १६०० से १७०० तक शृंगार का प्रस्तावनाकाल या उपक्रमकाल है वैसे ही सं. १९०० से १९७५ तक अवसानकाल या उपसंहारकाल। नई धारा १९०० के आसपास प्रकट हो गई थी, जिसके साथ पुरानी धारा भी चलती रही। इसलिए शृंगारकाल की कड़ी के गर्भ से आधुनिककाल की कड़ी १९०० के लगभग घुसी और १९५० तक आते-आते वह घूमकर आगे चली आई, १९७५ तक उसने अपने को एकदम पृथक् कर लिया।

प्रवृत्ति

शृंगारकाल की प्रस्तावना भक्तिकाल के भीतर हो गई थी। राधा-कृष्ण की जैसी प्रेमक्रीड़ा का वर्णन कृष्णभक्त कवि कर चले वह शृंगार का बहुत बड़ा अवलंब सिद्ध हुई। राधा-कृष्ण की भक्ति में रसदृष्टि से भक्तकवियों ने चार रस ग्रहण किये थे—दास्य, सख्य, वत्सल और शृंगार या मधुर। 'वत्सल' तो हिंदी में भक्तिकाव्य में ही व्यक्त हुआ और उसके साथ ही लुप्त भी हो गया। श्री वल्लभाचार्य ने अपने संप्रदाय में कृष्ण के बालभाव की उपासना चलाई। इसी से उनके वल्लभ-संप्रदाय के कवियों ने उसकी धारा वेग से बहाई। पर धीरे-धीरे कृष्णभक्ति ने जो अनेक रूप धारण किए उनमें 'मधुररस' या 'माधुर्यभाव' ने प्रधानता पाई। श्री चैतन्य के गौड़ीय-संप्रदाय का प्रभाव ऐसा पड़ा कि 'वत्सलरस' उसमें लीन हो गया। माध्व, निंबार्क (टट्टी, अनन्य, राधावल्लभी) जितने कृष्णभक्ति के अन्य संप्रदाय दिखाई पड़ते हैं उन सबकी उपासना शृंगारप्रमुख हो गई,

उनमें 'राधा' की योजना प्रधान हुई। राधातत्व के जुड़ जाने से प्रणयलीला के गीत गाए जाने लगे। फल यह हआ कि वल्लभ-कुल के भक्त भी राधा-कृष्ण की प्रेमलीला के विस्तार में ही लग गए। इसीलिए आगे चलकर वत्सलरस का प्रवाह रुक गया। भक्ति और शृंगार ने मिलकर 'मधुररस' का रूप धारण किया, जिसके भीतर शृंगाररस ने सचमुच अलौकिक रूप पाया। भक्ति की पिछले काँटे की रचना काव्य-दृष्टि से शृंगार की ही रचना हो गई, भले ही उसे हम लौकिक शृंगार की सीमा में न घेर सकें, पर वह शृंगार का ही परिष्कृत, संस्कृत या ईश्वर-संबद्ध—चाहे जो नाम रखें—रूप हो गई। विनय आदि के रूप में जो थोड़ी सी रचना रह गई उसे ही शुद्ध भक्तिरस की रचना कह सकते हैं। इस प्रकार शृंगाररस की धारा को फैलने के हेतु बहुत चौड़ा मैदान मिल गया। पर भारतीय काव्यपरपंरा में आचारनिष्ठता का ध्यान बराबर रखा गया है। शृंगारकाल में कवियों ने नायक-नायिकाओं की प्रेमलीलाओं का निरूपण आरंभ किया तो उसमें स्वकीया-प्रणय के विस्तार का अवकाश न मिला। अपभ्रंश की पुरानी रचनाओं और देशी गीतों में स्वकीया-प्रेम के बड़े ही मधुर एवं मर्मस्पर्शी खंडवृत्त दिखाई देते हैं। पर हिंदी में शृंगार की काव्यधारा भक्तिधारा से फूटी, सीधे लोकधारा से उसका संबंध नहीं रह सका। अलौकिक दृष्टि से भक्ति के भीतर जो दाम्पत्य-प्रेम रखा गया वह सर्वत्र स्वकीया का प्रेम न रहा, क्योंकि उपास्य और उपासक या आकर्षक और आकृष्ट के रूप की लंबी-चौड़ी भूमि परकीया-प्रेम के परिष्कार में दिखाई पड़ी, जिसमें अलौकिक संबंध का आरोप होने लगा। इस प्रकार प्रेम की विवृति के साहचर्य में परकीया-प्रेम के विस्तार को विशेष उत्तेजना प्राप्त हुई। हिंदी-साहित्य को उस समय जिस साहित्य से प्रतिद्वंद्विता करनी पड़ी उसमें परकीया-प्रेम का बाहुल्य था। प्रतिद्वंद्विता से पीछे हटने पर कवियों की हेठी होती थी। अतः नायिकाभेद से परकीया-प्रेम ले लिया गया पर आचारनिष्ठता को ध्यान में रखकर प्रेम के आलबंन—राधिका और श्रीकृष्ण माने गए। प्रेम की घोर वासनापूर्ण रचना करनेवालों ने भक्ति की शृंगारिकता की ओट लेने का पूरा प्रयत्न किया। अपनी रचना के लिए धार्मिक बुद्धि जगाते हुए वे कह गए कि 'आगे के सुकबि रीझिहैं तौ कबिताई नतु राधिका-कन्हाई-सुमिरन को बहानो है'। लक्षण ग्रंथों में यह भी कहा गया है कि नायक होने योग्य और कोई नहीं कृष्ण ही हैं। ठीक इसी प्रकार नायिका होने योग्य राधा या गोपी।

यह उद्भावना शृंगारकाल की न थी, बहुत पहले की थी। विद्यापति आदिकाल में ही राधा-कृष्ण की प्रेमलीला का वर्णन साहित्यिक दृष्टि से (भक्त की दृष्टि से नही) कर गए थे। ध्यान देने की बात है कि विद्यापति ने भक्तकवियों की भाँति श्रीकृष्ण या राधा को प्रभु या स्वामिनी के रूप में नहीं रखा, यद्यपि उनके शृंगार के पदों या गीतों की सारी रचना श्रीकृष्ण और राधा के ही स्नेह की अभिव्यक्ति है। अतः उन्हें भक्तकवि कहना भ्रांतिशून्य नहीं है। उनके राधा-कृष्ण भक्ति के नहीं, शृंगार के देवता हैं।

इस प्रकार रीतिकाल में जितनी रचना हुई उसमें प्रायः हरि और गोपी या राधा का

कीर्तन तो मिलता है, पर उसे भक्ति की रचना नहीं कह सकते। इन कवियों ने भक्ति की शृंगारमयी रचना का भक्तिवाला अंश त्याग दिया। आवरण के रूप में भक्ति अवश्य रह गई, पर सारी रचना लौकिक प्रेम-प्रसंगों की ही प्रस्तुत होने लगी। शृंगारकाल की सीमा के भीतर शृंगार के अतिरिक्त वीररस और भक्तिरस की रचना बराबर होती रही। पर वीररस की रचना थोड़ी है और जिन्होंने वीररस की रचना की वे शृंगार की रचना से विरत नहीं थे। भक्ति की जो रचना बाद में हुई उसमें सूरदास आदि भक्तकवियों से भी बढ़-चढ़कर शृंगार की छाप पड़ी। इस प्रकार उस युग में शृंगार ही शृंगार दिखाई देता है। इसी से उसे रीतिकाल माननेवाले विद्वान् भी रसदृष्टि से 'शृंगारकाल' कहना उचित समझते हैं।[१]

भक्ति के ही क्षेत्र में उत्पन्न होने के कारण 'शृंगारकाल' में जो व्यापक प्रवृत्ति दिखाई पड़ी वह मुक्तकरचना की थी। कृष्णभक्तों ने श्रीकृष्ण-चरित् का उतना ही अंश काव्यबद्ध किया जो वृंदावन और मथुरा से संबद्ध था। वे केवल कोमल भावों के ही कवि रहे। प्रबंध के क्षेत्र में जिस बहुवस्तु-व्यापार और घटनाचक्र के प्रवर्तन की अपेक्षा होती है उससे उन्होंने पीछा छुड़ा लिया। कृष्ण की सारी लीला अधिकतर मुक्त गीतों में गाई गई। अतः भक्ति के जिस क्षेत्र में शृंगारी कवियों ने संबंध जोड़ा वहाँ प्रबंध की भूमि ही नहीं मिली। कृष्णभक्ति-संप्रदायों में कीर्तन का माहात्म्य स्वीकृत था। इसके लिए गीत तो उपयुक्त थे ही, फुटकल लीला ही काम की हो भी सकती थी। गीत-पद्धति का प्रबंध से सदा विरोध रहा है, आज भी है। गीत चाहे बाह्यार्थ-निरूपक हो, चाहे स्वानुभूति-प्रदर्शक, वह किसी भाव में कुछ देर तक लीन रखना चाहता है, और लीनता में गहराई चाहता है। प्रबंध में कथातत्त्व भी कुछ-कुछ कुतूहल जगाए रहता है, इसी से लीनता की मात्रा सर्वत्र अधिक हो नहीं पाती। जहाँ लीनता पर विशेष दृष्टि रहेगी वहाँ मुक्तक की प्रवृत्ति अवश्य प्रधान होगी। गहरी लीनता को ही लक्ष्य करके प्रबंधकाव्यों में भी गीत रखे जाने लगे हैं, जिनके कारण प्रबंध की स्वाभाविक धारा अवरुद्ध हो जाती है। गीतों की ही गूँज के मेल में शृंगारकाल में कबित्त-सवैयों का—विशेषरूप से सवैयों का—अधिक चलन हुआ। कहीं-कहीं प्रबंध के क्षेत्र में भी कबित्त-सवैयों की योजना कर दी गई है, जैसे नरोत्तमदास के 'सुदामाचरित' में। पर उसमें भी संवादों और वर्णन के लिए ही इनका उपयोग हुआ, जहाँ किसी भाव की लीनता ही कवि का लक्ष्य है। कथा कहने के लिए उन्होंने दोहों का विधान किया है। बाबू जगन्नाथदास 'रत्नाकर' के 'उद्धवशतक' में कबित्तों में संवाद या उक्तियाँ बाँधी गई हैं। उसमें 'गोपीविरह' की क्रमबद्ध कथा के सहारे उक्ति-विधान देखकर भ्रमवश लोग उसे प्रबंधकाव्य या अर्धखंडकाव्य कहने लगते हैं। छंद तो छंद उसका नाम भी मुक्तक-शैली की रचनाओं का है—इस पर भी ध्यान नहीं दिया जाता।

---

१. 'प्रधानता शृंगार की ही रही। इससे इस काल को रस के विचार से कोई शृंगारकाल कहे तो कह सकता है।'—हिंदी-साहित्य का इतिहास, आचार्य शुक्ल कृत, पृष्ठ २६८।

श्रृंगारकाल में रीतिबद्ध रचयिताओं ने लक्षण-ग्रंथ के निर्माण में हाथ लगाया। यहाँ प्रत्येक विषय का लक्ष्य फुटकल रूप में ही प्रस्तुत हो सकता था। यह कहा जा चुका है कि ये कवि लक्षणशास्त्र का निर्माण करनेवाले आचार्य नहीं थे। लक्षण के निरूपकों ने स्वतः अपनी कृति से ही लक्षण ग्रंथ भरे हैं, ऐसी प्रवृत्ति संस्कृत-साहित्य में कम थी। लक्ष्य पहले, लक्षण पीछे होता है। संस्कृत में इसी से लक्षणों के उदाहरण प्रायः विभिन्न कवियों या काव्यों से चुने गए हैं। ग्रंथकार का उदाहरण क्वचित् ही होता है, वह प्रायः 'यथा ममापि' ही होता है; दूसरे की रचना उद्धृत कर देने के अनंतर अपनी भी रख दी जाती है। सच विचारिए तो लक्षण-निरूपक आचार्य प्रायः कविकर्म से विरत रहता है। भरतमुनि, भामह, वामन, रुद्रट, आनंदवर्धन, धनंजय, अभिनवगुप्त, कुंतक, मम्मट, रुय्यक, विश्वनाथ आदि आचार्य ही थे; प्रायः कविकर्म से विरत। दंडी, राजशेखर, पंडितराज जगन्नाथ[१] आदि अवश्य कविकर्म में भी निरत हुए। मम्मटाचार्य ने काव्यप्रकाश के दोष-प्रकरण में बड़े-बड़े कवियों के उदाहरण दिए हैं। इससे चिढ़कर कुछ लोगों द्वारा कसौटी पर कसने के लिए उनकी रचना खोजी जाने लगी तो ग्रंथ के मंगलाचरण के अतिरिक्त कुछ भी हाथ न लगा। सारा रोष उसी पर प्रकट किया गया। अतः स्पष्ट है कि कविकर्म और आचार्यकर्म में भेद करके संस्कृत के शास्त्रकर्ता चले हैं। हिंदी में उलटी गंगा बही। लक्ष्य के पीछे लक्षण न चलकर लक्षण के पीछे लक्ष्य चलने लगा। उदाहरण में अपनी ही कृति गढ़-गढ़कर दी जाने लगी। जहाँ कवि किसी चमत्कार में रम जाता था वहाँ उदाहरणों का ताँता लग जाता—एक, दो, तीन की गिनती चलने लगती। श्रीपति के 'काव्यसरोज'। ऐसे कुछ ही ग्रंथों में दूसरों के उदाहरण देने का प्रयास है। उन्होंने दोषप्रकरण में अपनी रचना न देकर केशवदास की रचनाएँ उद्धृत की हैं। ये लोग लक्षण-ग्रंथ के ही अनुगमन पर न लिखते होते तो कविकर्म कुछ उच्च आदर्श ग्रहण करता, कदाचित् मुक्तक से हटकर प्रबंध की रुचि कुछ जगती। रीति से पीछा छुड़ानेवालों ने अवश्य प्रबंध की ओर भी रुचि दिखलाई। पर श्रीकृष्णलीला का वृंदावनवाला वृत्त इसके लिए नहीं लिया गया। वह मुक्तक के आगे यदि बहुत बढ़ सकता था तो निबंध तक। भक्ति की रचना में दानलीला, मानलीला, रासलीला आदि के वर्णनात्मक प्रसंग पद्य-निबंध भर कहे जा सकते हैं। प्रबंध के लिए घटनाचक्र चाहिए, वह कृष्ण-जीवन के इस अंश में है ही नहीं। जहाँ इतने ही वृत्त को लेकर प्रबंधकाव्य लिखने की वृत्ति स्फुरित हुई है वहाँ प्रबंधधारा अनवच्छिन्न नहीं रह सकी है, विस्तार करने के लिए अनेक वर्णनों की योजना करनी पड़ी है। इसी से प्रबंध के लिए श्रीकृष्ण का उत्तर-जीवन ही उपयुक्त दिखाई पड़ा। उदाहरणार्थ आलम ने नरोत्तमदास की भाँति 'सुदामाचरित्र' लिखा और रुक्मिणीपरिणय का वृत्त लेकर 'श्यामसनेही' खंडकाव्य प्रस्तुत किया, पर प्रबंध की विस्तृत अर्थभूमि यहाँ भी नहीं थी। इसी से प्राकृतकाल की प्रसिद्ध कथा 'माधवानल-कामकंदला' पर छोटे-बड़े कई

१. ऐसा लगता है कि पंडितराज जगन्नाथ हिंदी की श्रृंगारकालीन प्रवृत्ति से प्रभावित हुए थे।

प्रबंधकाव्य निर्मित हुए। इसी कथा का अत्यधिक विस्तार करके बोधा ने 'विरहवारीश' की रचना की। फिर भी इन रीतिमुक्त कवियों की भी अधिकांश रचना मुक्तक ही है। इन मुक्तक रचनाओं से हिंदी का एक लाभ भी हुआ। शृंगार के किसी भी अवयव के अत्यंत मधुर और सरस उदाहरण उपलब्ध हो गए। यह निःसंकोच कहा जा सकता है कि संस्कृत-साहित्य में भी शृंगार के अंगोपांग की इतनी अधिक और सरस रचनाएँ न मिलेंगी।

पर इन उक्तियों में अधिकतर भिन्नता न होकर एकरूपता पाई जाती है। कारण भी स्पष्ट है। अधिकतर कवीश्वर लक्षण-ग्रंथ-प्रणेता थे। प्रत्येक विषय पर बँधी-बँधाई उक्तियाँ सब कहते थे, इसी से एकरूप उक्तियों का ढेर लग गया। व्यक्ति-वैशिष्ट्य का जैसा विकास अपेक्षित था वह न हो सका। वह विशेषता कविराज न ला सके जिसके द्वारा प्रत्येक की रचना सरलता से पृथक् की जा सकती। अधिकतर रीतिबद्ध कवियों की रचना में से यदि 'छाप' निकाल दी जाए तो स्मृति-शक्ति के आधार पर भले ही कुछ पार्थक्य किया जा सके अन्यथा व्यक्तिवैशिष्ट्य के आधार पर भेद करना सामान्यतया कठिन अवश्य है। प्राचीन संग्रहों में जो किसी एक कवि का छंद किसी दूसरे कवि के नाम पर चढ़ गया है उसका कारण यही है। पुराने संग्रहों का बहुलांश स्मृति के भरोसे संकलित होता था। स्मृति भला कहाँ तक साथ देती। 'शिवसिंहसरोज', 'सुधासर', 'शृंगारसंग्रह' आदि में इसके सैकड़ों प्रमाण मिलते हैं। प्रमाणित किया जा चुका है कि हिंदी में 'शिवाबावनी', 'छत्रसाल-दशक' नाम की पोथियाँ किस प्रकार अधिकतर दूसरे कवियों की कृति से ही सज-धजकर 'भूषण' के नाम पर आधुनिक संग्रहकर्ताओं की कृपा से चल पड़ी हैं और शिवाजी के दरबार में 'भूषण' की उपस्थिति संदिग्ध बतानेवालों के लिए सहायक का काम कर गई हैं। रीतिबद्ध कवियों में बिहारी, पद्माकर, मतिराम आदि कुछ गिने-चुने कवियों को ही भाषा-भेद से सरलतापूर्वक छाँटा जा सकता है। बिहारी के दोहों की बनावट उन्हें साधारण रचनाओं से पृथक् करती है, पर रसलीन, मतिराम आदि के कितने ही अच्छे-अच्छे दोहे सतसैया में घुस गए हैं, जिन्हें 'रत्नाकर' जी ने 'बिहारी-रत्नाकर' में चुन-चुनकर पृथक् किया। रीतिबद्ध रचयिताओं की अपेक्षा रीतिमुक्त या स्वच्छंद कवियों की कृति में व्यक्ति-वैशिष्ट्य का कुछ अधिक विकास अवश्य स्पष्ट दिखाई देता है; इसी से इन्हें दूसरों से पृथक् करने में कुछ सरलता होती है, 'घनआनंद' की विरोध की प्रवृत्ति उन्हें औरों से पृथक् करती है। लोकोक्ति-विधान की विशेषता रीतिमुक्त स्वच्छंद 'ठाकुर' को इसी नाम के अन्य कवि से पृथक् करती है। प्रेम के वैषम्य का चटक-मटक के साथ उल्लेख करनेवाले 'बोधा' फूल-पत्ती, पक्षी आदि की सूची पेश करनेवाले 'बोधा' से भिन्न हैं। शृंगारकाल की स्वच्छंद काव्यधारा का कुछ महत्त्व इसी से सूचित होता है। पर इन कवियों का भी काव्यार्थ (वर्ण्य) एकरूप ही है, इसे स्मरण रखना चाहिए। इसी से जहाँ स्वकीय रंग कुछ फीका पड़ गया है वहाँ इनकी रचनाएँ भी एकरूप हो गई हैं।

—रीतिबद्ध

रीतिबद्ध काव्य

हिंदी में रीतिबद्ध काव्य की अपेक्षा क्यों हुई, इस प्रश्न का उत्तर सामने न होने से शृंगारकाल के इस काव्य का समुचित विचार नहीं हो सका है। लोगों ने प्रायः यही अनुमान लगाया है कि हिंदी में काव्य की सरणि का व्यवस्थित विधान करने के लिए शास्त्रीय ग्रंथों के निर्माण की आवश्यकता हुई और हिंदी के कवियों ने अपना कर्तृत्व दिखलाया। जो लोग ऐसा कहते हैं वे यह भी स्वीकार करते हैं कि हिंदी के ये कर्ता, कर्ता ही थे, आचार्य नहीं। अर्थात् इन्होंने शास्त्रीय विचार-विमर्श के लिए रीति-ग्रंथों का निर्माण नहीं किया, प्रत्युत अपनी कवित्वशक्ति का प्रदर्शन करने के लिए उसका अवलंब लिया। यदि इन सबका प्रयोजन साहित्य-विमर्श होता तो जितनी ग्रंथराशि इस युग में एकत्र हुई है, उतनी की आवश्यकता ही न होती। संस्कृति में शास्त्र-चर्चा प्रभूत परिमाण में हुई है, किंतु शास्त्र-ग्रंथों का ऐसा पहाड़ वहाँ नहीं दिखाई देता। इससे यह स्पष्ट हो जाता है कि यदि रीतिबद्ध काव्य करनेवालों का लक्ष्य लक्षण-ग्रंथ प्रस्तुत करना होता तो इतने अधिक पिष्टपेषण या चर्वितचर्वण की आवश्यकता न होती। यह तो नहीं कहा जा सकता कि इनमें से किसी ने शास्त्रचर्चा का लक्ष्य रखा ही नहीं, किंतु यह अवश्य कहा जा सकता है कि शास्त्रचर्चा का स्वच्छंद विचारकण खोज निकालने के लिए रीतिकाव्यों का ढेर फटकने पर भी विफल ही होना पड़ेगा। अतः यह निश्चित है कि काव्य-कौशल का प्रदर्शन यदि सबके लिए नहीं तो बहुतों या अधिकांश के लिए साध्य था। रीतिबद्ध काव्य, कला के प्रदर्शनार्थ ही अधिकतर बना यह तो सर्ववादिसम्मत है, किंतु इस प्रदर्शन की तात्कालिक प्रेरणा, आवश्यकता या हेतु क्या था, इस पर किसी ने जमकर विचार करने का कष्ट नहीं उठाया। इस पर विचार करना इसलिए भी अपेक्षित है क्योंकि उसके परिणामस्वरूप जिन तथ्यों की उपलब्धि होगी वे रीतिबद्ध काव्य का स्वरूप तो स्पष्ट करेंगे ही साथ ही हिंदी-साहित्य की परंपरा का स्वरूप भी निश्चित करने में सहायक होंगे।

यह बात सभी स्वीकार करते हैं कि शृंगारकाल की अधिकतर रचना या कम-से-कम रीतिबद्ध रचना दरबारी है। दरबारी कहने का तात्पर्य यही नहीं है कि उसका रचयिता किसी दरबार के आश्रय में रहता था और वहाँ से वृत्ति पाता था। उसका तात्पर्य यह भी है कि वह अपने आश्रयदाता की रुचि का ध्यान रखकर उसका निर्माण करता था और उसके मनोरंजन में सहायक होता था। मध्यकालिक दरबारों में जिस प्रकार राग-रंग और संगीत का संभार होता था उसी प्रकार कविता का भी। दरबारों में कलावंत होते थे और नृत्य-गान के अखाड़े लगा करते थे। हिंदी के प्रसिद्ध कवि केशवदास ओड़छा के

इंद्रजीत के दरबार में रहते थे। उनका काम (जैसा उनके ग्रंथों से सिद्ध होता है) पुराण बाँचना था, कविता करना था और इंद्रजीत की वेश्याओं को साहित्य पढ़ाना भी था। केशवदास ने कविप्रिया का निर्माण इंद्रजीत की सर्वप्रधान वेश्या प्रवीणराय को कविशिक्षा का उपदेश देने के लिए किया था। कविप्रिया में इसका और साथ ही इंद्रजीत के यहाँ की अन्य प्रधान पातुरों का उल्लेख उन्होंने स्वयं किया है और उनमें प्रवीणराय की विशेष प्रशंसा की है। यह भी कहा जाता है कि कविवर की इस चेली ने उनकी रामचंद्रचंद्रिका में आग्रहपूर्वक अपनी कुछ रचना रखवाई है। जनकपुर में ज्यौनार के अवसर पर जो गालियाँ गवाई गई हैं वे प्रवीणराय की रचना हैं। प्रवीणराय कितनी काव्य-प्रगल्भा हो गई थी इसका पता इस किंवदंती से कुछ-कुछ चल जाता है कि अकबर के दरबार में जब वह पेश की गई और उससे बादशाह के यहाँ रहने की बात कही गई तो उसने उत्तर दिया—

बिनती राय प्रबीन की सुनियै साह सुजान।
जूठी पतरी भखत हैं बारी बायस स्वान॥

कहते हैं कि ओड़छे की यह मंडली जिस ऐहिक सुखविलास का आस्वाद ले रही थी, मरणानंतर उसके खंडित हो जाने की संभावना के कारण उसने प्रेतयोनि में रहना स्वीकार कर प्रेतयज्ञ का अनुष्ठान भी करवाया था और उसके फलस्वरूप प्रेतयोनि में पहुँचकर जब स्वयं केशवदास अत्यंत कष्ट का अनुभव करने लगे तब तुलसीदास से उनका साक्षात्कार हुआ और उनके परामर्श से अपनी रामचंद्रचंद्रिका का पाठ करके उस योनि से उन्होंने मुक्तिलाभ किया।

इस किंवदंती में और कोई सार हो चाहे न हो पर यह स्पष्ट हो जाता है कि केशवदास कठिन काव्य के प्रेत क्यों कहे जाने लगे। उनकी रसिकता के संबंध में जो यह दोहा प्रचलित है वह भी उनके बिलासबद्ध होने की साखी भरता है—

केसव केसनि अस करी जस अरिहू न कराहिं।
चंद्रबदनि मृगलोचनी बाबा कहि कहि जाहिं॥

आचार्य केशवदास के काव्य की मीमांसा में प्रवृत्त न होकर उनके जीवन का चित्र अंकित करने के प्रयास में इसलिए लगना पड़ा कि उसे दरबारी कवियों के जीवन का उपलक्षण मानकर ही यहाँ उदाहृत किया गया है। केशवदास के संबंध में एक बात बिना और कहे इस प्रसंग की समाप्ति नहीं की जा सकती। कहते हैं कि जब वे अकबर के दरबार में उपस्थित हुए और उनसे पूछा गया कि इस समय का सबसे श्रेष्ठ कवि कौन है तब उन्होंने छूटते ही उत्तर दिया—'मैं'। यह कहने पर कि लोग सूरदास और तुलसीदास को इस समय का श्रेष्ठ कवि फिर क्यों मानते हैं, उन्होंने उत्तर दिया कि वे भक्त हैं। हिंदी-कवियों का तारतम्य बतलानेवाली इस उक्ति को सामने रखने से उनके तत्कालीन महत्त्व का पता चल जाता है—

सूर सूर तुलसी ससी उडुगन केसवदास।
अब के कबि खद्योत-सम जहँ तहँ करहिं प्रकास ।।

'अब के कवि' से तात्पर्य शृंगारकाल के कवियों से है, आधुनिक काल के कवियों से नहीं जैसा भ्रमवश कुछ आधुनिक कवियों ने समझ रखा है।

यह सब कहने का प्रयोजन यह है कि उस समय दरबारी कवि अपने आश्रयदाताओं के मनोरंजन के साधन होते थे और उनके मनोरंजन की साधना के लिए भी बहुत-सा काम और साथ-ही-साथ काव्य की रचना किया करते थे। मध्यकाल के पूर्व दरबारी कवि न रहे हों और दरबारी कविता न होती रही हो, ऐसा नहीं है। विक्रम और भोज के दरबारों के कितने ही प्रबंध-प्रसंग लोकविश्रुत हैं, पर जैसी दरबारी मनोवृत्ति और दरबारदारी मध्यकाल में फैली एवं जिसके कारण काव्य-कर्ताओं के स्वच्छंद चिंतन का मार्ग बहुत कुछ अवरुद्ध हो गया वैसा इसके पूर्व नहीं था। प्राचीन युग में भी दरबार लगते थे, राजसभाओं में समस्यापूर्तियाँ पढ़ी जाती थीं और अपनी कला का चमत्कार कवीश्वर दिखाया करते थे, पर वैसी रचनाओं का वाङ्मय पूँजीभूत नहीं हुआ। काव्य पर उसका प्रभाव न पड़ा हो, ऐसी बात भी नहीं। पर वह काव्य को चमत्कार प्रदर्शन के चाकचिक्य में डालकर विरत हो गया। उसके कारण भारतीय परंपरा की काव्यशाखाओं का उपबृंहण नहीं रुका। रससिक्त प्रकीर्णकों की ही रचना नहीं होती थी, रसधारा बहानेवाले प्रबंधकाव्य भी लिखे जाते थे और रसनिर्झर रूपकों (नाटकों) का भी निर्माण होता था। किंतु मध्यकाल के इस हिंदी-साहित्य अर्थात् शृंगारकाल में रीतिबद्ध रचना करनेवालों में से बहुतों ने प्रबंध से मुँह मोड़ लिया और रूपक-रचना तो केवल संवादों में ही सिमटकर रह गई।

केशवदास जहाँ दरबारी कवियों के प्रतिनिधि दिखाई देते हैं वहीं उन्होंने हिंदी को प्रबंधधारा प्रवाहित करने का मार्ग भी दिखाया। अपने ग्रंथों में नाटकीय ढंग के संवादों की योजना करके दृश्यकाव्यों की कमी श्रव्यकाव्यों से ही पूरी कर लेने का आदर्श भी उपस्थित किया। फिर भी केशवदास के इस आदर्श का अनुगमन क्यों नहीं हुआ, यह विचारणीय है। केशवदास का आदर्श संस्कृत-काव्यों का आदर्श था और यह आदर्श उस समय पुराना पड़ गया था। जिस नवीनता का आकर्षण दरबारों में और साथ ही कुछ-कुछ जन-जीवन में भी दिखाई पड़ता था वह विदेशी फारसी-काव्य का आकर्षण था। मुसलमानी दरबारों में राजकवि के पद पर फारसी के कवि भी रहते थे और हिंदी के कवि भी। बड़े दरबारों में संस्कृत के कवि भी हुआ करते थे। फारसी-काव्य की जो मुक्तक शृंगारी रचनाएँ दरबारी कवि-दंगलों में पढ़ी जाती थीं उनके जोड़-तोड़ में संस्कृत और हिंदी के कवि अपनी शृंगारी रचनाएँ ही प्रस्तुत कर सकते थे। जोड़-तोड़ में जो मुक्तक रचनाएँ दे सकते थे उनके लिए नायक-नायिकाभेद के अतिरिक्त कोई दूसरा देशी काव्यविषय इनके पास न था। नाट्यशास्त्र से किस प्रकार नायक-नायिकाभेद निकलकर

दरबारी काव्य में काव्यविषय का काम देने लगा इसका रहस्य दरबारों की राजसभाओं में है। संस्कृत में नायक-नायिका-भेद के ग्रंथों का अधिक निर्माण भारत में मुसलमानी शासन के साथ-ही-साथ आरंभ होता है। शृंगार की फुटकल रचनाएँ होती थीं और उनमें स्वकीया के शृंगार का वर्णन होता था। कहीं-कहीं सपत्नियों के क्रिया-कलापों को लेकर रोना-कल्पना, ईर्ष्या-अमर्ष, डाँट-फटकार, मान आदि की बातें भी रहती थीं, पर परकीया-प्रेम साहित्य में उतना प्रवेश नहीं कर सका था। सामान्या का प्रेम कुछ नाटकों में अवश्य दिखलाया गया है, पर अत्यंत उदात्त रूप में। प्रबंधकाव्यों में स्वकीया ही नायिका मिलेगी। मुक्तक में भी उन्हीं के हाव-भाव की व्यंजना प्रमुख है। जनता में जो रचनाएँ होती थीं उनमें शृंगार का अतिरेक तो है, पर परकीया प्रेम का अतिरेक नहीं। परकीया की चेष्टाओं, विदग्धता आदि का आधिक्य फारसी-साहित्य के संपर्क के कारण हुआ है। माशूक के अनेक रकीबों की कल्पना और उसके प्रेम की प्राप्ति के कष्टों आदि की जैसी विवृति फारसी और तत्पश्चात् उर्दू में दिखाई देती है उसके जोड़-तोड़ में हिंदी के कवि सभा-समाजों में नायक-नायिकाभेद के रँगीले वर्णनों के अतिरिक्त और रख ही क्या सकते थे। यदि फारसी की भाँति हिंदी में वैसा ही काव्यविषय स्वीकृत कर लिया जाता तो ये केवल नक्काल कहलाते। देशी काव्यपरंपरा भी फारसी-साहित्य के रंग-ढंग की रचना कर सकती है और अपनी विशेषता के साथ कर सकती है, इसी को प्रमाणित करने के लिए नायक-नायिकाभेद का विस्तार करना पड़ा। जिन रीतिमुक्त कवियों की चर्चा की जा चुकी है, अनुभूति, भाषा आदि की दृष्टि से चाहे उनकी रचना रीतिबद्ध रचयिताओं से उत्कृष्ट ही क्यों न हो पर यह कहने में कोई संकोच नहीं कि उन्होंने फारसी की प्रवृत्ति बहुत कुछ तद्वत् ग्रहण की है। प्रेम की विषमता जैसी रीतिमुक्त कवियों की रचना में मिलती है वैसी रीतिबद्ध कवियों की कृति में नहीं। इसका हेतु यही था कि वे विदेशी स्वरूप उतना अधिक ओढ़ना नहीं चाहते थे। भारतीय काव्यधारा में प्रेम समरूप में ही गृहीत था। अतः यह निश्चित हो जाता है कि रीतिबद्ध रचनाकार विदेशी फारसी-काव्य से प्रेरित भर हुए, रीतिमुक्त कवियों की भाँति उनसे अत्यधिक प्रभावित नहीं। उन्हें अपनी रचनाएँ लाग-डाँट में बनानी पड़ी थीं और लाग-डाँट करनेवाला व्यक्ति जिससे लाग-डाँट करता है उसकी हर एक पैंतरेबाजी के जवाब में अपनी करतूत का ठाट ठटता है। उसका अनुकरण करने में उसकी हेठी होती है, इसलिए प्रतिद्वंद्वी चाहे उसे ग्राह्य ही क्यों न हो, प्रतिद्वंद्विता के कारण उसका अनुकरण बचाया जाता है। यहीं यह फिर से कह देना आवश्यक है कि रीतिमुक्त कवि रीतिबद्ध कवियों की भाँति दरबारी नहीं थे, अर्थात् दरबार के कविदंगलों से उनका वैसा संबंध नहीं था।

स्वरूप

रीतिबद्ध रचना मुक्तक ही क्यों रही इसका भी कारण राजदरबार या राजसभा ही है। दरबार में जो रचनाएँ सुनाई जाती हैं उनके लिए कथाबद्ध प्रबंधों से काम नहीं

चलता। थोड़े समय के लिए जो रचना रसमग्न करनेवाली हो वही वही काम की हो सकती है, उसका मुक्तक होना बहुत आवश्यक होता है। आधुनिक युग में भी सभा-सम्मेलनों में प्रबंधकाव्य नहीं पढ़े जाते, मुक्तक गीत, प्रगीत ही चलते हैं। दूसरी बात राजसभा की कविता के लिए यह अपेक्षित होती है कि उसमें कलापक्ष प्रधान हो। जिस रचना में चमत्कारातिशय न होगा वह सभासदों को अधिक रंजित नहीं कर सकती। संप्रति कवि-सम्मेलनों में जो रचनाएँ पढ़ी-सुनी जाती हैं उनमें भी चमत्कार ही अधिक होता है। सभा-सम्मेलनों में काव्यगंभीरता के लिए अवकाश कम रहता है, इसी से या तो कलापूर्ण रचनाएँ विशेष अभिनंदित होती हैं या हास्यरस की हलकी रचनाएँ। मध्ययुग के दरबारी कवियों ने शृंगार की जितनी रचनाएँ कीं, उतनी हास्य की नहीं। इन कवियों की हास्यरस की रचनाएँ दो-चार ही मिलती हैं। इसका एक कारण तो यह था कि हास्यरस हलका रस है और शानदार कवि भड़ौआ लिखना पसंद नहीं करते थे। दूसरी बात यह कि सभासदों का काम भाँड़ों से चल जाता था। प्राचीन दरबारों में जिस प्रकार विदूषक रहते थे उसी प्रकार माध्यकालिक दरबारों में भाँड़ अपना घोड़ा छोड़ते दिखाई देते हैं। आधुनिक युग में भाँड़ों का उपयोग कम हो गया है, इसलिए कवि-सम्मेलनों में हास्यरस की कविता की अधिक माँग तर्कसंगत है। सांप्रतिक सभा-सम्मेलनों में हास्यरस की रचना किस स्तर पर पहुँच गई है इसे समझदारों को बतलाने की आवश्यकता नहीं। यह सब लिखने का प्रयोजन इतना ही है कि कविता दरबारों या सभा-सम्मेलनों में पहुँचकर काव्य की प्रकृत गंभीरता को सुरक्षित नहीं रख पाती। मध्ययुग की दरबारी रचना भी इसी स्थिति को प्राप्त होने लगी। वह मुक्तक ही रही, उसमें चमत्काराधिक्य हुआ और उसका स्तर गिरने लगा। फिर भी भारतीय परंपरा ने उसे उतना अधिक विकृत नहीं होने दिया। यद्यपि काव्य का लक्ष्य जहाँ चमत्कारातिशय हो जाता है वहाँ वह व्यक्तिगत कौशल का प्रदर्शन करने का अधिकाधिक अवसर प्राप्त करके सामाजिकता से दूर हो जाता है तथापि हिंदी की मध्ययुग की कविता ने समाज का ध्यान एकदम छोड़ ही नहीं दिया। फलस्वरूप नायक-नायिकाभेद की रचना में सामाजिक मर्यादा का विचार करके राधा और कृष्ण को ही आलंबन स्वीकार किया गया। श्रीकृष्ण के जीवन में कुछ ऐसे योग संघटित हो गए हैं जिनके कारण शृंगार के लिए अनेक रूपों की कल्पना उसमें की जा सकती है। रीतिबद्ध कविता के तो वे आलंबन हुए ही, रीतिमुक्त कविता के भी वे ही आलंबन हुए। गोपी-कृष्ण के स्वच्छंद प्रेम के कारण रीतिमुक्त स्वच्छंद कविता भी उसमें पर्यवसित हो सकी। यही क्यों स्वच्छंद कवियों में रहस्य की जो प्रवृत्ति सूफी रहस्यभावना के प्रभाव से जगी थी, उसका भी पर्यवसान श्रीकृष्ण के चरित्र में ही हो गया और भारतीय काव्यपरंपरा में रहस्यवाद के लिए अनवकाश की घोषणा करता गया। जो लोग आधुनिक रहस्यवाद को भारतीय परंपरा में खोजने निकलते हैं उन्हें शृंगारकाल के रहस्योन्मुख स्वच्छंद कवियों के इस रूप का भी स्मरण कर लेना चाहिए।

फारसीकाव्य की प्रेरणा से परकीयाभाव की अतिशैयता हिंदी कविता में हुई उसके

लिए भी कृष्णचरित् में पूरा मैदान मिला। भक्तिसंप्रदायों में स्वकीयाभाव और परकीयाभाव दोनों की उपासनाएँ दिखाई पड़ीं और हिंदीकाव्य परकीयापरक रचनाएँ करके तथा उन्हें गोपी-कृष्ण से संबद्ध कहकर सामाजिक लांछन से बच गया। नायक-नायिकाभेद के ग्रंथों में परकीयाभाव का साहित्य में ग्रहण सर्वत्र मध्यम कोटि का और बुरा ही कहा गया है। देव ने स्वकीया का वर्णन वाच्य, परकीया का लक्ष्य और सामान्या या गणिका का व्यंग्य ही रखना उचित माना है, अर्थात् स्वकीया का वर्णन काव्य में प्रत्यक्ष कहना चाहिए, परकीया का वर्णन उपलक्षण के रूप में लाना चाहिए और सामान्या का संकेत के रूप में। इन तीनों प्रकार के वर्णनों को क्रमशः अभिधा, लक्षणा और व्यंजना मानकर उन्होंने लिखा—

अभिधा उत्तम काव्य है मध्य लक्षनालीन।
अधम व्यंजना रस बिरस उलटी कहत नवीन॥

उन्होंने यह जो नवीन उलटी बात कही है उसे शब्दशक्ति-संबंधी उनकी स्थापना मान लेने के कारण हिंदी आलोचना में भारी भ्रांति उत्पन्न हो गई है। कहने का तात्पर्य यह कि सामाजिकता के नाते शृंगारकाल के रीतिबद्ध कवि भारतीय काव्यमर्यादा का विचार रखकर रचना करते थे।

दरबारी कविता में नाद का विधान कुछ अधिक अपेक्षित होता है। हिंदी के पढ़ंत कवि-सम्मेलनों में कबित्त-सवैयों को राग से पढ़ने का विधान तो है ही, दो बार पढ़ने का भी विधान है। सवैया छंद का नाम तक इस बात को सूचित करता है कि वह रचना चार चरण नहीं प्रत्युत पाँच चरण की होती थी। 'सपादिका' से ही 'सवैया' शब्द निकल पड़ा है। पुराने हस्तलेखों में सवैया छंद पाँच पंक्तियों में लिखा जाता था, उसका चौथा चरण सबसे पहले आता था और फिर उसके चारों चरण लिखे रहते थे, या सवैया के चार चरण लिखने के अनंतर उसका पहला चरण अंत में फिर से लिख दिया जाता था। यह बतलाने की आवश्यकता नहीं कि सवैया छंद में नादतत्त्व की योजना हिंदी के अन्य छंदों की अपेक्षा सबसे अधिक है। मध्ययुग में हिंदी कवियों के दो ही अतिप्रिय छंद दिखाई देते हैं—सवैया और दोहा। ये दोनों हिंदी के अपने छंद हैं और आरम्भिक काल से चले आ रहे हैं। 'दूहा' या 'दोहा' अपभ्रंश का सबसे प्रसिद्ध और प्रिय छंद है। यहाँ तक कि दोहा कहने से ही अपभ्रंश कविता का संकेत मिल जाता है। 'श्लोक' कहने से जैसे 'संस्कृत' की रचना लक्षित होती है और 'गाथा' कहने से 'प्राकृत' की, वैसे ही 'दूहा' कहने से 'अपभ्रंश' की। किंतु दोहे में उतना अधिक नादसौंदर्य नहीं है, जितना सवैये में। 'फारसी' की 'बहरो' और 'उर्दू' के 'शेरों' में भी नादसौंदर्य वैसा नहीं जैसा सवैयों में होता है। 'बहर' या 'शेर' नाद की दृष्टि से दोहे की प्रतिद्वंद्विता कर सकते हैं, सवैये की नहीं। जिन हिंदी कवियों को दो पंक्तियोंवाले छोटे आकार के 'शेर' की प्रतिद्वंद्विता करनी होती थी वे 'दोहा' सामने लाते थे और उसमें अपनी पूरी कारीगरी दिखाया करते थे। किंतु जो

नादसौंदर्य द्वारा भी लोगों को अधिक प्रभावित करना चाहते थे वे 'सवैया' सामने करते थे। यह बताने की आवश्यकता नहीं कि 'सवैये' के नादमाधुर्य के समक्ष 'शेर' ठहर नहीं सकते थे और संगीत के बल पर हिंदी के कवि मैदान मार लिया करते थे। सभा-सम्मेलनी कविता के लिए नाद या संगीत अथवा गलेबाजी कितने काम की होती है इसे कवि-सम्मेलनों का श्रोता तो जानता ही है, कवि भी भली-भाँति समझते हैं। जिन कवियों के पास गला नहीं होता या जो गाना नहीं जानते वे अपनी अच्छी-से-अच्छी कविता मोटे गले और बेसुरे राग से पढ़कर किस प्रकार अनभिनंदित होते हैं इसे समझदार लोग जानते हैं। आधुनिक युग के कुछ कवि उस्तादों से बाकायदा गाने की तालीम लेकर तब अखाड़े में उतरे और सफल हुए हैं। इसी से संगीत का या नादसौंदर्य का महत्त्व दरबार अथवा सभा-सम्मेलनों में स्पष्ट हो जाता है। यह सब कहने का तात्पर्य यह है कि हिंदी के मध्ययुगीन रीतिबद्ध कवियों ने अपनी रचनाएँ समय के अनुकूल परिस्थितिवश और अपने साहित्य की मानरक्षा के विचार से की थीं। उनका मुक्तक, कलाप्रधान, संगीतप्रमुख होना अनिवार्य था। उन्होंने जो अनेक प्रकार की उद्‌भावनाएँ की हैं उसके लिए वे समय की गति से विवश थे। जान-बूझकर काव्य का स्वरूप उन्होंने विकृत नहीं किया है। रही घोर शृंगारिकता की बात, सो विपरीत रति और सुरतांत के वर्णन संस्कृत और प्राकृत की परंपरा में पहले ही से चले आ रहे थे। फिर भी ऐसे वर्णनों के नाम पर जितनी अधिक इनकी कुत्सा की जाती है उतने अधिक परिमाण में वे मिलते नहीं।

इस युग में यदि रीतिबद्ध काव्य के आर्थिक आधार की चर्चा न की जाए तो बात कदाचित् अधूरी समझी जाएगी। इसलिए थोड़ा इसका विचार भी लगे हाथों कर लेना चाहिए। रीतिबद्ध काव्य करनेवाले दरबार से वृत्ति पाते थे और उस वृत्ति के कारण उन्हें आश्रयदाता के रंजन के लिए उक्त प्रकार की रचनाएँ करनी पड़ती थीं। पर ऐसा न समझना चाहिए कि यह काव्य अर्थ के लिए सचमुच बिक ही गया था। 'बिहारी' ने जयपुर-नरेश को अपनी कविता के बल से घोर शृंगार से उबारा था, यह जगत्प्रसिद्ध है। इन कवियों ने अर्थ के लिए अपने व्यक्तित्व का, अपने आदर्श का, अपनी प्रतिभा का सर्वथा विनाश ही कर दिया हो, ऐसी बात नहीं है। अपने आश्रयदाताओं की वैयक्तिक प्रशंसा या विरुदावली इन्होंने दो ही चार छंदों में गाई है, पूरा काव्य उन्हीं के बखान में रचा हो, ऐसा नहीं। जो चाटुकारिता वर्तमान स्वतंत्र भारत में राजकीय मंत्रियों को अभिनंदन-ग्रंथ समर्पित करने में हिंदी के कविमन्य और पंडितंमन्य महानुभावों के द्वारा देखी जा रही है उसका शतांश ही उनमें मिल सकता है। दरबारी मनोवृत्ति संप्रति आज कहीं अधिक है और राजनीति के नाम पर साहित्य न्यौछावर हो रहा है। रीतिबद्ध कवि 'नीतिगलित' नहीं थे और न वैसा करके धन बटोरना चाहते थे। सभ्यता अपने विकास के साथ सचाई छिपाने के जितने अधिक साधन और मार्ग आज निकाल चुकी है उतने उस समय नहीं थे। जितने थे भी उनका उपयोग कोई कवि कुटिलतापूर्वक नहीं करता था। उन्होंने जो कुछ किया या जो कुछ लिखा, प्रत्यक्ष किया और लिखा। इस प्रत्यक्षवादिता के

लिए वे सांप्रतिक राजनीतिसंवलित कविपुंगवों और साहित्यिकों से अधिक प्रशंसा के भाजन हैं। वे अर्थ की अपेक्षा राजसभा में बड़प्पन पाने के अभिलाषी थे, वे स्वार्थसिद्धि के स्थान पर समाजसिद्धि का भी ध्यान रखते थे। रीतिबद्ध काव्य हिंदी को शृंगार की उक्तियों का जैसा भारी भंडार सौंप गया है उसमें कूड़ा-करकट या केवल अशिष्ट या अश्लील वर्णन ही नहीं है, उसमें शृंगार की प्रभूत परिमाण में इतनी अच्छी-अच्छी उक्तियाँ भी सचित हैं जितनी संस्कृत क्या किसी भी साहित्य में उपलब्ध नहीं हो सकतीं। इसे इसकी कड़ी-से-कड़ी आलोचना करनेवाले महानुभावों ने भी स्वीकार किया है।

रीतिकाव्य का सिंहावलोकन

सामान्यतया रीतिकाल की सीमा संवत् १७०० विक्रम से १९०० विक्रम तक मानी जाती है। पर वास्तविकता यह है कि रीतिकाल की प्रमुख प्रवृत्तियों का श्रीगणेश सं. १७०० से बहुत पहले हो गया था। जो पुष्य की सातवीं शताब्दी की रचना को हिंदी के रीतिकाव्य का आविर्भाव मानते हैं। उनकी बात तो इसलिए भी छोड़ देनी होगी कि उस समय जिस भाषा में रचना हुई होगी वह अपभ्रंश होगी। भाषासंबंधी विकास के लिए हिंदी की पूर्ववर्ती धारा यदि अपभ्रंश भाषा मानी जाए तो ठीक है, किंतु साहित्य की प्रवृत्ति के लिए अपभ्रंश से संबंध जोड़ना और विशेष रूप से रीतिकाल का संबंध जोड़ना ठीक नहीं है। जिस प्रकार की प्रवृत्तियों का विकास रीतिकाल में हुआ उस प्रकार की प्रवृत्तियाँ अपभ्रंशकाल में थी ही नहीं। संस्कृत की साहित्य-संबंधी परंपरा का ग्रहण प्राकृतों ने भी किया, अपभ्रंश ने भी, देशी भाषा ने भी। प्राकृत ने संस्कृत से सीधे ग्रहण किया तो अपभ्रंश ने भी सीधे ही लिया। प्राकृत में जो परंपरा संस्कृत-साहित्य की आई उसके लिए अपभ्रंश को प्राकृत का मुँह नहीं ताकना था। यही स्थिति अपभ्रंश में निर्मित साहित्य के संबध में भी है। उसने भी संस्कृत से सीधे ही साहित्य की सरणि ली। फिर देशी भाषा ही वैसा क्यों न करती। उसने भी संस्कृत की प्रवृत्तियों को सीधे संस्कृत-साहित्य से ही लिया। वास्तविकता यह थी कि भाषाभेद होने पर भी साहित्यभेद नहीं था और सबका सीधा उत्स संस्कृत-साहित्य था।

परमार्थतया संस्कृत से प्राकृत भाषा भिन्न रूप में विकसित हुई तो उसे व्याकरण-भेद की अपेक्षा हुई। संस्कृत से पृथक् प्राकृत के व्याकरण इसी से बने और कई बने। पर भाषासंबंधी बहुत सारी विशेषताएँ प्राकृत में वे ही थीं जो संस्कृत में। इसलिए वैयाकरण 'शेषं संस्कृतवत् सिद्धम्' कहकर ही काम चलाते थे। प्रायः प्राकृत का व्याकरण संस्कृत के व्याकरण के साथ ही बनता था और माध्यम भी संस्कृत भाषा ही होती थी। हाँ, कच्चायन (कात्यायन) ने अवश्य प्राकृतव्याकरण स्वतन्त्र बनाया और उसका माध्यम प्राकृत भाषा को ही रखा। प्राकृत में साहित्य के लक्षणसंबंधी ग्रंथ लिखे ही नहीं गए। प्राकृतवाले जब साहित्य-रचना में प्रवृत्त होना चाहते थे तब संस्कृत भाषा पहले जान लेते

थे और उसका साहित्य भी पढ़ लेते थे। स्थिति यह थी कि संस्कृत माध्यम से प्राकृत भी पढ़ते थे। वैसे ही जैसे आज खड़ी बोली के माध्यम से हिंदीवाले व्रजभाषा, अवधी भाषा, अपभ्रंश आदि सबका साहित्य और भाषा-संबंधी ज्ञान प्राप्त करते हैं। यही स्थिति अपभ्रंशकाल में भी थी। वहाँ भी माध्यम संस्कृत का ही रहा है। हाँ, कभी-कभी कोई-कोई अपभ्रंश में भी लक्षणग्रंथ लिखने का उत्साह दिखाते थे। कच्चायन की ही भाँति शब्दरूप दंष्ट्रा, छंद-अलंकाररूप नखों और व्याकरणरूप केशोंवाले पंचानन स्वयंभू ने यही किया है। अपभ्रंश को व्याकरण और पिंगल के भेद की अपेक्षा हुई। इसी से व्याकरण और पिंगल के ग्रंथ बने। पर माध्यम क्या था ? बहुधा संस्कृत का ही। संस्कृत-माध्यम का परिणाम यह था कि साहित्य के लक्षणग्रंथ ही नहीं लक्ष्यग्रंथ भी बनते थे तो निर्माता उनकी मानसकल्पना प्रायः संस्कृत-शब्दों में ही पहले करता था। नाटकों में प्रयुक्त प्राकृतों को साहित्यिक कहकर आधुनिक इतिहासकारों ने जो कृत्रिम कहा है वह इसीलिए कि साहित्यिक प्राकृतवाले संस्कृत में ही शब्दचिंतन पहले करते थे। इसी से प्रायः संस्कृतच्छाया देने का भी नियम था।

अपभ्रंश में साहित्य का निर्माण होने पर संस्कृत में शब्दचिंतन का अभ्यास बना था। जैनों के अपभ्रंशसाहित्य से यह अभ्यास स्पष्ट हो जाता है। यदि आधुनिक आलोचक साहित्यिक प्राकृत की रचना को इसलिए कृत्रिम कहते हैं कि संस्कृत का शब्दकल्पन प्राकृत में उतारा गया तो जैनों के अपभ्रंश की भी बहुत कुछ वैसी ही स्थिति है। फिर उस दृष्टि से इसे भी कृत्रिम ही कहना चाहिए। अपभ्रंश को वैयाकरण प्राकृत के पेटे में रखते भी आए हैं। इसलिए एक प्रकार से यह बेखटके कहा जा सकता है कि संस्कृत की स्थानापन्न सबसे पहले देशी भाषा ही हुई अर्थात् देशी भाषा के सोपान पर पहुँचकर शब्दकल्पन संस्कृत से हट गया। सीधे देशी भाषा में ही चिंतन करने की आवश्यकता हुई। हाँ, साहित्यिक स्तर ऊँचा करने के लिए संस्कृत के शब्दों की योजना और संस्कृतरूपों का ज्यों-का-त्यों ग्रहण केवल उच्चारणभेद से होने लगा। यदि ऐसा न होता तो 'विद्यापति' अपना नाम अपभ्रंश या अवहट्ठ में 'विज्जावइ' और हिंदी या मैथिली गीतों में शुद्ध 'विद्यापति' कभी न रखते। इस प्रकार के प्रयोग स्पष्ट घोषणा कर रहे हैं कि देशीभाषा ने संस्कृत से स्वतंत्र होने के साथ ही साहित्य में संस्कृतरूपों के ग्रहण का नूतन अभ्यास आरंभ किया।

इसका मुख्य कारण यह था कि अब संस्कृत भाषा उतनी सुलभ नहीं थी जितनी प्राकृत और अपभ्रंशवालों के लिए थी। तब देशी भाषा के साहित्यिकों ने अनुभव किया कि अब साहित्यशास्त्र संस्कृत के माध्यम से न होकर देशी भाषा के ही माध्यम से ठीक होगा। यही कारण है कि देशी भाषा (हिंदी) अपने में ही साहित्यशास्त्र का निर्माण करने को उद्यत हुई। कहा जाता है कि हिंदी के प्राचीन साहित्यशास्त्र के निर्माता या आचार्यों ने कोई नूतन कल्पना नहीं की। वस्तुतः उन्हें जिस प्रयोजन से साहित्यशास्त्र का देशी भाषा में प्रवर्तन करना था उसमें आरंभ में नूतन चिंतन की अपेक्षा ही नहीं थी। संस्कृत के बदले

देशी भाषा के माध्यम से साहित्यशास्त्र को सभी जान सकें इसलिए संस्कृत का अनुवदन ही उनका प्रयोजन था। यदि कोई यह कहे कि फिर इतने अधिक साहित्यशास्त्र के ग्रंथ क्यों बनाए गए तो इसका सीधा समाधान यह है कि संस्कृत के साहित्यशास्त्रीय ग्रंथ जितने व्यापक हो चुके थे और प्रत्येक अंचल में उनके हस्तलेख जिस प्रकार मिल जाते थे अथवा संस्कृत पढ़नेवाले उन्हें जिस प्रकार कंठस्थ कर लेते थे उस प्रकार की स्थिति देशी भाषा या व्रजभाषा की नहीं थी। प्रत्येक अंचल के समर्थ कवि ने यही सोचा कि अपने अंचल के लिए साहित्यशास्त्र मुझे बना देना है। उस समय व्रजभाषा का साहित्यिक केंद्र व्रज का परिसर था जिसमें ग्वालियर और ओड़छा आदि सभी आ जाते हैं। केशवदास ने इसी से साहित्यशास्त्र के ग्रंथों का निर्माण आरंभ में किया। साहित्य ही नहीं संगीत आदि कलाओं का भी वही भू-भाग केंद्र था, इसलिए उन कलाओं की तत्कालीन किरणें भी वहीं से फैलीं।

सामान्यतया रीतिकाल के ऊपर यह भी दोषारोप किया जाता है कि उसकी प्रवृत्ति दरबारी थी। उस युग के साहित्य को दरबारी कहने के कई अर्थ हो जाते हैं। एक तो यह कि वह जनता के संपर्क में न होकर दरबार के संपर्क में था और राजा तथा राजचक्र के मनोरंजन के लिए ही उसका निर्माण होता था। जैसी विलासिता दरबार में थी वैसी ही साहित्य में भी छाई। दूसरे यह कि दरबारी कवियों ने वृत्ति पाने के लोभ में राजाओं की कुत्सित वृत्ति के पोषण में ही काव्य नहीं लिखा, निकम्मे आश्रयदाताओं की प्रशस्ति में ऐसी झूठी-झूठी बातें लिखीं कि रीति-साहित्य चमत्कार और अतिशयोक्ति का भांडार या उनका पर्यायवाची हो गया। उन्होंने धर्म या कर्त्तव्य का परित्याग किया और वे अर्थ एवं काम की साधना प्रकाम करने को कटिबद्ध हो गए। आधुनिक युग में कुछ आलोचकों का प्रायः पुनीत कर्त्तव्य हो गया है कि जो रीतियुगीन साहित्य की एक पंक्ति का अर्थ तक नहीं जानते वे भी दो-चार कड़ी गालियाँ उसे अवश्य सुना देते हैं। क्या सचमुच ही रीतिसाहित्य इतना गर्हित है और क्या उसके निर्माताओं ने अपने कर्त्तव्य का पालन कुछ भी नहीं किया है। वस्तुतः इन सब आरोपों पर तटस्थ दृष्टि से विचार करना चाहिए। न तो उस युग के साहित्य में जो अशिव है उसकी निंदा से कभी विरत होना चाहिए और न उसमें जो शिव है उसके दर्शन-प्रदर्शन से ही पराङ्मुख रहना चाहिए। साहित्य के क्षेत्र में आनेवाले प्रत्येक आलोचक का यह कठोर कर्त्तव्य है कि वह गुण-दोष के विवेचन में सर्वतोभावेन तटस्थ रहे। न्यायाधीश आँखें मूँदकर तटस्थता का व्यापार संपन्न करता है। पर आलोचक को आँखें खोलकर तटस्थता बरतनी पड़ती है। न्यायाधीश से भी कठिन कर्त्तव्य का पालन आलोचक को करना पड़ता है। अस्तु!

सबसे पहले यही देखना चाहिए कि रीतियुगीन साहित्य जनसंपर्क का साहित्य है या नहीं। हिंदी में रीतियुगीन साहित्य भक्ति-साहित्य के समानांतर बनने लगा था। दिखाई यही पड़ता है कि भक्ति का साहित्य यदि जनसंपर्क अभिलाषुक था तो रीतिसाहित्य भी उसीके संसर्ग का इच्छुक। ऐसा लगता है कि हिंदी में रीतियुगीन साहित्य

का शिलान्यास विद्यापति ने किया। संप्रति इतिहास के पास जो भी प्रमाणकोटि की सामग्री है उसमें विद्यापति ही हिंदी-साहित्य के निर्भ्रांत आदिकवि दिखाई देते हैं। ऐतिहासिक क्रम में उनका समय आदियुग में पड़ता है। उनकी रचनाओं के अतिरिक्त जो सामग्री आदियुग की सामने आती है उसमें से बहुत-सी सामग्री संदिग्ध है, अर्थात् आरंभिक युग की सामग्री के नाम पर जो सामग्री सामने की जाती है, छानबीन से वह उस युग की ठहरती नहीं। आदियुग की अपभ्रंश की रचना को हिंदी-साहित्य के अंतर्गत नहीं माना जा सकता। अपभ्रंश में जो रचना हुई उसकी सरणि हिंदी में नहीं है। वह या तो सर्वसामान्य अनुभूति की पोषक नहीं है या सांप्रदायिक है। उसकी सीमा परिमित थी। वह जनसाहित्य नहीं थी। अमीर खुसरो की कोई प्रामाणिक रचना प्राप्त नहीं है। केवल विद्यापति की रचना निःसंदिग्ध रूप में उस समय की है। उनकी रचना में रीतिकालीन बहुत-सी प्रवृत्तियों का उत्स है।

सबसे पहले यह देखना चाहिए की विद्यापति की पद-रचना जनसंपर्क के लिए भी थी या नहीं। जिस कवि ने स्वयं यह कहा कि—

देसिल बअना सबजन मिट्ठा।
तें तैसन जपओं अवहट्ठा।

अर्थात् जो अपनी अवहट्ठ की रचना, अपभ्रंश की कृति को सर्वजनमिष्ठ बनाने के लिए देशीवचन (देशीभाषा) के पदों की पदावली-शैली का गुण लेकर चला हो वह अपनी कृति को सर्वजनसुलभ नहीं करना चाहता था, यह कैसे कहा जाए। यह भी ध्यान देने योग्य है कि विद्यापति ने रचना पदों में की। ये पद स्वयं जनता के हैं। साहित्य की रचना में सामान्यतया चार चरणवाले नियत छंद लिए जाते थे। वैसा न कर जनता के आकर्षण के लिए ही उन्होंने गीतों में रचना की है। धारणा यही पक्की होती है कि साहित्य को जनसंपर्क में लाने का प्रयास विचारशील सभी कवियों ने किया है। भक्तों ने भी गीतों का ही विशेष ग्रहण क्यों किया, जनसम्पर्क के उद्देश्य से। विद्यापति के गीत जनता में प्रचलित भी अत्यधिक हुए। एक विशेष बात ध्यान देने की यह भी है कि जो पदों के माध्यम से जनता तक जाना चाहते हैं वे संगीतशास्त्र के राग, ताल आदि के चक्कर में गीतों को नहीं डालते। एक तो पदों की रचना पिंगलशास्त्र के छंदोविधान की कड़ाई से स्वच्छंदता है, दूसरे राग-रागिनी से बचना संगीतशास्त्र से स्वच्छंदता है। कबीर आदि संत जनसंपर्क के ही कारण पदों की ओर गए और स्वच्छंद भाव से गए। साहित्यशास्त्र से भी वे स्वच्छंद ही थे। उन्हें शास्त्र से लेना-देना ही क्या था। पर विद्यापति शास्त्राभ्यासी होते हुए भी उससे स्वच्छंद होकर चले। जनता के पदों को साहित्यिकस्तर पर लानेवाले हिंदी में सर्वप्रथम कवि विद्यापति ही हैं।

विद्यापति दरबारी कवि थे, यह सोलहों आने या सौ पैसे सत्य है। गीतों में उन्होंने बहुधा अपने आश्रयदाता और आश्रयदात्री का उल्लेख किया है। तो क्या ये पद

आश्रयदाताओं को ही प्रसन्न करने के लिए लिखे गए। अपनी रचना में आश्रयदाता का नाम लेना वैसा ही है जैसे संप्रति कोई रचयिता अपनी कृति को किसी विशेष प्रयोजन से किसी को समर्पित करता है। भक्तों ने अपने पद भगवान् को अर्पित किए हैं और विद्यापति ने आश्रयदाताओं को। यह ध्यान में रखने योग्य है कि भक्तों को किसी लौकिक आश्रयदाता (राजा आदि) की अपेक्षा नहीं थी। वे किसी मठ-मंदिर से संबद्ध होते थे और साधना-निरत होने के कारण जनता ही उनके ग्रासाच्छादन की व्यवस्था कर दिया करती थी। अतः यदि कृतज्ञताज्ञापन के लिए दरबारी कवियों ने आश्रयदाताओं का नामोल्लेख किया तो कोई अनुचित कार्य नहीं किया। आज तो यहाँ तक देखा गया है कि किसी पुस्तक में फुटकल कार्य करने के लिए कभी-कभी पूरे परिवार का नाम कीर्त्तन कर दिया जाता है, तो फिर आश्रयदाता तो उस युग में जीविका के अवलंब ही थे। इतना कह देना आवश्यक है कि रीतियुग में आश्रयदाताओं का नामस्मरण नीतिगलित होकर नहीं किया गया। यदि नामस्मरण को पतन ही माना जाए तो उससे कहीं अधिक पतन इस युग में हिंदी में राजमंत्रियों के अभिनंदनग्रंथ के आयोजन के रूप में दिखाई देता है।

विद्यापति ने राधाकृष्ण को आलंबन भी उसी प्रकार माना है जिस प्रकार रीतियुग के कवियों ने। उन्होंने रीतिशास्त्र की पारंपरिक पद्धति का ग्रहण भी किया है, बिहारी आदि रीतिसिद्ध कवियों की भाँति। इसलिए रीतियुग की प्रवृत्तियों का आरंभ आदियुग से ही हो जाता है। पदों में राधाकन्हाई का नाम रखने से विद्यापति को राधा-कृष्ण का वैसा भक्त नहीं माना जा सकता जैसे सूरदास थे। वैसा भक्त माना जा सकता है जैसे केशव-बिहारी थे। अंतर स्पष्ट है। सूरदास राधा-कृष्ण की भक्ति की साधना और उनकी लीला का कीर्त्तन करते थे। विद्यापति, केशव, बिहारी साहित्यिक थे। वे साधनानिरत संत नहीं थे। उन्होंने साहित्य के स्तर को ऊँचा रखने के लिए राधा-कृष्ण को आलंबन बनाया था। साथ ही राधा-कृष्ण के आलंबनत्व के कारण वे अपनी रचना जनजन-व्यापिनी भी बनाना चाहते थे। घनआनंद ऐसे स्वच्छंदवृत्तिसंपन्न कवि ने व्यक्तिगत प्रेम की परिणति भी राधा-कृष्ण के ही प्रेम में उन्हें आलंबन मानकर की, यद्यपि प्रिया या प्रेमी के लिए उन्होंने सुजान और घनआनंद नाम का विनियोग बराबर किया है जो यथास्थान श्रीकृष्ण और राधा के लिए है। भक्तिसंप्रदाय में श्रीकृष्ण और राधा दोनों की अभिधा 'सुजान' भी है।

रीतियुग के कवियों ने विशुद्ध साहित्यिक प्रयोजन से सारे प्रयास किए हैं। सच्चाई यही है कि हिंदी-साहित्य के दीर्घकालीन इतिहास में रीतिकाव्य या रीतियुगीन काव्य विशुद्ध साहित्यिक प्रयोजन से निर्मित हुआ। वैसी विशुद्ध वृत्ति आधुनिक युग में ही आकर पुनः दृष्टिगोचर हुई। नायक-नायिकाभेद और अलंकार के ग्रहण से एक ओर उदाहरण के रूप में बहिरंग शृंगार का आ जाना और अलंकार की पद्धति पर चलने से चमत्कार की रंजना में कुछ मात्राधिक्य हो जाना स्वाभाविक भी था और जनता के आकर्षण का केंद्र भी यही था। कवि-सम्मेलनों में चमत्कारवाली रचना के प्रति श्रोताओं

का आकर्षण अधिक रहता है। नायक-नायिकाभेद के उदाहरणों में बहिरंग शृंगार प्रसंग-प्राप्त था। ऐसी रचनाएँ सम्मेलनों में नहीं पढ़ी जाती थीं। केवल पाठ्य-काव्य के रूप में ही चलती थीं। शृंगार के अतिरेक से बचने का प्रयास ही इन्होंने न किया हो सो भी नहीं है। 'केसव केसनि अस करी जस अरिहू न कराहिं' को लेकर केशवदास की रसिकता की बड़ी अभिशंसा की गई है। पर यह रचना उनकी नहीं है। वे आचार्य थे, आचारसंपन्न थे, समाज में भी आचारनिष्ठता ही चाहते थे। उन्होंने रसिकप्रिया में सामान्या या वेश्या को ग्रहण नहीं किया। उनके उदाहरण नहीं रखे। प्रियजू और प्रियाजू के रूप में श्रीकृष्ण और राधा को ही आलंबन रखा। यद्यपि उनके स्रोतग्रंथ 'शृंगारतिलक' में सामान्या का बहुत अधिक विस्तार है। वे स्वयं प्रवीणराय आदि पातुरों के आचार्य थे, फिर भी वैसा नहीं किया। यों हिंदी में आगे के रीतिग्रंथों में सामान्या के उदाहरण आए हैं, पर उसके उदाहरणों का विस्तार नहीं है।

किसी प्रकार का प्रवाह जब विस्तृत क्षेत्र में फैलता है तब उसमें कुछ-न-कुछ गंदगी आ ही जाती है। पर वह गंदगी ऐसी नहीं है कि सारे रीतिसाहित्य को गंदा कहा जाए। जिस प्रकार के बहिरंग शृंगार की कुत्सा की जाती है वह भक्तों की रचना में रीतियुगीन कवियों की अपेक्षा कहीं-कहीं बहुत अधिक है। आधुनिक युग में रहस्य के परदे में बहिरंग शृंगार का अतिरेक छिपाया जाता रहा। शृंगार की प्रवृत्ति ही कुछ ऐसी है। जिस प्रकार हास में सावधानी न रखी जाए तो वह उपहास की सीमा में प्रवेश कर जाता है उसी प्रकार यदि रति की व्यंजना में भी सावधानी न रहे तो वह उपरति या विरति उत्पन्न करने लगती है। साहित्य का रचयिता अपनी व्यक्तिगत अनुभूतियों के साधन से ही सर्वसामान्य अनुभूतियों का भावन करता है। जो इस भावन में कुछ भी असावधानी कर देते हैं उनकी कृति में विभावन बिगड़ जाता है। साधारणीकरण की निर्मल-स्वच्छ स्थिति वे नहीं ला सकते। रीतिसाहित्य में नाममात्र की कुछ रचनाओं में ऐसी विकृति अवश्य हो गई है। बड़ी विलक्षण बात है कि शास्त्र की मर्यादा का अनुगमन करनेवाले रीतिबद्ध कवियों में तो बहिरंग शृंगार कहीं, क्वचित् अतिरेक की सीमा पर पहुँच गया, पर सामाजिक और साहित्यिक स्वच्छंदता का मार्ग पकड़नेवाले रीतिमुक्त कवियों की कृति में बहिरंग शृंगार के वैसे जुगुत्साव्यंजक उदाहरण नहीं मिलते।

पहले कहा गया है कि रीतिसाहित्य, भक्तिसाहित्य के समानांतर चला और रीतिकाव्य का श्रीगणेश हिंदी के आदियुग में ही हो गया। विद्यापति से उसका आरंभ मानना पड़ेगा। रीतिशास्त्र का सम्यक् प्रवर्तन भी केशवदास द्वारा भक्तिकाल में ही हो गया। भक्ति रीति से मुक्त हो या रीति भक्ति से मुक्त हो ऐसा नहीं है। जिस प्रकार रीतिकाव्य में राधाकृष्ण अनुस्यूत हुए उसी प्रकार भक्तिकाव्य में रीतिशास्त्र भी अनुप्रविष्ट हुआ। सूरसागर में रीति की कितनी ही प्रवृत्तियाँ डूबी पड़ी हैं। यहाँ तक कि रीतिकवियों की वह प्रसिद्ध छंद-पद्धति भी पड़ी है जो उन्होंने अपनी मुक्तकरचना के लिए ग्रहण की थी अर्थात् कबित्त और सवैये की योजना। वहाँ ये पदों के बीच में फँसे पड़े हैं।

तुलसीदास की विनयपत्रिका में भी यही स्थिति है। नंददास ने रीतिग्रंथ ही लिख डाला। तुलसीदास का बरवैरामायण जान पड़ता है अलंकारों के उदाहरण के लिए ही प्रस्तुत हुआ है। रामचरितमानस में साहित्यशास्त्रीय अध्ययन और अनुकथन के प्रमाण आरंभ से ही मिलने लगते हैं। रीतिविषयक साहित्याकांक्षा एक प्रकार से सभी समर्थ भक्त या भक्ति-साधना-निरपेक्ष कवियों के मानस में उद्‌बुद्ध हो रही थी और अवसर पाकर अभिव्यक्ति पा जाती थी। रीति की इस आकांक्षा और राधाकृष्ण को देखकर कह दिया जाता है कि रीतिसाहित्य भक्तिसाहित्य से ही आविर्भूत हुआ। फिर ऐसा कहते-कहते भक्ति के आवेश में यह भी कह देते हैं कि रीतिसाहित्य को भक्तिसाहित्य से पृथक् नहीं मानना चाहिए। हिंदी में रीतिकाल नहीं था, जो था वह भक्तिकाल ही था। यदि ऐसा ही हो तो हिंदी-साहित्य का कालविभाजन व्यर्थ है। उसमें विद्यापति से महादेवी वर्मा तक अध्यात्म है और हिंदीकाव्य में केवल अध्यात्मवाद है। उसका एक ही काल है अध्यात्मकाल।

रीतिकाव्य के लिए रीतिसाहित्य या रीतिशास्त्र की अपेक्षा होती थी तो भक्तिकाव्य के लिए भी। संत, फकीरों की नहीं कह सकता, पर सभी समर्थ सगुणभक्त रीतिशास्त्र का अध्ययन करके ही काव्य-निर्माण में प्रवृत्त हुए हैं। साहित्यशास्त्र का अध्ययन भक्तिकाव्य की सहायता के लिए होता था। रीतियुग में साहित्यशास्त्र का जो अध्ययन होता था वह सहायता के लिए नहीं, साधनरूप में नहीं, साध्यरूप में होता था। यदि भक्त कवियों ने साध्यरूप में साहित्यशास्त्र को ग्रहण किया होता तो अवश्य रीतिकाव्य भक्तिकाव्य की देन होता। 'नियतपूर्ववृत्तित्वं कारणत्वम्' के अनुसार चलें तो किसी कार्य से जो-जो पूर्व होंगे वे सभी कारण हो जाएँगे। भक्तिकाव्य से ही रीतिकाव्य निकल पड़ता तो रीतिकवि पदों में रचना अवश्य करता, पर पदों में किसी ने रचना नहीं की। केवल जो आगे चलकर किसी भक्तिसंप्रदाय में दीक्षित होकर भक्त हो गए उनकी रचना में ही पद मिलते हैं, जैसे घनआनंद की कृतियों में एक पदावली भी है। अन्यत्र रीतियुग के बहुप्रचलित छंद कबित्त-सवैये ही हैं। धारणा यही बँधती है कि रीतिकवियों की साहित्यिक मनोवृत्ति ने ही इन छंदों की उद्‌भावना भी की है। भक्तों के पदों में ये छंद नवीन उद्‌भावना के रूप में नहीं हैं, उद्‌भावित नूतनता के स्वागत के रूप में हैं। इन छंदों की उद्‌भावना हिंदी के साहित्यिक ब्रह्मभट्ट कवियों की मंडली के मध्य हुई होगी।

प्रश्न उठता है कि हिंदी में ही रीतिशास्त्र के निर्माण का इतना चाव क्यों था, अन्य देशी भाषाओं में क्यों नहीं था? इसका उत्तर यह है कि हिंदी भाषा जेठी होने से कर्त्तव्य के अनुभव में भी जेठी है। अन्य देशी भाषाओं में साहित्य के निर्माण का प्रयास बहुत बाद में हुआ। हिंदी उस समय 'भाषा' ही कहलाती थी और व्रजी या शौरसेनी के मेरुदंड पर अन्य देशी भाषाओं के स्थानगत प्रयोग की साज-सज्जा लेकर चलती थी। यदि किसी देशी भाषा को रीतिशास्त्र की अपेक्षा होती थी तो वह पहले संस्कृत का मुँह ताकती थी फिर हिंदी या भाषा या व्रजभाषा का। इसी से अन्यत्र उस प्रकार का प्रयास नहीं दिखाई देता। अन्य देशी भाषाओं में आरंभ में अधिकतर भक्तिसंबंधी रचना मिलती है और

भक्तों को रीतिशास्त्र से प्रयोजन अपेक्षाकृत कम ही रहता है। फिर भी रीति की प्रवृत्तियाँ वहाँ न हों ऐसा नहीं है। सर्वत्र कुछ-न-कुछ आलंकारिक साज-सज्जा मिलती ही है। यहाँ आर्यभाषाओं से संबद्ध देशी भाषाओं की ही चर्चा की गई है। द्रविड़ देशी भाषाओं में भी जो रचना हुई है वह भी रीति की प्रवृत्ति से समायुक्त है! उन्होंने अलबत सीधे संस्कृत से अपना संबंध जोड़ा और स्वतंत्र उद्‌भावना भी की। इस प्रकार रीतिसाहित्य की प्रवृत्तियाँ भारतव्यापिनी हैं और देशी भाषा में साहित्य का उद्‌भव होने के समय से ही सर्वत्र दिखाई देती हैं।

रीति की प्रवृत्ति विशुद्ध साहित्यिक प्रवृत्ति है इसलिए भारत में उसका न्यास साहित्य में सदा होता रहा है। कहना चाहें तो कह सकते हैं कि रीति की प्रवृत्ति का परिहार साहित्य में कभी नहीं होता। यहाँ तक कि जो रीति के विरोध में स्वच्छंदमार्गी हो जाते हैं उनमें भी रीति का ग्रहण किसी दूसरे रूप में होता ही है। जैसे हिंदी में रीतिमुक्त रचना करनेवाले कवियों ने पारंपरिक प्रवृत्ति के विरोध में अपना काव्यप्रवाह प्रवाहित किया, पर घनआनंद द्वारा विरोधाभास या वैषम्यमूलक सुकुमार मार्ग का ग्रहण है ही। यही हिंदी के छायावादी कवियों के संबंध में भी सत्य है। यद्यपि उन्होंने विरोधाभास की प्रवृत्ति विदेशी साहित्य की प्रेरणा से ग्रहण की तथापि वह भी तो एक प्रकार की काव्यरीति ही है। काव्यरीति का ग्रहण भगतों के यहाँ कुछ कम होता है, पर जो भी साहित्यिक उच्चस्तर पर काव्यनिर्माण करने का अभिलाषी होगा उसकी रचना कोई-न-कोई काव्यमार्ग ग्रहण करेगी ही। बिना शैली के काव्य कैसा। काव्यरीति, शैली, अलंकार या साज-सज्जा जो भी नाम दीजिए काव्य के ग्रहण का आकर्षण वही है। 'काव्यं ग्राह्यमलंकरात्' यों ही नहीं कह दिया गया है। वही तो सौंदर्य है जिसे देखने के लिए सहृदय की दृष्टि लालायित रहती है। 'सौंदर्य' अलंकार इसीसे कहा गया है। अब आधुनिक शब्दावली में इसे ही चाहे आप काव्य का कलापक्ष कह लीजिए। यह पक्ष होता अवश्य है। काव्य के दोनों पक्ष भावपक्ष और कलापक्ष न होंगे तो फिर काव्यपक्षी उड़ान नहीं भर सकेगा। 'भाव अनोखो चाहिए भाखा कोऊ होई' कहनेवाले 'भाखा' कहकर किसी भाषा के संबंध में ही संकेत नहीं कर रहे हैं, कलापक्ष को भी उपेक्षणीय बता रहे हैं। पर जनता के आकर्षण के लिए वे ही उलटवासियाँ लिखने लगे। उलटवासियाँ क्या हैं? कथितव्य को विशेष प्रकार की अनुरंजक शैली में कहना ही तो है। प्रतीकों का सहारा लेकर कुछ कहना ही तो है वह। यहाँ भी लक्षणाशक्ति के सहारे ही अपना प्रचार किया गया है। घनआनंद और छायावादी कवियों की लक्षणा से यह भले ही भिन्न हो अर्थात् भले ही साहित्यिक न होकर सांप्रदायिक हो, पर है लक्षणामार्ग ही। पारंपरिक रीतिपद्धति के विरोध में खड़े होनेवाले, जग की कविताई से हटकर चलनेवाले, कविता में लगे रहनेवालों से अपने को पृथक् बतानेवाले, कविता के ही द्वारा बना दिए जानेवाले घनआनंद ने इसीसे अपनी वाणी या काव्य का रूपक नई बहू से बाँधा है। रीतिबद्ध कवियों का काव्यसौंदर्य उन्मुक्त या अनावृत होता था। रीतिमुक्त

कवियों ने उसे ही आवृत करके सामने रखा। इस आवरण के कारण सौंदर्य ढका नहीं और भी मधुर या तरल हो गया।

उर भौन में मौन को घूँघट कै दुरि बैठी बिराजति बात बनी।
मृदु मंजु पदारथ भूषन सों हुलसै सुलसै रसरूप मनी।
रसना अली कान गली मधि ह्वै पधरावति लै चित सेज ठनी।
घनआनँद बूझनि अंक बसै बिलसै रिझवार सुजान धनी॥

उधर बिहारी 'कबित्तरस' के विषय में क्या कहते हैं उसे भी सुन लीजिए—

तंत्रीनाद कबित्तरस सरस राग रतिरंग।
अनबूड़े बूड़े तिरे जे बूड़े सब अंग॥

घनआनंद की-सी विरोधमूलक शैली में कहते हुए भी बिहारी ने काव्य को तंत्रीनाद, सरस राग आदि के साथ रखकर कला या शिल्प की कोटि में ही नहीं पहुँचाया, काव्य का रूप निरावृत भी कर दिया। घनआनंद ने उसे आवृत्त रखा है। रीतिमुक्त ठाकुर कबित्त किसे कहते हैं, सुनिए—

मोतिन कैसी मनोहर माल गुहै तुक अच्छर जोरि बनावै।
प्रेम को पंथ कथा हरिनाम की बात अनूठी बनाइ सुनावै।
ठाकुर सो कबि भावत मोहिं जो राजसभा में बड़प्पन पावै।
पंडित और प्रबीनन को जोइ चित्त हरै सो कबित्त कहावै॥

राजसभा से तात्पर्य राजासाहब की विविक्त (प्राइवेट) सभा नहीं है, बड़ी सार्वजनिक सभा है। पर काव्य के प्रकर्ष के निर्णायक सहृदय या विदग्ध ही हैं। 'कीरति भनिति भूति भलि सोई। सुरसरि सम सब कहँ हित होई' कहनेवाले तुलसीदास भी यही कहते हैं कि 'जो प्रबंध नहिं बुध आदरहीं। सो श्रम बादि बालकवि करहीं।' काव्य के उत्कर्ष की कसौटी जनता नहीं, सहृदय बुधजन ही हैं। जनता काव्य की बारीकी समझती नहीं, वह तो तड़क-भड़क पर ही वाह-वाह करने लगती है। समझनेवाले तो अन्य ही हैं। इसीसे किसी ने कहा है—

कबिजन के हिय कों सदा सालत द्वै वे कौन।
असमझवार सराहिबो समझवार की मौन।

रीतिकाव्य के विषय में ये ही कतिपय संकेत देकर समझदार की भाँति अब मौन हो जाना ही उचित है। असमझदार रीतिकाव्य के विषय में जो कहते हों कहने दीजिए उसका अधिक लेखा-जोखा निरर्थक व्यापार है।

आचार्य केशवदास

केशवदास का प्राचीनकाल में काव्यजगत् में क्या माहात्म्य था इसकी कल्पना आज नहीं की जा सकती। इस युग में भी उनका जैसा मान पहले था वैसा अब नहीं रहा। केशव को अपदस्थ करने में मलिक मुहम्मद जायसी हेतु हुए।

मध्यकाल में केशव और बिहारी का काव्यप्रवाह में जैसा मान था वैसा जायसी और कबीर का नहीं। कबीर का नाम तो प्रवाह में सुना भी जाता था, पर जायसी का कोई नामलेवा तक न था। भारतेंदु-युग के अंत में उनकी पद्मावत चंद्रप्रभा प्रेस से छपी थी। महामहोपाध्याय सुधाकर द्विवेदी ने जैसा पद्मावत का संस्करण निकलवाया उसका कहना ही क्या। फिर तो लाला भगवानदीन का पद्मावत का पूर्वार्ध हिंदी-साहित्य सम्मेलन से निकला, पंडित रामचंद्र शुक्ल की जायसीग्रंथावली सामने आई, शेरिफ ने उनकी कृति का संस्कार किया, डॉ० माताप्रसाद की वैज्ञानिक प्रणाली से संपादित स्थूलकाया जायसी-ग्रंथावली दिखाई पड़ी और डॉ० वासुदेवशरण अग्रवाल ने पद्मावत पर महाभाष्य ही लिख डाला।

केशव के काव्य की पढ़ाई पहले सर्वत्र होती थी। धीरे-धीरे वे हटाए गए। यह उन केशवदास की स्थिति है जिनकी कृतियों पर प्राचीनयुग में सूरति मिश्र ऐसे पंडित और सरदार कवि, ने टीकाएँ लिखी थीं। जायसी पर टीका-टिप्पणी की बात ही पृथक् है, उनकी पद्मावत के नागरी में हस्तलेख ही कितने थे। कोई काव्यसंसार में उन्हें पढ़ता होता तब न!

हिंदी में भारी गड्डलिकाप्रवाह है। केशव के दोषों की चर्चा, उनकी कड़ी आलोचना क्या कर दी गई, लोगों ने समझ लिया कि केशव बेकार हैं, हटाओ इन्हें। 'हटाओ' में उनके काव्य की कठिनाई भी हेतु है। जिन शुक्लजी ने केशव की कड़ी आलोचना की उन्होंने उन्हें पढ़ाई में बराबर बनाए रखा। रामचंद्रचंद्रिका हिंदी में संस्कृतपरंपरा के महाकाव्यों के प्रतिनिधिरूप में उन्हें स्वीकार थी, उस परंपरा के ग्रंथरूप में उसका महत्त्व उन्हें मान्य था। इधर केशव के संबंध में जितने प्रयत्न हुए उनसे भी उनकी उपेक्षा का परिहार नहीं हुआ है। 'केशव की काव्यकला' श्री कृष्णशंकर शुक्ल ने लिखी, 'केशवदास' पं० चंद्रबली पांडे ने प्रस्तुत किया। श्री हीरालाल दीक्षित ने 'आचार्य केशवदास' पर पूरा प्रबंध ही लिख डाला, श्री किरणचंद्र शर्मा, श्री विजयपाल सिंह तथा प्रयाग से दो-एक सज्जन उनकी रचनाओं में अनुसंधान करके डॉक्टर हो गए। हिंदुस्तानी अकादमी (प्रयाग) से केशवग्रंथावली अब निकली है। जायसी पर विस्तृत आलोचना पहले लिखी गई। जायसीग्रंथावली पहले निकली, केशवग्रंथावली पिछड़ गई।

यही नहीं, केशव को 'हिंदीनवरत्न' में जो स्थान मिला वह भी उनके अनुरूप उस समय बहुतों को नहीं लगा था। अब तो केशव पर अधिक ध्यान देने की आवश्यकता का भरपूर अनुभव करना ही त्याग दिया गया है। उनके संबंध में प्रायः ये उद्धरण दिखाई देते हैं—

'कठिन काव्य के प्रेत'

'कबि को दीन न चहै बिदाई। पूछै केसव की कबिताई'

'उड़गन केसवदास'

केशव अर्थ 'गंभीर को' की चर्चा अब कोई नहीं करता। 'प्रेत' शब्द का क्या प्रासंगिक अर्थ है। केशव के संबंध में प्रचलित किंवदंती का स्मरण कीजिए।

कहते हैं कि जो सुखभोग केशव और उनकी मंडली तुंगारण्य के बीच ओड़छे में कर रही थी वह परलोक में खंडित न हो इस विचार से उन्होंने प्रेतयज्ञ कराया। सबके सब प्रेत हो गए। केशव प्रेतयोनि में जिस कष्ट का अनुभव कर रहे थे उसे उन्होंने तुलसीदास से निवेदित किया और उनके आदेशानुसार अपनी रामचंद्रचंद्रिका का पाठ कर मुक्त हुए। औरों की मुक्ति के संबंध में किंवदंती मौन है। बस, केशव 'कठिन काव्य के प्रेत' हो गए। 'एक भए प्रेत एक मींजि मारे हाथी हैं' में भी यही जनश्रुति मुखर है। इसका अर्थ यही है कि केशव का काव्य कठिन है। कठिन काव्य पहले समझ में आए तब न। बस 'कवि को दीन न चहै बिदाई, पूछै केसव की कबिताई।' केशव के कठिन काव्य को पहले स्मरण कौन करे और स्मरण करे भी तो जो सुनेगा उसे पहले अर्थ लगेगा तभी तो कार्य सधेगा। कवि अर्थात् भाट कबिताई सुना देगा, वह कोई टीकाकार या महाभाष्यकार तो है नहीं कि उसका अर्थ भी श्रोता को बतलाए। अर्थ लगता नहीं तो अर्थ हाथ कैसे लगे! इस कठिनाई का अर्थ यह भी लगाया जाने लगा कि उनकी कविता में 'रस' नहीं, 'सहृदयता' नहीं। आचार्य रामचंद्र शुक्ल ने उन्हें हृदयहीन क्या लिख दिया वे बेचारे रसिकों, सहृदयों, कवियों सबकी मंडली से खारिज किए जाने लगे। केशव परंपरा से इतने अभिभूत थे कि वे अपने हृदय का उपयोग उस अवसर पर नहीं कर पाते थे जिस अवसर पर शुक्लजी के विचार से उसका योग अनिवार्य रूप से होना चाहिए। प्रकृति के प्रति उनके हृदय में वह राग नहीं था जो होना कवि के लिए अपेक्षित है। पर यह तो हिंदी के सभी कवियों के लिए है। केवल केशव ही प्रकृति से उदासीन नहीं, सारा मध्यकालीन काव्य उदासीन है।

एक प्राध्यापक से, जो केशव की रामचंद्रचंद्रिका पढ़ाते थे, महामना मालवीयजी ने पूछा, आजकल क्या पढ़ाते हो? उन्होंने तुरंत सोत्साह उत्तर दिया—केशवदास की रामचंद्रिका। फिर पृच्छा हुई—केशव की कोई रचना तो सुनाओ। प्राध्यापक मौन। केशव की कविता भी स्मरण रखनी चाहिए इसका ध्यान प्राध्यापक को नहीं था। अर्थ लगाने में सहायक थी स्वर्गीय लाला भगवानदीन की केशवकौमुदी टीका। यत्र-तत्र-सर्वत्र। रामचंद्रचंद्रिका के छंद प्राचीनों ने तो कुछ कंठाग्र भी किए, रामलीला में संवादों के

बीच अब भी वे सुनाई पड़ते हैं; परन्तु नवीनों को, पढ़ने-पढ़ानेवाले शिक्षितों-सुशिक्षितों को इसकी आवश्यकता ! बेचारे परीक्षार्थी अवश्य ही कुछ अंश, कभी पूरा पद्य और कभी पद-पदांश मात्र, परीक्षा के त्रास से मुखाग्र कंठाग्र कर लिया करते थे। प्राध्यापक इस बखेड़े से बरी। यह उन केशव की रचना की कथा है जिन्होंने कभी अकबर के यह पूछने पर कि युग का सबसे उत्तम कवि कौन है, उत्तर दिया था—मैं। सूरदास और तुलसीदास को भक्तों की मंडली में बिठलाया था। इस विस्मरण या अस्मरण का हेतु है केशव के काव्य का काठिन्य। केशव की कुत्सा काव्य-पांडित्य के स्खलन के कारण नहीं थी। मध्यकाल में किसी के पांडित्य या विदग्धता की जाँच की कसौटी थी केशव की कविता। उन्हें धीरे-धीरे बहुत भुला दिया गया। ये केशव जिस प्रदेश में हुए थे वही व्रजी का प्रदेश था। वह व्रजी के काव्यवाङ्मय का केंद्र था। 'वे बुंदेलों के कवि थे' कहना, उनका मान कम करना है। व्रजी के कवियों का भारी जमघट उसी अंचल में था। मुगल सम्राटों का निवास दिल्ली में नहीं आगरा के पास था। दिल्ली से रसखानि भी भागकर वृंदावन आ बसे। घनआनंद ने भी दिल्ली छोड़ी, वृंदावन आए। जिस भू-भाग पर केशव ('उडुगन' ही होकर सही) चमक रहे थे वही व्रजी का आरंभिक भू-भाग था। भाषाकाव्य निर्माण का स्रोत वहीं से फूटा है। उस अंचल में जैसे-जैसे प्राचीन कवि हुए हैं और उन्होंने जैसी-जैसी रचनाएँ की हैं उनमें से बहुतों का पता तक हिंदी के महंतों को नहीं है। नैषध का हिंदी में उल्था करनेवाले गुमान ने केशव की रामचंद्रचंद्रिका के जोड़-तोड़ में 'कृष्णचंद्रचंद्रिका' लिखी। यह कृष्णचन्द्र चंद्रिका यदि हिंदी के आलोचकों ने देख ली होती तो पता चलता कि हिंदी में ऐसे प्रबंध भी लिखे गए हैं। इनके भाई खुमान ने कृष्णायन लिखा है, रामायण के जोड़-तोड़ पर, जो अभी तक अप्रकाशित है। समझा यह जाता है कि श्री द्वारकाप्रसाद मिश्र ने कदाचित् सबसे पहले इस नाम की कल्पना की और कृष्ण पर रामायण के ढंग का काव्य लिखा। उस कविंधरा-भू में अनेक सरस कवि हुए। उन सबके नगड़दादा थे केशवदास, जिनका लोहा सभी मानते थे, जिनकी रचना का अध्ययन निरंतर होता रहा।

इस भू-भाग के कवियों की विशेषता रही है कि वे काव्यचमत्कार सब प्रकार का दिखा सकने की शक्ति रखते थे। केशव के पूर्व जिस प्रकार का प्रवाह था सबका नमूना उन्होंने प्रस्तुत कर दिया है। उन्होंने रामचंद्रचंद्रिका के अतिरिक्त प्रशस्तिकाव्य भी कई लिखे हैं—वीरचरित्र, रतनबावनी और जहाँगीरजसचंद्रिका। संस्कृत के प्रबोधचंद्रोदय का पद्यबद्ध स्वच्छंद भाषानुवाद 'विज्ञानगीता' के रूप में है, जिसमें अपनी ओर से भी बहुत-सी सामग्री पौराणिक वृत्तिवाले पंडित-कवि ने जोड़ रखी है। इस भू-भाग का कवि बहुश्रुत होता था। अनेक काव्यों और शास्त्रों का पहले अध्ययन करना, फिर उस निपुणता से अपने काव्य का उपबृंहण। प्राचीन काव्य और शास्त्र संस्कृत के भी पढ़े जाते थे और फलस्वरूप उनसे प्रभावित होना स्वाभाविक था। संस्कृत का आग्रह इनमें होता ही था। शौरसेनी की प्रकृति भी तो संस्कृत ही मानी जाती है। इसलिए संस्कृत के शब्दों और

प्रयोगों का ग्रहण इनमें सहज था। केशव 'देवता' को स्त्रीलिंग ही लिखते रहे, देह को पुल्लिग। संस्कृत के उन शब्दों का भी प्रयोग 'भाखा' में करते रहे जो भाखावालों के लिए दुरूह हैं। यह व्रजी की पुरानी प्रवृत्ति थी, केशव की—जिनके कुल के दास 'भाखा' बोलना नहीं जानते थे—व्यक्तिगत प्रवृत्तिमात्र नहीं थी। इस भू-भाग में सांप्रदायिक आग्रह नहीं रहा। साहित्य ही उन्हें सांप्रदायिकता से नहीं पृथक् करता रहा, उनमें ऐसी उदारता, हृदय की विशालता, जन्मभूमि या साहित्यभूमि भी लाती रही। रीति का आग्रह करनेवाले भी यहाँ थे, उससे स्वच्छंद रहनेवाले भी यहाँ थे। केशव निंबार्कसंप्रदाय में दीक्षित थे। उन्होंने रसिकप्रिया में प्रियजू और प्रियाजू की प्रशस्ति लिखी, पर रामचंद्रचंद्रिका भी लिखी।

कृतियाँ

केशवदास ने लक्षण-ग्रंथ ही नहीं, लक्ष्य-ग्रंथ भी लिखे हैं। शृंगार की ही नहीं, अन्य रसों की भी रचनाएँ की हैं। मुक्तक ही नहीं, प्रबंध भी प्रणीत किए हैं। इनके ग्रंथ हैं—रसिकप्रिया, कविप्रिया, नखशिख, शिखनख, बारहमासा, छंदमाला, रामचंद्रचंद्रिका, रतनबावनी, वीरचरित्र, जहाँगीरजसचंद्रिका और विज्ञानगीता। वीरचरित्र और रतनबावनी में वीररसपूर्ण रचनाएँ हैं। वीरचरित्र या वीरसिंहदेवचरित्र प्रबंधकाव्य है, किंतु प्रबंध के गुण पूर्ण मात्रा में इसमें नहीं पाए जाते। जहाँगीरजसचंद्रिका प्रशस्तिकाव्य है। इनके प्रसिद्ध महाकाव्य रामचंद्रचंद्रिका में भी प्रबंधत्व परिपूर्ण नहीं। प्रबंध के लिए कथा का क्रमबद्ध रूप और अवसर के अनुकूल विस्तार-संकोच अपेक्षित होता है। रामचंद्रचंद्रिका में इसका ध्यान नहीं रखा गया है। केशवदास वस्तुतः दरबारी जीव थे इसीसे जितनी बातें दरबार के अनुकूल थीं उन्हीं का वर्णन विस्तार से इन्होंने किया। पांडित्य का प्रदर्शन भी इनमें प्रधान था जो रामचंद्रचंद्रिका में स्थान-स्थान पर लक्षित होता है। शास्त्रस्थिति-संपादन की इच्छा इनमें प्रबल थी। महाकाव्य वर्णनप्रधान भी होता है। किंतु इसका यह तात्पर्य नहीं कि वर्णनों पर ही दृष्टि रखकर कर्ता चले और वर्ण्य विषयों का ठीक-ठीक निरूपण न करे या वर्णनों के लिए कथा की क्रमबद्धता का त्याग कर दे। संस्कृत में पिछले खेवे का प्रबंधकाव्य श्रीहर्ष का 'नैषधचरित' है। उसमें कथाभाग बहुत कम है। इसी से वर्णन प्रधान दिखाई देता है। किंतु श्रीहर्ष ने वर्ण्य-विषयों के साथ तादात्म्य की प्रतीति खोई नहीं। कवि का निरूपण इतना सूक्ष्म और व्यापक है कि उन वर्णनों का पढ़नेवाला उनसे ऊबता नहीं। किंतु केशव के वर्णन वैसे मार्मिक नहीं हुए हैं। सच बात तो यह है कि ये चमत्कारवादी कवि थे। स्थान-स्थान पर चमत्कार दिखलाना ही इनका लक्ष्य था। चमक-दमक के चक्कर में अधिक रहने से ही प्रबंधकाव्य के अन्य आवश्यक गुणों का ध्यान इन्हें विशेष नहीं था। अतः यह कहने में कोई संकोच नहीं कि केशव में भावपक्ष प्रधान नहीं। रचना में कलापक्ष की प्रधानता इनकी व्यक्तिगत अभिरुचि मात्र नहीं थी। ये संस्कृत के पंडित थे। इन्होंने जिन-जिन ग्रंथों को आदर्श बनाया वे

चमत्कारपूर्ण उक्तियों से लदे हुए थे। उत्प्रेक्षा, श्लेष, विरोधाभास, परिसंख्या आदि अलंकारों की जैसी भरमार रामचंद्रचंद्रिका में दिखाई पड़ती है वैसी उसके आदर्श ग्रंथ बाण की 'कादंबरी' में भी। अंतर इतना ही है कि कादंबरीकार ने जिन-जिन दृश्यों, स्थानों आदि का वर्णन किया है उनकी विशेषताओं का ध्यान भी बराबर रखा है, पर इन्होंने चमत्कार के फेर में उनका ध्यान बहुधा छोड़ दिया है। इसके अतिरिक्त प्रबंध के बीच अनावश्यक उपदेशात्मक प्रसंगों का जोड़ना ठीक नहीं जान पड़ता, पर ये इससे कहीं भी विरत नहीं हुए। यहाँ तक कि संस्कृत के 'प्रबोधचंद्रोदय' नाटक का आधार लेकर जो 'विज्ञानगीता' लिखी उसमें भी इस प्रकार के प्रसंग कई जोड़ दिए।

ऐसा होते हुए भी रामचंद्रचंद्रिका में एक गुण विशेष ध्यान देने योग्य है। वह है संवादों का उपयुक्त विधान। इन्होंने संस्कृत के कई ऐसे नाटक देखे थे जो रामाख्यान पर थे। फल यह हुआ कि रामचंद्रचंद्रिका में संवादों की इन्होंने बहुत ही अच्छी योजना की। कई प्रसंग तो अनुवाद करके ही रखे हुए हैं। नाटकों का आधार लेने से और कथाभाग को छोड़ देने से संवाद वक्ताओं के नाम इन्हें पद्य से पृथक् रखने पड़े हैं। इनमें भी ध्यान देने योग्य संवाद राजनीतिक प्रसंग के ही हैं। कुछ पात्रों का चरित्र भी इन्होंने विशेष रूप में लक्षित कराया है। उत्तरार्ध में लवकुश की उक्तियाँ विशेष मार्मिक बन पड़ी हैं। पर ऐसे प्रसंग इतने बड़े काव्य में थोड़े ही दिखाई देते हैं। शैली देखते हैं तो उसमें भी विविध प्रकार के छंदों के उदाहरण प्रस्तुत करने की ही प्रवृत्ति है। प्रबंधकाव्य में धारा चला करती है। इस धारा को बनाए रखने में छंद भी सहायक होते हैं। यही कारण था कि कवि लोग एक सर्ग में प्रायः एक ही छंद का प्रयोग करते थे। केवल अंत में मोड़ की सूचना के लिए दो-चार छंद बदल दिए जाते थे। किंतु रामचंद्रचंद्रिका में छंदों का परिवर्तन इतना शीघ्र और इतने अधिक रूपों में किया गया है कि एकरसता आ ही नहीं पाती। अतः प्रबंधकाव्य के विचार से रामचंद्रचंद्रिका समर्थ रचना नहीं दिखाई देती। कथाक्रम यथावश्यक न होने से वह मुक्तक उक्तियों का संग्रह-ग्रंथ जान पड़ती है।

लक्ष्य-ग्रंथों को छोड़कर लक्षण ग्रंथों की ओर देखते हैं तो वहाँ भी अवधानता नहीं दिखाई पड़ती। इन्होंने कविकल्पलतावृत्ति, काव्यादर्श आदि के अनुगमन पर 'कविप्रिया' नाम से कविशिक्षा की एक अच्छी पुस्तक प्रस्तुत की। किंतु उसमें भी कोई अपनी सूझ नहीं। उलटे अलंकार (विशेष) के निरूपण में उलटी-सीधी बातें भी आ गई हैं। कविप्रिया से यह अवश्य हुआ कि निरीक्षण की शक्ति न रखनेवालों या उससे भागनेवालों के लिए भी काव्यपरंपरा का ज्ञान सुलभ हो गया। कवि केवल पुस्तक पढ़कर ही काव्यरचना में प्रवृत्त होने लगे, उन्होंने स्वतः निरीक्षण करना छोड़ ही दिया। दक्षिणापथ के वर्णन में उत्तरापथ के वृक्षों की उद्धरणी या उत्तरापथ के वर्णन में दक्षिणापथ के वृक्षों की नामावली अथवा मथुरा में मेवे के पौदे केशव की ही जमाई हुई परिपाटी का परिणाम हैं। कविप्रिया के ही अंतर्गत पहले नखशिख, शिखनख और बारहमासा थे, पर आगे चलकर ये पृथक् प्रचारित किए गए। यह हो सकता है कि इनका निर्माण कविप्रिया से पहले ही हो गया हो

और उसकी रूपरेखा बनाते समय इन सबका या किसी का समावेश किया गया हो। आरंभ में इसी से इनका निर्देश पृथक् कृति के रूप में ही किया गया है। नखशिख देवी-देवताओं या अवतारों के रूपवर्णन के लिए और शिखनख नर-नारी के रूपवर्णन के लिए होता है। बारहमासा वियोगवर्णन से सम्बद्ध है और लोकगीतों के प्रवाह से साहित्य में आया है।

'रसिकप्रिया' में इन्होंने नायिकाभेद का और थोड़ा-सा रसों का भी परिचय दिया है। किंतु इसमें शृंगार की रसराजता विलक्षण ढंग से प्रमाणित की गई है। इन्होंने संस्कृत की ही सारी सामग्री ली है। जहाँ कहीं अपनी ओर से कुछ करने का हौसला दिखलाया है, वहीं इन्हें धोखा हुआ है। संस्कृत की पूरी सामग्री भी ठीक-ठीक नहीं ली जा सकी। हाँ, 'रसिकप्रिया' को देखते हुए मानना पड़ता है कि केशव में प्रसंगकल्पना की शक्ति थी अवश्य। काव्य-भाषा से भी ये भली-भाँति परिचित थे। रसिकप्रिया की पद्धति पर ही यदि इनकी सारी रचनाएँ होतीं तो भी ये 'कठिन काव्य के प्रेत' होने से बच जाते। सच बात तो यह है कि कुछ कारणों से इन्हें महाकाव्य लिखने का उत्साह हुआ। रसधारा में पाठक को मग्न करने के विचार से नहीं, पांडित्य-प्रदर्शन के विचार से। इसीलिए रामचंद्रचंद्रिका की रचना बेढंगी हो गई। शब्द भी इन्होंने संस्कृत के कुछ अधिक रखे और कहीं अप्रचलित तक। ये कहते भी तो थे—

भाषा बोलि न जानहीं जिनके कुल के दास।
भाषाकबि भो मंदमति तेहि कुल केसवदास॥ —*कविप्रिया*

केशवदास का उद्देश्य संस्कृत की साहित्यपरंपरा की हिंदी में प्रतिष्ठा थी। यही इन्होंने किया।

कृतियों के आधार

केशव जब हिंदी में ग्रंथ प्रस्तुत करने लगे तब इनके नेत्रों में संस्कृत के ग्रंथ नाच रहे थे, इसीसे इनके अधिकतर ग्रंथ संस्कृत ग्रंथों को ही आधार बनाकर खड़े हुए। इनके प्रशस्तिकाव्यों में पांडित्य संस्कृत का अवश्य झलकता है पर सीधे संस्कृत ग्रंथों के आधार पर उनका निर्माण नहीं है। रतनबावनी में तो वह झलक भी नहीं है। इसका कारण यही है कि वह इनकी आरंभिक रचना है। उस समय इन्होंने आचार्यत्व का बाना नहीं धारण किया था। जबसे इन्होंने आचार्य का आसन ग्रहण किया तब से इन्हें संस्कृत की शास्त्रीय पद्धति को हिंदी में प्रचलित करने की चिंता हुई। उसे इन्होंने जीवन के अंत तक नहीं छोड़ा। रामचंद्रचंद्रिका के देखने से जान पड़ता है कि ये किसी को पिंगल की पद्धति सिखला रहे हैं। पुस्तक के आरंभ से ही इसका आभास मिलने लगता है। एक वर्ण के छंद से क्रमशः कई वर्णों के छंदों तक वर्णन चला चलता है। आगे चलकर वर्णवृत्तों के विभिन्न रूपों का भी कम विस्तार नहीं है। केशव ने इतने अधिक और ऐसे-ऐसे वर्णवृत्तों

का प्रयोग किया है जो पिंगल के प्रस्तार से ही जाने जा सकते हैं, साधारणतः जिनका प्रयोग नहीं होता। 'रामचंद्रचंद्रिका' में 'प्रसन्नराघव', 'हनुमन्नाटक', 'कादबंरी' आदि कई ग्रंथों की छाया है; कितने ही अंश तो कोरे अनुवाद ही हैं।

'कविप्रिया' कविशिक्षा की पुस्तक है। इसमें संस्कृत के अलंकार-संप्रदायवाले आचार्यों का अनुगमन है। इसके मुख्य आधार-ग्रंथ हैं—कविकल्पलतावृत्ति और काव्यादर्श। आरंभ में अंधवधिरादि दोष डिंगल के काव्यप्रवाह से ले लिए गए हैं। बारहमासा लोकप्रवाह से आया है और शिखनख की परंपरा फारसी की है। यद्यपि केशव के पूर्व संस्कृत में ध्वनि की स्थापना भलीभाँति हो चुकी थी तथापि इन्होंने अलंकार की पुरानी धारणा को ही प्रधानता दी। इन्होंने 'अलंकार' को उसी व्यापक अर्थ में ग्रहण किया है जिसमें उसको दंडी, वामन आदि प्राचीन आचार्यों ने लिया है। इसी से पारिभाषिक अर्थ के अनुसार 'विशेषालंकार' के अतिरिक्त इन्होंने 'सामान्यालंकार' के अंतर्गत काव्य की शोभा बढ़ानेवाली सभी सामग्री जुटा दी है। इनके दूसरे लक्षणग्रंथ 'रसिकप्रिया' में संस्कृत के तद्विषयक बहुप्रचलित ग्रंथों से कुछ विभिन्नता है। पर इसका यह अर्थ नहीं कि केशव ने इसमें कोई नई बात लिखी है। इन्होंने नायिकाभेद का तत्त्व न समझकर उसमें कुछ बातें 'कामतंत्र' की भी जोड़ दी हैं। इनके अनुकरण पर आगे चलकर कुछ कवियों ने नायिकाभेद के ऐसे ग्रंथ भी प्रस्तुत किए जिन्हें कामशास्त्र का ग्रंथ कहना चाहिए। शृंगार के जो दो भेद 'प्रकाश' और 'प्रच्छन्न' किए गए हैं वे भी पुराने हैं। रसिकप्रिया के आधारभूत ग्रंथ 'नाट्यशास्त्र', 'कामसूत्र' तो हैं ही, रुद्रभट्ट के शृंगारतिलक का पूरा आधार इसमें ग्रहण किया गया है।

केशव ने 'विज्ञानगीता', संस्कृत के 'प्रबोधचंद्रोदय' नाटक के आधार पर लिखी है। जिस प्रकार इन्होंने अन्य ग्रंथों में मूल ग्रंथों से कुछ-न-कुछ विभिन्नता रखी है उसी प्रकार इसमें भी कथा के नाटकीय रूप में थोड़ा-सा परिवर्तन कर दिया गया है, यद्यपि संवादों का रूपरंग और पात्र प्रायः वे ही हैं। एक बात और है। केशव ने जिस प्रकार रामचंद्रचंद्रिका में यथास्थान पांडित्य-प्रदर्शन की प्रवृत्ति दिखाई है उसी प्रकार 'विज्ञानगीता' में भी शरद् आदि के वर्णन अनावश्यक ही जोड़ दिए गए हैं।

रसिकप्रिया

रसिकप्रिया लक्षणग्रंथों में केशव की सबसे प्रथम कृति है। इसका निर्माण सं० १६४८ में हुआ था। ओड़छे के इंद्रजीत के कहने से इस ग्रंथ का निर्माण किया गया—

रच्यो बिरंचि बिचारि तहँ नृपमनि मधुकरसाहि।
गहिरवार कासीस रबि कुलमंडन जसु जाहि॥
ताको पुत्र प्रसिद्ध महिमंडन दूलहराम।
इंद्रजीत ताको अनुज सकल धर्म को धाम॥

दीन्ही ताहि नृसिंहजू तनमन रन जयसिद्धि।
हित करि लच्छन राम ज्यौं भई राज्य की बृद्धि॥
तिन कबि केसवदास सों कीन्हो धर्मसनेहु।
सब सुख दै करि यों कह्यौ रसिकप्रिया करि देहु॥
संबत सोरह सै बरष बीते अठतालीस।
कातिक सुदि तिथि सप्तमी बार बरनि रजनीस॥

किंतु यह न समझना चाहिए कि केशव ने केवल इंद्रजीत का ही ध्यान रखकर इसकी रचना की है। वे प्रेरकमात्र थे। रसिकों के लिए ही रसिकप्रिया है, वह इंद्रजीतप्रिया नहीं—

अति रति गति मति एक करि बिबिध बिबेक बिलास।
रसिकन कों रसिकप्रिया कीनी केसवदास॥

काव्य भी नरकाव्य न होना चाहिए—

तातें रुचि सौं सोचि पचि कीजै सरस कबित्त।
केसव स्याम सुजान को सुनत होइ बस चित्त॥

'कबित्त' का अन्वय 'सुजान को' से है अर्थात् 'स्याम सुजान का काव्य'। 'सुजान' शब्द 'श्रीकृष्ण' और 'राधा' दोनों के लिए प्रयुक्त होता था। इसलिए यदि कोई चाहे तो 'स्याम सुजान' का अर्थ 'राधा-कृष्ण' भी कर सकता है।

इसमें प्रधानरूप से श्रृंगार का और गौण रूप से अन्य रसों का विचार किया गया है। प्रच्छन्न और प्रकाश भेद रुद्रभट्ट के श्रृंगारतिलक के अनुगमन पर रखे गए हैं—

सुभ संजोग बियोग पुनि द्वै सिँगार की जाति।
पुनि प्रच्छन्न प्रकास करि दोऊ द्वै द्वै भाँति॥

प्रच्छन्न-प्रकाश का तात्पर्य इन्होंने यों समझाया है—

सो प्रच्छन्न सँजोग अरु कहैं बियोग प्रमान।
जानै पीउ प्रिया कि सखि होहिं जो तिन्हहिं समान॥
सो प्रकास संजोग अरु कहैं प्रकास बियोग।
अपने अपने चित्त में जानैं सिगरे लोग॥

नायिकाभेद में कामशास्त्र के अनुसार पद्मनी-चित्रणी-शंखिनी-हस्तिनी नायिका की जाति का वर्णन किया गया है। मुग्धा-मध्यादि के विशेषण श्रृंगारतिलक के आधार पर हैं। हिंदी में आगे नायिकाभेद की जो परंपरा चली वह रसमंजरी के अनुसार। केशव ने उसका अनुगमन नहीं किया, किंतु हासों का ग्रहण रसमंजरीकार के अनुकूल ही किया है।

हास के चार भेद किए हैं—मंदहास, कलहास, अतिहास और परिहास। अन्यत्र परिहास को हास्यरस के भीतर नहीं रखा गया है, शृंगारतिलक में भी नहीं। इसका हेतु यह है कि जहाँ शृंगार में परिहास रहता है वहाँ वह संचारी का काम करता है। स्वच्छंद रूप में वह रस की स्थिति उत्पन्न करने में इसलिए समर्थ नहीं होता कि उससे साधारणीकरण होने में बाधा होती है। जिसका परिहास किया जाता है वह परिहास करनेवाले की दृष्टि में नीचा होता है। इसलिए भाव की स्थिति तो वहाँ हो सकती है, पर रस की नहीं। शमरस अर्थात् शांतरस के जो उदाहरण इन्होंने दिए हैं उनमें से अंतिम के अतिरिक्त शेष शृंगार के अंतर्गत ही हैं अर्थात् उनमें निर्वेद संचारीमात्र है, स्थायी नहीं।

कविप्रिया

केशव हिंदी के प्रथम आचार्य हैं। इनके पहले भी रीतिग्रंथ लिखे गए पर व्यवस्थित और सर्वांगपूर्ण ग्रंथ सबसे पहले इन्होंने प्रस्तुत किए। काव्यशास्त्र के इनके दो प्रमुख ग्रंथ हैं—कविप्रिया और रसिकप्रिया। कविप्रिया में कविपरिपाटी एवं कविशिक्षा का निरूपण है।

'कविप्रिया' अन्य ग्रंथों से कठिन है। आदि और अंत के कई प्रभाव विशेष कठिन हैं। अलंकारों के विवेचन में 'दंडी' के 'काव्यादर्श' का आधार लिया गया है, पर उनका पदलालित्य नहीं। उपमा, यमक और आक्षेप ज्यों-के-त्यों 'काव्यादर्श' से ही रख दिए हैं। इसी से कहीं-कहीं कुछ का कुछ हो गया है। संस्कृत की प्रत्येक योजना हिंदी में नहीं चल सकती।

'कविप्रिया' में १६ प्रभाव हैं। पहले दो प्रभावों में वंदना, नृपवंश और कविवंश का वर्णन है। फिर काव्यदोषों और अलंकारों का वर्णन किया गया है। अंतिम सोलहवें प्रभाव में चित्रकाव्य है।

कविप्रिया शृंगार का ग्रंथ नहीं है, पर उदाहरण अधिकतर शृंगाररस के हैं। विवेचन की शैली उत्तम है। परिभाषा और उदाहरण का अच्छा समन्वय किया गया है। वर्णन कठिन होते हुए भी स्पष्ट हैं। काव्यदूषण का विवेचन सबसे अधिक स्पष्ट है।

अब केशव के कविकर्म का भी कुछ विचार अपेक्षित है। ग्रंथ का पहला ही दोहा है—

गजमुख सनमुख होत ही बिघन बिमुख ह्वै जात।
ज्यौं पग परत पराग मग पापपहार बिलात॥

गणेश के सम्मुख होने पर तो विघ्न विमुख होंगे पर प्रयोग के लिए प्रस्थान करते ही पाप-पहाड़ लुप्त हो जाएँगे। इस प्रकार प्रयाग का महत्त्व गणेश से बढ़कर हुआ। शास्त्र में यद्यपि उपमान, उपमेय से अधिक गुणसंपन्न माना जाता है तथापि यहाँ गणेश की महत्ता का भी प्रश्न है। कवि ने इसमें शब्दगत चमत्कार भी रखा है। गणेश के सम्मुख होने से विघ्न विमुख विगतमुख हो जाते हैं और प्रयाग के लिए मार्ग में पैर रखते

ही पाप पहाड़ बिलात (विगतलात) हो जाते हैं। अर्थात् गणेशजी का ध्यान करते ही विघ्न स्मरणकर्ता की ओर आँख उठाकर नहीं देख पाते, वे मुखहीन हो जाते हैं। वे फिर पीछे नहीं घूम सकते, वे पराङ्मुख मात्र नहीं होते हैं।

कविप्रिया को कंठमाला बनाने में श्लिष्ट शब्दों का मार्मिक प्रयोग है—

सगुन पदारथ अर्थजुत सुबरनमय सुभ साज।
कंठमाल ज्यौं कबिप्रिया कंठ करौ कबिराज॥

केशव श्लेष के और श्लेषानुप्राणित अलंकारों के विशेष प्रेमी थे। इन्होंने हिंदी में श्लिष्ट कविताएँ अधिक लिखी हैं। हिंदी में श्लेष के दूसरे प्रेमी 'सेनापति' हैं। दोनों की श्लेषयोजना में भेद है। केशव के श्लेष संस्कृत-पदावली के हैं और अधिकतर संस्कृतग्रंथों में प्रयुक्त हैं। सेनापति के श्लेष हिंदी-पदावली के हैं। काव्यपरंपरा से परिचित केशव के श्लेषों को शीघ्र समझ सकता है। सेनापति की उद्‌भावना महत्त्वपूर्ण है, पर अर्थ करने में केशव की कृति से उनकी रचना में देर लगती है। केशव ने 'कविप्रिया' अपनी साहित्यशिष्या प्रवीणराय पातुर के लिए बनाई थी। यह इनके आश्रयदाता इंद्रजीतसिंह की प्रधान दरबारी पातुर थी। यही पातुर है जिसके संबंध में जनश्रुति है कि अकबर के दरबार में जब यह उपस्थित की गई और बादशाह ने इससे अपने यहाँ रहने को कहा तब इसने तुरंत उत्तर दिया—

बिनती रायप्रबीन की सुनियै साह सुजान।
जूठी पतरी भखत हैं बारी बायस स्वान॥

प्रवीणराय के अतिरिक्त और भी कई पातुरें उस दरबार में थीं। पर यह कवयित्री भी थी। रामचंद्रचंद्रिका में रामकलेवा इसी का लिखा कहा जाता है। 'कविप्रिया' में कई स्थानों पर 'प्रबीन' संबोधन इसी के लिए प्रयुक्त है। केशव ने इसकी प्रशंसा में कई छंद लिखे हैं, जो श्लिष्ट हैं। इसकी वाणी के विषय में वे लिखते हैं—

तंत्री तुंबरु सारिका सुद्ध सुरन सों लीन।
देवसभा सी देखिये रायप्रबीन प्रबीन॥

श्लेष का बहुत प्रसिद्ध दोहा लीजिए—

चरन धरत चिंता करत भावत नींद न भोर।
सुबरन कों सोधत फिरत कबि ब्यभिचारी चोर॥

अलंकारों को काव्य में ये प्रमुख मानते थे—

जदपि सुजाति सुलच्छनी सुबरन सरस सुबृत्त।
भूषन बिनु न बिराजई कबिता बनिता मित्त॥

केशव ने षड्ऋतुओं का भी श्लिष्ट वर्णन किया है।

विरोधाभास भी केशव को प्रिय है। कविप्रिया में विरोधाभास को विरोध नाम से लिखा है। उदाहरण लीजिए—

पावक फनि बिष भस्म मुख हर पवर्गमय मान।
देत जु हैं अपवर्ग कों पारबतीपति जान॥

अपवर्ग (मोक्ष) देने की सामर्थ शिवजी में पार्वतीपति होने से है। अन्यथा उनका शरीर पवर्ग (प, फ, ब, भ, म) मय है। यह दोहा संस्कृत के इस श्लोक के भाव पर है—

पिनाकफणिबालेन्दुभस्ममन्दाकिनीयुता।
पवर्गरचिता मूर्तिरपवर्गप्रदायिनी॥

व्यक्तियों के वर्णन में अधिकतर विरोधाभास का और राज्य के वर्णन में बहुधा परिसंख्या का प्रयोग किया है। इनके व्यवहार में ये बड़े सिद्धहस्त थे। 'कविप्रिया' में परिसंख्या श्लेष ही के अंतर्गत है, उसे 'नियमश्लेष' लिखा है।

केशव ने इसमें चित्रकाव्य भी पर्याप्त दिया है। पंडितराज जगन्नाथ तो इसे अधमाधम काव्य कहते हैं।

निरोष्ठ का यह उदाहरण विचारणीय है—

लोक लीक नीकी लाज लीलत हैं नंदलाल लोचन ललित लोल लीला के निकेत हैं।
सौंहन को सोच ना सकोच लोकालोकनि कों देत सुख ताको सखी दूनो दुखदेत हैं।
केसोदास कान्हर कनेर ही के कोरक से बाह्य रंग राते अंग अंतस में सेत हैं।
देखि देखि हरि की हरिनता हरिननैनी देखत ही देखो नहीं हियो हरि लेत हैं।

रेखांकित अक्षरों का उच्चारण ओठों की सहायता के बिना हो नहीं सकता 'उपूपध्मानीयानामोष्ठौ' 'ओदौतोः कण्ठोष्ठम्' आदि। केशव ने भी परिभाषा में लिखा है—

पढ़त न लागै अधर सीं अधर बरन त्यौं मंडि।
और बरन बरनै सबै उपबर्गहिं सब छंडि॥

'सुख', 'दूनो', 'दुख' और 'बाह्य', 'में' शब्दों में 'उ-पवर्ग' है। इन्होंने एक स्थान पर संस्कृत के नियम से 'भाव' के लिए 'भव' लिखा है जो हिंदी में भ्रामक है।

शिखनख

केशव का लिखा नखशिख चिरकाल से प्रसिद्ध है। उसके कई हस्तलेख भी प्राप्त होते हैं। कविप्रिया की प्राचीन प्रतियों में यह नखशिख उसके पंद्रहवें प्रभाव में रखा हुआ है और उपमा अलंकार का अंग माना गया है। किंतु उनके शिखनख का अभी तक पता

न था। प्राचीन कविता संग्रहों में केशव के कुछ ऐसे छंद अवश्य मिलते थे जो उनके नखशिख में प्राप्त नहीं थे या उनके और किसी ग्रंथ के अंग नहीं थे। अतः सामान्यतया यही धारणा होती थी कि इनका नखशिख बड़ा रहा होगा और ये सब उसी के अंग रहे होंगे। इधर कविप्रिया के सबसे प्राचीन हस्तलेख (सं० १७२४) में 'नखशिख' के साथ 'शिखनख' भी जुड़ा हुआ मिला है। इसकी स्वतंत्र हस्तलिखित प्रति अभय जैनभंडार (बीकानेर) से प्राप्त हुई, जो सं० १७५१ की लिखी हुई है। इस पर एक गुजराती टीका भी है, जिसका हस्तलेख सं० १७६२ का है। जान पड़ता है कि शिखनख स्वतंत्र रूप में भी केशव द्वारा प्रचारित किया गया, जैसे नखशिख। इसमें संस्कृत का प्रसिद्ध श्लोक सबसे पहले दिया हुआ है—

गीर्वाणवाणीषु विशेषबुद्धिस्तथापि भाषारसलोलुपोऽहम्।
यथा सुराणाममृतेषु सत्सु स्वर्गागनानामधरासवे रुचिः ॥

स्वतंत्र हस्तलेख में शिखनख के अंत में कुछ अंगों का वर्णन ऐसा भी है जो नखशिख में आ चुका है। सारी, समस्त, भूषण और अंगवास के वर्णन वे ही हैं जो नखशिख के। उसके उपसंहार के छंद भी मिलते हैं। शिखनख और नखशिख की पद्धति के संबंध में केशव ने स्वयं स्पष्ट कर दिया है—

नख तें सिख लौं बरनिये देवी दीपति देखि।
सिख तें नख लौं मानुषी केसवदास बिसेषि ॥

परंपरा यह है कि दिव्य (देवकोटि) और दिव्यादिव्य (अवतार) का वर्णन नख से आरंभ करके शिख तक जाता है और अदिव्य (मनुष्य) का वर्णन शिख से आरंभ होकर नख तक आता है। इसीलिए इन्होंने आगे कहा—

जग के देवी देव के श्रीहरिदेव बखान।
तिन हरि की श्रीराधिका इष्ठदेवता जान ॥

इन दोनों में जिन अंगों का वर्णन है उनकी समानांतर तालिका नीचे दी जाती है—

नखशिख	शिखनख	नखशिख	शिखनख
जावक	×	कटि	श्रोणी
पद	चरण	रोमराजि	रोमराजि
अंगुली	अंगुली	कुच	कुच
नूपुर	×	भुज	भुज
जेहरी	×	करभूषण	×
उरु	×	(नखांगुलि) मुद्रिका	×
नितंब	×	मेंहदीरंजित पाणि	×

नखशिख	शिखनख	नखशिख	शिखनख
ग्रीवा	ग्रीवा	कर्ण	श्रवण
ग्रीवाभूषण	×	कर्णफूल	×
पीठ	×	खुटिला	×
चिबुक	×	लिलार	भाल
अधर	अधर	अलक	×
दसन	दंत	मुखमंडल	×
हाथ	×	केशपाश	केश
मुखवास	×	शिरशोभा	×
मुखराग	×	वेणी	वेणी
रसना	×	बेंदा	×
वाणी	×	शिरोभूषण	×
कपोल	कपोल	अंगवास	×
नासिका	नासा	वसन	×
नकमोती	×	समस्त भूषण	×
लोचन	नेत्र	अंगदीप्ति	×
अंजन	×	गति	×
भ्रूयुग	भृकुटी	संपूर्ण मूर्ति	×

शिखनख में इतने अंग-उपांग, भूषणादि का वर्णन अधिक है—त्रिबली, नाभि, उदर, कुचांत, कुचाग्र, भुजमूल, मुख, तारे, पाटी, माँग, नख। शिखनख और नखशिख में एक अंतर और भी है। शिखनख के वर्णनों में ऊपर दोहे में यह बतलाया गया है कि अमुक अंगों का वर्णन करते हुए किन-किन उपमानों की योजना करनी चाहिए, पर शिखनख में यह योजना नहीं है। इस योजना के न होने से भी यह स्पष्ट हो जाता है कि नखशिख के निर्माण के अनंतर इसका निर्माण किया गया है, इसीलिए इसमें इस तरह की शिक्षा की आवश्यकता नहीं थी। शिखनख में जिन अंगों का वर्णन अधिक है उनमें से कुछ का उल्लेख नखशिख के दोहों में हुआ है, पर नखशिख में उनका वर्णन नहीं आया है। जैसे—

कटि अति सूछम उदर दुति-चलदलदल उनमान।
रोमलता तम धूम अलि चारु चिटौंनि प्रमान॥

इनमें कटि, उदर और रोमलता तीनों का उल्लेख है, पर नखशिख में कटि और रोमराजि का वर्णन है, उदर का नहीं। शिखनख में उदर की संगिनी नाभि का वर्णन है। उस वर्णन की विधि बताते हुए उन्होंने लिखा है—

उरू करीकर केरि सम करभसोभ सों लीन।
चक्र पास थल पुलिन सम बरनि नितंबन पीन॥

शिखनख में 'नाभि' को 'चक्र' लिखा है, अतः इस चक्र से नाभि की ओर भी संकेत जान पड़ता है।

दूसरा स्पष्ट अंतर यह है कि नखशिख में स्थान-स्थान पर 'बृषभानु की कुमारि', 'राधिकाकुँवरि' ऐसे शब्दों, विशेषणों और संकेतों की योजना है, जिससे यह स्पष्ट हो जाता है कि यह नखशिख राधिकाजी का है। नायक के रूप में नंद, नंदलाल, मुकुंदजू आदि शब्द भी बराबर रखे गए हैं। पर शिखनख में केवल ग्रीवावर्णन में न जाने क्यों 'कुँवरि राधिका' पदावली आ गई है। अभय जैनभंडार में इसका पाठांतर 'कुँवरि कामकामिनि को' मिलता है। इसलिए शिखनख का पाठ इसी से कुछ मिलता-जुलता होना चाहिए था। पर सबसे प्राचीन प्रति में वैसा ही पाठ है। नखशिख में शिखनख के जो छंद आए हैं उनमें से केवल एक छंद (९३) ऐसा है जो राधिकाजी से संबंध रखता है।

शास्त्रीय ग्रंथों के अनुसार मंडन, शिक्षा, शोभावर्णन आदि सखी के कर्म माने जाते हैं। नखशिख में इसके संकेत बराबर मिलते हैं। 'एरी बृषभानु की कुमारि तेरे पाइँ सोहैं' आदि। स्पष्ट हो जाता है कि यह वचन सखी का है। शिखनख में इस प्रकार की योजना नहीं की गई है। कहीं-कहीं 'सखी' शब्द आ गया है—'सीस पर सखी की सँवारी माँग सोभियत'। शिखनख की योजनाएँ अत्यंत मार्मिक हैं। नखशिख में इस प्रकार की स्थिति कहीं-कहीं पाई जाती है।

बारहमासा

ऋतुवर्णन की परंपरा पंडितों द्वारा प्रवर्तित है तो बारहमासा लोक द्वारा प्रवर्तित। ऋतुवर्णन शृंगार के संयोग और वियोग दोनों पक्षों में होता है किंतु बारहमासा केवल वियोग में ही नियोजित होता है। ऐसा जान पड़ता है कि आरंभ में बारहमासा कथाबद्ध रूप में चलता रहा होगा पर आगे चलकर वह प्रकीर्णक रूप में भी चलने लगा। सूफियों द्वारा हिंदी में जो प्रेमाख्यानक काव्य प्रस्तुत हुए उनमें प्रायः बारहमासे की योजना की गई है। सूफियों की कथाओं का संबंध लोकप्रचलित कथाओं से है। इसलिए लोक से यह परंपरा साहित्य के भीतर आई। केशव ने कविप्रिया के अंतर्गत सब प्रकार की परंपराओं का समावेश करने का प्रयास किया है। जैसे 'अंधवधिरादि दोष' डिंगलवालों से लिए वैसे ही लोक से बारहमासे का भी सन्निवेश कविशिक्षा के अंतर्गत कर लिया। बारहमासे का आरंभ प्रायः आषाढ़ मास से होता है। सूफियों में इस नियम का कहीं-कहीं उल्लंघन भी देखा जाता है। वह कदाचित् परंपरा का पूर्ण ज्ञान न होने के कारण ही है। आषाढ़ से ही बारहमासा क्यों आरंभ होता है? इसके कुछ विकल्प हो सकते हैं। वियोगियों के लिए वर्षा का समय सबसे अधिक कष्टदायक होता है। सामाजिक व्यवस्था के अनुसार चौमासे में परिव्राजक तक एक स्थान में स्थित रहते हैं। चतुर्मास की यह व्यवस्था बहुत प्राचीनकाल से चली आई है। भगवान् बुद्ध जब पावा में चातुर्मास्य कर रहे थे तब चुंद के

यहाँ 'शूकरमार्दव' के भक्षण से उदरविकार होकर उनका शरीरपात हुआ। परिव्राजकों ने चातुर्मास्य को छोटा भी किया है। द्वैमासिक नियम की कड़ाई फिर भी बहुत है—आषाढ़ के मध्य से भाद्रपद के मध्य तक, जब वर्षा अपने यौवन पर रहती है, वे परिव्रजन नहीं करते। चातुर्मास्य के इस वैशिष्ट्य को ध्यान में रखकर विद्यापति ने बारहमासे के अतिरिक्त केवल चतुर्मास का भी अपने एक पद में उल्लेख किया है। वियोगियों के लिए वर्षा का कष्टप्रद स्वरूप ध्यान में रखकर कालिदास ने अपने प्रसिद्ध खंडकाव्य मेघदूत का प्रारंभ आषाढ़ मास से ही किया है—

आषाढस्य प्रथमदिवसे मेघमाश्लिष्टसानुं।
वप्रक्रीडापरिणतगजप्रेक्षणीयं ददर्श॥

वर्षा का प्रारंभ सावन से मानकर कुछ लोगों ने 'आषाढस्य प्रथमदिवसे' को 'आषाढस्य प्रशमदिवसे' माना है। वास्तविकता यह है कि चातुर्मास्य आषाढ़ शुक्ल एकादशी (हरिशयनी) से आरंभ होता है, पर वर्षा का वास्तविक नक्षत्र आर्द्रा है, जिसमें सूर्य का प्रवेश २१-२२ जून को होता है। उस समय आषाढ़ का कृष्णपक्ष ही रहता है। भारतवर्ष की प्राचीन समयव्यवस्था नाक्षत्रिक थी। वर्षा आर्द्रा से आरंभ होती थी और हस्त नक्षत्र के अंत में उसकी समाप्ति मानी जाती थी। लोक में घाघ की उक्ति प्रसिद्ध है—

आवत आदर ना दियो जात न दीनो हस्त।
कहैं घाघ दोऊ गए पाहुन और गृहस्त॥

यह उक्ति श्लिष्ट है। कोई पाहुन (प्राघूर्ण = अतिथि) यदि किसी के यहाँ पहुँचते ही आदर न पाए और चलते समय कोई उसको हाथ न दे, प्रणाम न करे, तो वह दुखी होता है। ऐसे ही कोई गृहस्थ (कृषक) यदि खेती के लिए आदर (आर्द्रा) के आते ही जल न पाए और हस्त नक्षत्र समाप्त होते समय जल न दे तो उसकी खेती बिगड़ जाती है। इसलिए वर्षा का आयाम आर्द्रा से हस्त तक समझना चाहिए। यही कारण है कि बारहमासे में वर्षा का आरंभिक महीना आषाढ़ माना जाता है। जायसी ने केवल आषाढ़ महीने का ही उल्लेख नहीं किया है, आर्द्रा का भी उल्लेख इसी से कर दिया है—

चढ़ा असाढ़ गगन घन गाजा। साजा बिरह दुंद दल बाजा।
अद्रा लागि लागि भुइँ लेई। मोहिं बिनु पिउ को आदर देई॥

भाषाविज्ञान के आधुनिक विचारकों का कहना है कि पावस का नाम 'वर्षा' इसीलिए रखा गया है कि वह किसी समय 'वर्ष' के आरंभ में पड़ता था। भारतवर्ष में वर्ष का आरंभ विभिन्न ऋतुओं से विभिन्न समयों में माना जाता है। मार्गशीर्ष का नाम आग्रहायण है। आग्रहायण का अर्थ है जो हायन अर्थात् वर्ष के आरंभ में पड़े। गीता में

भगवान् ने भी 'मासानां मार्गशीर्षोऽहम्' कदाचित् उसके वर्ष के आरंभ में पड़ने के कारण ही कहा है।

बारहमासे में श्लेष के चमत्कार से कवियों ने अपने को प्रायः बचाया है। वियोग में विरही की वृत्ति अंतर्मुख होती है, इसलिए वह अनुभूति में लीन रहता है। श्लेषादि की प्रवृत्ति बहिर्वृत्ति में ही संभव है। इसलिए बारहमासे में चमत्कारबोधक श्लेष का विधान करने की परंपरा नहीं है। वियोगपक्ष में शिलष्ट ऋतुवर्णन भी समुचित नहीं प्रतीत होता, पर क्रीड़ाशील कवियों ने वहाँ भी उस प्रकार की परंपरा स्थापित कर दी है।

ऋतुवर्णन

भारतवर्ष भौगोलिक दृष्टि से विशेष प्रकार के कटिबंध में स्थित है। इस कटिबंध में प्रायः रेगिस्तान हैं। स्वयं भारत में राजपूताना का बहुत बड़ा मरुस्थल है। पर हिमालय ने इसे पूर्णतया मरुभूमि होने से बचा लिया है। प्रत्युत उसने अपनी रसधारा से गंगा की ऐसी वेदिका निर्मित कर दी जो समस्त भूमंडल में सबसे अधिक उर्वर भूमि मानी जाती है। भारत के विस्तार और उसकी विशेष स्थिति के कारण ऋतुओं के सूक्ष्म अंतर जितने यहाँ दिखाई पड़ते हैं उतने विश्व के किसी अंचल में नहीं। अन्यत्र जाड़ा, गरमी और बरसात के केवल तीन मौसम होते हैं। कहीं-कहीं पतझड़ की एकाध ऋतु और मानी जाती है, अन्यथा ये ही तीन मौसम सर्वत्र न्यूनाधिक प्रखरता से होते हैं। इन मौसमों के अंतराल में कई पृथक् स्थितियाँ बहुत स्पष्ट दिखती हैं, जिन्हें लेकर भारत में षड्ऋतुओं की कल्पना की गई है—बसंत, ग्रीष्म, वर्षा, शरद्, हेमंत, शिशिर। ग्रीष्म और वर्षा अथवा गरमी और बरसात ये दो मौसम एक साथ पड़ते हैं। इसलिए गरमी और जाड़े के छायांतर से ऋतुओं की संख्या बढ़ती है। शरद् में हलकी ठंडक होती है। हेमंत में वह चूड़ांत पर पहुँचती है और शिशिर में उसका उतार दिखाई पड़ता है। शिशिर के ही अंतर्गत पतझड़ की स्थिति है। इसके अनंतर वसंत का आरंभ होता है। वसंत में हलकी गरमी पड़ने लगती है। इस प्रकार हलकी ठंडक और हलकी गरमी ये ऋतुओं के दो मध्यस्थल हैं। इसी से धार्मिक दृष्टि से इन्हीं दोनों में नवरात्र की व्यवस्था की गई है। ऋतुओं का राजा वसंत है और मुख्य रानी शरद्। ऋतुओं के वर्णन का साहित्य में ग्रहण पंडितों के द्वारा किया गया है। शृंगार से इसका विशेष संबंध जोड़ा गया है। शृंगार रसराज है और उसके दो पक्ष हैं। साहित्यपरंपरा उन दोनों पक्षों में ऋतुओं का विनियोग करती है। वस्तुतः इसका संबंध संयोग पक्ष से ही है। वसंत के अंतर्गत होली और शरद् के अंतर्गत दीपावली ये दो त्योहार पड़ते हैं। इनमें से होली का विस्तृत वर्णन विशेष रूप से प्राचीन हिंदी-साहित्य के अंतर्गत किया गया है। दीपावली का वर्णन क्वाचित्क है। भक्तों ने अवश्य शरद्ऋतु के अंतर्गत रासलीला का विस्तृत उल्लेख और तत्संबंधी काव्य-निर्माण किया है। कृष्णभक्तों ने रासलीला के पद प्रभूत परिमाण में प्रणीत किए हैं।

वर्षा के अंतर्गत झूले का वर्णन आता है। हिंडोले पर कवियों की कुछ रचनाएँ मिलती हैं। पर भक्तों और विशेषतया कृष्णभक्तों ने इस पर पर्याप्त रचनाएँ की हैं। हिंदी-साहित्य में काव्यसर्जन की समुचित व्यवस्था होते न होते साहित्यशास्त्र के संकलन की अभिरुचि उत्पन्न हुई। उसका परिणाम यह हुआ कि ऋतुओं की शास्त्र के अंतर्गत विशेष व्यवस्था ही स्वीकृत हुई। संस्कृत में भी शास्त्रानुयायिनी प्रवृत्ति प्रबल हो जाने के कारण ऋतुओं का वह स्वच्छंद स्वरूप सामने नहीं रह गया था जो उसके आरंभिक कर्ताओं में दिखाई देता है।

ऋतुवर्णन की व्यवस्थित साहित्यिक परंपरा का आरंभ कालिदास के ऋतुसंहार से दिखाई देता है। इसके पहले ऋतुओं का वर्णन होता था, पर उसके साहित्यिक वर्णन की क्रमबद्ध व्यवस्था नहीं थी। प्रकीर्णक रूप में ऋतुओं का जो वर्णन होता रहा होगा उसके अतिरिक्त प्रबंधों में उनके वर्णन पृथक्-पृथक् तो होते रहे पर एकत्र वर्णन की व्यवस्था का पता नहीं चलता। कालिदास के अनंतर साहित्य की यह निश्चित व्यवस्था हो गई और इसका ग्रहण प्रायः सभी ने किया। पर धीरे-धीरे ऋतुवर्णन में प्रकृति का स्वच्छंद रूप ढकता गया और शृंगार तथा अलंकार का आरोपित तथा भाराक्रांत रूप उभरता आया। यह कहने की आवश्यकता नहीं कि इन दोनों के बीज भी ऋतुसंहार की रचना में निहित थे। हिंदी में ऋतुवर्णन के दो ही रूप प्रमुख दिखाई देते हैं—एक उद्दीपन के रूप में उसका ग्रहण, दूसरे उसका अलंकृत वर्णन। शृंगारकाल में षड्ऋतुओं पर पृथक् रचनाएँ हुईं, पर उनमें प्रकृति के खुले सौंदर्य के दर्शन का प्रयत्न यत्र-तत्र ही दिखाई देता है। सेनापति ने कुछ स्वतंत्र वर्णन भी किए हैं। इसका कारण यह था कि वे आरंभिक कवियों में थे। इसके कारण उनमें प्रकृति को अनारोपित रूप में देखने की वृत्ति कुछ बनी थी। पर श्लेष का चमत्कार दिखाने की उनकी मनोवृत्ति इतनी प्रबल थी कि लगभग अपनी सारी रचना उन्होंने श्लेषमय रखी है। शब्द के दुहरे अर्थों द्वारा चमत्कार उत्पन्न करने की प्रवृत्ति संस्कृत के ग्रंथों में बहुत बढ़ गई थी। वही परंपरा हिंदी के हाथ लगी। केशव की रचना में ऋतुवर्णन में श्लिष्ट प्रयोगों का आधिक्य इसी परंपरा की रक्षा मात्र है। कविप्रिया के सातवें प्रभाव में ऋतुओं का वर्णन पूरा का पूरा श्लिष्ट रखा गया है। ऋतुवर्णन श्लिष्ट लिखना एक प्रकार की रूढ़ि हो गई। रत्नाकर के उद्धवशतक में ऋतुवर्णन इसी परंपरा के निर्वाह के हेतु श्लिष्ट ही रखा गया है।

शृंगार, जो हिंदी का वास्तविक साहित्यकाल था, ऋतुवर्णन की दृष्टि से पर्याप्त समृद्ध दिखाई देता है। भिन्न-भिन्न ऋतुओं के संबंध में भिन्न-भिन्न प्रकार की उक्तियाँ नए-नए चमत्कारों से संवलित होकर सामने आईं। उस युग का प्रभूत वाङ्मय एक साथ पढ़ डालना कठिन देखकर बहुत से संग्रह प्रस्तुत किए गए। कोई प्रमुख संग्रह ऐसा नहीं जिसमें ऋतुसंबंधी उक्तियों का संकलन न हुआ हो। ऋतुओं के संबंध में सामाजिकों या रसिकों का आकर्षण अधिक होने के कारण आगे चलकर संकलयिताओं ने हजारा नामवाले संग्रह भी प्रस्तुत किए। आधुनिक युग में परमानंद सुहाने का किया हुआ 'षड्ऋतु-हजारा' बहुत प्रसिद्ध है।

होली

वसंत ऋतु के अंतर्गत होली का वर्णन कविपरंपरा है। होली का त्योहार भारतीय त्योहारों में सबसे अधिक सामाजिक है। वर्णव्यवस्था के अनुसार श्रावणी, विजयादशमी, दीपावली और होली के चार त्योहार क्रमशः चार वर्णों के प्रमुख त्योहार हैं। श्रावणी मुख्य रूप में ब्राह्मणों का त्योहार है। पर इसने भी 'राखी' के त्योहार के रूप में अपना विस्तार किया। राजपूताने के इतिहास में राखीबंद भाई हो जाने पर अपने प्राणों तक की आहुति देने के लिए वीर प्रस्तुत हो जाया करते थे। विजयादशमी मुख्य रूप में क्षत्रियों का त्योहार है। पर अब दशहरे के त्योहार में सामाजिकता इतनी हो गई है कि सभी वर्ण के लोग उसको सोत्साह मनाते हैं। दीपावली मुख्य रूप में वैश्यों का त्योहार है, पर लक्ष्मी का पूजन सभी करते हैं और दीपावली सभी सजाते हैं। होली मुख्य रूप से शूद्रों का त्योहार है, पर सभी उसको सानंद मनाते हैं। अनुलोम विधि से शास्त्रीय निर्णय यह है कि श्रावणी केवल ब्राह्मणों का त्योहार है, विजया ब्राह्मणों और क्षत्रियों का त्योहार, दीपावली ब्राह्मणों, क्षत्रियों और वैश्यों का त्योहार और होली चारों वर्णों का त्योहार। पर होली में सामाजिकता अधिक होने का परिणाम यह हुआ कि इसकी ओर अन्य जातियों के लोगों का भी आकर्षण बढ़ा। भारत के मुगल शासकों में होली के प्रति विशेष राग दिखाई देता है। मुहम्मदशाह रँगीले के संबंध में प्रसिद्ध है कि वह होली में स्वयं कृष्ण बनता था और प्रेयसियों को गोपी बनाता था। हिंदू और मुसलमान मिलकर होली मनाते रहे हैं। कई मुसलमान कवियों ने होली पर अपनी रचनाएँ प्रस्तुत की हैं। होली पर नजीर अकबराबादी की पर्याप्त रचनाएँ हैं। राग-कल्पद्रुम में कई मुसलमान कवियों के होली-संबधी गीत संगृहीत हैं। मुहम्मदशाह रँगीले के ऐसे कई हिंदी-गीत उसमें दिए गए हैं। वह त्योहार धन्य है जिसमें मेलजोल की ऐसी वृत्ति है।

होली का संबंध राधा-कृष्ण से अधिक है। यों अन्य देवी-देवताओं की भी होली होती है और उनके वर्णन भी कवियों ने कहीं-कहीं किए हैं। यह त्योहार जिस उमंग के साथ भारत के मध्य भाग में मनाया जाता है उस उमंग के साथ अन्यत्र नहीं। बुंदेलखंड में सभी त्योहारों के प्रति जैसा उत्साह दिखाई देता है वैसा और कहीं नहीं। उस प्रदेश के कवियों ने अपनी रचना में त्योहारों का वर्णन अधिक किया है। होली का वर्णन अधिक किया है। कोई ऐसा कवि नहीं जिसकी रचना में होली का वर्णन न हो। प्राचीन कवियों से लेकर ठाकुर तक प्रायः सबके इसके वर्णन मिलते हैं। व्रज में भी होली की छटा दर्शनीय है। बरसाने की होली प्रख्यात है।

रसखानि, ठाकुर, देव और पद्माकर के होली वर्णन मार्मिक हैं। एक-एक उदाहरण दिया जाता है—

चंदकला चुनि चूनरी चारु दई पहिराइ सुनाइ सु होरी।
बेंदी बिसाखा रची 'पदमाकर' अंजन आँजि समाजिकै रोरी।

लागी जबै ललिता पहिरावन स्याम कों कंचुकी केसरबोरी।
हेरि हरैं मुसुक्याइ रही अँचरा मुख दै बृषभानकिसोरी।

प्रेम की छेड़छाड़ से भी आनंद मिलता है, प्रेमी के खीझने से भी प्रसन्नता होती है। झिझक बनावटी होती है। छेड़छाड़ को प्रेमी लोग स्वीकार करते हैं। कोई भला सीधे खड़े होकर रंग डलवा सकता है ? सीधे को भी प्रतिकार सूझेगा। पर प्रेम में ऐसी बात नहीं। वहाँ प्रेमी की रीझ से रीझ है—

खेलत फाग लख्यो पिय प्यारी को ता सुख की उपमा केहि दीजै।
देखत ही बनि आवै भलें 'रसखानि' कहा है जु वारने कीजै।
ज्यों ज्यों छबीली कहै पिचकारी लै एक लई यह दूसरी लीजै।
त्यों त्यों छबीलो छकै छबिछाक सों हेरै हँसै न हटै खरो भीजै।

'ठाकुर' वर्णित खीझ देखिए—

होरी की हौंस हमैं न कछू हम जानती तों तुम रारकरैया।
फूलौ न मोहिं अकेली निहारिकै भूलियो ना तुम गायचरैया।
'ठाकुर' जौ बरजोरी करौ तुम हौंहूँ नहीं कछु दीनपरैया।
फोरिहौ काहू की आँखि लला रहौ नोखे गुपाल गुलाबडरैया।

भाषा कैसी स्त्रीजनसुलभ है।

यह तो संयोगियों की होली हुई। होली विरहिणियों के प्राण उड़ाती रहती है—

को बचिहै यहि बैरी बसंत पै आवत जो बन आगि लगावत।
बौरत ही करि डारत बौरी भरे बिष बैरी रसाल कहावत।
ह्वैहैं करेजन की किरचैं कबि 'देव' जू कोकिल बैन सुनावत।
बीर की सौं बलबीर बिना उड़ि जाइगो प्रान अबीर उड़ावत।

रामचंद्रचंद्रिका

केशव ने जो तीन प्रमुख साहित्यिक बड़े ग्रंथ लिखे हैं उनमें से 'रसिकप्रिया' का निर्माण तो इंद्रजीतसिंह के कहने से उन्होंने किया। कविप्रिया का निर्माण प्रवीणराय को काव्यशिक्षा का उपदेश देने के लिए हुआ—

सबिताजू कबिता दई ता कहँ परम प्रकास।
ताके काज कबिप्रिया कीन्ही केसवदास॥

पर रामचंद्रचंद्रिका का निर्माण इन्होंने अपने ही लिए किया है—

बालमीकि मुनि स्वप्न में दीन्हो दर्सन चारु।
केसव यह तिनसों कह्यो क्यों पाऊँ सुखसारु॥

उन्होंने कहा कि 'और नाम, कौन काम ? रामनाम सत्यधाम'। अंत में—

मुनिपति यह उपदेस दै जबहीं भए अद्दष्ट।
केसवदास तहीं कर्‌यौ रामचंद्रजू इष्ट॥

इन्होंने निंबार्क-संप्रदाय में दीक्षा ली थी। दीक्षा की दृष्टि से ये राधा-कृष्ण के उपासक थे। रसिकप्रिया में राधा-कृष्ण को ही आधार (आलंबन) मानकर रचनाएँ की गई हैं। कविप्रिया में भी स्पष्ट कर दिया है कि शृंगाररस के आलंबन राधा-कृष्ण ही हो सकते हैं। पर रामचंद्रचंद्रिका में केशव वीररस की ओर मुड़े हैं। वाल्मीकि के दर्शन का और चाहे जो भी हेतु हो पर इतना तो स्पष्ट है कि इन्होंने रामचंद्रचंद्रिका का निर्माण आदिकवि वाल्मीकि को आधार बनाकर किया है। उन्हें आधार बनाने से स्पष्ट है कि यह काव्य का ग्रंथ है, भक्ति का नहीं। यह दूसरी बात है कि इन्होंने राम को 'औतारी औतारमनि' माना है और भगवत्ता से उनका किसी प्रकार का विच्छेद नहीं होने दिया है। फलश्रुति भी यही बतलाती है—

रामचंद्रचरित्र कों जु सुनै सदा चित लाय।
ताहि पुत्र-कलत्र संपति देत श्रीरघुराय।
जज्ञ-दान, अनेक तीरथ न्हान को फल होइ।
नारि का नर बिप्र क्षत्रिय बैस्य सूद्र जु कोइ।
असेष पुन्य पाप के कलाप आपने बहाइ।
बिदेहराज ज्यों सदेह भक्त राम को कहाइ।
लहै सुभक्ति लोक लोक अंत मुक्ति होइ ताहि।
पढ़ै कहै सुनै गुनै जो रामचंद्रचंद्रिकाहि॥

भक्तिपक्ष पर भी चले जाने का परिणाम यह हुआ है कि इन्होंने स्थान-स्थान पर रामचंद्र द्वारा उपदेश दिलाए हैं। इसके कारण रामचरितमानस की भाँति रामचंद्रचंद्रिका में भी उपदेशात्मक अंश अधिक हो गया है, जिससे इसके काव्यत्व को क्षति पहुँची है। काव्य में उपदेशात्मक अंश का बहुत अधिक होना अच्छा नहीं। इंद्रजीत से 'धर्मसनेह' करनेवाले और पुराणवृत्ति से काम चलानेवाले केशव यदि उपदेशात्मक अंशों का नियोजन अधिक करें तो स्वाभाविक ही है। जिनको इंद्रजीत गुरु की भाँति मानते थे और जिन्हें उनके बड़े भाई रामसिंह भी मंत्री और मित्र के सदृश समझते थे ऐसे उपदेशक और परामर्शदाता में उपदेश की और नीतिकथन की वृत्ति का होना स्वाभाविक है। केशव की रामचंद्रचंद्रिका को क्षति पहुँचानेवाले कई तत्त्व हैं। छंदों की झटिति-परिवृत्ति भी उसमें हेतु है और संस्कृतानुगामिनी भाषा तथा वर्णिक छंदों का अधिक व्यवहार भी उसमें सहायक है।

रामचंद्रचंद्रिका के प्रणयन में तुलसीदास की भाँति केशवदास का भी लक्ष्य श्रव्य-दृश्य दोनों रूपों में उसका उपयोग जान पड़ता है। इन्होंने उन्हीं की भाँति बहुत से नाटकों से सहायता ली है। कई अंशों का तो अनुवाद ही रख दिया है। संवादयोजना नाटकीय ढंग की की गई है, इसलिए दृश्यकाव्य के रूप में इसका उपयोग विशेष सरलता से हो सकता है। संप्रति जहाँ कहीं रामलीला होती है रामचंद्रचंद्रिका के संवादों का प्रायः उपयोग होता है। केशव इसके आधार पर रामलीला का प्रचलन चाहते थे, किंतु रामचरितमानस की रामलीला इतनी अधिक व्यापक हो गई कि इसकी स्वतंत्रता न रह सकी, यह सहायक के रूप में ही रह गई। अवध प्रांत के अतिरिक्त अन्यत्र जहाँ रामलीला होती है वहाँ केशव के संवादों का उपयोग अपेक्षाकृत अधिक होता है। अवध प्रदेश में भी जहाँ भक्ति का अंश कुछ कम रह गया है या जहाँ कथा को अधिक रंजित करना चाहते हैं, मानस के संवादों के साथ रामचंद्रचंद्रिका के संवाद भी अधिक रखते हैं। यदि मानस की रामलीला न फैली होती तो निश्चित था कि इनकी 'चंद्रिका' के आधार पर व्यापक रामलीला होती। रामलीला में पश्चिमी शैली अर्थात् कबित्त-सवैया आदि बड़े छंदों की शैली का संवाद-रूप में ग्रहण हो सके इसके लिए कई प्रयास किए गए। राम के मधुरोपासक भक्त केवल रामलीला का सुखद-पक्ष ही देखना चाहते हैं, इसलिए वे आरंभिक लीला में राम-विवाह तक ही योगदान करते हैं। रीवानरेश महाराज रघुराजसिंह ने भी, जिन्होंने काशी की प्रसिद्ध रामलीला के संघटन में काशीनरेश महाराज ईश्वरीनारायण सिंह और भारतेंदु बाबू हरिश्चंद्र को अनेक परामर्श दिए थे, स्वरचित 'रामस्वयंवर' में विशिष्ट संवाद विशिष्ट रूप में प्रस्तुत किया है। इसका भी उपयोग रामलीला में होता है—रामस्वयंवर तक के विशेष रूप फुलवाड़ी, धनुषयज्ञ, विवाह के रसात्मक संवादों का। कबित्त-सवैयों में निर्माण करनेवाले अनेक कवि हुए हैं जिनकी चुनी हुई कविताओं का संग्रह श्रीरामकथामृत के नाम से किया गया था।

छंदमाला

इधर केशव की दो नवीन कृतियों की उपलब्धि हुई है। एक है शिखनख और दूसरी है छंदमाला।

केशव ने अपने दो ग्रंथों में विविध छंदों का व्यवहार अन्य ग्रंथों की अपेक्षा अधिक किया है। एक विज्ञानगीता में और दूसरे रामचंद्रचंद्रिका में। सबसे अधिक विविध छंदों का प्रयोग रामचंद्रचंद्रिका में किया गया है। ग्रंथ के आरंभ में ही एक वर्ण, दो वर्ण, तीन वर्ण के छंदों का ऐसा क्रम चला है जिससे सहज ही यह अनुमान होने लगता है कि केशव पिंगल का पांडित्य भी इस ग्रंथ में प्रदर्शित करना चाहते हैं। ऐसी प्रसिद्धि है कि इन्होंने अपनी प्रिय शिष्या प्रवीणराय को पिंगल का ज्ञान कराने के लिए ही

रामचंद्रचंद्रिका में इस प्रकार की छंदोयोजना की है। कहा जाता है कि चेली ने भी गुरुदक्षिणा हाथोंहाथ चुका दी, जेवनार की गालियाँ लिख देकर।

'चंद्रिका' देखने से स्पष्ट है कि केशव ने पिंगल का भी विचार किया है। उनके हस्तलेखों में कहीं-कहीं छंदों के लक्षण भी दिए गए हैं। उन लक्षणों में कुछ ऐसे भी हैं जिनमें 'केशव' की छाप है। जैसे—

समुझु सबै लघु अंत गुरु सुप्रिय छंद प्रकास।
अक्षर प्रतिपद पंचदस बरनहु केसवदास॥

—रामचंद्रचंद्रिका ३। २ के साथ

कहीं-कहीं किसी हस्तलेख में ऐसा भी लिखा मिलता है—

'औ केसवदास याहू कों सिंहबिलोकित लिख्यौ है'

—वही, १ । ४४ के साथ

इन सबसे यह कल्पना सहज ही होती थी कि केशव ने पिंगल की पोथी स्वतंत्र लिखी होगी। पर अभी तक यही यथार्थ जान पड़ता था कि 'चंद्रिका' में छंदों के साथ ही कदाचित् इन्होंने लक्षण लिख दिए होंगे कोई पृथक् प्रयत्न न किया होगा। इनके नाम पर 'रामालंकृतमंजरी' पुस्तक भी चढ़ी हुई है। पर उसका अभी तक पता नहीं चला। उसे लोग 'छंद' की पोथी मानते हैं, यद्यपि नाम से वह अलंकार की पोथी मानी जा सकती है। इधर बीकानेर के जैन ग्रंथभंडार से 'छंदमाला' नाम की केशव-विरचित एक पोथी ही मिल गई। स्वतंत्र प्रयत्न ही यथार्थ हो गया। इस छंदमाला में 'सुप्रिय' छंद का लक्षण यों है—

चौदह लघु गुरु एक अरु सुप्रिय छंदप्रकास।
अक्षर प्रतिपद पंचदस आनहु केसवदास॥

छंदमाला का मंगलाचरण वे यों करते हैं—

अनंगारि है पै लसै संग नारी। दिपै मुंडमाला कहैं गंगधारी।
भखै कालकूटै लसै सीस चंदै। कहा एक हो ताहि त्रैलोक बंदै।
महादेव जाके न जानै प्रभावै। महादेव के देव कों चित्त भावै।
महानाग सोहै सदा देहमाला। महाभावयंती करौं छंदमाला।

इस ग्रंथ का प्रयोजन भी स्पष्ट उल्लिखित है—

भाषाकबि समुझैं सबै सिगरे छंद सुभाइ।
छंदन की माला करी सोभन केसवराइ॥

केशव ने भाषा की तीन शाखाएँ मानी हैं—

भाषा सुरतरु की प्रगट साखा तीनि प्रकार।
सुरभाषा भाषा सरप नरभाषा संसार॥

अर्थात् देवभाषा, नागभाषा और नरभाषा। केशव ने भी नागभाषा नाम लिया। भिखारीदास ने भी नागभाषा का उल्लेख किया है। केशव का क्रम त्रिलोक स्वर्ग, मर्त्य और पाताल से मिलता है। स्वर्ग की भाषा देवभाषा, पाताल की सर्पभाषा या नागभाषा और मर्त्यलोक की नरभाषा। किंतु वे आगे यह भी लिखते हैं—

सुरभाषा के प्रथम ही बालमीकि बड़भाग।
अहिभाषा के महसु नरभाषा पिंगल नाग॥

यह दोहा क्या कहना चाहता है? क्या तीनों भाषाओं के आदिकवियों का नामस्मरण? देवभाषा (संस्कृत) के आदिकवि वाल्मीकि का, अहिभाषा (अपभ्रंश) के आदिकवि महसु (सहसु? = सहस्रशीर्ष = शेषनाग) का और नरभाषा (देशीभाषा) के पिंगल नाम का (जो शेष के ही अवतार माने जाते हैं)। किंतु पिंगलाचार्य तो छंदःशास्त्र के प्रणेता के रूप में ही प्रसिद्ध हैं, देशीभाषा के आदिकवि के रूप में नहीं। उधर वाल्मीकि, आदिकवि के रूप में ही प्रसिद्ध हैं, आद्य छंदःशास्त्र प्रणेता के रूप में नहीं। हाँ, 'शोकः श्लोकत्वमागतः' से 'नूतन छंदसामवतार' हुआ, अतः वैदिक छंद के अनंतर लौकिक छंदों का प्रवाह भी वाल्मीकि से ही माना जाता है। तो क्या यह माना जाए कि यहाँ नूतन छंदों के कल्पकों का नाम परिगणित है।

केशव ने दो वृत्तियाँ (छंदोभेद) मानी हैं, जैसा सभी मानते हैं—वर्णवृत्ति और कलावृत्ति (मात्रावृत्ति)—

भाषा तीनहु के सुकबि द्वैबिध करत कबित्त।
बर्नवृत्ति है एक औ कलाबृत्ति फिर मित्त॥

इन्होंने वर्णवृत्ति में केवल 'सम' छंदों को ही लिया है। कलावृत्ति में सम और विषम दोनों को ही स्वीकृति दी है। हिंदीवालों के लिए वर्णवृत्ति के केवल सम छंद ही उपयोगी हो सकते हैं—

बर्नबृत्ति के सम बरन चारों चरन प्रकास।
कलाबृत्ति के सम बिषम पद करि केसवदास॥

वर्णवृत्ति में साधारण और दंडक का निर्णय यों है—

एक बर्न को पद प्रगट छब्बिस लौं मतिवंत।
तदुपरि केसवदास कहि दंडक छंद अनंत॥

छंदोभंग में प्राकृतपैंगलम्' के आधार पर श्रवणतुला को प्रमाण माना है—

कनकतुला जो सहत नहिं तोलत अधतिल अंग।
श्रवनतुला तें जानियो केसव छंदोभंग ॥[1]

पंडितों को लक्षणहीन छंद की पहचान हो जाती है। उनकी भौंहों में बल पड़ जाता है और वे उसी से पढ़नेवालों का सिर साफ उतार लेते हैं—

अबुध बुधनि में पढ़तहीं निझुकत लक्षनहीन।
भृकुटी अग्र खरग्ग सिर कटतु तथापि अदीन ॥

इसके दो खंड हैं। पहले में वर्णवृत्ति का विचार है और अंत में छंदों की नामावली भी लगी है। दूसरे खंड में कलावृत्ति का विमर्श है। इस खंड का मंगलाचरण भी पृथक है। इसमें शंकर की नहीं, गणेश और पिंगलाचार्य की वंदना है—

बिघनगन बिनासै बुद्धिदाता सदा है। सुर नर मुनि बंदै दीह दोषीन दाहै।
बदन रदन एकै एक रूपै बतावै। जगत बिदित माया चित्तजीवै दिखावै।
सकल भुजगराजा पिंगलौ एक चंदै। दिसिदिसि सुखभर्ता दुखखकर्ता निकंदै।
सुभर चरन जाके जुग्म नौका बिचारै। बिसद बिबिध मात्रा बर्न कों पार तारै।

वर्णवृत्ति में निम्नलिखित छंदों के लक्षण और उदाहरण हैं—

श्री १, नारायण २, रमण ३, तरणिजा ४, मदन ५, माया ६, मालती (षडक्षर) ७, सोमराजी ८, शंकर ९, बिज्जोहा १०, मंथान ११, सुखदा १२, कुमारललिता १३, प्रमाणिका १४, मल्लिका १५, नगस्वरूपिणी १६, मदनमोहिनी १७, बोधक १८, तुरंगम १९, नागसुरूपिणी २०, तोमर (नवाक्षर) २१, हरिणी २२, अमृतगति २३, तोमर (दशाक्षर) २४, संयुक्ता २५, अनुकूला २६, सुपर्णप्रयात २७, इंद्रवज्रा २८, उपेंद्रवज्रा २९, मोतियदाम ३०, तोटक ३१, सुंदरी ३२, मोदक ३३, भुजंगप्रयात ३४, तामरस ३५, द्रुतविलंबित ३६, कुसुमविचित्रा ३७, चंद्रब्रह्म ३८, मालती (द्वादशाक्षर) ३९, वंशस्वनित ४०, प्रतिमाक्षरा ४१, स्रग्विणी ४२, पंकजवाटिका ४३, तारक ४४, कलहंस ४५, हरिलीला ४६, वसंततिलका ४७, मनोरमा ४८, मालती (पंचदशाक्षर) ४९, सुप्रिय ५०, निशिपालिका ५१, चामर ५२, नराच ५३, मनहरण ५४, ब्रह्मरूपक ५५, रूपमाला ५६, पृथ्वी ५७, चंचरी ५८, करुण ५९, मूल ६०, गीतिका ६१, धर्म ६२, मदिरा ६३, विजय ६४, सुधा ६५, वसुधा ६६, माधवी ६७, चंद्रकला ६८, अमलकमल ६९, मकरंद ७०, गंगोदक ७१, तन्वी ७२, विजया ७३, मदनमनोहर ७४, माननी ७५, हार ७६, अनंगशेखर ७८।

अंत में जो सूची दी गई है उसमें कहीं तो क्रम आगे-पीछे हो गया है और कहीं

---

१. **जेमण सहइ कणअतुला तिलतुलिअं अद्धअद्धेण।**
तेमण सहइ सवणतुला अलछन छंद छंदभंगेण॥—पृष्ठ १४

नाम कुछ परिवर्तित है। एक छंद छूट गया है और कुछ छंद बढ़ गए हैं, जिनका संबंध कलावृत्ति से है। 'सुखदा' का नाम 'सुखकर' दिया गया है और उसे 'संकर' (शंकर) के अनंतर रखा गया है जबकि उसे 'मंथान' के पश्चात् होना चाहिए। परिवर्तित नाम यों हैं—

मूल	सूची
विज्जोहा	विज्झुहा
कुमारललिता	ललिता
मदनमोहनी	मदनमोहन
नागसुरूपिणी	नागस्वरूपिनी
संयुक्ता	संजुती
मोतियदाम	मौक्तिकदाम
तोटक	त्रोटक
सुप्रिय	सुप्रिया
करुण	करुणा
विजया	जया

सूची में 'चंद्रकला' छंद छूटा हुआ है। अधिक छंद ये हैं—धत्ता, रोला, मरहठा, सोरठा, सिंहावलोकन, जमुन, रूपमाला। पर कलावृत्ति में इतने ही छंदों का वर्णन है—गाथा (इसके २७ भेदों का नामोल्लेख मात्र), बिग्गाहा, दोहा (इसके २३ भेदों का नाम, इसके चार आरंभिक भेदों का पद्यपद्ध लक्षण, शेष गद्य में), कबित्त (रोला), चतुष्पदी, धत्ता, नंद, उल्लाल, षट्पद (इसके ७१ भेदों के नाम, १२ के पद्यबद्ध लक्षण, शेष गद्य में), पद्धटिका, अरिल्ल, पादाकुलिक, राजसैन की नवपदी, पद्मावती, सोरठा, कुंडलियाँ, चूड़ामणि, हाकलिका, मधुभार, आभीर, हरिगीत, त्रिभंगी, हरि, मदनमनोहर, मरहठा।

कलावृत्ति की इस सूची में सिंहावलोकन, जमुन और रूपमाला का पता नहीं है। सिंहावलोकन को केशवदास ने सिंहविलोकित नाम दिया है और 'चंद्रिका' में यह छंद आया है—

अति मुनि तन मन तहँ मोहि रह्यो।
कछु बुधि बल बचन न जाइ कह्यो।
पसु पंछि नारि नर निरखि तबै।
दिन रामचंद्र गुन गनत सबै॥ १।४४

इस प्रकार इसके प्रत्येक चरण में सोलह मात्राएँ होती हैं। यह सिंहावलोकन क्यों कहलाता है इसका पता भिखारीदास के छंदार्णव से लगता है—

चारि सगन कै दुज चरन सिंहबिलोकित एहु।
चरन अंत अरु आदि के मुक्तपदग्रस देहु॥

यथा—

मुनि-आश्रम सोभ धस्चौ तिअहीं। अहि कच सँग बेसरि मोर जहीं।
जहँ 'दास' अहितमति सकल कटी। कटि सिंहबिलोकित गति करटी।

रूपमाला छंद वर्णवृत्ति और कलावृत्ति दोनों में होता है। वर्णवृत्ति में उसका लक्षण यह है—

रगन सगन जहँ होइ जगन जुगल पुनि मगन रचि।
गुरु लघु अंतहु सोइ छंद रूपमाला वहै॥

—रामचंद्रचंद्रिका के प्रतापगढ़वाले हस्तलेख से

रामचंद्रचंद्रिका में इसका उदाहरण यह है—

रावरे मुख के बिलोकत ही भए दुख दूरि।
सुप्रलापन ही रहे उर मध्य आनँद पूरि।
देह पावन ह्वै गयो पदपद्म को पय पाय।
पूजतै भयो बंस पूजित आसुही मुनिराय॥२३ । ६

कलावृत्ति में रूपमाला २४ मात्रा का छंद होता है। भिखारीदास ने उसका लक्षण यह दिया है—

चौबिस कल गति चंचरी रूपमाल पहिचानि।

—छंदार्णव।

रामचंद्रचंद्रिका में इसका प्रयोग हुआ है—

अजर अमर अनंत जय जय चरित श्रीरघुनाथ।२७ । १०

रामचंद्रचंद्रिका के प्रतापगढ़वाले हस्तलेख में झूलना (चंद्रिका २६ । ३०) छंद का लक्षण यों लिखा है—

पद आदि में जहँ सगन। पुनि अंत में जहँ जगन।
कल बीस दस बसु होइ। कहि रूपमाला सोइ॥
यह केसवदास के मते दूसरो रूपमाला है।

जमुन और हलना छंदों का उल्लेख नहीं हुआ है। जमुन शब्द कदाचित् लिपिक-प्रमाद से कुछ का कुछ हो गया है। इसलिए यह कहना कठिन है कि यह किस शब्द का स्थानापन्न है। एक जीमूत नाम अवश्य मिलता है, वह चंडवृष्टिप्रयात दंडक का एक भेद है। कदाचित् जमुन से उसका संबंध नहीं है। हलना छंद का भी ठीक-ठीक पता नहीं लगता। इसमें भी कुछ लिपिक-प्रमाद हो सकता है।

लक्षण देने की प्रणाली केशव ने अपने ढंग की रखी है। ऐसा ही प्रवाह प्राचीन हिंदी छंदग्रंथों का दिखाई देता है।

वैज्ञानिक ढंग से वर्णिक छंदों में गणादि का विचार करके लक्षण लिखने की सरणि होने से कोई छंद सांकेतिक चिह्नों के क्रम से तब तक नहीं जाना जा सकता जब तक लक्षण के अनुसार उसका स्वरूप अंकित न कर लिया जाए। फिर भी इन्होंने लक्षणों को बहुत सरल बनाकर रखने का प्रयास किया है। भिखारीदास ने तो उसी ढंग से लक्षण दिया है। सामान्यतया जो व्यक्ति पिंगल से पूर्णतया परिचित नहीं है उसके द्वारा लक्षण शीघ्र नहीं जाना जा सकता। उन्होंने तो कुछ पारिभाषिक शब्दों का भी व्यवहार किया है, जिससे और भी कठिनाई हो गई है—जैसे, प्रिय (॥), द्विज (॥ ॥), नंद (ऽ ।), धुजा (।ऽ), करना (ऽऽ), तिरना (ऽऽऽऽ)। कहीं-कहीं बड़े छंद के लक्षणों में छोटे छंद को पारिभाषिक रूप में रख दिया है। वर्णवृत्त में छब्बीस अक्षरों के ऊपर वर्ण प्रत्येक चरण में हों तो उन्हें दंडक कहा है, जैसा और लोग भी मानते हैं।

ऐसा जान पड़ता है कि छंदमाला जितनी प्राप्त हुई है, वह अधूरी है। इसकी प्रतिलिपि किसी ऐसी प्रति से हुई होगी जिसमें कुछ छूट गया होगा। रामचंद्रचंद्रिका में जो छंद आए हैं उन सब छंदों का लक्षण तो इसमें होना ही चाहिए था। पर उसके भी कई छंद इसमें नहीं आ सके हैं। उसके विभिन्न हस्तलेखों में जो लक्षण दिए गए हैं वे हिंदी के अन्य पिंगलग्रंथों के ही अधिकतर हैं। प्रतापगढ़ के हस्तलेख में अधिकतर लक्षण भिखारीदास के छंदार्णव से उद्धृत कर दिए गए हैं।

'केशवकौमुदी' में स्थान-स्थान पर यह लिखा गया है कि यह छंद केशव की ईजाद है, किंतु ऐसी बात नहीं है। उनकी वर्णवृत्ति के छंद छंदोमंजरी आदि संस्कृत-ग्रंथों में मिल जाते हैं और कलावृत्ति के छंद प्राकृतपैंगलम् में। इसलिए उन्होंने इस क्षेत्र में कोई नूतन उद्‌भावना नहीं की है। छंदमाला में कुछ उदाहरण नए बनाए हुए हैं, पर अधिकतर रामचंद्रचंद्रिका से उद्धृत किए गए हैं। इससे यह स्पष्ट हो जाता है कि रामचंद्रचंद्रिका लिखते समय पिंगल का व्यवहार जानबूझकर किया गया है और अधिकतर उसमें प्रयुक्त छंदों के ही आधार पर छंदमाला पिरो दी गई है। पुस्तक की पूर्ति कुछ नए उदाहरणों से की गई है।

उडुगण केशवदास

हिंदी के तीन सर्वश्रेष्ठ कवियों के संबंध में यह दोहा प्रचलित है—

सूर सूर तुलसी ससी उड़गन केसवदास।
अब के कबि खद्योत सम जहँ तहँ करहिं प्रकास॥

कहनेवाले का तात्पर्य काव्यपरंपरा को मिलनेवाले प्रकाश के तारतम्य से है। हिंदी को सूरदास से सर्वाधिक प्रकाश, तुलसीदास से उससे कम, केशवदास से तुलसीदास से

अपेक्षाकृत कम तथा अन्य कवियों से तो बहुत कम या एक प्रकार से नहीं के समान मिला। अब जाँचना यह चाहिए कि उक्त तीनों कवियों से हिंदी-साहित्य की परंपरा को क्या मिला। सूरदास ने राधा-कृष्ण की शृंगारलीला का विस्तार से वर्णन किया है। भक्तिकाल के अनंतर हिंदी में जो शृंगारकाल आया उसके आलंबन के रूप में राधा-कृष्ण ही माने गए। भले ही शृंगारकाल में वर्णन साधारण नायक-नायिका का ही हो पर माना यही गया कि नायक श्रीकृष्ण हैं और नायिका राधिका। इस प्रकार सूरदास ने उत्तरवर्ती हिंदी-साहित्य को आलंबन दिया। 'सूरदास ने आलंबन दिया' का तात्पर्य यह कि कृष्णभक्त कवियों में उत्तरवर्ती हिंदी-साहित्य का जिनसे अधिक संपर्क हुआ वे सूरदास ही हैं। अन्य कवियों की रचना उतनी सर्वसामान्य नहीं हुई। फिर भी सूरदास का प्रभाव ग्रहण करने पर भी परवर्ती हिंदी-साहित्य ने भाषा उनकी नहीं ली। उनकी भाषा चलती अवश्य है, पर है व्रजी ही। उसमें मेल अन्य भाषाओं के शब्दों का ही विशेष है। भाषा का ऐसा मेल नहीं कि उसे व्रजी तथा अन्य भाषा की खिचड़ी कह सकें। किंतु परवर्ती हिंदी-साहित्य में जो भाषा सर्वसामान्य हुई वह व्रजी और अवधी की मिश्रित खिचड़ी है। ढाँचा व्रजी का होने पर भी अवधी के केवल शब्द ही नहीं प्रयोग भी उसमें बेखटके रखे जाने लगे। इन पश्चिमी (व्रजी) और पूर्वी (अवधी) दोनों भाषाओं को मिश्रित किया तुलसीदास ने। इस प्रकार परवर्ती शृंगारकाल की भाषा उन्हीं की देखादेखी, उन्हीं के आदर्श पर मिश्रित हुई। आलंबन या काव्यविषय की अपेक्षा काव्य-भाषा का महत्त्व साहित्य में कम होता है। तुलसीदास की भाषा का आदर्श स्वीकार करने पर भी शैली उनकी नहीं ली गई। उन्होंने अनेक प्रकार की शैलियों में निर्माण किया। उन शैलियों में कबित्त-सवैयों की भी एक शैली है, जिसमें 'कबित्तावली' लिखी गई। यह उनकी प्रमुख शैली नहीं है। उनकी प्रमुख शैली दोहे-चौपाइयोंवाली है जिसमें रामचरितमानस का निर्माण हुआ। रामायण की यह शैली रामायनी या रमैनी शैली ही हो गई। इसी से कबीरदास की या किसी अन्य संत की चौपाई की रचना का नाम ही 'रमैनी' पड़ गया। पर परवर्ती हिंदी-साहित्य उस शैली को ग्रहण नहीं कर सका। सूरदास की शैली पदों की शैली है। इसे भी परवर्ती साहित्य ने ग्रहण नहीं किया। केशवदास की प्रधान शैली कबित्त-सवैयों की है जिसका प्रयोग उन्होंने अपने रीतिग्रंथों—रसिकप्रिया और कविप्रिया में किया है। परवर्ती युग ने प्रधानरूप से यही शैली स्वीकृत की। उनकी ही शैली इसलिए कि परवर्ती शृंगारकाल का कवि और किसी की रचना पढ़े चाहे न पढ़े पर केशवदास की रचनाएँ अवश्य पढ़ता था, उनमें से सर्वप्रधान रसिकप्रिया और कविप्रिया थीं। इन दोनों में कबित्त-सवैयों की शैली ही नहीं है, अलंकार-चमत्कार की वृत्ति भी वैसी ही है जैसी आगे के कवियों में दिखती है। कबित्त-सवैये लिखनेवाले तो रसखानि भी थे और नरोत्तमदास भी थे, जो तुलसीदास की ही भाँति केशवदास के पूर्व पड़ते हैं, पर इनके कबित्त-सवैयों में वैसी चमत्कृति नहीं जैसी केशवदास के कबित्त-सवैयों में है। रसखानि की मुक्तक रचना तो एक प्रकार से अलंकार से पराङ्मुख अनुभूतिप्रवण रचना है। उसका

ग्रहण शृंगारकाल की सर्वसामान्य प्रवृत्ति नहीं है। निष्कर्ष यह कि शैली की देन केशवदास की है। काव्य-विषय से कम महत्त्व काव्यभाषा का और काव्यभाषा से भी कम महत्त्व काव्यशैली का होने से इन तीनों कवियों से प्राप्त प्रभाव में तारतम्य रखा गया है।

कबित्त-सवैये की शैली

हिंदी के अपने दो वर्णवृत्त घनाक्षरी या कबित्त और सवैया हैं। हिंदी के मध्यकाल में पहले तो ये वृत्त व्रजी में बहुप्रयुक्त रहे। फिर व्रजी-अवधी के मिश्रण से जो उत्तरवर्ती काव्य निर्मित हुआ उसमें भी इनका प्रकाम प्रयोग हुआ। हिंदी का जितना वाङ्मय प्रस्तुत हुआ यदि गणना की जाए तो परिमाण में वह घनाक्षरी-सवैयों में अधिक लिखा गया। रसभाव की दृष्टि से देखें तो कोई रस, कोई भाव ऐसा नहीं जो इन वृत्तों में न बाँधा गया हो। हिंदी में ऐसे सर्वव्यापी दूसरे छंद नहीं हैं। फलस्वरूप जब खड़ीबोली में रचना वेगपूर्वक होने लगी तो कोई संस्कृत के द्रुतविलंबित आदि छंदों की शैली पकड़कर चला, कोई फारसी-उर्दू की बहरों में बहा, कोई हरिगीतिका आदि मात्रावृत्तों में गाने लगा और कोई कबित्त-सवैयों में सज्जा-संभार करने लगा। तुकहीन रचना पहले तो संस्कृत के वर्णवृत्तों में हुई, पर जब 'मुक्तछंद' के नाम पर बहुत-सी तुकरहित रचना की जाने लगी तब उसमें खंडांशरूप में सवैयों का साज और घनाक्षरी की सघनता अधिक दिखाई पड़ी। परंपरा से विद्रोह करने पर भी इस प्रकार ज्ञात या अज्ञात रूप में पुरानी शैली गृहीत होती रही। इससे इन वृत्तों का पुरुषार्थ प्रकट होता है। कवि पीछा छुड़ाकर भागते और ये उनके मानस में डुबकी लगाए, साँस साधे बैठे रहते, और अवसर पाकर ऊपर आ जाते। एक अनुसंधायक ने परिश्रम करके यह भी सिद्ध किया है कि मुक्तछंद की रचना तत्त्वतः छंदहीन नहीं होती, संगीत की कुछ 'गमकें' छंदों के खंडांशों में जुड़कर उन्हें 'मुक्तछंद' बनाती हैं। यदि ये गमकें हटा दी जाएँ तो मूल छंद छहराने लगते हैं। छहराते छंदों में कबित्त-सवैयों के चरण अधिकतर दिखते हैं।

इनमें हिंदी के अन्य छंदों की अपेक्षा नादसौंदर्य अधिक होता है। मात्रिक समवृत्तों में चरण चाहे समान नाप के हों पर प्रयोग में प्रायः तुकांत की योजना उनके दो-दो चरणों की पृथक्-पृथक् हो जाती है। चौपाई, रोला, हरिगीतिका आदि सबमें ऐसा देखा जाता है। मात्रावृत्तों में तुकांत द्वारा नादसौंदर्य की उस कमी की पूर्ति होती है जो उसमें वर्णवृत्तों का-सा नियत आरोह-अवरोह न होने से हो जाती है। संस्कृत वर्णवृत्तों में नियत आरोहावरोह होने से तुकांत की अपेक्षा नहीं रहती। तुकांत होने से उनमें भी नादवृद्धि होती है। सवैयों में आरोह-अवरोह नियत होता है और तुकांत भी रहता है। साथ ही तुकांत चारों चरणों में एक प्रकार का रखा जाता है, इससे उनमें नादसौंदर्य अधिक होता है। कबित्तों में नियत आरोह-अवरोह तो नहीं होता, पर तुकांत चारों चरणों में एक-सा रहने से उनमें भी नादसौंदर्य मात्रावृत्तों से प्रकृत्या अधिक होता है। सवैये के चरणों की लंबाई घनाक्षरी के चरणों से छोटी होती है। प्रलंब होने से नादवृद्धि का अवसर अधिक मिल जाता है। इस

प्रकार वह अपेक्षित नाद की कमी दूर कर लेता है। जो मात्रिक दंडक हिंदी में चला वह बड़ा-से-बड़ा ४६ मात्रा का है और उसका नाम हरिप्रिया या चंचरी है। यदि कवि अधिक-से-अधिक लघुवर्ण रखने की शपथ न ले तो हरिप्रिया के प्रत्येक चरण में सर्वाधिक वर्ण ३० आते हैं। सबसे छोटे घनाक्षरी (मनहरण) के प्रत्येक चरण में कम-से-कम ३१ वर्ण होते हैं। इस प्रकार स्पष्ट है कि औसत के विचार से कबित्त में अधिक वर्णों या अक्षरों का प्रयोग होता है। कदाचित् इसी से उसे घनाक्षरी कहते हैं। 'अधिक वर्ण अधिक नाद' निश्चित है। यों सिद्ध हुआ कि कबित्त-सवैयों में अधिक नादसौंदर्य के लिए पूरा अवकाश है।

प्रबंध और मुक्तक भेद से काव्य दो प्रकार का होता है। यह कहना अनावश्यक है कि ये वृत्त प्रबंध के लिए बने ही नहीं। हाँ, बीच-बीच में इनका भी प्रयोग प्रबंध में हो तो हो। इनमें कथा कहने से दूसरे छंदों का सहारा लेना ही पड़ेगा जैसा नरोत्तमदास के 'सुदामाचरित' में हुआ है। इन छंदों को कोरी कथा कहना पसंद नहीं, नीरस घटनाचक्र चलाने के चक्कर में ये नहीं पड़ते। पर सरस भाव व्यंजित करना हो, मनोहर चित्र खींचना हो, बाँका विचार लाना हो तो इन वृत्तों को बुलाइए। ये भाव, चित्र या विचार को मन, नेत्र या बुद्धि में उतार देंगे। कबीर की बानी साखी (दोहे) और रमैनी (चौपाई) में अटपटी ही रह गई, पर सुंदरदास ने ज्ञान की रूखी-सूखी चिंतना को कबित्त-सवैयों में पागकर सरस कर दिया। इससे सिद्ध है कि इनमें नादसौंदर्य ही नहीं, सरसता भी है। पर जैसा ऊपर कहा गया है ये मुक्तक के छंद हैं। छंद होकर भी ये स्वच्छंद रहते हैं। दूसरों को बाँधते हैं, पर स्वयं बँधना नहीं चाहते। घनाक्षरी की तो गणना ही मुक्तक छंदों में की गई है—

अक्षर की गनती जहाँ कहुँ कहुँ लघुगुरु-नेम।
बर्नछंद में ताहि कबि मुक्तक कहैं सप्रेम॥

—छंदार्णव पिंगल

प्राचीनकाल में मुक्तक का अंतिम चरण द्विरुक्त होता था। छप्पय, कुंडलिया, घनाक्षरी और सवैये के अंतिम चरण पर सबसे अधिक भार दिया जाता है। पूरे छंद का भार अंतिम चरण ही सँभालता है, वह टेक का काम देता है। इसीसे प्राचीन परिपाटी से पढंत करनेवाले पूरे छंद को या कम-से-कम अंतिम चरण को दुहराते हैं। अन्य छंदों की अपेक्षा सवैये में चौथे चरण की द्विरुक्ति अधिक अपेक्षित होती है कदाचित् इसी से उसका नाम 'सवैया' (सपाद = सवाया) है। जो भी हो, यहाँ अधिक पिंगल पढ़ने की आवश्यकता नहीं। कबित्त-सवैयों की स्वच्छंदता, सरसता और संगीतात्मकता के लिए इतना ही कहना बहुत है।

खड़ी बोली को इसमें ढालने में कम झुकना पड़ता है। ये स्वयं लचकते हैं। बड़े लचकीले छंद हैं ये। व्रजी में सहज लचक है। व्रजी में जब अवधी के ढीलमढाले शब्दों-प्रयोगों की मिलावट हुई तो इन छंदों ने उन्हें कस-कसाकर ठीक कर लिया। व्रजी

में कसावट थी। सुदृढ़ पुष्ट शरीर की प्रकृत कसावट थी। वह लचकती थी, मस्तानेपन से। खड़ी की कसावट सैनिक है। यह बड़े अदब-कायदे से झुकती-तनती है। पर इन छंदों ने उसकी सैनिक कड़ाई सहन की। ये स्वयं अधिक झुके, उसे कम झुकाया। इस प्रकार इनमें बहुत-सी रचनाएँ हो सकीं। कानपुर में सनेहीजी ने कबित्त-सवैयों के अभ्यास के लिए अखाड़ा ही खोल दिया। एक से एक पहलवान सामने आए। अच्छा अभ्यास और व्यायाम किए, हुए। फिर क्या था, कितने ही छोटे-बड़े दंगल हुए। कानपुर, प्रतापगढ़, अयोध्या, प्रयाग, काशी आदि स्थानों में जो कवि-सम्मेलन पहले हो चुके और जिनमें नए-पुराने कवियों की समस्यापूर्तियाँ तथा स्वच्छंद रचनाएँ सुनी-सुनाई जा चुकीं वे सब अब स्मृति के ही विषय हैं। उनके उपमान खोजे नहीं मिलते। यों कवि-सम्मेलन अब आए दिन होते हैं। कोई बड़ा उत्सव नहीं जिसमें कवि-सम्मेलन या मुशायरा न होता हो। पर उस स्रोतस्विनी की बूँद से भी भेंट नहीं होती। कहते हैं कि कविता अब ऊँचे दरजे की होती है, ऊँचे दरजे के गीत-राग में होती है। पुरानी समस्यापूर्ति या तुक के जोड़-तोड़ की रचना भी कोई रचना है! पहले कविता तुतलाती थी, लड़कपन और शैशव की भाँति। अब उसमें पूरी जबाँदानी, भावभंगिमा, रूप का निखार न जाने कितने यौवन के लक्षण आ गए हैं। पर आजकल हास्यरस की रचनाएँ न सुनाई जाएँ और कोई सुकंठ कवि या गलेबाज शायर न हो तो थपोड़ी पिट जाती है, सम्मेलन फीका हो जाता है। सबकी समझ में ऊँची रचना आती नहीं, कुछ ऊँचे लोगों के ही लिए वह होगी। साधारण जनता का काम मनोरंजन से चलता है। कवि-सम्मेलन अब सिनेमा की भाँति मनोरंजन के साधन भर रह गए हैं।

यहीं यह भी कह देना आवश्यक है कि कबित्त-सवैयों का प्रयोग कविदंगल के बीच बहुत पहले से होता आ रहा है। ये छंद दंगली भी हैं। ठाकुर कहते हैं—

ठाकुर सो कबि भावत मोहिं जो राजसभा में बड़प्पन पावै।
पंडित और प्रबीनन को जोइ चित्त हरै सो कबित्त कहावै।

बड़ी-बड़ी सभाओं में कबित्त-सवैये पंडित-प्रवीणों तक का चित्त हरते थे। इस प्रकार 'निभृत एकांत' से इन छंदों की प्रयोजनसिद्धि नहीं होती थी। ये ललकार और मधुर स्वरसंचार दोनों प्रकार से पढ़े जाते थे और पढ़ंत-सम्मेलनों में इनकी खासी बहार रहती थी। खड़ीबोली में भी इन्होंने अपना दंगली रूप बनाए रखा। यही कारण है कि छायावाद, रहस्यवाद, प्रगतिवाद, प्रयोगवाद की रचना चाहे कर्णकुहरों में ही गूँजती रह जाए, पर मानस तक कबित्त-सवैयों का स्पष्टवाद, सहजवाद, शीघ्र पहुँच जाता था। इनके भी पढ़ने के अनेक ढंग हैं, विभिन्न शैलियाँ हैं—एक-से-एक सरस और मनोहारिणी। सवैया पढ़ने की सत्यनारायण कविरत्न की शैली, वचनेश, करुणेश, पन्नगेश, सनेही, हितैषी आदि की पढ़ंत-शैलियों में विभिन्नता, मनोमोहकता और उमंगवर्धकता और और प्रकार की थी, और है। रत्नाकर, दीन, रसाल आदि सहज नाद से ही जन-मन को

आमोदित करते रहे। यह कल की बात है। श्रोतासमाज आँखों में रात और कानों में पल-क्षण बिता देता था। अब तो सम्मेलन में अधिक लोग यही सोचते हैं कि कब घर भागें। अंत होते-होते श्रोता-रूप में प्रायः मंच पर बैठा शिष्टाचार में बँधा कविगण ही रह जाता है। अधिकतर श्रोता उड़ जाते हैं। कवियों की रामकहानी कौन सुने, तुमुल कोलाहल कलह में कवि के मन की बात कितने श्रावकों को उलझाए रहे। यह बहुत बड़ा भ्रम है कि कबित्त-सवैयों की पुरानी या खड़ी की रचना को लोग बाहरी चटक-मटक, अलंकार-चमत्कार, शब्दाडंबर, तुक का जोड़-तोड़ मात्र समझे बैठे हैं। उनमें से एक ही रचना यहाँ दी जा रही है जिसमें शब्दचमत्कार तो क्या, शब्द भी गिनती के हैं, घूम-फिरकर कुछ ही शब्द आए हैं, पर सुननेवाला चक्कर खाने लगता है, मानस लहराने लगता है—

मैं मुरलीधर की मुरली लई मेरी लई मुरलीधर माला।
मैं मुरली अधरान ठई उन कंठ ठई मुरलीधर माला।
मैं मुरलीधर की मुरली दई मेरी दई मुरलीधर माला।
मैं मुरलीधर की मुरली भई मेरी भए मुरलीधर माला।

रतनबावनी

केशव ने तीन प्रशस्तिकाव्य लिखे हैं—रतनबावनी, वीरचरित्र और जहाँगीरजस-चंद्रिका। रतनबावनी में मधुकरशाह के पुत्र रत्नसेन के वीरोत्साह का वर्णन है। यह रचना संवादशैली में प्रस्तुत की गई है। संवादों के द्वारा उत्साह की अभिव्यक्ति बहुत मार्मिक हुई है। युद्ध का कारण यह बताया गया है कि जब मधुकरशाह अकबर के दरबार में गए तब उसने इनका जामा देखकर पूछा कि आपका जामा ऊँचा क्यों है। उन्होंने उत्तर दिया कि हमारा देश काँटों से भरा है, इसी से जामा ऊँचा रखते हैं। अकबर ने 'काँटों से भरा देश' का तात्पर्य यह लगाया कि अपने देश को ये अजेय कह रहे हैं। उसने कुपित होकर कहा कि मैं आपका देश देखूँगा। मधुकरशाह ने बादशाह के तीर के सदृश वचनों को सुनते ही अभिप्राय जान लिया। उन्होंने अपने पुत्र रत्नसेन को पत्र लिख भेजा कि युद्ध के लिए प्रस्तुत रहना, बादशाह की सेना शीघ्र ही आक्रमण करनेवाली है। पत्र पाते ही उसने युद्ध का संभार कर लिया। कथित अवसर उपस्थित होने पर युद्ध करने जब रत्नसेन चलता है तब ब्राह्मण पृच्छा करता है कि पठानों (मुगलों) की सेना देखकर साथी भाग जाएँगे और अकेले तुम्हें प्रतिष्ठा खोनी पड़ेगी। इसलिए विचारपूर्वक युद्ध में प्रवृत्त होना चाहिए। उसका उत्तर है कि प्राणत्यागपूर्वक प्रतिष्ठा की रक्षा करेंगे। ब्राह्मण समझाता है कि प्राणों के रहने पर प्रतिष्ठा के अनेक अवसर प्राप्त होते हैं, इसलिए प्रतिष्ठा के लिए प्राणों का त्याग ठीक नहीं। उत्तर है कि प्राणों के जाने पर फिर प्राण (जन्म) मिल सकता है पर प्रतिष्ठा के जाने पर फिर प्रतिष्ठा नहीं मिलती। ब्राह्मण (संस्कृत श्लोक का अनुवाद करके) शास्त्र का प्रमाण देता है—

मातु-हेत पितु तजिय पिता के हेत सहोदर।
सुतहि सहोदर-हेत सखा सुत-हेत तजहु बर।
सखा-हेत तजि बंधु बंधु-हित तजहु सुजन जन।
सुजन-हेत तजि सजन सजन-हित तजहु सुखन मन।
कहि 'केसव' सुख लागि घरनि तजि घरनि-हितहि घर खंडियै।
सुइ छंडिय सब जग-हेत पति प्रान-हेत पति छंडियै।

इस पर कुमार रत्नसेन कहता है कि प्रतिष्ठा सुयश का फल है। फलते समय उसका त्याग ठीक नहीं। ब्राह्मण उत्तर देता है कि सज्जन लोग सब कुछ का परित्याग करते हैं, इसलिए प्रतिष्ठा का भी त्याग उनके लिए विहित है। दूसरे पंचों के साथ रहने पर अपने व्यक्तित्व का लोप कर देना पड़ता है, यदि पंच भागते हैं तो अपने को भी भागना चाहिए, उनका साथ नहीं छोड़ना चाहिए। कुमार उत्तर देता है कि शत्रुमर्दन जिस कुल का यश हो उस कुल के व्यक्ति को पंचों के साथ भागना उचित नहीं। ब्राह्मण कहता है कि युद्ध से भागने के अवसर वीरों को आया ही करते हैं और वे उससे भागते ही हैं। कुमार उत्तर देता है कि हमारे कुल में कोई युद्ध से भागा नहीं। इस पर ब्राह्मण कहता है कि ब्राह्मण का वचन मानना आवश्यक है। कुमार कहता है कि ब्राह्मण का वचन मानते हुए भी शत्रु को पीठ देना उचित नहीं। ब्राह्मण कहता है कि जब तुम सब कुछ देने को तैयार हो तब तुम्हें पीठ भी देनी चाहिए। इस पर कुमार कहता है कि पीठ देने से प्रतिष्ठा नहीं रहती। ब्राह्मण प्रसन्न होकर उसको आशीर्वाद देता है कि संसार में तुम्हारा यश हो और तुम्हें स्वर्ग की प्राप्ति हो।

इसके अनंतर राम प्रकट होते हैं और अत्यंत प्रसन्न होकर पूर्वजन्म की कथा बतलाते हैं। कहते हैं कि एक समय बैकुंठ में नारद आए और विष्णु को लक्ष्मी के साथ सोते हुए देख क्रुद्ध होकर चले गए। उन्होंने रत्नसेन के रूप में अवतार लिया। वे उसे अपना पार्षद कहकर बैकुंठ चलने को कहते हैं। कुमार कहता है कि मैं युद्ध करके ही चलूँगा। भगवान् प्रसन्न होकर उससे वर माँगने को कहते हैं। कुमार परिवार-सहित मधुकरशाह की रक्षा का वर माँगता है। भगवान् अंतर्धान हो जाते हैं। कुमार अपने साथियों को युद्ध करने के लिए प्रोत्साहित करता है। साथी कहते हैं कि तुम अभी बच्चे हो कभी युद्ध देखा नहीं। तुम हमारे स्वामी हो, हम दास हैं। हम युद्ध में डटे रहेंगे, भागेंगे नहीं। इसके अनंतर रणप्रस्थान होता है और कच्छप की पीठ कलमलाने और शेष के फन हिलने आदि की पारंपरिक उक्तियाँ कही गई हैं। युद्ध में धीरे-धीरे करके सब साथी चले जाते हैं और वह अकेला रह जाता है। वह युद्ध में शत्रु के द्वारा किए गए आघातों से रक्तरंजित होकर होली खेलनेवाले श्रीकृष्ण की भाँति दिखाई देता है। रत्नसेन युद्ध में डटा हुआ है और शत्रु की सेना से युद्ध कर रहा है। उसने बड़ा विकट युद्ध किया। चौबीस सौ का सात हजार सेना से युद्ध होता है, साथ के साथी उसे ललकारते हैं। अंत में

रत्नसेन सारी सेना को मार डालता है और कोई युद्ध से बचकर नहीं जाता।

इस प्रकार रतनबावनी बावन छंदों का छोटा-सा संवादात्मक निबंधकाव्य है और युद्धादि के पारंपरिक वर्णन जिस प्रकार के होते थे उनका खासा नमूना है। गणेश की वंदनासहित इसमें तिरपन छंद हैं।

वीरचरित्र

वीरचरित्र में ओड़छा के राजा वीरसिंहदेव बुंदेला का चरित्र वर्णित है। इसमें विंशत्रिदश (२० + १३) कुल ३३ प्रकाश हैं। इसकी रचना सं० १६६४ में हुई थी—

संबतु सोरह सै त्रैसठा। बीति गए प्रगटे चौसठा।
अनल नाम संबत्सर लग्यो। भाग्यो दुख सब सुख जगमग्यो।
रितु बसंत है स्वच्छ बिचार। सिद्धि जोग मिति बसु बुधवार।
सुकुल पक्ष कबि केसवदास। कीनो वीरचरित्र प्रकास।

इस प्रशस्तिकाव्य का उत्थापन भी संवादशैली से किया गया है। दक्षिण की नर्मदा नदी के किनारे एक समय सुरासुर नर सबकी भीड़ हुई। वहाँ अनेक प्रकार के दान हुए। दान की यह महिमा लोभ नहीं सह सका। इसलिए उसने दान से कहा कि ऐ दान, तूने ही सारे संसार को बिगाड़ रखा है। दान ने लोभ की इस उक्ति का उत्तर दिया कि मैं (लोभ) ही समर्थ हूँ। यह कह दिया कि तेरे ही कारण माता, पिता, पुत्र, मित्र, पति, स्त्री, सबसे विच्छेद होता है, फिर तू कैसे बड़ा। लोभ ने कहा कि लक्ष्मी को विष्णु अपनी छाती में सुरक्षित रखते हैं, इंद्र सुवर्ण का सुमेरु भी सुरक्षित रखता है, कुबेर नवनिधि को सुरक्षित रखते हैं।

इसलिए मेरी महत्ता स्पष्ट है। तू परलोक में फलित होता है, मैं इसी लोक में। दान ने कहा कि तेरे कारण लोग धर्म, दया सब छोड़ देते हैं, गुणों की यहाँ तक कि प्राण की भी क्षति होती है। इसलिए तू क्षुद्र है। लोभ ने कहा कि सारे सुख मेरी छाया में निवास करते हैं। मैं सबका प्राण हूँ। तू मुझमें निवास करता है, मैं तुझमें निवास करता हूँ। चराचर में मैं ही निवास करता हूँ। फिर मुझे छोटा कैसे कहता है। दान ने कहा कि तू कृतघ्न है मैं कृती हूँ, तू पाप है मैं पुण्य हूँ, मैं दाता हूँ तू भिक्षुक है। तू महा कूपमंडूक है। मुझमें-तुझमें भारी अंतर है। लोभ ने उत्तर दिया कि दाताओं की दुर्गति तूने खूब कराई है; राजा नल, बलि, हरिश्चंद्र इसके उदाहरण हैं। दान ने कहा कि मेरे ही कारण दमयंती ने देव, अदेव सबका परित्याग कर नल का वरण किया, बलि के द्वार पर भगवान् द्वारपाल हुए और हरिश्चंद्र सदेह स्वर्ग को गए। लोभ ने कहा कि तू धन को तृण समान समझता है, पर संसार में जिसके पास धन होता है उसके पास सब आते हैं। मैं संपत्ति और विपत्ति में साथ देता हूँ, तू केवल संपत्ति में।

दान ने कहा तुझे धन का कोई ज्ञान नहीं। धन मेरे ही अधीन रहता है, मेरे ही

कारण धन प्राप्त होता है। जो देगा नहीं वह पाएगा क्या? लोभ ने उत्तर दिया कि द्रव्योपार्जन के अनेक उपाय हैं, तू धर्मोपार्जन का साधन कैसे कहा जा सकता है। दान ने कहा कि पृथ्वी पर रत्न पड़े हुए हैं, लेकिन उन्हें प्राप्त नहीं किया जा सकता। बिना कर्म किए धन-रत्न की प्राप्ति संभव नहीं। कर्म करने पर भी मिलना संभव नहीं। मेरे ही कारण उसकी प्राप्ति संभव है। लोभ ने कहा कि जो दिया जाता है वही न मिलता है। नल ने विपत्ति दी होगी तो विपत्ति मिली, यदि ऐसा नहीं है तो तेरा क्या माहात्म्य। तू तो दान दिलवाकर लोगों को धनहीन कर दिया करता है। दान ने कहा कि संसार के रोगों का विनाश मेरे ही कारण होता है, मैं तो अपने मित्र की यहाँ भी सहायता करता हूँ और उसके हितार्थ परत्र भी जाता हूँ। तू तो मित्र का परित्याग कर देता है और उसे जड़मूल से साफ कर देता है। लोभ ने कहा कि धन ही न होगा तो कोई दान कहाँ से करेगा। जो अपना सर्वस्व दान कर देता है वह दीन होता है।

दान रुष्ट होकर कहता है कि दान देनेवाला कौन मरा और कौन लोभी अजर-अमर हो गया। धन बहुत हो और कोई देता नहीं तो उसकी हँसी होती है, चोर ले जाते हैं। धरती में गड़ा रह गया तो राजा ले लेता है। धन की तीन गतियाँ हैं—भोग, दान और नाश। तेरे साथी सभी मरे। लंका का स्वामी रावण मरा, विभीषण को राज्य मिला। टोडरमल मरे, सभी खुश हुए। हमारे साथी तो बलवीर हैं जो दोनों को सुख देते हैं। तुम्हारे साथी का कोई सबेरे नाम नहीं लेता और मेरे मित्र मधुकरशाह का नाम सर्वत्र फैला है। लोभ ने कहा कि अपने मित्रों की दुर्गति क्यों नहीं देखते—विदुर मारकर निकाले गए, परीक्षित् को सर्प ने डँसा, भोज कंगाल हो गए, पृथ्वीराज बंदी हुए, तू क्या-क्या दुर्गति नहीं कराता। दान ने कहा कि तू अपनी सी कहनेवाला है, तुझसे झगड़ा कौन करे। वेणु, बलि, हरिणाक्ष, हिरण्यकश्यप, सहस्त्रार्जुन, शिशुपाल, त्रिशंकु, जलंधर, कंस ये ही न तेरे साथी हैं? कैसी उनकी दुर्गति हुई। जगत् जानता है। लोभ कहता है कि वाह, संसार में यदि लोग कर्म अर्थात् भाग्य के अनुसार फल भोगते हैं तो इसमें मेरा क्या दोष? दान ने कहा कि मैं तेरे पैरों पड़ता हूँ और यह प्रार्थना करता हूँ कि तू सब कुछ लेनेवाला ही है, किंतु एक बार मुझे दे और देख उसका क्या परिणाम होता है। अंत में लोभ कहता है कि कौन किसको देता है और कौन किससे लेता है।

एकै लेवा देवा दान। दान लोभ कै एक निदान।
एक आतमा सब घट बसै। एक रूप सकल जग लसै।

इसके अनंतर लोभ बतलाता है कि राम कुश को राज्य देकर सदेह बैकुंठ गए। उन्हीं के वंश में वीरभद्र काशी के राजा हुए। इसके अनंतर राजवंशावली का वर्णन करते हुए कहा कि वीरभद्र के वीर, वीर के कर्ण, कर्ण के अर्जुनपाल हुए। अर्जुनपाल ने काशी का परित्याग किया, महौनी चले गए। उनके पुत्र साहनपाल ने गढ़कुंडार जीता। साहनपाल के पुत्र सहजेंद्र, सहजेंद्र पुत्र के नौनखदेव, उनके पृथ्वीराज, पृथ्वीराज के

मेदिनीमल्ल, उनके अर्जुनदेव, उनके मलखान, मलखान के प्रतापरुद्र हुए। प्रतापरुद्र ने ही ओड़छा बसाया और उन्होंने ही कृष्णदत्त मिश्र को पौराणिकी वृत्ति दी। प्रतापरुद्र के भारतीचंद हुए जो चतुर्भुज को ही प्रणाम करते थे, तुर्क को कभी सलाम नहीं किया। उनके पुत्र मधुकरशाह हुए जिनकी गणेशदे आदि छः रानियाँ थीं। उन्होंने अकबर से युद्ध मोल लिया। नियामत खाँ, अलीकुली खाँ, जामकुली खाँ, शाहकुली खाँ कइयों को हराया। इनके आठ पुत्र हुए—(१) रामशाह, (२) होरिलराउ, (३) नरसिंह, (४) रतनसेन (रत्नसेन को स्वयं अकबर ने अपने हाथ से बाना बाँधा था और इसने गौड़ के राजा को जीता था। गौड़ देश जीतकर इसने अकबर को दिया और युद्ध में स्वर्ग सिधारा। इसका पुत्र राउभूपाल भी बड़ा योद्धा था), (५) इंद्रजीत, ये कछौवागढ़ में रहते थे—

तिनतें इंद्रजीत लघु लसै। सो गढ़ दुर्ग कछौवा बसै।
गहिरवारकुल को तनत्रान। साहि राम को जानहु प्रान।
ताके सकल सुखनि कहँ देखि। सुरपति जनम बृथा करि लेखि।
तिनके उग्रसेन सुत भए। जासों हारि धँधेरे गए।

(६) प्रतापराव, (७) वीरसिंह (८) हरसिंह देव

वीरसिंह के एकादश रुद्र के समान ग्यारह लड़के थे—(१) जुझारराय, (२) हरधीर, (३) पहारखान, (४) बाघराज, (५) दुर्जनसाल, (६) चंद्रभान, (७) बलवीरराय, (८) नरहरिदास, (९) कृष्णदास, (१०) माधोदास, (११) तुलसीदास।

वंशवृक्ष सुनने के अनंतर लोभ ने क्षोभपूर्वक पूछा कि इनकी विलक्षण राजनीति दिखाई देती है—

सुनियत एक पिता के पूत। दोई जन धरमज्ञ सपूत।
ऐसी कहूँ सुनी नहिं होइ। एकहि घर में राजा दोइ।
अब यह हार जीत क्यों भई। सब कहिजै जू सो ठिकठई।

दान ने बतलाया कि किसलिए इस प्रकार का उपद्रव हुआ। मधुकरशाह ने वीरसिंह को वृत्ति देकर बड़ौन में बैठक दी। उन्होंने पवाया आदि बहुत से स्थान और बेरछा, करहरा आदि बहुत से किले मुगल राज्य के ले लिये। हसन खाँ भाग खड़ा हुआ और भानेड़ में जाकर बसा। अकबर के निकट जब यह समाचार पहुँचा तब आसकरन को फरमान भेजा कि रामशाह को लेकर वीरसिंह का मान चूर्ण करो। रामशाह के निकट वीरसिंह से त्रस्त जगमणि भी आए और इनके तथा हसन खाँ के सहित वे दोनों वीरसिंह को दबाने के लिए चले। दूसरे पक्ष में वीरसिंह, इंद्रदेव और प्रतापराव थे। लड़ाई होते बहुत दिन व्यतीत हो गए तब जगमणि ने बताया कि रामसिंह और ये तीनों भाई एक हैं। आसकरन ने रामशाह से स्पष्ट कह दिया कि इंद्रजीत आपका मनसा, वाचा, कर्मणा मित्र है, आप उससे संग्राम क्यों करेंगे। रामशाह ने कहा कि मुझे बादशाह का कार्य करना है। घर

बैठे रहने से किले नहीं जीते जा सकते। प्रतिदिन नए-नए मोरचे किए जाएँ तो कुछ हो सकता है।

युद्ध आरंभ होने पर मयाराम मारा गया। इस पर रामशाह बड़े क्रुद्ध हुए और जोरों से युद्ध आरंभ हो गया। पर वीरसिंह ने रामशाह और हसन खाँ को विचलित कर दिया तथा आसकरन और जगमणि को भी खदेड़ दिया। इस प्रकार दोनों भाइयों में पारस्परिक विरोध बढ़ गया। इस पर बादशाह ने बैरम खाँ के पुत्र, जगन्नाथ और दुर्गाराव को रामशाह के साथ देकर वीरसिंह को परास्त करने के लिए भेजा। वीरसिंह ने गोविंददास ब्राह्मण को रामशाह के पास भेजा। रामशाह ने दान, मान, भय और भेद कहकर उसे अपने हाथ में कर लिया और तब तक अपने हाथ में ही रखा जब तक दौलत खाँ पठान नहीं आ गया। गोविंददास ने वहाँ से लौटकर वीरसिंह को स्थिति का ज्ञान कराया। इस पर वीरसिंह ने यह समझकर कि यह ब्राह्मण भी भाईसाहब से मिल गया, रोषावेश में दौलत खाँ को परेशान करना आरंभ किया। वह एक जंगल से दूसरे जंगल में भागा-भागा फिरने लगा। न तो बेचारे को सोने का अवसर मिलता न खाने का। अंत में वीरसिंह के पास यह लिखा गया कि यदि आप मिल जाएँ तो आपकी बड़ी वृद्धि की जाएगी। वीरसिंह उसके साथ दक्षिण की ओर गया और कहा कि मुझे नवाब बड़ौन दे दें तो झगड़ा समाप्त हो जाए। नवाब ने कहा कि मैं दक्षिण में मुँहमाँगा दे सकता हूँ क्योंकि मेरा घर उधर ही है। वीरसिंह ने कहा कि बड़ौन के बिना मैं एक पल भी नहीं रह सकता।

इस प्रकार इस वीरचरित्र में दान और लोभ के संवाद के रूप में वीरसिंह के विविध युद्धों का वर्णन किया गया है। यह प्रशस्ति-काव्य तैंतीस अध्यायों में प्रस्तुत हुआ है। इसका ऐतिहासिक महत्त्व बहुत अधिक है। इसमें ऐसी-ऐसी घटनाओं का उल्लेख है जिनसे उस समय के शासकों के पास लिखे अथवा उनके द्वारा लिखवाए गए इतिहास से मिलान करने पर पता चलता है कि किसी विशेष घटना को किस प्रकार दूसरा रंग दे दिया गया है। वीरसिंह ने अबुल फजल का वध किया था। केशव ने घटना को जिस रूप में प्रस्तुत किया है उसमें वास्तविकता का अंश अधिक है, ऐसा मानने में कोई आपत्ति नहीं जान पड़ती। सामान्यतया ऐतिहासिकों का मत यह है कि जो पुस्तकें काव्य के रूप में प्रस्तुत की गई हों उनका ऐतिहासिक महत्त्व उतना अधिक नहीं हुआ करता जितना शुद्ध ऐतिहासिक ग्रंथों का होता है। काव्य में अनेक स्थलों में अतिशयोक्तिपूर्ण कथन किया जाता है। जिन आश्रयदाताओं के आश्रय में कवि रहता है। उनकी प्रशस्ति करने में वह सच को झूठ और झूठ को सच कर देता है।

हिंदी में जितने प्रशस्तिकाव्य बने अथवा जिन काव्यों में ऐतिहासिक सामग्री पाई जाती है उनकी पूरी छानबीन करने पर यही निष्कर्ष निकलता है कि काव्यगत अतिशयोक्ति केवल किसी वीर के युद्ध और दान के वर्णन में भले ही दिखलाई गई हो पर ऐतिहासिक घटनाओं को इस प्रकार बदल देना जिससे स्थिति कुछ की कुछ हो जाए, बहुत कम दिखाई देता है। लाल का छत्रप्रकाश, महाराज छत्रसाल के जीवनवृत्त और युद्धों

के लिए जैसी सामग्री देता है, भूषण ने शिवाजी के संबंध में जैसा ठीक इतिहास प्रस्तुत किया है उससे सिद्ध है कि हिंदी कवियों ने सामान्यतया ऐतिहासिक घटनाओं को बदलने का प्रयास नहीं किया है। हिंदी में जो नूतन अनुसंधान की व्यक्तिगत प्रवृत्ति बढ़ रही है उसका परिणाम यह हो रहा है कि ऐसे ऐतिहासिक ग्रंथों का महत्त्व उतर चला है। यदुनाथ सरकार ने शिवाजी-संबंधी अपना ग्रंथ प्रकाशित करते समय भूषण की सहायता बड़े काम की बतलाई थी, किंतु हिंदी-साहित्य के एक साहित्यान्वेषक महोदय की कृपा से उन्होंने बाद के संस्करण में भूषण के संबंध में यह उल्लेख किया कि उनकी ऐतिहासिक प्रामाणिकता खंडित हो चुकी है। मध्ययुग के प्रशस्तिकाव्यों के अध्ययन से बहुत-सी ऐतिहासिक सामग्री काम की मिल सकती है, इसमें संदेह नहीं। यह अवश्य है कि इतिहास में इस संबंध में जो विवरण मिलता हो उसके मेल में ही ये घटनाएँ प्रामाणिक और उपयोगी सिद्ध हो सकती हैं। केशव के ग्रंथों में जो ऐतिहासिक सामग्री मिलती है उसकी उपयोगिता की स्वीकृति अस्वीकृत नहीं की जा सकती। विशेषरूप से वीरचरित्र में, जहाँ सबसे अधिक ऐतिहासिक घटनाओं का विस्तार से उल्लेख है।

जहाँगीरजसचंद्रिका

जहाँगीरजसचंद्रिका केशव की सबसे अंतिम प्राप्त रचना है, जिसका निर्माणकाल है—

सोरह से उनहत्तराँ माधव मास बिचारु।
जहाँगीर सकसाहि की करी चंद्रिका चारु॥

इसके आरंभ में कहा गया है कि जहाँगीर के तनुत्राण बैरम खाँ के पुत्र अब्दुर्रहीम खानखाना थे। खानखाना की प्रशंसा में इन्होंने यह कबित्त लिखा है—

साहिजू की साहिबी को रच्छक अनंतगति कीनौ एक भगवंत हनवंत बीर सो।
जाको जसु केसौदास भूतल के आसपास सोहत छबीलो छीरसागर के छीर सो।
अमित उदार अति पावन बिचार चारु जहाँ तहाँ आदरियै गंगाजू के नीर सों।
खलनि के घालिबे कौं खलक के पालिबे कौं खानखाना एक रामचंद्रजू के तीर सो॥

खानखाना के पुत्र एलचशाह की भी प्रशंसा है। इन्होंने लिखा है कि —

कौनहु पूरब पुन्य तें उदय-भाग बल पाय।
एलचसाहि निवाज को मिलयौ केसवराय॥

इन्हीं एलचशाह ने केशवराय से पूछा कि उद्यम बड़ा है अथवा कर्म इस पर केशव ने प्रशस्तिकाव्योत्थापन-प्रणाली से उद्यम और कर्म (भाग्य) का संवाद आरंभ कर दिया और बतलाया कि एक समय गंगातट पर उदय और भाग्य दोनों सुंदर शरीर धारण

किए हुए बैठे थे। किसी दरिद्र ब्राह्मण को उन्हें देखकर इच्छा हुई कि इनसे दरिद्रता छूटने का उपाय पूछा जाए। ब्राह्मण के प्रश्न पर उदय और भाग्य ने क्रमशः उद्यम और कर्म (भाग्य) का पक्ष लेकर विवाद आरंभ किया। उदय का कहना था कि जगत् कर्मभूमि है इसमें बिना कर्म के काम नहीं चल सकता। भाग्य का प्रतिवाद था कि माथे में लिखा दारिद्र्य उद्यम से दूर नहीं हो सकता। उदय ने कहा कि बिना उद्यम के किसी का काम नहीं चल सकता। भाग्य ने बतलाया कि अजगर आदि अपने कर्म के अधीन रहते हैं, भाग्य के भरोसे नहीं। सारा संसार कर्म अर्थात् भाग्य के अधीन है। उदय ने कहा कि बिना उद्यम के तिल से तेल नहीं निकलता। भाग्य ने कहा कि—

कहि केसव लिखि लेखक मरत पंडित पढ़त पुरानगन।

उदय ने कहा कि उद्यम से क्षीरसमुद्र मथा गया, चौदह रत्न निकले। उद्यम ही ईश्वर है। भाग्य ने कहा कि कल्पवृक्ष के नीचे भाग्य का लिखा ही मिलेगा। उदय ने कहा कि उद्यम से जीव विष्णु हो जाता है। भाग्य ने उत्तर दिया कि कर्म के कारण ही अनेक योनियों में भ्रमण करना पड़ता है। उदय ने कहा कि सब कुछ उद्यम से ही मिल सकता है। उद्यम सर्वोपरि है, कर्म का दूसरा स्थान है। यदि ऐसा न होता तो पाणिनि ने कर्म के लिए द्वितीया विभक्ति न रखी होती, प्रथमा ही रखी होती।

वाद-विवाद जब बहुत बढ़ गया तब उसे निवृत्त करने के लिए आकाशवाणी हुई। जिसने बतलाया कि मथुरापुरी के रक्षक भूतेश महादेव के निकट जाकर आप लोग निर्णय करा लीजिए। दोनों मथुरा नगरी पहुँचे और भूतेश महादेव के दर्शन किए। उन्हें प्रणाम करके दोनों ने अपने विवाद के संबंध में निर्णय माँगा कि उद्यम और कर्म में कौन बड़ा है। भूतेश महादेव ने जहाँगीर की प्रंशसा की और कहा कि समसुद्दीन अलाउद्दीन से लेकर आज तक जितने बादशाह हुए उन सबमें जहाँगीर सर्वोत्तम है—

समसदीन अल्लावदीन सुरतान सिकंदरु।
कुतबदीन गोरी गयासु अल्लाहदीन अरु।
महमदसाहि पिरोजसाहि सो कुतुबसाहि गनि।
रुकनदीन जल्लालदीन साहाबदून भनि।
कहि केसव सकल प्रभावजुत बिक्रमकित्ति प्रकास जिहि।
तपतेज साहि जहँगीर के तम जिमि होत अलोप तिहि॥
मोजदीन बहलोल साहि बाजीद बखानौ।
तुगलक आदमसाहि आहि जुलकरनहि जानौ।
प्रबल बहादुरसाहि बराहमसाहि बहादुर।
बब्बर तबर हमाँउ सेष असलेस भनो उर।
जग जहाँगीर आलमपनह सबल साहि अकबरसुतन।
को गनै राव राजा जिते जीति लिये सबके वतन॥

भूतेश ने उन्हें परामर्श दिया कि आप लोग जहाँगीर से ही जाकर इस जिज्ञासा का समाधान करा लें। इस पर ये दोनों आगरा पहुँचे और वहाँ जहाँगीर का वैभव देखा। नगर देखने के अनंतर ये दोनों दरबार में पहुँचे। जहाँगीर के हाथी-घोड़ों की प्रशस्ति के अनंतर उनके दरबारियों की प्रशस्ति प्रारंभ होती है। उदय संकेत करके पूछता है कि अमुक अवस्थितिवाला व्यक्ति कौन है? भाग्य उस व्यक्ति की प्रशस्ति के साथ उसका नामोल्लेख करता है। रामचंद्रचंद्रिका में धनुषयज्ञ के प्रसंग में सुमति और विमति का जैसा संवाद विभिन्न नरेशों के वर्णन के प्रसंग में संस्कृत के नाटक प्रसन्नराघव के आधार पर रखा गया है वैसा ही संवाद नूतन उद्‌भावनापूर्वक उदय और भाग्य के द्वारा जहाँगीर के दरबारियों के संबंध में यहाँ दिया गया है। प्रश्न दोहे में होता है और उत्तर कबित्त या सवैये में दिया जाता है। इस प्रसंग में जिन व्यक्तियों के नाम आए हैं वे ये हैं—सुलतान खुसरू, परवेज, खुर्रम, आजम खाँ, खानखाना, मानसिंह, आजम खाँ का पुत्र शमशुद्दीन मिर्जा, खानखाना के पुत्र एलचशाह, मानसिंह के पुत्र महासिंह, दूलहराम बुंदेला, चंद्रसेन का बेटा राव दुर्गभान, भोजराय का पुत्र रतन, समसेरन, शाह सऊद का पुत्र, दौलत खाँ का पुत्र जहाँ खाँ पठान, गोपाल भूपाल का पुत्र तुलसी बहादुर, वीरवर का बेटा धीरधर, विक्रमाजीत भदौरिया, इतबार खाँ, हसनबेग, गोपाचल (ग्वालियर) के नरेश श्यामसिंह, सूरत सिंह, बासुकी।

इसी प्रसंग में उन देशों का भी उल्लेख है जिन देशों के नरेश यहाँ रहते हैं। देशों का नाम सानुप्रास पद्धति पर संकलित किया गया है, जैसे—'गौर गुजरात, गया गोंडवाने गोपाचल गंधार गक्खर गढ़ गायक गनेस के' आदि आदि। इसी समय वहाँ बंदीसुत आता है और जहाँगीर से कहता है—

जहाँ तहाँ जहँगीरजू दारिद मेरो इष्ट।
कीनो तुम अपराध बिनु कारन कौन बिनष्ट॥

शाह ने कहा कि कहीं दारिद्र्य भी मरता है, कैसी बात कहते हो। इस पर वह जहाँगीर की दृष्टि की प्रशंसा करता है, जिसने दारिद्र्य का विनाश कर दिया। काव्यरूढ़ि के रूप में गजदान का उल्लेख किया गया है—

जहाँगीर जगनाथ देत हैं अनाथनि कौं हेम हय साथ हाथी हाथ सात सात के।

भाग्य और उदय भी शरीर धारण कर द्विजवेश में वहाँ उपस्थित हुए। प्रतीहार रामदास को आदेश हुआ कि आगंतुक ब्राह्मणों को बादशाह के सम्मुख उपस्थित करो। दरबार में उपस्थित होकर इन्होंने एक साथ जहाँगीर की कृपाण का वर्णन किया—

जात हैं बिलीन ह्वै दुनी के दान देखि साहि जहाँगीरजू के कर दान कि कृपान है।

ब्राह्मणों की बड़ी पूजा हुई और उन्हें सिंहासन दिया गया। इसी समय ब्राह्मण और

भाट वहाँ पधारे। उन्होंने जहाँगीर का प्रशस्तिपाठ किया। बादशाह रामदास की ओर देखकर मुस्कराए, तब रामदास ने ब्राह्मण से मनचाहा माँगने को कहा। द्विजदेवता ने कहा कि—

मारत हौ प्रभु दारिद कों वह मारत मो कहँ मानि तुम्हारौ।
और न मारिबे को कोउ केसव वाहि कों बेगि बिनोदनि मारौ।
आलम के पतिदेव उतै दह हौं इत मानस बिप्र बिचारौ।
कै अब मारिबो छंडियै वाहि कों वा पहँ मारत मोहिं उबारौ॥

बादशाह के संकेत पर वे दोनों भाट और ब्राह्मण रामदास द्वारा प्रभूत द्रव्य पाकर भिक्षुक से दानी हो गए।

फिर बादशाह ने भाग्य और उदय का प्रशस्तिगायन किया। इस पर उदय ने कहा कि "हे शाह, आपके गुणों ने यह उलाहना दिया कि हमारे ही कारण उन्होंने सब प्रकार का यश-प्रताप प्राप्त किया और हम दसों दिशाओं में भटक रहे हैं। ऐसे ही शत्रु और मंगन भी दसों दिशाओं में उदय को मिले। उसे शत्रुओं की राख बाँधे हुए याचक मिले।" इस उक्ति द्वारा उदय ने शाह की युद्धवीरता और दानवीरता की प्रशस्ति गाई। प्रशस्तिकाव्य की मुख्य काव्यरूढ़ि यही रही है। चाहे यह विस्तृत रूप में कही जाय चाहे दो-चार छंदों में संक्षिप्त रूप में। रणक्षेत्र में जो मारे गए वे सब स्वर्ग गए। ब्रह्मा ने जिसके ललाट में दारिद्र्य लिख दिया वह जहाँगीर से याचना करके धनी हो गया। ये ही बातें अनेक प्रकार से कही गई हैं। दारिद्र्य का ऐसा विनाश जहाँगीर ने किया कि उसकी पत्नी इंद्र के यहाँ फरियाद करती है। उदय और भाग्य की ये सब बातें सुनकर शाह ने पूछा कि आप ऋषि हैं, सिद्ध हैं अथवा देव हैं, कौन हैं? भाग्य और उदय ने अपना सारा वृत्तांत सुनाया और पूछा कि उद्यम और कर्म में कौन बड़ा है। उदय ने कहा कि आपके दर्शन से उद्यम का उद्योत होता है। भाग्य ने कहा कि आपके हाथ में कर्म है। शाह ने उत्तर दिया कि आपके विवाद का निर्णय ब्रह्मा, विष्णु, महेश ही कर सकते हैं। भाग्य ने कहा कि आप विष्णु ही हैं। अंत में शाह ने अपने दरबारियों से पूछा। मानसिंह ने कहा कि आपको ऐसा करना चाहिए जिससे दोनों को सुख मिले। अंत में शाह ने यह निर्णय किया कि—

जग मैं उद्दिम कर्म ये मेरे जान समान।
करम फलै उद्दिम करें उद्दिम करमहिं पाइ।
एकै धरम दुहून को कीनौ बिधिना दाइ॥

इस उत्तर से सभी प्रसन्न हुए। दरबारियों ने प्रशंसा की और देवताओं ने पुष्पवृष्टि। भाग्य-उदय की पूजा हुई और उन्होंने आशीर्वाद दिया, अन्यों से भी आशीर्वाद देने को कहा। आशीर्वचन देनेवाले काजी, शेख, राजा, उमराव, ब्राह्मणाः, मंत्रिणः, केशवराय, उदय और भाग्य थे। भाग्य-उदय ने वर माँगने को कहा। इस पर शाह

ने यह वर माँगा कि आप परिवारसहित मेरे राज्य में रहें। केशवराय का आशीर्वचन यह है—

जाय नहीं करतूति कही सब श्रीसबिता कबिता करि हारौ।
याहि तें केसवराय असीस पढ़ै अपनो करि नेकु निहारौ।
कीरति भूपनि की दुलही जस दूलह श्रीजहँगीर तिहारौ।
सातहु लोकनि सातहु दीपनि सातहु सागर पार बिहारौ॥

अंत में शाह ने कहा कि हे केशवराय मैं आपकी कविता से प्रसन्न हूँ, जो माँगना हो सो माँगो। केशव ने माँगा—

मेरे गुलामनि के हैं सलाम सलामति साहि सलेमहि चाहौं।

केशव का कहना है कि 'केसवराय जहाँन में कियो राइ तें राज'।

विज्ञानगीता

विज्ञानगीता केशव की स्वतंत्र कृति मानी जाती है। वस्तुतः यह संस्कृत के 'प्रबोधचंद्रोदय' के आधार पर लिखी गई है। दोनों पुस्तकों में कितना साम्य और वैषम्य है इसे जानने के लिए मोटे रूप में दोनों का सारांश दिया जाता है।

'प्रबोधचंद्रोदय' के अनुसार चेदिराज कर्ण ने जेजकभुक्ति के राजा कीर्तिवर्मा को हरा दिया (१०४२), किंतु उसके सेनानी गोपाल ने अपने पुरुषार्थ से उसे पुनः सिंहासनारूढ़ कराया और चेदिराज कर्ण को पराजित कर दिया (१०६५)। युद्धव्यापार के कारण ब्रह्मानंद का रस नहीं लूटा जा सकता, पर युद्ध से विरत होकर ब्रह्मानंद का रस लूटना, शांतरस का नाटक करना उचित ही है। इस अभिप्राय से गोपाल के आदेश से राजपंडित श्रीकृष्ण मिश्र यति रचित 'प्रबोधचंद्रोदय' नामक नाटक खेला गया। विश्वश्रुतकीर्ति गोपाल ने कर्ण को जीतकर श्री कीर्तिवर्मा का फिर से वैसे ही उदय किया जैसे विवेक मोह को जीतकर प्रबोध का उदय करता है। अंतिम वाक्य सूत्रधार कहता है जिसे महामोह का भृत्य 'काम' सुन लेता है और नाटक का आरंभ होता है।

'काम' और 'रति' परस्पर बातचीत करते हुए आते हैं। काम कहता है कि जब तक मेरे पास स्त्रीरूप आयुध है तब तक प्रबोधोदय कैसे हो सकता है। रति भयभीत होती है। काम समझाता है। रति के पूछने पर वह बतलाता है कि महेश्वर और माया के संयोग से मन नामक पुत्र उत्पन्न हुआ। उसकी दो धर्मपत्नियाँ हुईं—'प्रवृत्ति' और 'निवृत्ति'। प्रवृत्ति से महामोहादि का कुल चला और निवृत्ति से विवेकादि का। रति कहती है कि यदि ऐसा ही है तो भाई-भाई में कैसा वैर। काम बतलाता है कि हम लोगों के कुल में विद्या नाम की राक्षसी उत्पन्न होगी। वह राक्षसी पिता (मन), सब भाइयों और माता को मारकर खा जाएगी। रति के डरने पर काम कहता है कि मेरे जीते इस राक्षसी की उत्पत्ति भला कैसे

हो पाएगी। वह राक्षसी विवेक और उपनिषद् देवी के संयोग से प्रबोधचंद्र नामक भाई के साथ उत्पन्न होगी। शमदमादि इसी उद्योग में लगे हैं। रति कहती है कि वे दुर्विनीत कुलक्षयकारिणी राक्षसी के उद्‌भव में क्यों प्रयत्नशील हैं। काम कहता है कि पातकियों को इसकी परवाह नहीं रहती, वे सब घोर पापी हैं।

इसी समय अपनी पत्नी मति के साथ विवेक उस स्थान पर आ पहुँचता है। काम और रति चले जाते हैं। मति पूछती है कि परब्रह्म क्यों मोहसागर में फेंक दिया जाता है। विवेक बतलाता है कि माया के संग से वह भी मोह में पड़ जाता है। इसका कोई कारण नहीं है। पिशाचिनी माया का यह स्वभाव ही है। बात यह है कि माया अपने पुत्र (मन) को परमेश्वर के पद पर अधिष्ठित करने को उत्सुक रहती है। परमेश्वर बूढ़े हो गए हैं। उत्पत्ति के बाद जब मन बड़ा हुआ तो उसके अहंकार नामक पुत्र हुआ। अपने पोते को छाती से लगाकर परमेश्वर महाराज गद्‌गद हो गए। आँखें मूँदकर लगे स्वप्न में कल्पना करने कि मेरे पुत्र हैं, स्त्री है, वधू है, बांधव हैं आदि आदि। फिर मति पूछती है कि पुरुष जब इस प्रकार गाढ़ी निद्रा में स्वप्न देखने लगे तब आखिर जागेंगे कब। विवेक मुख नीचा कर लेता है और कुछ देर में बतलाता है कि स्त्रियाँ बड़ी ईर्ष्यालु होती हैं, क्या कहूँ। मेरे और उपनिषद् देवी के संयोग से प्रबोधचंद्र की उत्पत्ति होगी। तब पुरुषजी की निद्रा टूट जाएगी। मति कहती है कि इसमें ईर्ष्या की क्या बात है। यदि हमारा कुल इस सांसारिक बंधन से छूट जाए तो प्रसन्नता की बात है। इसके बाद विवेक प्रबोधोदय के लिए शम-दम को कार्य में नियोजित करता है। १ ॥

इधर महामोह, शमदमादि की नियुक्ति का समाचार पाकर दंभ को उनके निवारण के लिए भेजता है। दंभ काशी में आता है और वहाँ पहुँचकर धार्मिकों के अकृत्य देखता है। इसी समय एक व्यक्ति भागीरथी को पार कर आता हुआ दिखाई पड़ता है। यह अहंकार है। अंहकार भी यत्र-तत्र के दांभिकों और पाखंडियों की लीला का वर्णन करता है। वह घूमता-घूमता दंभ के निवासस्थान तक पहुँचता है। जब अहंकार उसके आश्रम में घुसना चाहता है जब दंभ का शिष्य उसे रोकता है और कहता है कि पैर धोकर भीतर आइए। अहंकार क्रुद्ध होता है। दंभ संकेत से उसे आश्वासन देता है। फिर शिष्य ताँबे के घड़े में जल लाता है और अहंकार पैर धोकर प्रविष्ट होता है। पहले अहंकार को दंभ पहचानता नहीं, पीछे ध्यान से देखने पर पहचान जाता है कि ये मेरे पितामह अहंकार हैं। अहंकार उसके पिता-माता लोभ एवं तृष्णा और पुत्र अनृत का कुशल पूछता है। अहंकार कहता है कि विवेक के द्वारा महामोह का अमंगल होने जा रहा है। उसी का निश्चय करने मैं आया हूँ। तब दंभ विद्या और प्रबोध के उदय का वृत्तांत बतलाता है। अहंकार कहता है कि इसका प्रतिकार अशक्य है। पर दंभ कहता है कि काम और क्रोध से अभिभूत लोगों के लिए सब कुछ संभव है। इसी समय महाराज महामोह के आगमन का कोलाहल सुनाई पड़ता है। दोनों उनका स्वागत करने चले जाते हैं।

महामोह आस्तिकों की अकेले ही निंदा कर रहा है। वह कहता है कि चार्वाकों का

ही मत सबसे उत्तम है, क्योंकि वे केवल प्रत्यक्ष को मानते हैं। इसी समय चार्वाक अपने शिष्यसहित वहाँ आ पहुँचता है। चार्वाक अपने शिष्य को बतलाता चला आ रहा है कि स्वर्गादि की कल्पना धूर्तों ने कर ली है। चार्वाक को आते देख महामोह प्रसन्न होता है। चार्वाक उसके पास जाता है और प्रणाम करता है। चार्वाक कलि (लोकायत) का प्रभाव बतलाते हुए कहता है कि उसके कारण घर-घर लोगों में परिवर्तन हो गए हैं। लोगों ने वेदों को ही त्याग दिया तो शम-दम की क्या कथा। विद्या और प्रबोध के उत्पन्न होने की आशंका नहीं। हाँ, विष्णुभक्ति नाम की एक महाप्रभावशालिनी योगिनी है उससे हमारा वश कम चलता है। उससे आप सावधान रहें। महामोह असत्संग नामक द्वारपाल को बुलाकर सहेज देता है विष्णुभक्ति को नष्ट करने के लिए काम, क्रोध, लोभ, मद, मात्सर्य आदि को नियुक्त कर दिया जाए।

इसी समय एक दूत वाराणसी से मत एवं मान का पत्र लेकर आता है। उन्होंने पत्र में लिखा है कि शांति अपनी माता श्रद्धा के साथ विवेक का दूतत्व कर रही है और विवेक से संयोग के लिए उपनिषद् देवी को रात-दिन उभारती है। काम का साथी धर्म भी वैराग्य के कारण फूटकर अलग हो गया है। पत्र सुनकर महामोह कहता है कि कामादिक के रहते शांति क्या करेगी। वह दूत को काम के लिए संदेश देता है कि दुष्ट धर्म को दृढ़ता से बाँधे रखे। फिर महामोह क्रोध एवं लोभ को बुलवाता है। लोभ अपनी पत्नी तृष्णा और क्रोध अपनी पत्नी हिंसा के साथ वहाँ उपस्थित होता है। महामोह शांति को नष्ट करने के लिए उन्हें आज्ञा देता है। इसके बाद वह श्रद्धा को दूतत्व से छुड़ाने के लिए उपाय सोचता है और विभ्रमावती से मिथ्यादृष्टि को बुलाने को कहता है। मिथ्यादृष्टि के आने पर राजा उसे श्रद्धा को उपनिषद् देवी से हटाने को कहता है, क्योंकि उसने सोच रखा था कि श्रद्धा परतंत्र है। यदि वह उपनिषद् के पास से हट जाएगी तो उसकी पुत्री शांति अपनी माँ के वियोग के कारण स्वयं अलग हो जाएगी। तदनतर सब राजप्रासाद में प्रवेश करते हैं।२।

इधर शांति अपनी माता श्रद्धा को खोजती हुई आती है। साथ में उसकी सखी करुणा भी है। करुणा उसे समझाती है और उसको खोजने के लिए इधर-उधर ले जाती है। पहले वह दिगंबर (जैन) के यहाँ उसे खोजती है। वहाँ दिगंबर मत के अनुरूप वेश-वाली श्रद्धा दिखाई पड़ती है। उसे देख शांति मूर्च्छित हो जाती है। करुणा बतलाती है कि यह तुम्हारी पुत्री श्रद्धा है। फिर दोनों सौगतालय (बौद्धभिक्षु के यहाँ) जाती हैं। वहाँ भी तदनुरूप श्रद्धा दिखाई पड़ती है। करुणा इसे भी तामसी श्रद्धा बतलाती है। इसी समय क्षपणक (जैन-संन्यासी) का प्रवेश होता है। वह भिक्षु से कुछ पूछने की आज्ञा माँगता है। भिक्षु क्रुद्ध हो जाता है और दोनों में विवाद होने लगता है। इसी समय वहाँ सोम (स-उमा) सिद्धांतवादी अर्थात् कापालिक आ पहुँचता है। तब उस क्षपणक तथा भिक्षुक के बीच विवाद उठ खड़ा होता है। अंत में वह अपनी श्रद्धा को बुलाता है। करुणा शांति को बतलाती है कि वह राजसी श्रद्धा है। कापालिक के कहने पर श्रद्धा, भिक्षु और क्षपणक का आलिंगन करती है। वे मोह में पड़ जाते हैं। फिर कापालिक उन्हें शराब

देना चाहता है। वे नहीं ग्रहण करते। पर जब कपालिनी (राजसी श्रद्धा) उसे अपने ओठों से जूठा कर देती है तब वे 'स्त्रीमुखं तु सदा शुचिः' कहकर ग्रहण कर लेते हैं। दोनों उन्मत्त होकर नाचने लगते हैं। क्षपणक कहता है कि मैंने गणित करके जाना है कि हम सब महामोह के किंकर हैं। वह कापालिक से कहता है कि राजा की आज्ञा है कि सत्य की पुत्री श्रद्धा का हरण कर लिया जाए। कापालिक कहता है कि उसे तो मैं विद्याबल से अभी खींच लाता हूँ। क्षपणक गणित करके बतलाता है कि वह जल-स्थल में कहीं नहीं है। वह महात्माओं के हृदय में विष्णुभक्ति के सहित रहती है। शांति और करुणा यह सुनकर हर्षित होती हैं। कापालिक बड़ी चिंता में पड़कर कहता है कि बोधोदय की सिद्धि में श्रद्धा अत्यंत सहायक है। वहाँ काम से मुक्त यदि धर्म भी पहुँच गया तो विवेक के कार्य की सिद्धि में देर न लगेगी। अब प्राण देकर भी महाराज का कार्य करना पड़ेगा। इसलिए धर्म और श्रद्धा के हरण के लिए महाभैरवी विद्या को भेजता हूँ।३।

महाभैरवी के मायाजाल से श्रद्धा बचकर निकल आती है। उस समय उसकी मैत्री से भेंट होती है। श्रद्धा कहती है कि ज्ञानाभिधान जनपद में भागीरथी के किनारे चक्रतीर्थ में मीमांसा का अनुसरण करती हुई मति से किसी प्रकार अपने प्राण की रक्षा करता हुआ विवेक उपनिषद् देवी के संयोग के लिए तपस्या कर रहा है। दोनों जाती हैं। इधर महाराज विवेक विपक्ष के वीरों से अपनी रक्षा करने के विचार से यथास्थान अन्य सैनिकों की रक्षा की योजना करते हैं। वस्तुविचार काम को जीतने के लिए भेजा जाता है। इसी प्रकार क्रोध को जीतने के लिए क्षमा और लोभ को जीतने के लिए संतोष। महाराज सैनिकों से युद्ध की घोषणा करते हैं। फिर विवेक के रथ में आरूढ़ होकर रणप्रस्थान करते हैं और युद्धभूमि में जाकर डेरा डाल देते हैं।४।

विष्णुभक्ति युद्ध की भयावह लीला से भयभीत होती थी, इसलिए उसने वहाँ जाना रोककर शालग्राम नाम के भगवान् के कार्यक्षेत्र में जाकर काम करने की इच्छा प्रकट की। उसने श्रद्धा को युद्ध का वृत्तांत जानने के लिए भेजा। विष्णुभक्ति शांति के साथ चक्रतीर्थ में बैठे-बैठे जिस समय युद्ध की भीषणता और अपने पक्ष की निर्बलता का विमर्श कर रही थी उसी समय श्रद्धा वहाँ पहुँच जाती है और युद्ध का सारा वृत्तांत सुनाती है। वह बतलाती है कि पहले नैयायिक दर्शन ने जाकर महामोह से कहा कि विष्णु भगवान् के स्थान को छोड़कर आप अपने भाइयों के स्थान म्लेच्छों के यहाँ चले जाइए। इस पर महामोह ने विवेक पर क्रुद्ध होकर पाखंडागम और पाखंड तर्कशास्त्रों को युद्ध करने के लिए भेज दिया। इनसे घबराकर वैष्णव, शैव एवं सौरादि मत तथा शास्त्र मीमांसा देवी के पास गए। तब मीमांसा सांख्य, न्याय एवं कणादि मत को साथ लेकर सामने उपस्थित हुई। अंत में सौगत तो सिंधु, गांधार, पारसीक, मगध, आंध्र, हूण, बंग, कलिंग के म्लेच्छप्रायः देशों में भाग गए; अन्य पाखंडागम भी नष्ट हो गए। साथ ही वस्तुविचारादि ने कामादि को मार डाला। महामोह भोगविघ्न के साथ न जाने कहाँ जा छिपा। मन ने भी अब पुत्रपौत्रादि की मृत्यु से दुखी होकर प्राणत्याग करने की ठानी।

इधर मन, पुत्र-पौत्रादि की मृत्यु से शोकग्रस्त होकर बेहोश हो जाता है। संकल्प उसे समझाता है और बतलाता है कि आपकी पत्नी प्रवृत्ति पुत्रादि के शोक से मर गई। मन प्रवृत्ति की मृत्यु सुन जीते जी चिता में जल मरने को उद्यत होता है। उसी समय विष्णुभक्ति की भेजी हुई वैयासिकी सरस्वती उसे आकर समझाती है और कहती है कि यदि ब्रह्म के साथ एकत्व का अनुभव करो तो तुम्हारा मोह और शोक न रह जाए। सरस्वती जिस समय मन को समझा रही थी उसी समय उसका पुत्र वैराग्य आ जाता है। मन पुत्रस्नेह से पूर्ण होकर उसका आलिंगन करता है। वैराग्य अपने पिता को समझाने लगता है। फलस्वरूप उसका व्यामोह दूर हो जाता है। सरस्वती के समझाने से मन निवृत्ति के साथ रहने लगता है।५ ॥

शांति अपनी माता श्रद्धा के पास जाती है। माता से सब वृत्तांत सुनती है। महामोह का हाल पूछने पर उसे पता चलता है कि उसने विवेक के पास उसर्गों-सहित मधुमती विद्या भेजी थी। माया, मन, संकल्प आदि ने उसका समर्थन किया, किंतु तर्क को बड़ा क्रोध आया। उसने उन्हें समझाया और उन्होंने उसे छोड़ दिया। इसके बाद श्रद्धा विवेक को देखने जाती है।

विवेक-श्रद्धा 'पुरुष' के पास जाते हैं। वहीं शांति सखी उपनिषद् को ले जाती है। पुरुष उपनिषद् से पूछता है कि माताजी आपने इतने दिन कहाँ बिताए। वह कहती है कि मैं यज्ञविद्या, मीमांसा एवं तर्कविद्या के चक्कर में पड़ी रही। अंत में वे सब मेरे ऊपर बिगड़ीं और मुझे विश्वनाश से मुक्ति बतलानेवाली नास्तिकपंथावलंबिनी जानकर पकड़ने का प्रयत्न किया। मेरी बड़ी दुर्दशा हुई। अंत में एक देवायतन से गदापाणि व्यक्ति ने निकलकर मुझे छुड़ाया। वहाँ बेटी गीता मिली। उसने आश्वासन दिया कि यहाँ डरने की आवश्यकता नहीं, निश्चिंत रहो। इसके बाद पुरुष ने उपनिषद् से प्रश्न किया कि यह ईश्वर कौन है, जिसके लिए इतना झगड़ा होता है। उपनिषद् क्रुद्ध होकर कहता है—अंधे, तू अपने को ही नहीं जानता। पुरुष यह जानकर प्रसन्न होता है कि मैं ही परमेश्वर हूँ। इसके अनंतर पुरुष ध्यान करने लगता है। उसी समय निदिध्यासन आकर उपनिषद् से विष्णुभक्ति का समाचार सुनाता है। उन्होंने आज्ञा दी है कि प्रबोधचंद्र को पुरुष के हवाले करके विवेक के साथ तुम मेरे पास लौट आओ। प्रबोधचंद्र को देखकर पुरुष प्रसन्न होता है और उसका आलिंगन करता है। वह अपना सब मनोरथ प्राप्त करके विष्णुभक्ति का गुणगान करने लगता है। विष्णुभक्ति के प्रसाद से कुछ भी दुर्लभ नहीं है।६ ॥

विज्ञानगीता के अनुसार एक दिन ओड़छे के महाराज मधुकरशाह के पुत्र वीरसिंह ने केशवदास से प्रश्न किया कि जप, तप, तीर्थ आदि करने पर भी मनुष्य के हृदय से विकार दूर नहीं होता, क्या कारण है? इस पर उन्होंने कहा कि ऐसा ही प्रश्न पार्वती ने महादेव से किया था। उस प्रश्न का जो उत्तर उन्होंने दिया वह मैं आपको सुनाता हूँ। महादेव ने कहा कि जब विवेक, मोह का नाश करके प्रबोध का उदय कराए तभी संसार में

मनुष्य जीवन्मुक्त हो सकता है। पार्वती ने फिर पूछा कि महाराज कौन-सा ऐसा स्थल है जहाँ प्रबोध का उदय हो सकता है। उन्होंने बतलाया कि वाराणसी। इसके बाद वीरसिंह ने केशव से विवेक और महामोह के युद्ध का वृत्तांत पूछा।१ ॥

केशव ने कहा कि महादेव की उक्त बात कलिकाल ने सुन ली। उसने सब समाचार कलह से कह सुनाया। कलह सब कुछ सुनकर महामोह को समाचार देने के विचार से चला, पर बीच में ही उसने काम को आते देखा। कलह ने काम के कलि की कही कह सुनाई। काम ने सुनते ही ताव के साथ कहा कि मेरे और तेरे रहते प्रबोध का उदय कैसे हो सकता है। काम के साथ रति भी थी। उसने कहा कि मैंने सुना है कि आपके महाराज महामोह से विवेक का बल अधिक है। इस पर काम ने अपने पराक्रम की प्रशंसा की। रति ने कहा कि शत्रु कैसा ही क्यों न हो उससे सदा सशंक रहना चाहिए। काम ने कहा कि मेरे पास युवती नामक अद्‌भुत अस्त्र है। तब रति ने कहा कि मैं सुनती आ रही हूँ कि विवेक और महामोह का एक ही वंश है, फिर यह झगड़ा कैसे। काम ने कहा कि वंश ही नहीं दोनों एक ही पिता की संतति हैं। ईश और माया के संयोग से मन नामक पुत्र उत्पन्न हुआ। उसने दो विवाह किए। एक स्त्री का नाम प्रवृत्ति था और दूसरी का निवृत्ति। प्रवृत्ति के द्वारा मोह और हम सब लोगों की उत्पत्ति हुई। निवृत्ति से विवेक आदि जनमे। सौतेले होने के कारण हम लोगों में बराबर विरोध चला करता है। हम लोगों को पिता और माता दोनों प्यार करते हैं। पर उन दुष्टों की कलि के कारण एक भी नहीं चलती। इसलिए वे सब पिता (मन) को ही मार डालना चाहते हैं। रति ने पूछा इस कुलोच्छेद का उन लोगों के पास कोई उपाय भी है या यों ही वे ऐसा कर डालेंगे। काम ने बताया कि हमारे ही वंश में एक भयकर राक्षसी (विद्या) उत्पन्न होगी। वह समस्त कुल का नाश कर देगी। इसके बाद काम ने कलह से कहा कि पहले तुम दिल्ली में दंभ के पास जाओ। उसको समाचार सुनाकर तब तुम महाराज मोह के यहाँ जाना।२।

कलह ने जाकर दिल्ली नगर में देखा कि दंभ का चारों ओर साम्राज्य छाया है। कलह ने कलि की कही बातें दंभ को सुना दीं। कलह चला गया। दंभ ने सारी बातें महाराज से कहीं। पहले वह यमुना के किनारे होकर चला। उसने देखा कि एक ब्राह्मण वकध्यान लगाकर बैठा है। जब दंभ निकट आया तब उसके शिष्य ने कहा कि महाराज, गुरुजी पूजन कर रहे हैं, आप कृपा कर पैर धोकर इधर आइए। अंत में बड़ी कहा-सुनी के बाद दंभ पैर धोकर पास गया। कुछ देर में उसने पहचान लिया कि ये मेरे पितामह अहंकार हैं। तब लोभ और उसके पुत्र दंभ ने प्रणाम किया और आशीर्वाद पाया। अंत में दंभ ने विवेक की कथा सुनाई। अहंकार के हृदय में यह बात किसी प्रकार धँसती ही न थी कि गंगा के होते कैसे प्रबोध का उदय रोका जा सकेगा। दंभ ने बताया कि एक पेट ही सब कार्य करने में समर्थ हैं।३।

कलह की बातें जब महामोह महाराज ने सुनीं तो युद्ध की तैयारी हो गई। पहला

पड़ाव पुष्कर द्वीप में पड़ा। इस प्रकार सब द्वीपों में पड़ाव डालते वे जंबू द्वीप के भरत खंड में पहुँचे। वहाँ पाखंडपुरी में कुछ दिन ठहरे।४॥

इसके अनंतर महामोह ने मिथ्यादृष्टि से षड्यंत्र रचने की सलाह की। उसने गंगा, शिव, काशी और मणिकर्णिका का वर्णन करते हुए अपनी महारानी मिथ्यादृष्टि से यह बतलाया कि जब मैं बड़े-बड़े माहात्म्यवालों को जीत चुका तब इन्हें जीतना क्या है। ५-६।।

इसके अनंतर चार्वाक और शिष्य की बातचीत तथा श्रद्धा को पकड़ने का प्रयत्न आदि बातें नाटक से मिलती हैं। फिर शांति और करुणा का विवाद तथा वर्षा एवं शरद् का वर्णन है। ७-१०।

शरद्ऋतु आने पर महामोह चढ़ाई करता है। भ्रम और भेद को दूत बनाकर विवेक के पास भेजता है। अंत में महामोह की हार और विवेक की जीत होती है। ११-१२।

महामोह के हारने पर सरस्वती मन को आकर समझाती है। गाधि की कथा सुनाती है। कामक्रोधाधि के नष्ट होने से मन में वैराग्य उत्पन्न होता है। सरस्वती श्रीशुकदेव के वैराग्य की कथा सुनाती है। मन के शुद्ध होने पर महापुरुष की दृष्टि उस पर पड़ती है। जब राजा विवेक उनके पैर पड़ने लगे तब उन्होंने रोका कि आप गुरु और मैं शिष्य हूँ। इसी में वसिष्ठ की कथा भी है। फिर विवेक शिखीध्वज की कथा बतलाता है। १३-१६।

जीवन के शुद्ध होने पर श्रद्धा और शांति आ मिलती हैं। वह राज्य करने लगता है। इसके अनंतर प्रह्लाद की कथा, बलि की कथा और योग की सात भूमिकाओं का वर्णन है। १७-२०।

अंत में रामनाम का माहात्म्य वर्णित है। २१।

वीरसिंह के प्रश्न के अतिरिक्त प्रथम प्रभाव में शिवपार्वती संवाद भी केशव ने अपनी ओर से गढ़कर लगाया है। द्वितीय प्रभाव में कलह की कल्पना और दिल्ली नगर भी नाटक से भिन्न है। तृतीय प्रभाव में पेट का वर्णन इन्होंने जोड़ दिया है। चतुर्थ प्रभाव पूरा-का-पूरा इन्होंने जोड़ा है। इसमें सातों द्वीपों का वर्णन है। पंचम प्रभाव में नाटक का आधार तो है पर वर्णन इन्होंने बदले हैं। मिथ्यादृष्टि के महत्त्व का वर्णन तथा वाराणसी के प्राणियों एवं पुण्यात्माओं के वर्णन इन्होंने जोड़ दिए हैं। षष्ठ प्रभाव भी जोड़ा हुआ है। इसमें गंगा, शिव, वाराणसी एवं मणिकर्णिका के प्रभाव का वर्णन है, जो काशीखंड आदि धर्मग्रंथों के आधार पर किया गया है। सप्तम प्रभाव में कलि की अवतारणा संवर्धन की प्रवृत्ति का परिणाम है। नाटक में चार्वाक कलि का नाम लेता है पर उसमें विस्तार नहीं है। अष्टम प्रभाव में संन्यासी की कथा, नारीवेश आदि इन्होंने बढ़ा दिए हैं। नवम प्रभाव में क्रोध की विजय के लिए क्षमा के स्थान पर संतोष आता है। इसका आधार मूल पुस्तक नहीं है। दशम में वर्षा एवं शरद् का श्लिष्ट वर्णन है, जो स्वतंत्र है। एकादश प्रभाव में बिंदुमाधव-वर्णन भी अधिक है। तुलसीदास ने भी

'विनयपत्रिका' में बिंदुमाधव का वर्णन किया है। 'विज्ञानगीता' के अंत में केशव ने लिखा है—

बृत्ति दई पुरखानि की देउ बालकनि आसु।
मोहिं आपनो जानिकै गंगातट देउ बासु॥
बृत्ति दई पदवी दई दूरि कर्‌यौ दुख त्रास।
जाइ करौ सकलत्र श्रीगंगातट बसब्रास॥

इससे इतना जान पड़ता है कि ये गंगातट में कहीं जाकर बसे थे, काशी में आए थे या नहीं, नहीं कहा जा सकता। उनका वर्णन केवल सामान्य वर्णन है। काशी को युद्धक्षेत्र नाटककार ने भी माना है। केशव का काशीनिवास 'विज्ञानगीता' के आधार पर स्पष्ट सिद्ध नहीं होता। संभव है कभी तीर्थयात्रा करने भूले-भटके चले आए हों।

द्वादश और त्रयोदश प्रभाव का कुछ अंश तो नाटक से मिलता है, पर आगे त्रयोदश में गाधि-माया का वर्णन है। चतुर्दश एवं पंचदश का भी आधार मूल है अवश्य पर विस्तार पर्याप्त किया गया है। इसके अनंतर शेष प्रभावों में नाममात्र का आधार है। सप्तदश प्रभाव में बहुत-सा अंश बाहर का इकट्ठा कर दिया गया है। अष्टादश में प्रह्लादचरित है। एकोनविंशति में बलिचरित है। विंशति में योग की सप्त भूमिकाएँ हैं और एकविंश उपसंहार है।

इस प्रकार 'विज्ञानगीता' में अन्य बहुत-सी बातें रखी गई हैं। इसलिए उसका मूल रूप उलझ गया है। यही कारण है कि मूल से कहीं-कहीं नाम-भेद भी हो गया है—जैसे, तीसरे प्रभाव में दंभ और अहंकार के नामों में उलट-फेर हो गया है। इस प्रभाव में केशव ने माथुरों की निंदा की है। इनकी यह प्रवृत्ति भी अन्यत्र, जैसे रामचंद्रचंद्रिका में, मिलती है। सनाढ्यों की महत्ता प्रतिपादित करने के लिए उसमें उनकी प्रशंसा कराई गई है। केशव जिनसे चिढ़ते थे, अवसर पड़ने पर उनकी कुत्सा भी करते थे। संभवतः माथुरों से इन्हें किसी कारण चिढ़ हो गई हो।

कुछ लोगों ने केशव के आध्यात्मिक विचारों की छानबीन के लिए 'विज्ञानगीता' को आधार बनाया है। पर ऊपर के विवेचन से पता चल गया होगा कि विज्ञानगीता उनके आध्यात्मिक सिद्धांतों को प्रकट करने में पूर्ण समर्थ नहीं है। इन्होंने पेट की निंदा बहुत की है। पेट की इस स्थूल निंदा के अतिरिक्त आत्मा के संबंध में इनके कुछ महत्त्वपूर्ण सिद्धांत थे इसमें बहुत बड़ा संदेह है।

भाषा

केशवदास की भाषा बुंदेली समझी जाती है, यह भ्रम है। उन्होंने अपने ग्रंथ, साहित्य की सामान्य काव्यभाषा व्रजी में लिखे हैं। जो कवि जिस प्रदेश का होता है उस प्रदेश के कुछ शब्द और प्रयोग आ ही जाते हैं। टकसाली व्रजभाषा उन्हीं के लिए संभव

है जो व्रज प्रांत के होते हैं। व्रजी काव्यभाषा के रूप में संस्कृत की भाँति स्वतंत्र रूप प्राप्त कर चुकी थी। इसलिए जो लोग व्रजप्रदेश के होते थे वे ही उसमें व्रज के प्रांतीय शब्दों का व्यवहार किया करते थे, इसीलिए उनकी व्रजभाषा कहीं-कहीं और लोगों के लिए दुरूह हो गई है। कल की बात है कि सत्यनारायण कविरत्न ने जिस व्रजी का व्यवहार किया उसमें व्रजमंडल के बहुत से शब्दों का प्रयोग कर दिया। घनआनंद और ग्वाल व्रजमंडल के कुछ ऐसे शब्दों का व्यवहार करते हैं जो दूसरों के द्वारा व्यवहृत नहीं होते। ठीक इसी प्रकार अवध के कवि अवधी शब्दों और प्रयोगों का व्यवहार करते हैं, मिथिला के मैथिली शब्दों का, पंजाब के पंजाबी शब्दों का, राजस्थान के राजस्थानी शब्दों का, गुजरात के गुजराती शब्दों का, आदि-आदि। यही स्थिति केशवदास की भी थी। उन्होंने व्रजी में बुंदेली शब्दों और प्रयोगों का व्यवहार आवश्यकता पड़ने पर निःसंकोच और प्रकाम किया है। इसलिए उनकी भाषा बुंदेलीरंजित साहित्यिक व्रजी है। बुंदेली भाषा-विज्ञान की दृष्टि से व्रजी के ही अंतर्गत आती है इसीलिए बुंदेली के कुछ प्रयोग दूर तक फैल गए। भविष्यत् कालबोधक 'पालबी', 'करबी' आदि प्रयोग दूर तक फैले। यहाँ तक कि भिखारीदास में भी ये प्रयोग पाए जाते हैं। केशवदास से पहले होनेवाले तुलसीदास ने भी ऐसे प्रयोग किए हैं। हो सकता है कि तुलसीदास बुंदेलखंड में भी कभी रहे हों, जिसके कारण वैसे प्रयोग उनमें आ गए हों। उनके गुरुदेव नरहरयानंद नर्मदातट पर कुछ दिनों के लिए गए थे और उनसे भेंट करने तुलसीदास भी उधर गए और जमुनातट पर उन्होंने यमुना से विवाह भी कर लिया था। नर्मदा तक पहुँचने में बुंदेलखंड बीच में पड़ता ही था। बुंदेली में कुछ क्रियाएँ स्वरभेद से लिखी जाती हैं—जैसे 'छ्वैबो' का 'छीबो', 'झूमिबो' को 'झीमबो'।

केशवदास की रचनाओं में दो प्रकार की भाषा स्पष्ट है। रामचंद्रचंद्रिका और विज्ञानगीता में जिस प्रकार की भाषा है उस प्रकार की भाषा अन्य ग्रंथों में नहीं है। इन दोनों में संस्कृत की चाशनी कुछ कड़ी मिलाई गई है। इसके कारण पर भली-भाँति विचार नहीं किया गया है। केशव रामचंद्रचंद्रिका लिखते हुए हिंदी में संस्कृत के महाकाव्य की परंपरा प्रवर्तित कर रहे थे। उनकी लालसा थी कि इसमें संस्कृत के नाट्यतत्त्व का भी नियोजन कर दिया जाए, जिससे लीला के उपयोग में यह आ सके। केशव ने उसमें संवाद नाटकीय ढंग के रखे हैं। संस्कृत में रामकथा पर अनेक नाटक हैं। उनका अनुवदन, उनकी छाया का ग्रहण भी केशव ने संस्कृत-वर्णवृत्तों में ही किया। संस्कृत के वर्णवृत्त संस्कृतभाषा की लपेट अधिक रखते हैं। यह स्थिति केशव की रचना ही नहीं, हिंदी के सभी प्राचीन कवियों की कृतियों में दिखाई देती है। जहाँ-जहाँ संस्कृत-वर्णवृत्तों का प्रयोग है वहाँ-वहाँ भाषा में संस्कृत की छौंक अधिक है। आधुनिक युग में श्री हरिऔध ने संस्कृत-वर्णवृत्तों में प्रबंध लिखा तो प्रियप्रवास में संस्कृत का रंग अधिक चढ़ गया। हिंदी में स्तुति के प्रसंग में भी संस्कृत का सहारा लिया जाता रहा है। इसकी झलक तुलसीदास की विनय-पत्रिका में पूरी मिलती है।

विज्ञानगीता एक तो संस्कृत के प्रसिद्ध नाटक प्रबोधचंद्रोदय के आधार पर लिखी गई, दूसरे उसमें अन्य धार्मिक ग्रंथों से भरपूर सहायता ली गई। उसके उद्धरण संस्कृत में ही प्रमाण के लिए केशव ने स्थान-स्थान पर रखे हैं। छंद भी वहाँ वर्णावृत्त ही रखा गया है। फल यह हुआ कि भाषा संस्कृतमय हो गई। यह सत्य है कि केशव की दुरूहता का कारण संस्कृत के प्रयोगों का, शब्दों का, हिंदी में रखना है। पर यह कहना ठीक नहीं है कि उनकी शक्ति कम थी। भाषा पर उनका अधिकार रसिकप्रिया, कविप्रिया आदि ग्रंथों की उक्तियों में स्पष्ट दिखाई देता है। इसका कारण यही है कि इन ग्रंथों में संस्कृत-ग्रंथों से लक्षण के संबंध में सहायता अवश्य ली गई, पर उदाहरण हिंदी के छंदों में प्रस्तुत किए गए। इसका परिणाम यह हुआ कि भाषा में वैसी कठिनाई नहीं है जैसी रामचंद्रचंद्रिका और विज्ञानगीता में दिखाई देती है। इन दोनों में भी जहाँ हिंदी के छंद प्रयुक्त हैं वहाँ वैसी दुरूहता नहीं है। अपवाद ही कहीं मिल सकता है। वस्तुतः केशव संस्कृत-वर्णवृत्तों का हिंदी में प्रयोग करते समय हिंदी भाषा उसमें बिठा नहीं पाते थे। संस्कृत के वर्णवृत्तों का ढाँचा हिंदी के अनुकूल नहीं पड़ता। उसमें भाषा को बिठाने में शब्दों को आगे-पीछे करना पड़ता है। हिंदी में शब्द आगे-पीछे होते ही ठीक से अन्वित नहीं हो पाते। इसी से अर्थ कुछ-का-कुछ करना पड़ता है। एक उदाहरण लीजिए। रामचंद्रचंद्रिका में राम अपने भाइयों के साथ भोजन करने के अनंतर 'विशुद्ध गृह' में जा बैठे। इस पर केशव ने लिखा—

बैठे बिसुद्ध गृह अग्रज अग्र जाइ। देखी बसंत ऋतु सुंदर मोददाइ ॥

यह संस्कृत का हरिलीला छंद है। वसंततिलका का अंतिम वर्ण लघु कर देने से यह छंद बनता है। हिंदी के प्रसिद्ध कोश 'हिंदी-शब्दसागर' में यह अंश 'अग्रज' शब्द के अर्थ में उद्धृत किया गया है। एक तो वहाँ 'जाई' और 'दाई' करके इसे वसंततिलका ही बना दिया गया है, दूसरे 'अग्रज' शब्द का अर्थ 'श्रेष्ठ, उत्तम' किया गया है। केशव का अन्वय यह है—'अग्रज अग्र जाइ बिसुद्धगृह बैठे'। बड़े भाई राम पहले या आगे जाकर विशुद्ध गृह में बैठे। पर शब्दसागर ने 'अग्रज' और 'अग्र' को गृह से ही संबद्ध किया। 'गृह अग्रज' = गृह का बड़ा भाई, श्रेष्ठ गृह, उत्तम गृह। उसका अर्थ यह जान पड़ता है—(राम) उत्तम और विशुद्ध गृह के अग्रभाग में जा बैठे। यहाँ 'गृह' शब्द के पहले 'बिसुद्ध' विशेषण पड़ा है। आगे फिर अन्य विशेषण अपेक्षित नहीं जान पड़ता 'बिसुद्ध अग्रज गृह' दो विशेषण व्यर्थ हैं। फिर विशेषणों की अगाड़ी-पिछाड़ी कैसी? एक 'गृह' के पूर्व, दूसरा उसके उत्तर। संस्कृत-वर्णवृत्त में शब्दों के ठीक से यथास्थान न बैठने के कारण ही ऐसी बाधा हुई है। संस्कृत में कहीं 'अंग्रज' शब्द श्रेष्ठ या उत्तम अर्थ में प्रयुक्त नहीं है। तात्पर्य यह कि केशव की रचना को समझने में भी भ्रम होता जा रहा है।

रसिकप्रिया की भाषा की प्रशंसा वे महाशय भी करते हैं जो उनकी भाषा के कटु आलोचक हैं। इसमें उन्होंने हिंदी-काव्यप्रवाह के अनुरूप शक्त, समर्थ, प्रांजल भाषा रखी

है। सहसा इस प्रकार की भाषा केशव की रचना में वह भी आरंभिक रचना में कैसे आ गई। इन्होंने सब प्रकार की भाषा में रचना करने का पर्याप्त अभ्यास किया होगा। 'रतनबावनी' की भाषा पुरानापन अधिक लिये हुए है। वह बतलाती है कि अपभ्रंश के रूप हिंदी में पारंपरिक प्रवाह के कारण चलते रहे हैं। यह इनकी सबसे पहली रचना कही जाती है। केशव ने अपने साहित्यिक नवयौवन में अपभ्रंश या पुरानी हिंदी में हाथ माँजा। फिर उन्होंने व्रजी में रचना की। उसे काव्य के अनुरूप परिष्कृत किया। फिर संस्कृत की ओर मुड़े। यही मोड़ सँभल नहीं सका।

रसिकप्रिया की भाषा सबसे अधिक वाग्योगपूर्ण है। उसमें व्रजी का पूर्ण वैभव दिखाई देता है। यदि केशव इसी प्रकार की भाषा लिखते रहते तो उनका इस क्षेत्र में विरोध न होता।

टीकाएँ और टीकाकार

केशव के तीन ग्रंथों पर प्रमुख रूप से टीकाएँ लिखी गईं—रसिकप्रिया, कविप्रिया और रामचंद्रचंद्रिका। यों कविप्रिया के अंतर्गत आनेवाले 'शिखनख' के हस्तलेख पृथक् भी मिलते हैं और उस पर एक प्राचीन गुजराती टीका भी है, जो सं० १७६२ के पूर्व हुई[१] और विज्ञानगीता का गद्यरूपांतर अभी थोड़े दिनों पूर्व प्रयाग से प्रकाशित हुआ। 'रसिकप्रिया' की सबसे पुरानी टीका संस्कृत में है। सं० १७५५ में यह टीका की गई। टीकाकार श्री रत्नमणि के शिष्य समर्थ हैं। उसका नाम प्रमोदिनी है और वह सुगमार्थ-प्रबोधिनी है।[२] उसके अंत में यह दोहा अधिक है—

सुरभाषा तें अधिक है व्रजभाषा सों हेत।
व्रजभूषन जाकों सदा मुखभूषन करि लेत॥ १७ ॥

हिंदी में रसिकप्रिया के सबसे प्राचीन टीकाकार सूरति मिश्र हैं। इनकी टीका का नाम रसगाहकचंद्रिका या जोरावरप्रकाश है। यह सं० १७९१ वि० में निर्मित हुई थी। जोधपुर के राजपुस्तकालय में सं० १७९४ आश्विन बदी एकादशी रविवार का लिखा एक खंडित हस्तलेख 'रसिकप्रिया सटीक' नाम से संगृहीत है (खोज, १९०२-२५९)। कहीं यह सूरति मिश्र की टीका की ही प्रतिलिपि न हो। यदि उससे भिन्न है तो यह दूसरी टीका है। टीकाकार का नाम अज्ञात है। इसके तीसरे टीकाकार श्री कुशलधीर हैं, जिन्होंने गुर्जर-राजस्थानी में इसकी टीका गद्य में प्रस्तुत की। टीका का निर्माणकाल अज्ञात है, लिपिकाल सं० १७९६ आसोज (आश्विन) सुदी ४ शुक्रवार है। इसके पूर्व वह कभी अवश्य लिखी गई। पर कब, कहना कठिन है। सूरति मिश्र की टीका के पूर्व की भी हो सकती है। इसके चौथे टीकाकार हैं 'कासिम' (खोज, ०९-१४७)। इस टीका का

१. देखिए 'राजस्थान में हिंदी हस्तलिखित ग्रंथों की खोज', दूसरा भाग, पृष्ठ १४०।
२. वही, पृष्ठ १३७।

रचनाकाल अज्ञात है। मियाँ कासिम ने अपने को वाजिद-सुत लिखा है। ये वाजिद कौन थे, कहा नहीं जा सकता। इसकी पाँचवीं टीका श्री जगतसिंह की की हुई है, ये भिनगा राज्य के राजपरिवार के महाराजकुमार थे। इनका समय सं० १८७७ वि० के आसपास है। दिग्विजयभूषण के रचनाकार श्री दिग्विजयसिंह के ये पुत्र थे। इन्होंने टीका का नाम 'जगतविलास' रखा है। (खोज, २३-१७९ एच)। टीका गद्य में लिखने का कारण यों लिखा है—

बाँधे छंद प्रबंध बिधि होत तिलक अति गूढ़।
ताते हौं बातन लिखौं जेहि बूझै मतिमूढ़॥
बिनु प्रयास बिनु गुर पढ़ै बूझै जेहि सब लोग।
ताते यह सब जगतहित कियो जगत उतजोग॥

सूरति मिश्र की टीका पद्यों में है और कठिन है, इसीसे इन्होंने इसे बातन (गद्य) में लिखा है।

इस पर छठी टीका सरदार कवि की है। इस टीका का नाम 'सुखविलासिका' है दूसरा नाम 'काशिराजप्रकाशिका' भी है। ये काशी राज्य के राजकवि और रघुनाथ बंदीजन के पुत्र थे। टीका का रचनाकाल यों दिया हुआ है—

सिवदृग गगनो ग्रह सुपुनि रद-गनेस की साल।
जेठ सुक्ल दसमी सु गुरु करो ग्रंथ सुखमाल॥

टीका के निर्माण में इनके शिष्य नारायण ने पूरी सहायता की है। इसका उल्लेख भी इस प्रकार किया गया है—

कहुँ कहुँ नारायन कियो याको तिलक अनूप।
चित्त बृत्ति दै करि कृपा मुदित भए सब भूप॥

उस समय काशी राज्य के शासक थे श्री ईश्वरीनारायणसिंह। उनके समय में अनेक साहित्यिक कार्य इस राज्य के द्वारा किए गए। सबसे मुख्य कार्य उस समय रामचरितमानस की टीका का हुआ, जिसका नाम 'परिचर्या परिशिष्ट-प्रकाश' है। 'परिचर्या' काष्ठजिह्वा स्वामी की टिप्पणी है और 'परिशिष्ट' श्री ईश्वरीनारायण की लिखी चूर्णिका। विस्तृत टीका महात्मा श्री हरिहरप्रसाद की लिखी 'प्रकाश' नामक है।

इन सबके अतिरिक्त एक टीका नागरी प्रचारिणी सभा के आर्यभाषा पुस्तकालय में (संख्या ४४८) है। यह सूरति मिश्र और सरदार कवि की टीका से तो भिन्न है, पर यह नहीं कह सकते कि यह सर्वथा नवीन टीका है या उल्लिखित टीकाओं में से कोई, क्योंकि यह आदि-अंत से खंडित है।

आधुनिक युग में रसिकप्रिया की एक चलती टीका श्री लक्ष्मीनिधि चतुर्वेदी की

१९५४ ई० में प्रकाशित हुई है। सांप्रतिक युग में दूसरी टीका मेरी लिख़ी हुई अब प्रकाशित हुई है, यद्यपि यह लिखी गई थी सं० १९८८ में ही। इसका नाम 'प्रियाप्रसाद' है।

'कविप्रिया' के सबसे प्राचीन टीकाकार सूरति मिश्र हैं। यह टीका जहानाबाद के श्री नसरुल्लाह खाँ के आश्रय में निर्मित हुई थी। इनका काव्यनाम 'रसगाहक' था। इसका निर्माणकाल ज्ञात नहीं है, पर यह निश्चित है कि यह टीका भी रसिकप्रिया की टीका के साथ ही बनी होगी, अर्थात् सं० १७९१ के लगभग। कविप्रिया की दूसरी टीका नाजिर सहजराम की लिखी है। इसका नाम 'सहजरामचंद्रिका' है। ये जोधपुर के महाराज गजसिंह के आश्रित थे। टीका का रचनाकाल यों दिया हुआ है—

संबत अठदस सत बरस चौंतीसै चित धार।
रची ग्रंथरचना रुचिर बिजयदसमि सनिवार॥

इसकी तीसरी टीका श्री हरिचरणदास की लिखी है। इसका नाम 'कविप्रियाभरण' है। यह सं० १८३५ में लिखी गई थी—

संबत अठारह सौ बिते पैतिस अधिके लेख।
साका सत्रह सौ भनै कियो ग्रंथ हरि देख॥
माघ मास तिथि पंचमी सुकला कबि को बार।
हरि कबि कृति सों प्रीति हो राधानंदकुमार॥

हरिचरणदास सरयू-गंडकी-गंगा के संगम पर चैनपुर ग्राम (जिला सारन, छपरा) के निवासी थे। ये सरयूपारी ब्राह्मण वासुदेव के पौत्र और रामधन के पुत्र थे। कृष्णगढ़ महराज के युवराज विरुद्धसिंह के आश्रय में रहकर यह टीका इन्होंने प्रस्तुत की। इनका जन्म १७६६ वि० में हुआ था (खोज, ०४-५८)।

इस पर चौथी टीका धीर कवि की लिखी है, जो सं० १८७० में निर्मित हुई—

संबत द्वादस षष्ठ सत सत्तर सुभ नभ मास।
प्रथम द्वैस बुध धीर कवि कीनौ अर्थप्रकास॥

यह टीका राजा वीरकिशोर की प्रेरणा से लिखी गई थी। एक धीर कवि शाहआलम के दरबार में भी थे। हो सकता है दोनों एक ही हों। शाहआलम की मृत्यु (सं० १८६३) पर वीरकिशोर के आश्रय में आ गए हों (खोज, ०६-२९)।

इसकी पाँचवीं टीका दौलतराम भट्ट की लिखी है। ये असनी के रहनेवाले थे। टीका सं० १८९७ में लिखी गई। ये नरहरि के वंशज थे और इनके पिता का नाम विश्वनाथ और पुत्र का मदनेश था। टीका व्रजभाषा गद्य में है। 'खोज' में भ्रम से भाषा का नाम बुंदेलखंडी हिंदी लिखा गया है। (खोज, २०-३५ बी) इस पर छठी टीका

सरदार कवि की लिखी है। इन्होंने अपने शिष्य नारायण की सहायता से इनका भी निर्माण किया है—

आय नरायन सिस्य सों कह्यो सुकबि सरदार।
महाराज दीनो हुकुम करौ तिलक सुबिचार॥
गुरू सिस्य मिलिकै कियौ याकौ तिलक अनूप।
जो कछु बिगरी होय सो छमियो कबिबर भूप॥
रसिकप्रिया के तिलक में प्रस्न अनेक बिधान।
रामचंद्र की चंद्रिका ऐसो तिलक बखान॥

रसिकप्रिया के इनके तिलक की चर्चा पहले हो चुकी है। रामचंद्रचंद्रिका का तिलक अप्राप्य है। गुरु-चेले ने क्या-क्या काम किया इसका विवरण भी इसमें दिया है—

विषम पदन की व्याख्या कीनी कबि सरदार।
वहै नरायन सिस्य मम बृहत करी सुबिचार॥
संबत उनइस सै बहुरि एकादस की साल।
कातिक सुदि नवमी ससी सुलभ करी कवि बाल॥

यह पहले लिथो में छपी थी, बाद में नवलकिशोर प्रेस से सं० १८८६ में मुद्रित हुई।

सं० १९८२ में स्व. लाला भगवानदीन की इस पर 'प्रियाप्रकाश' टीका प्रकाशित हुई। लालाजी छतरपुर में बहुत दिनों तक अध्यापक रहे, इसलिए बुंदेली भाषा से वे भलीभाँति परिचित थे। केशव के जिन बहुत से शब्दों को पुराने टीकाकारों ने नहीं समझा था उन्हें लालाजी ने स्पष्ट कर दिया है। उनका संकल्प था कि रसिकप्रिया पर भी टीका लिखूँ। पर वह संकल्प उनके जीवनकाल में संपन्न न हो सका। उसकी पूर्ति उनके शिष्य ने की। लालाजी की टीका शब्दार्थ-भावार्थ आदि अपेक्षित विवरणों से संकलित अत्यंत सुबोध टीका है।

आठवीं टीका श्री लक्ष्मीनिधि चतुर्वेदी की है जो लालाजी की टीका के आधार पर लिखी गई है। प्रियाप्रकाश बहुत दिनों से समाप्तप्रायः था, अभी कुछ दिन पूर्व उसका दूसरा संस्करण प्रकाशित हुआ है।

'रामचंद्रचंद्रिका' पर महाराज जगतसिंह दोतहरा (गोंडा) की टीका सं० १८८५ के पूर्व कभी लिखी गई होगी। उन्होंने उसमें इसके छंदों पर विस्तृत विचार किया है। वे लिखते हैं—

केसवदास प्रकास करि रामचंद्रिका चारु।
बहु छंदनि जुत पावनी रामचरित सुख सारु॥
छंदग्यान जिनको नहीं लिखि-लिखि कियो असुद्ध।
ताते मैं लक्षन कियो होहि न छंदबिरुद्ध॥

दूसरी टीका श्री जानकीप्रसाद वाली प्रसिद्ध टीका है, जिसका नाम 'रामभक्ति-प्रकाशिका' है। इसमें अच्छा श्रम किया गया है। कुछ ज्ञातव्य विषय विस्तार से दिए हुए हैं। यह मुद्रित भी हो चुकी है। चंद्रिका पर सरदार कवि की भी टीका थी, जिसका उल्लेख कविप्रिया की टीका के प्रसंग में हो चुका है, पर वह उपलब्ध नहीं है। आधुनिक काल में स्व. लाला भगवानदीनजी ने 'केशवकौमुदी' नाम से इसकी टीका प्रकाशित की। टीका करने में लालाजी ने कई प्राचीन हस्तलेखों का आलोड़न भी किया है और श्री जानकीप्रसाद की टीका से भी सहायता ली। टीका का नाम भी बड़ा अर्थव्यंजक रखा गया है, जिसके दुहरे अर्थ हैं। केशव = राम + कौमुदी = चंद्रिका, साथ ही केशव = केशव कवि + कौमुदी = व्याख्या। 'केशवकौमुदी' दो खंडों में प्रकाशित हुई है। इसके दूसरे खंड में इन्होंने प्राचीन पद्धति की संक्षिप्त आलोचना एक दोहे में निर्मित कर मुखपृष्ठ पर मुद्रित कराई, जिसमें यमक और लाटानुप्रास का सांकर्य दर्शनीय है—

सूर सोई जि न बाँचियो केसव तुलसी सूर।
सूर सोई जिन बाँचियो केसव तुलसी सूर।

आधुनिक युग में इस टीका का बहुत अधिक प्रचार हुआ और इसके कई संस्करण प्रकाशित हुए। यदि लालाजी की टीका न होती तो इस युग में केशव के अध्ययन में सचमुच बहुत बड़ी बाधा थी। उन्होंने केशव की कठिन रचना को टीका द्वारा सरल करने के लिए एक दोहे में क्षमाप्रार्थना भी की है—

'टीका रचि रचि सरल किय छमियो कबि अपराध।'

सूरति मिश्र

भारत में व्याख्याकारों का माहात्म्य कर्ताओं से कम नहीं माना जाता। संस्कृत में प्रख्यात भाष्यकार मल्लिनाथ का मान कम नहीं है—अभिनवगुप्तपादाचार्य उद्भट व्याख्याकार थे। हिंदी में पुराने ग्रंथों की टीका करनेवाले यों तो और भी हुए हैं, पर दुर्बोध ग्रंथों को सुबोध करनेवालों में सूरति मिश्र प्रसिद्ध हैं। इनकी टीकाओं को देखने से पता चलता है कि ये बहुत बड़े शास्त्राभ्यासी थे। 'कठिन काव्य के प्रेत' केशवदास के ग्रंथों की टीका तो इन्होंने की ही, मर्म पर गंभीर आघात करनेवाले बिहारी की रचना की भी व्याख्या की। हिंदी में टीकाकारों के ये शिरोमणि थे, इसमें संदेह नहीं। जिस समय ये वर्तमान थे उसी समय कविसमाज में इनका बड़ा आदर हो गया था। रजवाड़ों में भी ये पुजते थे।

सूरति मिश्र आगरा के रहनेवाले कान्यकुब्ज ब्राह्मण थे। आगरा वह जो 'ब्रज की बाँकी छाँह' था, जिसकी गोद में कल्मषहारिणी कालिंदी प्रवाहित होती है। कालिंदीतट वह जहाँ श्रुति-पुराण की व्याख्या का पठन-पाठन और जप, तप, नृत्य, गान आदि का समारोह हुआ करता था। इनके पिता का नाम सिंहमणि मिश्र था। ये गंगेश के शिष्य थे

और वल्लभाचार्य के संप्रदाय में दीक्षित हुए थे। आरंभ में ये भक्तिकाव्य के कर्ता के रूप में सामने आए। सबसे पहले सौ कबित्तों में इन्होंने 'श्रीनाथविलास' नामक ग्रंथ लिखा, जिसमें श्रीकृष्ण की लीलाओं का वर्णन है। पर ये स्वभाव के चमत्कारवादी थे। अपने पांडित्य का प्रदर्शन करने के लिए इसमें चौथे चरण की तुक तो एक ही रखी, पर शेष तीन चरणों का अंत्यानुप्रास (तुकांत = काफिया) ये नवीन रखते गए। इस प्रकार एक ही 'तुक' के तीन सौ नवीन अंत्यानुप्रासों में यह ग्रंथ लिखा गया, किसी तुक की पुनरुक्ति नहीं हुई। इन्होंने 'श्रीकृष्णचरित्र' भी श्रीमद्‌भागवत के आधार पर लिखा है, जिसमें विचित्र शैली से गोवर्धनलीला का वर्णन किया गया है। फिर भगवान् के चरित्रवर्णन से मुड़कर ये भक्तों की ओर आए। 'भक्तविनोद' नामक पुस्तिका निर्मित की, जिसमें भगवान् के प्रति दैन्य और उनसे भक्ति की प्राप्ति की शिक्षा के लिए प्रार्थना की गई है। तीर्थों और पर्वों के माहात्म्य की भी थोड़ी रचना इसमें है। वस्तुतः यह भक्तों की दिनचर्या का ग्रंथ है। 'विनोद' की रचना कर चुकने पर इन्होंने श्री वल्लभाचार्य के सेवकों की प्रशस्ति भी 'भक्तमाल' के नाम से प्रस्तुत की। 'कामधेनु' नाम की एक ऐसी रचना प्रस्तुत की जिसमें भगवन्नाम ही रखे गए। 'कामधेनु' की रचना में चाहे जहाँ से पढ़ें छंद बन जाता है। यह रचना ऐसी की गई है कि चाहे जहाँ से पढ़िए भगवान् के नाम ही निकलते हैं। फिर 'नखशिख' लिखा। इस प्रकार नाम, रूप, लीला और धाम-भक्ति के चारों स्तंभों पर इनकी रचनाएँ प्रस्तुत हो गईं। भक्ति में पुष्ट होकर ये लोकोपकार की ओर मुड़े। साहित्य का जैसा अभ्यास इन्होंने कर लिया था उसका लाभ दूसरे भी उठा सकें और उसका मार्ग सरल हो इसी विचार से ये रीतिग्रंथों की रचना में लगे। सबसे पहले पिंगल-विषयक 'छंदसार' नामक ग्रंथ प्रस्तुत किया। इसमें जितने उदाहरण दिए गए हैं उनमें प्रभुयश का ही कीर्तन है। बाद में कविशिक्षा पर भी एक पोथी लिखी, जिसका नाम 'कविसिद्धांत' रखा। फिर रस, अलंकार, नायिकाभेद की ओर दृष्टि डाली और अलंकारों का संक्षिप्त विवेचन 'अलंकारमाला' नामक पुस्तक में किया। इसमें संस्कृत के 'चंद्रालोक' और उसकी टीका 'कुवलयानंद' की पद्धति पर अलंकार लक्षण लक्ष्य-सहित एक ही दोहे में समझाया गया है। 'रसरत्न' नाम के ग्रंथ में केवल चौदह कबित्त अथवा चौदह रत्न हैं। इनमें ११५२ नायिकाओं का वर्णन है। तात्पर्य यह कि नायिकाओं के भेदोपभेद इन चौदह कबित्तों में ही समझा दिए गए हैं। अब रस की बारी आई। इन्होंने 'शृंगारसार' नामक रसग्रंथ भी प्रस्तुत किया। कहने की आवश्यकता नहीं कि इन सबकी रचना भी भक्तिमिश्रित है। सूरति मिश्र की भावना ठीक तुलसी की भाँति थी कि बिना भगवद्‌यशवर्णन के काव्य में रस नहीं आ सकता, वैसे ही जैसे बिना नमक के भोजन में स्वाद नहीं आया करता।

'खोज' में 'रसरत्न' के अतिरिक्त 'रसरत्नमाला' (१९०६-२४३ बी) और 'रसरत्नाकर' (१९२६-४४ एच) नाम के ग्रंथों का उल्लेख मिलता है। पर ये सब 'रसरत्न' ग्रंथ ही हैं। ये दूसरे नाम कदाचित् लिपिकारों की असावधानी से लिखे गए हैं। याज्ञिक

महोदयों ने 'कृष्णचरित्र' के अतिरिक्त 'रामचरित्र' ग्रंथ भी इनका लिखा बतलाया है। श्याम के साथ राम का भी चरित्र लिखने से इनकी व्यापक वृत्ति का संकेत मिलता है।

इन ग्रंथों की रचना करने के अनंतर ये व्याख्या और अनुवादों की ओर मुड़े। सबसे पहले इन्होंने केशव के दो ग्रंथों 'रसिकप्रया' और 'कविप्रिया' की टीका की। इनकी 'रसिकप्रिया' की टीका का नाम 'रसगाहकचंद्रिका' है। इसका नाम 'रसिगाहकचंद्रिका' क्यों रखा गया इसका कारण स्वयं टीकाकार ने यों दिया है—

रसिकप्रिया टीका रची सूरति सुकबि बनाय।
यहि रसगाहकचंद्रिका नाम धर्यौ सुखदाय॥
जिहि प्रकार यहि ग्रंथ की रचना प्रगटी आनि।
सो कारन सुनिये सकल कबि कोबिद सुखदानि॥
तखत जहानाबाद में श्रीनसरुल्लह खान।
दान ग्यान किय यान बिधि जस जिहि प्रगट जहान॥
पातसाह दिय नाम निवाज मुहम्मद खाँ जग जानै।
रसगाहक यह नाम आपनो कबिताई मैं आनै॥
पंडित कबि अरु गुनी अनेक सकल विधि जिन्हहिं सराहैं।
पूरब पक्ष उतर चतुराई चमत्कार चित चाहैं॥
तिन कबि सूरति मिश्र सों पोथी पढ़ी अनेक।
बिद्यागुरु करि पूजियो अभिलाषा सबिबेक॥

—(खोज,१९०९-३०४ और १९२७-४७४ जी)

यह टीका 'प्रश्नोत्तरी' पद्धति पर लिखी गई है। सूरति मिश्र की यही शैली जान पड़ती है। क्योंकि 'कविप्रिया' और 'बिहारीसतसई' की टीकाएँ भी इसी प्रणाली से प्रस्तुत की गई हैं। प्रश्न कुछ तो वे हैं जो परंपरा से प्रसिद्ध हैं और कुछ की उद्‌भावना स्वयं व्याख्याकार ने की है और उन सबका समाधान किया है।

इनकी यह टीका पद्यात्मक है। बीच-बीच में 'वार्ता' (गद्य) के भी दर्शन हो जाते हैं। टीका में प्रायः दोहा छंद व्यवहृत हुआ है। इनकी तीनों टीकाएँ पद्यात्मक हैं। सबमें 'वार्ता' क्वचित् ही प्रयुक्त है। आवश्यक स्थलों की ही टीका विस्तार से है। शब्दार्थ मात्र देने के चक्कर में न पड़कर ये काव्यगत गूढ़ार्थ खोलने में संलग्न दिखाई पड़ते हैं।

'कविप्रिया' की टीका भी इसी समय के लगभग निर्मित हुई होगी, पर इसमें न आश्रयदाता का नाम है न निर्माणकाल का पता चलता है (खोज,१९१२-१८६)। उक्त विवरण के अनुसार जहानाबाद के श्री नसरुल्ला खाँ के आश्रय में इस टीका का निर्माण हुआ था। उसे बादशाह ने कदाचित् उसके दानी होने के कारण 'निवाज मुहम्मद खाँ' की उपाधि दे रखी थी और वह स्वयं भी कवि था। कविता में (निश्चय ही हिंदी की, व्रज की कविता में) अपना नाम रसगाहक रखता था, इसी से इस टीका का नाम 'रसगाहकचंद्रिका'

रखा गया। सूरति मिश्र 'रसगाहक' के विद्यागुरु अर्थात् काव्यगुरु थे। उसने इनका बड़ा सम्मान किया था—

> **बाहन बिबिध सुबाध बसु दिय किय बहु सन्मान।**
> **दानबिषै हातिम करन बिक्रम के अनुमान॥**
> **अरु कुलगुरु पदवी दई कह्यौ बचन परसंस।**
> **सदा तुम्हारे बंस कों मानहिं हमरे बंस॥**

इन खाँ साहब ने सूरति मिश्र की काव्य-मर्मज्ञता को देख-समझकर 'पादशाह' से इनकी भेंट भी कराई थी और इन्होंने 'बादशाह' (नरेश) को ईश्वर मानकर उनका प्रशस्तिपाठ भी किया था—

> **नगर आगरे तें सुकबि सूरति युत अहलाद।**
> **एक समय आवन कियो तखत जहानाबाद॥**
> **मिले परम उत्साह सों श्री नसरूल्लह खान।**
> **बहुबिधि सूरति मिश्र को दियो बहुत सनमान॥**
> **अरु यह खान सुजान के आई चित मुँह बात।**
> **पादसाह सों मिश्र सों भेंट करैये प्रात॥**
> (कुकुभा)
> **कह्यो नबाब अमीर खान सों मिश्र हमारे आए।**
> **नही मानुषी कबित करत अरु प्रभु के बहुत बनाए।**
> **पै सब ही के मन में नरपति प्रभु को रूप बखान्यो।**
> **यातें बादसाह के कबितहिं किये ग्रंथ मत आन्यो।**
> **यातें इन्है मिलैये ह्याँ चित अभिलाषा धरि आए।**
> **तब नवाब सुनि मिले मिश्र सों चरचा सुनि सुख पाए॥**

नवाब अमीर खाँ की मध्यस्थता से इनकी भेंट बादशाह से हुई थी और वह संवत् १७९० में हुई थी।

> **संबत सत्रह सै नब्बे गुरु पौष सुदी त्रतिया कों।**
> **बहुत बड़ाई करि कबि की तहँ भेंट करायो ताकों॥**
> **कीन्ही सूरति सुकबि पै कृपा मुहम्मदसाह।**
> **तखखत ह्वाँ ठाढ़ो कियो कबित सुनन की चाह॥**
> **द्वै घटिका दिन हुतो साँझ लौं कबित सुने तहँ ठाढ़े।**
> **या ही बिधि बसंत होरी मैं सुनै कबित हित बाढ़े॥**
> **कहँ लगि लिखिय कबित्त पढ़े जे रसके अतिहिं सुहाए।**
> **पातसाह के हित जे कीन्हें ते लिखिबे में आए॥**

इससे स्पष्ट है कि सूरति मिश्र की रचना बादशाह ने चाव से सुनी और बहुत देर तक सुनता रहा। वसंत का समय होने के कारण इन्होंने होली तथा वसंत के छंद सुनाए थे। वहाँ जो रचना सुनाई गई उसका एक नमूना लीजिए—

छाँडि दिये करने कबित्त नर लोगन के यह चित्त आया कि रिझाऊँ करतार कों।
करि करि कबिता सुनाऊँ दिनदिन पर वह तो अलख नहीं दीसै कहूँ बार कों।
आलमपनाह मुहम्मदसाह महाबली मेरे मन रहै देखूँ पर्वरदिगार कों।
अब सुन पाया आव अलख का साया हजरत को बताया यातें आया हूँ दीदार कों॥

इसमें कवि की प्रतिज्ञा और उसे तोड़ने का जो शास्त्रीय पक्ष दिया है सो तो है ही, इन्होंने खड़ी बोली में अपना 'सखुन' इजहार किया है, यह भी ध्यान देने योग्य है। कवि लोग मुसलमानी दरबारों में पहुँचकर खड़ी बोली में अपनी कविता सुनाते थे और मुसलमानों के प्रसंग में खड़ी बोली का ही अधिकतर व्यवहार करते थे। प्रमाण भूषण की रचना में तो मिलता ही है और भी कितने ही कवियों की रचना में मिलता है। काव्यस्वीकृत भाषा उन दिनों व्रजी ही थी, पर लोकस्वीकृत भाषा खड़ी बोली थी, उसमें अरबी-फारसी के भी चलते शब्द पड़े रहते थे।

संवत् १७१४ में 'बिहारीसतसैया' की 'अमरचंद्रिका' टीका निर्मित हुई—

सत्रह सै चौरानबे आस्विन सुदि गुरुबार।
अमरचंद्रिका ग्रंथ की बिजै दसमि अवतार॥

इसके नामकरण का कारण यह है कि यह जोधपुर के दीवान 'अमरेश' या अमरसिंह' के आश्रय में बनी थी। मिश्रजी ने प्रस्तावना में लिखा है—

चौदहपुर राज महाराज श्रीअभैसिंह नवकोटीनाथ गाथ प्रसिध बखानियै।
तिनके सचिव रायरायाँ श्रीअमरसिंह कोबिदसिरोमनि जगत जस जानियै।
तिन मिश्र सूरति सुकबि सौं कृपा सनेह करिकै कही यौं एक बात उन आनियै।
कठिन बिहारीसतसैया ता पै टीका कीजै जी कों सुखदाई यातें अर्थ नीको जानियै॥

और कही महाराज कै यहि सुग्रंथ अति हेत।
तिनके हित कै रुचि रच्यौ रचना अर्थनिकेत॥
रच्यौ ग्रंथ तेहि हित धर्यौ अमरचंद्रिका नाम।
भंडारी परसिद्ध जग नाडौला गुनधाम॥

यहाँ यह बतला देने की आवश्यकता है कि सूरति मिश्र की इस टीका से लल्लूलाल ने अपनी 'लालचंद्रिका' में शास्त्रविषयक सारी सामग्री उठाकर बेखटके रख दी है। इस अमरचंद्रिका टीका पर किन्हीं ईसवी खाँ ने गद्य टीका भी लिखी है जो बहुत ही चलती

व्रजभाषा में लिखी गई है। एक ईसवी खाँ बिहारीसतसई के प्रसिद्ध टीकाकार हो गए हैं। उन्होंने 'रसचंद्रिका' नाम से गद्य में सतसई की बहुत ही उत्कृष्ट टीका लिखी है। यदि यह टीका उन्हीं की हो तो किसी ने दोनों टीकाओं को एक में कर दिया होगा। क्योंकि 'रसचंद्रिका' टीका अकारादि क्रम से है और सूरति मिश्र का क्रम विषयानुकूल है। यह भी संभव है कि ईसवी खाँ ने सूरति मिश्र की टीका को आधार बनाया हो। क्योंकि ईसवी खाँ की टीका १८०७ संवत् में बनी थी।

संवत् १८०० में सूरति मिश्र बीकानेर पहुँचे। वहाँ के तत्कालीन नरेश जोरावरसिंह के कहने पर अपनी 'रसिकप्रिया की टीका' (रसगाहकचंद्रिका) उनके नाम पर 'जोरावरप्रकाश' नाम से आदि में प्रशस्ति के कुछ छंद बदलकर प्रस्तुत कर दी। वे लिखते हैं—

बीकानेर प्रसिद्ध है अति पुनीत सुभ धाम।
लक्ष्मीनारायन तहाँ इष्ट परम अभिराम॥
दुखहरनी करनी सुखहि करनी मात प्रसिद्धि।
सब गुन की चरचा जहाँ सदा धर्म की बृद्धि॥
श्रीजोरावरसिंहजू राज करत जिहि ठौर।
सब बिद्या में अति निपुन तिन समान नहिंऔर॥

जैसे पद्माकर ने अपने जगद्विनोद को ग्वालियरनरेश के नाम पर 'आलीज-प्रकाश' नाम दिया था वैसे ही सूरति मिश्र ने 'रसगाहकचंद्रिका' को 'जोरावरप्रकाश' नाम दिया। 'जोरावरप्रकाश' में अपेक्षाकृत गद्य का अधिक व्यवहार है।

इन टीकाओं के अतिरिक्त सूरति मिश्र ने संस्कृत के 'प्रबोधचंद्रोदय' नाटक का भी पद्यानुवाद किया है। इन्होंने शिवदास कवि कृत संस्कृत 'वैतालपंचविंशतिका' का भी 'बैतालपचीसी' के नाम से व्रजभाषा में उल्था किया है। वस्तुतः लल्लूलाल ने सूरति मिश्र के इसी ग्रंथ का खड़ी बोली में भाषांतर कर दिया है। खोज (१९२६-२८) में बैतालपचीसी के चार अनुवाद सूरति मिश्र के नाम पर मिलते हैं जो खड़ी बोली के हैं। इनकी पुष्पिका में सूरति मिश्र का नाम आया है। इससे जान पड़ता है कि इनके व्रजभाषा में अनूदित ग्रंथ का अन्य कई लोगों ने खड़ी बोली में रूपांतर किया है। ये सब वस्तुतः इनकी कृतियाँ नहीं हैं, इनके ग्रंथ के रूपांतर हैं।

सूरति मिश्र का अपनी जीवितावस्था में कितना सम्मान था इसका पता 'सरसरस' नामक ग्रंथ की प्रस्तावना से चलता है। सं० १७९४ के एकाध वर्ष इधर-उधर आगरा में कविसमाज एकत्र हुआ था। उसमें साहित्य के कई मर्मज्ञों ने योग दिया था। उस कविगोष्ठी में यह निश्चित हुआ था कि साहित्यशास्त्र की छानबीन पुनः की जाए। जो निर्णय हुआ उसके आधार पर राय शिवदास नाम के कवि ने 'सरसरस' नाम का रीतिग्रंथ प्रस्तुत किया। उस ग्रंथ में सूरति मिश्र के मंतव्यों का समावेश तो है ही, उनकी रचनाएँ भी समाविष्ट की गई हैं। इन रचनाओं का गुरुत्व इसी से प्रमाणित है कि प्रणेता ने अपने ग्रंथ

की गंभीरता का कारण रचनाओं के उद्धरण को माना है—

एक समय मधि आगरे कबिसमाज को जोग।
मिल्यो आइ सुखदाइ हिय जिनकी कबिता जोग॥
तब सबही मिलि मंत्र यह कियौ कबिन बहु जान।
रच्यौ सुग्रंथ नवीन इक नए भेद रस ठान॥
जिहि बिधि कबि मिलिकै कही जथा जोग लहि रीति।
उनहीं मैं सब संभवै कहे भेद जुत प्रीति॥
अपनी मति परमान सों कहे भेद बिस्तार।
लखौ सु यामें नूतना सो कबि लेहु सुधार॥
कबि अनेक मति में हुते पै मुख कबि परबीन।
जाके संमत सों भयौ पूरन ग्रंथ नवीन॥
सूरति राय सुकबि सरस कान्यकुब्जहू जान।
बानी ताही नगर को कबिता जाहि प्रमान॥
केतक धरे सुग्रंथ में बर कबित्त कबिराय।
ताही सों गंभीरता अरथ बरन दरसाय॥
आठौ रस रसभेद में जे बरनै मति ठानि।
राजनीति में संभवै ते मति लीजौ मानि॥
सत्रह सै चौरानबे संबत सुभ बैसाख।
भयौ ग्रंथ पूरन सु यह छठि ससि पुष सित पाख॥

इस उद्धरण से यह तो प्रकट होता ही है कि सूरति मिश्र का कविमंडल कितना समान था साथ ही यह भी प्रकट होता है कि कवि लोग केवल दरबार में चमत्कारपूर्ण रचनाएँ सुनाकर वृत्ति व पुरस्कार लेने ही में संलग्न नहीं रहा करते थे। साहित्य की गतिविधि पर भी उनकी दृष्टि जाती थी और उसके संस्कार एवं परिष्कार का भी वे प्रयास किया करते थे। रीतिकाल की ग्रंथराशि की छानबीन होने पर न जाने ऐसे कितने तथ्य मिलेंगे। यहाँ सुरति मिश्र का नाम 'सूरति राय' दिया गया है। समय, स्थान आदि का विचार करने पर यह निश्चित हो जाता है कि ये वे ही 'सूरति मिश्र' हैं। ध्यान देने की बात है कि संवत् १७९४ में ही सूरति मिश्र ने 'अमरचंद्रिका' भी प्रस्तुत की थी। उसका निर्माण अमरसिंह के आश्रय में अवश्य हुआ, पर अनुमान किया जा सकता है कि इस साहित्यमर्मज्ञ से लोगों ने कदाचित् हिंदी के गूढ़ ग्रंथों की टीका करने का भी आग्रह किया होगा। ऐसी दशा में इस कविसमाज का समय सं० १७९० के आस-पास होगा, क्योंकि सं० १७९१ में इन्होंने 'रसिकप्रिया' की टीका लिखी थी। आश्रयदाताओं के नाम पर ग्रंथों को प्रकाशित करने का कारण जीवन की प्रेरणा थी। द्रव्य की प्रेरणा से ये अपने ग्रंथ का आश्रयदाता ढूँढ लिया करते थे। जनता में इनके ग्रंथों के प्रसार से द्रव्यलाभ नहीं हो

सकता था। द्रव्यलाभ आश्रयदाता से होता था और यशोलाभ जनता से।

उक्त 'सरसरस' ग्रंथ बहुत दिनों से सूरति राय या सूरति मिश्र के नाम से हिंदी में चल रहा है। इसका कारण यह है कि सं० १८५४ में डोमरसिंह ने जो इसकी प्रतिलिपि की उसकें अंत में एक सवैया जोड़ दिया जिसमें इस ग्रंथ को 'सूरति राम कबीस' का बताया। देखिए—

> बेद[४] नराच[५] भुजंग[८] मयंक[१] सुअंक में संबत चाह बिचारी।
> भादव की दसमी गुरुवार भयौ सिधि जोग सुपक्ष अँधारी॥
> 'सुरत राय कबीस' को ग्रंथ नवीन महा उर आनँदकारी।
> सो लिखि डोमरसिंह लियो है हिये पदवंदि उभै पिय प्यारी॥

इस ग्रंथ की प्रतिलिपियाँ किस प्रकार होती गईं इसका उल्लेख 'बिहारीविहार' में मिलता है—

> श्रीपृथ्वीधर मिश्र पर महाराज वर पाइ।
> श्रीयुत राय गुलाब पुनि लाला मिले सहाइ॥
> श्रीलालूजी की कृपा लग्यो हाथ बिनु प्रास।
> लिख्यौ आदिरस देखि सो चीतपूर करि बास॥

खोज (१९०९-३१४) की अंतिम पुष्पिका यों है—

> सुकबि अंबिकादत्त यह तिनसों लियो लिखाय।
> बेद[४] बान[५] ग्रह[९] इंदु[१] के सुभ संबत सुखदाय॥

अंबिकादत्त सुकवि ने १९५४ में इसकी प्रतिलिपि कराई थी। इसी संवत् में उनका 'बिहारीविहार' भी प्रकाशित हुआ था। उन्होंने लिखा है कि 'मुझे यह ग्रंथ पटनानिवासी पंडित गोवर्धननाथ पाठक जी से मिला है।' खोज में ग्रंथस्वामी का नाम-पता दिया है—पंडित बद्रीनाथ शर्मा वैद्य त्रिमुहानी मिर्जापुर। इस प्रकार ग्रंथ की अनुलिपि-परंपरा का बहुत-सा विवरण इससे मिल जाता है। इस ग्रंथ की एक प्रति उदयपुर पुस्तकालय में भी है, जिसका उल्लेख 'राजस्थान के हस्तलिखित ग्रंथों के विवरण' में किया है। उसमें यह पुस्तक राय शिवदास की ही कृति कही गई है। पर्याप्त उद्धरण न होने के कारण उसकी पूरी छानबीन नहीं की जा सकती। डोमनसिंह के ऐसा लिखने का परिणाम यह कि 'शिवसिंहसरोज' में भी यह ग्रंथ 'सूरति मिश्र' का ही माना गया। ग्रियर्सन साहब ने सरोज को आधार बनाकर जो अपना ग्रंथ (मॉडर्न वर्नाक्यूलर लिटरेचर ऑव हिंदुस्तान) प्रस्तुत किया उसमें 'सरसरस', 'सरसरास' हो गया और संगीत का ग्रंथ माना गया। 'बिहारीविहार', 'मिश्रबंधुविनोद', शुक्लजी के इतिहास में, अर्थात् सर्वत्र यह सूरति मिश्र की कृति माना गया है। पर यह उनकी रचना है नहीं। इसके कई कारण हैं।

एक तो प्रस्तावना में जो बात लिखी गई है उससे 'सुरति राय' प्रणेता से भिन्न व्यक्ति जान पड़ते हैं, दूसरे पुष्पिका में 'रायशिवदासविरचिते' स्पष्ट लिखा है। सबसे मुख्य पकड़ है बंदना या मंगलाचरण। इस ग्रंथ का मंगल यों है—

बिधनबिदारन बिरदबर बारनबदन बिकास।
बर देवहु बाढ़ै बिसद बानी बुद्धिबिलास॥
गौरीपति पर प्रेम बिहसि गजमुख अवगाह्यो।
रहति देखि गति जियति पुरतियन चित्त उमाह्यो॥
तरी भौंह लखि कामसंक परतिय हिय धारी।
निंद कामसुख बिषै निरखि रति दयो बिचारी।
सत सुद्ध रूप सुधि बिरद करि बिनय दास स्रवननि धरौ।
रससरस ग्रंथ चाहत रच्यौ नव रसमय सिव सिव करौ॥

इससे स्पष्ट होता है कि कर्ता ने पहले गणेश की फिर शिव की वंदना की है। अतः वह शैव है। सूरति मिश्र वैष्णव थे, वल्लभकुल में दीक्षित थे। इसलिए उन्होंने अपने किसी ग्रंथ में शिव की वंदना नहीं की है।

शुक्लजी ने इतिहास में इनके परिचय में लिखा है—'टीकाएँ व्रजभाषा में हैं। इन टीकाओं के अतिरिक्त इन्होंने 'बैतालपच्चीसी' का व्रजभाषा गद्य में अनुवाद किया है और निम्नलिखित रीतिग्रंथ रचे हैं—

१. अलंकारमाला, २. रसरत्नमाला, ३. सरसरस, ४. रसगाहकचंद्रिका, ५. नखशिख, ६. काव्य-सिद्धांत, ७. रसरत्नाकर।

ऊपर दिए हुए विवेचन से पता चलेगा कि टीकाएँ गद्य में नहीं पद्य में हैं। उनमें 'वार्ता' या गद्य का व्यवहार क्वचित् है। रसरत्नमाला और रसरत्नाकर एक ही ग्रंथ के भिन्न-भिन्न नाम हैं। उसका ठीक नाम 'रसरत्न' है। 'सरसरस' इनका रीतिग्रंथ ही नहीं है। 'रसगाहकचंद्रिका' वस्तुतः टीका है, इनका स्वच्छंद ग्रंथ नहीं।

'अमरचंद्रिका' के संबंध में 'मिश्रबंधुविनोद' में लिखा है—'यह महाराजा अमरसिंहजी जोधपुर के नाम पर बनाई गई।' पर उपरिलिखित विवरण से स्पष्ट हो गया होगा कि वह जोधपुर के नरेश के नहीं, वहाँ के दीवान के नाम पर बनी है। जोधपुर नरेश तो अभयसिंह थे।

लाला भगवानदीन

(१)

नास्माकं शिबिका न चास्ति कटकाद्यालंक्रिया सत्क्रिया
नोत्तुंगस्तुरगो न कश्चिदनुगो नाप्यम्बरं सुन्दरम्।

किंतु क्ष्मातलवर्त्यशेषविदुषां साहित्यविद्याजुषां
चेतस्तोषकरी शिरोनतिकरी विद्यानवद्यास्ति नः ॥

यही थी स्व. लाला भगवानदीनजी की मनस्विता। पालकी-तामझाम क्या कोई सवारी नहीं रखी, न कहारों के कंधे पर चले न घोड़े की पीठ पर। काशी के एक छोर पर विश्वविद्यालय में अध्यापक थे, सवारी न मिलती तो पैदल ही चल पड़ते। दूसरे छोर पर राय गोविंदचंद्र को पढ़ाने जाते पाँडेपुर। इक्का न पाते तो पैदल ही बढ़ आते। आजकल की भाँति न रिक्शों का बाहुल्य था न बसों की व्यवस्था। बनारसी इक्के कैसे होते थे इसका सटीक पता श्री कृष्णदेवप्रसाद गौड़ 'बेढब' का 'बनारसी एक्का' देता है। गहनों के नाम पर कानी उँगली में अँगूठी तक नहीं देखी गई। रहा अनुग, सो अनुगामी चेलेचाटी चाहे जितने रहे हों, पर नौकर-चाकर एक नहीं। वस्त्र भी पुरानी चाल के, सूट-बूट की नवीनता जहाँ जाते झिझकती। इससे इन्हें आधुनिक दृष्टि से हानि भी उठानी पड़ी। किसी विश्वविद्यालय में हिंदी के प्राध्यापक का नया स्थान हुआ। लालाजी और पं० रामचंद्र शुक्ल दोनों ही प्रार्थी। कहा गया कि लालाजी का ड्रेस पुराना है, वे छात्रों पर रोब न गालिब कर सकेंगे। यह तब जब लालाजी की तूती बोलती थी, शुक्लजी साहित्य पर तब छाए नहीं थे। लालाजी के अध्यापन और काव्यमर्मज्ञता का जब लोहा मान चुका था हिंदीजगत्। आज कोई क्या समझेगा कि क्या दबदबा था इनका तब। अध्यापक को प्राध्यापक न बनने दिया उसके पहनावे ने। शुक्लजी का पहनावा ठीक, हैट न सही नकटाई तक वे पहुँच गए थे। पर वे भी ग्रेजुएट न थे। लालाजी भी ग्रेजुएट न थे। पर शीनकाफ दुरुस्त रखते तो शायद अहले इल्मियत कुछ और ही रंग लाती। ग्रेजुएट न होने की बात उनकी अंतःसंज्ञा में पड़ी रह गई होगी, क्योंकि प्राचीन कविता के संपादन की ओर जब वैसे ही विश्वविद्यालय के छात्रों में से कोई ग्रेजुएट लपका और बेठिकाने का संपादन करके भी पुराने साहित्यिक संपादन को उसने अवैज्ञानिक कहा, तब ये फट पड़े उस पर। कड़ी आलोचना, त्रुटियों का निदर्शन करते हुए बतलाया कि प्राचीन काव्य की मर्मज्ञता साधनासाक्षेप है, ग्रेजुएट की मुहर से न काम चलेगा न माल। समीक्षक का नाम छपा था—ग्रेजुएट मेकर लाला भगवानदीन। समय पलटा। कॉलेजों-विश्वविद्यालयों में कुछ प्राध्यापक हिंदी-सेवा के नाते ही रखे गए। यहाँ तक कि जो हिंदी की कोई परीक्षा भी पास नहीं वे हिंदी-विभाग के अध्यक्ष तक बना दिए गए। परतंत्र देश और स्वतंत्र देश में इतना अंतर। लालाजी की आत्मा संतुष्ट होगी।

ये प्राचीनता के प्रतीक थे—वेशभूषा, चाल-ढाल, रहन-सहन, कामकाज सबमें। प्राचीन काव्य के घोर पक्षपाती थे ये। हिंदी में प्राचीन काव्य जानने और लगानेवाले उस समय भी कम थे, जो थे उनमें ये कई दृष्टियों से सर्वोपरि माने जाते थे। हिंदी का मध्यकालिक वाङ्मय इन्होंने बहुत देखा सुना था। ये बहुत दिनों तक उस छतरपुर में सेकंड मास्टर थे जो हिंदी के हस्तलेखों की खान है। काशी आकर इन्होंने अनेक प्राचीन काव्यों का संपादन और भाष्य किया। उस समय हिंदी के प्राचीन ग्रंथों के प्रकाशन का

जैसा चाव था वैसा अब नहीं, यद्यपि हिंदी की अब कई समृद्ध संस्थाएँ हैं, बड़ी-बड़ी गद्दियाँ हैं। अकेले भारतजीवन प्रेस ने ही कितने ही ग्रंथ छाप डाले। नवलकिशोर प्रेस तथा वेंकटेश्वर प्रेस भी पीछे नहीं रहे। गुजरात और बंगाल से भी कई ग्रंथ प्रकाशित किए गए। अन्य हिंदी-संस्थाओं के अतिरिक्त काशी की नागरी-प्रचारिणी सभा ने भी कई सुसंपादित प्राचीन काव्य छपवाए, कर्त्तव्य समझकर ही। तब व्यवसाय सजग न था। वैज्ञानिक संपादन की धूम न थी। साहित्य सजग था और साहित्यिक सोत्साह।

लालाजी तुलसीदास के काव्य के प्रकांड पंडित माने जाते थे। तुलसी-ग्रंथावली निकलने लगी तो इनका आवाहन किया गया। इन्होंने शर्त रखी कि मैं तभी संपादन में हाथ डालूँगा जब केवल उन्हीं लोगों का नाम संपादकों में छापा जाए जो उसमें काम करें। कोई यों ही प्रधान संपादक न बन बैठे। अंत में लालाजी तुलसी-ग्रंथावली के संपादक हुए। वहाँ कोई प्रधान संपादक नहीं है। इनका साथ दिया शुक्लजी ने। यह वही ग्रंथावली है जिसकी प्रस्तावना लिखकर शुक्लजी हिंदी पर छा गए। उन दिनों लालाजी कितना काम करते थे—घर पर केशवदास के प्रेत से सामना करते, फिर विश्वविद्यालय की भिड़ों (छात्रों) से, फिर चक्कर में डालनेवाले तुलसीकाव्य के हस्तलेखों से और अंत में अपने साहित्य विद्यालय की लालटेन से। ये विद्याजीवी और श्रमजीवी दोनों थे।

सभा के हिंदी शब्दसागर में प्राचीन हिंदीकाव्यों से बेनी कवि आदि ने जो शब्दसंग्रह किया उसके अर्थनिर्णय और संपादन में प्रमुख थे लालाजी और बाबू जगन्मोहन वर्मा। कोश के प्रधान संपादक बाबू श्यामसुंदरदास नौकरी के सिलसिले से कश्मीर जा पहुँचे, कोश विभाग उनके साथ लग गया। पर लालाजी नहीं गए। कहकर भी नहीं गए ऐसा बाबू साहब की मेरी आत्मकहानी कहती है, पर लालाजी की जबानी सुना कि इस प्रकार पुछल्ला बनना ठीक नहीं। बनना ये कुछ नहीं चाहते थे, पर बनाना अवश्य चाहते थे। बाबू साहब को हिंदी विभाग का अध्यक्ष बनाने में लालाजी का भी योग था।

ये पहले फारसी पढ़ाते थे हिंदू कॉलेज में। एक तो लालाजी फिर फारसी के आलिम। इन्हें हिंदी में अरबी-फारसी शब्दों को रखने में कोई हिचक न थी, यहाँ तक कि खड़ी बोली में जब नई रंगत की रचना होने लगी तब इन्होंने बेखटके खड़ी बोली को फारसी बहरों के साँचे में ढाल दिया। वीरपंचरत्न ऐसा भारी ग्रंथ लिख डाला—फड़कती हुई भाषा और कड़कती हुई पदावली में। वह गाँव-गाँव फैला। पाठ्यक्रम में उसे रखवाने का यत्न इन्होंने कभी नहीं किया। आज कुछ पुस्तकें ऐसी हैं जो पाठ्यक्रम से हटा दी जाएँ तो संस्करण समाप्त होना कठिन हो जाए। वीरपंचरत्न के अनेक संस्करण हो गए और लक्षावधि प्रतियाँ बिक चुकीं। वीरपंचरत्न में बड़ी स्पष्टता है। अरबी-फारसी शब्दों का मेल होने पर भी और फारसी छंदशैली रहने पर भी। ये छायावाद की उलझाऊ व्यंजना को ठीक नहीं समझते थे। छायावादी कविता कदाचित् और पहले छा गई होती यदि लालाजी ऐसे महारथियों का अंकुश न होता। श्री निराला की अनामिका का प्राप्ति-स्वीकार मुक्त छंद में कवि जैसा ही व्यंग्यात्मक किया था इन्होंने। सम्मेलनों में तो नई

कविता पढ़नेवाले छोकड़ों को अशुद्धियाँ होने पर भरी सभा में फटकार दिया करते थे। ये किसी से दबते न थे, बड़े दबंग थे। ये कोरे पुराणपंथी न थे। गांधीजी का असहयोग आंदोलन चला तो चरखे पर चरखाष्टक बनाते नजर आए, जिसमें गांधीजी को विष्णु-कृष्ण और चरखे को सुदर्शनचक्र कल्पित किया। इनकी भारतजननी-वंदना तो भारत के मानचित्र पर अंकित और मुद्रित होकर न जाने कितने घरों में मढ़ी तसवीर बनकर टँगी दिखाई देती थी। उसकी टेक थी—

ऐ जन्मभूमि जननी मैं तुझको आदरूँगा।
निज बाहुबल से तेरे संकट सभी हरूँगा॥

शराबबंदी का दौर हुआ तो इनका परचा निकला शराब की जाति-पाँति का पता देता हुआ—

महुए की मालजादी है काकी कबाब की।
इसने जहान भर की है इज्जत खराब की॥

लालाजी साहित्य क्षेत्र के योद्धा थे। पूरे महारथी। किस-किससे मोरचा नहीं लिया इन्होंने। पंडित गोविंदनारायण मिश्र के सटाऊ सिद्धांत (विभक्ति-चिह्नों को शब्दों से मिलाकर लिखने) के विरुद्ध थे। उस पर कई लेख लिखे। श्री मैथिलिशरण गुप्त की 'भारतभारती' की बड़ी कड़ी टीका अपनी संपादित 'लक्ष्मी' में की। वह भी उस्तादी टीका। केवल त्रुटियाँ नहीं दिखाई गईं, यह भी बताया कि अमुक पंक्ति यदि रखी जाए तो ठीक हो जाए। ऐसे ही रामचरित उपाध्याय, रामदहिन मिश्र आदि के ग्रंथों की भी आलोचना-समीक्षा की। 'हिंदी नवरत्न' निकलने पर 'बिहारी' के पक्ष से इन्होंने बहुत कुछ लिखा जिसे 'बिहारी और देव' नाम से पुस्तकाकार छाप भी दिया।

इनकी धारणा थी कि हिंदी की मर्मज्ञता के हेतु तुलसीदास का 'मानस' भर पढ़ लेना (बाँच लेना नहीं) पर्याप्त है। यदि बाँचना ही हो तो तुलसी, सूर और केशव की रचनाएँ बाँचनी चाहिएं—

सूर सोई जि न बाँचियो केसव तुलसी सूर।
सूर सोई जिन बाँचियो केसव तुलसी सूर॥

लालाजी लंबी-चौड़ी आलोचना के हिमायती न थे। संक्षेप में मोटी-मोटी बातें कह देना पर्याप्त समझते थे। 'केशवकौमुदी' (केशवकृत रामचंद्रचंद्रिका की टीका) का भूमिका में इन्होंने तुलसीदास और केशवदास की विशेषताओं की ऐसी ही खतिऔनी की है। ये कहा करते थे कि बड़ी-बड़ी आलोचनाएँ न जाने कैसे लिख डालते हैं लोग। पर जब आलोचना का प्रचलन हुआ तो अपने शिष्यों को निमित्त बनाकर इन्होंने दोहावली, सूर-पंचरत्न तथा अन्योक्तिकल्पद्रुम में बड़ी-बड़ी भूमिकाएँ जोड़ीं। पर ये ऐसे न थे कि लिखे

कोई और नाम किसी का छपे। स्पष्ट लिख दिया कि इस पुस्तक में मेरे अमुक शिष्य ने मेरे नेत्र और हाथ का काम किया है, आदि आदि। लालाजी छलछद्म से दूर रहनेवाले ब्राह्मण ही थे पूरे रामभक्त। जय रघुनंदन की, जय शंकर की कहते हुए अभिवादन-प्रत्यभिवादन करनेवाले। सनातनी ऐसे कि साहित्य-क्षेत्र में लाख तू-तू मैं-मैं होने पर भी श्री कृष्णबिहारी मिश्र से भेंट होने पर 'पंडितजी पाय लागन' कहकर ही मिले, घंटों साहित्य चर्चा करते रहे। राजनीति की कुटिलता से सग्रस्त साहित्यिकता इनकी नहीं थी। अनधिकारी साहित्य क्षेत्र में पैंतरे दिखाने आ जाता तो डट जाते। श्री नारायणप्रसाद 'बेताब' ने 'पद्मपरीक्षा' नाम की पुस्तक लिखी। उस समय की खड़ी बोली के पाँच कवियों की खंडनात्मक आलोचना। तुकांत प्रदप्रयोग की अशुद्धियों की ढूँढ-खोज। लालाजी कलम लेकर टूट पड़े। लालाजी के 'जगतेश' प्रयोग पर आपत्ति थी उन्हें। 'जगदीश' को शुद्ध बतलाया था। लालाजी ने कहा 'जगदीश' संस्कृत है, जगतेश ही हिंदी है। हिंदी में ऐसे नाम होते हैं लोगों के। हिंदी संस्कृत नहीं है, अभी कुछ दिन आप हिंदी सीखिए, संस्कृत की तोतारटंत से हिंदी में काम न चलेगा। लालाजी से क्या, इनके शिष्यों तक से त्रस्त रहते थे खाल ओढ़कर साहित्य में आनेवाले प्राणी। कोई बेतुकी, बेसिर-पैर की, ऊटपटाँग बात किसी ने कही और लालाजी तथा इनकी शिष्यमंडली खंडन करने को खड्गहस्त।

(२)

लालाजी के साहित्यिक शिष्यों में मैं सबसे छोटा हूँ। जिस प्रकार गुरुजनों का वात्सल्य छोटे लड़कों पर अधिक होता है उसी प्रकार लालाजी भी मेरे ऊपर विशेष कृपादृष्टि रखते थे। छोटे लड़के लाड़-प्यार के कारण मुँहलगे भी हो जाया करते हैं, इसी नियम से मैं भी 'दीन' जी से स्वतंत्रतापूर्वक वार्त्तालाप किया करता था। मारे दुलार के उन्होंने मेरा नाम 'बे-अदब शिष्य' रख दिया था। मैं सचमुच इस तरह की गुस्ताखी कर गुजरता था। एक बार लालाजी अपने एक मित्र के यहाँ गए हुए थे। महीने-डेढ़ महीने तक उनका कोई पत्र घर नहीं आया। किसी को उनके अज्ञातवास का पता न था। अनुमान से ज्ञात हुआ कि वे अपने अमुक मित्र के यहाँ गए हुए हैं। मित्र साहब का अल्ल 'परदेशी' था। इस पर मुझे कुछ साहित्यिक विनोद सूझा। मैंने उन्हें निम्नलिखित कबित्त लिख भेजा—

काशिका की भव्य भव-भूति ही विलीन होगी विश्वनाथ बिलख बिलख बन जाएँगे।
हिंदी बिंदी त्याग के मलीन होगी दिन दिन शिष्यगण शोक पंक मध्य सन जाएँगे।
पीतल सी पीततम होंगी वे अशर्फियाँ[१] भी रत्नराजि[२] के तो टूट कन कन जाएँगे।
पड़े परदेशियों की प्रीति के प्रपंच बीच कहीं यदि आप परदेशी बन जाएँगे॥

---

१. लालाजी की तीसरी पत्नी श्रीमती अशर्फीदेवी।

२. 'साहित्यरत्न' शिष्यगण।

संयोग से मेरा लिफाफा लालाजी के मित्र महोदय के हाथ पड़ा। उन्होंने उसे खोलकर पढ़ लिया। लालाजी 'परदेशी' शब्द की कलाबाजी पर प्रसन्न तो हुए, पर मित्र महोदय के पत्र पढ़ लेने से उन्हें मानसिक विषाद भी हुआ। उन्होंने प्रेमपूर्ण शब्द में लिखा कि 'तुम साहित्यरत्न हो या साहित्यपत्थर'?

शब्दों की करामात पर लालाजी किस प्रकार लट्टू रहा करते थे, इसका उदाहरण वे मरते-मरते दे गए। अपनी रुग्णावस्था में वे बराबर काव्यचर्चा किया करते थे। एक दिन काव्यचर्चा 'देव' के निम्नलिखित सवैये को लेकर हो रही थी—

माखन सो मन दूध सो जोबन है दधि तें अधिकै उर ईठी।
जा छबि आगे छपाकर छाछ समेत सुधा बसुधा सब सीठी।
नैननि नेह चुवौ कबि 'देव' बुझावत बैन वियोग-अँगीठी।
ऐसी रसीली अहीरी अहै कहौ क्यों न लगै मनमोहनै मीठी॥

इसके चतुर्थ चरण में आए 'मनमोहनै मीठी' शब्द पर लालाजी एतराज कर रहे थे। उन्होंने कहा—'जब माखन, दूध आदि के द्वारा 'अहीरी' शब्द की पुष्टि की गई, तब 'मनमोहनै' कहने में देव की जबाँदानी शिथिल जान पड़ती है।' मैंने कहा—'गुरुजी, 'गोपालहि' होता तो सम अलंकार का अच्छा निर्वाह हो जाता।' उस घोर वेदना में भी लालाजी हँस पड़े। वे साहित्यचर्चा में मर्मांतक वेदना भी भूल जाया करते थे। उन्होंने तो यहाँ तक कहा—"मैं इन उपचारों से चंगा नहीं हो सकता यदि साहित्यचर्चा अथवा कवि-सम्मेलन का कोई बृहत् आयोजन हो और उसमें मैं अपनी कविता सुनाऊँ तथा अन्य कवियों की कविता का 'सुधारस' पान करूँ, तो चंगा हो सकता हूँ।"

लालाजी फलित ज्योतिष और वैद्यक के अच्छे ज्ञाता थे। उन्होंने कई व्यक्तियों को फलित ज्योतिष और वैद्यक के अचूक निष्कर्ष से चकित कर दिया था। एक बार सूर्यकिरण चिकित्सा की भी धुन सवार हुई। लालाजी के यहाँ जाइए तो आँगन में सतरंगी बोतलों का जमघट! एक धुन तो विज्ञान-विशारदों को भी चकित कर देनेवाली थी। विज्ञान की दृष्टि से वृक्ष में जीव माना जाता है। इसकी उन्होंने आजमाइश शुरू की। उनका आम का एक बगीचा था। वे जब छुट्टियों में गाँव जाते तब प्रत्येक पेड़ को भेंटते और सगे-संबंधियों की भाँति सुख-दुःख की बातें करते। बगीचे में कुछ पेड़ खट्टे थे और कुछ बहुत कम फलते थे। ऐसे पेड़ों को आपने डाँटना-डपटना आरंभ किया, मानो कोई बुजुर्ग लड़कों को बुरी चाल और अकर्मण्यता पर फटकार सुना रहा हो। मैं स्वयं लालाजी का यह अलौकिक व्यापार देख चुका हूँ। कुछ वर्षों के अनंतर आम सचमुच मीठे हो गए और न फलनेवाले फलने लगे।

लालाजी सार्वजनिक जीवन से बाहर रहनेवाले साहित्यिक नहीं थे। देश के राजनीतिक मामलों में भी उनकी वृत्ति खूब रमती थी। 'नमक कर की अवज्ञा' आरंभ होने पर उन्होंने कई छंद लिखे थे, जिनमें से एक कवित्त का यह अंतिम चरण कितना

साहित्यिक है—

भारत-स्वतंत्रता-सिया के लाइबेके हेतु, देखो गांधी बाबा सेतु नोन को बँधावै है।

गोलमेज कांफ्रेंस के संबंध में कितना बढ़िया कबित्त लिखा था—

गोल गोल मेज होगी गोल मेजपोश होगा गोल केक होगी गोल कप गोल कलसा।
गोल गोल बुद्धिवाले गोल गोल देहवाले गोलों से डरावेंगे जमावेंगे अमल सा।
गोल फुटबाल-इंडिया को गोल किक देंगे अपना सुगोल वे रखावेंगे अचल सा।
गोल हैटधारी गोलगोल ही करेंगे बात गोलगोल होगा गोल टेबुल का जलसा।।

(३)

लाला भगवानदीनजी का जन्म बड़ी तपस्या के अनंतर हुआ था। उनकी माता ने उनके ऐसे पुत्ररत्न की प्राप्ति के लिए भगवान् भुवनभास्कर का बड़ा कठोर व्रत किया था। अधिक वय हो जाने पर भी कोई संतति न होने से उनके पिता मुंशी कालिकाप्रसाद बड़े चिंतित रहा करते थे। पर एक साधु के आदेशानुसार उन्होंने पत्नी को रविवार के दिन उपवास करने और सूर्य को अखंड दीपज्योति दिखलाने की आज्ञा दी। ज्येष्ठ मास की कड़ी धूप में वे उदयोन्मुख सूर्य की ओर प्रज्ज्वलित घृत-दीप लेकर खड़ी हो जाया करतीं, और ज्यो-ज्यों सूर्य भगवान् आकाश में पूर्व से पश्चिम की ओर बढ़ते वे भी उनका ही अनुगमन करके उनके सम्मुख दीपज्योति दिखाती रहतीं। संध्या समय पूजनोपचार के पश्चात् वे उसी स्थान पर रात में शयन भी करतीं। दो रविवारों तक तो उन्होंने यह घोर व्रत सहिष्णुता के साथ किया, पर तीसरे रविवार को वे चक्कर आ जाने से गिर पड़ीं। इस कठिन तपोव्रत का फल यह हुआ कि संवत् १९२३ विक्रमीय की श्रावण शुक्ला पंचमी को उन्होंने पुत्ररत्न प्रसव किया। भगवान् (सूर्य) का दिया हुआ समझकर पुत्र का नाम 'भगवानदीन' रखा गया।

'दीन' जी के पूर्वपुरुष श्रीवास्तव दूसरे कायस्थ थे और उन्हें नवाबी के जमाने में 'बख्शी' की उपाधि मिली थी। वे पहले रायबरेली में रहा करते थे, किंतु सन् सत्तावन वाले विद्रोह में अपना निवास-स्थान छोड़ रामपुर में जा बसे। वहाँ से वे फतहपुर शहर से कोई दस कोस की दूरी पर बहुआ नामक कस्बे के पास 'बरवट' नाम के एक छोटे से गाँव में बस गए। इसी गाँव में 'दीन' जी का जन्म हुआ था।

'दीन' जी के पिता साधारण स्थिति के मनुष्य थे, इस कारण उन्होंने घर पर ही लड़के को पढ़ाना आरंभ किया। कायस्थ होने के कारण 'बिस्मल्लाह' उर्दू और फारसी से ही हुआ। ग्यारह वर्ष की वय में ही उनकी स्नेहमयी माता का गोलोकवास हो गया। जीविकावश उनके पिता बुंदेलखंड में रहा करते थे, इसलिए वे पुत्र को भी साथ ही लेते गए। वे वहाँ पर फारसी पढ़ने लगे, पर चार वर्ष पश्चात् फिर घर भेज दिए गए। वहाँ दो वर्ष तक मदरसे में पढ़ते रहे और घर पर अपने दादा से हिंदी भी सीखते रहे। सत्रह वर्ष

की वय में वे फतेहपुर के हाईस्कूल में भरती किए गए। मिडिल पास करने के समय उनका विवाह भी कर दिया गया। सात वर्ष में एंट्रेंस पास कर लेने पर वे प्रयाग की कायस्थ पाठशाला में कॉलेज की शिक्षा प्राप्त करने भेजे गए। उनके पिताजी ने उनकी देख-रेख का भार अपने घनिष्ठ मित्र 'पुत्तू सुनार' को सौंप दिया था, जो बड़ी सावधानी और विश्वासपात्रता के साथ 'दीन' जी को शिक्षा दिलाते थे। उनका विवाह तक 'पुत्तू बापू' ने ही कराया था। पिताजी दूर रहने के कारण शीघ्रता में वहाँ पहुँच ही नहीं पाए।

'पुत्तू बापू' ने दीनजी को गृहस्थी का भार सँभालने की आज्ञा दी। तदनुसार वे पढ़ते भी थे और गृहस्थी सँभालने का प्रयत्न भी करते रहते थे। इसी से एफ.ए. से आगे उनकी पढ़ाई न चल सकी। अंत में वे कायस्थ पाठशाला में अध्यापक हो गए। डेढ़ साल के अनंतर प्रयाग के ही 'गर्ल्स हाईस्कूल' में फारसी की शिक्षा देने लगे। चित्त न लगने के कारण छह मास पश्चात् छतरपुर (बुंदेलखंड) में महाराजा हाईस्कूल के सेकंड मास्टर होकर चले गए। वहाँ जाने पर स्त्री का देहांत हो गया। उनका दूसरा विवाह शादियाबाद (गाजीपुर) में हुआ और दूसरी पत्नी को साथ ही रखना पड़ा। उनकी दूसरी पत्नी प्रसिद्ध कवयित्री बुंदेलाबाला थीं। 'दीनजी' ने स्वयं उन्हें कई ग्रंथ पढ़ाए थे, जिनमें 'बिहारीसतसैया' मुख्य था।

लालाजी के दादा बड़े रामभक्त और रामायण-प्रेमी थे, उन्होंने ही इन्हें हिंदी का आरंभिक ज्ञान कराया था। ये उनसे नित्य रामायण-पाठ सुना करते थे। दीनजी का रामायण के प्रति तभी से अनुराग हो गया था। इन्होंने रामायण के सुंदरकांड की शिक्षा पूज्य पिताजी से ही पाई थी। वे भी परम भागवत थे। यद्यपि हिंदी का ज्ञान इन्हें पर्याप्त हो गया था, पर अभी पूरी विद्वत्ता प्रस्फुटित नहीं हुई थी। इनका अनुराग कविता की ओर लड़कपन से ही था, पर उसका परिमार्जन आवश्यक था। छतरपुर में इन्होंने अपने मित्रों के अनुरोध से कविता संबंधी दो सभाएँ स्थापित कीं। एक 'कविसमाज' और दूसरी 'काव्यलता'। साथ ही 'भारतीभवन' नामक एक पुस्तकालय भी स्थापित किया। ये तीनों स्थान काव्यचर्चा के अड्डे थे। उक्त दोनों सभाओं में नौसिखिए कवि कविता करके सुनाया करते थे और पं० गंगाधर व्यास उनका संस्कार कर दिया करते थे। प्रायः समस्यापूर्तियाँ पढ़ी जाती थीं। व्यासजी से इन्होंने 'मानस' और अलंकारों का भी अध्ययन किया था।

कुछ दिनों बाद छतरपुर से भी दीनजी का मन उचट गया। वस्तुतः ये विस्तृत साहित्य-क्षेत्र में कार्य करने के अभिलाषी थे, अतः काशी चले आए। यहाँ ये सेंट्रल हिंदू कॉलेज में फारसी के शिक्षक हो गए और नागरी प्रचारिणी सभा में प्राचीन काव्यग्रंथों का संपादन भी करने लगे। इसी समय इन्होंने प्रसिद्ध वीरकाव्य '**वीरपंचरत्न**' के लिखने में हाथ लगाया था। जिसके लिखने का अनुरोध बुंदेलाबाला ने किया था। कुछ दिनों पश्चात् जब नागरी प्रचारिणी सभा 'हिंदी-शब्दसागर' बनवाने लगी तब ये भी उसके उपसंपादक चुने गए। बहुत कुछ काम हो चुकने पर इन्होंने अपनी स्पष्टवादिता के कारण

संपादन से हाथ खींच लिया। इस कार्य से छूटते ही ये हिंदू विश्वविद्यालय में हिंदी के लेक्चरर हो गए, जहाँ अंत तक रहे।

काशी में इन्होंने हिंदी साहित्य-सम्मेलन की परीक्षाओं को प्रोत्साहन देने के लिए 'हिंदी साहित्य-विद्यालय' की स्थापना की। कुछ दिन के लिए ये गया भी गए थे और वहाँ 'लक्ष्मी' पत्रिका का संपादन किया था। अंत में काशी में स्थायी रूप से रहने लगे। यहीं इनका 'काशीवास' हुआ।

लालाजी हिंदी के प्रकांड काव्यमर्मज्ञ थे। इनकी प्रतिभा सर्वतोमुखी थी। ये कवि, लेखक, समालोचक, संपादक, अध्यापक और व्याख्यानदाता सभी थे। इन्होंने कितने ही ग्रंथ रचे हैं—केशवदास के दुर्बोध ग्रंथों की सरल टीकाएँ लिखीं और रीतिग्रंथ बनाए। इनके ग्रंथों में से प्रसिद्ध पुस्तकों के नाम ये हैं—भक्तिभवानी, रामचरणांकमाला, वीरपंचरत्न, नवीन वीन, केशवकौमुदी (रामचंद्रचंद्रिका की टीका), प्रियाप्रकाश (कविप्रिया की टीका), बिहारीबोधिनी (बिहारीसतसैया की टीका), तुलसीदास के ग्रंथों (मानस के अयोध्या, किष्किंधा, सुंदर कांडों, तथा दोहावली, कवितावली) की टीका, सूक्तिसरोवर (हिंदी-कविताओं का समीक्षा-व्याख्यायुक्त संग्रह), सूरपंचरत्न (सूर के पाँच उत्तम काव्यांशों का संग्रह), केशवपंचरत्न (केशव के पाँच ग्रंथों का संक्षिप्त संग्रह), अलंकारमंजूषा, व्यंग्यार्थमंजूषा आदि। इनके संपादित ग्रंथ तो बीसियों हैं। फुटकल कविताएँ इन्होंने बहुत लिखी हैं, जिनमें से थोड़ी-बहुत समय-समय पर पत्रिकाओं में प्रकाशित हुआ करती थीं। 'मित्रादर्श' और 'महाराष्ट्र देश की वीरांगनाएँ' नामक दो बड़े काव्य लिख रहे थे, पर वे अधूरे ही रह गए।

प्रियाप्रकाश

हिंदी के प्राचीन आचार्य केशवदास की रचना कितनी कठिन है यह प्रत्येक हिंदीरसरसिक भली-भाँति जानता है। केशव के ग्रंथों में 'रामचंद्रचंद्रिका' और 'कविप्रिया' क्लिष्ट कल्पनाओं से भरी हैं। शास्त्रीय ग्रंथ होने से 'कविप्रिया' अधिक कठिन है। 'रसिकप्रिया' तीनों में सरल है। इनके अन्य ग्रंथ भी अपेक्षाकृत सरल हैं।

लाला भगवानदीनजी ने पहले 'रामचंद्रचंद्रिका' की टीका 'केशवकौमुदी' नाम से की, फिर 'कविप्रिया' की टीका 'प्रियाप्रकाश' नाम से। 'प्रियाप्रकाश' की भूमिका में लालाजी ने लिखा है—'हमने बहुत से छंदों का अर्थ सरल समझकर छोड़ दिया है'। ऐसा करना ठीक ही है, क्योंकि जो लोग सरल छंदों का भी अर्थ नहीं कर सकते वे केशव की कविता क्या समझेंगे। किंतु कहीं-कहीं लालाजी ने लिखा है कि इसकी टीका हम 'केशवकौमुदी' में कर चुके हैं—केशवकौमुदी का अमुक पृष्ठ देखो। जिसके पास 'केशवकौमुदी' न होगी वह उसका अर्थ कैसे समझेगा।

'कविप्रिया' की टीका करने में लालाजी ने बड़ा परिश्रम किया है। अच्छे-अच्छे विद्वान् भी कविप्रिया का अर्थ करने में गोता खाने लगते हैं। केशव ने श्लेष से बहुत

काम लिया है। इन्हीं श्लिष्ट स्थानों का अर्थ करने में, उन्हें समझाने में बड़ी अड़चन पड़ती है, पर लालाजी ने उन स्थलों को ऐसा स्पष्ट कर दिया है कि साधारण साहित्य-प्रेमी भी उसे भली-भाँति समझ सकता है।

टीका की विशेषता है उसकी स्पष्टता, चमत्कारों को खोल देना। 'कविप्रिया' ऐसा ग्रंथ है जिसमें प्रत्येक स्थान पर चमत्कार है और 'प्रियाप्रकाश' ऐसी टीका है जिसमें सर्वत्र स्पष्टता है।

इस ग्रंथ की दो पुरानी टीकाएँ प्रचलित हैं, एक सरदार कवि की दूसरी हरिचरणदास की। सरदार कवि की टीका अच्छी है पर स्थान-स्थान पर उन्होंने अर्थ छोड़ दिया है। सरदार ने कई स्थानों पर शंकाएँ और उनका समाधान किया है, पर ये शंकाएँ कहीं-कहीं बेकार हैं। इसका अभिप्राय यह कदापि नहीं कि सरदार की टीका सर्वत्र बेठिकाने की है। लालाजी की टीका अपेक्षाकृत बहुत साफ है।

केशव की 'कविप्रिया' का हिंदी-साहित्य पर बहुत बड़ा प्रभाव पड़ा है। कोई कवि बिना इसे पढ़े कोविद नहीं समझा जाता था। पुस्तक में कवि-शिक्षा की सामग्री एकत्र की गई है। ग्रंथ कठिन है पर लालाजी ने उसे बहुत सरल कर दिया है।

केशव की पुत्रवधू

परंपरा से यह सुनता चला आ रहा था कि प्रसिद्ध कवि केशवदास की पुत्रवधू कवयित्री थी। यह कथा भी सुनी थी कि जब केशवदास ने 'रसिकप्रिया' की रचना की तब उसे पढ़कर उनके आत्मज विषयविलास में ऐसे लगे कि केशव को विज्ञानगीता का निर्माण (संस्कृत के 'प्रबोधचंद्रोदय' नाटक का भावानुवाद) करना पड़ा। इसे पढ़कर उन्हें प्रबोधोदय हुआ। वे दर्शन के ग्रंथ काँख में दबाए घूमा करते और 'एकमेवाद्वितीयम्' की चर्चा में लीन रहते। पति का यह अकालवैराग्य पत्नी को खलने लगा। श्वसुर का कार्य भी उसे न रुचा। कवयित्री किसी अवसर की ताक में थी कि इस अनपेक्षित और अकाल-संघटित कर्म की व्यंग्य से आलोचना की जाए। घर में बकरा भी पाला गया था। अजासुत ने प्रकृत्या कवयित्री को पास से आते-जाते देख एक दिन अपनी बोली-बानी में मुँह खोला तो उसने काकाजी (श्वसुरजी) को सुनाते हुए एक तात्कालिक रचना पढ़ी, जिसमें कहा गया कि 'ऐ बकरे, मैं काकाजी से कहकर तुझे अध्यात्मविद्या की शिक्षा दिलाऊँगी जिससे तुझे भी वैराग्य हो जाए। तेरी भी वही गति होगी जो मेरे पतिदेव की हुई।' इसे केशवदास ने सुना तो पुत्र को पुनः गार्हस्थ्य धर्म में संलग्न कराया।

बिहारी कवि को कुछ लोगों ने प्रसिद्ध कवि केशवदास का पुत्र माना है और कहा है कि 'केशव-पुत्रवधू' के नाम से जो रचना प्राचीन संग्रहों में प्रसिद्ध है वह बिहारी की पत्नी की ही रचना है। असनी के रीतिबद्ध रचना करनेवाले प्रसिद्ध ठाकुर कवि ने अपने आश्रयदाता काशी के श्री देवकीनंदन के नाम पर 'सतसैयावर्णार्थ' टीका लिखी है। उसमें

कहा गया है कि बिहारी ने नहीं बिहारी की पत्नी ने सतसैया के दोहों का निर्माण किया था। इसका सारांश इस प्रकार है—

"बिहारी जयपुर में एक साधारण ब्राह्मण की भाँति वृत्ति पाया करते थे। एक बार जब वे जयपुर अपनी वृत्ति लेने गए तब महाराज को नई ब्याहकर लाई हुई रानी के प्रेम में पड़ा पाया। वे महलों से कभी दरबार में न आते। बेचारे को लौट आना पड़ा। बिहारी ने लौटकर यह समाचार पत्नी को सुनाया। उसने तुरंत निम्नलिखित दोहा बनाकर उन्हें पुनः जयपुर भेजा—

नहिं पराग नहिं मधुर मधु नहिं बिकास इहिं काल।
अली कली ही सौं बिंध्यौ आगे कौन हवाल॥

दोहा किसी प्रकार महाराज के पास महल में पहुँचाया गया। इसका महाराज पर बड़ा प्रभाव पड़ा। वे महल से बाहर निकले और प्रसन्न होकर बिहारी को 'अँजुरी-भर' मोहरें दीं। कहा कि इसी प्रकार दोहे बनाकर लाया करो तो तुम्हें प्रति दोहा एक मोहर मिलेगी। कहते हैं कि पत्नी ने क्रमशः १४०० दोहे बनाकर बिहारी को दिए और उन्होंने महाराज को सुना-सुनाकर १४०० मोहरें प्राप्त कीं। १४०० दोहों की सतसैया बनी। सतसैया लेकर पत्नी ने पति को छत्रसाल के दरबार में भेजा। सतसैया उन्हें दिखाई गई। जाँच के लिए उन्होंने अपने धार्मिक गुरु श्री प्राणनाथ के पास भेजा। यद्यपि प्राणनाथ भी कवि थे तथापि शृंगारी कविता उन्हें पसंद नहीं थी। उन्होंने सतसैया पर प्रतिकूल सम्मति दी। बिहारी अपना-सा मुँह लेकर लौट आए। पर पत्नी हार माननेवाली न थी। उसने उन्हें उन्हीं पैरों वहीं भेजा और कहा कि महाराज से निवेदन करना कि 'पन्ना के श्री जुगुलकिशोर मंदिर में प्राणनाथ की भक्ति की रचना और यह सतसैया रात में रख दी जाए। जिस पर भगवान् के हस्ताक्षर हो जाएँ वही उत्कृष्ट और प्रामाणिक मानी जाए'।

"ऐसा ही किया गया। सतसैया पर ही हस्ताक्षर हुए। बिहारी चुपके से चले आए। खोज करने पर भी जब वे राजधानी में न मिले तब उनके निवास-स्थान पर दरबार में उपस्थित होने और पुरस्कार लेने के लिए पत्र भेजा गया। पत्नी ने दोहे लिख भेजे—

तौ अनेक अवगुन भरिहिं चाहै याहि बलाइ।
जौ पति संपतिहू बिना जदुपति राखे जाइ॥
दूरि भजत प्रभु पीठि दै गुन बिस्तारन काल।
प्रकटत निर्गुन निकट ही चंग रंग गोपाल॥

पहला दोहा महाराज के लिए था और दूसरा श्री प्राणनाथ के लिए। महाराज उत्तर से और प्रसन्न हुए। उन्होंने बिहारी को ग्राम दिए।"

बिहारी प्रसिद्ध कवि केशवदास के पुत्र नहीं थे। ऐसा भ्रम होने का कारण इतना ही है कि केशवदास के पुत्र का नाम बिहारीदास था, जो कवि नहीं थे। पर किसी केशव के पुत्र अवश्य थे। उनके निम्नलिखित दोहे पर कृष्ण कवि की टीका में लिखा है कि इसमें केशव शब्द श्लेष में है। वह श्रीकृष्ण और बिहारी के पिता दोनों पर घटित होता है।

प्रगट भए द्विजराजकुल सुबस बसे ब्रजआइ।
मेरे हरौ कलेस सब केसव केसवराइ॥

बिहारी के भांजे श्री कुलपति मिश्र ने अपने 'संग्रामसार' में नाना की वंदना इस प्रकार की है—

कबिबर मातामह सुमिरि केसव केसवराइ।
कहौं कथा भारत्थ की भाषा छंद बनाइ॥

इससे स्पष्ट जान पड़ता है कि कुलपति के नाना और बिहारी के पिता का नाम 'केशव केशवराय' था। इस नाम के कवि के बड़े ही पुष्ट छंद 'सुधासर' आदि कई प्राचीन संग्रह-ग्रंथों में पाए जाते हैं।

तो क्या 'केशव-पुत्रवधू' के नाम से जिनकी रचना मिलती है वे इन्हीं केशव केशवराय की पुत्रवधू थीं। 'केशव-पुत्रवधू' की रचना अब तक मुझे नहीं मिली थी। मिश्रबंधुविनोद में उनका उल्लेख इस प्रकार है—'केशव पुत्रवधू, रचनाकाल सं. १६६० के पूर्व। विवरण—इनकी कविता सारसंग्रह में है।' सारसंग्रह का विवरण भूमिका में इस प्रकार दिया गया है—'सं० १८०० का 'प्रवीण कवि द्वारा संग्रहीत सारसंग्रह' पं० युगलकिशोर मिश्र के पुस्तकालय में है।' इस 'सारसंग्रह' में केशव-पुत्रवधू की कौन-कौन-सी रचनाएँ हैं यह जिज्ञासा हुई। मैंने अपने मित्र डॉ. केसरीनारायण शुक्ल को लखनऊ पत्र लिखा कि उक्त ग्रंथ देखकर कवयित्री की रचना की प्रतिलिपि भिजवा देने का कष्ट करें। उन्होंने मिश्र-परिवार के किसी छात्र को यह कार्य सौंपा।

इंग्लैंड जाने के पहले वे काशी पधारे तो पूछने पर उत्तर मिला कि छात्र ने हताश होकर यह बताया कि उसमें कुल जमा एक ही तो छंद है। उसकी प्रतिलिपि न मिल सकी। वे हड़बड़ी में विदेश चले गए। इसके लिए मैंने स्वयं मिश्रबंधुओं से पत्रालाप करने की सोची। संयोग से संग्रह-ग्रंथों में भूषण की कविता की छानबीन करते समय इधर यह छंद मुझे काशी नागरी प्रचारिणी सभा के आर्यभाषा पुस्तकालय में मिल गया। हस्तलेख संख्या ८९५ के १२५वें पन्ने पर 'केशव पुत्रवधू' के नाम पर यह सवैया दिया हुआ है—

जैहै सबै सुधि भूलि तुमैं फिरि भूलि न मो तन भूलि चितैहै।
एक कौ आँक बनावत मेटत पोथिय काँख लिये दिन जैहै।
साँची हौं भाषति मोहिं कका की सौं प्रीतम की गति तेरिहू ह्वैहै।
मोसों कहा इठलात अजासुत कैहौं बबाजू सों तोहू सिखैहै॥

इस सवैये में कथा वही है जिसे हम परंपरा से सुनते चले आ रहे हैं। 'सारसंग्रह' में भी यही सवैया होगा।

सेनापति

सेनापति ने अपने संबंध में एक कबित्त ही लिख डाला है—

दीछित परसराम दादौ है बिदित नाम जिन कीने यज्ञ जाकी जग मैं बड़ाई है।
गंग धर पिता गंगाधर की समान जाकौं गंगातीर बसति अनूप जिन पाई है।
महाजानिमनि बिद्या दानहू कौं चिंतामनि हीरामनि दीछित तैं पाई पंडिताई है।
सेनापति सोई सीतापति के प्रसाद जाकी सब कबि कान दै सुनत कबिताई है॥

इसके अनुसार इनके पितामह परशुराम दीक्षित थे और पिता गंगाधर। गंगा के किनारे अनूप बस्ती में रहते थे। लोगों का अनुमान है कि यह अनूपशहर ही है। हीरामणि दीक्षित इनके विद्यागुरु थे। ये रामोपासक थे किंतु राम और कृष्ण में भेद मानकर चलनेवाले नहीं थे। 'शिवसिंहसरोज' में लिखा है कि इन्होंने वृंदावन में क्षेत्रसंन्यास लेकर सारा जीवन व्यतीत किया। मतवाद का आग्रह होता तो ये साकेत (अयोध्या) में क्षेत्रसंन्यास लेकर रहते। सं० १७०६ में इन्होंने 'कबित्तरत्नाकर' नामक ग्रंथ निर्मित किया। 'कबित्तरत्नाकर' मुद्रित होकर हिंदी-परिषद् (प्रयाग विश्वविद्यालय) से प्रकाशित हो चुका है और उसके कई संस्करण भी हो चुके हैं। सेनापति की कृति 'काव्य-कल्पद्रुम' नामक ग्रंथ भी कहा जाता है। पर इधर श्री किशोरीलाल गुप्त ने प्रमाणित किया है कि सेनापति ने इस नाम का ग्रंथ नहीं लिखा। यह उनके कबित्तरत्नाकर का ही कल्पित नाम है। इनका जन्म सं० १६५० के आसपास रहा होगा। इन्होंने अपनी कविता के संबंध में यह लिखा है—

मूढ़न कौं अगम, सुगम एक ताकों, जाकी तीछन अमल बिधि बुद्धि है अथाह की।
कोई है अभंग कोई पद है सभंग सोधि देखे सब अंग सम सुधा के प्रबाह की।
ज्ञान के बिधान छंद कोष सावधान जाकी रसिक सुजान सब करते हैं गाहकी।
सेवक सियापति कौ सेनापति कबि सोई जाकी द्वै अरथ कबिताई निरबाह की॥

इससे स्पष्ट है कि इनकी रचना में श्लेष का चमत्कार पाया जाता है। श्लेष का यह चमत्कार संस्कृत से उधार लिया हुआ नहीं है। केशवदास ने श्लेषादि का जो चमत्कार दिखाया वह संस्कृत का अनुवदन मात्र है। सेनापति ने व्रजभाषा को ही माध्यम बनाकर अपने श्लिष्ट प्रयोग किए हैं, इसलिए इनके श्लिष्ट प्रयोग व्रजभाषा की संपत्ति हैं। इससे स्पष्ट है कि व्रजभाषा पर सेनापति का अत्यधिक अधिकार था। इनका श्लेष का चमत्कार भी उलझाऊ नहीं है।

'कबित्तरत्नाकर' इनकी एक ही पुस्तक अभी तक प्राप्त हुई है। इसमें पाँच तरंगें हैं। पहली तरंग में श्लेष का, दूसरी में शृंगार का, तीसरी में ऋतु का, चौथी में रामायण का और पाँचवीं में रामरसायन का वर्णन है। यद्यपि इनकी सभी रचनाओं में यथास्थान श्लेष का चमत्कार मिलता है तथापि श्लेष-वर्णन के अतिरिक्त अन्यत्र सर्वत्र वैसी स्थिति नहीं है। हिंदी में विभिन्न कवियों ने अलंकार की कोई विशेष शैली अपनाई और उसमें सबसे अधिक तथा महत्त्वपूर्ण उक्तिविधान किया। श्लेष का विधान सेनापति में, परिसंख्या का केशव में, रूपक का तुलसीदास में, लोकोक्ति का ठाकुर में, व्याजस्तुति का पद्माकर में और अन्योक्ति का दीनदयाल गिरि में अन्य कवियों से विशिष्ट है। अपनी विशिष्ट शैली में कवि ने जैसा कार्य किया वैसा कोई दूसरा कवि नहीं कर सका। सेनापति का माहात्म्य श्लेष के इस सर्वोत्कृष्ट विधान के ही कारण हिंदी भाषा और साहित्य की दृष्टि से इतना अधिक है कि यदि इनकी और प्रकार की रचना न भी प्राप्त हो तो भी ये भाषा के सेनापति कहलाने के पूर्ण अधिकारी हैं। संस्कृत में श्लेष के क्षेत्र में अखंड श्लेष और खंड श्लेष दोनों में से खंड श्लेष का विशेष माहात्म्य माना जाता है। इसका वास्तविक कारण यह है कि किसी भाषा में कवि की शक्ति का और उसके क्रियाकल्प (शिल्पविधि-तकनीक) का पूरा पता खंड श्लेष से जितना चलता है उतना अखंड श्लेष से नहीं। पर खंड श्लेष बहुत अधिक लिखना सरल नहीं है। कुछ बँधी हुई स्थितियाँ किसी भाषा में हुआ करती हैं। खंड श्लेष से पाठकों के लिए यह भी कठिनाई उत्पन्न होती है कि वे सामान्यतया उसका अर्थ ठीक-ठीक नहीं लगा पाते। बिना टीका के काम नहीं चलता। कादंबरी में खंड श्लेष के बहुत से प्रसंग आए हैं पर बिना टीका के अर्थ करने में विशेष कठिनाई होती है। हिंदी में खंड श्लेष की इस उलझाऊ प्रवृत्ति को कवियों ने अधिक ग्रहण नहीं किया। केशवदास में ही कुछ इसकी विशेष प्रवृत्ति रही है पर उन्होंने भी संस्कृत की शब्दावली ही ज्यों-की-त्यों रख देने का प्रयास किया है। सेनापति ने भी खंड श्लेष की बहुत अधिक प्रवृत्ति नहीं दिखलाई है। यही कारण है कि इनके श्लेष चमत्कारपूर्ण होते हुए भी लोगों के लिए उतने उद्वेगजनक नहीं हैं। इनका निम्नांकित कबित्त बहुतों की जीभ पर इसी कारण चढ़ा रहता है—

नाहीं नाहीं करैं थोरो माँगे सब दैन कहैं मंगन कौं देखि पट देत बारबार हैं।
जिनकौं मिलत भली प्रापति की घटी होति सदा सब जनमन भाए निरधार हैं।
भोगी ह्वै रहत बिलसत अवनी के मध्य कन कन जोरैं दानपाठ परिवार हैं।
सेनापति बचन की रचना बिचारौ जामैं दाता अरु सूम दोऊ कीने इकसार हैं॥

इसमें 'जन मन' और 'कन कन' में खंड श्लेष का सीधा चमत्कार दिखाई देता है। दाता के पक्ष में 'जन मन' और सूम के पक्ष में 'जनम न'। ऐसे ही दाता के पक्ष में 'कन कन' और सूम के पक्ष में 'कनक न' करके अर्थ लग जाएगा।

इनकी रचना में यों तो बीच-बीच में श्लेष के भीतर भी कुछ शृंगार-संबंधी

उक्तियाँ आई हैं, पर शृंगार-संबंधी उक्तियाँ इन्होंने पृथक् ही संगृहीत की हैं। शृंगार की उक्तियों में भी कहीं बंकिम पथ ग्रहण किया गया है और कहीं ऋजु। इनकी ऋजु पथ की उक्तियाँ अनुभूतिमयी हैं—

जौतैं प्रानप्यारे परदेस कों पधारे तौतैं बिरह तैं भई ऐसी ता तिय की गति है।
करि कर ऊपर कपोलहिं कमलनैनी सेनापति अनमनी बैठीयै रहति है।
कागहि उड़ावै कौहू कौहू करै सगुनौती कौहू बैठि अवधि के बासर गनति है।
पढ़ि पढ़ि पाती कौहू फेरिकै पढ़ति कौहू प्रीतम कौ चित्र मैं सरूप निरखति है॥

सेनापति की रचना में ऋजु पथ चित्रतत्त्वप्रधान दिखाई देता है और बंकिम पथ नादतत्त्वप्रधान। ऊपर के कबित्त में विरहिणी के रूप का चित्रण तो है ही उसकी अनुभूति की पराकाष्ठा भी दिखाई गई है। वह प्रेम की उस चरमसीमा पर पहुँच गई है जहाँ प्रेमी और प्रिय का अभेद हो जाता है।

ऋतुवर्णन में भी दो प्रकार की उक्तियाँ मिलती हैं। एक तो वे उक्तियाँ जिनमें ऋतुओं का उद्दीपनरूप में कथन है और दूसरी वे जिनमें ऋतुएँ आलंबन के रूप में गृहीत हैं। मध्यकाल के कवियों में सेनापति ही ऐसे दिखाई देते हैं जिन्होंने ऋतुओं का आलंबनवाला रूप भी ग्रहण किया है। निदाघ का वर्णन उसके स्वरूप को कितना स्पष्ट करता है यह नीचे के उदाहरण से स्पष्ट होगा—

बृष कौ तरनि तेज सहसौ किरन करि ज्वालन के जाल बिकराल बरसत है।
तपति धरनि जग जरत झरनि सीरी छाँह कौं पकरि पंथी पंछी बिरमत है।
सेनापति नैक दुपहरी के ढरत होत धमका बिषम ज्यौं न पात खरकत है।
मेरे जान पौनौ सीरी ठौर कौं पकरि कौनौ घरी एक बैठि कहूँ घामै बितवत है॥

उद्दीपनरूप में प्रकृति का वर्णन चमत्कारपूर्ण करने का इन्होंने प्रायः प्रयास किया है और नई-नई कल्पनाएँ सामने की हैं—

लाल लाल केसू फूलि रहे हैं बिसाल संगस्याम रंगभेंटि मानौ मसि मैं मिलाएहैं।
तहाँ मधु काज आइ बैठे मधुकरपुंज मलय पवन उपबन बन धाए हैं।
सेनापति माधव महीना मैं पलास तरु देखि देखि भाव कबिता के मन आए हैं।
आधे अनसुलगि सुलगि रहे आधे मानौ बिरहीदहन काम क्वैला परचाए हैं॥

कहीं-कहीं उहापूर्ण उक्तियाँ भी इन्होंने रखी हैं जिनमें नए ढंग का चमत्कार दिखाई देता है। जैसे शिशिर के वर्णन में दिन की छुटाई के संबंध में यह उल्लेख—

द्यौस की छुटाई की बड़ाई बरनी न जाइ सेनापति पाई कछू सोचिकै सुमिरिकै।
जौलौं कोक कोकी कौं मिलत तौलौं होतिरातिकोक अधबीचही तैं आवत है फिरिकै।

इनके ऋतुवर्णन से यह स्पष्ट है कि इन्होंने ऋतुओं संबंधी अपनी प्रत्यक्ष अनुभूति अथवा साक्षात् ज्ञान का सहारा अधिक लिया है। आप्त शब्द के ही भरोसे इनकी ये रचनाएँ प्रस्तुत नहीं हुई हैं।

रामायण की कथा इन्होंने किस रूप में ग्रहण की है उसके संबंध में अपनी स्थित ये इस प्रकार व्यक्त करते हैं—

गाई चतुरानन सुनाई रिसि नारद कौं संख्या सत कोटि जाकी कहत प्रबीने हैं।
नारद तैं सुनी बालमीकि बालमीकिहूं तैं सुनी भगतन जे भगतिरस भीने हैं।
एती रामकथा ताहि कैसे कै बखानै नर जातैं ए बिमल बुद्धि बानी के बिहीने हैं।
सेनापति यातैं कथाक्रम कौं प्रनाम करि काहू काहू ठौर के कबित्त कछू कीने हैं॥

रामकथा के कुछ आकर्षक प्रसंगों को लेकर ही इन्होंने मुक्तक रचना की है, जैसे बालकांड का धनुषयज्ञ-प्रसंग, सुंदरकांड का लंकादहन-प्रसंग, लंकाकांड का युद्ध-प्रसंग, सीता की अग्निपरीक्षा और लवकुश-प्रसंग।

रामरसायन के अंतर्गत भक्तिभाव का समन्वित रसायन प्रस्तुत किया गया है। केवल राम ही नहीं कृष्ण, शिव, गंगा आदि के संबंध में भी इनकी उक्तियाँ इसके अंतर्गत संगृहीत हैं। इसके अंतर्गत कुछ चित्रालंकार भी आए हैं। ऐसा जान पड़ता है कि इन्होंने काव्यशास्त्र पर अपना कोई ग्रंथ प्रस्तुत किया होगा, उसमें से ये उदाहरण यहाँ संकलित कर दिए गए हैं।

सेनापति की रचना में विशेषता यह दिखाई देती है कि जहाँ कवि चमत्कार में प्रवृत्त है वहाँ भी उसने चमत्कार का विकृत स्वरूप नहीं आने दिया है। जहाँ अनुभूति की व्यंजना की गई है वहाँ उसे बाह्य चमत्कार से पृथक् रखा गया है। इनकी भक्ति की रचना सामने करके यह नहीं कहा जा सकता कि इनको भक्तों की श्रेणी में ही बिठाया जाए। यदि भक्तों और भक्ति की रचना करनेवाले कवियों में पार्थक्य न किया जाएगा तो पूरे मध्यकाल को 'भक्तिकाल' कहना पड़ेगा, क्योंकि शृंगार या रीति की रचना करनेवाले या तो राधा-कृष्ण को आलंबन मानते रहे हैं या उन्होंने भक्ति की थोड़ी-बहुत रचना भी अवश्य की है, चाहे वह किसी देवी-देवता की हो। पूरे मध्यकाल को भक्तिकाल कहना विवेक-बुद्धि का परिचय देना नहीं है। केशवदास के संबंध में जो वार्त्ता प्रचलित है वह इस प्रसंग में ध्यान देने योग्य है। उन्होंने यह पूछे जाने पर कि इस समय का सबसे बड़ा कवि कौन है, अपना नाम लिया था और सूरदास एवं तुलसीदास को भक्त कहा था। केशवदास की 'रामचंद्रचंद्रिका', राम को भगवान् मानकर लिखी गई है। 'रसिकप्रिया' में राधा और कृष्ण आलंबन माने गए हैं। वे स्वयं निंबार्क संप्रदाय में दीक्षित थे। फिर भी वे कवि हैं, भक्त नहीं। भक्तों से और कवियों से पार्थक्य वस्तुतः उक्तिभंगिमा के कारण हुआ करता है। भक्त भगवान् के प्रति श्रद्धा की भावना अभिधेय रखता है, और कवि व्यंग्य। सेनापति ने भगवान् से जैसी धृष्टता अग्रलिखित कबित्त में की है वैसी भक्त नहीं

कर सकता—

तुम करतार जनइच्छा के करनहार पुजवनहार मनोरथ चितचाहे के।
यह जिय जानि सेनापति है सरन आयौ हूजियै सरन महा पाप ताप दाहे के।
जौं कौहू कहौ कि तेरे करम न तैसे हम गाहक हैं सुकृति भगतिरस लाहे के।
आपने करम करि हौं ही निबहौंगो तौब हौं ही करतार करतार तुम काहे के॥

जसवंतसिंह

इनकी दो प्रकार की कृतियाँ उपलब्ध हैं—साहित्यिक और आध्यात्मिक। साहित्यिक कृतियों में 'भाषाभूषण' और 'दोवा' के अतिरिक्त 'प्रबोध नाटक' की भी गणना हो सकती है। भाषाभूषण में रस और नायिकाभेद की संक्षेप में और अलंकार की विस्तार से चर्चा है। अलंकार का प्राधान्य होने से ही इसका नाम भाषाभूषण रखा गया है—

लक्षन तिय अरु पुरुष के हावभाव रसधाम।
अलंकारसंजोग तें भाषाभूषन नाम॥

इसमें पाँच प्रकाश हैं। प्रथम प्रकाश मंगलाचरण का है, द्वितीय में नायिकाभेद वर्णित है, तृतीय में भाव और रस का संक्षिप्त विचार है, चतुर्थ में अर्थालंकारों के लक्षण-लक्ष्य हैं और पंचम में शब्दालंकार और उपसंहार है। नायिकाभेद और रसभाव-कथन में हिंदी के अन्य कर्ताओं की भाँति इन्होंने भानुदत्त की रसमंजरी और रसतरंगिणी को ही प्रमुख आधार बनाया है। स्थान-स्थान पर दशरूपक का और कहीं-कहीं अलंकारकौस्तुभ का भी उपयोग किया गया है। हिंदी के आरंभिक रीति-ग्रंथकारों में से केशवदास ने 'रसमंजरी', 'रसतरंगिणी' का उपयोग नहीं किया। इसका कारण कदाचित् यह हो कि भानुदत्त मैथिल थे, इसलिए पूर्वी अंचल में ही उनकी ख्याति बहुत अधिक थी। पश्चिमी अंचल में उनकी कीर्ति पहुँच तो गई थी, पर उनकी कृति का सर्वत्र उपयोग नहीं होता था। हिंदी-साहित्य के इतिहास में सबसे प्रथम पश्चिम में नंददास ने 'रसमंजरी' के आधार पर इसी नाम की पुस्तक प्रस्तुत की।

अलंकारों के लिए इन्होंने अपना आधार कुवलयानंद को ही रखा है, जो चंद्रालोक के पंचम मयूख की टीका है। स्मरण रखना चाहिए कि कुवलयानंद-टीका में चंद्रालोक के मूल में भी परिवर्तन कर लिया गया है। भाषाभूषण में जिस चंद्रालोक को आधार रखा गया है वह यही परिवर्तित चंद्रालोक है। इसलिए इसे 'कुवलयानंदीय चंद्रालोक' कहना उपयुक्त होगा। केशवदास ने चंद्रालोक को आधार नहीं बनाया। उन्होंने दंडी के

काव्यादर्श को सामने रखा। चंद्रालोक का उपयोग तो वे कर सकते थे, पर किया नहीं, पर 'कुवलयानंद' तो उनके समय में निर्मित ही नहीं हुआ था। इसलिए उसके उपयोग का प्रश्न ही नहीं उठता।

भाषाभूषण में एक सौ आठ अलंकार होने की बात कही गई है—

अलंकार सब अर्थ के कहे एक सौ आठ।
किये प्रगट भाषा बिषै देखि संस्कृत पाठ॥

यह दोहा पाँचवें प्रकाश का है और अर्थालंकार तथा शब्दालंकार दोनों का निरूपण कर लेने के अनंतर आया है, इसलिए यहाँ 'सब अर्थ' केवल अर्थालंकार के लिए हो नहीं सकता। कहीं 'सब' शब्द 'सब्द' का स्थानापन्न न हो और 'सब अर्थ' के बदले मूल में 'सब्दर्थ' रहा हो, जिसका 'शब्द अर्थ' होकर 'सब अर्थ' हो गया हो। चंद्रालोक और कुवलयानंद दोनों में अर्थालंकार सौ लिखे गए हैं। चंद्रालोक में 'अलंकृतयः शतम्' द्वारा सौ अर्थालंकार बताए गए हैं। कुवलयानंद में इसी 'अलंकृतयः शतम्' के लिए लिखा गया है—

इत्थं शतमलंकारा लक्षयित्वा निदर्शिताः।
प्राचामाधुनिकानां च मतान्यालोच्य सर्वतः॥

चंद्रालोक में आठ शब्दालंकार आए हैं—(१) छेकानुप्रास, (२) वृत्यानुप्रास, (३) लाटानुप्रास, (४) स्फुटानुप्रास, (५) अर्थानुप्रास, (६) पुनरुक्तप्रतीकाश, (७) यमक और (८) चित्र। सौ अर्थालंकार और आठ शब्दालंकार मिलाकर एक सौ आठ अलंकार भाषाभूषण ने माने हैं। पर संस्कृत के आठों शब्दालंकार नहीं गृहीत किए हैं। क्योंकि भाषा में संस्कृत के सब शब्दालंकार ज्यों-के-त्यों नहीं आ सकते—

सब्दालंकृत बहुत हैं अक्षर के संजोग।
अनुप्रास षटबिध कहे जे हैं भाषाजोग॥

ये छः शब्दालंकार भाषाभूषण में ये हैं—(१) छेकानुप्रास, (२) लाटानुप्रास, (३) यमक, (४) उपनागरिका वृत्ति, (५) परुषा वृत्ति और (६) कोमला वृत्ति।

संस्कृत में पाँच प्रकार के जो अनुप्रास कहे गए हैं उन्हें इन्होंने पृथक्-पृथक् माना है। अपनी पुस्तक में वृत्यानुप्रास के तीन प्रकारों को भी इन्होंने गिना है। भाषाभूषण के प्राचीन हस्तलेखों में शब्दालंकारों के अंतर्गत 'प्रत्यनीक' अलंकार का लक्षण उदाहरण नहीं मिलता। जान पड़ता है कि किसी कारण से उसका लक्षण-उदाहरण छूट गया है। परवर्ती हस्तलेखों में प्रत्यनीक का जो दोहा मिलता है उसमें अत्यधिक पाठांतर है। चंद्रालोक में जो श्लोक है उसी से मिलता-जुलता दोहा मान्य हो सकता है। चंद्रालोक का श्लोक यह है—

प्रत्यनीकं बलवतः शत्रोः पक्षे पराक्रमः।
जैत्रनेत्रानुगौ कर्णावुत्पलाभ्यामधः कृतौ॥

भाषाभूषण की जो सबसे पहली टीका प्राप्त है वह हरि कवि की है, दूसरी टीका दलपतिराय वंशीधर की है। इन दोनों में प्रत्यनीक का दोहा मूल संस्कृत श्लोक से मिलता हुआ दिया गया है, इसलिए यही जान पड़ता है कि भाषाभूषण के अंतर्गत जो दोहा छूट गया है वह वही है। उसका पाठ यों है—

दुख दै अरि के पच्छ कौं प्रत्यनीक इहि भाइ।
दृगनि दबाए कंज ते चढ़े कान मैं जाइ॥

इस दोहे का पाठ कितना अधिक बदल गया इसके लिए परवर्ती हस्तलेख से एक उदाहरण देना पर्याप्त होगा—

प्रत्यनीक बलवान अरि दुख पावै परिवार।
जनमेजै तिछ्छक-खुनस अरिकुल दीने जार॥

यदि प्रत्यनीक न माना जाएगा तो भाषाभूषण में केवल निन्यानबे अलंकार ही होंगे। चंद्रालोक के और सब अलंकार उसमें लिए जाएँ केवल प्रत्यनीक छोड़ दिया जाए, यह बात समझ में नहीं आती। अर्थालंकारों की गणना करते हुए यह सुझाव भी रखा गया है कि भाषाभूषण में लुप्तोपमा का उल्लेख पृथक् है और उत्तरालंकार के गूढ़ोत्तर और चित्रोत्तर दो पृथक् भेद किए गए हैं; निन्यानबे में तीन संख्याएँ जोड़ देने से अर्थालंकारों की संख्या एक सौ दो हो जाती है। इनमें छह शब्दालंकारों को सम्मिलित कर देने से समस्त अलंकारों की संख्या एक सौ आठ हो जाती है। भेदों को पृथक् से गिनने से गड़बड़ी होगी। क्योंकि अन्य अलंकारों में भी पृथक् नाम आए हैं, जिन्हें अलग से गिनने पर अलंकारों की संख्या बहुत अधिक हो जाएगी।

भाषाभूषण में केवल कुवलयानंदीय चंद्रालोक का आधार नहीं लिया गया है। कहीं-कहीं अन्य ग्रंथों के आधार के कारण भी पार्थक्य है। मुख्य पार्थक्य अप्रस्तुतप्रशंसा में दिखाई देता है। अप्रस्तुतप्रशंसा का लक्षण लक्ष्य कुवलयानंदीय चंद्रालोक में यह है—

अप्रस्तुतप्रशंसा स्यात्सा यत्र प्रस्तुताश्रया।
एकः कृती शकुन्तेषु योऽन्यं शक्रान्न याचते॥

इस प्रकार यहाँ अप्रस्तुतप्रशंसा का एक ही भेद गृहीत हुआ है। मूल चंद्रालोक में उसका श्लोक यह है—

अप्रस्तुतप्रशंसा स्यात्सा यत्र प्रस्तुतानुगा।
कार्यकारणसामान्यविशेषादेरसौ मता॥

इस प्रकार चंद्रालोक ने अप्रस्तुतप्रशंसा के पाँच भेदों की ओर संकेत किया है। कुवलयानंद में स्पष्ट पाँचों का उल्लेख यों है—

कार्ये निमित्ते सामान्ये विशेषे प्रस्तुते सति।
तदन्यस्य वचस्तुल्ये तुल्यस्येति च पञ्चधा॥

इसके अनुसार निम्नलिखित पाँच प्रकार हुए—(१) अप्रस्तुत कार्य से प्रस्तुत कारण (कार्यनिबंधना),(२) अप्रस्तुत कारण से प्रस्तुत कार्य (कारणनिबंधना),(३) अप्रस्तुत सामान्य से प्रस्तुत विशेष (सामान्यनिबंधना), (४) अप्रस्तुत विशेष से प्रस्तुत सामान्य (विशेषनिबंधना),(५) तुल्य अप्रस्तुत से तुल्य प्रस्तुत (सारूप्यनिबंधना)।

अप्रस्तुतप्रशंसा का चंद्रालोक में निम्नलिखित उदाहरण दिया हुआ है—

कमलैः कमलावासैः किं नासादि सुन्दरम्।
अप्यम्बुधेः परं पारं प्राप्यन्ति व्यवसायिनः॥

पहली पंक्ति में कुछ लोग सारूप्यनिबंधना मानते हैं। अप्रस्तुत कमल की कथा से प्रस्तुत धनिक की कथा का आक्षेप करते हैं। अन्य इसे अप्रस्तुत सामान्य से प्रस्तुत विशेष का उदाहरण मानते हैं। लक्ष्मी के वासस्थान कमलों में सब कुछ सुंदर है, ऐसी सामान्य प्रशंसा मानकर विशेष नायिका के सौंदर्य का आक्षेप करते हैं। दूसरी पंक्ति में अप्रस्तुत विशेष के द्वारा प्रस्तुत सामान्य का उदाहरण है। भाषाभूषण में इन उदाहरणों का अनुगमन नहीं है और न पाँच भेद ही गृहीत हुए हैं। वहाँ अप्रस्तुतप्रशंसा का लक्षण और उदाहरण इस प्रकार है—

अलंकार द्वै भाँति के अप्रस्तुतपरसंस।
इक बर्नन प्रस्तुत बिना दूजे प्रस्तुत अंस॥

अर्थात् अप्रस्तुतप्रशंसा के दो भेद होते हैं। पहले भेद में अप्रस्तुत के द्वारा प्रस्तुत की व्यक्ति होती है। दूसरे में प्रस्तुत का अंश लेकर प्रस्तुत की ही व्यक्ति होती है। प्रस्तुतांश से अप्रस्तुतप्रशंसा मानना केवल श्रीवाग्भट के 'काव्यानुशासन' में दिखाई देता है जहाँ 'उपमेयस्य किंचिदुक्तावप्रस्तुतप्रशंसा' लिखा है। उन्होंने 'अन्योक्ति' नामक अलंकार इससे भिन्न माना है। 'अन्योक्ति' का लक्षण यह है—उपमेयस्यैवोक्तावन्य-प्रतीतिरन्योक्तिः। उपमेय के कथन में जहाँ अन्य की प्रतीति हो वहाँ अन्योक्ति होती है। इस प्रकार प्रस्तुत के कथन में जहाँ अप्रस्तुत की प्रतीति हो वहाँ भी इन्होंने अन्योक्ति ही मानी है। यह लक्षण परवर्ती आलंकारिकों की समासोक्ति का है। समासोक्ति का लक्षण इन्होंने यों किया है—उपमेयश्लेषोक्तौ उपमानप्रतीतिः समासोक्तिः। उपमेय के श्लेष की उक्ति में उपमान की प्रतीति समासोक्ति है। इस प्रकार परवर्ती आलंकारिकों की श्लिष्ट समासोक्ति ही इन्हें मान्य है। अन्योक्ति से इसका भेद इसी बात में है कि वहाँ उपमेय

का श्लेष नहीं है। अतः वाग्भट के अनुसार अन्योक्ति में जिनका कथन रहता है प्रस्तुत वही होता है। जिसका आक्षेप किया जाता है वह अप्रस्तुत होता है। अन्योक्ति का उदाहरण यह है—

न्यग्रोधे फलशालिनि स्फुटरसं किंचित्फलं पच्यते
बीजान्यंकुरगोचराणि कतिचित्सिद्ध्यन्ति तस्मिन्नपि।
एकस्तेष्वपि कश्चिदंकुरवरो बध्नाति तामुन्नतिं
यामध्वन्यजनः स्वमातरमिव क्लान्तिच्छिदे धावति॥

न्यग्रोध (वट) के प्रस्तुत वृत्तांत से यहाँ अन्य शरण्य के वृत्तांत की प्रतीति होती है। निंदारूपा, स्तुतिरूपा और उभयरूपा अन्योक्ति के तीन उदाहरण यों दिए गए हैं—

निंदारूपा—

यत्तद्गर्जितमूर्जितं यदपि च प्रोद्दामसौदामनी
दामाडम्बरमम्बरे विरचितं यच्चोन्नतं दूरतः।
तेषां पर्यवसानमीदृशमिदं जातं यदम्भोधरं
द्वित्राः कृत्रिमरोदनाश्रुतनवो मुक्ताः पयोबिन्दवः॥

स्तुतिरूपा—

क्षुत्क्षामोऽपि जराकृशोऽपि शिथिलप्राणोऽपि कष्टां दशा-
मापन्नोऽपि विपन्नदीधितिरपि प्राणेषु गच्छेत्स्वपि।
मत्तेभेन्द्रविशालकुम्भदलनव्यापारबद्धस्पृहः
किं जीर्णा तृणमत्ति मानमहतामग्रेसरः केसरी॥

उभयरूपा—

निष्कन्दामरविन्दिनीं स्थपुटितोद्देशां करोरुस्थलीम्
जाबालाबिलमम्बुकर्तुमितरा सूते वराही सुतान्।
दंष्ट्रायां चतुरर्णवोर्मिपटलैराप्लावितायामियं
यस्या एव शिशोः स्थिता वसुमती सा पुत्रिणी पौत्रिणी॥

इस प्रकार प्रमाणित है कि वाग्भट ने अन्योक्ति और प्रस्तुतप्रशंसा में भेद किया है। ये वाग्भट कौन हैं और वाग्भटालंकार के कर्ता से ये भिन्न हैं या नहीं इसका कोई बहिःसाक्ष्य नहीं है। यदि अलंकारों के विवेचन को ही आधार माना जाए तो कहना पड़ता है कि वाग्भटालंकार में गृहीत अलंकार और काव्यानुशासन में वर्णित अलंकार संख्या और लक्षण में भिन्न हैं। वाग्भटालंकार में अन्योक्ति का पृथक् उल्लेख नहीं है।

अप्रस्तुत- प्रशंसा के लक्षण दोनों में भिन्न हैं। वाग्भटालंकार में इसका लक्षण वही है जो अन्यत्र माना गया है—

प्रशंसा क्रियते यत्राप्रस्तुतस्यापि वस्तुनः।
अप्रस्तुतप्रशंसां तामाहुः कृतधियो यथा ॥

इसका उदाहरण निम्नलिखित है—

स्वैरं विहरति स्वैरं शेते स्वैरं च जल्पति।
भिक्षुरेकः सुखी लोके राजचोरभयोज्झितः ॥

इसकी व्याख्या इस प्रकार की गई है—

कोऽपि दुःखी चिन्तार्तः सन् यतिं संतोषसारं दृष्ट्वैवमुवाच। अत्र तेन दुःखिना भिक्षुप्रशंसा तावत्प्रारब्धा कोऽपि नास्ति परं दुःखदग्ध एवं विचारयामास इति अप्रस्तुतप्रशंसा ज्ञेया ॥

किंतु काव्यानुशासन में उदाहरण यह है—

लावण्यसिन्धुरपरैव हि केयमत्र यत्रापरे कदलिकाण्डमृणालदण्डाः।
यत्रोत्पलानि शशिना सह संप्लवन्ते उन्मज्जति द्विरदकुम्भतटी च यत्र ॥

यहाँ प्रस्तुत या उपमेय नायिका है और नदी अप्रस्तुत। नायिका की उपस्थिति में अथवा उसको दूर से देखते हुए उक्त वर्णन किया जा रहा है। वर्णन तो नदी का है, पर प्रस्तुत नायिका के भी सम्मुख होने से और उसकी ओर छंद में कुछ संकेत रहने से उसकी उक्ति किंचित् मानी गई है। 'केयमत्र' (का+इयम+अत्र) से वह वाच्य है।

हो सकता है भाषाभूषण में वाग्भट की दोनों प्रकार की अप्रस्तुतप्रशंसाओं को एक साथ जोड़ दिया गया है। वाग्भटालंकार में केवल अप्रस्तुत की प्रशंसा है अर्थात् बिना प्रस्तुत के अप्रस्तुत का वर्णन है और काव्यानुशासन में प्रस्तुत की किंचित् उक्ति अर्थात् उसके कुछ अंश के सहित अप्रस्तुत का कथन है। इसके उदाहरण से किसी का उदाहरण नहीं मिलता। इससे संदेह होता है कि यह विमर्श कहीं अन्यत्र से लाकर तो नहीं रखा गया।

अब भाषाभूषण के उदाहरण की परीक्षा की जाए। उदाहरण यह है—

धनि यह चरचा ज्ञान की सकल समै सुखदेत।
बिष राखत हैं कंठ सिव आप धर्‌यो इहिं हेत ॥

इसकी पहली पंक्ति में जो उदाहरण दिया गया है उसे कुछ लोग सामान्य प्रस्तुत से विशेष प्रस्तुत का उदाहरण मानते हैं। पर 'यह' शब्द स्पष्ट कर देता है कि जिस ज्ञानचर्चा की प्रशंसा की जा रही है वह विशेष अप्रस्तुत है, उससे सामान्य प्रस्तुत का

आक्षेप किया जाएगा। दूसरी पंक्ति में शिवजी का जो उदाहरण है उसे लोग अप्रस्तुत विशेष से प्रस्तुत सामान्य का उदाहरण मानते हैं। किंतु भाषाभूषण के अनुसार इस दूसरे उदाहरण में प्रस्तुतांश होना चाहिए। इसकी प्रसंग-कल्पना इस प्रकार की जा सकती है कि किसी शिव-मंदिर में वक्ता किसी ऐसे श्रोता से जो विकट परिस्थिति में पड़ा हुआ है कह रहा है कि आपको बचाव का वैसे ही प्रबंध करना चाहिए जैसे ये महादेवजी गले में विष धारण करते हैं तो उसके निवारण के लिए सिर पर गंगा का जल भी धारण करते हैं। इस प्रकार श्रोता का वृत्तांत प्रस्तुत है, महादेवजी भी अप्रस्तुत न होकर प्रस्तुत ही हैं, पर पूर्णरूपेण प्रस्तुत नहीं है। यदि वे पूर्णरूप से प्रस्तुत होते तो प्रस्तुतांकुर की स्थिति हो जाती। प्रस्तुतांकुर में स्थिति ऐसी ही रहती है पर वहाँ प्रस्तुत के वर्णन में प्रयोजन रहता है, यहाँ प्रस्तुत पूर्ण रूप से प्रयोजनीय नहीं होता।

प्रस्तुतांश का ग्रहण और साथ ही प्रस्तुतांकुर अलंकार अन्य आचार्य नहीं मानते। एक प्रस्तुत से दूसरा प्रस्तुत निकालना उनकी दृष्टि में ठीक नहीं है। प्रस्तुत से अप्रस्तुत का या अप्रस्तुत से प्रस्तुत का तो आक्षेप हो सकता है, पर प्रस्तुत से प्रस्तुत या अप्रस्तुत से अप्रस्तुत का आक्षेप ठीक नहीं। प्रस्तुतांकुर में जिस प्रस्तुत का वर्णन रहता है उसे वे अप्रस्तुत मानकर 'अप्रस्तुतप्रशंसा' के सदृश-आरोप भेद के अंतर्गत ही रखते हैं अर्थात् उसे सारूप्यनिबंधना या अन्योक्ति से भिन्न नहीं करते। यही स्थिति प्रस्तुतांश के वर्णन की भी समझनी चाहिए। जिसे प्रस्तुतांश माना जाता है वह तत्त्वतः अप्रस्तुत ही होता है। अतः वह भी एक प्रकार की अन्योक्ति ही है।

भाषाभूषण में अधिकतर उदाहरण तो चंद्रालोक के ही लिये गए हैं, पर कहीं-कहीं उदाहरण बदलकर या तो कुवलयानंद के लिए गए हैं या अपने गढ़े गए हैं। जैसे, विशेष अलंकार में चंद्रालोक का उदाहरण यह है—

गतेऽपि सूर्ये दीपस्थास्तमश्छिन्दन्ति तत्कराः।

पर 'भाषाभूषण' में उदाहरण है—

नभ ऊपर कंचनलता कुसुम सुच्छ है एक।

यह कुवलयानंद के इस उदाहरण के आधार पर है—

कमलमनम्भसि कमले कुवलयमेतानि कनकलतिकायाम्।
सा च सुकुमारसुभगेत्युत्पातपरम्परा केयम्॥

इसी प्रकार अन्यत्र कई स्थानों पर ऐसा ही हुआ है। भाषाभूषण में शृंगार के उदाहरण अधिक रखने की प्रवृत्ति है। उस युग की शृंगारी प्रवृत्ति का पता इससे भी भलीभाँति चल जाता है। तृतीय विभावना का उदाहरण चंद्रालोक में यह है—

नरेन्द्रानेव ते राजन्दशत्यसिभुजङ्गमः।

पर भाषाभूषण में यह है—

निसिदिन श्रुतिसंगति तऊ नैन राग की खानि।

युद्धलिप्त महाराज जसवंतसिंह ने युद्ध-संबंधी उदाहरण का परित्याग कर जो शृंगारी उदाहरण रखा वह साहित्य प्रवाह का ही परिणाम है। किसी की यह भी कल्पना है कि जो युद्धों में संलग्न रहता था वह इस प्रकार के ग्रंथ लिखने में प्रवृत्त नहीं हो सकता। जान पड़ता है कि जिस समय ये शिक्षा पा रहे थे उसी समय इन्होंने ये रचनाएँ की होंगी। अतः यह इनकी आरंभिक रचना है। उस समय इनका यौवन था जिसने शृंगारी उदाहरण देने की प्रवृत्ति पोषित की। पर दूसरी यह कल्पना कि इनके दरबारी पंडितों ने इनके नाम पर रचना कर दी होगी तब तक नहीं मानी जा सकती जब तक इसके लिए कोई पुष्ट प्रमाण न हो। हाँ, यह स्वीकार किया जा सकता है कि इनकी रचना में दरबारी पंडितों ने यथास्थान संशोधन कर दिया होगा।

इस पुस्तक का प्रणयन जिस उद्देश्य से हुआ वह यह है—

ताहीं नर के हेत यह कीनो ग्रंथ नवीन।
जो पंडित भाषानिपुन कबिताबिषै प्रबीन॥

इससे यह प्रकट होता है कि सामान्य व्यक्तियों के लिए यह प्रयास नहीं है। जो भाषा अर्थात् व्रजभाषा जानता हो और जिसकी काव्य-क्षेत्र में गति हो वही इससे लाभ उठा सकता है। रीतियुग में लक्षणग्रंथों का प्रणयन सार्वजनीन नहीं था। उसे व्यापक बनाने के लिए शृंगारी उदाहरणों की विस्तृत योजना करनी पड़ी। 'ग्रंथ नवीन' भी कुछ सूचित करता है। अर्थात् यह सूचित होता है कि इनके पहले से रीतिग्रंथों का निर्माण होता आ रहा है। इससे होनेवाली उपलब्धि यों कथित है—

भाषाभूषन ग्रंथ को जो देखै चित लाइ।
बिबिध अर्थ साहित्यरस समुझै सबै बनाइ॥

यहाँ 'अर्थ' का तात्पर्य नायकादि प्रस्तुत और अलंकारादि अप्रस्तुत से जान पड़ता है। 'रस' के अंतर्गत हाव-भाव अनुस्यूत हैं। ऊपर के दोहे में कर्ता के लाभ की चर्चा है और इस दोहे में ग्रहीता के लाभ की। दोनों के लिए यह ग्रंथ लाभप्रद है।

भाषाभूषण ग्रंथ का उपयोग बहुत अधिक हुआ। हिंदी के कुछ लक्षण-ग्रंथ ऐसे भी दिखाई देते हैं जिनका आधार कोई संस्कृत-ग्रंथ न होकर अकेला यही है। इस पर टीकाएँ भी प्राचीनकाल में कई लिखी गईं। सबसे पुरानी जिस टीका का पता चलता है वह सं० १८२९ में लिखी गई। इसके लेखक कोई नारायणदास नामक सज्जन हैं। दूसरी टीका

हरि कवि की है, जो सं० १८३४ में लिखी गई। इन्होंने भाषाभूषण में फेर-बदल भी किया है। जैसे कुवलयानंद ने चंद्रालोक में संस्कार कर डाला वैसे इन्होंने भाषाभूषण में। जहाँ चंद्रालोक से इसमें पार्थक्य देखा, क्या लक्षण में और क्या लक्ष्य या उदाहरण में, वहाँ परिवर्तन कर दिया—

जहाँ सु चंद्रालोक तें भाषाभुषन बिरूद्ध।
लक्ष सुलक्षन फेरि तहँ करत सु हरि कबि सुद्ध॥

टीका व्रजभाषा गद्य में है। अन्य कवियों के उदाहरण भी दिए गए हैं, अधिकतर बिहारी के। ये मूलतः सारन (छपरा) के गोहा परगना के अंतर्गत चैनपुर ग्राम के थे। वहाँ से मारवाड़ में जा बसे थे।

तीसरी ज्ञात टीका दलपतिराय-वंशीधर की है। टीका दलपतिराय और वंशीधर दो व्यक्तियों का सम्मिलित प्रयास है। प्रत्येक ने क्या किया इसका पता इस कथन से चलता है—

अर्थ कुवलयानंद को बाँध्यौ दलपतिराइ।
बंसीधर कबि नै धरे कहूँ कबित्त बनाइ॥

गुजरात में श्रीमाली ब्राह्मण भी होते हैं और वैश्य भी। ऐसा जान पड़ता है कि बंशीधर तो ब्राह्मण थे और दलपतिराय वैश्य। ये अहमदाबाद के रहनेवाले थे। इसका पता निम्नलिखित दोहे से चलता है—

मेदपाट श्रीमालकुल बिप्र महाजन काइ।
बासी अमदाबाद के बंसी दलपतिराइ॥

इस टीका का नाम अलंकाररत्नाकर है। यह सं० १८९५ के आगे-पीछे बनी होगी।

प्रतापसिंह हिंदी के प्रसिद्ध काव्यमर्मज्ञ हैं। इन्होंने कई स्वतंत्र ग्रंथ तो लिखे ही हैं, कुछ प्रमुख ग्रंथों पर टीका भी लिखी है। भाषाभूषण की टीका 'अलंकारचिंतामणि' नाम से प्रस्तुत की। इसका निर्माण सं० १८९४ में हुआ। सं० १९१० के लगभग गुलाब कवि ने भूषणचंद्रिका नाम से इस पर टीका लिखी। सं० १९१७ में भूषणकौमुदी नाम से राजा रणधीरसिंह सिरमौर ने टीका की। इन सबमें व्रजभाषा पद्य और यथास्थान गद्य में टीका है।

आधुनिक युग में खड़ी बोली में कई टीकाएँ लिखी गईं। जिनमें से तीन सर्वश्री श्रीगुलाबराय एम.ए., व्रजरत्नदास और विश्वनाथप्रसाद मिश्र की लिखी टीकाएँ उस समय प्रकाशित हुईं जब भाषाभूषण विशेषयोग्यता के पाठ्यक्रम में नियुक्त हुआ। इसके प्रत्येक शब्द का भाष्य मूल का पाठशोध और स्रोत का संधान करते हुए भाष्येंदुशेखर श्री

चंद्रशेखर मिश्र ने प्रस्तुत किया, जो महाराज जसवंतसिंह की काव्यलक्षणगत संक्षिप्त शैली' पर अनुसंधान कर रहे हैं। भाषाभूषण पर पहले टीकाएँ तो कई लिखी गईं, पर भाष्य नहीं लिखा गया। उस पर यह पहला भाष्य है। भाष्य में प्रत्येक पद की व्याख्या होती है और अपनी ओर से भी नियोजन रहता है—

सूत्रार्थो वर्ण्यते यत्र पदैः सूत्रानुसारिभिः।
स्वपदानि च वर्ण्यन्ते भाष्यं भाष्यविदो विदुः॥

इनकी दूसरी साहित्यिक रचना 'दोवा' प्राप्त हुई है जिसकी प्रतिलिपि मेरे चिरंजीवी चंद्रशेखर मिश्र जसवंतसिंह संबंधी अपने शोधप्रबंध के प्रसंग में जोधपुर जाकर ले आए हैं। 'दोवा' दोहा का ही अपर पर्याय है। इसमें कुल ५४ दोहे हैं। रचना में कहीं-कहीं सोरठे भी हैं। सोरठा एक प्रकार का दोहा ही है। सौराष्ट्र में दोहे के सम-विषम चरणों को परिवर्तित कर लेने से उसका स्वरूप बदला और 'सोरठिया दोहा' कहलाया। इनमें से आगे केवल 'सोरठा' शब्द घिसकर बच रहा। इसको देखते मानना पड़ता है कि ये केवल रीतिग्रंथ-लेखक ही नहीं थे, रीतिसिद्ध कवि के रूप में बिहारी की-सी रचना भी करते थे। रीतिसिद्ध इसलिए कि रचना रीति के आधार पर ही खड़ी हुई है। खंडिता की उक्ति है—

अरुन अधर देखत सदा घिर्‌यौ बरुन क्यौं आज।
भली भई हरि तुम बने सबै स्यामता साज॥

नायक के अधर में अन्य नायिका के नेत्रों के चुंबन से अंजन या काजल लग गया है, इसी पर खंडिता कह रही है कि पहले तो आपके अधर लाल रहते थे पर आज वे वरुण (जलदेवता = बादल = अंजन) से घिरे क्यों हैं। ठीक ही है, आपका नाम श्याम है। इस चिह्न से आप सर्वात्मना श्याम हो गए। खंडिता की दूसरी उक्ति असंगति अलंकार के सहारे यों है—

बलि साँची तुमही कहौ क्यौं करि राखौं धीर।
दंतच्छत तव अधर पर पिय मेरें तन पीर॥

तीसरा उदाहरण लीजिए—

लाल भाल जावक लखें तिरछें चितयौ बाल।
तीर माहिं मोती नहीं मानौ पोए लाल॥

खंडिता ने नायक पर तिरछे नेत्रों के बाण चलाए। पहले विषाद से नेत्रों में 'आँसू' छलछला आए, फिर पति के निषिद्ध कार्य पर रोष से ललाई भी छा गई। इससे आँसू मोती के बदले माणिक के रूप में दिखाई पड़े। मस्तक पर लगे महावर के लाल चिह्न की प्रतिद्वंद्विता में लाल बाण का चलाना उपयुक्त व्यवस्था हो गई।

रीतिसिद्ध कवि खंडिता की उक्तियाँ अधिक क्यों लिखा करते थे यह अन्यत्र कहा जा चुका है। हिंदी में शृंगारकाल का उत्थान उस समय हुआ जब भारत में विदेशी मुसलमान बंधु भली-भाँति जम गए थे और उनके द्वारा नीत फारसी-साहित्य यहाँ के साहित्य-प्रवाह को कुछ प्रभावित कर चुका था। उस साहित्य की प्रतिद्वंद्विता में शृंगारी प्रवृत्ति को अत्यधिक प्रोत्साहन मिला और नायक-नायिकाभेद प्रधान रूप से काव्यविषय बनकर सामने आया। माशूक गैरों या रकीबों से मिला करता है, इसके जोड़-तोड़ में खंडिता की उक्तियाँ अधिक लिखने को बल मिला।

निर्गुनिये साधुओं की निर्गुणोपासना और निरंजनसाधना को भी शृंगारी-क्षेत्र में यों स्मृत किया गया है—

नैन निरंजन निगुन कटि यह निरलेप उरोज।
जानत हौं ताकौं कियो यह उपदेस मनोज ॥

संयोग के अतिरिक्त वियोग-कथन भी मार्मिक है। विरह में रूप की स्मृति भी मादक होती है—

आसब की यह रीति है पीयत देत छकाइ।
यह अचरज तियरूपमद सुध आएँ चढ़ि जाइ ॥

अनुमान होता है कि इनकी इस प्रकार की मुक्तक रचना परिमाण में अधिक होगी। छानबीन करने से अभी और रचनाओं के प्रकट होने की संभावना है। शिवसिंह-सरोज तथा ग्रियर्सन साहब ने शृंगारशिरोमणि नामक नायिकाभेद का ग्रंथ इनके नाम के साथ जोड़ा है, पर वह इनकी रचना नहीं है, तिरवा (कन्नौज) के जसवंतसिंह की रचना है, जो परवर्ती हैं।

इनकी तीसरी साहित्यिक रचना प्रबोध नाटक संस्कृत के प्रबोधचंद्रोदय का अनुवाद मात्र है। इसमें गद्य अधिक मिलता है। इस प्रकार इसमें उस समय के गद्य का भी कुछ नमूना मिल जाता है। वस्तुतः इन्होंने जो वेदांत-विषयक रचनाएँ की हैं उन्हीं के मेल में प्रबोधचंद्रोदय नाटक का यह अनुवाद समझना चाहिए। इसलिए इनकी मुख्य साहित्यिक कृतियाँ दो ही हैं—'भाषाभूषण' और उपर्युक्त 'दोवा'।

प्रबोधचंद्रोदय में पद्य नाममात्र के हैं। केवल १७ छंद हैं—२ कबित्त और १५ दोहे। शेष गद्य-ही-गद्य है। मंगलपाठ के निम्नलिखित संस्कृत छंद का कबित्त में अनुवाद देखिए—

मध्याह्नार्कमरीचिकास्विव पयःपूरो यदज्ञानतः
खं वायुर्ज्वलनो जलं क्षितिरिति त्रैलोक्यमुन्मीलति।
यत्तत्वं विदुषां निमीलति पुनः स्रग्भोगिभोगोपमं
सान्द्रानन्दमुपास्महे तदमलं स्वात्मावबोधं महः ॥

जैसैं मृगत्रिष्णा बिषैं जल की प्रतीत होत रूपे की प्रतीत जैसैं सीप बिषैं होत है।
तैसैं जाकैं जानैं बिन जग सति जानियत जाकैं जानैं जानियत बिस्व सबै तोत है।
अैसौ जो अखंड ग्यान पूरन प्रकासवान नित्ति सम सत्ति सुध्ध आनँदउदोत है।
ताही परमातमा की करत उपासना हौं निसंदेह जानौं याकी चेतना ही जोत है।।

स्पष्ट है कि अनुवाद मूल का अनुगामी नहीं है। स्वतंत्रता से काम लिया गया है। गद्य का अनुवाद करने में वक्ता का नाम पृथक् से न देकर 'बोल्यो, बोली' ऐसे शब्द जोड़ दिए गए हैं—

काम बोल्यौ एक उतपत्तिस्थान कहा कहावै हमारौ अरु विवेक कौ एकै जु पिता हैं। सुनि परंपरा तौ कहा कहौं। पैं देखि मन कैं दोइ स्त्री हैं। एक तौ प्रवृत्ति एक निबृत्ति। प्रबृत्ति तैं उपजे तिनकैं मोह प्रधान है। अरु निबृत्ति तैं उपजे तिनकैं बिबेक प्रधान है। अैसैं ए द्वै कुल उपजाइ सकल बिस्व उपजायौ।

हिंदी में इस गद्य का विकास नहीं हो सका। खड़ी बोली के आ धमकने से इसका विकास करने की मति ही नहीं हुई, अन्यथा ऐसा गद्य विकसित होकर बुरा न होता। पद्य की भाषा के निकट होने का ही मुख्य दोष इसमें है। व्यवहार से उसके परिमार्जन की पूरी संभावना थी। संस्कृत में भी पद्य की भाषा के नैकट्य के ही कारण गद्य का सरल रूप वैसा विकसित न हो सका जैसा होना चाहिए था। पंचतंत्र आदि का गद्य कहानी के लिए पर्याप्त विकसित रूप में मिलता है। अन्य प्रकार के प्रवाहों के लिए गद्य का विकास वहाँ नहीं हुआ। उक्त अनुवाद में कुछ दोष संस्कृत-प्राकृत के अविकसित गद्य का अनुधावन होने से भी मानना पड़ता है।

यह अनुवाद शब्दशः नहीं है। जितनी विवेक की मूल कथा है उसका रूप तो बहुत कुछ रक्षित रखा गया है, पर प्रस्तावना आदि के वे अंश त्यक्त कर दिए गए हैं जिनका संबंध कीर्तिवर्मा या नाट्य की प्रक्रिया से है।

वेदांतविषयक इनके ग्रंथ ये हैं—अनुभवप्रकाश, अपरोक्षसिद्धांत, आनंदविलास, सिद्धांतबोध, सिद्धांतसार। ये पाँचों 'वेदांतपंचक' के नाम से जोधपुर राज्य द्वारा मुद्रित-प्रकाशित किए गए थे। संपादक थे श्रीयुत विश्वेश्वरनाथ रेऊ। इनका नाम 'पंचरत्न' भी कहीं-कहीं मिलता है। इसी प्रकार आनंदविलास का एक नाम आनंदविसर्ग भी है। इसका संस्कृत में भी भाषांतर हुआ है। भाषांतर में श्री जसवंतसिंह की प्रशस्ति होने से स्पष्ट है कि यह उनके किसी दरबारी पंडित का किया हुआ है। इसका निर्माणकाल भी उल्लिखित है—

संवत सत्रह सै बरस ता ऊपर चोबीस।
सुकल पक्ष कार्तिक बिषै दसभीजुत रजनीस।।

सं० १७२४ में यह रचना हुई। केवल इसी ग्रंथ में रचना का समय दिया गया है। इसी के आरंभ में गणेशवंदना होने से यह कल्पना की जा सकती है कि कदाचित् यही सर्वप्रथम बना। संस्कृतभाषांतर भी इसी का मिलता है। हो सकता है कि भाषांतर सभी का करना था, इस आरंभिक ग्रंथ से उसे प्रारंभ किया गया। पर किसी कारण अन्य ग्रंथों का भाषांतर नहीं हो सका।

'इच्छाविवेक' नामक एक छोटी रचना और मिली है जो कोई स्वतंत्र कृति नहीं है। अनुभवप्रकाश के उन ६ छंदों का पृथक् संग्रह इस नाम से किया गया है जिनमें ईश्वरेच्छा का विचार है। हाँ 'छूटक दोहा' नामक नवीन तत्त्वज्ञान-विषयक प्रकीर्ण रचना अवश्य मिली है, जिसे मेरे स्वर्गीय ज्येष्ठ पुत्र चंद्रशेखर मिश्र जसवंतसिंह-विषयक अपने अनुसंधान के क्रम में जोधपुर की यात्रा करके खोज लाए थे।

'आनंदविलास' का आरंभ तत्कालीन प्रश्न-पृच्छा-शैली में किया गया है। व्याससूत्र या ब्रह्मसूत्र पर भाष्य लिखकर श्रीमान् शंकराचार्य गंगातट पर बैठे थे। वहाँ कोई उदासी पुरुष आया, जिसके नमस्कार करने पर आचार्यपाद ने जाति, नाम, ग्राम, प्रयोजन की जिज्ञासा की। उसने कहा कि मैं जाति, माता-पिता को नहीं जानता। मुझे जीव कहते हैं। जगत्प्रपंच को मिथ्या समझकर मुझे अत्यंत दुःख हुआ। मुझे सारे दुःखों का कारण ममता जान पड़ती है। मेरे शरीर में षड्रिपु रहते हैं। यही स्थिति कर्मेंद्रियों की भी है। वे भी कष्ट देती हैं। आचार्यपाद ने उसका साधुवाद किया और कहा कि तुझे जो दुःख जान पड़ता है वह अप्रकृत दुःख है। अविद्या के कारण प्रकृतरूप ढका है। ज्ञान से अविद्या का नाश कर देने से प्रकृत रूप प्रकट हो जाता है।

जीव ने पूछा कि 'ज्ञान क्या है?' आचार्यपाद ने बतलाया कि उसकी प्राप्ति का प्रथम उपाय साधन है। साधन के कई प्रकारों में अष्टांगयोग और हठयोग की साधना भी बतलाई। योग द्वारा चित्त को निर्मल करके ज्ञान की साधना करें। अंत में उन्होंने 'ब्रह्म सत्यं जगन्मिथ्या' का उद्घोष किया। जीव ने फिर प्रश्न किया कि यदि प्रपंच मिथ्या है तो श्रवणादिक का फल सत्य क्यों होता है। आचार्यपाद ने बतलाया कि जब तक गुरु-शिष्यादि का भेद है तब तक श्रवणादि का फल सत्य भासित होता है। वस्तुतः इन सबसे अखंड ज्ञान की उत्पत्ति होती है। जिस प्रकार ईंधन के भस्म हो जाने से ईंधन की समाप्ति तो हो ही जाती है अग्नि की भी समाप्ति हो जाती है, उसी प्रकार श्रवणादिक की समाप्ति विश्व की समाप्ति के साथ हो जाती है। जीव ने फिर जिज्ञासा की कि बिना अवकाश के संसार और उसका मिथ्या भ्रम क्यों होता है? सीप में चाँदी की भ्रांति क्यों होती है? जिस आत्मा को सत्य कहा गया है उसका स्थान और रूप भी तो कुछ होना चाहिए। आचार्यपाद ने समाधान किया कि जगत् का अधिष्ठान ब्रह्म ही है और वह सर्वत्र व्यापक है। इसी प्रकार के विविध प्रश्नों और उत्तरों के रूप में वेदांत की मान्यताओं का विवेचन किया गया है।

'**अनुभवप्रकाश**' में गुरु-शिष्य के संवादरूप में प्रश्नोत्तरी चलती है। शिष्य की जिज्ञासा है कि ईश्वर का रूप क्या है? गुरु ने समाधान किया कि चेतन या ब्रह्म का माया में प्रतिबिंब ईश्वर है। फिर माया के संबंध में प्रश्न हुआ तो पंचीकरण सिद्धांत से क्रमशः आकाश, वायु, अग्नि, जल और पृथ्वी से उत्तरोत्तर विकास द्वारा माया की उत्पत्ति बताई गई। फिर प्रश्न हुआ कि ऐसा होता क्यों है? गुरु ने उत्तर दिया कि ईश्वर की इच्छा से। इसी प्रकार विविध प्रश्नोत्तरों के रूप में ब्रह्म-जीव-जगत् त्रिविध तत्त्व समझाए गए हैं। अंत में बतलाया गया है कि ब्रह्म की सत्ता के अतिरिक्त और किसी की सत्ता नहीं है—

देह नाहीं इंद्री नाहीं मन नाहीं बुधि नाहीं अहंकार चित नाहीं देखिबै नहीं तहाँ।
कहिबौ कछू न जामैं सुनिबै की बात नाहीं धेय नाहीं ध्यान नाहीं ध्याता हू नहीं जहाँ।
गुरु और सिष्य नाहीं नाम रूप बिस्व नाहीं उतपति प्रलै नाहीं बंध मोछ है कहाँ।
बचन कौ बिषै नाहीं सास्त्र अरु बेद नाहीं और कहा कहौं उहाँ ग्यानहू नहीं न हाँ॥

'**अपरोक्षसिद्धांत**' में आरंभ में ब्रह्म और गुरु की वंदना है और गुरु-शिष्य के संवादरूप में यहाँ भी प्रश्नोत्तरी चलती है। इसमें कर्मविचार और मोक्षविचार किया गया है। कर्ता, मोक्ष और कर्म-प्रवृत्ति का विचार करते हुए बतलाया गया है कि मनुष्य वस्तुतः किसी कार्य का कर्ता नहीं होता। कर्ता परोक्ष सत्ता होती है। फिर भी मनुष्य अपने को उन कर्मों का कर्ता मानता है। इसीसे उसे कर्मों का फल भोगना पड़ता है। ब्रह्म को सर्वत्र व्यापक और जगत् को मिथ्या जान लेने से मोक्ष हो जाता है—'ऋते ज्ञानान्न मुक्तिः' का सिद्धांत इसमें प्रतिपादित है। निचोड़ इस रूप में कहा गया है—

सब वामै वामै सबै सबही कछु वा माँहि।
न्यारे होत अग्यान तैं तेऊ न्यारे नाँहि॥
यह निसचय करि जान तू कहियै याहि बिबेक।
एक एक वह एक है एक एक वह एक॥

'**सिद्धांतबोध**' में ब्रह्म और गुरु को नमस्कार करके शिष्य-गुरु के संवादरूप में सिद्धांत का कथन है। इसका आरंभिक अंश गद्य में है और अंत का थोड़ा-सा अंश पद्य में। शिष्य का प्रश्न है कि बुद्धि से ब्रह्म जाना जाता है या ब्रह्म से बुद्धि? शास्त्रों में ब्रह्म बुद्धिगम्य नहीं माना जाता और बुद्धि जड़ कही गई है। जड़ बुद्धि से चेतन ब्रह्म का ज्ञान कैसे होता है। इसको यों समझाया गया है कि यदि बुद्धि को जड़ माना जाएगा तो ज्ञान और बुद्धि में भेद मानना होगा। क्योंकि बुद्धि और बोध एक ही है। ज्ञान कारण है और बोध कार्य। बोध वस्तुतः परिमित या बँधे जल की भाँति है और ज्ञान प्रवहमान जल की भाँति। विद्या और अविद्या में तात्त्विक भेद है। विद्या अर्थात् ज्ञान से बोध का संबंध है, किंतु अविद्या अर्थात् अज्ञान का संबंध विषय से है। चंद्रमा बादल से ढँक गया कहना अविद्या है, क्योंकि चंद्रमा आच्छादित नहीं हुआ, दृष्टि ही आच्छादित हुई है। इसी प्रकार

विषय को विस्तार से स्पष्ट किया गया है। अंत में बतलाया गया है कि—

ग्यान न साधन तैं उपजै न उपाइ कछू उपजै यह जातैं।
द्रिष्टि अगोचर रूप नहीं कछु देखत मैं नहिं आवत यातैं।
न बनै कहतैं न सुनैं न बनै बनिहै कहि कैसैं बनाये तैं बातैं।
याही तैं जानि अनुग्रह साधिहैं, आप ही ग्यानसरूप है तातैं॥

'सिद्धांतसार' में ब्रह्म का निरूपण करते हुए उसे सत्-चित्-आनंदमय, महाप्रकाशक, ज्ञानरूप और त्रिगुणातीत कहा गया है। इस ब्रह्म की इच्छा को उसका स्वरूप माना गया है और उसकी रुचि को माया। जागतिक भेद भ्रमात्मक कहे गए हैं। इसमें माया अर्थात् भ्रम का विस्तार से विचार है। जीव के मायाबद्ध होने का विवरण स्वप्न की कथा के रूप में दिया गया है। इसमें चतुर्विध आश्रमों के आचार का भी वर्णन है। विभिन्न प्रकार के साधनों का उल्लेख करने के अनंतर नित्यानित्य पदार्थों का विचार है। इस ग्रंथ का उद्देश्य है—भ्रम का निवारण और जीव को जगत् के बंधन से मुक्ति दिलाना।

'वेदांतपंचक' में विविध प्रकार के छंदों का प्रयोग किया गया है। अधिकतर व्यवहार दोहे का है। उसके अतिरिक्त कबित्त-सवैये प्रयुक्त हैं।

आनंदविलास में अरिल्ल और बरवै का भी व्यवहार है। सामान्यतया यह धारणा है कि बरवै अवधी भाषा का छंद है। परिणामस्वरूप जिन्होंने इस छंद का व्यवहार अवधी से भिन्न भाषा में किया है उन्होंने अवधी की प्रवृत्ति 'इया' अथवा 'वा' से अंत होनेवाले शब्दों का प्रयोग करके सुरक्षित रखी। किंतु आनंदविलास में प्रयुक्त इन छंदों में इस प्रकार की प्रवृत्ति नहीं दिखाई पड़ती। इससे स्पष्ट है कि बरवै का प्रयोग प्राचीन है। अवधी में इसका प्रकाम प्रयोग हुआ, अन्यत्र अल्प। अवधी या अवध प्रांत के कवियों द्वारा उसके अधिक प्रयुक्त किए जाने का ही परिणाम है कि उसमें अवधी के शब्दरूपों के व्यवहार की परंपरा हो गई।

प्रत्येक ग्रंथ के अंत में उसके पढ़ने का माहात्म्य और लेखक के नाम का भी उल्लेख है। कहीं-कहीं यह भी लिखा है कि यह ग्रंथ भाषा में किया गया। इससे स्पष्ट है कि मूल आधार संस्कृत का कोई ग्रंथ है, वेदांत की ये कल्पनाएँ स्वयं जसवंतसिंह की नहीं हैं। हो सकता है कि ये उल्थामात्र हों।

'छूटक दोहा' नामक, प्रकीर्ण रचना में तीन सोरठे, एक कुंडलिया और बत्तीस दोहे सब छत्तीस छंद हैं। उसके पहले ही दोहे में लिखा गया है—

प्रथम प्रेम पुनि भक्ति है प्रेम करत बैराग।
ता पाछैं अष्टांग है प्रान उठत फिर जाग॥

कुंडलिया में कुछ रहस्यात्मक उक्ति यों कथित है—

कितिक अभागिनि कलसरी जागि रही बौराइ।
जैं पिउ चाही आपनै सूती लई जगाइ।
सूती लई जगाइ जिन्हैं मन उद्दिम नाँही।
रूठै जानि उपाइ भई निर्बल मन माँही।
जतन तज्यौ जिन जानि तेइ पीतम मन भाईं।
ते लीनी मनमानि और कबहू मन नाईं॥

इन्होंने साहित्य के नौ रसों से परमार्थरस को सर्वोपरि कहा है—

रस द्वै हीए जानि तू नौ रस बचनबिलास।
परमारथरस एक है ता आगे तब हास॥

भारतीय परंपरा के अनुसार इन्होंने निर्गुण और सगुण को एक ही ब्रह्म के दो रूप माने हैं, उनमें विदेशी प्रवाह के अनुसार भेद नहीं किया।

मतिराम

मतिराम के प्रणीत ये ग्रंथ कहे जाते हैं—फूलमंजरी, रसराज, ललितललाम, मतिरामसतसई, साहित्यसार, लक्षणशृंगार।[१]

फूलमंजरी में ६० दोहे हैं। ५९ दोहों में किसी-न-किसी फूल का नाम उल्लिखित है। इसके अंत में आश्रयदाता का उल्लेख यों हैं—

हुकुम पाय जहँगीर को नगर आगरे धाम।
फूलन की माला करी मति सों कबि मतिराम॥

इसके उदाहरण इस प्रकार हैं—

कमल नयन लीने कमल कमलमुखी के ठाउँ।
तन न्योछावरि राज की यहि आवत बलि जाउँ॥

---

१. अब यह प्रमाणित हो चुका है कि प्रसिद्ध मतिराम के अतिरिक्त उसी युग में एक दूसरे मतिराम भी थे जिन्होंने स्वरूपसिंह के लिए छंदसारपिंगल या वृत्तकौमुदी नामक पुस्तक लिखी। इन्हीं की लिखी 'अलंकारपंचाशिका' भी है जिसमें केवल पचास अलंकारों का निरूपण है। यह सं. १७४७ में पूर्ण हुई थी।

संबत सत्रह सै जहाँ सैंतालिस नभ मास।
अलंकारपंचासिका पूरन भयो प्रकास॥

'रसराज' शृंगाररस का ग्रंथ है, प्रधान रूप से इसमें नायिकाभेद वर्णित है। इस पर टीकाएँ हुई हैं। चरखारी के बखतेश कवि (सं० १८२२), प्रतापसाहि कवि (सं० १८९६) और हरदानजी सिडायच (१९५०) ने इस पर टीकाएँ कीं। हरदानजी की टीका का नाम मनोहरप्रकाश है। मनोहरप्रकाश मुद्रित भी हो चुका है। **'लक्षणशृंगार'** में विभाव और भाव का वर्णन है। इसका एक हस्तलेख बिजावर के राजपुस्तकालय में है। 'साहित्यसार' नायिकाभेद का ग्रंथ है। इसके हस्तलेख दतिया के राजपुस्तकालय में हैं। **'ललितललाम'** अलंकार का ग्रंथ है। इसमें केवल अर्थालंकारों का विवेचन किया गया है। गुलाब कवि ने सं० १९४१ में 'ललितकौमुदी' नाम से इसकी टीका की है। कौमुदी-सहित यह ग्रंथ भारतजीवन प्रेस से प्रकाशित हो चुका है। अलंकारग्रंथ का 'ललितललाम' नाम विशेष प्रकार का है। ललित और ललाम दोनों शब्द सौंदर्य और सुंदर के अर्थ में व्यवहृत होते हैं। जान पड़ता है कि 'ललित' शब्द विशेषण और 'ललाम' शब्द विशेष्य है। शब्दालंकार उतने सौंदर्य-विधायक नहीं माने जाते जितने अर्थालंकार। इसीलिए अग्निपुराण ने कहा है—

अर्थालंकाररहिता विधवेव सरस्वती।

'ललित' शब्द विशेषण के रूप में अर्थालंकारों का संकेत करता है। 'ललितललाम' का अर्थ हुआ 'उत्तम सौंदर्य-बोधक अलंकारों का विचार करनेवाला ग्रंथ'। यह ग्रंथ बूँदी के भावसिंह के प्रीत्यर्थ निर्मित हुआ है—

भावसिंह की रीझ कौं कबिताभूषनधाम।
ग्रंथ सुकबि मतिराम यह कीनौं ललितललाम॥

'मतिरामसतसई' का निर्माण भोगराज नामक किसी व्यक्ति के लिए है। इनका अभी तक ठीक पता नहीं चला है। बिहारीसतसई की प्रसिद्धि से प्रेरित होकर मतिराम ने यह सतसई लिखी। इसमें रसराज और ललितललाम में आए हुए बहुत से दोहे संगृहीत कर लिए गए हैं। बिहारी का अनुगमन स्थान-स्थान पर दिखाई देता है। जैसे,

इन दुखिया अँखियान कौं सुख सिरजौई नायँ।
देखत बनै न देखतें अनदेखें अँकुलाएँ॥ —बिहारी

बिन देखे दुख के चलैं देखें सुख के जायँ।
कहो लाल उन द्रिगन के अँसुआ क्यों ठहरायँ॥ —मतिराम

'देखत बनै न देखतें' में बिहारी ने आँसुओं को व्यंजना में रखा है। मतिराम ने उन्हें अभिधा में कर दिया है। इसमें संदेह नहीं कि बिहारीसतसई की अनुकृति पर जितनी सतसइयाँ बनीं उनमें 'मतिरामसतसई' श्रेष्ठ है।

रीतिबद्ध काव्य करनेवालों में मतिराम विलक्षण कवि दिखाई देते हैं। कवियों की दो श्रेणियाँ हो सकती हैं—एक वे जो अनुभूति पर अधिक ध्यान रखते हैं, दूसरे वे जो चमत्कार पर विशेष दृष्टि देते हैं। यह सत्य है कि अनुभूति पर विशेष ध्यान देनेवाले के लिए शब्द-चमत्कार में उलझने की अपेक्षा नहीं रहती। भाव की भी दो प्रकार की स्थितियाँ होती हैं—सम स्थिति और विषम स्थिति। भाव की विषम स्थिति की व्यंजना करनेवाले के लिए उक्ति की भंगिमा अपेक्षित होती है, क्योंकि भाव की विषम स्थिति को व्यक्त करने के लिए ऋजु मार्ग समर्थ नहीं है। घनआनंद ने विषम अनुभूति के लिए इसी से वाणी का बंकिम पथ ग्रहण किया है। मतिराम का मार्ग ऋजु है। इसलिए यह बेखटके कहा जा सकता है कि इनकी रचना को हृदयंगम करने में सामान्यतया किसी को कठिनाई नहीं हो सकती। शब्द और अर्थ दोनों का मार्ग स्फीत और ऋजु होने से इनकी भाषा और भावसंपत्ति सहृदयग्राह्य है। इनकी रचना में नादतत्त्व भी स्वाभाविक ही है। मतिराम तत्त्वतः भावप्रवण कवि थे। समय की गति के अनुरोध से ही इन्होंने अलंकार के भी ग्रंथ प्रस्तुत किए। अलंकार के उदाहरणों में भी मतिराम की स्वकीय विशेषता पूरी-पूरी झलकती है, अर्थात् अलंकार के फेर में अभिव्यक्ति की ऋजुता का परित्याग नहीं किया है। इनका निम्नलिखित सवैया इनकी सब प्रकार की विशेषताओं को भलीभाँति व्यक्त करता है—

कुंदन को रँग फीको लगै झलकै अति अंगन चारु गुराई।
आँखिन मैं अलसानि चितौनि मैं मंजु बिलासनि की सरसाई।
को बिन मोल बिकात नहीं मतिराम लहे मुसकानि मिठाई।
ज्यों ज्यों निहारिये नेरे ह्वै नैननि त्यों त्यों खरी निकरै सी निकाई॥

देव

हिंदीनवरत्न के कर्ता मिश्रबंधुओं के पितृचरण श्री बालदत्त मिश्र ने सं० १९५४ में 'सुखसागरतरंग' नामक देव की कविताओं का संग्रह प्रकाशित कराया। उन्होंने उसकी भूमिका में मध्यकाल के पाँच कवियों को प्रमुख माना—सूरदास, तुलसीदास, केशवदास, बिहारी और देव। इन कवियों के संबंध में जो प्रशस्तिवाक्य उस समय प्रचलित थे उन्हें भी इसमें उन्होंने उद्धृत किया है। देव के संबंध में यह उद्धरण वहाँ दिया गया है—

सूर सूर तुलसी सुधाकर नक्षत्र केसौ सेष कबिराजन को जूगनू गनायकै।
कोऊ परिपूरन भगत दरसायो अब काब्यरीति मोसन सुनहुँ चित लायकै।

देव नभमंडल समान हैं कबीन मध्य जामैं भानु सितभानु तारागत आयकै।
उदै होत अथवत चारों ओर भ्रमत पै ताको ओर छोर नहिं बखत लखायकै॥

साथ ही यह भी कहा गया है कि इसमें जो निर्णय किया गया है वह विश्वासयोग्य है। देव कवि के प्राधान्य की इस स्थापना का परिणाम यह हुआ कि आगे चलकर हिंदी-साहित्य में देव और बिहारी को लेकर भारी संग्राम छिड़ा, जिसके प्रमुख योद्धा स्वर्गीय लाला भगवानदीन और पद्मसिंह शर्मा, मिश्रबंधु तथा कृष्णबिहारी मिश्र रहे हैं।

देवदत्त के संबंध में शिवसिंहसरोज ने लिखा है कि इनके रचे बहत्तर ग्रंथ हैं। बालदत्त ने लिखा है कि बहुत से लोग बावन ही ग्रंथ मानते हैं। पर देव कवि के कई ग्रंथ तो ऐसे हैं जो थोड़े ही हेर-फेर से एक ही प्रतीत होते हैं, जैसे—भावविलास, भवानी-विलास, कुशलविलास आदि। बात यह थी कि देवजी को विभिन्न दरबारों में समय-समय पर जाना पड़ा, पर ये कहीं जमकर नहीं रहे। आज एक दरबार में कल दूसरे में पहुँच जाते थे। इसलिए एक ही रचना को भिन्न-भिन्न आश्रयदाता के नाम से कुछ थोड़े से हेर-फेर के साथ प्रस्तुत कर दिया करते थे। ऐसा और कवियों ने भी किया है, जैसे पद्माकर ने दो भिन्न-भिन्न व्यक्तियों के नाम से 'आलीजाहप्रकाश' और 'जगद्विनोद' भिन्न-भिन्न रूप में प्रस्तुत किए, पर वस्तुतः दोनों ग्रंथ एक ही हैं। विभिन्न आश्रयदाताओं के दरबार में उपस्थित होने में देव को कष्ट का अनुभव होता था, इसका संकेत उनकी इस उक्ति में मिलता है—

ऐसो जो हौं जानतो कि जैहै तू बिषै के संग एरे मन मेरे हाथपाँव तेरे तोरतो।
आजु लौं हौं कत नरनाहन की नाहीं सुनि नेह सों निहारि हारि बदन निहोरतो।
चलन न देतो देव चंचल अचल करि चाबुक चितावनीन मारि मुँह मोरतो।
भारो प्रेमपाथर नगारो दै गरे सों बाँधि राधाबरबिरूद के बारिधि में बोरतो॥

ये इटावा के सनाढ्य ब्राह्मण थे। इनके प्राप्त ग्रंथ हैं—भावविलास, रसविलास, भवानीविलास, कुशलविलास, जातिविलास, वृक्षविलास, पावसविलास, राधिकाविलास, सुजानविनोद, सुमिलविनोद, वैराग्यशतक (जगद्दशनपचीसी, आत्मदर्शनपचीसी, तत्त्वदर्शनपचीसी, प्रेमपचीसी) या देवशतक, नीतिशतक, प्रेमतरंग, सुखसागरतरंग, रसानंदलहरी, रागरत्नाकर, प्रेमचंद्रिका, प्रेमदीपिका, प्रेमदर्शन, अष्टयाम, सुंदरीसिंदूर, काव्यरसायन या शब्दरसायन व देवरसायन, देवचरित्र, देवमायाप्रपंच (नाटक), नखशिख।

इनके कुछ अप्रकाशित ग्रंथ ये हैं—बखतविलास, बखतविनोद, बखतशतक, वृत्तमंजरी, माधवगीत, कालिकास्तोत्र, नृसिंहचरित्र, प्रज्ञानशतक।

इनके संस्कृत में भी कुछ ग्रंथ हैं—श्री रघुनाथलहरी, शक्तिविलास, श्रीलक्ष्मी-नृसिंहपंचाशिका, मनोभिनंदिनी, महावीरमल्लारिस्तोत्र या देवाष्टक, शिवपंचाशिका, सांबशिवाष्टक, शिवाष्टक, लक्ष्मीदामोदरस्तोत्र, शृंगारविलासिनी, शक्तिविलास,

रागविलास, वरुणाष्टकस्तोत्र, शुक्राष्टक। अंतिम चार ग्रंथों के संबंध में यह स्पष्ट नहीं है कि वे हिंदी में हैं या संस्कृत में। कल्पना यह की जा सकती है कि दोनों अष्टक संस्कृत में होंगे। रागविलास हिंदी में होगा। इस प्रकार शक्तिविलास संदिग्ध रह जाता है। खोज में इनकी एक पुस्तक 'शकुन आर्या' भी मिली है। खोज में दूसरी पुस्तक 'श्रीकृष्णगुण-कर्मस्तव' है। इसके हस्तलेख में पुष्पिका यों है—'**इतिश्री श्रीदेवचरित्रे श्रीकृष्णगुण-कर्मस्तव।**' इस प्रकार यह वस्तुतः 'देवचरित्र' ही है, कोई नई पुस्तक नहीं। तीसरी पुस्तक रागमाला नाम की है, जिसकी पुष्पिका यों है—'**श्रीरागरत्ना प्रकाशे देवविरचिते रागमाला संपूर्णम्।**' इस प्रकार यह रागरत्नाकर ग्रंथ का अंश ही है।

'सुखसागरतरंग' इनकी रचनाओं का संग्रह मात्र है। इसी प्रकार सुंदरीसिंदूर भी इनकी रचनाओं का संग्रह है, जिसे भारतेंदु बाबू हरिश्चंद्र ने संपादित कर प्रकाशित कराया था। इसमें मुखपृष्ठ पर लिखा हुआ है—'**श्री राधाचरणसरोजराजहंस गोस्वामी श्री हरिवंशहितजी के द्वादश मुख्य शिष्यों के अंतर्गत श्रीस्वामिनीजी के अनन्य उपासक कविशिरोमणि मान्यवर श्रीदेवकविविरचित।**' इससे यह प्रकट होता है कि ये श्रीहितहरिवंश के अनन्य संप्रदाय में दीक्षित थे। यदि ऐसा है तो संस्कृत के रघुनाथलहरी, लक्ष्मीनृसिंह आदि विविध स्तोत्र इन्हीं कवि देव के हैं यह संदिग्ध हो जाता है। 'शृंगारविलासिनी' नायिकाभेद का ग्रंथ है, पर उसमें हिंदी के मात्रिक छंदों का प्रयोग संस्कृत भाषा में किया गया है। उसमें लिखा है—

देवदत्तकविंरिष्टिकापुरवासी स चकार।
ग्रंथमिमं वंशीधरद्विजकुलधुरं बभार॥

इस प्रकार यह स्पष्ट है कि देव कवि में विविधता की ओर प्रवृत्त होने की रुचि विशेष थी और इन्होंने सभी प्रकार की रचनाएँ प्रस्तुत करने का प्रयास किया है। साहित्य के साथ संगीत भी है और तत्त्वदर्शन भी। शब्दकाव्य भी लिखा और उस समय के अनुरूप संवादों द्वारा नाट्यकाव्य भी प्रस्तुत किया। केवल कविता ही नहीं लिखी, शास्त्र का भी निर्माण किया। इसमें संदेह नहीं कि देव कवि में अभिव्यक्ति के लिए शक्ति और नानाविध निर्माण की अभिरुचि पर्याप्त परिमाण में थी। पर उस शक्ति और अभिरुचि का उपयोग-विनियोग इस प्रकार नहीं हो सका जिससे इनकी रचना इतनी व्यवस्थित हो जाती कि उसके विरुद्ध आलोचना उस परिमाण में न होती जैसी हुई। काव्य और शास्त्र दोनों पक्षों में नई-नई उद्‌भावनाएँ करने का साहस इन्होंने किया है। पर शास्त्रपक्ष में जो नई उद्‌भावनाएँ की हैं उनमें सफलता नहीं मिली है। जातिविलास में इन्होंने विभिन्न जातियों की नारियों का रूपचित्रण नायिका के रूप में किया है। शास्त्रीय दृष्टि से नायिका का स्वरूप सर्वसामान्य होता है अर्थात् कुछ विशेष प्रकार के गुणों की स्थिति से ही नायिका का वास्तविक स्वरूप साहित्य में मान्य होता है। यही कारण है कि हिंदीवालों ने श्री राधिका को नायिका माना है। इस बात को काव्यरसायन में देव ने स्वीकार भी किया

है। फिर भी इन्होंने जातिविलास में विभिन्न जाति की नारियों का चित्रण किया है। यथार्थवाद की दृष्टि से इस पुस्तक का महत्त्व विशेष हो सकता था, पर उसमें भी ऐसी स्थिति में बाधा उपस्थित हो जाती है जब दूरदेशीय नारियों का रूपचित्रण यथातथ्य नहीं मिलता। इसका तात्पर्य यह हुआ कि इन्होंने अनुश्रुति के आधार पर बहुत-सी कल्पनाएँ कर ली हैं।

'काव्यरसायन' में अभिधा, लक्षणा, व्यंजना का वर्णन करते हुए इन्होंने कल्पना की है—अभिधा में अभिधा, अभिधा में लक्षणा, अभिधा में व्यंजना, लक्षणा में लक्षणा, लक्षणा में व्यंजना, लक्षणा में अभिधा, व्यंजना में अभिधा, व्यंजना में लक्षणा और व्यंजना में व्यंजना। यह पहेलीबुझौवल इस बात को लेकर है कि इन्होंने नायिकाओं का प्रतीक अभिधा, लक्षणा और व्यंजना को मान रखा है। इसकी चर्चा अन्यत्र स्वतंत्र रूप में की गई है।

काव्य में भी इन्होंने नई-नई उद्‌भावनाएँ की हैं, पर उनका सांगोपांग निर्वाह नहीं हो सका है। केशवदास के ये अनुगामी भी थे और केशवदास से इनकी रुचि भी मिलती-जुलती थी। दोनों में अंतर यह है कि केशव ने जो उद्‌भावनाएँ की हैं उनमें पूरी व्यवस्था है और उनका आधार प्रायः संस्कृत-परंपरा है। देव ने अपनी उद्‌भावनाओं के लिए प्रायः परंपरा का सहारा नहीं लिया है। इस प्रकार इनमें मौलिकता और स्वच्छंदता दोनों का ऐसा योग है जो केशवदास क्या हिंदी के बहुत से कवियों में नहीं पाया जाता। स्वच्छंदतावादी प्रायः रहस्यात्मक प्रवृत्तियों से अपने को पृथक् रखता है और अपेक्षा होने पर कभी-कभी उसकी झलक मात्र देता है। इनकी रचना में कहीं-कहीं ऐसी ही झलक मिलती है, जैसे इस कबित्त में—

हौंही ब्रज बृंदावन मोंहि में बसत सदा जमुनातरंग स्याम रंग अवलीन की।
चहूँ ओर सुंदर सघन बन देखियतु कुंजनि में सुनियतु गुंजनि अलीन की।
वंसीबट तट नटनागर नटतु मों में रास के बिलास की मधुर धुनि बीन की।
भरि रही भनक बनक ताल तानन की तनक तनक तामें खनक चुरीन की॥

यद्यपि इन्होंने लक्षणग्रंथ लिखकर आचार्य का काम किया तथापि अपनी स्वच्छंदतावादी प्रवृत्ति के कारण इनकी रचनाएँ सर्वत्र बिहारी की भाँति रीतिबद्ध नहीं हैं। बिहारी में रीति का आग्रह देव से अपेक्षाकृत अधिक है। बिहारी छोटे से दोहे में अपनी काव्यशक्ति का प्रदर्शन कर रहे थे इसलिए उन्होंने काव्यपरंपरा को आधार के रूप में निबद्ध रखा है। यदि परंपरा अथवा रीति-प्रवाह का पूर्ण परिचय न हो तो बिहारी की रचना को समझना सरल नहीं है। पर देव जहाँ रीतिशास्त्र के अतिरिक्त रचनाएँ उपस्थित करते हैं वहाँ वैसी कठिनाई में काव्य-पाठकों को नहीं डालते। जैसे एक उदाहरण लीजिए विरहिणी की व्याधि का वर्णन है—

साँसन हीं सों समीर गयो अरु आँसुन हों सब नीर गयो ढरि।
तेज गयो गुन लै अपनो अरु भूमि गई तनु की तनुता करि।
जीव रह्यो मिलबेई की आस कि आसहू पास अकास रह्यो भरि।
जा दिन ते मुख फेरि हरे हँसि हेरि हियो जु लियो हरिजू हरि॥

इसमें पूर्वानुराग का वर्णन है और नायिका की अनुभूति-प्रवणता दिखाने के लिए उसके शरीर से पाँचों तत्त्वों का एक-एक करके निकल जाना वर्णित है। इस अंश को समझने में किसी को कठिनाई नहीं है, भले ही वह रीतिपरंपरा से परिचित न हो।

उद्‌भावना की एक किरण भी यदि इनके अंतःकरण में उद्‌भासित होती थी तो भी ये अपने छंदों का बंध बाँध दिया करते थे। श्रीकृष्ण के सौंदर्य में आँखों की क्या स्थिति हुई इस दृश्य को उपस्थित करने के लिए यह सवैया प्रस्तुत किया गया है—

धार में धाय धँसी निरधार ह्वै जाय फँसी उकसीं न उधेरी।
री अँगराय गिरीं गहिरी गहि फेरे फिरीं न घिरीं नहिं घेरी।
देव कछू अपनो बस ना रसलालच लाल चितै भईं चेरी।
बेगि ही बूड़ि गईं पँखियाँ अँखियाँ मधु की मँखियाँ भईं मेरी॥

यद्यपि देव ने चित्रांकन का भी प्रयत्न किया है और उसमें यथास्थान इन्हें सफलता भी मिली है तथापि इनका चित्रांकन बिहारी के चित्रनिरूपण के सदृश नहीं है। काव्य के दो प्रमुख तत्त्वों में से नादतत्त्व पर इनका ध्यान अधिक रहा है। इस नादतत्त्व के फेर में इनकी भाषा भी विकृत हो गई है। इनका यह प्रसिद्ध छंद ही लीजिए—

सूनो कै परमपद ऊनो कै अनंतमद नूनो कै नदीस नद इंदिरा झुरै परी।
महिमा मुनीसन की संपति दिगीसन की ईसन की सिद्धि ब्रज बीथि बिथुरै परी।
भादों की अँधेरी अधिराति मथुरा के पथ पायकै सँयोग देव देवकी दुरै परी।
पारावार पूरन अपार पारब्रह्म रासि जसुदा के कोरै एक बार ही कुरै परी॥

इसमें 'बिथुरै परी' और 'दुरै परी' दोनों ही प्रयोग नाद की रक्षा के कारण किए गए हैं, जिनमें से 'बिथुरै परी' व्रजी का सुष्ठु प्रयोग नहीं कहा जा सकता।

देव की अभिरुचि बहुवस्तुस्पर्शिणी थी, इसीलिए इन्होंने अनेकविध प्रसंगों पर अपनी रचनाएँ प्रस्तुत की हैं। बहुत्व की अभिरुचि ही शायद इनको किसी एक आश्रयदाता के यहाँ टिकने नहीं देती थी। बहुतों के यहाँ चक्कर काटने में समुचित आवभगत की पूरी संभावना नहीं रहती। इनकी रचना से इसके संकेत मिलते हैं।

सबको संपुटित करने से यह निष्कर्ष निकलता है कि शास्त्रपक्ष में इन्हें उतनी सफलता नहीं मिली है जितनी काव्यपक्ष में। शास्त्रपक्ष में इनकी उद्‌भावना जो नए-नए कुतूहल खड़े करना चाहती थी उसका प्रमाण इन्होंने अपनी जातिविलास नामक रचना में

दिया है। इनमें विभिन्न जाति की महिलाओं का नायिका के रूप में वर्णन किया गया है। यथार्थवाद के नाम पर इसका समर्थन नहीं किया जा सकता। यथार्थवादी दृष्टि तथ्यों से दूर नहीं हुआ करती पर इसमें वर्णन भी यथातथ्य नहीं हुए हैं, सुनी सुनाई बातों को ही प्रमाण कोटि में मान लिया गया है। यदि ऐसा न होता तो कश्मीरी नारी का कपोल इंगुर की तरह लाल न कहा जाता। नारियों का ऐसा चित्रण यथार्थवाद के अनुकूल हो भी तो भी भारतीय काव्यशिष्टता के विरुद्ध है।

काव्यपक्ष में अपनी नवीनता इन्होंने अच्छी दिखलाई है और इनकी यह विशेषता रीति के अनुयायी मध्यकालीन सभी कवियों से विशिष्ट है। गोपिका श्रीकृष्ण के श्यामल रूप को किस प्रकार अपने अंगों में बसाना चाहती है इस पर देव की विलक्षण कल्पना है—

देव मैं सीस बसायौ सनेह कै भाल मृगंमद बिंदु कै भाख्यो।
कंचुकी मैं चुपर्‌यो करि चोवा लगाय लयो उर सो अभिलाख्यो।
लै मखतूल गुहे गहने रस मूरतिवंत सिँगार कै चाख्यो।
साँवरे लाल को साँवरो रूप मैं नैननि को कजरा करि राख्यो॥

ध्यान रहे कि शृंगाररस का भी रंग श्याम माना जाता है।

रसतरंगिणी और भावविलास

संस्कृत में भानुदत्त ने रीतिशास्त्र की दो पुस्तकें लिखी हैं। उन दोनों की प्रसिद्धि 'साहित्यदर्पण' की ख्याति के कारण कुछ दब गई है। उनकी 'रसमंजरी' का प्रचलन तो संस्कृत में कुछ है भी, पर 'रसतरंगिणी' का उतना नहीं। 'रसमंजरी' नायिकाभेद की पुस्तक है और 'रसतरंगिणी' भाव और रस के निरूपण की। हिंदी के रीतिशास्त्र की परंपरा के ठीक ज्ञान के लिए दोनों ही पुस्तकें अत्यंत महत्त्वपूर्ण हैं। नायिकाभेद का जो मोटा खाका हिंदी में सर्वसामान्य रूप में गृहीत हुआ वह रसमंजरी के ही आधार पर। केशवदास ने शृंगारतिलक के अनुगमन पर 'रसिकप्रिया' में नायिकाभेद का जो रूप ग्रहण किया उसका अनुवर्तन बहुत कम लोगों ने किया। हिंदीवालों के लिए जिस प्रकार अलंकारों का मुख्य आधार 'चंद्रालोक' और उसके अलंकार-प्रकरण की 'कुवलयानंद' टीका रही, उसी प्रकार नायिकाभेद का मुख्य आधार 'रसमंजरी' रही।

जिस प्रकार नायिकाभेद के ग्रंथों का आधार 'रसमंजरी' थी उसी प्रकार हिंदी के अधिकतर कवियों द्वारा रसभाव के स्वरूपकथन का आधार 'रसतरंगिणी' थी। यद्यपि संस्कृत के काव्यप्रकाश आदि ग्रंथ अत्यंत प्रौढ़ माने जाते हैं तथापि रसतरंगिणी में जिस तर्कपूर्ण और विवेचनात्मक पद्धति से स्वरूपनिर्णय किया गया है उसके आधार पर यह कहा जा सकता है कि भानुदत्त की दृष्टि अत्यंत साफ और उनकी बुद्धि अत्यंत सारग्राहिणी थी। पुराने आचार्य रसपद्धति की स्थापना में लगे थे, पर भानुदत्त के समय

तक रसस्थापना हो चुकी थी और अलंकारों का जोर कम हो गया था। भाव एवं रस के स्वरूपकथन के लिए हिंदीवालों ने काव्यप्रकाश, साहित्यदर्पण, चंद्रालोक और रसतरंगिणी को ही ग्रहण किया। काव्यप्रकाश, साहित्यदर्पण और चंद्रालोक के रसस्वरूपनिर्णय में तो कोई विशेष अंतर नहीं, पर रसतरंगिणी के स्वरूपनिर्णय में शैली बदली हुई है। इन्होंने नैयायिकों की शैली का विशेष अनुकरण किया है और नई बातों के संकेत भी दिए हैं। यहाँ दिखलाना यह है कि 'रसतरंगिणी' के सामने न होने से हिंदी के आलोचक कभी-कभी हिंदी में कोई नई बात देखकर किस प्रकार चौंकते रहते हैं।

देव ने अपने 'भावविलास' में कुछ ऐसी बातें लिखी हैं जो हिंदी के अन्य ग्रंथों में प्रायः नहीं मिलतीं। देव का पक्ष लेनेवालों ने बिना आगा-पीछा देखे घोषणा कर दी कि इन्होंने नई खोज की है। पर हिंदी में देव ही क्या जितने भी रीतिकार हुए सभी संस्कृत-ग्रंथों की पूर्वकथित सामग्री यदि ठीक-ठीक हिंदी में रख सके हों तो यह बहुत बड़ी बात है, नई खोज तो दूर रही। देव का 'भावविलास' रसतरंगिणी के आधार पर लिखा गया है, इसलिए हिंदी के आलोचकों को इस बात का पता नहीं चल सका कि देव ने ये बातें किस ग्रंथ के आधार पर रखीं। 'रसतरंगिणी' और 'भावविलास' दोनों से उदाहरण देकर यहाँ यह स्पष्ट करना आवश्यक जान पड़ता है। 'रसतरंगिणी' में भावों के दो भेद किए गए हैं। उन्होंने भाव की परिभाषा इस प्रकार की है—

रसानुकूलो विकारो भावः।

फिर विकार की परिभाषा यों है—

विकारोऽन्यथाभावः।

इस विकार के दो भेद किए हैं—**विकारश्च द्विविधः आन्तरश्शारीरश्च।**

आंतर विकार के भी दो भेद हैं—

आंतरोऽपि द्विविधः, स्थायिभावो व्यभिचारिभावश्च।

शारीरविकार के दो भेद नहीं किए—

शारीरास्तु सात्विकभावादयः।

देव ने इस व्यवस्थित क्रम से भावों का वर्णन नहीं किया, क्योंकि रीतिकाल के कवियों की भाँति उनकी दृष्टि शृंगाररस पर ही अटकी रही। पर सात्त्विक भाव का वर्णन करते समय इन्होंने भानुदत्त के इस भेद का उल्लेख किया है—

थिति बिभाव अनुभाव तें न्यारे अति अभिराम।
सकल रसन मैं संचरै संचारीकउ नाम।

ते सारीरहु आंतरहु द्विबिध कहत भरतादि।
स्तंभादिक सारीर अरु आंतर निरबेदादि॥

देव की कथनशैली से स्पष्ट जान पड़ता है कि ये सात्त्विक भावों को संचारी नाम देना चाहते हैं, क्योंकि वे सभी रसों में व्यभिचारियों की ही भाँति संचार करते हैं। दोहे में जो भरतादि शब्द पड़ा है उसमें आदि से तात्पर्य भानुदत्त से ही समझना चाहिए। भरतमुनि का नाम तो श्रद्धा के कारण लिया गया है, क्योंकि उन्होंने भावपरिगणन में इस प्रकार के भेद नहीं किए। ये भेद भानुभट्ट ने ही किए हैं।

अब देव के उस 'छल' को देखिए जो इन्हें नवीन कल्पना करनेवाला आचार्य सिद्ध करता रहा है और जिसके संबंध में आचार्य रामचंद्र शुक्ल को भी अपने इतिहास में यह लिखना पड़ा—

> **कुछ लोगों ने भक्तिवश अवश्य और बहुत-सी बातों के साथ इन्हें (देवजी को) कुछ शास्त्रीय उद्‌भावना का श्रेय भी देना चाहा है, वे ऐसे ही लोग हैं जो संचारियों में 'छल' और बढ़ा हुआ देखकर चौंकते हैं।.....रहा 'छल संचारी' वह अवहित्था के अंतर्भूत है। दूसरी बात यह है कि साहित्य के सिद्धांतग्रंथों से परिचित मात्र जानते हैं कि गिनाए हुए ३३ संचारी, उपलक्षण मात्र हैं, संचारी और भी कितने हो सकते हैं।**

यदि रसतरंगिणी सामने होती तो इतना लिखने की भी आवश्यकता न पड़ती। रसतरंगिणी में कितने ही संचारी गिनाए गए हैं। देव को शृंगार के लिए केवल 'छल' संचारी अच्छा लगा और इन्होंने उसकी गणना चौंतीसवें संचारी के नाम से कर दी। पर यह अवश्य मानना पड़ेगा कि भावविलास में जहाँ-जहाँ इस प्रकार का नवीन मार्ग ग्रहण करने का प्रयत्न किया गया है वहाँ-वहाँ कह दिया गया है कि दूसरे आचार्य इसे मानते हैं। 'छल' के संबंध में भी इन्होंने स्पष्ट उल्लेख किया है, अपनी स्वच्छंद उद्‌भावना का दावा नहीं किया—

**भरतादिक सत्कबि कहैं बिभिचारी तैंतीस।
बरनत छल चौंतीसयो एक कबिन के ईस॥**

अब रसतरंगिणी देखिए—

अत्र प्रतिभति छलमधिको व्यभिचारिभाव इति। ताम्बूलाहरणच्छलेन रभसाश्लेषोऽपि संविघ्नित इति शृंगारे दर्शनात्।.....चौथीभेदे गणनाच्च संगुप्तक्रियासम्पादनं छलम्।

देव का लक्षण देखिए—

**अपमानादिक करन कौं कीजै क्रियाछिपाव।
बक्र उक्ति अंतर कपट सो बरनै छल भाव॥**

रसतरंगिणीकार छल के विभावादि का उल्लेख इस प्रकार करते हैं—

विभावा अवमाननप्रतिपक्षकुचेष्टादयः।
अनुभावा वक्रोक्तिनिभृतवीक्षणप्रकृतिप्रच्छादनादयः।

छल का पृथक्त्य स्थापन करने के लिए इन्होंने शृंगार और संग्राम दोनों के उदाहरण दिए हैं। यहाँ विचार करना है कि क्या छल का अंतर्भाव अवहित्था में हो जाता है। इस संबंध में रसतरंगिणी पर 'नौका' टीका लिखनेवाले जड़ी (उपनाम) श्री गंगाराम लिखते हैं—

अवहित्थं तु निर्वेदाद्यनुभवगोपनफलकं छलं च तदतिरिक्तक्रियागोपनफलकमिति भेदः।

यह भेदनिरूपण ही पुकार कर कह रहा है कि 'छल' असल में अवहित्था की एक शाखा मात्र है। सूक्ष्मभेद की प्रवृत्ति से ही वह अवहित्था से अलग किया जा रहा है। अन्यथा मोटे रूप में वह अवहित्था ही है। इस प्रकार भेद-प्रभेद किए जाएँ तो एक-एक संचारी के ही न जाने कितने कच्चे-बच्चे निकल पड़ें।

तीसरी नई बात जो भावविलास में दिखाई पड़ी वह रस के दो भेदों की है, जिनमें से एक के तीन प्रभेद भी बताए गए हैं। रसनिरूपण करते हुए देव लिखते हैं—

जो बिभाव अनुभाव अरु बिभिचारिन करि होइ।
थिति की पूरन बासना सुकबि कहत रस सोइ॥
जौ हि प्रथम अनुराग में नहि पूरब अनुभाव।
तौ कहियै दंपतिन के जन्मांतर के भाव॥
ताहि बिभावादिकन तें थित संपूरन जानि।
लौकिक और अलौकिकहि द्वै बिधि कहत बखानि॥
नयनादिक इंद्रियनि के जोगहि लौकिक जानु।
आतम मन संजोग तें होइ अलौकिक ज्ञानु॥
कहत अलौकिक तीन बिधि प्रथम स्वापनिक मानु।
मानोरथ कबि देव अरु ओपनायकहि बखान॥

रसों का यह भेद-प्रभेद भी रसतरंगिणीकार की ही सूझ है—

न च यूनोः प्रथमानुरागे व्याप्तिः पूर्वानुभवाभावादिति वाच्यम्। तत्रापि जन्मान्तरीयानुभवसत्वादिति। स च रसो द्विविधौ लौकिकोऽलौकिकश्चेति। लौकिकसन्निकर्षजन्मा लौकिकः। अलौकिकसन्निकर्षजन्मा त्वलौकिकः। लौकिकः सन्निकर्षः षोढा विषयगतः। अलौकिकः सन्निकर्षो ज्ञानम्। तेषु चानुभूतेषु साक्षादेतज्जन्माननुभूतेषु प्राक्तनसंस्कारद्वारा ज्ञानमेव प्रत्यासत्तिः। अलौकिको रसस्त्रिधा— स्वाप्निको मानोरथिक औपनायकश्चेति। औपनायकश्च काव्यपदपदार्थचमत्कारे।

भावों के लक्षण और प्रभेद भी देव ने रसतरंगिणी के अनुसार ही रखे हैं। केवल केशव की 'रसिकप्रिया' की नकल पर शृंगार के प्रकाश और प्रच्छन्न भेद भी माने हैं जो रसतरंगिणी में नहीं हैं। वियोग शृंगार के भेद भी हिंदी की सर्वस्वीकृत परंपरा के अनुसार ही रखे हैं। इस प्रकार भावविलास के आरंभिक तीन प्रकरण, जिनमें लोगों को नई-नई सूझें और खोजें दिखाई पड़ीं, रसतरंगिणी के आधार पर लिखे गए हैं।

अभिधा उत्तम काव्य है

आप समझते होंगे कि यहाँ अभिधा की वकालत की जाएगी। नहीं, व्यंजना को ही सब गुणों की खान माननेवालों के विरुद्ध यहाँ कुछ नहीं कहना है। यहाँ तो केवल यही दिखाना है कि हिंदी में कविवर देव के निम्नलिखित दोहे को लेकर बहुत भ्रम फैल गया है—

अभिधा उत्तम काव्य है मध्य लच्छनालीन।
अधम ब्यंजना रसबिरस उलटी कहत नवीन॥

इस दोहे को सबसे पहले मिश्रबंधु महोदयों ने अपनी 'देवसुधा' में 'साहित्य' शीर्षक के अंतर्गत मुद्रित कराया। उन्होंने इसे देव का साहित्य-विषयक नूतन अनुसंधान या विचार समझा। फिर स्व. आचार्य शुक्ल ने अपने इतिहास में यही दोहा उद्धृत करके देव की व्यंजना-विषयक धारणा का विचार किया—

यहाँ अधिक कुछ कहने का अवकाश नहीं। व्यंजना की व्याप्ति कहाँ तक है, उसकी किस-किस प्रकार क्रिया होती है इत्यादि बातों का पूरा विचार किए बिना कुछ कहना कठिन है। देवजी का यहाँ व्यंजना से तात्पर्य पहेली-बुझौवल वाली 'वस्तुव्यंजना' का ही जान पड़ता है। यह दोहा लिखते समय उसी का विकृत रूप उनके ध्यान में था।

इसके अनंतर चौबीसवें हिंदी साहित्य-सम्मेलन की साहित्यपरिषद् के सभापति-पद से भाषण करते हुए उन्होंने देव के इसी दोहे को ध्यान में रखकर यह कहा—**"इससे स्पष्ट है कि वाच्यार्थ ही काव्य होता है व्यंग्यार्थ या लक्ष्यार्थ नहीं। हिंदी के पुराने कवि देव ने शायद यही समझकर काव्य में केवल वाच्यार्थ माना था।"**

सन् १९३७ में जब श्रद्धेय शुक्लजी के निर्देशन में मैं अनुसंधान का कार्य कर रहा था और उस सिलसिले में रीतिकाल के कवियों की छानबीन में लगा हुआ था तब उनसे देव कवि के संबंध में मैंने दो बातें निवेदित की थीं। एक तो यह कि 'छल' संचारी देव कवि की सूझ नहीं है। हिंदी में भानुदत्त की संस्कृत रसतरंगिणी के आधार पर ही उन्होंने 'छल' का सन्निवेश किया है और बातें भी वहीं से ली हैं। उनकी आज्ञा से मैंने एक लेख भी लिखा था जिसमें रसतरंगिणी और भावविलास का तुलनात्मक अध्ययन करने का लघु प्रयास किया था। लेख 'सुधा' के वर्ष १३ खंड १ संख्या ५ में प्रकाशित करा दिया गया। दूसरी बात थी उपर्युक्त दोहे के संबंध में। वह यह कि देव ने इसका उल्लेख

शब्द-शक्ति के प्रसंग में नहीं, नायिकाभेद के प्रसंग में किया है। इसका संबंध ही शब्द-शक्ति से नहीं है। पहली बात का उल्लेख तो उन्होंने कृपापूर्वक अपने 'इतिहास' के प्रवर्द्धित संस्करण में कर दिया, किंतु दूसरी बात का कोई विचार उसमें नहीं किया। अब देखता हूँ कि हिंदी में उक्त दोहा शब्द-शक्ति के प्रसंग में प्रायः उद्धृत होने लगा है। शुक्लजी की देखा-देखी उसके मूल का विचार न करने से देव के संबंध में इस दोहे को लेकर भ्रम हो रहा है। उन्हें शब्द-शक्ति का विचार करनेवालों से व्यर्थ ही फटकार मिल रही है। इसलिए इसका स्पष्टीकरण आवश्यक प्रतीत होता है।

देव का उक्त दोहा उनके 'शब्दरसायन' में आया है। 'रसायन' के षष्ठ प्रकाश के अंत में वे लिखते हैं—

अभिधा उत्तम काव्य है मध्य लच्छनालीन।
अधम ब्यंजना रस कुटिल उलटी कहत नवीन॥
स्वीय मुग्ध मूरति सुधा प्रौढ़ सिता पै सिक्त।
परकीया कर्कस सिता मारिच परिचयनि तिक्त॥
परकीया जद्यपि सरस कुल गुन गौरव दीन।
कामुक कर्कस कुटिल रस तिहि परसत सतहीन॥
तेरस बिधि बय भेद अरु कहत अवस्था आठ।
स्वीया परकीया बिबिध सब्द अर्थ तेहि पाठ॥
रसपात्रा रसभाव बस कहे सब्द त्यहु अर्थ।
अलंकार अरु रीति रस छंद सुनहु सामर्थ॥

इस उद्धरण से बात स्पष्ट हो जानी चाहिए। यदि अब भी इसमें स्पष्टता न हो तो इसी प्रकाश के आरंभ से इसकी व्याख्या उद्धृत कर दी जाती है—

सुद्ध स्वभाव स्वकीया बाचक को आधार।
पति अनुकूल सखी गुरु बिद्या सिल्प प्रकार॥
पीठिमर्द नरमनि सचिव दूती गुरुजन धाइ।
उपदेसी कुलधर्म को बाच्य अर्थ समुदाइ॥
गर्ब स्वभाव स्वकीया अरु पति दच्छिन जानि।
अति परिचै धृष्टा सखी नर्म सचिव बिरमानि॥
मालिनि नाइन दूतिका पिय बसकरन उपाइ।
उपदेसी ये लाच्छनिक पात्र सुलक्ष्य लखाइ॥
सुद्ध परकीया नायका अरु नायक सठ धृष्ट।
स्वभाव जे उपपति कहे नाट्यादिक गुरु इष्ट॥
नर्म सचिव बिट बिदूषक दूती पुरजन नीच।
निंद्य कर्म उपदेसिका ब्यंजक पात्र समीच॥

सब्द अर्थ तीनौ जदपि बसत सबन में देखि।
न्यारे पात्र तिहून के तीनौ तदपि बिसेखि॥

यहाँ इतना तो स्पष्ट ही होगा कि नायक-नायिका को शब्द और उनके सहायकों को अर्थ माना गया है। इसकी स्थापना यों होगी—

(१) **अभिधा** (उत्तम काव्य)।

शुद्ध स्वभावा स्वकीया और अनुकूल पति—वाचक। सखी गुरु आदि उपदेशी—वाच्यार्थ।

(२) **लक्षणा** (मध्यम काव्य)।

गर्वस्वभावा स्वकीया और दक्षिण पति—लक्षक। धृष्टा सखी आदि उपदेशी—लक्ष्यार्थ।

(३) **व्यंजना** (अधम काव्य)।

शुद्ध परकीया और धृष्ट नायक-व्यंजक।

नीच नर्म सचिव आदि उपदेशी—व्यंग्यार्थ।

प्राचीन लोगों ने उत्तम काव्य व्यंजना, मध्यम काव्य लक्षणा और अधम अभिधा को मान रखा है—शब्दशक्ति के प्रसंग में। यहाँ नवीन उलटी कह रहे हैं—नायिकाभेद के प्रसंग में। यह देव का 'विशेष प्रकार' के नायकादि का काव्यमर्यादा के विचार से सूक्ष्म निरूपण है—

हैं नायक अरु नायका पात्र सुरस सिंगार।
ताहू सूछम रीति सों कहत बिसेष प्रकार॥

प्राचीन भारतीय कवियों ने क्यों प्रबंधकाव्यों और प्रमुख नाटकादि में परकीया का सन्निवेश नहीं किया और हिंदी के रीतिकाव्य में परकीयादि का वर्णन क्यों होने लगा। इसका विचार यथास्थान किया गया है। यहाँ इतना ही कह देना है कि 'परकीयावर्णन' को रीतिकालीन कवि भी भारतीय मर्यादा से अधम ही मानते थे।

भिखारीदास

भिखारीदास ने अपने वंश का परिचय निम्नलिखित कबित्त में दिया है—

अभिलाषा करी सदा ऐसनि का होय बित्थ सब ठौर दिन सब याही सेवा चरचानि
लोभालई नीचे ज्ञान हलाहलही को अंसुअंत है क्रिया पाताल निंदा रसही की खानि
सेनापति देवीकर सोभागनती को भूप पन्ना मोती हीरा हेम सौदा हास ही को जानि
हीअ पर देव पर बदे जस रटै नाऊँ खगासन नगधर सीतानाथ कौलपानि

इसमें वंशपरिचय कैसे दिया हुआ है इसे दास ने अपने छंदार्णव में स्पष्ट किया है—

या कबित्त अंतरबरन लै तुकंत द्वै छंडि।
दास नाम कुल ग्राम कहि रामभगतिरस मंडि॥

इससे यह अंश निकला—**भिखारीदास कायत्थ बरन बहीवार भाई चेनलाल को सुत क्रिपालदास को नाती बीरभान को पन्नाती रामदास को अरवर देस टैउँगा नगर ता थल।**

इसके अनुसार ये कृपालदास के पुत्र, वीरभान के पौत्र और रामदास के प्रपौत्र थे। अरवर देश के टेउँगा स्थान में रहते थे। यह स्थान उत्तरप्रदेश के प्रतापगढ़ जिले में है।

प्रतापगढ़ के राजाओं की प्रशस्ति में लिखी प्रतापसोम-वंशावली में इनके सात ग्रंथों का नाम यों दिया गया है—

प्रथम काव्यनिर्नय को जानो। पुनि सिँगारनिर्नय तहँ मानो।
छंदोर्नव अरु बिष्नुपुराना। रससारांश ग्रंथ जग जाना॥
अमरकोस अरु सतरँजसतिका। रच्यो लहन हित मोद सुमतिका।
नृपति अजीतसिंह खुजवाई। संचित कियो अमित सुख पाई॥

इस प्रकार इनके सात ग्रंथ हैं—अमरकोश या नामप्रकाश (सं० १७९५), विष्णुपुराण, शतरंजशतिका, रससारांश (सं० १७९९), छंदार्णवपिंगल (सं० १७९९), काव्यनिर्णय (सं० १८०३), शृंगारनिर्णय (सं० १८०७)। अमरकोश संस्कृत के अमरकोश का भाषा में पद्यानुवाद है। इसी का नाम अमरप्रकाश और नामप्रकाश भी है। विष्णुपुराण संस्कृत से पद्यबद्ध अनूदित है, शतरंजशतिका में शतरंज खेलने के तौर-तरीकों का विस्तृत उल्लेख है। रससारांश के निर्माण का हेतु निम्नलिखित है—

जान्यो चहै जु थोरेही रस-कबित्त को बंस।
तिन्ह रसिकन्ह के हेतु यह कीन्ह्यो रससारंस॥

शृंगारनिर्णय में शृंगाररस तदंतर्गत नायक-नायिकाभेद का वर्णन है। रससारांश में भी ये सब विषय आए हैं, पर उसमें शृंगार के अतिरिक्त अन्य रसों का भी निरूपण किया गया है। दोनों ग्रंथों का निर्माण स्वतंत्र रूप से हुआ है। देव की भाँति इन्होंने एक पुस्तक की सामग्री दूसरी में उठाकर नहीं रखी। काव्य-निर्णय में इन्होंने शब्दशक्ति, रस, अलंकार, गुणवृत्ति, दोष आदि के वर्णन के साथ तुक का भी विचार किया है, जो हिंदी में प्राचीन काल में केवल इन्हीं के ग्रंथ में मिलता है। इसमें नायक-नायिकाभेद अनुस्यूत नहीं है और रसादि का वर्णन भी पुनरुक्त नहीं है। छंदार्णव में छंदों का विस्तृत विवेचन किया गया है। इस प्रकार साहित्य के लिए जितनी सामग्री अपेक्षित होती है सबका निरूपण करनेवाले हिंदी में ये अकेले दिखाई देते हैं। कहा जाता है कि इन्होंने श्रीपति के काव्यसरोज से बहुत-सी सामग्री काव्यनिर्णय में उठाकर रख दी है। इस भ्रम का कारण

यह है कि काव्यसरोज और काव्यनिर्णय दोनों का उपजीव्य संस्कृत का काव्यप्रकाश है। दास ने वस्तुतः कोई सामग्री काव्यसरोज से उठाकर अपने ग्रंथ में नहीं रखी है।

दास ने अपने ग्रंथ में जिन साहित्यशास्त्रीय विषयों का विवेचन किया है उन पर आलोचना के क्षेत्र में कुछ आरोप भी किए गए हैं। पंडित रामचंद्र शुक्ल अपने हिंदी-साहित्य के इतिहास में लिखते हैं—**इनकी विषय-प्रतिपादन-शक्ति उत्तम है और आलोचनशक्ति भी इनमें कुछ पाई जाती है। जैसे, हिंदीकाव्य के क्षेत्र में इन्हें परकीया के प्रेम की प्रचुरता दिखाई पड़ी, जो रस की दृष्टि से रसाभास के अंतर्गत आता है। बहुत से स्थानों पर तो राधाकृष्ण का नाम आने से देवकाव्य का आरोप हो जाता है और दोष का कुछ परिहार हो जाता है। पर सर्वत्र ऐसा नहीं होता। इससे दासजी ने स्वकीया का लक्षण ही कुछ व्यापक करना चाहा और कहा—**

श्रीमानन के भौन में भोग्य भामनी और।
तिनहूँ को सुकियाहि में गनैं सुकबि सिरमौर॥

पर यह कोई बड़े महत्त्व की उद्भावना नहीं कही जा सकती है।[१] इसलिए दासजी के किए हुए प्रयत्नों की थोड़ी छानबीन कर लेनी चाहिए। भिखारीदास ने सबसे पहले भाषानिर्णय के संबंध में यह कहा—

भाषा बृजभाषा रुचिर कहैं सुमति सब कोइ।
मिलै संसकृत पारस्यौ पै अति प्रगट जु होइ॥
बृजमागधी मिलै अमर नाग जमन भाषानि।
सहज पारसीहूँ मिलै षटबिधि कबित बखानि॥

इन्होंने षड्भाषा का व्रजभाषा की दृष्टि से महत्त्वपूर्ण विचार किया है। प्रगतिशील विचारधारा के अनुसार इन्होंने स्पष्ट घोषित कर दिया है कि व्रज में संस्कृत और फारसी दोनों का मेल हो सकता है पर इन भाषाओं के वे ही शब्द गृहीत हो सकते हैं जो अत्यंत प्रकट अर्थात् बोधगम्य और प्रचलित हों। व्रजभाषा में मिलनेवाली पाँच भाषाओं में मागधी का अर्थ अवधी, अमर का अर्थ संस्कृत, नाग का अर्थ अपभ्रंश है। जवन शब्द विशेष ध्यान देने योग्य है। हिंदी-साहित्य के उत्तर-मध्यकाल में लोग खड़ी बोली को यवनों अर्थात् मुसलमानों की भाषा समझते थे। भूषण ने शिवभूषण में मुसलमान नर-नारियों के वार्त्तालाप में बहुधा खड़ी बोली का प्रयोग किया। यहाँ भी यवनभाषा का अर्थ खड़ी बोली ही है। इसका कारण यह था कि बाहर से आनेवाले और शासन करनेवाले मुसलमानों और बादशाहों के दैनंदिन प्रयोग में खड़ी बोली के स्थान ग्रहण कर लेने से सामान्यतया धारणा यही हो गई थी कि यह भाषा उन्हीं से संबद्ध है। दास ने इसी

१. हिंदी-साहित्य का इतिहास, पृ० ३०७

से यह निर्णय किया कि व्रजभाषा साहित्यिक भाषा होकर मिली-जुली भाषा का रूप ग्रहण कर चुकी है। यहाँ तक कि समर्थ कवियों ने भी टकसाली व्रजभाषा का व्यवहार नहीं किया, मिश्रित भाषा का ही व्यवहार किया है—

तुलसी गंग दोऊ भए सुकबिन के सरदार।
इनकी काब्यन में मिली भाषा बिबिध प्रकार॥

इन्होंने बेखटके घोषित किया कि व्रजभाषा में रचना करनेवाले जो अनेक कवि हो गए हैं उनके काव्यों के अध्ययन से व्रजभाषा जानी जा सकती है, व्रजी के ज्ञान के लिए व्रज में निवास करने की आवश्यकता नहीं है—

बृजभाषा हेत बृजबास ही न अनुमानो ऐसे ऐसे कबिन की बानीहूँ सों जानिये।

फिर भी व्रजप्रदेश के कुछ हिमायती वहाँ के प्रयोगों की दुहाई देकर उन प्रयोगों को अग्राह्य घोषित करते हैं जो केशव ऐसे भाषा के प्राचीन आचार्यों ने प्रयुक्त किए हैं। खड़ी बोली के टकसाली रूप का आग्रह कोई खड़ी बोली बोलनेवाला नहीं करता उसमें पूर्वी प्रयोग प्रकाम चलते हैं। भाषा के स्वरूप के संबंध में हठधर्मिता अनुचित है और उसका आग्रह करनेवालों के अज्ञान की ही द्योतक है।

शब्दशक्ति के निरूपण के संबंध में शुक्लजी ने लिखा है—

जैसे उपादान लक्षणा लीजिए। इसका लक्षण भी गड़बड़ है और उसी के अनुरूप उदाहरण भी अशुद्ध है।

उपादानलक्षणा के समझने में दास क्या आधुनिक युग में काव्यशास्त्र का पोथा लिख डालनेवालों तक को भ्रांति हो गई है। इस लक्षणा के उदाहरण भी सामान्यतया कम मिलते हैं। दास ने इसका लक्षण यों लिखा है—

उपादान सो लक्षना परगुन लीन्हें होइ।
कुंत चलत सब जग कहै नर बिनु चलै न सोइ॥

वस्तुतः उपादानलक्षणा वहाँ होती है जहाँ लक्ष्यार्थ में अभिधेयार्थ अन्वित होता है। जैसे, किसी ने कहा—'जबसे आपके चरण आए तब से बंटाधार हो गया।' यहाँ 'चरण' शब्द लाक्षणिक है। इसका अभिधेयार्थ है चलने के काम में आनेवाला शरीर का अवयव, पर लक्ष्यार्थ है चरणवाला व्यक्ति। व्यक्ति में उसके अन्य अंगों के साथ ही 'चरण' अंग भी अन्वित होता है। इस प्रकार व्यक्ति लक्ष्यार्थ में पैर अभिधेयार्थ अन्वित है। इसलिए यह उपादान-लक्षणा हुई। इसे संस्कृत में अजहत्स्वार्था कहते हैं अर्थात् जो अपने अर्थ (वाच्यार्थ) का परित्याग न करे। दास ने संस्कृत में बहुप्रचलित 'कुन्ताः प्रविशन्ति' उदाहरण से लक्षणा बनाने का प्रयास किया और लिखा कि इस लक्षणा में दूसरे का गुण लेने से इसका स्वरूप संघटित होता है। संस्कृत में 'कुन्ताः प्रविशन्ति' का अर्थ यह है कि

कुंत धारण करनेवाले पुरुष प्रविष्ट हो रहे हैं। स्थिति को यों समझना चाहिए कि भालेबरदार लोग किसी महल में जिस समय घुस रहे हों उस समय उक्त उक्ति कही गई है, इसलिए वहाँ 'कुन्ताः' का अर्थ 'कुन्तधारिणाः' होगा। 'भाले चलते हैं' या 'शरीर में प्रविष्ट होते हैं' इसमें किसी प्रकार की लक्षणा न होगी क्योंकि 'चलना' और 'प्रविष्ट होना' क्रिया का अन्वय 'भाले' के साथ करने में किसी प्रकार मुख्यार्थ का अवरोध नहीं है। दास ने समझ लिया—भाला स्वयं नहीं चलता कोई-न-कोई उसे चलाता है। इसलिए 'चलना' क्रिया का अन्वय उसके साथ नहीं होता। अर्थात् उन्होंने लक्षणा 'कुंत' में नहीं 'चलना' क्रिया में मानी और उसी के अनुसार यह लक्षण किया कि 'भाले ने चलने में मनुष्य के गुण का ग्रहण कर लिया।' इसका फल यह हुआ कि उन्होंने जो अन्य उदाहरण दिए हैं वे भी ठीक नहीं रह गए—

जमुनाजल कों जात हीं डगरी गगरी-जाल।
बजी बाँसुरी कान्ह की गिरी सकल तिहि काल॥
खेलत बृज होरी सजैं बाजे बजैं रसाल।
पिचकारी चलतीं घनी जहँ तहँ उड़त गुलाल॥

गगरी आपु सों नहीं जाति है कोऊ प्रानी वाकों लय जातु है। ऐसे ही मुख्यार्थबाध में उपादानलक्षना होति है, सो दूनौ दोहा के प्रति वाक्य में उदाहरन है।

दासजी के अनुकरण का परिणाम यह हुआ कि हिंदी में 'तब चले बान कराल' में उपादानलक्षणा मानी जाने लगी। इसमें ध्यान रखने की मुख्य बात इतनी ही है कि सबसे पहले मुख्यार्थ में बाधा होनी चाहिए और लक्ष्यार्थ में मुख्यार्थ का अन्वय होना चाहिए। मुख्यार्थ का तात्पर्य शब्द या ध्वनि नहीं, पदार्थ या वस्तु है। 'लाल पगड़ी आई और भीड़ छँट गई' में 'लाल पगड़ी' का अर्थ सिपाही है। 'लाल पगड़ी' के आने में मुख्यार्थ का बोध नहीं है, पर उसके आने पर भीड़ छँट जाने से बाधा उपस्थित होती है, इसलिए 'लाल पगड़ी' का अर्थ 'सिपाही' करना पड़ता है। सिपाही आया और भीड़ तितर-बितर हो गई। 'लाल पगड़ी' पदार्थ 'सिपाही' पदार्थ में अन्वित है, अर्थात् वह सिपाही 'लाल पगड़ी' लगाए हुए है। यदि उसके सिर पर लाल पगड़ी न होती तो इस प्रकार का लाक्षणिक प्रयोग न होता।

अलंकारों के संबंध में वर्गीकरण का प्रयत्न भी भिखारीदास में दिखाई देता है। पर वह वर्गीकरण संस्कृत के आलंकारिकों का-सा सूक्ष्मदृष्टिप्रेरित नहीं है। कुछ मिलते-जुलते अलंकारों को लेकर और प्रमुख अलंकार में 'आदि' शब्द जोड़कर उत्प्रेक्षादि, अन्योक्त्यादि, उल्लासादि नाम रख दिए गए हैं। कहीं-कहीं नवीन कल्पना का भी दास ने उद्योग किया है, जैसे 'स्वगुण' नाम के अलंकार की कल्पना। यह 'स्वगुण' दूसरों के अनुसार 'पूर्वरूप' के ही अंतर्गत है। प्रत्युत यों कहना चाहिए कि प्रसिद्ध 'पूर्वरूप' को 'स्वगुण' कहा है और 'पूर्वरूप' का दूसरा लक्षण किया है। 'स्वगुण' का लक्षण यों है—

पाए पूरब रूप स्वगुन सुमति कहि देत।

'पूर्वरूप' का लक्षण यह है—

पुरब रूप नहि गुन मिटै भए मिटन के हेत।

उदाहरण यों है—

भौन अँध्यारहु बीच गई मुखजोति तें वैसियै होति उज्यारी।

इस प्रकार यह कोई महत्त्वपूर्ण उद्भावना नहीं है। सामान्य अलंकारस्वरूप के संबंध में दास ने व्यंजना के क्षेत्र में कथित कुछ स्थितियों का अलंकार के क्षेत्र में भी नियोजन करने का सुझाव दिया है। वे लिखते हैं—

कबि सुघराई को कहैं प्रतिभा सब कबिराइ।
तेहि प्रतिभा को होतु है तीनि प्रकार सुभाइ॥
सब्दसक्ति प्रौढ़ोक्ति अरु स्वत:संभवी चारु।
अलंकार छबि पावतो कीन्हे त्रिबिधि प्रकारु॥

दोषप्रकरण में भाषाहीन के अंतर्गत हिंदी के इन आचार्यों ने कुछ हिंदी-संबंधी पारंपरिक बातें भी कहीं हैं, अर्थात् यह बताने का प्रयास किया है कि हिंदी की परंपरा में किन शब्दों का प्रयोग शिष्ट नहीं है।

नायिकाभेद के संबंध में भिखारीदास ने कुछ नवीन कहने का प्रयास किया है, जैसे उन्होंने यह बतलाया कि—

गुप्त बिदग्धा लक्षिता मुदिता तिय को भाइ।
किये बनै सुकियाहु में त्रपा हास्यरस पाइ॥
त्यों ही परकीयाहु में है मुग्धादिक कर्म।
जैसे अस्त्र कोऊ गहै क्षत्रिजाति को धर्म॥

'दर्शन' के भेदों में इन्होंने 'चित्रदर्शन' दो प्रकार का माना है—'छायादर्शन' और 'मायादर्शन'। 'मायादर्शन' का तात्पर्य है स्मृति में आई हुई रूपकल्पना। स्मृतरूप प्रत्यक्ष से भी भिन्न होता है और चित्र से भी। प्रत्यक्ष से इसलिए कि रूप और नेत्रेंद्रिय का प्रत्यक्ष संबंध वहाँ नहीं दिखाई देता। एक बार देखा हुआ रूप ध्यान में लाया जाता है। इस प्रकार की स्थिति कम होती है, पर ऐसी भी स्थिति होती है या हो सकती है इस पर किसी का ध्यान तो गया।

इसी प्रकार रस के प्रसंग में भी इन्होंने कुछ स्थितियों का विचार किया है। जैसे, स्त्री का स्त्री के प्रति, बालक का बालक के प्रति, मित्र का मित्र के प्रति, पिता का पुत्र के

प्रति और पुत्र का पिता के प्रति प्रेम वर्णित होने पर जो रसात्मक स्थिति उत्पन्न होगी उसे क्या कहा जाए। इन्होंने उसे 'प्रेमरस' नाम दिया।

तिय तिय बालक बालकहि बंधु बंधु सों प्रीति।
पितु सुत प्रेमादिक सबै कहै प्रेमरस रीति॥

इसी प्रकार इन्होंने दया को लेकर यह भी विचार किया है कि उसकी स्थिति में किस रस की संभावना है और अंत में यह निश्चय किया है कि वह एक प्रकार का करुणरस ही है—

थाई भाव दया जहाँ कहूँ कैसेहूँ होइ।
बात स्वल्प रस कहत हैं करुनारस तें जोइ॥

प्रिय के वियुक्त होने पर जब उसके कष्ट के ध्यान से कोई दुःखी होता है तो वहाँ उसके अंतःकरण में करुणा या दया होती है, वहाँ श्रृंगाररस न होकर करुणरस ही हो सकता है। जहाँ प्रिय का अभाव हेतु होता है वहाँ विरह में श्रृंगार और जहाँ प्रिय का क्लेश आधार होता है वहाँ करुणरस, यही स्पष्ट स्थिति दिखाई देती है।

छंदों का विचार करने में भी दास ने पर्याप्त श्रम किया है। यद्यपि इन्होंने अपने ग्रंथ का निर्माण प्राकृत और संस्कृत के बहुत से ग्रंथों का आलोड़न कर किया है तथापि व्यवस्था नवीन की है। मात्राओं के अनुसार इन्होंने सब प्रकार के मात्रिक और वर्णिक छंदों को एक साथ कहा है। जाति छंदों के अंतर्गत इन्होंने दोहा छंद के अतिरिक्त दोही और दोहरा छंद भी स्वीकार किए हैं। दोही छंद वह है जिसमें दोहे के विषम अर्थात् पहले-तीसरे चरण में १३-१३ मात्राओं के बदले १५-१५ मात्राएँ होती हैं। दोहरा छंद वह है जिसके विषम चरणों में १३ के बदले १२ मात्राएँ होती हैं। हिंदी के सूफी कवियों में ऐसे दोहे बहुधा मिलते हैं जिनके विषम चरणों में बारह मात्राएँ रखी गई हैं अथवा एक विषम चरण में बारह और दूसरे में तेरह। जायसी की पद्मावत में यह स्थिति देखकर आलोचकों को यह कहना पड़ा कि उनका छंदज्ञान दोषपूर्ण है। छंदार्णव के इस दोहे से स्पष्ट हो जाता है कि पद्मावत में ऐसी कोई त्रुटि नहीं है। पद्मावत में ही नहीं रामचरितमानस में भी यह स्थिति यत्र-तत्र कई सोपानों में मिलती है, पर छठे सोपान या लंकाकांड में दो भिन्न शाखाएँ ही दिखाई पड़ती हैं जिनमें एक शाखा विषम चरणों में बारह मात्राओं वाला पाठ स्वीकार करती है और दूसरी शाखा तेरह मात्राओं वाला पाठ। निश्चय ही इस सोपान में विषम चरणों को तेरह मात्रा का करने के लिए परिष्कार किया गया है, चाहे इसे तुलसीदास ने किया हो अथवा किसी अन्य ने। प्रत्येक छंद के लक्षण में ही इन्होंने उस छंद का नाम भी अंकित किया है, जिसमें मुद्रालंकार से काम लिया है अर्थात् छंद का नाम तो आया ही है वह प्रासंगिक अर्थ में भी घटित होता है।

इनका सबसे नया और मौलिक प्रयत्न तुकनिर्णय के संबंध में दिखाई देता है।

संस्कृत और प्राकृत में तुक की व्यवस्था नहीं थी। तुक का चलन अपभ्रंश में प्रारंभ होता है और सभी देशी भाषाओं में पाया जाता है। पर तुक का जैसा विचार इन्होंने किया वैसा अन्यत्र दुर्लभ है। तुक इन्होंने तीन प्रकार की मानी है—उत्तम, मध्यम और अधम। उत्तम के भी तीन भेद किए हैं—समसरि, विषमसरि और कष्टसरि। मध्यम के भी तीन भेद हैं—असंयोगमिलित, स्वरमिलित और दुर्मिल। अधम के भी तीन प्रकार हैं—अमिल-सुमिल, आदिमत्त-अमिल और अंतमत्त-अमिल। जिसे उर्दूवाले 'रदीफ' कहते हैं उस स्थिति का भी इसमें विचार किया है। उस दृष्टि से इन्होंने तुक के तीन प्रकार कहे हैं—वीप्सा, यामकी और लाटिया।

दास की कविता आचार्यत्व के बोझ के कारण बोझिल होकर सरसता का त्याग करनेवाली नहीं दिखाई देती। केशवदास ने अपनी रचना पांडित्य-प्रदर्शन के कारण बोझिल कर दी थी पर दास ने पांडित्यप्रदर्शन की अभिरुचि सामर्थ्य होते हुए भी नहीं की। इसका फल यह हुआ कि इनकी रचना में उच्चकोटि के कवियों की-सी समन्वयात्मक स्थिति दिखाई देती है। कलापक्ष और भावपक्ष दोनों का पूर्ण सामंजस्य है। इन्होंने अद्‌भुत कल्पनाओं के चक्कर में अपने को नहीं डाला और न शब्दझंकृति के लिए भावप्रवाह को दूषित किया। प्रदर्शन-संबंधी जितने दोष हो सकते हैं दास की रचना उन सबसे प्रायः विरहित है। इस प्रकार आचार्य और कवि दोनों रूपों में इनमें विशेषता दिखाई देती है। शृंगारकाल के कर्ताओं में दास श्रेष्ठ थे, इसमें कोई संदेह नहीं।

पद्माकर

पद्माकर की कृतियों की सबसे अधिक संख्या काशी नागरी प्रचारिणी सभा की 'खोज' में मिलती है—

१. अनूपगिरि हिम्मतबहादुर की विरुदावली—५-४२; २६-३३८ बी।
२. ईश्वरपचीसी—१-८५।
३. गंगालहरी—९-२२० बी; २६-३३८ ए; २९-२५७ ए, बी।
४. जगद्विनोद—२-६; ६-८२ ए; २०-१२३ ए, बी; २३-३०७ ए, बी, सी, डी; २६-३३८ सी; २९-२५७ सी, डी।
५. जमुनालहरी—६-८२ सी।
६. पद्माभरण—५-४४; ६-८२ बी; २३-३०७ ई.।
७. प्रबोधपंचाशिका—९-२२० ए।
८. राजनीति—५-४३।
९. रामरसायन—१-१, २, ३, ४, ५।

१०. लिलहारी लीला—२९-२५७ ई.।

११. विरुदावली—६-८२ ई.।

'हिम्मतबहादुरविरुदावली' को संपादित करके स्वर्गीय लाला भगवानदीनजी ने काशी नागरी प्रचारिणी सभा द्वारा प्रकाशित करा दिया था। 'ईश्वरपचीसी' वहीं से अभी प्रकाशित हुई है। गंगालहरी और जगद्विनोद का प्रकाशन कई प्रकाशकों द्वारा भिन्न-भिन्न समयों में होता आया है। 'जमुनालहरी' अभी तक अप्रकाशित है। 'पद्माभरण' भारतजीवन प्रेस ने मुद्रित किया था। 'प्रबोधपचासा' भी उसके द्वारा मुद्रित हो चुका है। 'राजनीति' अप्रकाशित है। 'रामरसायन' के तीन कांड—बाल, अयोध्या और अरण्य भारतजीवन प्रेस से मुद्रित हुए थे। शेष कांड अप्रकाशित हैं। पद्माकर के वंशज मालचंद्र तैलंग ने पूरा रासरसायन इधर संपादन कर प्रकाशित किया है। 'लिलहारी लीला' इनकी रचना ही नहीं जान पड़ती। 'विरुदावली' वस्तुतः प्रतापसिंह-विरुदावली है। इसे डॉ० टीकमसिंह तोमर ने प्रयाग के 'हिंदी अनुशीलन' में सन् १९५७ में प्रकाशित करा दिया है।

इसके अतिरिक्त यह अनुश्रुति है कि इन्होंने 'अर्जुन-रायसा' ग्रंथ नोने अर्जुनसिंह की प्रशस्ति में लिखा था। महाराज ग्वालियर के नाम पर 'आलीजाहप्रकाश' लिखा। कहते हैं कि इन्होंने 'अश्वमेधभाषा' नामक ग्रंथ भी लिखा था। इनमें से केवल 'आलीजाहप्रकाश' ग्रंथ के ही हस्तलेख मिले हैं। इस प्रकार 'लिलहारी लीला' को हटा देने और 'आलीजाहप्रकाश' को जोड़ लेने पर इनके ज्ञात ग्रंथों की संख्या ११ दिखती है, जिन पर कुछ विस्तार से नीचे विचार किया जाता है।

इनके ग्रंथ दो प्रकार के हैं—मौलिक और अनूदित। मौलिक ग्रंथों में तीन प्रवृत्तियाँ हैं—प्रशस्ति-काव्य की, लक्षणग्रंथों की और भक्ति-वैराग्य की।

प्रशस्ति-काव्य—इन्होंने दो प्रशस्ति-काव्य लिखे हैं, एक हिम्मतबहादुर-विरुदावली और दूसरा प्रतापसिंह-विरुदावली। दोनों में एक ही प्रकार की प्रवृत्तियाँ दिखाई देती हैं। पहले में ६ छप्पय, १३ भुजंगप्रयात, १४ डिल्ला, २८ त्रिभंगी, ४२ हाकल और १०८ हरिगीतिका, सब मिलाकर २११ छंद हैं। वर्णन अधिकतर हरिगीतिका में रखे गए हैं। सभी छंद वीररसोपयुक्त हैं। प्रतापसिंह-विरुदावली में ४ अमृतध्वनि और १ छप्पय ये ५ छंद 'विरुदावली-वर्णन' के अंत में पृथक् से रखे हैं। पूरी पोथी ११७ छंदों में है। इनमें ४ गीतिका, ५ छप्पय, ८ पद्धरी, १५ नाराच, ३३ त्रिभंगी और ५२ भुजंगप्रयात हैं। छंदों की दृष्टि से दोनों में स्पष्ट अंतर यह है कि पहली विरुदावली में मात्रावृत्तों का प्रयोग अधिक है और दूसरी में वर्णवृत्तों की संख्या अधिक है। दूसरी में छोटे छंद अधिक हैं। हरिगीतिका के स्थान पर गीतिका ही है। पहली २८ मात्राओं की और दूसरी २६ मात्राओं की होती है। कुछ छंद एक ही हैं। पहली में 'हाकल' सबसे छोटा छंद १४ मात्राओं का है, दूसरी में सबसे छोटा छंद १५ मात्राओं का पद्धरी है। प्रशस्ति-काव्यवर्णन की दृष्टि से कई शैलियाँ प्रवाहप्राप्त रही हैं। यद्यपि आगे चलकर सबका मेल हो गया तथापि दो

शैलियाँ प्रमुख हैं—वर्णवृत्तों की और मात्रावृत्तों की। एक संस्कृत-साहित्य की और दूसरी देशी भाषा की पारंपरिक शैली है। दोनों शैलियों का मेल होने पर भी इन दोनों में विश्लेषण करने पर स्पष्ट भेद लक्षित हो जाता है।

द्वित्व वर्ण का विशेष प्रयोग और शब्दों को छंदों में ढालने के लिए उनके वर्णों को द्वित्व करने की प्रवृत्ति हिंदी के प्रशस्ति-काव्यों में आरंभ से ही दिखती है। पुराने प्रशस्ति-काव्यों में छप्पय का व्यवहार बहुत है। मध्यकाल में फुटकल रूप में अमृतध्वनि का व्यवहार क्वाचित्क देखा जाता है। यह कुंडलिया छंद ही है। दो छंदों का वैसा ही दोहे और रोले का योग इसमें भी है। कुंडलित करने की प्रवृत्ति इसमें भी है पर थोड़ी; केवल दोनों छंदों की संधि पर और आदि अंत में।

प्रशस्ति-काव्य तीन प्रकार के हो सकते हैं—नायकों के स्वरूप के अनुसार। कोई नायक लोकहित या परहित की प्रेरणा से युद्ध में प्रवृत्त होता है, कोई यश के लिए युद्ध करता है और कोई शुद्ध स्वार्थ के लिए रण छेड़ता है। शिवाजी का प्रयास प्रथम प्रकार का था, प्रतापसिंह का दूसरे प्रकार का और हिम्मतबहादुर का तीसरे प्रकार का। पद्माकर के प्रशस्ति-काव्यों के नायक क्रमशः अंतिम दो रूपों के हैं। काव्यलोक से नितांत विच्छिन्न प्रयास नहीं होता। वह कभी लोक से तटस्थ हो सकता है पर लोकभावना के विपरीत जाने से उसका अंतरंग या उसकी आत्मा बदल जाती है। हिम्मतबहादुर का प्रयास लोक के अनुकूल नहीं था। इसलिए उसका काव्य के क्षेत्र में एक दृष्टि से महत्त्व न्यून हो जाता है।

इस दृष्टि से विचार करना छोड़ भी दें तो पद्माकर की इन विरुदावलियों में सूची गिनाने की ही प्रवृत्ति स्थान-स्थान पर दिखती है। यह नहीं कह सकते कि इन सूचियों का कोई महत्त्व नहीं है। ऐतिहासिक महत्त्व हो सकता है। पर वह भी खंडित होता दिखाई देता है जब ऐसे हथियारों की नामावली या ऐसे घोड़ों की अनुक्रमणी सामने आ जाती है जो उस युद्ध में नियोजित ही नहीं हुए। अर्जुनसिंह के सहायकों में राजपूतों के छत्तीसों कुलों के नाम लिये गए हैं। तलवारों के बंदरी, सुरती, लीलम, खुर्रासानी दलनिधिखानी आदि अनेक नाम जुड़े हैं। तोपों के भी अनेक प्रकार कथित हैं।

तोपों आदि के नामोल्लेख से कहीं अधिक इतिहास-विरुद्ध ऐसे वर्णन हो जाते हैं—

बज्जत जयडंका गज्जत बंका भज्जत लंका लौं अरि गे।
मन मानि अतंका करि सत संका सिंधु सपंका तरि तरि गे।

ऐसे वर्णन प्रकीर्णक रचनाओं में रूढ़ि के रूप में एक हद तक ग्राह्य हो सकते हैं, पर ऐतिहासिक युद्ध के वर्णन में ये रूढ़ियाँ अनुपयुक्त हैं।

वर्णन में भी सांगोपांग दृश्य उपस्थित करने की रसात्मक प्रवृत्ति न होकर अक्षरमैत्री की चमत्कारवर्धक प्रवृत्ति ही विशेष दिखती है—

तहँ ढुक्का-ढुक्की मुक्का-मुक्की डुक्का-डुक्की होन लगी।
रन इक्का-इक्की झिक्का-झिक्की फिक्का-फिक्की जोर जगी।
काटत चिलता हैं इमि असि बाहैं तिनहिं सराहैं बीर बड़े।
टूटैं कटि झिलमैं रिपु रन बिलमैं सोचत दिल मैं खड़े खड़े॥

कवि ने वीरोल्लास की परिपूर्ण अभिव्यक्ति पर पूरी दृष्टि नहीं रखी है। यदि वैसा होता तो विरक्तिभरे ये उपदेश वह कभी न दिलाता—

जिनकी बदी है मीच अब तिनकी न इत उत बचहिगी।
जिनकी नहीं है बिधि रची तिनके न तन को तचहिगी।
जग में जु जन्म बिबाह जीवन मरन रिन धन धाम ये।
जिहिं को जहाँ लिखि दियो प्रभु तिहिं को तुरत तिहि ठाम ये।
भेटै धनंतर से जु बैद सु यों अनेक बिधैं करै।
पर काल है जिहि को जहाँ तिहि को तहाँ तें नहिं टरै।
चढ़ि जाइ हिमगिरि हाँकिकै लपटाइ आसुर अजब सों।
ततकाल जो निज काल नहिं तौ बचहि एते गजब सों॥

'प्रतापसिंह-विरुदावली' का आधार कोई युद्ध नहीं है। युद्धवर्णन के लिए युद्ध-वर्णन किया गया है। पद्माकर वस्तुतः उस युग के अनेक सजातीय कवियों की भाँति प्रकीर्णक-रचनाकार ही हैं। प्रबंध-कौशल और उसकी मार्मिकता इनमें नहीं है। पारंपरिक प्रवृत्तियों का प्रदर्शन मात्र इनकी इस प्रकार की रचनाओं में मिलता है।

कहते हैं कि इन्होंने 'सवाई जयसिंह-विरुदावली' भी लिखी थी जो अप्राप्त है।

लक्षण-ग्रंथ—इन्होंने दो लक्षण-ग्रंथ लिखे हैं—'पद्माभरण' और 'जगद्विनोद'। 'आलीजाहप्रकाश' कोई पृथक् रचना नहीं है। नायक-नायिकाभेद और रसनिरूपण का एक ही ग्रंथ दो व्यक्तियों के नाम पर प्रसारित कर दिया गया है। 'जगद्विनोद' जयपुर के जगतसिंह के नाम पर निर्मित है और 'आलीजाहप्रकाश' ग्वालियर के दौलतराव सिंधिया के नाम पर। आलीजाह उनकी उपाधि थी। आरंभ में 'जगद्विनोद' जगतसिंह की प्रशंसा करता है और 'आलीजाहप्रकाश' दौलतराव सिंधिया की। यत्र-तत्र उदाहरणों में केवल २-१ छंदों का ही अंतर है। इस प्रकार इनके निर्मित लक्षण-ग्रंथ दो ही हैं।

'जगद्विनोद' बहुत ही प्रचलित ग्रंथ रहा है। उसके लक्षण-उदाहरण अत्यंत स्पष्ट हैं। 'पद्माभरण' भी अलंकार का अच्छा ग्रंथ है, पर जसवंतसिंह के भाषाभूषण का हिंदीपरंपरा में इतना अधिक प्रचार हुआ कि उस प्रकार के अन्य ग्रंथ उतने अधिक नहीं चले। स्वयं पद्माकर ने बैरीसाल के भाषाभरण से सहायता ली है, जो भाषाभूषण की संक्षिप्त शैली का अलंकार ग्रंथ है, पर वह उतना प्रचलित न हो सका। पद्माभरण में अध्ययन का कुछ अधिक विस्तार परिलक्षित होता है।

भारतीय साहित्यशास्त्र की दो ही प्रधान धाराएँ हैं—अलंकार की और रस की। पहली का संबंध काव्य अर्थात् श्रव्यकाव्य से है और दूसरी का नाट्य या दृश्यकाव्य से। आगे चलकर दोनों का सम्मिश्रण हो गया। रसप्रवाह प्रधान या अंगी हो गया और अलंकारप्रवाह गौण या अंग। अलंकार काव्य के बहिरंग और रस उसके अंतरंग का स्वरूप माना गया। अलंकार के अध्ययन का चरम विकास संस्कृत की परवर्ती संक्षिप्त शैली में दिखाई पड़ा। चंद्रालोक और उसके पंचम मयूख की टीका कुवलयानंद में सबसे अधिक अलंकार गृहीत हुए। लगभग १०८ अलंकारों की पूरी अलंकारमाला ही प्रस्तुत हो गई। कुवलयानंद चंद्रालोक की टीका होकर भी स्वच्छंद है। उसमें भेद-प्रभेद का जो विस्तार है उसके लिए चंद्रालोक के मूल तक में परिवर्तन किया गया है। इसकी पद्धति बहुत स्वच्छ और बोधगम्य है। हिंदी के अलंकार-ग्रंथों में इसी से इसको मुख्य आधार बनाया गया है।

नाट्यप्रवाह की रसधारा ने दशरूपक के समय से नायिकाभेद का विस्तार किया। यह विस्तार इतना महत्त्वशाली हुआ कि इसका विचार पृथक् कर देना पड़ा। भानुदत्त ने इसी से दो पृथक्-पृथक् ग्रंथ बनाए। एक 'रसतरंगिणी' जिसमें रसों का पृथक् विवेचन किया गया और दूसरी 'रसमंजरी' जिसमें केवल नायक-नायिकाभेद का विचार है। हिंदी के संक्षिप्त शैली वाले अलंकारग्रंथ भी कभी-कभी रसभाव और नायिकाभेद का संक्षिप्त उल्लेख कुछ प्रकरणों में कर लिया करते थे, जैसा जसवंतसिंह के भाषाभूषण में दिखाई देता है। वह सब भानुदत्त के इन्हीं ग्रंथों के आधार पर है। इन ग्रंथों का आधार कोई पृथक्-पृथक् ग्रंथों में लेता था और कोई एक ही ग्रंथ में रसभाव का संक्षिप्त विवेचन रखकर नायिकाभेद का विस्तार करता था। कोई रस के विवेचन में सभी रसों की चर्चा करता रहा और कोई केवल रसराज या शृंगार की ही। सब रसों की चर्चा करनेवाले भी प्रमुख लक्ष्य शृंगार को ही रखते थे। जिसे रीतिकाल कहते हैं उसमें शृंगार और नायिकाभेद का ही प्राधान्य है। अलंकार-ग्रंथों और पिंगल-ग्रंथों के उदाहरण भी शृंगारी हैं। इसलिए यह वस्तुतः शृंगारकाल ही है। जब कोई रीतिकाल की प्रेमव्यंजना पर मुग्ध व्यक्ति प्रेमव्यंजना को प्रधान मानते हुए भी उसका शृंगारकाल नाम अनुपयुक्त घोषित करता है तब उसकी बाल-बुद्धि पर हँसी आती है और यह स्पष्ट हो जाता है कि उसका अनुसंधान आत्मार्थ से बोझिल है।

'जगद्विनोद' में प्रधान नायिकाभेद ही है। पर रसविवेचन भी अंत में समाविष्ट है। शृंगार का विस्तार से और अन्य रसों का संक्षेप से निरूपण है।

भक्ति-वैराग्य के ग्रंथ—जैसा पहले कह आए हैं इनके भक्ति-वैराग्य के ग्रंथ कई हैं। गंगालहरी, यमुनालहरी, प्रबोधपचासा, लिलहारी लीला और ईश्वरपचीसी—पाँच पोथियाँ इनके नाम पर खोज में मिली हैं। इनमें से युमनालहरी, लिलहारी लीला और ईश्वरपचीसी खोज में प्राप्त नवीन रचनाएँ हैं, इसलिए सबसे पहले इन्हीं का विचार किया जाता है।

'युमनालहरी' के संबंध में खोज का विवरण है कि यह केवल २ पन्नों में है और इसकी श्लोक संख्या ३४ है। एक श्लोक ३२ श्लोक अक्षरों का होता है। खोज में उसमें से दो घनाक्षरी छंद उद्धृत हैं। जिनकी अक्षर संख्या २४८ है, जो लगभग ८ श्लोकों की होती है। इस प्रकार लगभग २६ श्लोक संख्या के छंद उसमें और हैं। यदि सब घनाक्षरी ही हों तो अधिक से अधिक ७ घनाक्षरी और होने की संभावना है। अर्थात् यह ९ छंदों की रचना होगी। हस्तलेख में ग्रंथ के नाम का कोई 'सिरनामा' नहीं है। केवल आरंभ में 'श्रीगणेशाय नमः' भर लिखा है। अंत में पुष्पिका नहीं है। छंद की संख्या तक नहीं है। अंत का छंद स्पष्ट केशों का वर्णन करनेवाला है। उसमें पद्माकर नाम भी नहीं आया है। आदि के कबित्त में पद्माकर का नाम है। उसमें यमुना का स्पष्ट वर्णन है। इसलिए यह कोई स्वतंत्र रचना नहीं जान पड़ती। पद्माकर की मुक्तक रचना का कोई नन्हा-सा संग्रह भर प्रतीत होता है। 'यमुनालहरी' नाम खोज के साहित्यान्वेषक का दिया प्रतीत होता है। रचना यह पद्माकर की ही है। क्योंकि इसका प्राप्तिस्थान दतिया है। उन्हीं के वंशज श्री गौरीशंकर कवि के यहाँ यह मिली है।

'लिलहारी लीला' के संबंध पहले ही कहा जा चुका है कि रचना किसी अन्य की हैं। यह आठ सवैयों की रचना है। सवैये उपजाति भी हैं। अर्थात् २५ अक्षर के सुंदरी सवैया और २३ अक्षर के मत्तगयंद सवैया का घाल-मेल है। भाषा इतनी भोंड़ी है कि पद्माकर ऐसे भाषा के उस्तादों के मत्थे वह नहीं मढ़ी जा सकती। देखिए—

याही तरह नख तें सिख लौं लिखु नाम अनंत इकंत ह्वै प्यारी।

एक तो यह 'तरह' रूप हो नहीं सकता, छंद के अनुरोध से 'तरै' होगा। पद्माकर ने 'तरह' को 'तरै' कहीं नहीं लिखा है, कभी लिख नहीं सकते थे। 'यही भाँति', 'भाँति यहै', 'विधि याहि', 'याहि विधै', आदि रूप उन्हें पसंद आते। जिस अंतिम चरण में 'पद्माकर' नाम आया है वह यों है—

पदमाकर यो बृषमानारि कहैं हम हैं हरि के पग धोवनहारी।

यहाँ 'वृषमानारि' शब्द हो नहीं सकता। छंद बाधक है। 'वृषनारि' हो सकता है। जिसका अर्थ लगाना होगा—बृष = बृषभानु + नारि = नारी। 'वृषभानु नारि' का 'वृषनारि' कोई 'भगतजी' ही लिखेंगे, पद्माकर नहीं। मुझे तो यह भी संदेह हो रहा है कि यह 'पद्माकर' छाप है या नहीं। इसके चौथे छंद में 'पदुमा' शब्द ऊपर आया है जिसका ठीक अर्थ घटित नहीं होता—

सो पदुमा लिखि हों बिधि लिखु गोसे गोबिंद गरै गिरधारी।

प्रवाह खंडित है सो तो है ही, 'पदुमा' का अर्थ 'पद में = पैर में' भी नहीं बैठता। क्योंकि एक तो पैर में क्या गोदना गुदाया जाए, दूसरे यदि गुदाया ही जाए तो पैर में भगवान् का

गोदना, हरे हरे। यह 'पदुमा' यदि छाप हो तो नीचे भी 'पदुमा' ही छाप मान सकते हैं। अथवा वहाँ 'पद धोने' की बात हो सकती है। यदि 'पदमाकर' पूरी छाप हो तो ये कोई दूसरे पद्माकर हैं।

ईश्वरपचीसी—यह २५ छंदों की लावनी है। प्रत्येक पद का चौथा चरण है—'अब बचन बिचारि कहै पद्माकर यह ईश्वर की माया है'। व्रजभाषा के अतिरिक्त अन्य भाषाओं और बोलियों में भी लिखने की प्रवृत्ति कवियों में देखी जाती है। इसमें खड़ी बोली या सधुक्कड़ी भाषा में वैराग्य की चर्चा उसी प्रकार की गई है जिस प्रकार साधु-फकीर करते हैं। इस लिए कुछ सज्जन इसे पद्माकर की रचना नहीं मानते। 'जगद्विनोद' के रसप्रकरण में के कुछ उदाहरण और 'प्रबोधपचासा' के कुछ छंद इसमें अभिव्यक्त धारणा से मिलते हैं। जिस प्रकार राम की प्रार्थना और आराधना वहाँ आवश्यक कही गई है उसी प्रकार इसमें भी—

१. नित करत चाम चामहि की चरचा राम राम बिसराया है।

२. इम भए गुलाम बाम बनितन के राम नाम नहिं गाया है।

कुछ निर्गुनिया भक्त सगुण भक्तिप्रवाह के पुराने भक्तों का उल्लेख भी करते रहे हैं। वास्तविकता यह है कि निर्गुनिये भक्त आगे चलकर सगुण भक्ति से प्रभावित हुए हैं, दोनों प्रकार के प्रवाहों का मेल-जोल हो गया है। ऐसा ही इसमें भी है। जैसे—

जिहि तारहु गीध ग्राह गुह गनिका पुन प्रहलाद बचाया है।
अति अधम अजामिल ब्याध बिराधहु गीधहु स्वर्ग पठाया है।

इन भक्तों में से अधिकतर की चर्चा 'प्रबोधपचासा' में हुई है। इससे यह रचना पद्माकर की मानी जा सकती है। इसकी भाषा में शैथिल्य नहीं है। सबसे अधिक ध्यान देने की बात यह है कि इसका एक हस्तलेख दतिया का है और दूसरा जयपुर का, जिन स्थानों में पद्माकर रहे हैं, जहाँ किसी दूसरे पद्माकर का पता कम-से-कम अभी तक नहीं चला है। 'खोज' के विवृत हस्तलेख की पुष्पिका यह है—

पुस्तक लिखी मिति पूस बदी ॥६ ॥ मंगलवार को दलीपगढ़ मधे संबत ॥१८९३ ।।

'दलीपगढ़' दतिया का ही नाम है। वहाँ के लिखे सैकड़ों हस्तलेखों में यह नाम दिया गया है। दूसरा हस्तलेख जयपुर का है। इसकी अनुलिपि काशी नागरी प्रचारिणी सभा के आर्यभाषा-पुस्तकालय के रत्नाकर-संग्रह में सुरक्षित है। इसका नाम वहाँ 'कलिपचीसी' दिया गया है।

निर्गुनिये हठयोगियों की पूरी अनुकृति इसमें है। विरोध में जब तक और कोई पुष्ट प्रमाण नहीं है इसे पद्माकर की रचना मानने में वैसी बाधा नहीं है जैसी 'लिलहारी लीला' के संबंध में है। छंद और भाषा इसमें प्रौढ़ हैं। 'हरि' इसमें भी मौजूद हैं।

'प्रबोधपचासा' शुद्ध भक्त की उक्ति नहीं है। स्थान-स्थान पर कवि के कवित्व या

उक्तिभंगिमा के दर्शन होते हैं। सेनापति जैसे कह गए हैं कि 'आपने करम करि हौं ही निबहौंगो तौऽब हौं ही करतार करतार तुम काहे के' पद्माकर वैसे ही कहते हैं—

पावते न जौ पै मो से अधम कहूँ तौ राम कैसे तुम अधमउधारन कहावते।

इनकी भक्ति-विषयक रचना में संसार की जटिलता और क्षणभंगुरता का भी वर्णन है। पेट की बेट बेगार, तृष्ण और वैर आदि का विशेष वर्णन है। एक ही तथ्य शब्दांतर से कई छंदों में कहा गया है।

'गंगालहरी' पंडितराज जगन्नाथ की संस्कृत कृति 'गंगालहरी' के ढंग की है। इसमें गंगा का वर्णन न होकर प्रशस्ति और प्रार्थना है जिसमें व्याजस्तुति-शैली के एक से एक बढ़कर उदाहरण हैं। इस शैली में पद्माकर के जोड़ का दूसरा हिंदीकवि नहीं है। इसमें भक्ति की लोकसामान्य भावना के कारण राम, कृष्ण, विष्णु एक ही माने गए हैं।

अनूदित ग्रंथों में 'रामरसायन' बहुत बड़ा है। इसमें दोहा, सोरठा, चौपाई और हरिगीतिका छंद का व्यवहार है। आरंभ और अंत में संस्कृत भाषा में भी छंदोबद्ध प्रार्थना, कथा का सारांश या माहात्म्य कहा गया है।

पद्माकर की रचना तीन प्रकार की है—प्रशस्तिकाव्य, शृंगारकाव्य और भक्ति-वैराग्यकाव्य। प्रशस्तिकाव्य प्रकीर्णक भी है और निबद्ध भी। दोनों के अनुशीलन से स्पष्ट है कि आश्रयदाताओं का प्रशस्तिपाठ ही उनका प्रधान लक्ष्य है। काव्यात्मक उक्तियाँ प्रकीर्णक रचना में जितनी हैं उतनी निबद्ध काव्यों में नहीं। रणक्षेत्र का, रणप्रस्थान का और युद्ध का वर्णन भी परंपराभुक्त है। कवि की अंतर्दृष्टि इन सबका संश्लिष्ट वर्णन करने में प्रवृत्त न होकर या तो सूचीसंग्रह में लग गई है या शास्त्रकथित ओजगुणोपयुक्त आरोपित नाद के प्रस्फुटन में दत्तचित्त हुई है। इस प्रकार इनकी वीररस की रचना परमार्थतः इनकी उन्मुक्त अभिव्यक्ति नहीं है। भक्तिवैराग्य की रचना जीवन की परिस्थितियों की प्रेरणा से निर्मित है। वीररस की रचना से इसमें हृदय अपेक्षाकृत अधिक सहज रूप में सामने आता है। ये रचनाएँ कई प्रकार की हैं। जहाँ हृदय के उद्गार सहज रूप में व्यक्त हैं वहाँ काव्यात्मक अभिव्यक्ति प्रायः नहीं है। ऐसी रचना इनके वास्तविक कविरूप की बोधक नहीं है। उसका अन्य प्रकार का महत्त्व हो, पर इनकी अंतर्वृत्ति का नैसर्गिक रूप उसमें नहीं। उसे देखते ही यह नहीं कह सकते कि वह पद्माकर की ही कृति है। पद्माकर के इसी अभाव को देखकर 'ईश्वरपचीसी' को इनकी रचना मानने में कुछ सज्जन हिचकते हैं। तात्पर्य यह कि भक्ति की रचना में भी एक अंश ऐसा है जिसे इनके हृदय के अनारोपित प्रवाह से पृथक् कह सकते हैं। पर इसी में इनकी ऐसी रचना भी है जिसे देखते ही कहना पड़ता हैं कि वह इन्हीं की है। ऐसी रचना 'प्रबोधपचासा' में तो थोड़ी है पर 'गंगालहरी' पूरी-की-पूरी कवि के इस रूप को प्रकट करती है। गंगालहरी में व्याजस्तुति अलंकार की जैसी छटा है वह अन्यत्र दुर्लभ है। फिर भी वह पौराणिक और काल्पनिक आधार पर ही प्रवाहित हुई है। प्रत्यक्ष जीवन की पारमार्थिक अभिव्यक्ति इनकी शृंगारी रचना में ही दृग्गोचर होती है।

हिंदी की मध्यकालीन शृंगारी रचना की पर्याप्त कुत्सा की गई है। उसे सबसे प्रथम तो सार्वजनीन रचना माना गया है। अवस्था, परिस्थिति आदि के कारण रचना में भेद होता है, इस नियम की भी छूट उसे नहीं दी गई है। काव्यपरंपरा की भी छूट मिलती है। पर उसे किसी प्रकार की छूट नहीं दी गई और छूटकर उसकी निंदा की गई। हिंदी की समस्त रचना पर यदि साहित्यिक अभिव्यक्ति की दृष्टि से विचार किया जाए तो हिंदी का शृंगारकाल ही उसका अनारोपित काव्यकाल दिखता है। उसमें जितने अधिक उत्कृष्ट कवि हुए उतने किसी युग में नहीं। उस युग की रचना भी परिमाण में बहुत है। यदि उसका सारा वाङ्मय प्रकाशित किया जाए तो युगों में प्रकाशित हो सकेगा। शृंगार की एक से एक उत्कृष्ट उक्तियाँ उसमें प्रभूत परिणाम में हैं, इतनी अधिक हैं कि संस्कृत-साहित्य अत्यंत समृद्ध होने पर भी उनकी बराबरी नहीं कर सकता। इस युग की शृंगारी अभिव्यक्ति में अनुवदन संस्कृत के अनुधावन पर नहीं है। उसमें मौलिक अभिव्यक्ति बहुत अधिक है। अभिव्यक्ति का आधार-विषय एक ही होने के कारण उक्तियाँ अवश्य मिलती-जुलती हो गई हैं। पर यह कहना ठीक नहीं कि शृंगारकाल में केवल पिष्टपेषण ही हुआ है। इसने संस्कृत को भी प्रभावित किया है। इस युग के कवियों ने लक्षणग्रंथों में उदाहरण स्वरचित रखे हैं। लक्षण के अनुरूप गढ़-गढ़कर प्रस्तुत किए हैं। संस्कृत के लक्षणग्रंथों में उदाहरण दूसरों के दिए जाते रहे हैं। लक्षण-निरूपण की संक्षिप्त शैली चलने पर उसमें अपनी ही रचना देने का चलन होने लगा था। पुराने विवेचक अन्यों की रचना के अतिरिक्त स्वरचित रचना 'यथामम' लिखकर ही कभी-कभी देते थे। पर इस हिंदीयुग ने पंडितराज जगन्नाथ ऐसे प्रकांड पंडित को हिंदी की सुप्रचलित पद्धति पर चलने को विवश किया। उन्होंने स्वकीय पद्यरत्नों की मंजूषा अपने ग्रंथ में रखी है।

शृंगारकाल के कवियों को शृंगारी परंपरा का मोह अधिक था। यही कारण है कि उन्होंने कुछ ऐसी रचनाएँ भी की हैं जो उनकी कटु आलोचना का हेतु हुईं। विपरीत रति और सुरतांत के वर्णन संस्कृत, प्राकृत, अपभ्रंश सबमें होते रहे हैं। हिंदी के उन कवियों ने भी उनका परित्याग नहीं किया है। पर केवल वही इनकी रचना में नहीं हैं। इनकी सारी रचना का वह शतांश भी न होगा। पद्माकर की रचना में भी ऐसे वर्णन आए हैं। 'छरा का छोर' इनकी कई रचनाओं में आ गया है। पर भद्दे वर्णन कहीं नहीं हैं। परंपरा की ओट में बहुत आगे बढ़ना, पराकाष्ठा पर पहुँच जाना इनकी प्रवृत्ति नहीं है। केशवदास की अपेक्षा इन्होंने कुछ संयम से काम लिया है।

काव्य की अभिव्यक्ति में दो तत्त्व विशेष काम करते हैं—एक नादतत्त्व दूसरे चित्रतत्त्व। किसी की कृति में दोनों तत्त्वों का सम्यक् योग रहता है, कहीं किसी एक का प्राधान्य रहता है। नादतत्त्व की पूर्ति पद्य में अभिव्यक्ति मात्र से नहीं हो जाती। उसकी पूर्ति के लिए पृथक् से प्रयत्न करना पड़ता है। हिंदी के छंद अधिकतर मात्रिक हैं। कबित्त-सवैया वर्णवृत्त हैं। पर उनका गठन ऐसी है कि वे मात्रिक छंदों के निकट पहुँच

जाते हैं। फिर भी अन्य छंदों की अपेक्षा उनमें नादतत्त्व वर्णिक होने के कारण अधिक है। वर्णवृत्तों में नियत आरोह-अवरोह के कारण प्रत्येक चरण के मध्य में नाद की अभिवृद्धि के अवसर मिल जाते हैं। मात्रा-वृत्तों में ऐसा नहीं हो पाता। छंद की गति ही या चरण के मध्य की विरति ही कुछ नादवर्धन करती है। नाद की कम-से-कम तीन स्थितियाँ पद्यों में मिलती हैं। प्रत्येक चरण के मध्य नाद, पूरे चरण का नाद और पूरे पद्य का नाद। हिंदी के छंदों में चरण के मध्य का नाद हलका पड़ता है। इसी की पूर्ति के लिए चरणांत में तुक की नियत व्यवस्था मात्रा-वृत्तों में की गई। फिर यह हिंदी की विशेषता ही हो गई और संस्कृत के वर्णवृत्तों में भी ऐसी योजना की जाने लगी। नाद की पूर्ति की दूसरी योजना चरण के मध्य में अंत्यानुप्रास द्वारा की जाती है। जैसे—

पौन करि 'आस तैं' न जाउ उठि 'बास तैं' अरी गुलाब 'पास तैं' उठाउ आस पास तैं।

यहाँ आस तैं, बास तैं, पास तैं में अंत्यानुप्रास नाद की अभिवृद्धि के लिए है। नाद की अभिवृद्धि अनुप्रास की योजना के द्वारा भी की जाती है—

कूलन में केलि में कछारन में कुंजन में क्यारिन में कलित कलीन किलकंत है।

पद्माकर की रचना में जहाँ दृश्यचित्रण नहीं है वहाँ इसी प्रकार का नाद रखा गया है। प्रकृति का दृश्यचित्रण करने से हिंदी के प्रायः सभी कवि विरत थे। श्रोता पर प्रभाव डालने के लिए इसी प्रकृतिवर्णन में आनुप्रासिक नाद-सौंदर्य का सहारा वे प्रायः लेते रहे हैं। इनके प्रकृति-वर्णन में अनुप्रास के आधिक्य का हेतु यही है। इन्होंने युद्ध के वर्णनों में भी दृश्यचित्रण का संश्लिष्ट रूप नहीं ग्रहण किया है, इसी से वहाँ भी वर्ण-झंकृतिजन्य नादसौंदर्य द्वारा उसे प्रभावुक बनाने का प्रयास किया है। तात्पर्य यह कि नादसौंदर्य इन प्रसंगों में आरोपित है। बाहरी प्रयत्न के रूप में स्पष्ट लक्षित है। कवि का अंतःकरण दृश्यचित्रण में प्रवृत्त नहीं है। तड़क-भड़क से वह चमत्कृत करना चाहता है। नादतत्त्व की योजना इसी से इनकी रचना में विशेष उत्कृष्ट नहीं है।

पद्माकर की रचना में चित्रतत्त्व ही प्रधान है। पर स्मरण रखना चाहिए कि जिस दृश्य को कवि काव्य का विषय बनाता है उसमें चित्रतत्त्व की योजना वह तभी करता है जब उसकी अंतर्वृत्ति उसमें रमती है। यह कह आए हैं कि इनकी अंतर्वृत्ति शृंगार के क्षेत्र में ही रमती है। नारी के रूपचित्रण में, उसके हाव-भाव के निरूपण में इन्होंने अपनी इस वृत्ति का पूरा परिचय दिया है। नारी के चित्रण भी दो प्रकार के होते हैं—एक चित्रित के अंतःकरण की अभिव्यक्ति, दूसरे बाह्यरूपचित्रण मात्र। घनआनंद में नारी के रूप का चित्रण करते हुए अंतःकरणसंवलित रूपचित्रण पर ही दृष्टि रखी गई है। बिहारी में अंतःकरण कुछ गौण है, प्रायः बाह्य रूप ही प्रधान हो गया है। घनआनंद का बाह्यचित्रण अंतःकरण की ओर अधिक ध्यान रखने के कारण गौण है। पद्माकर में या तो अंतःकरण और बाह्य रूप में सम स्थिति है या शुद्ध बाह्यचित्रण है। बिहारी के दोहों ने भी उन्हें बाँध

रखा था। छोटी सीमा में वे अधिक हाथ-पैर नहीं मार सकते थे। पद्माकर ने सवैयों या कबित्तों का विस्तृत क्षेत्र लिया है, इससे इनके चित्र बहुत स्पष्ट हैं। जैसे—

फाग के भीरे अभीरन कों गहि गोबिंदै लै गई भीतर गोरी।
भाई करी मन की पदमाकर ऊपर नाइ गुलाल की झोरी।
छीनि पितंमर कंमर तें सु बिदा दई मीड़ि कपोलन रोरी।
नैन नचाइ कह्यो मुसुकाइ लला फिरि आइयो खेलन होरी॥
बछरै खरी प्यावै गऊ तिहि कों पदमाकर को मन लावत है।
तिय जानि गिरैयाँ गही बनमाल सु ऐंचे लला इँच्यौ छावत है।
उलटी करि दोहनी मोहनी की अँगुरी थन जानिकै दावत है।
दुहिबो औ दुहाइबो दोउन को सखि देखत ही बनि आवत है॥

होली के वर्णन पद्माकर ने बहुत उत्तम किए हैं। त्योहारों के वर्णन में इनका मन अच्छा रमता था। इसका कारण है भारत के मध्यभाग में इनके जीवन का अधिकांश समय व्यतीत होना। आज भी होली आदि त्योहार जिस उत्साह-उमंग से बुंदेलखंड आदि भारत के मध्यभाग के प्रदेशों में मनाए जाते हैं उसके दर्शन भी इधर नहीं होते। इसका हेतु यही है कि उन प्रदेशों में भारतीय जीवन का पारंपरिक रूप मूलरूप में बहुत कुछ बचा रह गया है। इस अचल में अन्य संस्कृतियों के घात-प्रतिघात से उसका रूप हलका पड़ गया। जब प्रेरणा हार्दिक होती है तब उसका प्राकृतिक रूप बना रहता है, जब रस्म-अदायगी की जाती है तब वह बात नहीं रह जाती। ठाकुर कवि की रचना में भी पद्माकर की-सी स्थिति दिखाई देती है। इस सहज अभिव्यक्ति के लिए भाषा का भी सहज रूप चाहिए। पद्माकर और ठाकुर दोनों की भाषा में यह सहज स्थिति दर्शनीय है।

यह तो स्पष्ट ही है कि पद्माकर के समय में व्रजी काव्यभाषा के ही रूप में रह गई थी। पर ध्यान देने की बात यह है कि जिस बुंदेलखंड में पद्माकर का अधिक समय बीता वही व्रजी की मूलभूमि है। बुंदेली का विकास भी उसी शौरसेनी से हुआ है जिससे व्रजी का। इसलिए बोलचाल में अभिव्यक्ति के विविध वाग्योग नैसर्गिक स्थिति में वहाँ सुन पड़ते हैं। पद्माकर और ठाकुर की भाषा का स्वरूप शुद्ध काव्यभाषा का स्वरूप नहीं है। उसमें बुंदेलखंड के जनजीवन के बहुत से वाग्योग पुकारकर कह रहे हैं कि भाषा की कृत्रिमता का परिहार करने का इन्होंने बराबर ध्यान रखा है। मुहावरों और लोकोक्तियों के कुछ ऐसे प्रयोग इनमें हैं जो सर्वसामान्य काव्यभाषा के प्रयोक्ताओं द्वारा कभी प्रयुक्त नहीं हुए। व्रजी के टकसाली रूप की पहचान यही है कि उसमें मुहावरों और लोकोक्तियों का सफल प्रयोग हो और साथ ही पूरबीपन न हो। घनआनंद की रचना में पूरबीपन कहीं नहीं है। अवधी के प्रयोग उनमें नहीं हैं। 'है' के अर्थ में 'आहि' अवधी का प्रयोग दिखता है, पर वस्तुतः यह पारंपरिक पुराना प्रयोग है। बिहारी की भाषा में पूरबीपन कहीं-कहीं तुकांत और छंद के अनुरोध के कारण आ गया है। पद्माकर की कृति में विस्तृत क्षेत्र होने से

संकोच नहीं था, इसलिए उसमें वैसे प्रयोग नहीं आए हैं। इन्होंने शब्द तो अंतर्वेद के रख दिए हैं, पर प्रयोग नहीं लिये। बिहारी की-सी कसावट इनकी भाषा में न हो, पर इनके ऐसा भाषा का स्फीत-प्रवाह हिंदी के शृंगारकाल के कवियों में से बहुत कम में मिलेगा। मतिराम की भाषा में ऐसा प्रवाह कुछ है। देव की भाषा तो बहुत लद्धड़ है। उसमें गढ़े हुए शब्द बहुत हैं। वे नादसौंदर्य चाहे उत्पन्न करते हों, पर अर्थोपलब्धि में बाधक हैं। भिखारीदास ने व्रजभाषा-निर्णय करने में जितना पांडित्य दिखाया उसके अनुरूप उनकी भाषा टकसाली नहीं हुई। इस प्रकार पद्माकर तैलंग ब्राह्मण होते हुए भी भाषा-प्रयोग की दृष्टि से मध्यकाल के बड़े समर्थ कवि हो गए हैं।

मुहावरे के प्रयोग के कुछ उदाहरण देखिए—

१. हेर्‌यो हरेंहरें हरी चूरिनतें चाह्यो जौलौं मन मेरो दौरि तेरे हाथ बीच परिगो
२. गेह में न नाथ रहै द्वारे ब्रजनाथ रहे केसे मन हाथ रहे साथ रहे सब सों
३. अधमउधारन हमारे रामचंद्र तुम साँचे बिरदैत यातें काँचे हम क्यों परैं
४. खीझियो नमोपैमुखलागत भलेही रामनामहूँ तिहारो जो हमारे मुखलाग्यो है
५. जहाँ जहाँ मैया तेरी धूरि उड़ि जाति गंगा तहाँ तहाँ पापनकी धूरि उड़ि जाति है
६. आसन अरघ देत देत निसिबासर बिचारे पाकसासन को साँस न मिलति है

हिंदी में लोकोक्तियों का प्रयोग करने में सबसे उत्कृष्ट ठाकुर कवि हुए हैं। पर जैसा कह आए हैं, उसी अंचल में रहने के कारण पद्माकर भी इनका प्रयोग अच्छा करते रहे हैं। कुछ उदाहरण ये हैं—

१. साँचहू ताको न होत भलो जो न मानत है कही चार जनै की।
२. भूलिहू चूक परै जो कहूँ तिहि चूक की हूक न जाति हिये तें।
३. आपने हाथ सों आपने पायँ पै पाथर मारि पर्‌यो पछिताने।
४. एक जु कंजकली न खिली तौ कहा कहूँ भौंर कों ठौर है नाहीं।
५. जो बिधि भाल में लीक लिखी सो बढ़ाई बढ़ै न घटै न घटाई।

ठाकुर की भाँति इन्होंने लोकोक्तियों का विनियोग सवैयों में ही अधिकतर किया है और उसके चौथे चरण में उन्हें रखा है।

पद्माकर ने अनुरणनध्वनि का विनियोग प्रासंगिक ध्वनि के स्वरूपबोध के लिए भी किया है—

जाति चली ब्रजठाकुर पै ठमकाँ ठमकाँ ठुमकी ठकुराइन।

विद्यापति की भाँति आधे के प्रयोग द्वारा किसी ईषत् स्थिति का संकेत इन्होंने भी किया है—

आँखैं अधखुली अधखुली खिरकी है खुली अधखुले आनन पै अधखुली अलकैं।

इनके प्रयुक्त शब्दों को खतियाना चाहें तो कह सकते हैं कि संस्कृत के चलित-

प्रचलित शब्द ही इन्होंने लिये हैं। प्राकृत-अपभ्रंश के पुराने प्रयोग किसी अनुरोध से कहीं-कहीं रखे हैं। अरबी-फारसी के उन्हीं शब्दों के प्रयोग किए हैं जो भाषा में आ चुके थे। छंद के अनुरोध से या अनुप्रास के लोभ में शब्दों के रूपों का विकार इनकी रचनाओं में प्रायः कम है। दोत (दावत), मजाखैं (मजाक), गुपित (गुप्त) ऐसे दो-चार प्रयोग करने भी पड़े हैं। बुंदेली के शब्द ही नहीं, क्रिया-प्रयोग भी रखे गए हैं—सपटी, छूटा, छिक, कहुँचो के साथ ही उलछारना, उकढ़ना, छिरकना, छियना भी हैं। अंतर्वेदी के शब्द उराउ, चापट, करबी, घाल, खासे, खसबोइ, अजार हैं तो कुछ बहुव्यापक क्रियाएँ भी—अकिरना, हिलगना, बुटना, लियाना हाँगना आदि। पर ये सब छौंक भर के लिए हैं। इनकी भाषा व्रजी के सहज रूप की ही अभिव्यक्ति है।

पद्माकर का प्रभाव आगे के कवियों पर निश्चय ही पड़ा है। ग्वाल, लछिराम ने इनकी गंगालहरी के अनुधावन पर क्रमशः 'यमुनालहरी' और 'सरयूलहरी' लिखी। भाषा का अनुग्रहण उन्हीं ने नहीं द्विजदेव और रत्नाकर ऐसे समर्थ कवियों तक ने किया है। रत्नाकर में कसावट बिहारी की है तो प्रवाह पद्माकर का। पद्माकर शृंगारकाल के अंतिम चरण के बहुत समर्थ कवि हुए हैं। इनमें काव्यशक्ति बहुत अच्छी थी। यद्यपि भिखारीदास आचार्यत्व की दृष्टि से इनसे बढ़कर हुए हैं, पर उनका नायिकाभेद का ग्रंथ शृंगारनिर्णय उतना प्रचलित नहीं हुआ जितना इनका जगद्विनोद। इनकी भाषा में जितनी स्वच्छता है उतनी ही इनकी व्यवस्था में भी। जगद्विनोद के अधिक प्रचार का रहस्य यही है।

जगद्विनोद

पद्माकर का 'जगद्विनोद' है तो नायिकाभेद का ही ग्रंथ, किंतु मोटे रूप से इसमें पूरे रसचक्र का निरूपण है। इस ग्रंथ का मान रसिकसमाज और विशेषतः रसजिज्ञासुओं के बीच विशेष है, क्योंकि इसके लक्षण और उदाहरण इसी ढंग के अन्य ग्रंथों की अपेक्षा बहुत साफ हैं। कहीं-कहीं जो त्रुटि दिखाई देती है उसका कारण बहुत कुछ लक्षणों का पद्यबद्ध होना भी है। जो लोग हिंदी के प्राचीन लक्षण-ग्रंथों की परख संस्कृत की शास्त्रीय तर्कपद्धति का मानदंड लेकर करते हैं उन्हें ऐसे ग्रंथों में यत्र-तत्र कुछ दोष मिल जाएँ तो कोई आश्चर्य की बात नहीं। इन्होंने संस्कृत का अच्छा अध्ययन करके ग्रंथ प्रस्तुत किए हैं। निरूपण में जहाँ कहीं विभेद मिलता है, उसका कारण हिंदी की परंपरा भी है, जिसे ये त्याग ही कैसे सकते थे। जिन्हें इनकी रचना में दोष दिखाई पड़े हैं, कहीं-कहीं इसी से भ्रम हो गया है। उदाहरण के लिए छंद संख्या ५७ को लीजिए। कुछ आलोचक यहाँ 'नायक' को उपस्थित नहीं मानते, क्योंकि 'पीतम के संग' शब्द उसकी उपस्थिति में बाधक हैं। पर बात ऐसी नहीं है। नायक वहाँ उपस्थित है। नायिका कह तो रही है सखी से पर सुना रही है 'पीतम' को ही। उसका क्रोध व्यंग्य है। यही पद्माकर का लक्षण भी कहता है—'कोप जनावै ब्यंग सों'।

पद्माकर ने जितने उदाहरण दिए हैं उनमें से कुछ को छोड़कर सभी इनकी मौलिक

सूझ हैं। पाँच-छः का संस्कृत से अनुवाद भी है। इनकी जितनी रचनाएँ प्राप्य हैं उनमें सबसे उत्तम 'जगद्विनोद' ही माना जाता है। कवित्व, अभिव्यंजनशैली तथा भाषा सभी दृष्टियों से यह अच्छा बन पड़ा है। विद्वन्मंडली में इनकी भाषा सफाई, लोच, बंदिश और धारा के लिए प्रसिद्ध रही है, अनुप्रासवाले कुछ गिने-गिनाए छंद सभा-समाजों में चमत्कार दिखाने के लिए पढ़ंतवाले ही याद करते रहे हैं।

यह कहा जा चुका है कि हिंदी में नायिकाभेद के निरूपण में भानुदत्त-कृत रसमंजरी आधार बनी। संस्कृत में नायिकाभेद का विस्तार से वर्णन करनेवाली और प्रचलित पुस्तक यही थी। रसमंजरी की परंपरा स्वतः पुरानी है, भानुभट्ट ने स्थान-स्थान पर पूर्वाचार्यों का उल्लेख किया है और उनके मतों का खंडन-मंडन भी कहीं-कहीं पाया जाता है। इस पुस्तक का नाम यद्यपि रसमंजरी है तथापि इसमें केवल शृंगाररस का और मुख्यतः विभाव-पक्ष (नायक-नायिकादि) का ही विस्तृत विवेचन मिलता है। अन्य रसों की चर्चा ही नहीं है। हिंदीवालों ने अपने अनुकूल यही ग्रंथ पाया और इसी का अनुसरण किया। कुछ ग्रंथों में अन्य संस्कृत-ग्रंथों की भी सहायता ली गई है, जैसे रसिकप्रिया में। केशव संस्कृत के पंडित थे, इसलिए उन्होंने अन्य ग्रंथों का आलोड़न आवश्यक समझा। संस्कृत के कई ग्रंथों का आलोड़न करके उन्होंने रसिकप्रिया लिखी है।

केशव का अनुगमन आगे हुआ अवश्य। देव तक ने उन्हीं के अनुसरण पर वैसे ही भेद रखे हैं। पर नायिकाभेद का इतना प्रपंच लोगों के अनुकूल नहीं पड़ा।

जिस प्रकार अलंकार आदि का स्थूल विवेचन उनकी रुचि के अनुकूल था उसी प्रकार नायिकाभेद का भी। यह बात एक प्रकार से अच्छी ही हुई। यदि देव की भाँति हिंदी में 'जाति-भेद' का आग्रह और बढ़ता तो नायिकाभेद का पचड़ा साहित्य से निकाल फेंकने की वस्तु हो जाता। नायिकाभेद का यह विवेचन नाट्यशास्त्र का अंग था, विशेषतः अभिनय की वस्तु। उसकी बहुत मोटी बातें काव्य में ग्रहण करने की थीं, केवल अवस्था, स्वभाव और श्रेणी के अनुसार उनके स्वरूप का संकेत कर देने की आवश्यकता थी और वह भी इसलिए कि प्रबंधकाव्यों अथवा अन्य काव्यग्रंथों में पात्रों का स्वरूपचित्रण करने में कोई बेठिकाने की बात न कह दी जाए। इसलिए नहीं कि उन्हीं विभेदों के केवल लक्ष्य प्रस्तुत करके काव्य के वास्तविक उद्देश्य से बाहर भटका जाए। काव्य का वास्तविक उद्देश्य रससंचार है।

संस्कृत में कार्यभेद से नायिकाओं के आठ रूप माने गए हैं, पर हिंदी में बहुत पहले से 'अष्टनायिका' के स्थान पर 'दशनायिका' का निरूपण होता आया है। जिन्होंने संस्कृत के चलते ग्रंथों को सामने रखकर ग्रंथ प्रस्तुत किया वे तो पुरानी परंपरा को छोड़कर अष्टनायिका का ही निरूपण करके रह गए, पर जिन्होंने परंपरा पर ध्यान दिया या हिंदी के ही ग्रंथों को आदर्श माना उन्होंने दस भेद रखे। इस आठ और दस में कोई बड़ा अंतर नहीं है। सात भेद तो वे ही हैं, केवल प्रोषितभर्तृका के ही तीन-चार भेद और कर डाले गए हैं, अथवा यों कहिए कि नायक के प्रवास-प्रसंग को लेकर इन भेदों की कल्पना

कर ली गई है—प्रोषितपतिका, प्रवत्सत्पतिका, प्रवत्स्यत्पतिका और आगतपतिका। प्रवत्सत्पतिका को किसी ने छोड़ भी दिया है, जैसे पद्माकर ने। कहीं-कहीं जैसे भाषाभूषण में यह भेद मिलता है। इनमें से प्रोस्यत्भर्तृका का उदाहरण प्राचीनों के अनुसार भानुदत्त ने भी रसमंजरी में रखा है।[१] उन्होंने विभेद दिखाकर बतलाया है कि इसका अंतर्भाव यदि विप्रलब्धा, कलहांतरिता या खंडिता में कोई करना चाहे तो नहीं हो सकता, इसलिए इसे स्वतंत्र भेद ही स्वीकार करना चाहिए।

इससे जान पड़ता है कि रसमंजरी की परंपरा भी पुरानी है और लोगों ने प्रियाप्रवास के अनुरोध से नायिका के और भी भेद माने हैं, केवल प्रोषितपतिका ही नहीं। इसके सिवा रसमंजरी का ही अनुकरण हिंदी के अधिकांश ग्रंथों में है।

हिंदी के रसनिरूपण की जो परंपरा चली उसका प्रधान आधार भानुदत्त की रसतरंगिणी है। हिंदी के आचार्य कहलानेवाले लोग विवाद में तो पड़ते ही नहीं थे, इसलिए उनके लिए प्रौढ़तया निरूपित मार्ग की आवश्यकता थी। उन्होंने नई बातों और तर्कों को छोड़कर सीधा रसनिरूपण कर डाला। पर जिनकी तृप्ति इससे नहीं हुई उन्होंने भानुदत्त की रसतरंगिणी का पूरा-पूरा अनुगमन किया।

स्थायी भावों का निरूपण करते समय कभी-कभी लोग यह भुला दिया करते हैं कि केवल भाव और रसावस्था को प्राप्त स्थायीभाव में अंतर है। स्थायीभावों के उनके उदाहरण प्रायः ऐसे मिलेंगे जिनमें पद्धति के विचार से रस मानना चाहिए। पर पद्माकर ने ऐसा नहीं होने दिया है। स्थायीभावों के जितने उदाहरण दिए गए हैं उनमें इन्होंने इसका बराबर ध्यान रखा है कि भाक्कोटि में उसका क्या स्वरूप होगा, जैसे छंद संख्या ५८१ में। वहाँ 'कछू' शब्द से स्पष्ट है कि 'रतिभाव' रसावस्था तक नहीं पहुँचा है भाव ही है। पर पद्माकर ने 'कछू' का सहारा बहुत लिया है, जो ठीक नहीं। उदाहरण लीजिए—

(१) **बिबसन ब्रजबनितान के सखि मोहन मृदुकाय।**
चोरि चोरि सु कदंब पै कछुक रहे मुसकाय॥

(२) **काम-बाम कों खसम की भसम लगावत अंग।**
त्रिनयन ते नैननि जग्यो कछु करुना को रंग॥

कहीं-कहीं स्वशब्दवाच्यत्व दोष भी आ गया है, जैसे 'भे बलि कछुक सभीत' में। जहाँ सावधानी बरती गई है वहाँ उदाहरण अच्छा उतरा है, जैसे छंद संख्या ५९६ में।

स्थायीभावों का वास्तविक स्वरूप सामने रखने से कहीं-कहीं भ्रमात्मक बातें भी आ गई हैं। रसों के स्थायी भावों के संबंध में संस्कृत में कोई झगड़ा नहीं है, केवल शांत का स्थायीभाव कोई निर्वेद कहता है और कोई शम। निर्वेद को अधिकांश लोगों ने शांत का स्थायीभाव माना है। 'शम' को स्थायीभाव मानने में थोड़ी-सी आपत्ति खड़ी होती है। 'शम' उस अवस्था को कहेंगे जब मनुष्य निर्लेप होकर संसार से एकदम अलग हो जाए।

---

१. प्राचीनलेखनादग्रिमक्षणे देशान्तरनिश्चितगमने प्रेयसि प्रोस्यत्पतिका नवमी नायिका भवितुमर्हति।

पर ऐसी अवस्था का साधारणीकरण संभव नहीं है। निर्वेद में संसार के लगाव में ही मनुष्य रहता है, उसकी अनित्यता के कारण उससे विराग हो जाता है।[१] सांसारिक विषयों से चित्तवृत्ति टूटने लगती है। निर्वेद केवल स्थायी ही नहीं संचारी भी होता है। सांसारिक झगड़ों अथवा गृहकलहादि से मनुष्य जब अपना अपमान करता है तब वह निर्वेद केवल संचारी रहेगा। उसमें प्रेषणीयता नहीं रहेगी। जब कोई मनोवेग प्रेषणीय हो जाता है तब अनुभावों आदि की सम्यक् योजना हो जाने के कारण उसका प्रभाव विशेष हो जाता है। इसी को प्रधानता से व्यंजित होना कहते हैं। व्यभिचारी भाव प्रधानता से व्यंजित होने पर स्थायीभाव की कोटि तक पहुँच सकता है। स्थायित्व और व्यभिचारित्व का विभेदक तन्मयीभवन है। स्थायीभावों का तन्मयीभवन होता है। पात्र या अभिनेता जिस भाव में मग्न है उसी भाव में पाठक या दर्शक भी मग्न होंगे। पर व्यभिचारियों में ऐसी बात नहीं। प्रधानता पाने पर ये भी हलका तन्मयी भवन करने लगते हैं। जैसे, किसी कुसंग में पड़े हुए विद्वान् को एकांत में आत्मग्लानि करते पढ़कर हमें भी उसका हलका-सा स्वाद मिल जाएगा। रसचक्र में स्थायी-अस्थायी का भेद उत्कट और अनुत्कट को ही दृष्टि में रखकर करते हैं। क्योंकि कई भावों के दोनों रूप हैं, वे स्थायी भी हैं और सहकारी भी—जैसे, क्रोध और अमर्ष, भय और त्रास, शोक और विषाद। भावकोटि में आने पर इन दोनों में स्वगत विभेद भी होता है। जैसे, क्रोध और अमर्ष को ही ले लें। इन दोनों में उत्कट और अनुत्कट का भेद तो है ही, पर भावकोटि में माना जाता है कि जहाँ दूसरे का विनाश करने की भावना जग उठे वहाँ तो क्रोध होगा और जहाँ केवल कड़ी- कड़ी बातें और खरी खोटी ही रहे, वहाँ अमर्ष।

बीभत्स के स्थायी भाव पर थोड़ा-सा विचार अपेक्षित है। हिंदी में 'ग्लानि' शब्द के दो अर्थ होते हैं—एक आत्मग्लानि और दूसरा घृणा। जब कहा जाता है, 'मारे ग्लानि के मैं गड़ा जा रहा हूँ' तब ग्लानि का अर्थ आत्मग्लानि होता है। पर जब कहा जाता है, 'उसकी करतूत सुनकर बड़ी ग्लानि आती है' तब ग्लानि का अर्थ घृणा होता है। पर यह ग्लानि शब्द दूसरी स्थिति में उतना अधिक विस्तृत अर्थ नहीं रखता जितना स्वयं घृणा शब्द। घृणा शब्द सभी प्रकार के अहृद्य व्यापारों के लिए प्रयुक्त होता है। घृणा से अधिक स्पष्ट जुगुप्सा है। ग्लानि और घृणा का संपूर्ण भाव जुगुप्सा के भीतर आ जाता है। किंतु हिंदी में, विशेषतः प्राचीन ग्रंथों में, जुगुप्सा के स्थान पर ग्लानि का उल्लेख है। पर इस शब्द का इस अर्थ में प्रयोग कुछ भ्रमपूर्ण है। यही कारण है कि पद्माकर को 'वार्त्तिक' लिखना पड़ा—'याही को नाम जुगुप्सा जानिये'। इसी प्रकार आश्चर्य और विस्मय में भी अंतर है।

अब रसनिरूपण पर दृष्टि डालिए। किसी रस के निरूपण में विभाव-पक्ष का सम्यक् निरूपण किए बिना रससंचार नहीं हो सकता। विभा-पक्ष के निरूपण का तात्पर्य

---

१. तत्वज्ञानजनिर्वेदमुपजीव्य शमादिप्रवृतेः स एव स्थायी न शमः।—उद्योत।

आलंबन का केवल नामनिर्देश नहीं है। यदि आलंबन का निरूपण न किया जाएगा तो न तो कोई भाव ही सामने आएगा और न किसी प्रकार का रस ही। पद्माकर के हास्यरस का उदाहरण (छंद संख्या ६७३) देखिए। यहाँ आलंबन महादेव हैं जिन्हें शब्द-भेद से तीन बार नग्न कहा गया है, उनका स्वरूपचित्रण नहीं है। उद्दीपन का भी कोई विधान नहीं है। चौथे चरण में गंगा, सर्प आदि स्वयं आश्रय हो गए हैं, उनमें अनुभाव मात्र दिखाया गया है। हँसनेवाले तो सभी हैं; पाहुने, राह चलते। हास का दंगा ही खड़ा हो गया है। 'हास' शब्द आ जाने से स्वशब्दवाच्यत्व दोष भी है। किसी रस का स्वरूप खड़ा करने के लिए थोथे अनुभावों का जमघट कर देना ही पर्याप्त नहीं होता। महादेव को नंगा देखकर ये भी हँसे, वे भी हँसे, सभी हँस पड़े। ऐसा कहने से तो हास का कोई स्वरूप सामने नहीं आता। पद्माकर के इस उदाहरण से, इन्हीं का दूसरा उदाहरण, जो दोहे में है, कुछ अच्छा है—

कर मूसर नाचत नगन लखि हलधर को स्वाँग।
हँसि हँसि गोपी फिरि हँसैं मनहुँ पिये सी भाँग ॥

भावों और रसों के विवेचन के प्रसंग में उसी भाव और रस का नाम आ जाना दोष माना गया है। क्योंकि यदि किसी को शृंगाररस का निरूपण करना हो और वह कहे कि क्या बढ़िया शृंगार है, खूब शृंगार है, शृंगाररस छलका पड़ता है—तो शृंगाररस कभी सामने आ नहीं सकता। इसी प्रकार किसी भाव के निरूपण में उसका नाम लेना ही उस भाव का चित्र खींचना नहीं है। 'उन्हें बड़ी लज्जा आई, उन्हें अत्यंत हर्ष हुआ' कहने से इन भावों का कोई स्वरूप सामने नहीं आता। इनके निरूपण के लिए इन भावों के अनुभावों का नियोजन आवश्यक होता है। 'उनका सिर नीचा हो गया, उनकी आँखें नीची हो गईं या उनका चेहरा खिल उठा, उनकी छाती फूल गई' आदि कहने से उक्त भावों का स्वरूप सामने खड़ा हो जाता है। पर हिंदी के अधिकांश रचयिताओं ने भावों या रसों का नाम लेना बहुत आवश्यक समझा है, पद्माकर ने भी—

धनमद यौवनमद महा प्रभुता को मद पाइ।
ता पर मत को मद जिन्हैं को तेहि सकै सिखाइ ॥

यहाँ मद भाव का निरूपण है। इस उदाहरण के द्वारा मद का स्वरूप क्या खड़ा होता है। यह तो खासा नीति-वाक्य हो गया है। इसी प्रकार—

कहै पदमाकर कृपा करि बतावै साँची देखे अति अदभुत रावरे सुभाइ हौं।

उपर्युक्त विवेचन से निष्कर्ष निकला कि पद्माकर का नायिकाभेद-निरूपण तो बहुत कुछ ठिकाने का है, पर रस और भाव का निरूपण वैसा उत्तम नहीं है जैसा उसे होना चाहिए।

पद्माभरण

हिंदी-साहित्य के शृंगारकाल या रीतिकाल में अलंकारग्रंथ दो प्रकार के देखे जाते हैं, एक तो ऐसे जिनमें लक्षणा, व्यंजना और गुण-दोष के विवेचन के साथ-साथ अलंकारों का निरूपण है और दूसरे वे जिनमें केवल अलंकारों का ही वर्णन है। अलंकारों के साथ-साथ अन्य काव्यांगों पर कुछ विस्तार के साथ विचार करनेवाले ग्रंथ हिंदी में थोड़े हैं। संपूर्ण काव्यांगों पर दृष्टि डालनेवाले आचार्यों में केशव, चिंतामणि, कुलपति, श्रीपति, सूरति मिश्र, भिखारीदास आदि हैं। इनमें से केशव को छोड़कर शेष आचार्यों ने संस्कृत के काव्यप्रकाश को ही मुख्यतः आधार बनाया है। किसी-किसी ने साहित्यदर्पण से भी सहायता ली है। काव्यप्रकाश संस्कृत-साहित्य में सबसे प्रौढ़ ग्रंथ माना जाता है। यद्यपि उसके निर्माण के अनंतर भी संस्कृत में 'रसगंगाधर' ऐसे प्रौढ़ ग्रंथ की रचना हुई, किंतु मम्मटाचार्य की बाँधी हुई परिपाटी से बाहर जाने का प्रयत्न तो क्या किसी ने साहस भी नहीं किया। वस्तुतः काव्यप्रकाश में काव्यशास्त्र का बड़ा ठोस निरूपण है। आगे चलकर केवल अलंकारों में ही लोगों ने न्यूनाधिक्य किया, और बातें तो ज्यों-की-त्यों, यहाँ तक कि उदाहरण भी उसी के रख दिए। केशव ने मम्मटाचार्य का अनुगमन न करके अलंकारवादी अथवा चमत्कारवादी दंडी का अनुसरण किया है। कविशिक्षा की कुछ बातें उन्होंने अमरदेव की 'काव्यकल्पलतावृत्ति' से लेकर जोड़ दी हैं। किंतु वामन, दंडी आदि चमत्कारवादियों का प्रभाव संस्कृत-साहित्य में ही नहीं रह गया था, इसलिए हिंदी में केशव की जमाई हुई कविशिक्षा की परिपाटी नहीं चल सकी। यद्यपि काव्य करनेवालों पर कविप्रिया का प्रभाव बहुत दिनों तक रहा तथापि रीतिशास्त्र के क्षेत्र पर उसका वैसा प्रभाव नहीं पड़ा।

जो लोग केवल अलंकार निरूपण को लेकर चले उन्होंने संस्कृत के 'चंद्रालोक' और उसके अलंकार-प्रकरण की टीका 'कुवलयानंद' से सहायता ली। कुछ लोगों ने मोटे रूप से उसका अनुवाद ही कर डाला। आगे चलकर हिंदी में जो बहुत से अलंकार-ग्रंथ बने वे इसी ग्रंथ के आधार पर। चंद्रालोक में अलंकारों का विस्तृत विवेचन नहीं है। विषय को थोड़े में समझाने और कंठस्थ करने योग्य बनाने के विचार से एक ही श्लोक में लक्षण और उदाहरण दोनों रख दिए गए हैं। चंद्रालोक संस्कृत-साहित्य के अंतिम काल का ग्रंथ था। उसको लेकर भाषा में रीतिशास्त्र के कई ग्रंथ बने, पर हिंदी में उसके आधारभूत प्राचीन ग्रंथों में जसवंतसिंह का 'भाषाभूषण' विशेष प्रचलित हुआ। आगे चलकर अन्य कवियों ने जो अलंकार-ग्रंथ लिखे उनके निर्माण में उन्होंने भाषाभूषण से ही सहायता ली है। आगे के कवियों ने चंद्रालोक के श्लोकों के ढंग की भाषाभूषणवाली दोहों की शैली नहीं पकड़ी है, जिसमें लक्ष्य और लक्षण दोनों आ जाएँ। उन्होंने लक्षण तो दोहों में ही रखे हैं, पर उनके उदाहरण कुछ बड़े छंदों (कबित्तों, सवैयों) में दिए हैं, जैसे ललितललाम, शिवराजभूषण आदि में। इन ग्रंथों के रचयिताओं को आचार्य न मानकर

कवि मानना ही अधिक उपयुक्त होगा। पर जिन्होंने दोहों में ही ग्रंथ लिखकर चंद्रालोक और भाषाभूषण की नकल की है उनका प्रयत्न शास्त्र का बोध कराना मानना पड़ेगा। ऐसे ग्रंथों में भी कुछ ऐसे हैं जो शास्त्रबोध के साथ-साथ कवित्व-शक्ति का परिचय देते जान पड़ते हैं। ऐसे लोगों ने सभी उदाहरण श्रृंगार के अथवा किसी विशेष रस के रखे हैं। जहाँ श्रृंगार आदि के उदाहरणों के आने से विषय की क्लिष्टता बढ़ती है वहाँ भी उन्होंने वैसा ही किया है; जैसे भाषाभरण में।

भाषाभूषण मोटे रूप में चंद्रालोक का अनुवाद है। उसमें रचयिता ने यथास्थान कुछ बातें अन्य ग्रंथों से भी ली हैं। कुछ अंश अशुद्ध हैं और कुछ स्थल कामचलाऊ। किंतु पद्माकर का 'पद्माभरण' चंद्रालोक का कोरा अनुवाद नहीं है। इसमें लक्षण अवश्य उसी के आधार पर बनाए गए हैं, पर उदाहरण पद्माकर ने अपने रखे हैं। साथ ही इसमें श्रृंगार के उदाहरणों का आग्रह होने पर भी दुराग्रह नहीं है। यथास्थान अन्य ढंग और रसादि के उदाहरण भी रखे गए हैं। कहीं-कहीं आवश्यकता पड़ने पर चंद्रालोक और कुवलयानंद के उदाहरणों से भी सहायता ले ली गई है।

पुस्तक को ध्यान से देखने पर जान पड़ता है कि पद्माकर ने यह पुस्तक बैरीसाल के 'भाषाभरण' को देखकर बनाई है। फिर भी इन्होंने अंधानुसरण नहीं किया है। इनके सामने मूलग्रंथ अर्थात् कुवलयानंद भी था। बैरीसाल की उक्त पुस्तक स्वयं कुवलयानंद के आधार पर लिखी गई है। इन्होंने केवल लुप्तोपमा के भेदों और प्रमाणालंकार का कुछ विस्तार भाषाभरण के अनुकूल किया है, अन्यथा यथास्थान उसे आदर्श रूप में ग्रहण नहीं किया है, जैसे उपमा के जो अन्य भेद पद्माकर ने रखे हैं वे भाषाभरण में नहीं हैं। व्याजस्तुति में इन्होंने विषय के अभेद और भेद का झमेला नहीं उठाया है। इसलिए यहाँ केवल तीन भेद हैं, पर भाषाभरण में व्याजस्तुति के पाँच भेद हो गए हैं। अंत में संसृष्टि और संकर के कुछ उदाहरण इन्होंने भाषाभरण से ही उठाकर रख दिए हैं। भाषाभरण का अनुगमन आरंभ से ही लक्षित होता है। देखिए—

कहुँ पद तें कहुँ अर्थ तें कहूँ दुहुन तें जोइ।
अभिप्राय जैसो जहाँ अलंकार त्यौं होइ॥
अलंकार यक ठौर में जो अनेक दरसाहिं।
अभिप्राय कबि को जहाँ सो प्रधान तिन माहिं॥
ज्यौं ब्रज में ब्रजबधुन की निकसति सजी समाज।
मन की रुचि जा पर भई ताहि लखत ब्रजराज॥ —भाषाभरण।

सब्दहु तें कहुँ अर्थ तें कहुँ दुहुँ ते उर आनि।
अभिप्राय जिहि भाँति जहँ अलंकार सो मानि॥
अलंकार इक थलहि में समुझि परै जु अनेक।
अभिप्राय कबि को जहाँ वहै मुख्य गनि एक॥

जा बिधि एकै महल में बहु मंदिर इक मान।
जो नृप के मन में रुचै गनियतु वहै प्रधान॥ —पद्माभरण

पद्माकर ने उदाहरण अधिकांश ऐसे रखे हैं जो स्वतंत्र रूप में निर्मित किए गए हैं। पर बहुत से उदाहरण ऐसे हैं जो उसी की नकल पर गढ़े हुए हैं। एक उदाहरण लीजिए—

कीजै अति अनुहारि सखि वाकी चूकहि गोइ।
पिय के हिय को प्यार तौ यहि बिधि दोहरो होइ॥ —भाषाभरण

तो सों रूसि रह्यो जु हो ब्रजरसिकन को राय।
हौं दोहा कहि बेग ही ल्याई ताहि मनाय॥ —पद्माभरण

पद्माकर ने अनुसरण करने में सावधानी से काम लिया है और जो उक्तियाँ गढ़ी हैं उनमें नवीनता है। पुरानी लकीर पर आँख मूँदकर चलने से इन्हें कहीं-कहीं धोखा भी खा जाना पड़ा है। सबसे पहले लुप्तोपमा को ही लीजिए। चंद्रालोक में लुप्तोपमाएँ आठ ही मानी गई हैं।[१] पर हिंदीवालों ने प्रस्तार करके १५ लुप्तोपमाएँ बना डाली हैं। लुप्तोपमाओं का यह प्रपंच हिंदी में पुराना है। एक,दो और तीन का लोप तो था ही,उपमा में चारों अंगों का लोप भी एक लुप्तोपमा है। यदि इन लुप्तोपमाओं का विश्लेषण किया जाए तो पता चलेगा कि कई लुप्तोपमाएँ ऐसी हैं जिनमें किसी प्रकार का चमत्कार रह ही नहीं सकता, अलंकार बने तो कैसे बनें। जैसे उपमेयलुप्ता, धर्मोपमेयलुप्ता, उपमेयोपमानलुप्ता, धर्मोपमानोपमेयलुप्ता, वाचकोपमेयोपमानलुप्ता, वाचकधर्मोपमेयलुप्ता। इनमें से अंतिम को कुछ लोग 'रूपकातिशयोक्ति' नामक अलंकार मानते हैं,[२] क्योंकि वहाँ केवल उपमान रह जाता है। पर विचार करके देखा जाए तो वाचकधर्मोपमेयलुप्ता यदि संभव मानी भी जाए तो भी उसे रूपकातिशयोक्ति नहीं कहा जा सकता। उपमालंकार में उपमेय और उपमान का भेद होना चाहिए और अतिशयोक्ति में (दोनों का अभेद होने के बाद) अध्यवसान होता है। उपमान में उपमेय निगीर्ण रहता है। इसलिए वाचकधर्मोपमेयलुप्ता ही रूपकातिशयोक्ति नहीं है। जो हो,उक्त लुप्तोपमाएँ संभव नहीं हैं। संस्कृत के आचार्यों ने भी इसके भारी प्रपंच को व्यर्थ कहा है।[३]

संस्कृत-साहित्यशास्त्र के आचार्यों के अनुसार उपमालंकार में उपमेय का लोप संभव नहीं। वह वर्ण्य रहता है, इसलिए उसका प्रस्तुत रहना आवश्यक है। जहाँ वाचकोपमेयलुप्ता मानी गई है वहाँ लुप्तोपमाओं का विस्तार व्याकरण को लेकर हुआ

---

१. वर्ण्योपमानधर्माणामुपमावाचकस्य च। एकद्वित्र्यनुपादानैर्भिन्ना लुप्तोपमाष्टधा।

२. अध्यवसानादतिशयोक्तिरियं न तूपमा अन्यथाऽध्यवसानमूलातिशयोक्तेर्निर्विषयत्वापत्तेः।
—काव्यप्रदीप।

३. वस्तुतोऽयं पूर्णलुप्ताविभागो वाक्यसमासप्रत्ययविशेषगोचरतया शब्दशास्त्रव्युत्पत्तिकौशलप्रदर्शनपरत्वादत्र शास्त्रे न व्युत्पाद्यतामर्हति—उद्योत।

है।[१] हिंदी में उसके मानने की आवश्यकता नहीं, उस प्रकार के प्रयोग ही नहीं होते। संस्कृत में वाचकोपमेयलुप्ता के उदाहरण इस ढंग के दिए जाते हैं—'कांत्या स्मरवधूयंती'। यहाँ कांति 'धर्म' और 'स्मरवधू' उपमान मौजूद हैं, पर वाचक और उपमेय नहीं हैं। 'स्मरवधूयंती' शब्द से स्पष्ट लक्षित हो जाता है कि यह पद उपमा के लिए है अर्थात् इसका तात्पर्य है 'स्मरवधूमिवाचरन्ती' (कामदेव की स्त्री के समान आचरण करती हुई)। किंतु हिंदी में जो उदाहरण इस लुप्ता के मिलते हैं उन्हें देखें तो रूपकातिशयोक्ति और उनमें कोई भेद लक्षित न होगा।

अटा उदय होतो भयो छबिधर पूरन चंद।
ह्वौं बलि चलि अवलोकिये मन्मथ करन अनंद॥ —काव्यकल्पद्रुम

वर्णन पढ़ने से साम्य का भाव किसी प्रकार लक्षित नहीं होता। 'पूरन चंद' पद स्पष्ट रूपकातिशयोक्ति का संकेत करता है, क्योंकि उसके भीतर 'मुख' छिपा है, उसे पढ़ते ही मुख लक्षित हो जाता है। 'छबिधर' को धर्म कहिए या विशेषण। धर्म, विशेषण ही तो है। रूपकातिशयोक्ति में लोप नहीं अध्यवसान होता है, उपमेय उपमान के पेट में बैठा रहता है। यही कारण है कि रूपकातिशयोक्ति अलंकार वहीं बनता है जहाँ प्रसिद्ध उपमान आते हैं। यदि अप्रसिद्ध उपमानों द्वारा उपमेय का संकेत किया जाने लगे तो कबीर की उलटवाँसियाँ और नाना प्रकार की तद्वत् पहेलियाँ रूपकातिशयोक्ति ही हो जाएँगी।

हिंदी के अलंकार-ग्रंथों में लुप्तोपमाओं का जहाँ प्रपंच है वहाँ उपमानलोप के उदाहरण बेढंगे दिए गए हैं, उनसे उपमान के लोप का कोई पता नहीं चलता। उपमा में साम्य का संकेत जब तक न रहेगा तब तक उसे उपमा माना भी जाए तो कैसे। दूर जाने की आवश्यकता नहीं, भाषाभूषण का ही उदाहरण लीजिए—

बनिता रस-सिंगार की कारन-मूरति पेखि।

यह वाचकधर्मोपमानलुप्ता का उदाहरण है। इसमें केवल उपमेय रह गया है। इसका अर्थ है '—शृंगाररस की कारणमूर्ति (कारण-रूप) उस नायिका को देखो'। इसमें किसी प्रकार के साम्य का कहीं पता भी नहीं है, केवल 'वनिता' का वर्णन है। यदि ऐसे उदाहरणों को उपमा के अंतर्गत माना जाएगा तो किसी की वर्णना में लुप्तोपमा आ धमकेगी। साम्य का भाव अथवा साम्य के प्रयत्न की झलक कहीं कुछ होनी चाहिए। जैसे—

अति अनूप जहँ जनकनिवासू।

---

१. **क्वचि वाद्युपमेयासे**—काव्यप्रकाश।

इसमें 'अनूप' शब्द से साम्य के प्रयत्न की झलक मिलती है। उपमा के खोजने में कवि ने बुद्धि दौड़ाई, पर उपमा नहीं मिली। इसलिए यदि इसमें धर्मवाचकोपमानलुप्ता मान लें तो विशेष हानि नहीं। संस्कृत की शैली पर उक्त लुप्तोपमा का उदाहरण माना जाएगा—

केहरि कंधर चारु जनेऊ।

इसमें हिंदीवाले 'केहरि' को उपमान और 'कंधर' को उपमेय मानकर धर्मवाचकलुप्ता मानते हैं। पर संस्कृतवाले 'केहरि' शब्द को केवल उपमा का सूचक समझते हैं; क्योंकि 'कंधर' का उपमान 'केहरि-कंधर' होता है, न कि 'केहरि'। हिंदी में शास्त्रीय विचार उठ जाने से और उपमेय के बोध के लिए रूपकातिशयोक्ति आदि अलंकारों में इस प्रकार के पदों के गृहीत होने से लोगों ने इन्हीं को उपमान मान लिया। किसका ठीक उपमान क्या है यह बात भुला दी गई। हिंदी के शृंगारकालिक अलंकार-ग्रंथों में दूसरे प्रकार के उदाहरण प्रायः नहीं मिलते, पर पद्माकर ने उपमान के लोप में इसका पूरा ध्यान रखा है और ठीक संस्कृत का अनुगमन किया है, देखिए—

(१) **गज-सम गमन सुमद —उपमानलुप्ता।**
(२) **सुक सी सुंदर येहु —उपमेयोपमानलुप्ता।**
(३) **मधुर कोकिला तान —वाचकोपमानलुप्ता।**
(४) **गज सी गति अवरेखु —धर्मोपमानलुप्ता।**
(५) **सुनहु पिक बान —धर्मवाचकोपमानलुप्ता।**
(६) **समुझि मधुर मृदु क्वैलिया कीन्हो तिहि पै कोप—**
—वाचकोपमेयोपमानलुप्ता।
(७) **किय अनार उन पै जु रिस समुझी आप समान।—धर्मोपमेयोपमानलुप्ता।**

यही नहीं, इन्होंने इसी के सहारे पूर्णलुप्ता अर्थात् चारों अंगों के लोप का उदाहरण भी रख दिया है। देखिए—

जाहि निरखि सुक मंद हुव ताहि लखहु करि चोप।

पर यहाँ 'शुक का मंद होना' उपमा का द्योतक न रहकर प्रतीप का द्योतक बन बैठा।

अपह्नुति अलंकार को लीजिए। पद्माकर ने कुवलयानंद के अनुसार शुद्धापह्नुति में केवल वर्णनीय के धर्म का ही नहीं, उत्प्रेक्षित धर्मांतर के निह्नव का भी उदाहरण देने का यत्न किया है, पर विषय के स्पष्ट न होने से दोनों के उदाहरण एक से हो गए हैं। इनके लक्षणों से ऐसा जान पड़ता है कि इन्होंने एक भेद में वस्तु (वर्णनीय) का छिपना माना है और दूसरे में उसके धर्म का। यदि पद्माकर ने वर्णनीय के धर्म का निह्नव और वर्णनीय के कवि द्वारा उत्प्रेक्षित धर्म के निह्नव को ऐसा समझ लिया है तो यह भ्रम है। वस्तुतः किसी वस्तु का निह्नव तो होता नहीं, होता है उसके धर्म का ही निह्नव। इसका उदाहरण चंद्रालोक का अनुवाद है—

नायं सुधांशुः, किं तर्हि? व्योमगङ्गासरोरुहम्। —चंद्रालोक
यह न ससी तौ है कहा? नभगंगा-जलजात। —पद्माभरण

दूसरा उदाहरण इन्होंने स्वयं गढ़ा है, पर उसमें और पहले में कोई भेद नहीं है—

यह न दवानल तौ कहा? जगनासक सिव-कोप।

यदि पद्माकर का तात्पर्य कल्पित धर्म का निह्नव है, तो भी इनका यह उदाहरण ठीक नहीं है और यदि ये किसी पदार्थ का अपह्नव और उसके धर्म का अपह्नव, ऐसे दो भेद मानते हैं तो विभाग ठीक नहीं, दोनों में कोई अंतर नहीं। उत्प्रेक्षित धर्म का निह्नव संस्कृत के इस भोज-प्रसिद्धिवाले श्लोक में है—

अङ्कं केपि शशङ्किरे जलनिधेः पङ्कं परे मेनिरे
सारङ्गं कतिचिच्च सञ्जगदिरे भूच्छायमैच्छन्परे।
इन्दौ यद्दलितेन्द्रनीलशकलश्यमं दरीदृश्यते
तत्सान्द्रं निशि पीतमन्धतमसं कुक्षिस्थमाचक्ष्महे॥[1]

इसी प्रकार 'व्यतिरेक' में पद्माकर को धोखा हुआ। कुवलयानंद में व्यतिरेक के तीन भेद किए गए हैं—उपमेय के उत्कर्ष से, उपमान के अपकर्ष से और अनुभय अर्थात् शुद्ध व्यतिरेक। इन तीनों में से अंतिम भेद का नाम हिंदीवालों ने 'सम व्यतिरेक' दिया है। ये संभवतः इस 'सम' शब्द के भ्रम में आ गए और इन्होंने यह समझ लिया कि उपमेय और उपमान का समभाव दिखलाना ही इस अलंकार का उद्देश्य है। किंतु बात ऐसी नहीं है। तृतीय भेद में उत्कर्ष और अपकर्ष का झमेला तो नहीं रहता, पर व्यतिरेक अवश्य होता है। जब तक व्यतिरेक दिखाया न जाएगा तब तक यह अलंकार बनेगा ही नहीं। कुवलयानंद में जो उदाहरण दिया गया है वह इसे प्रकट करता है—

दृढतरनिबद्धमुष्टेः कोशनिषण्णस्य सहजमलिनस्य।
कृपणस्य कृपाणस्य च केवलमाकारतो भेदः॥

इसमें कृपण और कृपाण का उत्कर्षापकर्ष कुछ नहीं है, पर उनका शुद्ध व्यतिरेक है जो 'केवलमाकारतो भेदः' से स्पष्ट है। किंतु पद्माकर ने जो उदाहरण दिया है उसमें भेद कहीं भी नहीं है, उपमान और उपमेय का वैलक्षण्य दिखाई ही नहीं देता, सब कुछ सम है—

रस-अनुराग-भरे दुहूँ दुहुँ प्रफुलित दरसात।
सब ही कों नीके लगत लोचन अरु जलजात॥

---

१. इसी के आधार पर 'भाषाभरण' में यह दोहा दिया गया है—

नहिं कुरंग नहिं ससक यह नहिं कलंक नहिं पंक।
बीसबिसे बिरहा दही गड़ी डीठि ससि-अंक।

यह व्यतिरेकालंकार नहीं कहा जा सकता। केवल सादृश्य-प्रयोग के द्वारा एक व्यतिरेक दंडी ने माना अवश्य है, पर वहाँ भी सादृश्य का प्रयोग ठीक ऐसा ही नहीं है, थोड़ा-सा ध्यान देने पर भेद लक्षित हो जाता है।[१]

ऐसे ही इनके अन्य उदाहरणों में भी कहीं-कहीं गड़बड़ियाँ हैं, जैसे श्लेष के 'अनेक-अवर्ण्य' वाले उदाहरण में कविता और कामिनी दोनों ही वर्ण्य हो गए हैं। यदि इनमें से किसी एक को अवर्ण्य मान भी लिया जाए तो भी दोनों ही अवर्ण्य नहीं हो सकते। इसी प्रकार सामान्य-निबंधना का उदाहरण निदर्शना का उदाहरण हो गया है। इतना होने पर भी अन्यत्र इनके उदाहरण बहुत स्पष्ट हैं।

रही लक्षणों की बात। लक्षणों को इन्होंने संस्कृत के अनुसार ही रखने का प्रयत्न किया है। इनके लक्षणों से जो कहीं-कहीं अलंकार का स्वरूप स्पष्ट नहीं होता, वह एक तो समास-पद्धति के कारण, दूसरे लक्षणों के पद्यबद्ध होने से। यह दोष केवल इन्हीं में नहीं, हिंदी के रीति-ग्रंथों मात्र में है। बिना गद्य में लक्षणों का विवेचन किए उनका स्वरूप स्पष्ट नहीं हो पाता। संस्कृत में भी जहाँ छंदोबद्ध कारिकाएँ रखी गई हैं वहाँ उनकी वृत्ति गद्य में है। चंद्रालोक के श्लोकों को इसलिए स्पष्ट करने की आवश्यकता पड़ी और अप्पय दीक्षित ने उसके अलंकार-प्रकरण पर कुवलयानंद लिखा। भाषाभूषण में भी, जो हिंदी के इस प्रकार के ग्रंथों का अग्रगामी है, इसी प्रकार का दोष है और कहना पड़ता है कि उसमें संस्कृत के लक्षणों का कहीं-कहीं ठीक अनुगमन तक नहीं है। यहाँ तक कि यदि संस्कृत के श्लोक सामने न रखे जाएँ तो बहुत से लक्षणों की संगति ही नहीं बैठती। पर पद्माभरण में इस प्रकार के दोष कम हैं। कहीं-कहीं लोगों को इसके लक्षणों के संबंध में जो संदेह हो गया है वह छापे की अशुद्धि के कारण है; जैसे, परिणाम के लक्षण और उदाहरण में—

सु परिनाम जहँ ह्वै बिषय काज करै उपमान।
बर बीरन के कर कमल बाहत बान कृपान॥

कहीं लोगों को इसके लक्षणों के संबंध में जो संदेह हो गया है वह छापे की अशुद्धि के कारण; जैसे, परिणाम के लक्षण और उदाहरण में—

भारत-जीवन प्रेस की प्रति में इस दोहे का जो पाठ है उसमें 'ह्वै विषय' के स्थान पर 'है बिषम' छपा है। इसलिए एक महोदय को भ्रम हो गया कि पद्माकर ने अपना यह लक्षण गढ़ लिया है, इसीलिए उन्हें यहाँ तक लिखना पड़ा कि लक्षण जहाँ तक विचार करते हैं किसी भी संस्कृत या हिंदी के ग्रंथ के अनुसार नहीं मालूम होता।[२] बात भी ठीक है। 'बिषम' पद के रहने से अवश्य वह किसी ग्रंथ में कथित लक्षण न होता, वस्तुतः वह

---

१. त्वन्मुखं पुण्डरीकं च फुल्ले सुरभिगन्धिनी। भ्रमद्भ्रमरमम्भोजं लोलनेत्रं मुखं तु ते।—काव्यादर्श। दूसरी पंक्ति पर विचार कीजिए।

२. साहित्य-समालोचक. पद्माकरांक।

पद्माकर द्वारा लिखित लक्षण न होता। 'बिषम' के रहने के अर्थ की संगति भी नहीं बैठती। उदाहरण में उपमान और उसके द्वारा किए जानेवाले कार्य में वैषम्य दिखाई पड़ता है, इसलिए उन्हें यह संगति बैठानी पड़ी कि जहाँ उपमान बिषम कार्य करे। पर है 'बिषम' स्पष्ट छापे की अशुद्धि। 'बिषय' पद से लक्षण चंद्रालोक के अनुकूल हो जाता है।

परिणामः क्रियार्थश्चेद्विषयी विषयात्मना।
प्रसन्नेन दृगब्जेन वीक्षते मदिरेक्षणा॥

जहाँ विषयी (उपमान) विषयात्म होकर (उपमेय का रूप धारण कर) कार्य करे वहाँ 'परिणाम' होता है। ठीक इसी का अनुगमन पद्माकर के लक्षण में है। उपमान उपमेय होकर (उसका रूप धारण कर) कार्य करे। परिणाम अलंकार में उपमान किसी कार्य के करने में असमर्थ होने के कारण उपमेय के साहचर्य से उसे करने में समर्थ हो जाता है।

हिंदी में संस्कृत-ग्रंथों का केवल अंधानुसरण नहीं हुआ, जहाँ अवकाश मिला अपनी करामात भी दिखाई गई। चमत्कार दिखाने की यह प्रवृत्ति भी संस्कृत के ही आलंकारिकों से आई। जैसे, उन्हें साध्य और साधन की उक्ति में कुछ चमत्कार दिखा तो उसे अनुमान नामक पृथक् अलंकार मान लिया। फिर क्या था, पौराणिकों के आठों प्रमाण अलंकार के विषय बन गए। हिंदीवालों को कुछ नहीं सूझा तो प्रत्यक्षालंकार में सभी इंद्रियों के उदाहरण प्रस्तुत कर दिए।

जिस समय चमत्कारवाद का आग्रह बढ़ा उसी समय हिंदीवालों की रुचि रीतिग्रंथ लिखने की हुई, इसलिए उन्होंने संस्कृत के चमत्कारवादी ग्रंथों का अधिक सहारा लिया। अन्यत्र उन्होंने चाहे जो समझा हो, पर अलंकार प्रकरण में पहुँचकर वे भूल गए कि अलंकार अव्यंग्य होने चाहिएँ। इसीलिए काव्य-प्रकाशादि का अनुगमन करनेवाले ग्रंथों में भी अलंकारों की संख्या अथवा उनका निरूपण चंद्रालोक आदि अलंकारवादी ग्रंथों के ढंग का रखा गया; जैसे भिखारीदास के 'काव्यनिर्णय' में। काव्यांगों का स्पष्ट रूप सामने न होने से कैसी गड़बड़ी हो जाती है, इसका एक ही उदाहरण पर्याप्त होगा। एक तो रसवदादि अलंकारों को गुणीभूत व्यंग्य (अलंकार्य) के दायरे से निकालकर अलंकारों के भीतर दिखाना ही ठीक नहीं, दूसरे यदि दिखाया ही जाए तो ध्यान रखना चाहिए कि गुणीभूत व्यंग्य में अथवा अलंकारों में व्यंग्य को जो गौण माना गया है वह कहीं फिर न प्रधान हो जाए। प्रेयान् या प्रेयोलंकार का पद्माकर-लिखित उदाहरण देखिए—

कब लखिहौं इन दृगन सों वा मुख की मुसक्स्यान।

लेखक लिखता है कि 'चिंता' व्यभिचारी भाव यहाँ शृंगाररस का अंग है। प्रेयोलंकार में कोई भाव किसी रस या भाव का अंग होकर आता है। यहाँ भाव रस का अंग है। इस उदाहरण में एक तो व्यभिचारी भाव 'चिंता' नहीं है। चिंता में अनिष्ट के कारण चित्त की व्यग्रता होती है। यहाँ किसी प्रकार के अनिष्ट की संभावना नहीं दिखाई

पड़ती। यहाँ अभिलाष अवश्य है। विप्रलंभ शृंगार की अभिलाष-दशा का यह उदाहरण है। यदि चिंता और अभिलाष के इस झमेले को छोड़ भी दें तो भी कोई व्यभिचारी भाव जब तक किसी रस के अनुकूल पड़ता है, उसका अंग बनकर आता है तब तक उसमें वाच्य की प्रधानता कहाँ से हो जाएगी, वहाँ तो व्यंग्य ही प्रधान रहेगा। व्यभिचारी भाव रस के अंग तो होते ही हैं। इसलिए इसमें कोई चमत्कार नहीं रहा। वस्तुतः पद्माकर को भाषाभरण का आधार लेने से ऐसा करना पड़ा। उसमें भी उदाहरण ऐसा ही है। कुवलयानंद में जो उदाहरण है उसमें है तो व्यभिचारी भाव 'चिंता' ही है, पर वह आया है शांतरस में। भाव की रसांगता सब स्थलों पर प्रेयोलंकार नहीं होती। काव्यप्रकाश में भावांगता ही का उदाहरण दिया गया है। भाव की रसांगता में इसीलिए विचार की आवश्यकता है।

स्पष्ट है कि पद्माकर ने भी परंपरा का पालन मात्र किया है, आचार्य में विवेचन की जैसी दृष्टि चाहिए वैसी इनमें भी नहीं है। पर ऐसा मान लेने में कोई विसंगति नहीं कि चाहे पद्माकर ने जगद्विनोद में कवित्व ही दिखाने का प्रयत्न किया हो पर पद्माभरण भाषाभूषण की ही भाँति आचार्यरूप में अलंकारों का रूप सामने रखने के विचार से लिखा गया है। दो-चार झगड़े के स्थलों को छोड़कर इन्होंने विषय को बहुत स्पष्ट रूप में रखने का पूरा प्रयास किया है। 'पद्माभरण' इसीलिए अलंकारों के बोध का अच्छा ही ग्रंथ कहा जाएगा।

गंगालहरी

गंगालहरी में पौराणिक धारणा के अनुसार मुख्य रूप से एक ही बात दिखाई गई है पापियों का उद्धार। पापी के सभी पाप गंगा के नामोच्चारण, मार्जन, स्नान आदि से दूर हो जाते हैं। जब किसी पातकी का पातक ही नहीं रहा तब नरक में कौन जाए। फल यह हुआ है कि उसके दरवाजे ही बंद हो गए। नरक का सारा कारबार ठप। यदि कभी कोई यमदूत जबर्दस्ती किसी पातकी को वहाँ ले भी जाता है तो जब तक उसके पातकों का ब्यौरा चित्रगुप्त देखें तब तक वह गंगा का नाम ले लेता है और नाम लेते ही गंगाधर हो जाता है जिससे उसके शिर से गंगा प्रवाहित होने लगती हैं। फिर तो चित्रगुप्त की सारी बही बह जाती है। उसके पापों का लेखा तो समाप्त हो ही गया, अन्यों के पापों का विवरण भी गल-सड़ गया। नरक के द्वार इसलिए भी बंद कर देने पड़ते हैं कि जो पातकी यहाँ आ गए हैं कहीं उनके कानों में गंगा की कथा न आ पड़े अथवा वहाँ गंगा का जलकण न पहुँच जाए कि नरक में पड़े सभी पातकी तर जाएँ। यमराज और उनके कार्यकर्ताओं की परेशानी बहुत बढ़ गई है। बहुत से कार्यकर्ता निरर्थक पड़े हैं। यदि उन्हें भेजा जाता है कि किसी को पकड़ लाओ तो वे जिसको पकड़ते हैं वह गंगा का नाम ले लेता है और विष्णु, शिव आदि के गण उसे अपने-अपने लोक ले जाते हैं।

यमराज की, उनके कार्यकर्ताओं की तथा नरक की ऐसी दुर्गति पहले कभी नहीं हुई थी। उधर ब्रह्मा भी बहुत ही दुखी हैं। उनका कार्य सृष्टि करना ही तो है नहीं। सबके भाग्य की रेखा लिखना भी है। जिसके भाग्य में उन्होंने कष्ट भोगना लिखा है उसका भाग्य गंगा के कारण बदल जाता है। भाग्यरेखा या तो मिट जाती है या बदल जाती है। पापों पर इस प्रकार बड़ी भारी विपत्ति आ गई है। दुःख-दारिद्र्य आदि दोष सब मिटे-मरे जाते हैं। गंगा ने सृष्टि का क्रम बदल दिया है। उधर एक नई स्थिति स्वर्ग आदि लोकों के कार्यकर्ताओं की हो गई है। गंगा के कारण जो तरते हैं, उन्हें इतना अधिक पुण्यात्मा माना जाता है कि सभी दिव्यलोकों के देवता यही चाहते हैं कि मेरे लोक में यह व्यक्ति आकर निवास करे। अब उसे अपने लोक में ले जाने के लिए होड़ लग जाती है। जो अवसर पाता है उसे अपने लोक में उड़ा ले जाता है दूसरे पश्चात्ताप करते रह जाते हैं। ब्रह्मलोक ले जाने के लिए हंस, विष्णुलोक ले जाने के लिए गरुड़ और शिवलोक ले जाने के लिए वृषभ दौड़े चले आते हैं। इंद्रलोक, गणेशलोक आदि में भी ले जाने के लिए व्यवस्था की गई है। केवल उसको पुण्य ही नहीं मिलना, उसे विष्णु, शिव आदि का रूप भी मिल जाता है। यदि शिव रूप मिला तो उसके सिर से गंगा प्रवाहित होने लगती है यदि विष्णु रूप मिलता है तो पैरों से गंगा निकलती है। रहिमन जिस प्रकार यह प्रार्थना करते हैं कि विष्णु मुझे मत बनाना, शिव ही बनाना, उसी प्रकार यहाँ भी तरनेवालों को शिव बनने की ही इच्छा होती है। शिव बनने से गंगा को कोई सिर पर धारण करेगा, इससे उनके प्रति सम्मान का भाव बना रहेगा। पर विष्णु बनने से पैरों से स्पर्श करने में यह बात नहीं रहेगी। यह भी कल्पना की गई है कि विष्णु आदि बनाने के बदले गंगा शिव ही अधिक बनाती हैं। कारण प्रत्यक्ष है। दिगंबर शिव ने गंगा को सिर पर धारण किया इससे गंगा की उनके प्रति महत्त्व की दृष्टि सबसे अधिक है।

गंगा शिव अधिक बनाती हैं इसलिए उन्हें लेकर व्याजस्तुतियाँ सबसे अधिक लिखी गई हैं। शिव को लेकर व्याजस्तुति लिखने में बंकिमा अधिक है क्योंकि उनका रूप, उनकी वेशभूषा, उनका साज-सामान सभी बेढंगा है। भारतीय साहित्य की परंपरा में शिव की वेशभूषा आदि को लेकर 'हास' की स्थिति लाने का प्रयास बहुत दिनों से है। कालिदास ने पार्वती की तपश्चर्या के अवसर पर वटुवेश में स्वयं शंकर को ही भेजकर विनिंध उक्तियाँ कहलाई हैं। विद्यापति ने अपनी नचारियों में बारंबार इनका स्मरण किया है। बाबा तुलसीदास ने पार्वतीमंगल में ही नहीं रामचरितमानस में भी शिव की बरात में हँसी-ठट्ठा कराया है और विनयपत्रिका में ब्रह्मा से शिव के बौड़मपन के लिए पार्वती के प्रति प्रार्थना कराई है। पद्माकर की उक्ति का बीज बरवै रामायण के इस बरवै में डाल दिया गया है—

तुलसी जनि पग धरहु गंग महँ साँच।
निगा नाँग करि नितहि नचाइहि नाँच॥

अलंकार का शैलीरूप तभी खुलकर सामने आता है और उसके प्रयोग की विस्तृत सीमा का पता चलता है जब कोई समर्थ कवि उससे अपनी रुचि जोड़कर उसका विविध प्रयोग करके दिखाता है। कालिदास की उपमा प्रसिद्ध है। उन्होंने उपमा का प्रयोग किस अवसर पर करना चाहिए यह तो दिखाया ही साथ ही यह भी दिखाया कि उसके प्रयोग के विविध क्षेत्र क्या हैं। हिंदी में जिस युग में पद्माकर थे उसी युग में ठाकुर ने लोकोक्तियों का वैविध्य और घनआनंद ने विरोधाभास का वैविध्य दिखाया तो इन्होंने व्याजस्तुति का वैविध्य। इन कवियों के अलंकार प्रयोग को देखकर स्पष्ट प्रतीत होता है कि ये अलंकार की सीमा का उल्लंघन करके वाच्य से व्यंग्य के क्षेत्र में पहुँच जाते हैं। इनकी सभी उक्तियाँ अलंकार के परिमित घेरे में घिर नहीं पाती हैं। आनंदवर्धनाचार्य का वह तर्क सामने आ जाता है कि बहुत से अर्थालंकारों में आकर्षण का हेतु व्यंजना ही है। जो व्यंजना किसी अलंकार में अल्परूप में रहती है उसे ही कवि विविध प्रयोगों के द्वारा अधिकाधिक बढ़ाता चला जाता है और स्वारस्य विशेष होता जाता है। पद्माकर की व्याजस्तुति को सर्वत्र अलंकार के क्षेत्र में कैद नहीं किया जा सकता। घनआनंद के विरोधाभासों की भी अनेकत्र यही स्थिति है। अंतर इतना ही है कि घनआनंद ने लाक्षणिक प्रयोगों का अत्यधिक सहारा लिया है पर पद्माकर को इसकी अपेक्षा उतनी अधिक नहीं पड़ी है। घनआनंद ने भावनाभेदों के लिए ऐसा किया है पर पद्माकर के यहाँ भावना-भेद नहीं है। भक्तिभावना के ही अंतर्गत सारी उक्तियाँ पौराणिक धारणा की भूमिका पर स्थित दिखाई देती हैं।

गंगालहरी में केवल व्याजस्तुति का ही चमत्कार नहीं अथवा इस अलंकार की शैली में चलकर व्यंजना के क्षेत्र में पहुँच जाने की ही विशेषता नहीं है, अन्य अलंकार भी आए हैं और बड़े ही स्पष्ट ढंग पर आए हैं। पर अन्य अलंकारों की जहाँ योजना की गई है वहाँ वैसी भंगी भणिति नहीं है जैसी व्याजस्तुति के प्रसंग में दिखाई देती है। अन्य अलंकारों की योजना अधिकतर सीधी-सादी ही की गई है।

गंगालहरी मुक्तक रचना ही है। उसमें क्रमबद्ध कथा कहीं नहीं रखी गई है। प्रत्येक छंद स्वच्छंद है। साथ ही यह भी ध्यान देने योग्य है कि यह शुद्ध कबित्तबंध है। इसमें कबित्त अर्थात् मनहरण घनाक्षरी छंद का ही व्यवहार किया गया है। सवैया छंद पद्माकर ने अन्यत्र पर्याप्त परिमाण में प्रयुक्त किया है। यहाँ तक कि प्रबोधपचासा में भी सवैया छंद २० हैं। पर गंगालहरी में एक भी सवैया छंद नहीं रखा गया। इसका मुख्य कारण यही प्रतीत होता है कि पद्माकर गेय तत्त्व का आधिक्य इसमें नहीं करना चाहते थे। यह स्पष्ट है कि मनहरण घनाक्षरी की अपेक्षा सवैये में गेयता अधिक है। 'प्रबोधपचासा' में आत्मकथन अधिक है, पर गंगालहरी में गंगा का चरित्र ही प्रधान है। गंगा के चरित्र की ही प्रधानता इसमें है, चित्रांकन या मूर्तिकरण की प्रमुखता नहीं। आगे चलकर इस कमी की पूर्ति 'रत्नाकर' ने गंगावतरण में की है। उसमें बिंबग्रहण कराने का प्रयास स्थल-स्थल पर दिखाई देता है। गंगालहरी का उद्देश्य चरित्र-कथन ही है। रूप-चित्रण कहीं नहीं

दिखाई देता। पर्याय या सार अलंकार का सहारा लेकर 'कूरम पै कोल' प्रतीकवाले कबित्त में भी चित्रण नहीं आ सका तो अन्यत्र की क्या कथा। हाँ, कहीं-कहीं चित्रात्मक स्थिति का संकेत चरित्र-कथन के अंतर्गत ही किया गया है। जैसे शिव बन जाने पर बूढ़े बैल पर सवार होकर चलने में उसके न चल सकने के प्रसंग में। गंगा या गंगातट में सर्वत्र मुक्ति छाई है, कहने में धारा या तट के विभिन्न स्थानों, वस्तुओं का विवरण देने में भी चित्रण न आ सका। सर्वत्र असंश्लिष्ट नामोल्लेख ही है।

सब मिलाकर 'गंगालहरी' में स्थिर सौंदर्य की अभिव्यक्ति उतनी नहीं जितनी लहरिका-सौंदर्य की। कवि किसी एक स्थल पर टिकना नहीं चाहता। उसमें तीव्र गति ही सर्वत्र दिखाई देती है। तो क्या गंगातट पर पहुँचने की व्याकुलतावाले पद्माकर के चंचल मन का संकेत इस प्रकार की योजना से भी मिलता है। विषय विचारणीय है।

अस्तु ! 'गंगालहरी' पद्माकर की विशिष्ट रचना है और हिंदी में उनकी ख्याति का कारण केवल जगद्विनोद नहीं है, प्रत्युत गंगालहरी भी है। पहले में चित्रण का आकर्षण है और दूसरी में चरित्र-चारुता का। हिंदी में यह बेजोड़ रचना है।

व्रजभाषा-साहित्य में गंगा

प्रकृति के विभिन्न रूपों के निरूपण में आदि से ही कवियों का मन रमता रहा है। सभी देश और साहित्य के कवि प्रकृति की मनोज्ञता पर मुग्ध हुए हैं। यद्यपि सांसारिक दृष्टि से गंगा का संबंध प्रकृति के साथ एक सरिता के ही रूप में होना चाहिए तथापि भारत में धार्मिक दृष्टि से गंगा का महत्त्व अधिक बढ़ा-चढ़ा है। धर्म की मनोहरता पर मुग्ध होनेवाले भारत ने जिसे धर्म के आवरण में निहारा उसके अन्य रूपों को प्रायः भुला दिया। हिंदी में गंगा का वर्णन दो रूपों में मिलता है—एक देवी के रूप में, दूसरा सरिता के रूप में। स्मरण रखना चाहिए कि सरिता के रूप में जो चित्रण मिलता है वह धार्मिक भावना में ही है। इसलिए प्रकृतिवर्णन की विशदता उसमें नहीं है।

हिंदी में गंगासंबंधी काव्य दो प्रकार के हैं—एक गीतिकाव्य और दूसरे प्रबंधकाव्य। गीतिकाव्य के रूप में मिलनेवाली कविता 'मुक्तक' है। इस प्रकार की कविता में गंगा की स्तुति, महत्ता, गौरव आदि का ही वर्णन है। प्रबंधकाव्य के रूप में बहुत थोड़ी कविता मिलती है। इसमें गंगा की पौराणिक कथा है। इनके अतिरिक्त कुछ फुटकल कविता ऐसे ग्रंथों में पाई जाती है जो गंगासंबंधी नहीं हैं, पर प्रसंगवश उनमें गंगा का वर्णन आया है। शृंगारकाल में, अलंकारों की अधिकता के कारण, कुछ ऐसे कवि भी मिलते हैं जिन्होंने सभी अलंकार गंगा की प्रशंसा में ही घटा कर लिखे हैं। हिंदी में यों तो आदि-कवि विद्यापति की रचना से ही गंगा का वर्णन आरंभ हो जाता है पर गंगा-संबंधी वाङ्मय का अधिक निर्माण पंडितराज जगन्नाथ की 'गंगालहरी' के पश्चात् देखा जाता है। कुछ ने तो उक्त पुस्तिका का हिंदी में केवल अनुवाद करके संतोष कर लिया पर अन्यों ने उसी के ढंग की स्वतंत्र कविता प्रस्तुत की।

इन सब बातों पर विचार करने से हम गंगासंबंधी गीतिकाव्यों को तीन प्रकार का पाते हैं—एक तो पंडितराज जगन्नाथ की 'गंगालहरी' के अनुवाद रूप में, दूसरे स्वतंत्र गीतिकाव्य के रूप में और तीसरे अलंकार के उदाहरण के रूप में। पहले प्रकार के अंतर्गत उजियारेलाल, रेवाराम (. .९६), सेठ कन्हैयालाल पोद्दार, पं० महावीरप्रसाद द्विवेदी आदि की 'गंगालहरी' का नाम लिया जा सकता है। 'गंगालहरी' के और कई अनुवाद हुए होंगे। इस समय भी 'गंगालहरी' के कई हिंदी पद्यानुवाद मिलते हैं। सेठ कन्हैयालाल पोद्दार का अनुवाद समश्लोकी है। इसकी भाषा खिचड़ी है। संस्कृत का जैसा अनुवाद राजा लक्ष्मणसिंह और पंडित सत्यनारायण कविरत्न से हिंदी में बन पड़ा, वैसा बहुत कम से। पोद्दारजी का अनुवाद कहीं-कहीं मूल से भी दुरूह हो जाता है। उदाहरणार्थ—

प्रभ ते स्नातीनां नृपतिरमणीनां कुचतटी-
गतो यावन्मातर्मिलति तव तोयैर्मृगमदः।
मृगास्तावद्वैमानिकशतसहस्त्रैः परिवृता
विशन्ति स्वच्छन्दं विमलवपुषो नन्दनवनम्॥

का पद्यानुवाद देखिए—

लगी कस्तूरी जो नृप-युवतियों के कुच-तलै
प्रभात न्हाते में तव सलिल जौलौं वह मिलै।
मृगा वे तौलौं ही विशद तन पाते सु छिन मैं
खुशी से जाते हैं सुरगण घिरे देववन में॥

दूसरे प्रकार के स्वतंत्र गीतिकाव्य में मुख्यता स्तोत्रों की है। देवी-देवताओं की स्तुति में जिस प्रकार पंचक, अष्टक, शतक आदि लिखे जाते हैं उसी प्रकार गंगा की स्तुति में भी इस प्रकार के स्तोत्रों की रचना हुई। पर इनमें से दो-एक को छोड़कर प्रायः सभी शुद्ध धार्मिक दृष्टि से लिखे हुए हैं। महाराज रघुराजसिंह का 'गंगाशतक' अवश्य साहित्यिक है। स्तोत्रों के अतिरिक्त जो दूसरे ढंग की कविता मिलती है उसमें साहित्यिक कविता की ही प्रधानता है। उसमें धार्मिक दृष्टि गौण और सहायक के रूप में है। इस ढंग की पुस्तकों में पद्माकर की 'गंगालहरी' बहुत सुंदर है। इसका नाम यद्यपि पंडितराज के ही अनुकरण पर रखा गया है तथापि भाव सभी पद्माकर के हैं और अच्छे हैं। पद्माकर की 'गंगालहरी' का हिंदी-साहित्य में विशेष स्थान है। इनकी गंगालहरी के जोड़-तोड़ में लोगों ने 'यमुनालहरी' और 'सरयूलहरी' की रचना की, पर पद्माकर को कोई नहीं पाता। सुना जाता है ग्वाल ने 'यमुनालहरी' ही नहीं, 'गंगालहरी' भी पद्माकर की स्पर्धा में लिखी थी। पद्माकर ने अलंकार की विशेष शैली का, जिसे व्याजस्तुति कहते हैं, बहुत अधिक प्रयोग किया है। पद्माकर का अधिकार भाषा पर बहुत अच्छा था। उनकी व्रजभाषा जैसी साफ-सुथरी और मँजी हुई है वैसी बहुत कम कवियों की मिलेगी।

जिस प्रकार पंडितराज जगन्नाथ की 'गंगालहरी' के बारे में कथा प्रचलित है उसी प्रकार पद्माकर की 'गंगालहरी' के संबंध में भी लोगों का कहना है कि 'संपत्ति सुमेरु की' प्रतीकवाले कबित्त में पद्माकर ने 'गजानन' को दान कर देने की जो बात कही, उससे उन्हें कुष्ठ हो गया और वे कानपुर में जाकर गंगास्तुति करने लगे। गंगा की वंदना में 'गंगालहरी' का निर्माण करने पर वे रोगमुक्त हुए। जो कुछ हो, पद्माकर की गंगालहरी में निर्वेद की झलक अवश्य मिलती है, पर कवित्व की चमक में वह दबी पड़ी है। पद्माकर की 'गंगालहरी' में ५६ छंद हैं और उनमें सभी एक से एक अनोखे हैं। गंगा की महिमा में ऐसी पुस्तक आज तक हिंदी में किसी ने नहीं लिखी।

तीसरे प्रकार का गंगा-काव्य अलंकारग्रंथ के रूप में मिलता है। इस प्रकार की पुस्तकें कम हैं। पं० नंदकिशोर मिश्र 'लेखराज' का 'गंगाभूषण' इसी शैली पर लिखा गया है। यह पुस्तक बहुत सुंदर है। प्रत्येक अलंकार गंगाजी के ही ऊपर घटाया गया है। 'गंगाभूषण' का एक उदाहरण देखिए—

गाजिकै घोर कढ़ो गुफा फोरिकै पूरि रही धुनि है चहुँ देस री।
दोऊ कगार बगारिकै आनन पापमृगान को खात जु बेस री।
तापै अघात कबौं न लख्यो गति नेकु सकै नहि सारद सेस री।
सो 'लेखराज' है गंग को नीर जो अद्‌भुत केसरी बेस री केसरी॥

हिंदी में गंगाजी पर लिखा गया एक ही प्रबंधकाव्य देखने में आया। यह बाबू जगन्नाथदासजी 'रत्नाकर' की कृति है। इसका नाम 'गंगावतरण' है। इसमें पृथ्वी पर भागीरथी गंगा के अवतीर्ण होने की पौराणिक कथा पद्यबद्ध की गई है। इसमें आदि से अंत तक रोला छंद का व्यवहार हुआ है। आदि में दो छप्पय छंद मंगलाचरण में दिए गए हैं और संगीत में एक-एक उल्लाला रखा गया है। पुस्तक की भाषा परिष्कृत व्रजभाषा है।

गंगा ब्रह्मकमंडल से निकलकर आकाशमार्ग से पृथ्वी की ओर चली आ रही हैं। कवि कहता है—

निज दरेर सौं पौनपटल फारति फहरावति
सुरपुर के अति सघन घोर घन घसि घहरावति।
चली धार धुधकारि धरा-दिसि काटति कावा
सगरसुतनि के पाप-ताप पर बोलति धावा॥
कबहुं सु धार अपार बेग नीचे कौं धावै
हरहराति लहराति सहस जोजन चलि आवै।
मनु बिधि चतुर किसान पौन निज मन कौ पावत
पुन्य-देस उतपन्न-हीर की रासि उसावत॥

कबहुँ सुताड़ित ह्वै अपार बल-धार-बेग सौं
छुभित पौन फटि गौन करत अतिसय उदेग सौं।
देवनि के छ्ढ़ जान लगत ताके झकझोरे
कोउ आँधी के पोत होत कोउ गगन-हिंडोरे॥

महाकवि माघ ने आकाश से नारद के उतरने का जैसा मनोहर वर्णन किया है और उसमें अप्रस्तुतों की योजना का जैसा कौशल दिखाया है वैसा इसमें नहीं है। पर कवि की दृष्टि अन्य हिंदी कवियों से व्यापक अवश्य है। परंपराभुक्त अलंकार की झलक देखिए—

जदपि बक्र तउ सक्रसदन की सरल निसेनी
जउ नीचे कौं चलति उच्च पद तउ नित देनी।
जदपि छुभित अति कांति सांतिदायनि तउ मन की
जउ उज्जल-जल-रूप तऊ रंजनि रुचि जन की॥
बिपुल बेग सौं जदपि गाजि गवनत जल तर कौं
तउ सफरिनि हित होत सुपथ उमहत ऊपर कौं।
निज अधीन पर ज्यों प्रबीन बिक्रम न जनावैं
बरु दै बाँह उमाहि उच्च पद पर पहुँचावैं॥

इस पुस्तक में पूर्ववर्ती कवियों के भाव भी अपनाए गए हैं, पर कवि ने उनका ग्रहण किसी विशेषता के साथ अवश्य किया है। ऊपर पंडितराज जगन्नाथ की 'गंगालहरी' के जिस श्लोक का अनुवाद दिया गया है उसका भाव कवि ने अपने ढंग से अपनाया है—

अंग-संग जलधार धँसत जिनके मुकतागन
सो करि धरि बर बपुष जाइ बिहरत नंदनबन।
जिन मृग के मद परत छूटि घटतट तैं पानी
तिनकी करत सचोप चंदबाहन अगवानी॥

सब दृष्टियों से विचार करने पर रत्नाकरजी का यह एकार्थकाव्य (गंगावतरण) अच्छा है। जहाँ प्रबंधकाव्यों की प्रचुरता न हो वहाँ ऐसी रचना प्रशंसनीय है।

काव्यों के रूप में लिखे हुए गंगा-वाङ्मय का विवेचन हो चुका, अब फुटकर कविता के रूप में लिखी हुई कुछ सूक्तियों का भी दिग्दर्शन कीजिए। मुक्तकरूप में भी दो प्रकार की कविता मिलती है। पहले प्रकार की कविता स्तुति के रूप में है और दूसरे में कुछ प्रकृति-पर्यवेक्षण भी मिलता है। केवल हिंदू ही नहीं, हिंदू-जीवन के सौंदर्य के किवाड़ खोलकर भीतर झाँकनेवाले अथवा झाँकने की इच्छा करनेवाले मुसलमान कवियों ने भी गंगा की स्तुति की है। रहीम कहते हैं—

अच्युत-चरन-तरंगिनी सिव-सिर-मालति-माल।
हरि न बनायौ सुरसरी कीन्हौ इंदव-भाल॥

परम भागवत रसखानि ने तो बहुत ही अनोखा कहा है—

बैद की औषध खाउँ कछू न करौं ब्रत-संजम री! सुनु मोसे।
तेरोइ पानि पियौं 'रसखानि' सँजीवनलाभ लहौं सुख तोसे।
एरी सुधामई भागीरथी कोउ पथ्य-कुपथ्य करै तऊ पोसे।
आक धतूरे चबात फिरै बिष खात फिरै सिब तेरे भरोसे॥

बाबा तुलसीदास ने 'रामचरितमानस' ऐसे प्रबंधकाव्य में थोड़े में ही गंगा का वर्णन निपटा दिया है, पर 'विनयपत्रिका' और 'कबित्तावली' में कई पद एवं छंद कहे हैं। 'विनयपत्रिका' के पद तो जनसाधारण में बहुत प्रचलित हैं। कबित्तावली में एक स्थान पर गंगा-यमुना के संगम का अप्रस्तुत योजना द्वारा कवि ने मनोहर वर्णन किया है—

देव कहैं अपनी-अपना अवलोकन तीरथराज चलो रे।
देखि मिटैं अपराध अगाध निमज्जत साधसमाज भलो रे।
सोहै सितासित को मिलिबो 'तुलसी' हुलसै हिय हेरि हलोरे।
मानो हरे तृन चारु चरैं बगरे सुरधेनु के धौल कलोरे॥

तुलसी गंगा को ब्रह्म का ही द्रवरूप मानते हैं, केवल विष्णु का पादोदक ही नहीं—

ब्रह्म जो ब्यापक बेद कहैं गम नाहिं गिरा गुनज्ञान गुनी कौ।
जो करता भरता हरता सुर-साहिब साहिब दीन दुनी को।
सोइ भयो द्रवरूप सही जु है नाथ बिरंचि महेस मुनी को।
मानि प्रतीति सदा 'तुलसी' जल काहे न सेवत देवधुनी को॥

भारतेंदु हरिश्चंद्र के पिता श्री गोपालचंद्र गिरिधारन ने भी गंगा की महिमा में सुंदर सवैया लिखा है—

जम की सब त्रास बिनास करी मुख तें निज नाम उचारन मैं।
सब पाप प्रतापहिं दूरि दर्‌यौ तुम आपन आप निहारन मैं।
अहो गंग अनंग के सत्रु करे बहु नेकु जलै मुख डारन मैं।
'गिरिधारनजू' कितने बिरचे गिरिधारन धारन धारन मैं॥

रत्नाकरजी ने 'गंगावतरण' के अतिरिक्त भी कुछ प्रकीर्णक कविता गंगागौरव पर लिखी है। मुक्तक छंदों में रत्नाकरजी की प्रतिभा विशेष रूप से चमकी है। कहना पड़ता है कि पद्माकर की कविता से भी इसमें अधिक चमत्कार और कवित्व है। सभी छंद एक

से एक बढ़कर हैं। एक कबित्त देखिए—

दुख-द्रुम-झाड़ काटै धाड़ काटै दोषनि की पातक-पहाड़ काटै सब जगजानी है।
कहै 'रतनाकर' त्यों जम के निगड़ का है करम कुलिसपाट काटि ना थिरानी है।
ऐसी काट नाहिं नखमाहिं नरकेहरिके ऐसी बिकराल कालहू की ना कृपानी है।
दंग होति धारना न होत निरधार नैकुगंग तव धार मैं धर्‌यौ धौं कौन पानी है॥

स्व. लाला भगवान 'दीन' जी काशी के गंगातट पर खड़े होकर नई कारीगरी के संयोग से होनेवाले विस्मय को, एक बहुत बढ़िया संश्लिष्ट अप्रस्तुत-योजना से खोलकर सामने रखते हैं। गंगातट पर स्नान करनेवाली स्त्रियाँ चकपकाकर वायुयान को निहार रही हैं। 'दीन' जी के शब्दों में उनका खिंचा हुआ खाका देखिए—

प्रातसमै कासीपै हवाईजान आयौ एक ताहि देखि भाव यहै 'दीन' उर आयो है।
गंगै सेसपतनी बिचारि खगराज मानो एकरनहेत आय नभ मँडरायो है।
न्हानवारी नागरी नवेलिन सबैही मिलि देखिबे के हेत लोचनन यौं उठायो है।
गंगा के बचाइबे कौं मौनकौ समूह मानों नीरतें निकसि नभओर धुकि धायो है॥

प्रच्छन्न साहित्यिक जीवन व्यतीत करनेवाले अद्वितीय अलंकाराभ्यासी स्व. अर्जुनदास केडिया गंगादेवी के बेढंगे दान को परिवृत्ति और व्याजस्तुति की संसृष्टि द्वारा दर्शाते हैं—

मृतक-अस्थि लै गंग तुम देत प्रेतगन संग।
मुंडमाल मृगछाल अरु भूषन भस्म भुजंग॥

'भानु' जी गंगास्तुति के साथ-साथ छंदलक्षण भी बताए दे रहे हैं—

भासत गंग न तो सम आन कहूँ जग मैं मम पाप हरैया।
बैठि रहे मनु देव सबै तजि तो पर तारन-भारहि मैया।
या कलि मैं इक तू ही सदा जन की भवपार लगावत नैया।
है तु अरी जग-केहरि सी अघ मत्तगयंदहि नास-करैया॥

काशी-तल-वाहिनी गंगा को श्लेष में चंद्रकला बनाकर श्री शिवकुमार केडिया 'कुमार' अपने प्रकृतिपर्यवेक्षणी प्रकृति का परिचय दे रहे हैं—

सुभ्र सुप्रभा सौं संभु सीस पै सुहावनी है पावनी पृथी पै पसरी पियूष-रासी है।
भगीरथ-पथसौं पधारी लै कुरंग-संग बढ़ै घटै अंग रबिजा की छबि नासी है।
ताप-तम-भंजनी कमान के समान सोहै आसमान रंजनी 'कुमार' कामदासी है।
बक्र आकृती है किंतु सीतल स्वभाव सदा कासीतल गंग चारुचंद की कला-सी है।

प्राकृतिक दृश्यों की योजना के रूप में गंगा का वर्णन हिंदी में नहीं के बराबर है। तुलसीदास ने 'विनयपत्रिका' में गंगास्तुति करते हुए केवल एक स्थान पर कुछ वर्णन की प्रवृत्ति दिखलाई है। वह भी केवल दो ही चरणों में—

हरित-गंभीर-बानीर दुहुँ तीर बर मध्य धारा बिसद बिस्व अभिरामिनी।
नील-पर्यंक-कृत-सयन सर्पेस जनु सहस-सीसावली स्रोत सुर-स्वामिनी ॥

हिंदी में गंगातट की सबसे अच्छी वर्णनात्मक कविता भारतेंदु बाबू हरिश्चंद्र के 'सत्यहरिश्चंद्र' नाटक में मिलती है। यद्यपि गंगा का वह वर्णन संस्कृत के विशद प्राकृतिक वर्णनों की तुलना नहीं कर सकता तथापि इसमें संदेह नहीं कि कवि ने दृश्यवर्णन के तात्त्विक रहस्य का विचार बहुत कुछ रखा है।

इनका गंगावर्णन देखने से दो बातें ज्ञात होती हैं। एक तो यह कि भारतेंदु बाबू की दृष्टि प्राकृतिक दृश्यों का वर्णन करते हुए प्रकृति-व्यापारों में विशेष न रमकर व्यक्ति-व्यापारों में रमती है। दूसरे वे दृश्यों की संश्लिष्ट योजना बहुत कम करते हैं, फुटकल सामग्री का संचय मात्र कर देते हैं। जहाँ संश्लिष्ट योजना है भी वहाँ अप्रस्तुत की योजना अच्छी नहीं है। तुलसीदास का जो पद ऊपर उद्धृत किया गया है उसमें ये दोनों बातें पाई जाती हैं।

गंगा भारतीयों के जीवन की धारा में इस प्रकार मिली है कि वह उससे अलग की ही नहीं जा सकती। जीते जी तो गंगा का नाम जपते ही हैं, प्रतिज्ञा करते समय उनको साक्षी मानते हैं, विश्वास दिलाने के लिए उनकी सौगंध खाते हैं और यदि मरे तो 'गंगालाभ' होता है। पवित्रता, सौम्यता और महत्ता के लिए यदि कोई उपमान मिलता है तो 'गंगा'। तुलसीदास 'सब सुतबधू देवसरिबारी' कहकर बधूटियों की सिधाई बताते हैं, तो केशवदास दशरथ की पवित्रता व्यक्त करने के लिए उन्हें 'भगीरथी-पथ-गामी गंगा कैसो जल है' कहते हैं।

आचार्य-रूप

हिंदी-साहित्य के शृंगारकाल या रीतिकाल में रीतिबद्ध रचना करनेवाले जो रचयिता हुए उनके संबंध में यही धारणा बद्धमूल है कि वे तत्त्वतः कवि थे, आचार्यत्व उनमें नहीं था। अपनी काव्यकला के प्रदर्शन के लिए उन्होंने लक्षण-ग्रंथनिर्माण को साधन बनाया था। यही कारण था कि जिसे देखिए वही लक्षणग्रंथ लिखने लगता था। जो लक्षणग्रंथ नहीं लिखते थे, स्वतंत्र रचना करते थे वे भी लक्षणानुयायी रचना ही किया करते थे। इस प्रकार लक्षणानुयायी रचना भी एक प्रकार से उसी कोटि में आती है जिसमें लक्षणकारों की रचना आती है। एक ने लक्षण और लक्ष्य दोनों का निर्माण किया तो दूसरे ने लक्षण का निर्माण न करके केवल लक्ष्य ही लिखा। जैसे, बिहारी ने सतसैया लिखी। यह लक्षणग्रंथ नहीं है, पर इसमें जो दोहे लिखे गए वे सब लक्षण को लक्ष्य करके ही बने।

यदि इनमें लक्षण जोड़ दिए जाएँ तो यह लक्षणग्रंथ हो जाएगा। बिहारी के कुछ टीकाकारों ने ऐसा करने का प्रयास भी किया है। उन्होंने बिहारी के दोहों को लक्षणग्रंथ के विषयक्रम से संगृहीत किया है और दोहों का अर्थ घटित करने के लिए लक्षण अन्य ग्रंथों से या स्वयं संस्कृतच्छाया पर निर्मित करके धर दिया है। इसी से आलोचकों का कहना है कि शृंगारकाल में दो ही प्रकार के कवि थे—काव्यकवि और शास्त्रकवि। काव्यकवि के अंतर्गत रीतिमुक्त कवि आते हैं। शास्त्रकवि के अंतर्गत लक्षणग्रंथकार आते हैं। जिन्होंने लक्षणग्रंथ नहीं लिखा उन्हें चाहें तो शास्त्रकाव्यकवि कह सकते हैं। शास्त्र कवियों की एक शाखा मात्र थे शास्त्रकाव्यकवि।

शृंगारकाल या रीतिकाल के विषय में जो उपर्युक्त धारणा बनाई गई है उसके संबंध में तत्कालीन परिस्थितियों का कुछ भी विचार नहीं किया गया है। इसी से यह मान लिया गया कि लक्षणग्रंथकारों का प्रयोजन लक्षणग्रंथ लिखना था, शास्त्र का निर्माण नहीं। प्रत्युत वे अपना काव्यकौशल प्रदर्शित करने के लिए शास्त्र का सहारा ले रहे थे। सबसे पहले इसी का विचार करना चाहिए कि क्या हिंदी में लक्षणग्रंथ लिखनेवालों का प्रयोजन सुतराम् लक्षणग्रंथ लिखना नहीं था। यह सभी कहते हैं कि लक्षणग्रंथ संस्कृत के साहित्यशास्त्रीय ग्रंथों के आधार पर बने। संस्कृत-साहित्य के अनंतर प्राकृत-साहित्य का उत्कर्ष हुआ और तदनंतर अपभ्रंश-साहित्य का उत्थान हुआ। उन्हें भी साहित्यशास्त्र की अपेक्षा रही होगी। पर वहाँ साहित्यशास्त्र के ग्रंथ नहीं बने। वास्तविकता यह थी कि प्राकृत या अपभ्रंश भाषा में लिखनेवालों का काम संस्कृत भाषा में लिखे साहित्यशास्त्र के ग्रंथों से चल जाता था। भाषाभेद था, पर साहित्यभेद अनुबदन के रूप में भी नहीं था। प्राकृत-अपभ्रंश में व्याकरण के ग्रंथ प्रकाम बने। अपभ्रंश के लिए पृथक् पिंगलग्रंथ की आवश्यकता हुई तो पिंगल के ग्रंथ भी बने। पर साहित्यशास्त्र के ग्रंथ पृथक् से नहीं बने। अपभ्रंश के स्वयंभू नामक कवि ने ही साहित्यशास्त्र का ग्रंथ लिखने का उद्योग किया। अभी तक उनके अतिरिक्त किसी अन्य साहित्यशास्त्री का पता अपभ्रंश के रचयिताओं में नहीं चला है। स्वयंभू ने एक प्रकार से देशी भाषा में भी साहित्यशास्त्र के ग्रंथ बने, इसका संकेत दे दिया। सच पूछिए तो आवश्यकता वैसी बलवती या अनिवार्य नहीं थी।

पर जब देशी भाषाओं ने सिर उठाया तब वे संस्कृत भाषा से ही नहीं संस्कृत-साहित्यशास्त्र के ग्रंथों से भी दूर पड़ गईं। सबके लिए संस्कृत-साहित्यशास्त्र संस्कृत भाषा के माध्यम से संभव नहीं रह गया। इसलिए जो देशी भाषा में रचना करना चाहते थे और संस्कृत-साहित्य और भाषा में पारंगत थे उनका यह कर्त्तव्य हो गया कि अपने अन्य साथियों के लिए जो संस्कृत भाषा और साहित्य नहीं जानते थे, साहित्यशास्त्र के ग्रंथ हिंदी भाषा में प्रस्तुत कर दें। प्रश्न हो सकता है कि यदि यही बात थी तो दो-चार, दस-पाँच व्यक्ति ही ऐसा कार्य करते, कवियों की इतनी अधिक मंडली लक्षणग्रंथ लिखने क्यों बैठ गई। अवश्य इस जिज्ञासा का समाधान भी अपेक्षित है। संस्कृत-साहित्यशास्त्र के ग्रंथ जिस प्रकार सर्वत्र फैल गए थे उस प्रकार हिंदी में लिखे साहित्यशास्त्र के ग्रंथों के

त्वरित फैलने की संभावना नहीं थी। यातायात के ऐसे सुलभ साधन उस समय नही थे जैसे संप्रति हैं। आधुनिक युग में यातायात के साधन सुलभ होते ही लक्षणग्रंथों की बाढ़ समाप्त हो गई।

इस प्रकार यदि कोई लक्षणग्रंथ लिखता था तो वह यह समझकर लिखता था कि मैं जिस अंचल में हूँ उसी अंचल तक इसके प्रसार की सीमा है। किसी अंचल की सबसे छोटी सीमा यदि १० कोस के अर्धव्यास से बन वृत्त की मानी जाए तो हिंदी-साहित्य के तत्कालीन निर्माताओं की संख्या भौगोलिक आधार पर कितनी होनी चाहिए, सहज ही कल्पना की जा सकती है। हिंदी के प्रमुख साहित्यशास्त्र-निर्माताओं की संख्या इस अनुपात में अधिक नहीं ठहरेगी। फिर साहित्यशास्त्र में विविधता भी है। रसशास्त्र के ग्रंथ, अलंकारशास्त्र के ग्रंथ, नायक-नायिकाभेद के ग्रंथ, पिंगल के ग्रंथ—विविध प्रकार का निर्माण और सर्वांगनिरूपण के साहित्यशास्त्रीय ग्रंथों का निर्माण पृथक् ही व्यवस्था है। सर्वांगनिरूपण करनेवाले आचार्यों की संख्या कितनी है यह इतिहास स्वयं ही बता देगा।

पिंगल के ग्रंथ भी कम ही बने। इसका कारण यह था कि उस युग के प्रचलित छंद ३ ही थे—दोहा, सवैया और कबित्त। इनके रूप से रसिक मात्र परिचित थे। 'बहु छंद' में रामचंद्रचंद्रिका लिखकर केशवदास अन्य कवियों की 'बहु छंद' विषयक लालसा की एक बार ही 'तृप्ति' कर चुके थे। इसलिए पिंगलग्रंथों की सार्वत्रिक अपेक्षा नहीं थी। यदि किसी को उसकी अपेक्षा होती तो उतने मात्र के लिए पिंगलग्रंथ भी पर्याप्त बन गए थे।

सबसे आश्चर्य की बात तो यह है कि व्याकरण के ग्रंथ नहीं बने। बहुत बाद में, एकदम पिछले काँटे कुछ प्रयत्न अवश्य हुए। वे भी व्याकरणशास्त्र की भाँति व्यवस्थित नहीं हैं। जिस पद्धति से व्याकरण सीखते थे उसी पद्धति पर उनका निर्माण भी है। व्याकरण सीखने की पद्धति नामरूपावली और धातुरूपावली रटनेवाली नहीं थी। सभी पूर्ववर्ती कवियों के ग्रंथ पढ़ते थे। जितने मिलते पढ़ने का प्रयास करते। ग्रंथ पढ़कर व्याकरण आपसे आप सीख लेते थे। व्रजभाषा या व्रजी ठेठ व्रजप्रदेश की भाषा नहीं रह गई। ठेठ व्रजप्रदेश में 'घोड़ो' या 'घोरो' प्रयोग न पाकर बहुतों के कान खड़े होते हैं जब वे कहीं 'घोरो' प्रयोग देख लेते हैं। वे यह नहीं समझते कि ठेठ व्रजी का अनुधावन साहित्य में हुआ ही नहीं। भाषा व्रजवास से नहीं आती थी। व्रजभाषा के नाम पर जो रचनाएँ होती थीं उन्हीं से सर्वमान्य व्रजी का निर्माण आपसे आप होता गया। व्रजभाषा के पूर्व पूर्व के ग्रंथ उत्तर उत्तर युग के कवियों के लिए आदर्श या व्याकरण का काम करते रहे। यों तो व्रजभाषा का व्याकरणग्रंथ एक नहीं बना, पर मानसव्याकरणग्रंथ सच पूछिए तो प्रत्येक कवि बनाता था। भाषा में स्थिरता न रह जाने का हेतु यही था। आज भी व्रजभाषा का व्याकरण नाममात्र को ही बना है। सभी प्राचीन काव्य पढ़कर ही रचना करते रहे हैं। जो एक-दो व्याकरणग्रंथ बने हैं वे परीक्षार्थियों को कुछ अंक भले ही दिखाते हों, कोई व्रजी में रचना करनेवाला उनके सहारे उसमें लिखने फिर भी नहीं बैठा। इसका

परिणाम यह था कि व्रजवासी की रचना व्रजी में चाहे कभी उत्तम न हो, पर अन्यत्र रहनेवाले के अध्ययन के कारण उत्तम होती थी। व्रजवासीदास का 'व्रजविलास' एक ओर और नाममात्र के 'मथुरास्थ' तैलंग पद्माकर का 'जगद्विनोद' एक ओर। किसकी व्रजभाषा कैसी है इसे सहृदय मात्र जानते हैं। व्रजभाषा सूरदास ने भी लिखी और तुलसीदास ने भी, पर भाषा की चुस्ती तुलसीदास की व्रजभाषा की रचना में ही अधिक क्यों मिलती है, यह भी विचारणीय है। आधुनिक युग में दिल्ली आधुनिक हिंदी (खड़ी बोली) के लेखकों और प्रकाशकों से बस गई हो और जो उसके पहले के लेखक हुए चाहे उनके लिए दिल्ली दूर ही रही हो, पर खड़ी बोली के पथिकृत् लेखक और प्रकाशक पूर्व में ही हुए—काशी, प्रयाग, कानपुर, लखनऊ आदि में।

रीतिकाल या शृंगारकाल में अधिक ग्रंथ नायक-नायिकाभेद के बने, जिनमें कहीं केवल शृंगार का और कहीं सभी रसों का संक्षिप्त निरूपण है। दूसरे प्रकार के ग्रंथ अलंकार के बने। एक प्रकार से रस और अलंकार के ग्रंथ बने। साहित्याचार्यों ने साहित्य की तीन ही प्रकार की उक्तियाँ मानी हैं—रसोक्ति, वक्रोक्ति और स्वभावोक्ति। स्वभावोक्ति का अवसर यों तो कहीं भी आ सकता है, पर उसके अधिक अवसर प्रबंध में ही आते हैं। हिंदी में मुक्तक रचना उस युग की सर्वसामान्य प्रवृत्ति थी। मुक्तक रचना में एक प्रकार से सरलता है। लक्षणग्रंथों के माध्यम से उस युग के कवि मुक्त रचना ही करना चाहते थे। प्रबंध के लक्षण का तो विचार भी किसी ने नहीं किया। इस प्रकार की रचना की प्रवृत्ति के हेतु का विचार यहाँ अनपेक्षित है। इसलिए दो सरणियाँ शेष रह जाती हैं—रसोक्ति और वक्रोक्ति की। अलंकार के मूल में बीजरूप से सर्वव्यापक तत्त्व वक्रोक्ति या अतिशयोक्ति का माना जाता है। इसलिए अलंकारग्रंथों की रचना उस सरणि की पूर्ति के लिए थी। नायिकाभेद या रस के ग्रंथ रसोक्तिसरणि की पूर्ति के लिए थे। जो लोग उस युग को रीतिकाल कहते हैं और साथ ही यह भी कहते हैं कि उस युग के कवि लक्षणग्रंथकार न होकर तत्त्वतः लक्ष्यग्रंथकार ही थे वे उस नाम की सार्थकता फिर कैसे सिद्ध करते हैं, यह समझ में नहीं आता। इसी से शृंगारकाल नाम ही अधिक उपयुक्त लगता है। शृंगार के ही ग्रंथ अधिक बनते थे। यह व्यापक प्रवृत्ति थी। रीतिमुक्त कवियों में भी यह थी। दूसरे शृंगार का अर्थ साज-सज्जा भी है, अलंकरण भी है। इससे इस नाम में दोनों प्रवृत्तियों को व्यक्त करने की क्षमता है। रीतिमुक्त कवि भी वक्रोक्तिवादी थे। प्रत्युत यह कहना चाहिए कि उनमें इस वृत्ति का परिष्कार भी था और आधिक्य भी। अन्यों में अलंकरण कभी-कभी गोरखधंधे या स्थूल चमत्कार के रूप में भी कहीं-कहीं आ जाता था, पर उनमें यह वृत्ति नहीं थी। अस्तु, उस युग की सर्वसामान्य प्रवृत्ति को वही कवि लक्षित करके चलता माना जाएगा जो रस और अलंकारग्रंथ के निर्माण में दत्तचित्त हो। पद्माकर ने यही किया था—एक ओर जगद्विनोद ऐसा रस और नायिकाभेद पर ग्रंथ लिखा और दूसरी ओर पद्माभरण ऐसा अलंकार का ग्रंथ बनाया।

इन लक्षणग्रंथ निर्माताओं पर एक दोषारोप यह भी है कि इन्होंने उदाहरण अपने

बनाकर रखे। लक्षणग्रंथ में तो पहले से बने लक्ष्य को आधार बनाना चाहिए। ऐसा करने में क्या कठिनाई है य: थी इस पर किसी ने विचार नहीं किया और यह आरोप लगा दिया। हिंदी में एक तो इतने ग्रंथ ही नहीं थे, जिनसे उदाहरण लिए जाते। स्वच्छंद रचना करनेवाले कितने प्रसिद्ध कवि थे, जिनसे उदाहरण लिए जाते, दूसरे विद्यापति, सूरदास, तुलसीदास, केशवदास और सेनापति रीतिकाल के पूर्व इतने ही तो प्रसिद्ध कवि हैं। इनमें से एक तो विद्यापति तक पहुँचना ही कठिन था, उनकी रचनाएँ उस अंचल में फैली ही नहीं जिसमें शृंगारयुग के कवि हुए। फिर फैलतीं भी तो गीतों की पद्धति इन कवियों को पसंद कहाँ थी। उन्हें तो दोहे, सवैये और कबित्त चाहिए थे। वे विद्यापति की रचना में खोजने से भी नहीं मिलते। सूरसागर का पानी पिया नहीं जाता था, डुबकी लगती नहीं थी। थोड़ी-सी शृंगारी रचनाएँ काम की थीं तो वे भी गीतों में। तुलसीदास की कबित्तावली और दोहावली काम की रचनाएँ थीं। पढ़नेवाला 'मानस' पढ़ता था और क्या पढ़ता। बरवै में अलंकार के उदाहरण ही रखे हैं, पर छंद पसंद नहीं। फिर भी एक को सनक सवार हुई। उसने तुलसीभूषण ग्रंथ लिख डाला और उसमें तुलसीदास के ग्रंथों से ही सब अलंकारों के उदाहरण जुटा दिए। केशवदास की 'रामचंद्रचंद्रिका' में बहुत से अलंकार थे; पर छंद उसमें संस्कृत के। 'कविप्रिया' में केशवदास ने रामचंद्रचंद्रिका के वे ही अंश अलंकार में रखे जो कबित्त-सवैये में हैं। फिर अन्य क्या करते। सेनापति केवल श्लेष के प्रेमी निकले। उनमें से बहुत मिलते तो कुछ अलंकारों के उदाहरण मिलते। नायिकाभेद के लिए कहाँ-कहाँ की खाक छानते वे बेचारे शृंगाररसिक। यदि रसिकप्रिया से उदाहरण लेते तो चोर कहलाते। जब एक ही संस्कृतग्रंथ के आधार पर लक्षण लिखने से पूर्ववर्ती श्रीपति और परवर्ती भिखारीदास के लक्षणों में साम्य हो जाने से आधुनिक इतिहासकारों ने भिखारी को चोरी लगा दी तो औरों के संबंध में भी यही होता। इसलिए अपने छंदों को उदाहरण के रूप में देना भी उनकी विवशता थी। मनचाहे उदाहरण पाना भी कठिन था। फिर भी अवसर मिलने पर ऐसा किया भी गया। पद्माभरण में बिहारी और तुलसीदास की रचना उदाहरण रूप में उद्धृत की गई है।

हिंदी के शृंगारयुगीन कवियों की कुछ ही रचनाएँ प्रकाशित हैं। प्रमुख कवियों के ग्रंथ भी अभी नहीं निकले। अवसर पाने पर इसके समुचित प्रयास होते रहे हैं। ग्वाल कवि ने अपने ग्रंथ में दोषों के उदाहरण पूर्ववर्ती कवियों के रखे हैं—केशव, बिहारी आदि के। किसी को बिना सोचे-समझे गाली दे देना सरल है, पर उसकी परिस्थिति का विचार करके अपराध का निर्णय करने में रंग ही दूसरा हो जाता है। अधिकतर आलोचकों ने बिना समझे ही इन कवियों को खरी-खोटी सुना दी है। 'बद अच्छा बदनाम नहीं अच्छा'। रीतियुगीन कवि या शृंगारयुगीन काव्य बदनाम कर दिए गए हैं और बेतरह बदनाम कर दिए गए हैं। जो वास्तविक दोष या दुर्गुण हैं उनकी वकालत कोई समझदार नहीं करता। पर जो वस्तुतः विवशता है उसे भी दोष में गिन लेना, कम-से-कम न्यायसंगत तो नहीं है। संस्कृत-साहित्य में स्वतंत्र रचनाएँ बहुत थीं। फिर भी प्राकृत अपभ्रंश का

साहित्य आलोड़ित करना पड़ा है। वहाँ भी अपनी ही रचना देनेवाले कुछ हुए हैं। हिंदी में सहसा यह पद्धति नहीं चल पड़ी है।

यह कह देना भी आवश्यक है कि हिंदीवालों ने सहज-सरल का सर्वत्र ग्रहण किया है। व्याकरण हो या साहित्यशास्त्र, सर्वत्र एक ही शैली है, सरलता-सहजता की। संस्कृत-साहित्य के विविध मतों में से काम के मत दो ही थे—रसमत और अलंकारमत। ध्वनिमत का परिचय भी हिंदीवालों को हो इसलिए उसका प्रपंच भी काव्यप्रकाश के आधार पर किया गया है। रीति की भी कुछ बातें किसी ने कह दी हैं। बस, न वक्रोक्ति का प्रसार है न औचित्य का। पर संप्रति अनुसंधित्सा द्वारा रीतिकाल के या रीतिकाव्य के प्रसंग में वक्रोक्ति और औचित्य का अनुसंधान अवश्य होता है। 'रीति' तो अलंकार में अनुप्रास की वृत्ति में ही आ जाती थी। ध्वनि के बखेड़े से सबको प्रयोजन क्या। साहित्यदर्पण में होने देखने पर भी दृश्यकाव्य का वर्णन कहीं नहीं, महाकाव्य का लक्षण कहीं नहीं। जितना अपेक्षित था उतना ही लिया गया। सबका बखेड़ा क्यों किया जाए।

इससे स्पष्ट है कि पद्माकर ने अपेक्षित अंश पर ही कार्य किया है। जो कार्य उन्होंने किया उसका भी थोड़ा-सा विचार कर लेने से उनके आचार्यरूप का ठीक-ठीक पता चल जाएगा। जहाँ तक जगद्विनोद का पक्ष है उनके उदाहरणों की प्रशंसा सभी आलोचक करते हैं। इसलिए उनके लक्षणों के विषय में ही विचार करना ठीक होगा। हिंदी के इन आचार्यों ने संस्कृत के दो ग्रंथों का सहारा रस और नायिकाभेद के ग्रंथों के लिए लिया है। दोनों ही ग्रंथ भानुदत्त के लिखे हैं। ये मैथिल थे। इनकी दोनों पुस्तकें बहुत उत्तम हैं। एक 'रसतरंगिणी' और दूसरी है 'रसमंजरी'। 'रसतरंगिणी' में रस का विवेचन है और 'रसमंजरी' में नायिकाभेद वर्णित है। जिसने केवल रस का विचार किया उसने रसतरंगिणी का सहारा लिया, जिसने केवल नायिकाभेद लिखा उसने रसमंजरी का सहारा लिया। जिसने दोनों को लिखना चाहा उसने दोनों का आधार लिया। पद्माकर ने दोनों विषय लिये हैं, इसलिए दोनों का आधार समुचित है। पर रसतरंगिणी का विस्तृत विचार गृहीत नहीं है। जिसने विस्तार से विचार किया उसने कुछ अधिक अंश लिया। जैसे देव और ग्वाल ने उसी के आधार पर 'छल' नामक नए संचारी का विचार किया। पर उसी में एक नया रस भी था उसे छोड़ दिया। मायारस का ग्रहण चिंतामणि ने किया है। रसतरंगिणी से जो परिचित नहीं हैं उन आलोचकों ने देव की नई उद्‌भावना की बात कही और चिंतामणि को नवीनोद्‌भावक घोषित किया। पर उन्हें नवीन कहने की आवश्यकता नहीं थी, भारतीय परंपरा से हिंदीवालों को परिचित कराना था। जहाँ प्राचीन ग्रंथों में कोई संकेत दिया गया है वहाँ अवश्य कुछ विस्तार करके उस विषय का ग्रहण किया है। जैसे नायिकाभेद में अष्टनायिका के स्थान पर दशनायिका का ग्रहण। संस्कृत में सूत्रशैली का ग्रहण होने से थोड़े में काम चल जाता है। हिंदीवालों ने एक प्रकार से टीका-भाष्य करके विषय को सरल बनाया है। अष्टनायिका में 'प्रोषितपतिका' के अंतर्गत प्रवत्सत्पतिका, प्रवत्स्यत्पतिका, प्रोषितपतिका और आगतपतिका का ग्रहण है। हिंदीवालों

ने इन्हें सुभीते के लिए पृथक् कर दिया। किसी ने 'प्रवत्सत्पतिका' को ही लिया, प्रवत्स्यत्पतिका को नहीं लिया। किसी ने सबको गृहीत किया। इस प्रकार संख्या १० के स्थान पर ११ तक हो गई। पद्माकर ने प्रवत्सत्पतिका का ग्रहण नहीं किया। जिसका पति जा रहा हो वह प्रवत्सत्पतिका हुई और जिसका पति जानेवाला हो वह प्रवत्स्यत्पतिका हुई। सामान्यतया दोनों में अवश्य भेद है पर जो जा रहा है वह जानेवाला पहले रहा ही होगा। जानेवाला है, जा रहा है और चला गया। ये ही तो विभेद हैं। जानेवाला ही तो जा रहा है। इसलिए जानेवाले में वह भी आ ही जाता है।

पद्माकर के लक्षण इतने स्पष्ट हैं और उनका उदाहरणों से ऐसा अच्छा समन्वय है कि अन्यत्र वैसा प्रायः सर्वत्र नहीं मिलता। स्थिति सर्वत्र एक सी है। ऐसा संतुलित प्रयास हिंदी में कम है। इसी से प्राचीनकाल के अन्य कवियों की अपेक्षा जगद्विनोद का प्रचार बहुत हुआ। मतिराम का रसराज भी अच्छा ग्रंथ है। पर जगद्विनोद के आ जाने पर वह सुप्रचलित नहीं रह गया। मतिराम ने शृंगाररस का वर्णन किया। पद्माकर ने अन्य रसों का भी समावेश करके सर्वांगसंपन्न ग्रंथ प्रस्तुत किया। उसके ग्रहण में यह भी कारण है। मतिराम की अपेक्षा पद्माकर में चित्रतत्त्व बढ़िया है, पद्माकर के चित्र बड़े आकर्षक हैं। इनकी रचना में अभिनेयता भी अधिक है। मुद्राएँ सजीव हैं। कई कारण हैं इसके सुप्रचलित हो जाने के।

पद्माभरण में यथास्थान अन्य कवियों के उदाहरण तो दिए ही गए हैं, लक्षण भी बहुत ही ठीक हैं। कभी-कभी इनके लक्षणों में किसी को विसंगति भी दिखाई पड़ती है उसका कारण यह है कि पाठ कुछ का कुछ पढ़ लिया गया है। परिणाम अलंकार में 'विषय' के स्थान पर 'विषम' पढ़ लेने से संगति कैसे बैठ सकती है। विषय उपमेय को कहते हैं। वहाँ उपमान उपमेय के साथ असमर्थ होने पर भी कोई कार्य करने में समर्थ हो जाता है। पद्माभरण में संस्कृत की एक आवश्यक सरणि भी लुप्तोपमा के प्रसंग में ली गई। हिंदी के वैयाकरण और आलंकारिक कभी-कभी यह ध्यान नहीं रखते कि हम जो कह रहे हैं वह सूक्ष्म दृष्टि से ठीक है या नहीं। सूक्ष्मेक्षिका से ध्यान देने से बातें अशुद्ध कह दी जाती हैं। जैसे 'गजमुख' का समास बताते हुए हिंदी के व्याकरण यों विग्रह करते हैं—जिसका मुख गज के समान है वह। वस्तुतः गणेशजी का मुख 'हाथी' के समान नहीं है, 'हाथी के मुख' के समान है। इस साधारण सी बात पर ध्यान न देने से कथित अशुद्ध हो जाता है। 'चंद्रशेखर' के समास का विग्रह करते हैं कि चंद्र है शेखर (मस्तक) पर जिसके वह। 'शेखर' का अर्थ मस्तक नहीं होता, सिर का गहना होता है। ऐसी ही अनेक अल्पधीसूचक प्रवृत्तियाँ हैं। इसी प्रकार अलंकार में उपमा के विषय में सूक्ष्मता का ध्यान नहीं रखा जाता। 'मृग' कहने से 'नेत्र' का उपमान न होगा। 'मृगनेत्र' कहने से ही वह 'नेत्र' का उपमान होगा। केवल 'मृग' उपमा का सूचक होगा। यही कारण है कि संस्कृत में लुप्तोपमाएँ आठ ही मानी जाती हैं। पर हिंदी में उनकी संख्या बढ़ा दी गई, १४ या १५ कर दी गई। सूक्ष्मदृष्टि से विचार न करने के कारण ही यह अनपेक्षित

विस्तार है।

पद्माकर ने लक्षण तो अवश्य संस्कृत के ही अनुवाद या छाया रूप में रखे हैं पर उदाहरण अधिकतर अपने हैं। अनुवाद या छाया केवल ५-६ छंदों में ही है। हिंदी के परवर्ती कवियों की भी छाया नहीं है। अपनी उद्‌भावना करने में पद्माकर प्रवीण थे।

भाषा का क्या कहना। लक्षणों की भाषा सुबोध है और उदाहरणों की वाग्योग से संघटित। ऐसी संघटना भी आचार्यत्व का लक्षण ही है। सबको सपिंडित करके यही कहा जा सकता है कि पद्माकर आचार्य-रूप में (जितने क्षेत्र का ग्रहण उन्होंने किया है) अन्यतम हैं। जगद्विनोद का जितना प्रचार हुआ उतना पद्माभरण का नहीं। भाषाभूषण में रसादि का भी विचार जुड़ा है। इसलिए उसका प्रसार अधिक रहा है। पर पद्माभरण भाषाभूषण की अपेक्षा बहुत स्पष्ट और सुग्राह्य अलंकारग्रंथ है। इधर पढ़ाई में जहाँ अलंकार का ही प्राचीन ग्रंथ रखना होता है पद्माभरण ही पसंद किया जाता है। भारतीय परंपरा का बोध कराने में इनके ग्रंथ अनुपम हैं।

व्यक्तित्व

भारत में भारती-साधना की अखंड परंपरा अत्यंत प्राचीन कल्प से चली आ रही है। यही साधना है जो भावना में सर्वं खल्विदम् को मानती है और निःसंग इतनी है कि 'सर्वधर्मान् परित्यज्य' होती है। अन्यत्र ऐसी सार्वजनीन कल्पना नहीं है। यहाँ वाङ्मय के काव्य और शास्त्र जो दो भेद किए गए उनमें से काव्य में संग्रह और त्याग का जैसा परिनिर्मल स्वरूप दृग्गोचर होता है वैसा शास्त्र में नहीं। उसका मुख्य हेतु यह है कि काव्य 'अविचारित रमणीय' है। उसमें 'विचार' का 'विवाद' कम है, लगभग 'नहीं' के समकक्ष है। जो कुछ 'है' वह रमणीय है। उसमें रमने का, लीन होने का परिणाम है विश्वता का संग्रह और अहंता का त्याग। इस कोटि का त्याग और इस सीमा का संग्रह कि त्यागी संग्राहक के अंतःकरण में सर्वसाधारण की विश्वव्यापिनी मूर्ति ही प्रतिष्ठित रह जाती है, वह भावसत्ता मात्र रह जाता है। संवादी स्वर ही हृत्तंत्री में झंकृत होता है, विवादी से वह विरहित रहती है। पर 'शास्त्र' और 'शस्त्र' में 'केवल' आकारतो 'भेद' है। इसलिए शास्त्र कभी-कभी आकारवृद्धिपूर्वक शस्त्र निकाल बैठता है। फिर भी इतना तो कहा ही जा सकता है कि साहित्य के क्षेत्र में शास्त्रचिंतन करते हुए इसको प्रायः बचाने का प्रयास साहित्य की मनीषा करती आई है। कहीं-कहीं कोई मुखर हो गया है। किसी के मत का खंडन करके अपने मत का मंडन करना, किसी स्वचिंतित सिद्धांत की स्थापना करना 'अहम्' को प्रत्यक्ष सामने ला खड़ा करना है। यदि चिंतना मंडन पर ही अधिक दृष्टि रखती है खंडन पर उतनी नहीं तो वाग्युद्ध स्पृहणीय रहता है। महाभारत के योद्धाओं की भाँति युद्धकार्य से विरत होते ही एक थाल में सहभोजन की सदवृत्ति आ जाती है। किंतु खंडन में विशेष रत होने पर पंडितराज जगन्नाथ की भाँति कभी-कभी किसी के लिए अरुंतुद वाग्बाण भी छूट ही पड़ते हैं।

हिंदी में काव्यकवि और शास्त्रकवि दोनों ही सर्जना की सीमा के नैकट्य के कारण शास्त्रार्थ के असत्पक्ष से हटे ही रहे। इसलिए हिंदी के मध्यकाल में 'अमरभारती' की परंपरा कम-से-कम इस दृष्टि से ही विकसित हुई। काव्य के रमणीय पक्ष के प्रवर्धन का यह अच्छा फल हुआ कि पूर्ववर्तियों से मत न मिलने पर उनके लिए कटु-तिक्त का प्रयोग नहीं किया। यदि कोई यह कहे कि बुद्धि की सूक्ष्मेक्षिका से हट जाने से यहाँ चिंतन की परंपरा का सत्पक्ष भी तो प्रवर्धित नहीं हुआ तो यही कहना है कि वह आगे संस्कृत में ही कहाँ विकसित हुआ। शास्त्रचिंतन की पंडितराज जगन्नाथ तक आते न आते एक प्रकार से परिसमाप्ति ही हो गई। नया कुछ कहना मानो रह ही नहीं गया। ऐसी स्थिति में यदि हिंदी के मध्यकालिक शास्त्रकवियों ने शास्त्रचिंता की सिद्धावस्था में ही रहना उचित समझा तो वे ही एकांत दोष के भागी क्यों समझे जाते हैं।

हिंदी में साहित्यशास्त्र का सागर पद्माकर तक आते-आत प्रसन्न पद्म-आकर के सुनिर्मल जल की भाँति अपने खारीपन का परित्याग करके मधुमय ही नहीं हो गया, परिमित भी हो गया। साहित्यशास्त्र का निर्यास ही हिंदी ने ग्रहण किया। सागर का मंथन करके उसके कुछ बहुमूल्य रत्न निकाल लिये और उन्हें ही काट-छाँटकर ग्राहकों के सामने वे रखते रहे। हिंदी ने संस्कृत में विकसित विभिन्न साहित्यशास्त्रीय मतों में से दो ही प्रवाहों को मुख्य रूप से ग्रहण किया है—एक अलंकारमत का प्रवाह, दूसरे रसमत का प्रवाह। पद्माकर ने पद्माभरण और जगद्विनोद दो ही शास्त्रग्रंथ क्यों प्रस्तुत किए। इन्हीं प्रवाहों के प्रदर्शन के लिए। पद्माभरण में तर्कदृष्टि से कुछ दोष अवश्य दिखाई देते हैं फिर भी वह हिंदी के अलंकारग्रंथों में बहुतों से स्पष्ट है। इसमें थोड़ी-सी संस्कृतपद्धति भी हिंदी में लाने का प्रयास किया गया है, जैसे लुप्तोपमा के प्रसंग में, किंतु उसका परित्याग हिंदी पहले ही कर चुकी थी इसलिए उसका स्वागत-संग्रह नहीं हुआ। जगद्विनोद का जैसा प्रचलन रीतियुग में था वैसा पद्माभरण का नहीं। किंतु आधुनिक युग में भाषाभूषण का स्थान बड़े मजे में पद्माभरण ने प्राप्त क~ लिया है, यह उसके गठन-पाठन से प्रमाणित है।

पद्माभरण जगद्विनोद की भाँति 'विनोद' अर्थात् रंजनतत्त्वप्रधान शास्त्रग्रंथ नहीं है। यदि 'पद्माभरण' के बदले 'पद्मविनोद' प्रस्तुत होता तो कदाचित् जगद्विनोद की ही भाँति उसका प्रचलन हुआ होता। 'रंजन' तत्त्व की प्रधानता लक्षणग्रंथों में दोहों की अपेक्षा कबित्त-सबैयों से अधिक आती है। लक्षणपर्यवसायी लक्ष्य यदि दोहों में रखे जाते हैं तो रंजन के प्रसार का अवकाश कम मिलता है। ज्ञात होता है कि बिहारी ने लक्षणपर्यवसायी लक्ष्य न लिखकर स्वतंत्र लक्ष्य अपनी सतसैया में इसी से रखे हैं। उनके 'मुक्तक' ने भी लक्षण से मुक्ति पाने का प्रयास किया है, भले ही उससे पूरा मोक्ष न मिला हो। यदि लक्षण का अनुधावन ही उनके दोहे करते तो जैसा वैभव वे दिखा सके वैसा दिखा ही न पाते। बिहारी ने बुद्धिमत्ता से काम लिया और उनके दोहे दमक उठे। मतिराम ने 'ललितललाम' में इसी रंजकता पर ध्यान दिया है। इसी से उसका प्रचलन अधिक हुआ।

मतिराम ने मतिमत्ता से काम अवश्य लिया। पद्माकर ने सरस रंजकता के विनियोग का ध्यान पद्माभरण में नहीं रखा, विशुद्ध साहित्यशास्त्रीय शुष्क प्रयोजन की ही निष्पत्ति की। शास्त्रकारिका, सूत्र आदि के समास से जहाँ संतुलित विमर्श-परामर्श में समर्थ होता है वहीं वह कठिन या शुष्क भी हो जाया करता है। किसी 'रसिक' के कहने पर वह लिखा ही नहीं गया। 'पद्माभरण' की रचना के प्रेरक का उल्लेख उसमें नहीं है। कोई पृच्छा करनेवाला 'रसिक' नहीं है और समाधान रूप में उसका प्रणयन नहीं हुआ। राधा और राधावर माधव के कृपा-स्मरण और कवियों-सुकवियों के पंथ को देख-देखकर ही उसका उद्‌भावन हुआ है। यह विशुद्ध साहित्यिक प्रयोजन से बना है और 'पद्म' या 'पद्माकर' की ही स्वेरणा इसमें हेतु है। अधिक इतना ही कहा जा सकता है कि किसी शिष्य-सुत या 'बाला-बालकहु' को समझाने के लिए नितराम् कविप्रयोजन से उसका सर्जन हुआ है।

'जगद्विनोद' में रंजकता का, रसिकता का भी पूरा ध्यान है। इसे कविप्रिय ही नहीं रसिकप्रिय भी जो बनाना था। रंजकता रसराज में अधिक होती है इसी से इसमें रसराज का विशेष विस्तार है। 'पद्माभरण' यदि ललितललाम नहीं बन सका तो 'जगद्विनोद' निश्चय ही 'रसरास' हो गया। 'रसराज' से भी अधिक उसके प्रसार का हेतु उसकी यही हृद्वत्ता है। इसका निर्माण करते हुए उन्होंने पूर्ण मतिमत्ता का भी परिचय दिया और सम्यक् रसवत्ता का भी। अलंकार के लक्षणग्रंथ में रसराज की रसवत्ता आकर उसके अलंकरण में वैसी सहायता न पहुँचाती। प्रणेता की मति अलंकरण की सामग्री जुटाती-जड़ती रहती है और मन रसराज की रमणीयता में तिरते-तिरते बूड़ जाता है। इस दुचित्तेपन के कारण न माया मिलती है न राम।

जगद्विनोद में किए गए रसराज शृंगार के विस्तार में उसका विलास भी निहित है। यह विलास अकेले इसी में नहीं है अन्य आचार्य कवियों के रसग्रंथों में भी है। केशवदास ऐसे आचार्य सामाजिक दृष्टि से 'गणिका' को छोड़कर राधा-माधव या गोपी-कृष्ण के स्वकीय-परकीय तत्त्व को ही ग्रहण करके चले, पर शृंगारविलास से फिर भी पिंड नहीं छूटा। 'केशव' ने सामाजिक अमर्यादा का 'शव' निकालकर शिवतत्त्व का अधिक संयोजन तो किया, पर 'केशव' अपने 'केश' का क्या करते, शिव की शुक्लता आने पर भी शृंगार की श्यामता वे नहीं हटा सके। जब केशवदास की दासता भी इसका परिष्कार नहीं कर पाई तब पद्माकर भट्ट की 'भट्टता' क्या कर सकती थी। पर इस यथार्थ, अतियथार्थवादी नूतन मनोवैज्ञानिक युग में आकर भी जब हिंदी के शृंगारकाल के शृंगारी कवियों का पुनर्मूल्यांकन नहीं किया गया, बिहारी को ही झाँककर रह गया आलोचना का बचपन, प्रौढ़िमा को नहीं पहुँचा तब इसे उन कवियों का अभाग कहा जाए या हिंदी की वर्तमान आलोचना का।

एक बात अब दबी जबान अवश्य कही जा रही है कि उस युग का काव्य 'स्वस्थ' था, 'सुस्थ' चाहे न रहा हो। 'स्वस्थ' का चाहे जो अर्थ लगाते हों समीक्षक पर उन्होंने अभी एक अर्थ नहीं लगाया है। वह है 'परस्थ' का प्रतिपक्ष। उस युग के कवियों ने

स्वप्रत्यय से ही, स्वकीय निरीक्षण से ही ऐसा किया था उसमें 'परप्रत्यय' नहीं था। मनोविज्ञान के वैज्ञानिक या शास्त्रीय ग्रंथों के संकेत पर उनकी ये रचनाएँ निर्मित नहीं हुईं। कामशास्त्र या कोककारिकाएँ इनका आधार नहीं बनीं। जो संकेत हैं वे साहित्यशास्त्र के ही हैं, जो तत्त्व है वह सजातीय है या स्वकीय। काव्यशास्त्र का परंपरित कथित भी कहते चले हैं और स्वीय पर्यवेक्षण भी पिरोते गए हैं। शृंगारचरित के सूत्र में पिरोए मानस मोती ही गए हैं सुजन नहीं तो सुजान-सहृदय उसे पहनते भी हैं, पर साहित्य के 'सामाजिक' के आसन पर कोई समाजवादी बैठ जाए तो इन कवियों की खैर नहीं।

प्रतीत होता है कि हिंदी-साहित्य का शृंगारकाल मध्ययुग में उसका पूर्ण साहित्यिक यौवन था। उसमें शृंगार की रसिकता ही नहीं थी, रसिकता का शृंगार भी था। रस का सहज प्रवाह भी था और वर्णरमणीयता की सुघट्ट संघटना भी। जिस युग में व्यक्तित्त्व या व्यक्तित्व का विशेष महत्त्व माना जाता हो उसमें भी जब इन कवियों के व्यक्तित्व पर कोई लुब्ध-मुग्ध नहीं हुआ तब यही कहना पड़ता है कि सहृदय भावक ने आलोचक के व्यक्तित्व का त्याग कर किसी और के स्वाँग का शृंगार किया है, इसीसे उस युग के शृंगार का स्वाँग उसे नहीं रुचता। शास्त्रकार को एक और छूट मिलती है। जिस शास्त्र के विवेचन में वह प्रवृत्त हो यदि उसके सत्यापन के लिए कुछ ऐसे उदाहरण-दृष्टांत वर्णन-उल्लेखन की अनिवार्यता हो जो सामाजिक दृष्टि से प्रशंसनीय न हो तो उन्हें दोषमुक्त समझा जाता है। यदि शृंगारकालीन कवि किसी ऐसे लक्षण का लक्ष्य प्रस्तुत कर रहा है जिसके लिए उसे वैसा ही लिखना चाहिए था तो भी न्यायाधीश आलोचक उसे 'दौरा सुपुर्द' ही कर देता है।

इन कवियों के स्वकीय व्यक्तित्व के अविकास की बात भी उठाई गई है। ठीक ही उठाई गई है। वाग्विकल्प अनंत हैं और प्रतिकविस्थित विकल्प से कर्ता का व्यक्तित्व निकाल लाना सहज नहीं है। ऐसी स्थिति में तो और भी कठिन है जब एक ही प्रकार की खेती सबने की हो। एक ही सी हरियाली या 'हरियारी' जब सबमें हो। किंतु एक पृच्छा रही जा रही है। क्या इन कवियों के व्यक्तित्व की खोज उसी तन्मनस्कता से कभी की गई है जिससे हिंदी के वर्तमान काव्यकारों या कथाकारों की की गई है। दूसरी जिज्ञासा यह भी होती है कि क्या किसी आलोचक ने प्रमुख आधुनिक प्रणेताओं के व्यक्तित्व के अतिरिक्त सभी के व्यक्तित्व का संधान कर डाला है। यदि इस युग के संबंध में वैसा नहीं हो सका तो फिर उसी युग के संबंध में ऐसा क्यों कहा जाता है। क्या आज के प्रधान प्रणेताओं का व्यक्तित्व जैसे स्फुट है या स्फुट किया जाता है क्या उस युग के रचयिताओं में वह स्फुट नहीं है और प्रयास करने पर स्फुट नहीं किया जा सकता। क्या केशवदास, सेनापति, मतिराम, देव, भिखारीदास, पद्माकर आदि का व्यक्तित्व स्फुट नहीं है। क्या एक ही प्रसंग को आधार बनाकर लिखे गए इनके निर्माण में लुप्तव्यक्तित्व का ही दर्शन या व्यक्तित्व का अदर्शन ही है। कवियों ने दर्शाया ही नहीं, प्रणेताओं ने प्रदर्शन ही नहीं किया अथवा आलोचकों ने लोचा ही नहीं, समीक्षकों ने निरीक्षण ही नहीं किया। गिन

लीजिए कि केशवदास में 'भाखा' के श्लेष कितने मिलते हैं। जिनके कुल के दास 'भाखा' नहीं बोल पाते थे वे 'भाखा' में लिखकर 'मंदमति' भले ही कहे गए हों या बन गए हों, पर श्लेष के लिए संस्कृत-साहित्य का आश्लेष उन्होंने छोड़ा ही कहाँ। 'भाखा' में जो कुछ उन्होंने उतारा उसमें अधिकतर 'अमरभारती' का ही अवतार है।

सेनापति चाहे देवसेनापति ही रहे हों, पर उन्होंने देववाणी का वैसा विलास नहीं दिखाया। हिंदी का या 'भाखा' का पूर्ण वाग्विलास उनकी रचना में विलसित है। उनकी काव्य की खेती चाहे लंबी-चौड़ी न हो या होकर भी देखने में ही न आई हो, खोज को उसकी पगडंडी का पता ही न चला हो, पर उनकी खेती अपनी है, बीज अपने हैं, जुताई अपनी है, बुवाई अपनी है, सिंचाई अपनी है, रखाई अपनी है, कटाई अपनी है, खलिहान में अनाज की राशि अपनी है। कहीं-कहीं संस्कृति के घनश्याम की रसवृष्टि भी हुई हो, व्रज के कुंज का धीर समीर भी बह गया हो, विरह-सूर्य की प्रतप्त किरणें भी तप गई हों, तो इस पर हिंदी के किसान का बस ही कहाँ था। परंपरा की प्रकृति द्वारा सभी उसे पाते रहे हैं, हिंदीवालों ने भी निसर्गतः उसे प्राप्त किया है।

मतिराम की कृति में यौवन की निकाई देखने की, सहज सौंदर्य के निकट पहुँचने की, गार्हस्थ्यजीवन के यथार्थ रूपदर्शन की जैसी छटा है वैसी नवीन कल्पना, नवोद्भावना कहाँ है। जिस रमणीयता में क्षण-क्षण में नवता दृष्ट होती रहती है, उस नवता की उद्भावित झलक जैसी देव में है वैसी उनमें कहाँ है। मतिराम में भाषा का स्फीत प्रवाह है तो देव में पहाड़ी नदी की उच्छलता है। वहाँ मंथर गंभीर गति है तो यहाँ प्रखरता है, रोड़ों से टक्कर।

मुंशी या मर्नीषि भिखारीदास की या का कलम यदि काफिया रदीफ में कमाल दिखाए और अलंकार, नायिकाभेद, लक्षणा-व्यंजना का लेखा-जोखा लेने में महारत हासिल करे, पुराना बही-खाता ठीक से सँभाले और देवदत्त जाति-पाँति के निरीक्षण की नवीनता दिखाने में दत्तचित्त हों तो दोनों का मेल कैसे मिल सकता है। कहाँ है भिखारीदास में अभिधा में अभिधा, लक्षणा में लक्षण, व्यंजना में अभिधा आदि उलटी नवीन कहन। भिखारीदास क्या, किसी में नहीं हैं। भिखारीदास परंपरा के भीतर ही, पुराने में ही कुछ नवीन अवद्य लाने के पक्ष में थे और देव का व्यक्तित्व पुराने की साधुता से आगे बढ़ जाता था। दूर की कौड़ी निकालता था, ऐसी जैसी कोई न निकाल सका हो। देव की देन में यद्यपि नवीन उद्भावना की ऐसी स्थिति है तथापि उसमें पद्माकर के-से चित्र कहाँ हैं। उन्हीं में क्यों, न केशवदास में, न सेनापति में, न मतिराम में, न भिखारीदास में। बिहारी में वैसे चित्र हैं अवश्य पर छोटे हैं। निकट से, ध्यान से देखने के हैं। यहाँ पद्माकर की काव्यतरंग में अनायास निरावरण स्फुट रेखांकन है। चित्र अत्वर होता है, पर यहाँ चित्र सत्वर या गत्वर है। होली सभी खेलते रहे होंगे, उसके खेल भी देखते रहे होंगे। पर पद्माकर ने जैसा देखा-दिखाया और किसी ने कहाँ लखा-लखाया। गंगादेवी के अभंगा तरंगा तो 'केशव' ने भी भावसिंधु में लेटे-लेटे देखे हैं, पर गंगालहरी पद्माकर में ही

लहराई। केशव ने चाहे जिस व्याज से स्तुति की हो पर व्याजस्तुति की प्रस्तुति पद्माकर में ही है। उस शैली की वैसी, उतनी और उत्तम रचना अन्यत्र हिंदी में कहीं नहीं है, संस्कृत में कहीं नहीं है, किसी देशी भाषा में नहीं है, परदेशी और विदेशी भाषा में वैसा पदन्यास खोजने दौड़ने से थकावट ही थकावट हाथ लगेगी।

रही भाषा! सो पद्माकर ने तैलंग होकर जैसी व्रजभाषा लिखी वैसी बुंदेली के केशवदास नहीं लिख सके, काव्यनारिकेल की कठोरता ने उनको कठिन काव्य का प्रेत ही बनाकर छोड़ा। सेनापति व्रज के निकट रहकर भी अनूपनगर में बसकर भी भाषा की वैसी अनूपता नहीं ला सके, गंगातट में शैत्यपावनत्व का अनुभव करते हुए भी वह प्रवाह-प्रसन्नता नहीं पा सके जो गंगालहरी में निमज्जित होने के लिए गंगातट की ओर बढ़नेवाले पद्माकर ने सहज ही पा ली। कबित्तरत्नाकर के श्लेष के भँवर बहुतों को चक्कर में डालते रहे और डालते रहते हैं। वे भँवर ऐसे घनचक्कर हैं कि कइयों को घनचक्कर बन जाना पड़ा है। 'रत्नाकर' के 'रत्न' तह में भीतर गहराई में चले गए हैं, मरजीवा ही जी पर खेलकर ला पाएँगे। पर 'पद्माकर' की भाषा के 'पद्म' प्रफुल्ल हैं, सुकुमार हैं, सजीव हैं। भँवर यहाँ भी हैं, मधुव्रत इनके निकट भी पहुँचते हैं, ये मरजीवा नहीं हैं, जीवन्मुक्त हैं, जीते जी उस पर मरते हैं, जीने के लिए मरते हैं, उसमें जा बँधते हैं। वज्र कठोर रत्नों के वे पारखी नहीं हैं, वे मरंद के मार्मिक हैं। चमक-दमक से कोई प्रयोजन नहीं, पराग का प्रराग है, उसी पर लोट-पोट होते रहते हैं।

जब केशवदास ऐसे कविपति और कबित्तरत्नाकर के सेनापति की, व्रज की परिक्रमा में बसे हुओं की यह गति, तब फिर अंतर्वेदी के मतिराम और अवध के भिखारीदास की क्या कथा। इष्टिकापुर के देव में और चाहे जो विशेषता रही हो, पर भाषा में अशेषता भी नहीं है।

पद्माकर ने कबित्त-सवैये ही अधिक लिखे हैं। पर कबित्तों की पदसंघटना और सवैयों की पदसंपदा में अंतर है। कबित्तों में सवैये की अपेक्षा अक्षरों का पटपर अधिक चौड़ा होता है इसलिए कारीगरी दिखाने के लिए विस्तृत भूमि यहीं मिलती है। अलंकार की छटा, वक्रोक्ति की भंगिमा, चारुत्व का स्वरूप-मात्रनिष्ठ और संघटनाश्रित रूप इनमें जैसा दिखाई देता है वैसा सवैयों में नहीं। विचारिए क्या कारण है कि गंगालहरी में एक भी सवैया नहीं है। क्या गंगा की भक्ति में पद्माकर सवैया लिखना कोई दोष मानते थे। ऐसी कोई बात नहीं प्रतीत होती। भक्ति की रचना प्रबोधपचासा में सवैये भी हैं। गंगालहरी के लिए 'कबित्त-बावनी' ही क्यों लिखी। सवैया का संयोजन कहीं नहीं किया। इसी से कि व्याजस्तुति अलंकार की छटा दिखाना ही प्रधान प्रयोजन था। यह दूसरी बात है कि लहरी के अवयव के अतिरिक्त और अलंकार की छटा तथा अवयव की विद्युद्घटा के व्यतिरिक्त उसमें कोई तरलता भी कहीं-कहीं ध्वनित होती हो। वर्णों में रंग ही रंग न हो, ध्वनि भी स्फुट या अस्फुट हो, पर स्पष्ट साध्य वह है नहीं। वसंत, पावस आदि के वर्णनों में वर्णवक्रोक्ति यदि निर्बंधता की सीमा पा गई तो

इसमें उनकी शैली की ही अतिमा है। सवैयों में ऐसा क्यों नहीं हुआ। उनका रवैया दूसरा है। वहाँ वर्णच्छटा सहज है, स्वयमागत है, कृतप्रयत्न नहीं है। भाव की शक्ति ही शब्दशक्ति बन गई है। इसी से भावस्फूर्ति, रूपज्योति, पदपूर्ति-प्रपूर्ति सबकी समंजसता है। देखिए—

जाहिरै जागति सी जमुना जब बूड़ै बहै उमहै वह बैनी।
त्यों पदमाकर हीर के हारन गंग तरंगन कों सुख देनी।
पांइन के रँग सो रँगि जात सी भाँति ही भाँति सरस्वती सैनी।
पैरै जहाँई जहाँ ब्रजबाल तहाँ तहाँ ताल में होत त्रिबैनी॥

यदि किसी ने त्रिवेणीतट पर संगम के दर्शन किए हों तो पद्माकर ने जो रमणीय दृश्य यहाँ अंकित किया है उसे वह भली-भाँति हृदयंगम कर सकता है। वहाँ यमुना और गंगा की धाराएँ अलग-अलग प्रतीत होती हैं। संगम की रेखा इस प्रकार दोनों को विभाजित कर देती है मानो सजल चित्र खिंचा हुआ हो। व्रजबाल तैर रही है ताल में और वह जलाशय है, जल का तीर्थ है, कोई धार्मिक तीर्थ नहीं जिसका माहात्म्य हो, पर उसके कारण वह ताल आज त्रिवेणीसंगम हो गया, तीर्थराज बन गया। यमुना की नीलिमा ही नहीं दिखती है, गंगा से मिलती यमुना में आलिंगन, प्रवाह और उमंग की जैसी वृत्तियाँ प्रतीत होती हैं वे वेणी के बूड़ने, बहने और उमहने में हैं। गंगा, यमुना में तो मिली नहीं यमुना ही गंगा में जा मिली। गंगा को इससे सुख ही हुआ। वेणी ही हीरे के हारों से जा उलझती है, हार उलझने थोड़े ही जाते हैं। नागपाश की विशेषता वेणी में भी और कालियनाग को बसाए रखनेवाली यमुना में भी। नीलिमा दूर से ही झलक जाती है, हीरे के हार पानी में पड़े हैं इससे उतने चमकते नहीं। यमुना दूर ही से प्रतीत होने लगती है। गंग की तरंग यमुना से कहीं अधिक तीव्र और धारा विशेष प्रखर है। यमुना मिलने के अनंतर उसमें कमी आ गई, गति कम हो जाने से, हरी-भरी दौड़ से, जल की चंचल माया के कम हो जाने से कुछ स्थिरता आई, सुख मिला। जहाँ एक ओर यमुना इतनी प्रत्यक्ष है वहीं सरस्वती अप्रत्यक्ष है। पाँव में जो सहज रंग है उससे 'सरस्वती सी' दिखने लगती है। उसका भान भर होता है वह प्रत्यक्ष कहाँ होती है। 'भाँति ही भाँति' इसलिए कि अन्य रंगों के साथ उसका मेल होता है। कहना इतना ही है कि संगम के साथ उसकी समंजसता पूरी उतारी गई है। वेणी चोटी भी है और सरित्प्रवाह भी।

अधिक उदाहरण न देकर होली का एक चित्र यहाँ और दिया जाता है—

फाग के भीरे अभीरन तें गहि गोबिंदै लै गई भीतर गोरी।
भाई करी मन की पदमाकर ऊपर नाई अबीर की झोरी।
छीनि पितंबर कंमर तें सु बिदा दई मीड़ि कपोलनि रोरी।
नैन नचाइ कह्यो मुसकाइ भला फिरि आइयो खेलन होरी॥

होली पंर बहुतों ने लिखा है, पर इसका जोड़ हिंदी में कहीं नहीं है। फाग का खेल खेलने में भिड़े, लगे हुए, भीड़-भड़क्का करनेवाले 'भीर' होकर भी 'अभीर' हैं। क्या खेलेंगे खेल ! इसी से तो उनमें से जो 'गोविंद' हैं, गायों को चराते-खोजते हैं, सबमें बड़े दक्ष हैं उन्हें पकड़ ले गई कौन; 'गो री'। ये 'काले-कलूटे' वह गोरी-चिट्टी। ये बलराम के भाई और वह अबला। गोरी ने ही, वृषभानुजा ने ही चरा दिया आज गोविंद को, 'हलधर के वीर' को। आए थे बड़े तपाक में फाग का खेल खेलने, पर सारा बलबूता न जाने कहाँ चला गया। बड़ी दुर्गत हुई। जैसे भी चाहा वैसे ही घसीट डाला मनमोहन को, मनमानी सजा दी गई नंद के लाड़ले को। गोरी कोई फाग खेलने नहीं बैठी थी, ये ही सिरचढ़े चले आए थे अबीर की झोली लिये। उन्हीं की झोली उन्हीं के सिर उलट दी गई। वीर बनकर आए थे, पर लेकर चले थे 'अबीर'। सारी वीरता भूल गई। वीरता का बाना क्या था ललाजी के पास ! कमर में 'पटुका' कसके चले थे, वह भी छिन गया। आए थे वीर बनके और चले क्या होकर केशवजी ! दूसरे के मुँह में रोली-गुलाल लगाने का हौसला लेकर चले थे, सारा मुँह उन्हीं का लाल हो गया, ललमुँहे बन गए कलमुँहे। अब रोने के सिवा रह क्या गया जब 'रो री' मल दी गई। जिससे छेड़-छाड़ करने चले थे उसने सारी शेखी निकाल दी। स्वाभाविक है कि उसे इस सफलता पर हर्ष हो और उसकी अभिव्यक्ति नेत्रों की चंचलता से हो। फाग के भीरे-अभीरों के बीच से किसी गोरी का गोविंद को पकड़कर सड़क से, डगर से, राजडगर से घर के भीतर खींच ले जाना कोई साधारण कार्य नहीं है, हँसी-ठट्ठा नहीं है। इस सिद्धि पर सारा शरीर नाच उठता है, उसके तो केवल नेत्र ही नाचकर रह गए। कहीं गोविंदजी को सफलता मिलती तो वे सर्वांग नृत्य, पूरा रास किए बिना न रहते, पर लज्जाभूषण गोरी के नेत्र ही नाच सके। उधर हर्ष में नेत्रों की चंचलता ने देखा कि इन्हीं की झोली से अबीर उलटकर इन्हीं की बनत बनाई गई है तो हँसी भी आ गई। बहुत सँभाला गोरी ने, अट्टहास करना चाहिए था इस अवसर पर, दरवाजे पर भीड़ लगी है, स्वयं वह नारीजाति है, बेचारी इससे मुसकाकर ही रह गई। उसके लिए जो वाणी भीतर से उठी थी वह परा-पश्यंती-मध्यमा से बैखरी हो इसके पहले वात-वायु जठराग्नि को लिए-दिए माथे में जो पहुँच गई तो उसके वेग का प्रभाव पहले ही नेत्रों पर पड़ा, फिर होठों पर आया। अंत में मुसकराती हुई उसकी दृष्टि पीतांबरधारी के पीतांबर छिन जाने पर पहुँची तो वाणी कहाँ तक रुकती, मुँह खुल ही पड़ा। वृषभानुलली समझकर चले थे लला होली खेलने। यह कोई हँसी-खेल है कि सब इसे खेल लेंगे। बरसाने की गोपी से होली के खेल में लेने के देने पड़ते हैं। चले थे रंग बरसाने, पर उन्हीं पर बरस गई गोरी घटा। घनश्याम पर आज घटा ही घहर गई, तप्तकांचनवर्णाभा श्यामा ने आज श्याम को रस में, रसराज में डुबो दिया।

देखने में सवैया सीधा-सा और उसकी भंगिमा टेढ़ी-मेढ़ी। इतने पर भी यदि पद्माकर का व्यक्तित्व स्फुट न हो तो कोई क्या करे। जो पद्माकर सागर में जन्मे उन्होंने रससागर तरंगायित कर दिया। क्या कहें सागर में पद्माकर या पद्माकर में सागर।

ग्वाल

ग्वाल कवि वृंदावन के रहनेवाले और सेवाराम के पुत्र थे। इनका संबंध उत्तर प्रदेश के रामपुर दरबार से था। सं० १९३० में उर्दू के प्रसिद्ध कवि श्री अमीर अहमद मीनाई ने 'इंतखाबे यादगार' नामक पुस्तक में हिंदी के जिन कई कवियों का वृत्त लिखा है उनमें एक ग्वाल कवि भी हैं। मीनाई साहब के समय में ग्वाल कवि रामपुर दरबार में थे। इसलिए उन्होंने जो उल्लेख किया है वह प्रामाणिक है। उनके अनुसार सं० १९५९ में इनका जन्म हुआ था। ये वृंदावन के रहनेवाले थे, पर अपने जीवन के अंत में मथुरा में रहे। विद्याध्ययन के लिए ये काशी आए और बरेली के श्री खुशहाल राय के यहाँ अध्ययन किया। जिस समय ये विद्याध्ययन कर रहे थे उस समय एक मस्त फकीर आया, खुशहाल राय से उसने पानी माँगा। पानी पीने के अनंतर उसने खुशहाल राय से कुछ माँगने को कहा। उन्होंने अपने शिष्य ग्वाल के कवीश्वर हो जाने का वरदान माँगा। फकीर से तीन बार यही आकांक्षा व्यक्त की गई। उसने पृथ्वी पर से एक तिनका उठाकर इनकी जीभ पर कुछ लिख दिया और तीन बार सर पर हाथ फेरा, फिर कहा कि जा तू कवीश्वर हो गया। कहते हैं कि उसके अनंतर ग्वाल कवि बड़े कुशाग्रबुद्धि हो गए। वहाँ से ये पंजाब के महाराज रणजीतसिंह के स्वर्गवास के अनंतर उनके पुत्र शेरसिंह के यहाँ भी रहे और उनसे जागीर पाई। उनके दरबार में इनका बड़ा सम्मान था, यहाँ तक कि महाराज के बराबर इनकी कुरसी लगती थी। शेरसिंह के मारे जाने पर ग्वाल राय अपने घर लौट आए। वहाँ से लौटने पर रामपुर के नवाब साहब ने इनको अपने यहाँ बुलवाया और इनसे रामपुर में रहने की बात कही, पर इन्होंने सात महीने रहने के अनंतर रामपुर छोड़ दिया। उनकी नौकरी इन्होंने स्वीकार ही नहीं की। ६५ वर्ष की वय में इनका शरीरपात हुआ। इस प्रकार सं० १९२४ में ये स्वर्गवासी हुए। उनके अनुसार इन्होंने चौदह पुस्तकें लिखी थीं।

शिवसिंहसरोज में इनके पाँच अतिरिक्त ग्रंथों का उल्लेख है—साहित्यदूषण, साहित्यदर्पण, भक्तिभाव, दोहाशृंगार और शृंगारकबित्त। मिश्रबंधुविनोद में इनके दो ग्रंथ राधामाधवमिलन और राधाष्टक का उल्लेख है। 'खोज' में इनके निम्नलिखित ग्यारह ग्रंथों का उल्लेख है—

(१) रसिकानंद (१९००-८०), (२) यमुनालहरी (१९०१-८८), (३) रसरंग, (४) अलंकारभ्रमभंजन, (५) नखशिख, (६) हम्मीरहठ, (७) भक्तिभावन, (८) दूषणदर्पण, (९) गोपीपच्चीसी, (१०) बंसी बीसा, (११) कवि हृदयविनोद।

इसके अतिरिक्त इन्होंने अपने रसिकानंद ग्रंथ में 'नेहनिबाह' नामक ग्रंथ का भी

उल्लेख किया है। इनका एक ग्रंथ 'कविदर्पण' नाम से श्री नवनीतजी चतुर्वेदी के पास था। इसी का दूसरा नाम दूषणदर्पण है। इन्होंने यमुनालहरी सं० १८७९ में प्रस्तुत की।

संवत निधि[९] रिषि[७] सिद्धि[८] ससि[१] कातिक मास सुजान।
पूरनमासी परम प्रिय राधाहरि को ध्यान॥
भयो प्रगट ताही सुदिन जमुनालहरी ग्रंथ।
पढ़ै सुनै आनँद मिलै जानि परै सुरपंथ॥

यह इनकी सर्वप्रथम रचना कही जाती है। 'भक्तभावन' इनका अंतिम ग्रंथ कहा जाता है, जो सं० १९१९[१] में संकलित हुआ। इसमें भक्ति-संबंधी रचनाओं का संकलन है, जिसके अंतर्गत यमुनालहरी, श्रीकृष्णचंद्र को नखशिख और गोपीपच्चीसी के अतिरिक्त तान अष्टक (राधा, कृष्ण और राम के), गंगाजी के कबित्त, देवी-देवतान के कबित्त, गणेशाष्टक, ध्यानादि के कबित्त, षड्ऋतुवर्णन, अन्योक्ति और मित्रता विषय की रचनाएँ संकलित हैं। इस प्रकार यह स्वतंत्र ग्रंथ न होकर भक्तिविषयक इनकी रचनाओं का संकलन मात्र है।[२] 'कविहृदयविनोद' भी इनकी अनेक रचनाओं का संग्रह है। इसमें भक्तभावन में संगृहीत बहुत-सी रचनाएँ आ गई हैं। व्रजभाषा, पूर्वी, गुजराती, पंजाबी भाषाओं की रचनाएँ भी इसमें संगृहीत हैं। (दे० खोज—२०-५८ सी)

शिवसिंहसरोज में कथित साहित्यदूषण और साहित्यदर्पण कदाचित् दूषण-दर्पण के दो खंड होकर नए-नए नाम बन गए हैं। दोहाशृंगार और शृंगार-कबित्त शृंगारी दोहे और कबित्तों के संग्रह के लिए हैं, जिनका कदाचित् कोई स्वतंत्र अस्तित्व नहीं है। इस प्रकार इनके ग्यारह ही ग्रंथ प्रमुख हैं जिनका उल्लेख पहले किया जा चुका है। इनका एक जंगनामा भी है जिसका नाम 'विजयविनोद' है।

ग्वाल कवि बहुरंगी थे। इन्होंने अपने पूर्ववर्ती कवियों की शैली का विविध ग्रंथों में अनुगमन करने का प्रयास किया है, जैसे पद्माकर की गंगालहरी का। पर पद्माकर की-सी भाषा की सफाई और व्याजस्तुति की विशेषता इनकी रचना में नहीं है। विस्तार के लिए इन्होंने नवरसवर्णन और षड्ऋतुवर्णन भी अंत में जोड़ा है। ग्वाल चमत्कारवादी कवि थे। शब्दावली प्रायः मिश्रित रखा करते थे। भक्ति-संबंधी रचनाओं के कारण इन्हें भक्त कवि नहीं कहा जा सकता। भक्त कवि साधक हुआ करते हैं। यदि साधना की बात छोड़ भी दी जाए तो भी भक्त कवि की की हुई रचना और किसी कवि की भक्ति की रचना में वास्तविक भेद अनुभूति की लीनता और उक्तिभंगिमा के प्रदर्शन में दिखाई देता है। इनकी भक्ति-संबंधी अनेक रचनाएँ हैं। 'नेहनिबाह' नामक बत्तीस छंदों की रचना में इन्होंने ठाकुर, घनआनंद आदि स्वच्छंद धाग के कवियों के अनुगमन पर प्रेमपंथ

---

१. **संबत निधि[९] ससि[१] निधि[९] सीस[१] मास अषाढ़ बखान।**
सितपख द्वितीया रबि बिषे प्रगट्यो ग्रंथ सुजान॥—(खोज, ०५-१४)

२. **'ग्रंथ फुटकरन को करत एक ग्रंथ अभिराम।'**—वही।

की विलक्षणता का रसमय उल्लेख किया है।[१]

ग्वाल कवि के वर्णनों में राजसी ठाटबाट की रंगीनी अत्यधिक पाई जाती है। जो स्थिति रीतिमुक्त कवियों में बोधा की है वही रीतिबद्ध कवियों में ग्वाल की समझनी चाहिए।

हम्मीरहठ श्री चंद्रशेखर वाजपेयी के हम्मीरहठ (निर्माणकाल—१९०२) के समान है और उससे पूर्व रच गया है। कथा और घटनाओं का रूप तक एक-सा है, भेद केवल प्रणाली का है। यह रचना सं० १८८३ में प्रस्तुत हुई थी—

संबत गुन[३] सिधि[८] सिधि[८] ससी[१] कातिक कुहू बखान।
श्रीहमीरहठ प्रगट्यो अंमृतसर सुभ थान॥

यद्यपि इन्होंने रचना पर्याप्त परिमाण में की है फिर भी इनके कार्य का गौरव कवि के रूप में उतना नहीं है जितना रीतिग्रंथकार के रूप में। नखशिख, प्रकृतिवर्णन आदि रीतिबद्ध रचना के अतिरिक्त इन्होंने रीति के कई लक्षणग्रंथ प्रस्तुत किए हैं, अलंकार पर अलंकारभ्रमभंजन, शृंगाररस और नायिकाभेद पर रसरंग, काव्यदूषणों पर दूषणदर्पण, पिंगल पर प्रस्तारप्रकाश और साहित्यशास्त्र पर साहित्यानंद तथा रसिकानंद। अलंकार-भ्रमभंजन की एक प्रति स्व. कन्हैयालाल पोद्दार के पुस्तकालय में है। उसका कुछ अंश उन्होंने व्रजभारती में मुद्रित भी कराया था और उनके ग्रंथ के विषय-विमर्श पर अपने विचार भी प्रकट किए थे। यह इनके साहित्यानंद में पूरा-का-पूरा सन्निहित है। अलंकार का लक्षण नए ढंग का करने का इन्होंने प्रयास किया है—

रस आदिक तें व्यंग्य तें होय भिन्नता जाहि।
सब्दारथ तें भिन्न ह्वै सब्दारथ के माहि॥
होइ बिषय संबंध करि चमत्कार के कर्न।
ताही सों सब कहत हैं अलंकार इमि बर्न॥

ग्वाल कहना यह चाहते हैं कि रस जिस प्रकार शब्द से भिन्न होता है और व्यंग्य जिस प्रकार शब्द से भिन्न होता है उसी प्रकार अलंकार भी शब्द से भिन्न होता है। ऐसा कहते हुए ये उसे शब्द और अर्थ दोनों से भिन्न कह रहे हैं। तत्त्वतः रस और व्यंग्य पदार्थ-रूप होते हैं। यह दूसरी बात है कि रस आस्वाद्य भी होता है, इसीलिए वह रस कहलाता है। रसन अर्थात् आस्वादन से रस शब्द व्युत्पन्न है। रस व्यंग्य होता है अर्थात् उसकी व्यंजना की जाती है, वह व्यंग्यार्थ रूप में काव्य में आया करता है। अलंकार का संबंध वाच्यार्थ से होता है। अलंकार एक प्रकार का अर्थ ही है। ग्वाल के कहने का तात्पर्य यह है कि अलंकाररूप में जो कुछ प्राप्त होता है वह

---

१. देखिए विशाल भारत, वर्ष २, खंड १, १९२९।

कोश-व्याकरणादि से नियत मुख्यार्थ से कुछ भिन्न चमत्काररूप होता है। इसी भिन्नता को लक्षित कर इन्होंने अलंकार को शब्दार्थ से भिन्न कहा है। इस प्रकार भेदकता को बताने के लिए उसे विस्तार से समझाने की आवश्यकता है। यह लक्षण इन्होंने कुवलयानंद की व्याख्या 'अलंकारचंद्रिका' के आधार पर किया है, जिसके व्याख्याता श्री वैद्यनाथ हैं—

अलंकारत्वं च रसादिभिन्नव्यंग्यभिन्नत्वे सति शब्दार्थान्यतरनिष्ठा या विषयिता सम्बन्धावच्छिन्ना चमत्कृतिजनकतावच्छेदकता तदवच्छेदकत्वम्।

'अन्यतर' शब्द का अर्थ 'भिन्न' कर लेने से सारी गड़बड़ी हो गई है।

रसरंग में रसों का और नायक-नायिकाभेद का विस्तार से निरूपण है। जब ये वृंदावन से मथुरा में सुखवास करने लगे तब १९०४ वि० में इसका निर्माण हुआ—

संबत बेद[४] ख[०] निधि[९] ससी[१] माधव सित पख संग।
पंचमि ससि कौं प्रगट हुअ ग्रंथ जु यह रसरंग॥

इसमें इन्होंने अपने आधारग्रंथ रसतरंगिणी का स्पष्ट उल्लेख किया है। छल संचारी के संबंध में ये लिखते हैं—

भानुदत्तजू नै लिख्यौ रसतरंगिनी माहि।
नूतन इक औरो बनत छल संचारी चाहि॥

—रसरंग, प्रथम उमंग १८९

इसके अंत में शांतरस के अंतर्गत गुरूपदेश और भक्तपक्ष शीर्षक से बहुत से उदाहरण संकलित किए गए हैं। केशवदास की भाँति इन्होंने भी भाव के चार भेद माने हैं; विभाव, स्थायीभाव, अनुभाव और संचारीभाव—

भाव सु चारि प्रकार है कहियत प्रथम बिभाव।
पुनि कहि थाई भाव को लिखिहौं फिर अनुभाव॥
पुनि संचारी भाव सो द्विबिध होत कबि ईस।
मन सहाय सौं तनज बसु मनज कहत तैंतीस॥

विभाव और अनुभाव को भाव का भेद कहना ठीक नहीं है। इसका यह तात्पर्य नहीं है कि विभावादि का स्वरूप इन्हें स्पष्ट नहीं था। विभाव का लक्षण लिखते हुए ये आलंबन और उद्दीपन दोनों का स्वरूप स्पष्ट करते हैं—

हेतुरूप औ बृद्धिकर रस को सो जु बिभाव।
दोइ भाव की संगता सो बिभाव बरनाव॥

नायक-नायिकाभेद के प्रसंग में इन्होंने नायक के भी जातिगत भेद लिखे हैं।

कामतंत्र की बातों का अधिक विस्तार साहित्य के गांभीर्य को क्षति पहुँचाता है। नायिका के पद्मिनी आदि भेदों का उल्लेख तो किसी हद तक माना भी जा सकता है, क्योंकि इनका उल्लेख साहित्य की परंपरा में कभी-कभी हो जाया करता है, पर नायक के पांचालादि भेद यहाँ अनावश्यक प्रतीत होते हैं। ऋतुवर्णन आदि में इन्होंने राजसी ठाट-बाट का भरपूर उल्लेख किया है। दरबार में रहनेवाले कवि कभी-कभी साहित्यसीमा की व्याप्ति बहुत संकुचित कर लिया करते थे। ग्वाल में इसके उदाहरण स्थान-स्थान पर मिलते हैं।

रसों के स्वनिष्ठ और परनिष्ठ भेद आदि रसतरंगिणी के ही अनुगमन पर दिए गए हैं। स्वनिष्ठ भेद रौद्र और वीररस में नहीं होते। अन्य छः रसों में दोनों भेद होते हैं। परनिष्ठ का अर्थ यह है कि जब दूसरे को किसी रस में लीन देखकर कोई उस रस में लीन होता है तब वह परनिष्ठ होता है, जैसे किसी को हँसते हुए देखकर कोई व्यक्ति विभाव का ग्रहण करके हँसने लगे तो वह परनिष्ठ हास्य होगा—

हसन्तमपरं दृष्ट्वा विभावं चोपजायते।
योऽसौ हास्यरसस्तज्ञैः परस्थः परिकीर्तितः॥ —रसतरंगिणी।

दूषणदर्पण में दोषों का विचार किया गया है। इसमें ग्वाल ने दोषों के उदाहरण हिंदी कवियों से चुने हैं और उनकी विस्तृत व्याख्या की है। उदाहरण एक से अधिक दिए हैं। बिहारी के बहुत से उदाहरण दिए गए हैं। ग्वाल कवि ने नाक, पेट और गाल शब्दों को हिंदी में ग्रामीण माना है। बिहारी के 'जटित नीलमनि जगमगति सीक सुहाई नाक' में 'नाक' में ग्रामीण दोष बताया है। इन्होंने आँख और कटि को भी ग्रामीण कहने के बाद यह कहा है कि इन्हें ग्रामीण दोष से मुक्त किया जा सकता है। यद्यपि इनके कथित दोषों के संबंध में मतभेद हो सकता है तथापि यह धारणा कि हिंदी में अपने ही उदाहरण सर्वत्र दिए गए हैं, ठीक नहीं। ग्वाल कवि कविरूप में चाहे उतने उत्कृष्ट न हों पर आचार्यरूप में इन्होंने पर्याप्त संग्रह किया है और अपनी बुद्धि के अनुसार अच्छी काव्य-चर्चा की है। जिन श्रीपति की प्रशस्ति इस बात को लेकर की जाती है कि उन्होंने काव्यसरोज के दोषप्रकरण में केशवदास के बहुत से उदाहरण उद्धृत किए हैं, उनसे कहीं अधिक विस्तृत दोष की चर्चा और हिंदी के कवियों के कहीं अधिक उदाहरण इस ग्रंथ में दिए गए हैं। 'कटि के तट हार लपेटि लियो कटि किंकिनि लै उर सों उरमाई' का विचार करते हुए इन्होंने लिखा है कि 'कटि किंकिनि' में कटि शब्द अधिक है। 'उरमाई' शब्द बुंदेलखंड की बोली है। हिंदी के इन रीतिग्रंथकार कवियों ने हिंदी की परंपरा और उसके दोष का जितना विचार किया है उन सबका संग्रह किया जाए तो इस प्रकार की पर्याप्त सामग्री मिल सकती है, जिसके आधार पर यह कहा जा सके कि इनमें आलोचना को समयानुरूप पर्याप्त दृष्टि थी। यह ग्रंथ महाराज रणजीतसिंह के मुसाहिब लहनासिंह के आश्रय में लिखा गया है। ये लहनासिंह मजीठा नगर के रहनेवाले थे—

लहनासिँह महराज को नगर मजीठा चारु।
जिन दीनो तिन सबन को मीठा लगत अपारु॥

ये लिखते हैं—

चाहै तौ रचना करै ग्रंथ सैकरन आप।
पै फुरसत कमती बहुत प्रजापाल की छाप॥
यातें कृपा सनेह करि बोले बचन नवीन।
कबिदर्पन अभिधान करि रचो ग्रंथ एक बीन॥
रोगदोष सम ग्रसित कहुँ सुखद काब्य की देह।
बिन बिचार कहुँ कहत हैं अबिचारित दुखगेह॥
जो कबिदर्पन सम सदा निरखय याहि बनाय।
कबितादर्पन माहि तिहि दोष न दरसय आय॥

इसमें सरदार साहब की भी रचना दी गई है—आरंभ में। एक उदाहरण लीजिए—

भई नाहिं भेट आज अली री सहटेहूँ मैं लागी चेत चेट स्व पठाई प्यारी आरसी।
जाकी दुति दीहि देखि दामिन दवत हीय ससि और सूरहू की भूलि जातफारसी।
ताकी कहै कौन कबि सुषमा बखानि सकै आरसी सी आरसी सो प्रानन में आरसी।
जान सुख सारसी लगाई हिय आरसी पै प्यारी बिन आरसी लगी है हाय आर सी॥

'रसिकानंद' ग्वाल कवि का सबसे प्रथम लक्षणग्रंथ है। यह केवल अलंकारग्रंथ नहीं है, जैसा भ्रम से समझा जाता है। इसमें काव्यनिर्णय की भाँति नायिकाभेद सहित पूरे रसचक्र का वर्णन है। ग्वाल कवि की विशेषता इसी ग्रंथ के द्वारा पूर्ण रूप में प्रकट होती है। नायिकाभेद के अष्ट और दश भेदों पर इन्होंने विस्तृत विचार किया है। इनका कहना है कि कोई आठ, कोई नौ, कोई दस भेद मानता है। इनके अनुसार आठों में अतिरिक्त दो का अंतर्भाव नहीं हो सकता। यह स्मरण रखना चाहिए कि संस्कृत में आठ ही भेद माने जाते हैं। रसमंजरी में प्रोस्यत्पतिका नवाँ भेद प्राचीन परंपरा के अनुसार सूचित किया गया है। हिंदी में आगतपतिका नया भेद माना गया है। रसिकप्रिया के अनुसार इन्होंने अभिसारिका के तीन भेद माने हैं—कामाभिसारिका, प्रेमाभिसारिका और मत्ताभिसारिका। इन्होंने पद्मिनी आदि को जातिभेद, दिव्यादि को अंशभेद, उत्तमादि को गुणभेद, स्वकीयादि को कर्मभेद और मुग्धादि को वयभेद बताया है। दर्शन के इन्होंने सोलह भेद किए हैं—श्रवण, चित्र, स्वप्न, और प्रत्यक्ष तो प्रसिद्ध हैं ही। इन प्रत्येक के बोल, गुण, पत्र और नादध्वनि से चार-चार और सूक्ष्म भेद किए हैं। इन्होंने नायक के भी जातिगत भेद रसरंग के अनुसार दिए हैं। कुलपति के काव्यलक्षणादि का खंडन भी किया है।

रसविमर्श भी इन्होंने विस्तृत किया है। भक्तिसंप्रदाय के दास्य, वात्सल्य की भी चर्चा की गई है और कहा गया है कि ये तीन रस गौड़ेश्वरों के ग्रंथ 'भक्तिरसामृतसिंधु' में वर्णित हैं। पर साहित्यदर्पण में केवल वात्सल्य ही गृहीत हुआ है। प्राचीन प्रथानुसार दास्यादि को इन्होंने शांत के साथ माना है। संक्षेप में कह सकते हैं कि ग्वाल कवि ने रीतिग्रंथों के लिए संस्कृत का पर्याप्त वाङ्मय आलोड़ित किया था। इन्होंने यथास्थान दूसरे कवियों के उदाहरण बराबर दिए हैं। कविरूप में ग्वाल कवि का महत्त्व चाहे उतना न हो पर रीतिग्रंथकार के रूप में इनका पूरा महत्त्व माना जाना चाहिए। हिंदी रीतिशास्त्र की परंपरा में संस्कृत-आधारग्रंथों का कदाचित् सबसे अधिक आलोड़न करनेवाले ये ही हुए हैं।

रसिकानंद नाभा के जसवंतसिंह के आश्रय में लिखा गया है, जिन्हें इन्होंने शालिवाहन का वंशज लिखा है और जिसकी परंपरा यों दी है—फूलसिंह—त्रिलोकसिंह— गुरुदत्तसिंह—सूरतिसिंह—हमीरसिंह— जसवंतसिंह। इसमें इन्होंने शास्त्र के आदिनिर्माता नंदीश्वर, गौणिकापुत्र, भरत, वामन और वादरायण का नाम भी दिया है। ग्रंथ का निर्माणकाल सं० १८७९ है—

संमत निधि[९] रिषि[७] सिद्धि[८] ससि[१] स्याम पक्ष मधुमास।
आदित बार सुद्वादसी रसिकानंद प्रकास॥

मागध, वंदी और सूत शब्दों की व्याख्या विभिन्न व्याकरण और धार्मिक ग्रंथों के आधार पर इन्होंने दी है और वंदी शब्द को स्तुति करनेवाले अर्थ में स्वीकार किया है। इसका धातु 'वंद' माना है। अपना वंशवृक्ष इन्होंने यों दिया है—माथुर—जगन्नाथ—मुकुंद—मुरलीधर—सेवाराम —ग्वाल।

'साहित्यानंद' रसिकानंद के अनंतर संवत् १९०५ में बना जिसमें १६ स्कंध हैं—

संवत्सर[५] नभ[०] निधि[९] ससी[१] क्वार सुकल सर चंद।
ता दिन प्रगट भयो सु यह ग्रंथ साहितानंद॥

इसमें अपने जिन ग्रंथों से लक्ष्य रखे हैं उनका उल्लेख यों है—

रसिकानंद जु नखसिख रु कबिदरपन रसरंग।
पुन बलबीरा-गोद है जमुनालहर प्रसंग॥

इसमें सबसे पहले लक्षण के लक्षण का फिर लक्ष्य के लक्षण का विचार है। तदनंतर पिंगल का विस्तृत विचार आरंभिक दो स्कंधों में है—

काव्य बनै नहिं छंद बिन याते छंद सुमूल।
ताते प्रथमैं पिंगलै भाषौं करि मन फूल॥

प्रथम स्कंध में बड़े विस्तार से मात्रावृत्त का और द्वितीय में वर्णवृत्त का विचार है।

तृतीय स्कंध में भाव, विभाव, स्थायीभाव, सात्त्विकभाव, संचारीभाव, अनुभाव, भावध्वनिभेद, भावोदयादि और भावाभास का वर्णन है। चतुर्थ से दशम स्कंध तक संक्षेप में हास्यादि अष्टरस, दास्यादि तीन रस, रसदृष्टि, रसजन्यजनक, रसमित्रशत्रु और रसाभास का निरूपण है। रसिकानंद में इनका विस्तृत विचार होने से यहाँ उन्हें संक्षिप्त ही रखा गया है और नायिकाभेद एकदम नहीं है। एकादश स्कंध में रूढ़ादि शब्द और शब्दशक्ति का विवेचन है। द्वादश में उत्तम काव्य ध्वनि का विवरण है और त्रयोदश में मध्यम काव्य गुणीभूत व्यंग्य और अधम काव्य के अंतर्गत कमलबंध आदि चित्रकाव्य का विस्तृत चित्रण है। कामधेनु के २५६ भेदों का विवरण है। चतुर्दश में गुणभेद, रीतिभेद और वृत्तिभेद का विस्तृत विचार है। पंचदश में दूषण और साथ ही दूषणोद्धार का वर्णन है। कविदर्पण या दूषणदर्पण ग्रंथ दोषों पर पृथक् ही लिखा है। षोडश में अलंकारभ्रमभंजन प्रसंग है। इसलिए इनका अलंकार-भ्रमभंजन ग्रंथ पृथक् न होकर इसी का अंग है।

—रीतिसिद्ध कवि

बिहारी

शृंगारकाल में रीतिबद्ध और रीतिमुक्त कवियों से उन कवियों को भी पृथक् करना होगा जो रीतिसिद्ध हैं। जिन्होंने रीति की सारी परंपरा सिद्ध कर ली थी अर्थात् रचनाएँ जिन्होंने रीति की बँधी परिपाटी के अनुकूल ही की हैं पर लक्षणग्रंथ प्रस्तुत न करके स्वतंत्र रूप से अपनी रचनाएँ रची हैं। ये वस्तुतः मध्यमार्गी थे। रीति से बँधे भी थे और उससे कुछ स्वच्छंद होकर भी चलते थे। यद्यपि जो लोग रीतिग्रंथ लिखते थे वे भी अपनी उक्तियों के प्रदर्शनार्थ ही रीति का सहारा लेते थे तथापि वे लक्षण से बाहर नहीं जा सकते थे, जो कुछ कहना होता था उसी के भीतर कहते थे। पर जो रीति से केवल सहारे का काम लेते थे वे अपनी स्वतंत्र सत्ता भी चाहते थे। इसी से रीतिग्रंथ लिखनेवालों में व्यक्तिगत विशेषताओं का स्फुरण बहुत कम हो सका। पर जो लोग रीति के आधार पर स्वतंत्र रचना करते थे उनमें ऐसी विशेषताएँ बहुत स्पष्ट हैं। बिहारी के दोहे दूसरे लोगों से विशेषतया रीतिग्रंथ लिखनेवालों से जो पृथक् किए जा सकते हैं उसका हेतु यही है कि बिहारी रीति से बँधकर भी स्वतंत्र हैं। भले ही रीतिमुक्त कवियों से उनका मेल न हो, पर वे शुद्ध रीतिबद्ध कवियों के बीच बैठाए जाएँगे तो अपनी विशेषता के कारण पृथक्

चमचमाते रहेंगे। यदि यह कहा जाए कि उनके दोहों को टीकाकारों ने नायक-नायिका के भेदोपभेदों में ही वर्गीकृत किया है, इसलिए उन्हें उन्हीं के साथ रखा जाए तो यह भी ठीक नहीं। क्योंकि जिन लोगों ने मुक्तक-रचना के पृथक् संग्रह किए हैं उन्होंने आलम, ठाकुर, घनआनंद, बोधा ऐसे रीतिमुक्त कवियों की रचनाओं को नायक-नायिकाभेद के साँचों में ही बैठाने का प्रयास किया है। पर इनकी रचनाएँ उनमें नहीं बैठ सकी हैं। इसका कारण यह था कि जब कोई संग्रह करने के लिए कमर कसता था तब विषय की दृष्टि से वर्गीकरण के लिए नायक-नायिकाभेद में ऐसी बँधी सूची मिल जाती थी जिससे संग्रहकर्ता को सुभीता होता था। जहाँ वह रीतिग्रंथ लिखनेवालों से अच्छे उदाहरण छाँटकर संग्रह करता था वहीं इन रीतिमुक्त कवियों से भी अच्छी-अच्छी उक्तियाँ छाँट लिया करता था और किसी-न-किसी खाते में उन्हें भी झोंकता चलता था।

इस प्रसंग में दूसरी बात यह है कि शृंगार को लेकर जो नायक-नायिकाभेद का विषय-विभाजन किया गया है वह ऐसे सामान्य और सर्वनिष्ठ गुणों को सामने रखकर किया गया है कि उसके अंतर्गत घनआनंद, ठाकुर आदि की रचनाओं की तो बात ही क्या, विद्यापति, सूरदास आदि की भी रचनाएँ छाँटकर सर्वत्र नहीं तो बहुत से वर्गों में दी जा सकती हैं। फारसी और उर्दू की रचनाओं को भी उनके अंतर्गत यथास्थान किया जा सकता है। अतः यदि बिहारी के दोहे उन वर्गों के भीतर रखे गए हैं तो इसका तात्पर्य यह नहीं कि वे रीतिबद्ध कवियों से पृथक् किए ही नहीं जा सकते। विचारना यह चाहिए कि बिहारी ने अपनी रचनाओं में किस प्रकार की दृष्टि रखी है। इस पक्ष से विचार करने पर स्पष्ट हो जाएगा कि बिहारी ने अपनी स्वतंत्र वृत्ति से उनका निर्माण किया है और वे स्वयं किसी प्रकार के विभाजन के पक्ष में नहीं थे। यदि रत्नाकरजी की खोज सत्य हो और 'बिहारी-रत्नाकर' में बिहारी के दोहे जिस क्रम से रखे गए हैं वही बिहारी का अपना वांछित क्रम हो तो कहना पड़ता है कि वे इस वर्गीकरण के विरोधी नहीं थे तो इसके पक्ष में भी नहीं थे। यदि इसके पक्ष में वे होते तो इतना अवश्य होता कि किसी प्रकार की और क्रमस्थापना न भी होती तो एक ही प्रकार की रचनाएँ कुछ तो एक साथ होतीं। पर 'बिहारी-रत्नाकर' में यह बात नहीं है। केवल जायका बदलने के लिए दस-दस दोहों के बाद नीति या भक्ति के दोहे उसमें अवश्य रखे गए हैं। बिहारी ने यदि रीति के आधार को बावन तोला पाव रत्ती ग्रहण करके अपने दोहों का निर्माण किया होता तो ऐसा कदापि नहीं हो सकता कि एक संग्रहकर्ता उनका एक दोहा खंडिता में रखे तो दूसरा धीराधीरादि में। अर्थात् उनके दोहे कभी किसी एक के द्वारा एक वर्ग में रखे गए हैं और किसी दूसरे के द्वारा किसी दूसरे वर्ग में। यह बात सिद्ध कर देती है कि वे रीति की लकीर के फकीर उतने नहीं थे जितने समझे जाते हैं। इस प्रकार के कवियों को, जो रीतिविरुद्ध नहीं और लक्षणग्रंथ से ऐसे भी नहीं बँधे हैं कि तिल भर उससे हट न सकें, भले ही वे रीति की परंपरा को अपनी अभिव्यक्ति का आधार बनाते हों, रीतिसिद्ध कवि कहना चाहिए। इस प्रकार शृंगारकाल में तीन प्रकार के कवि दिखाई देते हैं—रीतिबद्ध, रीतिसिद्ध और रीतिविरुद्ध।

अब इन रीतिसिद्ध कवियों की विशेषताओं का विचार कीजिए। ऐसे कवि लक्षणग्रंथ लिखनेवाले रीतिबद्ध कवियों की भाँति रीति की शास्त्रकथित बातों का पूरा पालन नहीं करते थे। शास्त्रस्थिति-संपादन मात्र इनका लक्ष्य नहीं था। कहीं तो चमत्कारातिशय के लिए ये उक्तियाँ बाँधते थे और कहीं रसाभिव्यक्ति के लिए रीतिशास्त्रों में गिनाई हुई सामग्री का त्याग करके अपने अनुभव और निरीक्षण से प्राप्त उपलब्धि, सामग्री या नूतनता का सन्निवेश करते थे। किसी विशेष नायिका या नायक के स्वरूप के लिए जो बातें शास्त्रों में कही हुई हैं वे उपलक्षण मात्र हैं अर्थात् वे मार्गनिर्देश के लिए हैं। उनके सहारे नई-नई कल्पनाएँ कवि स्वयं कर सकता है, और भी बातें वह ला सकता है। शास्त्र का निर्माण पहले से प्राप्त सामग्री से ही होता है। लक्ष्य देखकर लक्षण का निर्माण हुआ करता है। पर रीतिग्रंथ लिखनेवाले कवि उन लक्षणों को ही सब कुछ समझते थे। परिणाम यह हुआ कि स्वतंत्र उद्‌भावना का मार्ग अवरुद्ध हो गया। भाषा के हेर-फेर से सबने उदाहरण एकत्र कर दिए, नई उद्‌भावना की ओर कम लोग प्रवृत्त हुए। पर यह बात अच्छे-अच्छे उन कवियों को भी खटकती थी जो रीतिग्रंथ लिखनेवाले थे। इसी से ठीक लक्षण के अनुरूप यदि कोई रचना नहीं बन पाती थी या ऐसी उक्तियाँ जो उन्होंने कभी स्वतंत्र रूप से बाँधी थीं या जो लक्षणानुयायिनी नहीं थीं तो उन्होंने अपनी रचनाएँ पृथक् रूप में भी रखी हैं और उनका स्वतंत्र संग्रह भी किया है। जहाँ तक नवीन उद्‌भावना की बात है देव कवि का उदाहरण रखा जा सकता है। नवीनोद्‌भावना देव में अधिक थी यह बात उनकी रचनाओं से स्पष्ट हो जाता है, पर वे इसके लिए भाषा का विचार नहीं करते थे। उन्होंने रीतिग्रंथ भी लिखा है और अपनी रचनाओं का स्वतंत्र संग्रह भी प्रस्तुत किया है। 'जातिविलास' से चाहे उनके निरीक्षण का पक्का पता न चलता हो, पर वे नई उद्‌भावना करने के फेर में अधिक रहते थे, यह तो प्रमाणित हो ही जाता है। बिहारी में उद्‌भावना की शक्ति थी और साथ ही भाषा पर भी उनका अधिकार था। दोहे में वाणी के विस्तार के लिए मैदान कम होने से बहुत संक्षेप या सूक्ष्म रूप से कार्य चलाना पड़ता है। बिहारी के दोहों में जो कसावट है अर्थात् उसमें संकेतित अर्थों की अधिक संभावनाओं की जो कारीगरी की गई है उसी का यह परिणाम है कि उसे खोलने के लिए लोगों को उन पर कुंडलियाँ बाँधनी पड़ीं। कसे भावों, अर्थों, विचारों को तूमकर फैलाना पड़ा या उन्हें धुनकर वे फैला सके।

बिहारी ने दोहे को चुनकर भी स्पष्ट कर दिया है कि रीतिबद्धता मात्र मेरा लक्ष्य नहीं है। बिहारी कोई प्रबंध न लिख सकते रहे हों यह बात तो स्वीकार की जा सकती है, पर यह नहीं कहा जा सकता कि वे कबित्त-सवैया नहीं लिख सकते थे। बिहारी के नाम पर खोज में कुछ कबित्त मिले भी हैं।[१] फिर उन्होंने दोहों में ही अपनी रचना क्यों प्रस्तुत की। वे चाहते तो अन्य समर्थ कवियों की भाँति नादसौंदर्य उत्पन्न करने के लिए

---

१. देखिए 'राजस्थानी भाषा और साहित्य'।

सवैयों में अपनी उक्तियाँ ढाल सकते थे। चौड़ी भूमि मिल जाने से उन्हें श्रम कम करना पड़ता। फिर भी उन्होंने दोहों को ही अपना प्रिय छंद क्यों बनाया? इस जिज्ञासा का समाधान यही है कि नादसौंदर्य से काव्य का प्रभाव तो बढ़ जाता है, पर काव्य के स्वरूप की ओर से दृष्टि कहीं-कहीं हटानी भी पड़ती है। नाद के लिए विशिष्ट शब्दों का चुनाव करना पड़ता है। जिस युग के कवि यह कहते हों कि तुकांत की विवशता या छंदों की अधीनता के कारण वाणी अपना स्वच्छंद प्रसार नहीं कर पाती, अतः तुकांतहीन और छंदोमुक्त कविता होनी चाहिए, उस युग के व्यक्तियों को यह समझाने की आवश्यकता नहीं कि बिहारी ने केवल नादसौंदर्य को महत्त्वशाली न समझकर अर्थरमणीयता या भावरमणीयता को ही कविता के लिए विशेष गौरवशाली माना है। जो नादसौंदर्य द्वारा प्रभावित करने की ओर प्रवृत्त होगा वह कभी-कभी काव्य की गंभीरता भूल भी जा सकता है। रीतिबद्ध कविता में कबित्तों और सवैयों में यह बात लक्षित भी होती है। ये कवि इन छंदों का चौथा चरण तो बहुत कुछ ठीक भावोत्तेजक बना लेते थे, पर शेष तीन चरण प्रायः उसी भाव की सजावट के लिए पीठिका के रूप में जोड़ देते थे। हिंदी के रीतिबद्ध कवियों में पद्माकर ऐसे उत्कृष्ट कवियों में भी सर्वत्र नहीं तो बहुधा यह प्रवृत्ति देखी जा सकती है। उनके 'जगद्विनोद' में बड़े अच्छे छंद हैं, उनमें नूतन कल्पना, दृश्य-चित्रण, भावभेद भी मिलता है, पर सर्वत्र नहीं। उनके प्रबोधपचासा, गंगालहरी में यह बात नहीं है और है भी तो कहीं-कहीं। कारण स्पष्ट है वे रीतिग्रंथ नहीं हैं। रीतिबद्ध मनोवृत्ति से क्या गड़बड़ी होती है इसके लिए देव कवि का एक उदाहरण लीजिए—

माखन सो मन दूध सो जोबन है दधि तें अधिकै उर ईठी।
जा छबि आगें छपाकर छाछ समेत सुधा बसुधा सब सीठी।
नैनन नेह चुबै कबि देव बुझावत बैन-बियोग अँगीठी।
ऐसी अनोखी अहीरी अहै कहौ क्यौं न लगै मनमोहनै मीठी॥

यह सवैया देव की बहुत उत्कृष्ट रचना है—जहाँ तक कलात्मक विधान का विचार है इसमें अहीरी के लिए जो उपमान रखे गए हैं अथवा उसके संबंध में जो कल्पनाएँ की गई हैं सब गोरस से संबद्ध हैं। मक्खन, दूध, दधि, छाछ (मट्ठा), सीठी (छानने से बचा निःसार द्रव्य), नेह (घी) और अँगीठी (जिस पर दूध पकता है), सभी गोरस-प्रसंग हैं। तुकांत भी ठीक है, कहीं ऐसा तोड़-मरोड़ नहीं है कि उसे भाषा की दृष्टि से बुरा कह सकें। चारों चरणों में एक-सा बंधान है। यह नहीं कि चौथा चरण तो शक्त है और शेष तीन चरण अशक्त। किंतु नादसौंदर्य के कारण और चरणों की तो कथा ही क्या, चौथा ही चरण गृहीत पद्धति के विपरीत हो गया है। 'मनमोहनै मीठी' में अनुनासिक वर्णों के कारण मधुरता है, श्रुति के लिए प्रियता है। किंतु विचारिए तो कि अहीरी जिसे मीठी लगनी चाहिए क्या उसका विशेषण 'मनमोहन' ठीक है! जो मन को मोहित करनेवाला है

उसके लिए किसी के मीठी लगने का क्या यही स्वारस्य हो सकता कि वह स्वयं स्वगत गुणों के कारण विशिष्ट हो। अर्थात् वह 'मनमोहन' को भी मीठी लग सकती है, सोहन को भी मीठी लग सकती है, किसी को भी मीठी लग सकती है। 'मनमोहनै' पद यहाँ प्रसंगानुकूल नहीं। 'क्यों न लगै' भी व्यर्थ हो जाता है। इस प्रश्नात्मक विधान की आवश्यकता क्या? होना यह चाहिए था कि श्रीकृष्ण के लिए भी यहाँ गोरस-प्रसंग का ही विशेषण रखा जाता। 'कहो क्यों लगै या गुपालहिं मीठी' कर देने से बात सटीक बैठ जाती। पर कवि ने नादसौंदर्य के लिए 'मनमोहनै मीठी' ही रखा। या यों कहिए कि देव के ध्यान में 'गुपाल' शब्द नहीं आया, उधर दृष्टि गई ही नहीं। यह पतत्प्रकर्ष चाहे जिस कारण भी हो, हो ही गया।

अब बिहारी का भी एक दोहा लीजिए—

चिरजीवौ जोरी जुरै क्यौं न सनेह गँभीर।
को घटि ये बृषभानुजा वे हलधर के बीर॥

यहाँ 'वृषभानुजा' (वृषभ = बैल + अनुजा = बहन = गाय) और 'हलधर के वीर' (हलधर = बैल के वीर = भाई अर्थात् बैल) के द्वारा जो समत्व की स्थापना की गई है उसमें चाहे आप गाय-बैल का जोड़ मिलाना अच्छा न समझें, चाहे आप इसे सखी का परिहास भी न मानें, पर यह तो मानना ही पड़ेगा कि कारीगरी करने पर कवि ने विशेष ध्यान दिया है। वह नादसौंदर्य या और किसी प्रकार के सौंदर्य के लिए अपनी उक्ति का बंधान बिगाड़े नहीं डाल रहा है।

इन सब बातों की चर्चा करने का तात्पर्य यह नहीं है कि बिहारी और देव में से किसी को घट-बढ़कर बतलाया जाए या बिहारी-देव का संग्राम नए सिरे से छेड़ा जाए, गड़े मुरदे उखाड़े जाएँ। प्रयोजन इतना ही है कि यह लक्षित करा दिया जाए कि बिहारी ने दोहे का ग्रहण करके किस प्रकार काव्य की बाहरी साज-सज्जा का त्याग कर उक्ति के भीतर ही अपनी सूक्ष्म कारीगरी दिखाने पर अपने को केंद्रित किया है। यह बात लक्षण का अनुगमन करने से नहीं आ सकती थी, यह विशेषता कविसमाज, राजसभा या अन्यत्र दंगल जीतने के लिए किए गए दाँव-पेंचों से उलझ जाने से नहीं आ सकती थी, यह बारीकी अन्य बाहरी उपचारों पर ही अधिक जोर देने से नहीं आ सकती थी। इसी से कहना पड़ता है कि बिहारी वस्तुतः रीतिसिद्ध कवि थे। उन्होंने उक्ति-वैचित्र्य के लिए अपनी स्वतंत्र सत्ता का, अपनी व्यक्तिगत विशेषता का व्यवहार अपने रीतिबद्ध बंधु-बाँधवों से कहीं अधिक खुलकर किया है। जिन्होंने रीतिग्रंथों में दोहों में ही लक्ष्य भी प्रस्तुत किए हैं उनकी उन रचनाओं में बिहारी के दोहे किसी प्रकार मिल नहीं सकते। यह बात केवल बिहारी के लिए ही सत्य नहीं है, ऐसे ही और भी अनेक कवियों के लिए सत्य है।

इस प्रकार शृंगारकाल में तीन प्रकार के कवि दिखाई देते हैं—रीतिबद्ध, रीतिसिद्ध

और रीतिविरुद्ध। भाव के उत्कर्ष के विचार से भी इनमें यही तारतम्य है। कला-विधान की दृष्टि से यह क्रम उलटा है। अर्थात् रीतिबद्ध, कलापक्ष को ही विशेष महत्त्वपूर्ण समझते थे। रीतिसिद्ध कवियों में भावपक्ष और कलापक्ष समान था और रीतिविरुद्ध या रीतिमुक्त कर्ताओं में भावपक्ष प्रधान था, कलापक्ष गौण। बिहारी रीति के प्रतिनिधि माने जाएँ पर इस व्यतिरेक के साथ कि इन्होंने रीति के शास्त्रीय बंधन के लिए ही अपनी उक्तियाँ नहीं बिगाड़ी हैं। यह ठीक है कि परंपरा के ज्ञान के बिना बिहारी के दोहे समझने में बहुतों को कठिनाई हो सकती है, यह भी ठीक है कि यदि रीति की परंपरा रूढ़िबद्ध न हो गई होती तो बिहारी ने जिस प्रकार की बहुत-सी पहेलियाँ बुझाई हैं वे बूझी नहीं जा सकती थीं। पर यह ठीक नहीं है कि बिहारी ने रीति के अंधानुसरण के कारण अपने व्यक्तित्व का लोप ही कर दिया है। बिहारी की स्वकीय विशेषताओं ने यह स्पष्ट कर दिया है कि रीति का अनुगमन करनेवाले भी दो प्रकार के थे। एक थे रीतिबद्ध स्वकीय-विशेषताविहीन कवि और दूसरे थे स्वकीय विशेषतासंपन्न रीतिसिद्ध कवि और बिहारी इनके सिरमौर थे।

सतसैया के दोहरे-मुक्तक

बिहारी की सतसैया के दोहे 'मुक्तक' हैं। इसलिए पहले 'मुक्तक' का विचार कर लेना चाहिए। 'मुक्तक' उस रचना को कहते हैं जो अपना अर्थ व्यक्त करने के लिए स्वतः समर्थ हो।[१] जिस छंद का लगाव पूर्वापर किसी दूसरे छंद से नहीं होता वह अनुबंधहीन स्वच्छंद पर स्वतः अर्थद्योतन में समर्थ रचना मुक्तक कहलाती है। प्रबंध की रचना सानुबंध होती है।[२] उसमें प्रवाह होता है। मुक्तक में प्रवाह नहीं होता, वह स्थिर रहता है। मुक्तकों में दो प्रकार की रचनाएँ होती हैं। एक को सरस या रसयुक्त कहना चाहिए और दूसरी को नीरस या रसविहीन। यहाँ रसविहीन कहने का तात्पर्य यह नहीं है कि वे चमत्कार-विधायक भी नहीं होतीं। रसविहीन से यहाँ तात्पर्य तथ्यव्यंजक रचनाओं से है। प्रबंध में भी सरस और नीरस दो प्रकार की रचनाएँ होती हैं, पर प्रबंध में धारा होती है, इसलिए उस धारा में मिलकर नीरस पद भी सरस हो जाते हैं। जैसे सभी प्रकार के गंदे जल मिलकर गंगा की पूत धारा का प्रभाव ग्रहण कर लेते हैं वैसे ही प्रबंध की धारा में मिलकर नीरस रचना भी सरस हो जाती है। पर मुक्तक स्वच्छंद रचना होती है, इसलिए उसकी नीरस कविता अनुगुणत्व को प्राप्त कर सरस हो ही नहीं सकती। वह जैसी होती है वैसी ही बनी रहती है। यह बात एक उदाहरण से स्पष्ट हो जाएगी। तुलसीदास का 'रामचरितमानस' प्रबंधकाव्य है, उसमें सरस और नीरस सब प्रकार की रचनाएँ हैं। पर उसके नीरस पद्य भी अपना महत्त्व रखते हैं। वे प्रसंग के अनुरोध से यथास्थान बैठकर रस की व्यंजना करने में सहायक होते हैं। इसलिए उन्हें सरस ही कहा जाएगा। पर

१. **मुक्तकं श्लोक एवैकश्चमत्कारक्षमः सताम्।**—अग्निपुराण।
२. **सर्गबन्धो महाकाव्यम्।**—साहित्यदर्पण।

रामचरितमानस के ऐसे ही रसगुणविहीन कितने ही दोहे उनके मुक्तक-संग्रह 'दोहावली' में भी संगृहीत हैं। दोहावली में उन रचनाओं को नीरस ही कहा जाएगा, क्योंकि वे वहाँ स्वतः कोई रसव्यंजना नहीं करतीं और न उन्हें रसव्यंजना में सहायता पहुँचाने का अवसर ही प्राप्त होता है।

मुक्तक रचना यद्यपि निरपेक्ष भाव से रची जाती है, पर उसमें जीवन का कोई चित्र लेकर अथवा व्यंग्य का आधार ग्रहण कर ही कुछ कहा जाए तो इस प्रकार के कथनों का प्रभाव शुष्क कथनों की अपेक्षा बहुत अधिक बढ़ जाता है। बिहारी ने जयसिंह को जिस दोहे द्वारा शृंगार की दलदल से बाहर किया उसी पर विचार कीजिए। यदि बिहारी केवल यह कहते कि नवोढ़ा के प्रेम में मुग्ध होकर सब काम-काज छोड़ देनेवाले की बड़ी दुर्दशा होती है तो कदाचित् उस दोहे का प्रभाव उन पर वैसा न पड़ता या पड़ता ही नहीं। पर प्रभावोत्पादकता के लिए बिहारी ने प्रकृति से खंडचित्र लेकर उसका चित्रण किया और उसका प्रभाव राजा पर जैसा पड़ा वह प्रसिद्ध है। ऐसा कहने का अभिप्राय यही है कि जब तक मुक्तक में जीवन या जीवन के आनुषंगिक व्यापारों के मेल में आनेवाला खंडचित्र लेकर कोई बंधान न बाँधा जाएगा तब तक उसमें न तो सरसता ही आ सकती है और न अवसर प्राप्त होने पर वह वैसा प्रभावशाली ही हो सकता है। मुक्तकों की रचना करने में जो कवियों की प्रशंसा की गई है वह केवल इसीलिए कि उन्होंने जीवन के ऐसे-ऐसे मार्मिक वृत्त लिए हैं जो रसमग्न कर सकते हैं अथवा भावोद्रेक करने में सहायक हो सकते हैं, इसलिए नहीं कि उन्होंने कोई सुंदर नीतिवाक्य कहा है। इतना ही नहीं, मुक्तकों में मर्मस्पर्शी वृत्तों का चुनाव इतना स्पष्ट होना चाहिए कि पाठक उस तक शीघ्र पहुँच सके और यह चुनाव भी सामान्य जीवनक्षेत्र से ही होना चाहिए, जिससे उसमें सबको अनुरंजित करने की क्षमता हो। जिन मुक्तकों में प्रसंग के आक्षेप में कठिनाई पड़ती है और जिनके लिए नाना प्रकार के अवतरणों का आक्षेप संभाव्य होता है, उन्हें मुक्तकों की दृष्टि से उतना उत्तम नहीं कहा जा सकता। संस्कृत के 'अमरुशतक' में कवि ने ऐसे सरस प्रसंगों की योजना की है कि पाठक उसे पढ़ते ही रसमग्न हो जाता है। उसके संदर्भ के इस चुनाव को दृष्टि में रखकर संस्कृत के प्रसिद्ध आचार्य आनंदवर्धन ने कहा है कि 'अमरुककवेरेकः' श्लोकः प्रबन्धशतायते' (—अमरुशतक टीका)। इसका तात्पर्य यही है कि उन प्रसंगों में रसमग्न करने की शक्ति बहुत अधिक है। हिंदी में सूरदास का सूरसागर और तुलसीदास की कबित्तावली, रामगीतावली, श्रीकृष्णगीतावली आदि भी मुक्तक रचनाएँ ही हैं। उनके प्रत्येक पद्य निरपेक्ष हैं। पर उनमें प्रबंधकाव्यों की सी रसमग्नता इसीलिए है कि वहाँ ऐसे वृत्त लिए गए हैं जो मर्मस्थल पर चोट करनेवाले हैं, चित्त के भावों को बहुत शीघ्र उद्‌बुद्ध करनेवाले हैं। तुलसीदास की गीतावली में इस दृष्टि से यथास्थान रामचरितमानस की अपेक्षा अधिक सरसता है, क्योंकि उसमें कोमल भावों को उद्दीप्त करनेवाले प्रसंगों का ही चुनाव करके कुछ कहा गया है। अन्य मुक्तक-काव्यों से इनमें एक बात का अंतर अवश्य पड़ता है। अन्य मुक्तकों में किसी विशेष

कथा में से ही मर्मस्पर्शी प्रसंगों का चुनाव नहीं किया जाता, पर इन कवियों ने राम और कृष्ण के जीवन से ही उन रससिक्त प्रसंगों को चुना है। इसीलिए उनमें कथा का स्थूल क्रम भी रहता है। कुछ लोग भ्रमवश ऐसे ग्रंथों को भी प्रबंधकाव्य कह दिया करते हैं। उनके भ्रम का कारण है इनमें एक ही कथा से वर्ण्य प्रसंगों का संग्रह। पर स्मरण रखना चाहिए कि ऐसी रचनाएँ सानुबंध नहीं कहला सकतीं।

सतसैया के ढंग की जो मुक्तक रचनाएँ मिलती हैं उनमें रसव्यंजक रचनाओं और नीतिकथनों के अतिरिक्त सूक्तियाँ भी मिलती हैं। सूक्तियाँ किसी रस या भाव की व्यंजना या उद्रेक नहीं करतीं, वे केवल चमत्कारविधायक होती हैं। काव्य के चरम लक्ष्य को दृष्टि में रखकर यद्यपि सूक्तियाँ काव्य की आदर्श रचनाएँ नहीं कही जा सकतीं तथापि चमत्कार का विधान करने के कारण उन्हें भी काव्य की नीची कोटि में रख सकते हैं। ऊपर जो सरस और नीरस नाम से मुक्तक के दो प्रकार कहे गए हैं उनमें नीरस रचनाओं में ऐसी ही चमत्कारविधायक और साथ ही नीतिबद्ध कुछ उक्तियाँ आ सकती हैं। पर नीति की सभी उक्तियाँ अथवा शुष्कनीति का प्रवचन करनेवाली रचनाएँ काव्य नहीं कहला सकतीं। यदि ऐसी-ऐसी उक्तियों को काव्य माना जाएगा तो फिर चाणक्य के नीतिवाक्य भी काव्य ही कहे जाएँगे; पर उन्हें कोई काव्य नहीं कहता।

हिंदी में इस प्रकार की मुक्तक-रचना करनेवालों ने अधिकांश नीतिवाक्य कहे हैं। केवल तथ्यकथन काव्य का लक्ष्य नहीं है। दृष्टांत आदि की योजना से अलंकार का चमत्कार उत्पन्न हो जाने से लोग भले ही उन्हें काव्य के भीतर मानें; पर काव्य के शुद्ध लक्ष्य से वे च्युत ही समझी जाएँगी। पर सूक्तियाँ वैसी नहीं होतीं। उनमें कोई भाव न हो, पर वचन की वक्रता अवश्य रहती है। वचन की इस वक्रता को भारतीय परंपरा काव्य मानती आई है। कविता और सूक्ति मात्र का अंतर स्पष्ट करने के लिए कुछ उदाहरण लीजिए—

सटपटाति सी ससिमुखी मुख घूँघट पट ढाँकि।
पावक झर सी झमकि कै गई झरोखा झाँकि॥

इसमें नायिका की अभिलाष-दशा का चित्रण है। वह लपककर झरोखे से नायक की छवि देख जाती है, और लोग कहीं मुझे इस प्रकार झाँकते देख न लें इसलिए सटपटाती-सी है, लज्जा के कारण झाँकने से हिचकती है। मुख को घूँघट में भली-भाँति छिपा लेती है। इसमें यदि रसाभ्यासी रस के चारों अवयव ढूँढकर रस की स्थापना करना चाहें तो वे भी उन्हें साफ-साफ मिल जाएँगे। अनुभावों की सम्यक् योजना है ही, जो बिहारी की बहुत बड़ी विशेषता है। त्रास, व्रीड़ा, उत्सुकता आदि संचारी भी प्रत्यक्ष हैं। इसके पढ़ने से भावोद्रेक में सहायता मिलती है, रसमग्नता इस दोहे में पूरी है। अतः काव्य के लक्षण के अनुसार कविता का यह ठीक उदाहरण है। अब एक सूक्ति लीजिए—

कनक कनक तें सौगुनी मादकता अधिकाय।
वा खाएँ बौरात है या पाएँ बौराय॥

कवि दिखाना चाहता है कि सोने के पाने से मनुष्य मदमत्त हो जाता है। इस मादकता की व्यंजना के लिए वह युक्ति से काम लेता और कहता है कि कनक धतूरे को भी कहते हैं और सोने को भी। धतूरे के खाने से घोर नशा होता है। पर नशा धतूरे के खाने से चढ़ता है, छूने मात्र से नहीं। यदि किसी वस्तु के छूने से ही नशा चढ़ने लगे तो उस वस्तु में मदमत्त करने की शक्ति धतूरे से अधिक अवश्य मानी जाएगी। यही बात सोने में है। जो इसे पा जाता है वही मदमत्त हो जाता है, पागल हो जाता है। इसलिए धतूरे से इसमें बहुत अधिक मादकता है। सोना मनुष्य को अत्यधिक मतवाला कर देता है, यह सिद्ध हुआ। इस युक्ति में कोई भाव नहीं है, किसी रस की व्यंजना नहीं है। तथ्य का चतुराई से समर्थन किया गया है। इस चतुराई की कहन में चमत्कार है, विलक्षणता है। इसी विलक्षणता के कारण इसे सूक्ति कहा जाएगा। इसे अलंकारिक काव्यलिंग अलंकार मानेंगे। किसी भाव का उद्रेक न करने के कारण यह उक्ति सरस कविता की कोटि में न जाकर केवल सूक्ति की कोटि में रहेगी। इस प्रकार के चमत्कार-विधायक कथन हिंदी के अन्य मुक्तक-रचयिताओं में तो अधिक है, पर बिहारी में कम। बिहारी ने केवल शुष्क कथन द्वारा नीति की उक्ति नहीं बाँधी। उन्होंने बराबर किसी ऐसे दृष्टांत या युक्ति से काम लिया है जो उस तथ्य की सार्थकता प्रमाणित करने में सहायक हो। इस युक्ति के कारण बिहारी में सूक्तियाँ तो पाई जाती हैं, पर कोरे नीतिकथन नहीं। बिहारी की अन्य मुक्तक रचयिताओं से यह भी एक विशेषता है।

बिहारी ने सूक्तियों के अतिरिक्त जो रसमय रचना की है उसके संबंध में यह जान लेना आवश्यक है कि प्रसंगों की ऊहा करने में भी वे प्रवीण थे। यह बात तो अवश्य स्वीकार की जा सकती है कि प्रेम के विस्तृत क्षेत्र में बहुत दूर तक धावा मारने का उद्योग बिहारी ने नहीं किया, कुछ बँधे हुए ही प्रसंगों को लेकर अपनी कला दिखाई, पर यह मानने में कोई आपत्ति नहीं कि उन्होंने इन बँधे प्रसंगों के भीतर जैसे सरस संदर्भों का ग्रहण किया वह उनकी प्रतिभा और उपज का द्योतक है। इसी कारण बिहारी की रचना लोगों को बहुत दिनों तक रसमग्न करती रही। यद्यपि रीतिशास्त्र की लकीर पीटनेवाले कवियों की भाँति बिहारी ने बँधकर अपनी रचना नहीं की, मुक्तक की पुरानी परंपरा पर ही स्वच्छंद रूप से अपने को उड़ने दिया, फिर भी समय का प्रभाव उन पर पड़ा ही, क्योंकि रीतिशास्त्र की लकीर से सटकर चलते हुए वे बराबर लक्षित होते हैं। रसखानि, ठाकुर, घनआनंद आदि ने प्रेम की वेदना और आधिक्य को लेकर जैसा उसका विस्तार दिखाया वैसा बिहारी में थोड़ा बहुत बराबर मिलता है, पर साथ ही रीति के कवियों से भी होड़ लेनेवाली कृति उनमें बहुत पाई जाती है। इसका कारण था उस समय की रुचि और आवश्यकता। चमत्कार का आग्रह करनेवाली दरबारी प्रवृत्ति ने

मुक्तक को प्रमुख माना। भारतीय परंपरा प्रबंध को और अनुज्झितार्थसंबंध प्रबंध को ही उत्कृष्ट जानती-मानती थी, प्रकीर्ण या मुक्तक की मनमानी रचना को नहीं।[1] अतः जो मुक्तक-रचना को प्रबंध-रचना से श्रमसाध्य और उत्कृष्ट सिद्ध किया करते हैं वे 'जिसका व्याह उसके गीत' गाया करते हैं। रसाभिव्यक्ति की अपेक्षा के अनुरूप होने से ही रचना उत्तम होती है। उस पर ध्यान न रखकर शास्त्रस्थिति-संपादन में जो कोई लगा वह भी प्रबंध अच्छा न लिख सकेगा, जैसे केशवदास। पर मुक्तक लिखनेवाले विद्यापति या सूरदास काव्य के तत्त्वों का अधिक ध्यान रखनेवाले कहे जाएँगे। केशवदास ऐसे प्रबंधकारों से भी उनको उत्कृष्ट कहा जा सकेगा। बिहारी ने सर्वत्र चमत्कार पर ही दृष्टि नहीं रखी है, अतः अन्य मुक्तककारों से उनका पार्थक्य निश्चित है। उनकी रचना के मान का कारण केवल चमत्कार नहीं, हृदय और कला दोनों पक्षों का सम योग कारण है, जो उनके समानधर्माओं में नहीं था।

दोहा

मुक्तक का विचार होने के अनंतर दोहे का विचार प्रसंग प्राप्त है। 'दोहा' या 'दूहा' अपभ्रंश भाषा का प्रसिद्ध छंद है। 'श्लोक' कहने से जैसे संस्कृत की रचना का संकेत मिलता है और गाथा कहने से प्राकृत का, वैसे ही 'दूहा' कहने से अपभ्रंश का। अपभ्रंश की अधिकतर रचना 'दूहे' में है। यह शब्द कैसे बना यह बताना कठिन है। कुछ संस्कृत के पंडित कहते हैं कि यह 'दोधक' शब्द से बिगड़कर बना, 'दोधक' और 'दोहे' का कोई साम्य नहीं। दोधक वर्णवृत्त है। उसमें तीन भगण और दो गुरु होते हैं, अर्थात् प्रत्येक चरण में १७ मात्राएँ होती हैं। दोहा अर्धसम छंद है। इसके पहले-तीसरे और दूसरे-चौथे चरण समान मात्रा के होते हैं। विषम चरणों (पहले-तीसरे) में १३-१३ और सम चरणों (दूसरे-चौथे) में ११-११ मात्राएँ होती हैं। संस्कृत में अधिकतर वर्णवृत्तों का ही व्यवहार होता है। मात्रिक छंद वहाँ नाममात्र का 'आर्या' है। अपभ्रंश और हिंदी में तथा अन्य देशी भाषाओं में मात्रिक छंदों का अधिकतर व्यवहार होता है, वर्णवृत्त नाम मात्र के हैं। हिंदी में कबित्त (दंडक, मनहरण, घनाक्षरी) तथा सवैया (२२ वर्ण से २६ वर्ण तक के वृत्त) ही ऐसे हैं जो हिंदी के अपने वर्णवृत्त हैं। और सब छंद मात्रिक हैं। अन्य वर्णवृत्त संस्कृत से उधार लिए जाते हैं। संस्कृत में कबित्त-सवैये का व्यवहार बाद में हिंदी से लेकर कुछ कवियों ने किया है; पुराकाल में वहाँ इनका पता नहीं था। अपभ्रंश के उत्थान के पूर्व ये थे ही नहीं, व्यवहार कहाँ से होता। इसलिए यदि कहना चाहें तो कह सकते हैं कि मात्रिक छंद हिंदी के हैं, वर्णवृत्त संस्कृत के। हिंदी के जो वर्णवृत्त हैं उनमें कबित्त में वर्णों की नियत संख्या है, पर स्वर का नियम नहीं है। प्रवाह के अनुरोध

---

१. **बह्वपि स्वेच्छया कामं प्रकीर्णमभिधीयते।**
अनुज्झितार्थसंबंधः प्रबंधो दुरुदाहरः॥

से लघु-गुरु का विधान है। सवैये की भाँति गणव्यवस्था यहाँ नहीं है। यह मुक्त छंद है। इसी से इसे मुक्तक कहते हैं। सवैये में संस्कृत-वर्णवृत्तों की भाँति लघु-गुरु का नियम है। उसका प्रवाह ऐसा है कि हिंदी भाषा उस नियम को भंग कर देती है। पुराने या खड़ी बोली के कवियों का कदाचित् ही कोई ऐसा सवैया मिले जिसमें दीर्घ को लघु न पढ़ा जाता हो। व्रजभाषा ह्रस्व को आवश्यकतावश गुरु भी कर लेती है, यह दूसरी बात है। खड़ी बोली ऐसा नहीं करती फिर भी सवैये उसमें बहुतों ने लिखे हैं। उसका प्रवाह या गति बड़ी लचकीली है। तात्पर्य यह कि हिंदी को वर्णों का नियत उतार-चढ़ाव या वर्णवृत्त भाते नहीं थे। यह दूसरी बात है कि समर्थ कवियों ने संस्कृत-वर्णवृत्तों में भी बहुत सी रचना कर डाली। इससे स्पष्ट हो गया कि दोधक से दोहे का कोई संबंध नहीं। वह सम वृत्त है। अतः इस अर्धसम का उसकी अनुकृति पर बनना नहीं माना जा सकता।

कुछ लोग कहते हैं कि दोहा उसी प्रकार बना होगा जैसे चौपाई, चौपई या छप्पय। जिसमें चार पद या चरण हों वह चौपई या चौपाई या जो चार पंक्तियों में लिखी जाए वह चौपई अथवा चौपाई। जो छः पंक्तियों में लिखा जाए वह छप्पय। इसी प्रकार जो दो पंक्तियों में लिखा जाए वह दोहा। छप्पय में वस्तुतः दो छंद होते हैं—रोला और उल्लाल या उल्लाला। शास्त्र के अनुसार उसमें आठ चरण होते हैं। पर छः पंक्तियों में लिखे जाने के कारण उसे 'छप्पय' ही कहते आए हैं। रोला के चार चरण चार पंक्तियों में और उल्लाल या उल्लाला के चार चरण दो ही पंक्तियों में। इसी प्रकार दोहे में होते तो चार चरण हैं पर यह लिखा दो पंक्तियों में जाता है। पहले-दूसरे चरण एक पंक्ति में और तीसरे-चौथे दूसरी पंक्ति में। प्रत्येक पंक्ति छंदशास्त्र में 'दल' कही जाती है। अतः यह 'दो + पद' से बना होगा। 'पद' से 'हा' न निकले तो 'दो + पथ' की कल्पना की जाए।[१] यह भी कहा जाता है कि प्राकृत की 'गाथा' से भी इसकी निरुक्ति हो सकती है। 'दो + गाथा' से 'दो + गाहा', दोआहा, दोहा बन गया। 'दोहा' में 'हा' को प्रत्यय भी मान सकते हैं—'दो (पंक्तियों) वाला'। जो भी हो, यह तो निश्चित है कि 'दो' यहाँ संख्या का बोधक अवश्य है। 'दोहे' के लिए 'दोहरा' शब्द भी चलता है। इसे चाहे 'दोहा' में 'डा' लगाकर 'हिय' से 'हियरा', 'जिय' से 'जियरा' की भाँति मानें या यह कहें कि दो + सर (सर = स्रज् = लर) से यह बना। 'सल' वस्त्र की सिकुड़न के लिए, या उसकी लकीर के लिए, चिह्न के लिए चलता है। अथवा सीधे 'दो + हार या हरा' से बन गया अथवा दो + धड़ (धड़ = धड़ी = परत, तह जैसे 'दोहर' में, जो ओढ़ने के काम आती है अथवा रेखा या लकीर जैसे 'ओठों पर पान की धड़ी') से। 'हा' कैसे बना यह संदिग्ध है, पर इसका संबंध पंक्ति से होना चाहिए। 'दोहा' ही उलटकर 'सोरठा' हो जाता है। पर 'सोरठा' शब्द 'दोहा' की निरुक्ति में कोई सहायता नहीं करता। जान पड़ता है कि

१. **छन्दसा द्विपथेन स्याद्द्विपथः स्वरमुक्तिकः।**
प्राकृते दोहसंज्ञोऽसौ तस्य भेदा नव त्विमे॥

—संगीतरत्नाकर, प्रबंधाध्याय, २३१-३२।

अपभ्रंश-युग में दोहे को उलटने की प्रथा सौराष्ट्र (गुजरात) में चली, इसी से वह 'सोरठा' हुआ। 'सोरठ' राग का संबंध भी वहीं से होगा।

इसके चारों चरणों में सब मिलाकर ४८ मात्राएँ होती हैं। यदि वर्णों की गणना की जाए तो इसमें कम-से-कम २४ और अधिक-से-अधिक ४६ वर्ण आ सकते हैं। इतने छोटे साँचे में कवि को कितनी ही बातें कहनी रहती हैं। भाव की सारी सामग्री या रस का समूचा चक्र स्थापित करना पड़ता है। कबित्त, सवैया आदि बड़े छंदों में यह बात नहीं होती, उनमें कहने को पूरा मैदान मिलता है। इसलिए दोहे में सफलतापूर्वक अधिक कह सकना कठिन अवश्य है। जिसमें समासपद्धति से व्यक्त कर सकने की क्षमता होगी वही दोहे में भली-भाँति कुछ कह सकता है। दोहे की इस सामासिकता को ध्यान में रखकर ही रहीम ने कहा था—

दीरघ दोहा अरथ के आखर थोरे आहिं।
ज्यौं रहीम नट कुंडली सिमिटि कूदि चलि जाहिं॥

नट जब किसी गोल घेरे और विशेषतः जलते हुए घेरे के बीच से निकलना चाहता है तब अपने शरीर को भली-भाँति समेटकर, शरीर को खूब तौलकर उछलता है और उसके भीतर से पार हो जाता है। ठीक इसी प्रकार दोहे में भी भावों और उनके व्यंजक शब्दों को खूब समेटना पड़ता है, उन्हें सामाजिक रूप में लाना पड़ता है, उन्हें खूब तौलकर रखना पड़ता है। जिस प्रकार जौहरी किसी आभूषण में रत्नों को जड़ता है उसी प्रकार दोहे में शब्द बैठाए जाते हैं। किसी शब्द को इसीलिए ठीक-ठीक बने हुए दोहे से निकाला जाए तो दोहा खंडित दिखाई देने लगेगा, जिस प्रकार आभूषण किसी रत्न के गिर जाने से अशोभन जान पड़ने लगता है। इसी से रहीम ने दोहे की प्रशंसा में फिर कहा—

रूप कथा पद चारु पट कंचन 'दोहा' लाल।
ज्यौं ज्यौं निरखत सूक्ष्म गति मोल रहीम बिसाल॥

जिस प्रकार ध्यान से किसी रत्न को देखने से उसकी नई-नई बारीकियाँ दिखाई पड़ती हैं उसी प्रकार दोहे में भी। बिहारी में यह गुण बराबर मिलता है। उनके दोहरों की यह प्रशस्ति प्रसिद्ध है—

सतसैया के दोहरे ज्यौं नावक के तीर।
देखत कौं छोटे लगैं घाव करैं गंभीर॥

नलिका के द्वारा चलाए गए तीर छोटे होने पर भी गहरा घाव करते हैं। बिहारी के दोहे छोटे होने पर भी भारी चोट करते हैं, हृदय पर उनका प्रभाव विशेष पड़ता है। समासपद्धति की विशेषता का उद्घाटन करने के लिए संस्कृत का कोई बड़ा छंद लीजिए,

जिसका भाव दोहे में अनूदित किया गया हो—

शून्यं वासगृहं विलोक्य शयनादुत्थाय किञ्चिच्छनै-
र्निद्राव्याजमुपागतस्य सुचिरं निर्वर्ण्य पत्युर्मुखम्।
विस्रब्धं परिचुम्ब्य जातपुलकामालोक्य गण्डस्थलीं
लज्जानम्रमुखी प्रियेण हसता बाला चिरं चुम्बिता॥
मैं मिसहा सोयौ समुझि मुँह चूम्यौ ढिग जाय।
हँस्यौ खिस्यानी गर गह्यौ रही गरें लपटाय॥

दोहे में उक्ति नायिका की है और संस्कृत-छंद में सखी की उक्ति है। दोहे में भाव बड़े संक्षेप में व्यक्त किया गया है। संस्कृत-कवि ने परिस्थिति का वर्णन स्पष्ट शब्दों में कर डाला है। दोहे में वह आक्षिप्त करनी पड़ेगी, उसकी कल्पना पाठकों पर छोड़ दी गई है। संस्कृत-उक्ति में चेष्टाओं और अनुभावों का कथन कुछ विस्तार से है, दोहे में थोड़े शब्दों में ही वे सब बातें कह डाली गई हैं। संस्कृत-उक्ति की परिस्थिति को संक्षेप में कहा जा सकता था, दोहे में कहा ही गया। पर दोहे में अब कमी की जगह नहीं। ऐसी ही चुस्ती दोहे के लिए आवश्यक है। दोहे की दूसरी पंक्ति में जो नायक-नायिका के पर्यायव्यापारों का चित्रण है वह भी ध्यान देने योग्य है।

दोहे की समासपद्धति का पता सांगरूपकों के निर्वाह, पर्यायव्यापारों के समाहार और विविध चेष्टाओं के एक साथ संयोजन से लगाया जा सकता है। उदाहरण लीजिए—

खौरि पनिच भृकुटी धनुष बधिक समर तजि कानि।
हनत तरुन मृग तिलक सर सुरक भाल भरि तानि॥

धनुष का रूपक है। धनुष चलाने में पहले तो दो पक्ष होते हैं—एक बाण चलानेवाला, दूसरा लक्ष्य। बाण चलानेवाले के पास धनुष और बाण होते हैं। धनुष में भी एक तो लचकीला डंडा लगा होता है और दूसरी डोर होती है, जिसे प्रत्यंचा कहते हैं। बाण में उसका दंड और सिरे पर 'फल' या 'अनी' होती है। इतनी सब बातें दोहे में हैं, उपमान ही नहीं उपमेयपक्ष भी शाब्द है, कथित है। सिर पर लगी खौर प्रत्यंचा, भृकुटि धनुष, तिलक बाण और सुरक भाल (अनी) है; चलानेवाला (वधिक) कामदेव और तरुण लोग लक्ष्य (मृग) हैं। यही नहीं, कार्य-व्यापार भी है, 'भरि तानि' भी है।

विरह की दशा के बाह्य व्यापारों का यह चित्रण भी देखिए—

पलन प्रगटि बरुनीनि बढ़ि नहिं कपोल ठहरात।
अँसुवा परि छतिया छिनक छनछनाय छिपि जात॥

इसी से मिलता-जुलता 'कुमारसंभव' गत पार्वती-तपस्या में वर्षा के

प्रथम-जल-बिंदुपात का वर्णन भी है—

स्थिताः क्षणं पक्ष्मसु ताडिताधराः पयोधरोत्सेधनिपातचूर्णिताः।
बलीषु तस्याः स्खलिताः प्रपेदिरे चिरेण नाभिं प्रथमोदबिन्दवः॥

दोहे में अश्रुबिंदु चार स्थानों पर पहुँचता है—पल, बरुनी, कपोल और छाती पर, श्लोक में भी प्रथमोदबिंदु चार स्थानों पर जाते हैं—पक्ष्म, अधर, पयोधर और बली में। दोहे में अंततोगत्वा आँसू भाप बनकर अदृश्य हो जाता है और श्लोक में उसकी अंतिम गति नाभि है।

समासपद्धति की सारी शक्ति भाषा की चुस्ती और सामर्थ्य में होती है। वृंद आदि कवियों में अधिकपद और कथितपद ऐसे दोष भाषा या वाणी की शक्ति का उपयोग न कर सकने के कारण हो गए हैं।

हिंदी में समासपद्धति की शक्ति का परिचय सबसे अधिक बिहारी ने दिया। इनके दोहों में मात्राओं की घट-बढ़ नहीं जैसी कई कवियों में पाई जाती है। इनकी इसी विशेषता के कारण इनके दोहे किसी की रचना में न मिल सके, पर दूसरों के ऐसे दोहे जो इस समासशक्ति का प्रमाण देनेवाले हैं इनकी रचना में अवश्य प्रविष्ट हो गए, जैसे नीचे का यह दोहा जो रसलीन का कहा जाता है—

अमी हलाहल मद भरे सेत स्याम रतनार।
जियत मरत झुकि झुकि परत जेहि चितवत इक बार॥

प्रेम में प्रेमी की वृत्तियाँ चारों ओर से सिमटकर प्रिय और अपने में ही बद्ध रह सकती हैं और फैलकर लोक में छा भी सकती हैं। प्रेम की तीव्रता लोक से उदासीन होकर प्रेम का एकांत रूप सामने लाती है, लोक के प्रति उन्मुख होकर एकांत का त्याग भी करती है। भारतीय साहित्य-परंपरा लोकोन्मुख प्रेम की प्रशंसिका या ग्राहिका रही है। पुराने संस्कृत-काव्यों में तो वही रूप मिलेगा। पर आगे चलकर दरबारी प्रवृत्ति बढ़ी और काव्य में प्रेम राजाओं के प्रासादों में सिमटकर रह गया। विदेशी साहित्य भी ऐकांतिक प्रेम का पक्षपाती मिला। श्रीकृष्ण के प्रेम का रूप भी भक्तों ने कुंजों में घेर दिया। फिर हिंदी की मुक्तक-रचना में लोकोन्मुख प्रेम कैसे टिकता। सूरदास आदि भक्तों की रचना में तो फिर भी कुछ चौड़ी भूमि बच गई। लीलापुरुषोत्तम की लीलाभूमि में यदि विश्व नहीं तो वृंदावन, बरसाना, मथुरा आदि तो हैं। यमुना का कछार है, वन, कुंज, खेत, कंदराएँ आदि हैं और है गो-बछड़े, ग्वाल-मंडली और नवेली गोपिकाएँ; दूध, दही, मक्खन, छाछ आदि; उनको लेकर अनेक लीलाएँ। पर पीछे के कवि रीति के भीतर श्रीकृष्ण और राधिका का नाम तो लेते रहे, पर पास-पड़ोस और सौतों से आगे न बढ़ सके।

प्रेम के संयोगपक्ष में बहिर्वृत्ति प्रधान होती है। उसमें आलंबन का रूप और उसकी चेष्टाएँ आती हैं, हावों का और ऋतुओं का उद्दीपन आता है। अर्थात् संयोग में

नखशिखवर्णन और षड्ऋतु की उक्तियाँ आती हैं। इनमें से बिहारी ने नखशिख का ग्रहण तो अधिक किया है, पर ऋतुओं का नाममात्र का ही। नखशिख के भीतर इन्होंने अधिक रचना नेत्रों पर की। अंतर्गत भावों को व्यक्त करनेवाला मुख है और उसमें मुख्यता नेत्रों की है, इन्होंने नेत्रों के अनेक व्यापार दिखाए हैं—उनका संचार, बेधकता, चंचलता, विशालता आदि आदि। कहीं सीधा वर्णन है और कहीं रूपक, उत्प्रेक्षा, उपमा, श्लेष आदि की लपेट है।

शृंगार में अन्य रसों की अपेक्षा उद्दीपन के संबंध में एक विशेष बात देखी जाती है। अन्य रसों में बाहरी उद्दीपन या तो आते ही नहीं या बहुत कम आते हैं। पर शृंगार में बाहरी उद्दीपन भी आया करते हैं। नदीतट, चंद्रिका, पवन, ऋतु आदि शृंगार के बाहरी उद्दीपन हैं। इसीलिए कवियों ने ऋतु का वर्णन प्रायः शृंगार के उद्दीपन-रूप में ही किया है। 'नखशिख' ही नहीं 'षड्ऋतु' की भी पुस्तकें शृंगारकाल में बनीं। इन्होंने ऋतुओं का वर्णन कहीं-कहीं उन्मुक्त भी किया है, यद्यपि कुछ टीकाकारों ने उसमें भी प्रसंग का विधान शृंगार के अनुकूल कर लिया है। उदाहरण लीजिए—

छकि रसाल-सौरभ-सने मधुर माधवी-गंध।
ठौर ठौर झूमत झँपत झौंर-झौंर मधु-अंध॥

वसंत का सीधा वर्णन है, पर इसमें भी इस अवतरण की कल्पना कर ली गई है कि सखी संघट्टन के उद्देश्य से ऐसा नायिका से कह रही है। अब पावस के घने अंधकार की व्यंजना लीजिए—

पावस-घन-अँधियार में रह्यौ भेद नहिं आन।
राति-द्यौस जान्यौ परत लखि चकई-चकबान॥

इसमें 'चकई-चकवे' की रात में अलग रहनेवाली कविसमयसिद्ध प्रकृति को लेकर कुछ लोगों ने बिहारी के 'प्रकृति-निरीक्षण' में दोष निकाला है। 'पक्षी-विज्ञान' के कितने ही ग्रंथ उलटे हैं और बतलाया है कि चक्रवाक हंस की ही जाति का पक्षी है और हंस के साथ वह भी वर्षा में उड़ जाता है। इसके अतिरिक्त चकई-चकवे का रात में अलग रहना भी प्रकृतिसिद्ध बात नहीं है, आदि आदि। पर इतनी दूर तक दौड़ लगाने की आवश्यकता ही क्या। यदि चकई-चकवा बरसात में उड़कर कहीं चले जाते हैं तो वे पाले हुए माने जाएँगे, जैसा बड़े बाबुओं और नरेशों के यहाँ अब भी देखा जाता है। यदि चकई-चकवे की प्रकृति रात में अलग रहने की नहीं है तो कविपरंपरा में तो प्रसिद्ध है। चातक कहाँ केवल स्वाति नक्षत्र का जल पीता है।

शृंगार के संयोगपक्ष में सौंदर्य, दीप्ति, कोमलता आदि की वस्तुव्यंजना भी होती है। इस प्रकार की व्यंजनाएँ अधिकतर अनुमान पर ही टिकी हैं, इसलिए काव्योपयुक्त नहीं कही जा सकतीं। पर कुछ लोग जिस प्रकार ज्योतिष आदि को लेकर इनकी प्रशंसा

का पुल बाँधते हैं उसी प्रकार इन उक्तियों को लेकर भी—

पत्राहीं तिथि पाइयै वा घर कें चहुँ पास।
नितप्रति पून्यौई रहै आनन-ओप-उजास॥

हृदय पर किसी के मुख की प्रभा का जो प्रभाव पड़ता है उसी का वर्णन काव्योपयोगी हो सकता है। काव्य का साधक शुद्ध अनुमान नहीं होता, भावप्रेरित तर्क हो सकता है। यदि कहा जाए कि मुख की चमक ऐसी है मानो वे अपनी मंडली के चंद्रमा हैं; तो काव्यार्थ साध्य होगा। पर यदि यह कहा जाए कि उनके मुखचंद्र के प्रकाश से उस मुहल्ले में रात में दीपक जलाने की जरूरत नहीं पड़ती तो अर्थ सिद्ध होगा और काव्य के उद्देश्य में बाधक बन जाएगा। इन्होंने दोनों प्रकार की उक्तियाँ रखी हैं।

स्नेह के संबंध में प्राचीन प्रवाद है कि वियोग में वह क्षीण हो जाता है। इसका खंडन महाकवि कालिदास ने 'मेघदूत' में यक्ष द्वारा कराया है। वियोगावस्था में प्रेम का भोग नहीं होता इसलिए वह राशीभूत हो जाता है।[१] वस्तुतः वियोग प्रेम के विस्तार के लिए बहुत बड़ा अवकाश निकाल लेता है। प्रेमी संयोगवस्था में चाहे वृक्षों और लताओं से प्रेमनिवेदन या प्रेमकथन न करे, पर वियोगावस्था में जड़-पदार्थों से भी अपना प्रेम कहता फिरता है, उनसे भी मार्ग पूछता है। सीता के वियोग में राम 'लता-तरु-पाँती' से पता पूछते हैं।

विप्रलंभ शृंगार के चार भेद माने जाते हैं—पूर्वराग, मान, प्रवास और करुण। प्रिय का संयोग होने के पूर्व उसके गुणश्रवण, दर्शनादि के कारण उससे मिलने का जो अभिलाष होता है और मिल न सकने के कारण जो तड़प या वेदना होती है वही पूर्वराग है। अभिलाष की प्रधानता होने के कारण ही इसे 'अभिलाष-हेतुक' भी कहा गया है। संयोग के अनंतर प्रेम की स्वाभाविक वृत्ति के कारण अथवा ईर्ष्या के कारण जो नायक-नायिका परस्पर रूठ जाते हैं वही मान है। ग्रंथों में प्रणयमान का वर्णन तो कम होता है पर ईर्ष्यामान का वर्णन विस्तारपूर्वक। इसलिए कुछ लोग मान को 'ईर्ष्या-हेतुक' ही कहते हैं। किसी दूसरी स्त्री का नाम स्वप्न में बड़बड़ाने से, शरीर से रतिचह्नों के प्रकट होने से या गोत्रस्खलन अर्थात् दूसरी नायिका का नाम ले बैठने से यह मान उठ खड़ा होता है। कार्यवश या किसी शाप से पति के विदेश में पड़ जाने पर प्रवास होता है। करुण विप्रलंभ वह है जहाँ मृत्यु के बाद भी मिलने की आशा रहती है। जैसे कादंबरी में पुण्डरीक के मरने पर भी आकाशवाणी होने पर महाश्वेता को उसके मिलने की आशा थी।

पूर्वराग में उत्कट अभिलाष मात्र रहता है, इसलिए वेदना का विस्तार दिखलाने की

---

१. **स्नेहानाहुः किमपि विरहे ध्वंसिनस्ते त्वभोगा-**
दिष्टे वस्तुन्युपचितरसाः प्रेमराशीभवन्ति। —मेघदूत, उत्तर भाग, ४९।

जगह वहाँ नहीं रहती। जो लोग ऐसा जानते हुए भी पूर्वानुराग में ही नाना प्रकार की व्याधियाँ खड़ी कर दिया करते हैं वे प्रेम के स्वरूप को ठीक नहीं समझते। मान भी घर के घेरे के भीतर ही होता है, इसलिए उसमें भी वेदना का बढ़ा-चढ़ा रूप ठीक नहीं। संचारियों की भाँति मान का कोप भी संचरण करता है। इसी से कुछ लोगों ने कहा है कि यदि खुशामद से पूर्व ही मान उड़ जाए तो वह विप्रलंभ नहीं। शृंगार के दोनों भेदों में योग और अयोग ही प्रधान माना जाता है। मान की अवस्था में संयोग नहीं रहता, इसी से वह विप्रलंभ में माना गया है। करुण विप्रलंभ दैवी व्यापारों के संयोग से घटित होता है। यदि मरण का विधान बहुत दूर तक न घसीटा जाए तो करुण विप्रलंभ के बहुत से उदाहरण संस्कृत-साहित्य में खोजे जा सकते हैं, जैसे भवभूति के उत्तररामचरित एवं मालतीमाधव में, कालिदास के विक्रमोर्वशीय एवं शकुंतला में भी। इन नाटकों में नायक-नायिका का वियोग ऐसा वर्णित है जिसमें पुनर्मिलन अनिश्चित है। नायिका की मृत्यु का निश्चय न होने से यह शृंगार में ही माना जाता है, मरण का निश्चय हो जाने पर जो शोक होता है वह करुणरस का विषय है।

इस प्रकार प्रवास ही ऐसा भेद है जिसमें वियोगपक्ष की सारी सामग्री का प्रयोग हो सकता है। बिहारी ने पूर्वानुराग का वर्णन अधिक किया है, पर प्रवास का वर्णन अधिकतर। मान को भी दूर तक नहीं घसीटा है, मानविरह के कारण नदी-तालाब नहीं सुखाए हैं।[१]

वियोग में वेदना की पूर्ण विवृति के लिए इन दस दशाओं का वर्णन होता है—अभिलाष, चिंता, स्मृति, गुणकथन, उद्वेग, प्रलाप, उन्माद, व्याधि, जड़ता और मरण। इनमें से अधिक वर्णन कवि व्याधि का ही करते हैं। इन्होंने भी व्याधि का ही विस्तार अधिक रखा है। मरणदशा का वर्णन कवि नहीं किया करते, क्योंकि मरण के वर्णन से रसांतर होने की आशंका रहती है, मरण कथित न होकर इसी से व्यंजित रहता है।[२]

इनमें विप्रलंभ के भी दो रूप पाए जाते हैं। विरह तो ऊहात्मक ही है, पर पत्रिका के वर्णन में प्रेम का विस्तार है। विरहवर्णन में भी कहीं-कहीं स्वाभाविक ही उक्ति कही गई है।

काव्यार्थ जहाँ साध्य रहता है वहीं काव्य का उद्देश्य पूर्ण होता है। सिद्ध अर्थ को लेकर शुद्ध अनुमान पर चलनेवाली उक्तियाँ काव्योपयोगी नहीं। विरह की उक्तियों में रीतिबद्ध रचनाकार अधिकतर ऐसा ही करते हैं। घनआनंद आदि कवि, जिनमें सच्ची 'प्रेमपीर' थी, खिलवाड़ में नहीं पड़े। पर बिहारी इस तमाशे में लगे हैं—

सीरे जतननि सिसिर रितु सहि बिरहिनि तन ताप।
बसिबे कौं ग्रीषम दिनन पर्‌यौ परोसिन पाप॥

---

१. **घन घमंड पावस-निसा सरबर लगे सुखान।**
परखि प्रानपति जानि गो तज्यो मानिनी मान।।—पद्माकर।

२. **कहा कहौं वाकी दसा हरि प्रानन के ईस।**
बिरहज्वाल जरिबो लखें मरिबो भई असीस॥

आड़े दै आले बसन जाड़ेहूँ की राति।
साहस ककै सनेह बस सखी सबै ढिग जाति॥

एक कविजी तो घोषणा कर गए हैं कि 'छाती सों छुवाय दिया-बाती क्यौं न बारि लै'।

जहाँ काव्यार्थ साध्य रूप में ही है वहाँ भद्दापन नहीं—

जदपि तेज रौहाल बल पलकौ लगी न बार।
तउ ग्वैंडो घर को भयौ पैंडो कोस हजार॥

उत्प्रेक्षा से काव्यार्थ साध्य ही रहा, अतिशयोक्ति आदि की भाँति सिद्ध नहीं।

विरहिणी जब आगतपतिका होती है तब उसकी उमंग हृदयस्पर्शकारिणी हो जाती है—

बाम बाँह फरकत मिलैं जौ हरि जीवनमूरि।
तौ तोही सों भेटिहौं राखि दाहिनी दूरि॥

प्राकृत की एक गाथा में भी बाएँ नेत्र के फड़कने पर नायिका दाहिने नेत्र को मूँदने की बात कहती है।[१] साहित्यमर्मज्ञों का कहना है कि ऐसा करके नायिका एकाक्ष होकर अमंगल और असगुन की निशानी हो जाएगी। बिहारी ने उसे बचाकर उपनी काव्यमर्मज्ञता का परिचय दिया है।

बिहारी ने विरहवर्णन तो ऊहात्मक करके बिगाड़ दिया है, पर अन्यत्र प्रेम की विभिन्न अवस्थाओं का वर्णन करने में व्यापक अनुभूति और निरीक्षणशक्ति का परिचय दिया है। परंपरा के फेर में हिंदी के कितने ही कवियों का सच्चा और उत्कृष्ट रूप निखरने नहीं पाया। भूषण ने वीररस की कविता लिखी पर रीतिग्रंथ की परंपरा में फँसकर अलंकार के पिटारे सजाने लगे। अलंकारों के बोझ से वीररस दब गया। उनकी उन्मुक्त रचना अधिक वीरोन्मेषशालिनी है।

अनुभावयोजना

किसी भाव की व्यंजना में उस भाव के आलंबन का चित्रण भी आता है और भाव के आश्रय की चेष्टाएँ भी। पहले को काव्यशास्त्र में विभावपक्ष का निरूपण और दूसरे को अनुभावनियोजन कहते हैं। विभावपक्ष के निरूपण में आलंबन की चेष्टाएँ भी

---

१. **फुरिए वामच्छि तुए जइ एहिइ सो पिओज्ज ता सुइरम्।**
सम्मीलिअ दाहिणअं तुइ अवि एहं पलोइस्सम्॥ —गाथासप्तशती, २,३७।
[स्फुरिते वामाक्षि त्वयि यद्येष्यति स प्रियोऽद्य तत्सुचिरम्।
सम्मील्य दक्षिणं त्वयैवैतं प्रेक्षिष्ये॥]
ऐ बाईं आँख तेरे फड़कते हुए यदि आज प्रिय आ गए तो दाहिनी को भली-भाँति ढककर तुझी से देर तक उन्हें देखूँगी।

आएँगी और उसके कार्यव्यापार भी। ये सब भावप्रेरित भी हो सकते हैं और स्वभावसिद्ध भी। आलंबन की चेष्टाएँ जब आश्रय के हृदय में भाव को बढ़ाने या उद्दीप्त करने में सहायक होंगी तब उन्हें 'उद्दीपन' कहेंगे। इनकी कविता शृंगाररस की है इसलिए नायिका या नायक की वे चेष्टाएँ जिन्हें हिंदीवाले 'हाव' कहते हैं, इनमें पर्याप्त मात्रा में मिलती हैं। इनकी 'हावयोजना' जिस प्रकार सटीक है उसी प्रकार अनुभावयोजना भी। कुछ चेष्टाओं का इन्होंने ऐसा वर्णन भी किया है जो शास्त्रीय परिभाषा के अनुसार 'हाव' के अंतर्गत नहीं आतीं। वे रूपचित्रण की दृष्टि से वर्णित हैं। तात्पर्य यह है कि इन्होंने चेष्टाओं, हावों, मुद्राओं और कार्यव्यापारों पर विशेष ध्यान दिया है। इनका स्वच्छंद वर्णन करने के लिए कवि में निरीक्षणशक्ति अपेक्षित होती है। लक्षणग्रंथों में लक्ष्यकाव्यों के आधार पर भावों के अनुभावों का भी उल्लेख रहता है। जिसे भावों की चलती व्यंजना करनी हो उसे उनसे पर्याप्त सहायता मिल सकती है। पर समर्थ कवि शास्त्रों को ही आधार बनाकर नहीं चलते, अपनी स्वच्छंद निरीक्षणशक्ति और अनुभूति के बल पर कितने ही ऐसे अनुभावों और चेष्टाओं का, जो रीतिग्रंथों में उल्लिखित नहीं हैं, नियोजन कर जाया करते हैं। इन्होंने चेष्टाओं और अनुभावों का विधान करने में स्वतंत्र अवेक्षणशक्ति से बराबर काम लिया है। हिंदी के रीतिबद्ध कवियों से ये इसलिए स्पष्ट पृथक् दिखाई पड़ते हैं।

किसी भाव की व्यंजना में उसका नाम लेने या उसमें न्यूनाधिक्य के लिए विशेषण लगाने से काम नहीं चलता। यदि कहा जाए कि 'उन्हें लज्जा आ गई' या 'वे बहुत लज्जित हो गए' तो लज्जा की व्यंजना न हो सकेगी। इसकी व्यंजना के लिए आवश्यक होगा कि इसके अनुभावों का वर्णन किया जाए। अनुभावों का विधान कर देने से नाम लेने की आवश्यकता ही नहीं रह जाती। जैसे लज्जा की अभिव्यक्ति के लिए यह कहा जाएगा कि 'उनका सिर नीचा हो गया, वे जमीन में गड़ गए' आदि। वस्तुतः भाव व्यंग्य होते हैं अर्थात् उनकी व्यंजना अनुभावों के द्वारा होती है, इसलिए भावों की व्यंजना में उनका नाम लेना दोष माना गया है, जिसे 'स्वशब्दवाच्यत्व' कहते हैं।

किसी भाव के बहुत से अनुभाव हो सकते हैं। प्रबंध के भीतर अवसर-अवसर पर उनमें से बहुतों का नियोजन किया जा सकता है, पर मुक्तक-रचना में इतना अवकाश नहीं होता कि कवि उन सभी अनुभावों अथवा अवसर के अनुकूल अधिक-से-अधिक अनुभावों की योजना कर सके। मुक्तकों में बड़े छंदों में तो इसके लिए कुछ अवकाश हो भी जाता है, पर दोहे ऐसे छोटे छंद में सबका क्या, दो-चार का भी अवकाश नहीं रहता। इसलिए आवश्यक होता है कि कवि किसी भाव के अनुभावों में से कोई ऐसा चुने जो उसकी व्यंजना करने में सबसे अधिक समर्थ हो अथवा जो उनमें प्रधान या मूल हो तथा अन्य गौण या उसके सहायक हों। यदि किसी के क्रोध की व्यंजना करनी है तो कितने ही प्रकार के अनुभाव आ सकते हैं—आँखों का लाल होना, भौंहों का चढ़ना, ओंठ का चबाना या फड़कने लगना, पैर पटकना आदि। इनमें से यदि केवल भौंहों का चढ़ना ही कह दिया जाए तो भी क्रोध की व्यंजना हो जाएगी; क्योंकि क्रोध का यह अनुभाव मुख्य

है, क्रोध होते ही त्योरियाँ चढ़ जाती हैं, वह क्रोध चाहे किसी प्रकार का हो। बिहारी ने प्रायः एक ही अनुभाव द्वारा भावव्यंजना बहुत कम कराई है, उन्होंने या तो कई भावों को लेकर अलग-अलग भाव के लिए एक अनुभाव रखा है अथवा यदि दोहे में एक ही भाव की व्यंजना करनी थी तो एक से अधिक अनुभाव रखे हैं। उनके दोहों में से प्रत्येक का स्वतंत्र लक्ष्य है, उसी की पूर्ति के सारा संभार होता है।

रीतिग्रंथों में 'हाव' अनुभाव के अंतर्गत माने गए हैं। अनुभाव किसी भाव से प्रेरित होता है। अनुभाव शब्द का एक अर्थ तो है भाव के अनंतर उत्पन्न होनेवाली चेष्टाएँ, दूसरा अर्थ है भाव का अनुभव करानेवाला। इस प्रकार अनुभाव सदा भावप्रेरित होते हैं। जिन्हें हिंदीवाले 'हाव' कहते हैं वे चेष्टाएँ भावप्रेरित न होकर सहज भी होती हैं। इसलिए संस्कृतवालों ने उन्हें 'अलंकार' कहा है। किसी नायिका की शोभा जिस प्रकार अलंकारों से होती है उसी प्रकार इन चेष्टाओं या 'हावों' से। हिंदी में 'हाव' शब्द का प्रयोग व्यापक अर्थ में होने लगा है।

चित्त की निर्विकार अवस्था का नाम सत्त्व है। इसी सत्त्व में या निर्विकार चित्त में जो सबसे पहला विकार होता है उसे ही भाव कहते हैं।[१] जैसे किसी की युवावस्था का आगमन देखकर कहते हैं कि अब तो उसका रंग कुछ और ही है। इच्छा या अभिलाष का प्रकाश करने से वही भाव अल्परूप में लक्षित होता है और भौंह, नेत्र आदि में विकार हो जाते हैं। भाव का यह अल्पप्रकाश ही 'हाव' कहा जाता है। भाव के उठने पर मन की अवस्था बदल जाती है, भौंहों पर मस्ती छा जाती है, बिना किसी प्रयोजन के अनजाने किसी स्त्री या पुरुष से बातचीत करने में आनंद आने लगता है आदि। जब भाव स्फुट रूप में प्रकट होने लगता है, तब उसे 'हेला' कहते हैं। ये तीनों अर्थात् भाव, हाव और हेला, 'अंगज अलंकार' माने जाते हैं। इनका उत्थान क्रमशः इस प्रकार हुआ—सत्त्व से भाव, भाव से हाव और हाव से हेला।[२]

अलंकार अंगज ही नहीं होते, अयत्नज और स्वभावज भी होते हैं। अयत्नज अलंकार वे हैं जो किसी सजावट, प्रसाधन या यत्न से साध्य नहीं होते। जैसे शोभा, कांति, दीप्ति, माधुर्य, प्रगल्भता, औदार्य और धैर्य। यत्न के द्वारा साध्य न होने से ही ये अयत्नज हैं। कुछ अलंकार यत्न से साध्य होते हैं, जैसे यौवनारंभ में अकारण हँसना, बिना कारण ही प्रिय के सामने डरना या घबराना आदि। ये अलंकार होते तो यत्न या कृति से ही साध्य हैं, अर्थात् यत्न करने पर ही इनका उदय होता है, फिर भी स्वाभाविक हैं। यौवन में हँसना स्वाभाविक है, इसी से ये अलंकार 'स्वभावज' माने गए हैं। स्वभावज अलंकार

---

१. **निर्विकारात्मके चित्ते भावः प्रथमविक्रिया**।—साहित्यदर्पण।

२. **भावो हावश्च हेला च परस्परसमुत्थिताः।**
सत्त्वभेदा भवन्त्यते शरीरप्रकृतिस्थिताः॥
देहात्मकं भवेत् सत्त्वं सत्त्वाद् भावः समुत्थितः।
भावात् समुत्थितो हावो हावाद्धेला समुत्थिता॥—नाट्यशास्त्र, २४-५,७।

अठारह होते हैं—लीला, विलास, विच्छित्ति, बिब्बोक, किलकिंचित्, मोट्टायित, कुट्टमित, विभ्रम, ललित, मद, विहृत, तपन, मौग्ध्य, विक्षेप, कुतूहल, हसित, चकित और केलि। इन्हीं स्वभावज अलंकारों में से लीला, विलास, विच्छित्ति, बिब्बोक, किलकिंचित्, मोट्टायित, कुट्टमित, विभ्रम, ललित और विहृत इन दस को हिंदीवालों ने 'हाव' नाम दिया है। किसी-किसी ने 'हेला' को भी 'हाव' के अंतर्गत मानकर इनकी संख्या ११ मानी है। अंगज और अयत्नज अलंकार तो नायकों में भी माने जाते हैं, पर स्वाभाविक अलंकारों की विशेष शोभा नायिकाओं में ही होती है।[१]

आश्रय की चेष्टाएँ अनुभाव के अंतर्गत आती हैं और आलंबन की चेष्टाएँ उद्दीपन के अंतर्गत। हिंदी में इन हावों को या अलंकार के भीतर आनेवाली इन चेष्टाओं को अनुभावों के ही अंतर्गत माना गया है। आश्रय या विषयी तथा आलंबन या विषय का भेद नायक-नायिका अथवा शृंगाररस में ठीक उसी रूप में नहीं समझा जाता जैसा अन्य रसों में। शृंगार के भीतर नायक और नायिका एक-दूसरे के परस्पर आलंबन और आश्रय माने जाते हैं, इसीलिए परिस्थिति-भेद से ये चेष्टाएँ उद्दीपन और अनुभाव दोनों हो सकती हैं। जहाँ रूपवर्णन प्रयोजनीय होगा वहाँ ये चेष्टाएँ उद्दीपन के ही अंतर्गत आएँगी, अनुभाव के अंतर्गत नहीं। ऊपर इन चेष्टाओं का जो वर्णन किया गया है उस विवरण से स्पष्ट है कि ये चेष्टाएँ नायिकाओं के स्वाभाविक या सहज शोभाधायक गुणों के अंतर्गत आती हैं, वे किसी भाव की प्रेरणा से न होकर स्वतः होती हैं। इसलिए कविता में जहाँ कवि इनका वर्णन करेगा वहाँ ये सब केवल नायिका की शोभा के लिए ही आएँगी। जहाँ इनका वर्णन होगा वहाँ नायिका आलंबन होगी। नायक या तो उन चेष्टाओं का वर्णन करता हुआ माना जाएगा या उन चेष्टाओं का स्मरण करता हुआ। इस दृष्टि से ये उद्दीपन के भीतर होंगी। अनुभाव और उद्दीपन में विषयी और विषय के संबंध का ही भेद है। यदि ये ही चेष्टाएँ नायिका में भावप्रेरणा के परिणामस्वरूप दिखाई जाएँगी तो अनुभाव हो जाएँगी—

कर समेटि कच भुज उलटि खएँ सीसपट डारि।
काको मन बाँधै न यह जूरो बाँधनिहारि॥

ये चेष्टाएँ या मुद्राएँ किसी भाव से प्रेरित नहीं हैं। नायिका की इन चेष्टाओं के प्रभाव का कथन मात्र है। नायिका में किसी भाव की स्थापना नहीं है। कहनेवाला रूपछटा पर मुग्ध हो रहा है। यह नायिका की मुद्राओं का सहज वर्णन है। इसे 'हाव' के भीतर भी नहीं ले जा सकते। जिस प्रकार का वर्णन यहाँ पर किया गया है उसके अनुसार यह 'विलास हाव' से मिलता है। पर विलास हाव में नायिका की ओर से आकर्षण का संकेत होना चाहिए।[२] नायिका की ओर से आकर्षण का यत्न इसमें नहीं है। कुछ लोग चौथे चरण का

१. स्वभावजाश्च भावाद्या दश पुंसां भवन्त्यपि।—साहित्यदर्पण।
२. रसकुसुमाकर, पृष्ठ ४४।

पाठ भिन्न रूप में ग्रहण करते हैं। वे 'बाँधनिहारि' को दो टुकड़ों में विभक्त करके 'बाँध निहारि' कर देते हैं। यदि यही पाठ मूलपाठ माना जाए तो 'विलास' हाव का उदाहरण हो जाएगा; 'निहारि' शब्द द्वारा नायिका के यत्न का संकेत मिल जाएगा।

रहौ गुही बेनी लख्यौ गुहिबे को त्यौनार।
लागे नीर चुचान ये नीठि सुखाए बार॥

नायक-नायिका की चोटी गुह रहा था। पर उसके केशों के स्पर्श से उसे सात्त्विक भाव हो गया और हाथों में पसीना होने लगा। हाथ के पसीने से केश गीले हो गए। इसी को लेकर नायिका, नायक का किंचित् गर्वपूर्ण अनादर करती है या अनादर करने का नाट्य करती है। इसलिए यहाँ पर शास्त्राभ्यासियों के अनुसार बिब्बोक हाव होगा।[१] इसमें चेष्टाएँ कथित नहीं हैं, शब्दावली से लक्षित हैं।

कहत नटत रीझत खिझत मिलत खिलत लजियात।
भरे भौन में करत हैं नैननि ही सों बात॥

'कहत नटत' आदि नायिका और नायक दोनों की ओर लगते हैं। अभिलाष, गर्व, हर्ष, अमर्ष, स्मित आदि कई भाव एक साथ हैं। इसलिए किलकिंचित् हाव हो सकता है। पर दोनों पक्षों में लगने से यहाँ हाव कैसे कहा जाए। एक ही पक्ष में घटित करने के लिए कहीं-कहीं 'कहति, नटति' आदि पाठ भी रखा गया है।

बतरस लालच लाल की मुरली धरी लुकाय।
सौंह करे भौंहनि हँसै दैन कहे नटि जाय॥

यहाँ किलकिंचित् हाव है। 'बतरस-लालच' आदि के बल पर नायक के आकर्षण को ही मुख्य मानें तो विलास हाव भी कह सकते हैं। अधिक वर्णन इन्होंने विलास हाव का ही किया है।

प्रवीण कवि लक्षणग्रंथों में परिगणित अनुभावों का ही उल्लेख नहीं करते—

कहा लड़ैते दृग करे परे लाल बेहाल।
कहुँ मुरली कहुँ पीत पट कहूँ मुकट बनमाल॥

व्याकुलता की व्यंजना के लिए यहाँ पर अस्त-व्यस्तता का वर्णन है—मुरली के इधर और पीतपट के उधर गिरने से, मुकुट और वनमाल के छिटककर अलग जा पड़ने से। अस्त-व्यस्तता की अवस्था में अपने को और अपनी वस्तुओं को सँभालने की न चिंता रहती है और न कोई सँभाल ही पाता है।

---

१. **विव्वोकस्त्वतिगर्वेण वस्तुनीष्टेऽप्यनादरः।**—साहित्यदर्पण।

उन हरकी हँसिकै इतै इन सौंपी मुसकाय।
नैन मिलैं मन मिलि गए दोऊ मिलवत गाय॥

अनुभावों की योजना भावनिरूपण और अवस्था का चित्रण करने में सहायक होती है। इनके दोहों में यह बात बराबर मिलती है। कृष्ण ने राधिका की गायों को झुंड में मिलाने से रोका और राधिका ने हँसकर उन्हें मिला दिया।

अनुभावों द्वारा रस की भी व्यंजना की गई है और भाव की भी। 'मोह' की कैसी स्पष्ट व्यंजना है—

रही दहेंडी ढिग धरी भरी मथनिया बारि।
फेरति करि उलटी रई नई बिलोवनिहारि॥

शास्त्र की कड़ाई का ध्यान न रखकर लोगों ने इसमें विभ्रम हाव माना है। विभ्रम में आभूषणों के विपर्यय का उल्लेख होता है, पर यहाँ मथानी उलट गई है।

सामान्य जीवन तक भी कवि उतरा है। मिलन की उमंग देखिए—

ज्यौं ज्यौं आवति निकट निसि त्यौं त्यौं खरी उताल।
झमकि झमकि टहलैं करै लगी रहचटें बाल॥

अप्रस्तुतरूप में लाए गए जीवों एवं पदार्थों के व्यापारों का भी अच्छा चित्रण किया गया है; उदाहरण लीजिए—

चिलक चिकनई चटक स्यों लफति सटक लौं आय।
नारि सलोनी साँवरी नागिन लौं डसि जाय॥

नागिन उपमान के रूप में आई है। उसकी मुद्राओं का निरूपण 'चिलक चिकनई' आदि के द्वारा किया गया है। नागिन की चमक एवं सचिक्कणता के साथ-साथ उसका चटकना और लफना भी है।

बिहारी का रूपचित्रण बहुत ही मार्मिक और सटीक है।

भाषा

व्रजभाषा बहुत दिनों से काव्यभाषा है। यद्यपि महाराष्ट्री प्राकृत काव्य की गृहीत भाषा थी तथापि उसमें और शौरसेनी (जो व्रजभाषा की माता या मातामही है) में बहुत कम अंतर था। अपभ्रंशकाल में जिस नागर अपभ्रंश की धूम थी वह शौरसेनी था। इस प्रकार जिस कुल की व्रजभाषा है वह काव्यभाषा का प्राचीन कुल है। मध्यदेश संस्कृत का केंद्र था और शूरसेन मध्यदेश का हृदय। इसी से व्रजभाषा का व्यवहारक्षेत्र विस्तृत था। राजपूताना में काव्यभाषा में इसी का व्यवहार होता था और वहाँ प्रादेशिक भाषा से

अलग करने के लिए इसे 'पिंगल' नाम से पुकारते थे और प्रादेशिक भाषा को 'डिंगल' नाम से। बुंदेलखंड, शूरसेन देश और अवध के कवि काव्यभाषा में इसी व्रजी का व्यवहार करते थे। पंजाब के पूर्वी प्रांतों में यही काव्यभाषा थी। बिहार, बंगाल, मध्यभारत, महाराष्ट्र और गुजरात में यही सर्वसामान्य काव्यभाषा थी। जो भाषा इतनी दूर तक सामान्य काव्यभाषा के रूप में व्यवहृत होती रही हो उसका उन-उन प्रदेशों की भाषाओं से प्रभावित होना अथवा उन-उन प्रदेशों की भाषाओं के शब्दों एवं प्रयोगों का उसमें मिल जाना स्वाभाविक था। मुसलमानी राजत्वकाल में अरबी-फारसी के शब्दों का उसमें आ जाना, उनके लाक्षणिक प्रयोगों से प्रभावित होना भी स्वाभाविक था। इसीलिए व्रजी का ज्ञान प्राप्त करने के लिए यह आवश्यक नहीं था कि कोई कवि व्रज में ही पैदा हो या वहीं जाकर बसे। उस भाषा में जो ग्रंथ प्रस्तुत हो चुके हैं उनके अनुशीलन से भी वह व्रजी का ज्ञान प्राप्त कर सकता है। इसी से 'दास' ने अपने 'काव्यनिर्णय' में लिखा कि व्रजी सीखने के लिए व्रजवास आवश्यक नहीं। विभिन्न भाषाओं या उनके शब्दों का व्रजी में मेल देखकर जो लोग चौंकते हैं उन्हें भाषा की विस्तार-सीमा पर दृष्टि रखनी चाहिए।

शुद्ध व्रजभाषा का प्रयोग करनेवाले बहुत थोड़े कवि मिलते हैं। सूरदास की भाषा भी शुद्ध व्रजी नहीं, चलती है। बिहारी की भाषा बहुत कुछ शुद्ध व्रजभाषा है, पर साहित्यिक। घनआनंद की भाषा शुद्ध व्रजभाषा है। वे 'व्रजभाषा-प्रवीण' हैं। उनकी भाषा में पूर्वी प्रयोग एकदम नहीं हैं। बिहारी की भाषा में कई पूर्वी प्रयोग हैं।

क्रिया के 'लीन', 'कीन', 'दीन' आदि पूर्वी प्रयोग बिहारी ने तुकांत के आग्रह से रखे हैं। व्रज में 'लीनौ, लीन्हौं' आदि रूप होंगे। कहीं-कहीं 'कियौ' का 'किय' भी है और तुकांत के अनुरोध से नहीं, पद्य के मध्य में। एक स्थान पर तुकांत की विवशता से 'लजात' का 'लजियात' भी है।

'है' के लिए पूरबी का आहि भी है जो घनआनंद में भी मिलता है। पर यहाँ तुकांत में ही और अनुप्रास-यमक के लोभ से आया है। ऐसा प्रतीत होता है कि 'आहि' अपभ्रंश का रिक्थ है और साहित्य-क्षेत्र का प्रवाह है।

खड़ी बोली के कृदंत और क्रियापद भी अनुप्रास के आग्रह से रखे गए हैं—

रहे सुरँग रँग रँगि उहीं नह दी महदी नैन।
नैको उहि न जुदी करी हरषि जु दी तुम माल।
बींदि पियागम नींद मिस दीं सब अली उठाय।

बुंदेलखंडी शब्दों और प्रयोगों के लिए कहना ही क्या। 'खंड बुंदेले बाल' के अनुसार इनका लड़कपन वहीं बीता और केशव का एवं उनकी पद्धति तथा कविता का इन पर प्रभाव पड़ा। बुंदेली के लखबी, करबी, पायबी आदि की तो कोई बात नहीं, तुलसीदास आदि की पूरबी रचना तक के प्रयोग पहुँच गए हैं। बुंदेली का अव्यय 'स्यौं'

बिहारी और केशव में बहुत मिलता है। जिसका अर्थ संग या साथ होता है—

चिलक चिकनई चटक स्यौं लफति सटक लौं आय।
स्यौं बिजुरी मनु मेह आनि इहाँ बिरहा धरे।

पहले उदाहरण में 'स्यौं' के स्थान पर 'सौं' पाठ भी रखते हैं। दूसरे में 'इहाँ' भी पूरबी रूप है। व्रजी में 'ह्याँ' होता है जिसका प्रयोग बिहारी ने भी किया है।

ह्याँ तें ह्वाँ ह्वाँ तें इहाँ नैको धरति न धीर।

'स्यौं' का प्रयोग आगे चलकर और कवि भी उसी प्रकार करने लगे जिस प्रकार 'लखबी, पायबी' आदि का। ठेठ अवध के 'दास' भी इसका प्रयोग करते हैं—

स्यौं ध्वनि अर्थनि वाक्यनि लै गुन सब्द अलंकृत सों रति पाकी।

—काव्यनिर्णय, १-१८।

बुंदेली के प्रयोग इनकी कविता में बीसियों हैं। पीछे उनमें से कुछ का धड़ल्ले के साथ प्रयोग होने लगा। जैसे, लाने (लिए), घैर (बदनामी की चर्चा), कोद (ओर), चाला (द्विरागमन, बिदाई), गीधे, बीधे आदि। कुछ शब्द ऐसे भी हैं जिनका प्रयोग औरों ने कदाचित् ही किया है; जैसे सद, सबी आदि।

केशव की ही भाँति एक प्रयोग और इनकी रचना में मिलता है, जिसका चलन व्रजी में नहीं हुआ। 'ने' विभक्ति के साथ उत्तम पुरुष एकवचन का 'मैं' ही आता है, पर कर्ताकारक में 'हौं' भी आता है, इसके साथ 'ने' का प्रयोग नहीं होता। और कारकों में इसका प्रयोग नहीं हुआ करता, पर केशव ने इसको कर्मकारक में भी प्रयुक्त किया है—

पुत्र हौं बिधवा करी तुम कर्म कीन्ह दुरंत। —रामचंद्रचंद्रिका।

इनमें भी 'हौं' का कर्मकारक में प्रयोग है—

हौं इन बेची बीचहीं लोयन बड़ी बलाइ।

इन्होंने 'चितई' का विचित्र प्रयोग किया है। 'चितैबो' का भूतकालिक रूप व्रजी में 'चितयौ' होता है और लिंगभेद से इसके स्वरूप में अंतर नहीं पड़ता; 'कान्ह चितयौ' भी होगा और 'राधा चितयौ' भी। पर इन्होंने स्त्रीलिंग के साथ 'चितई' लिखा है। 'रत्नाकरजी' का कहना है कि बिहारी ने इसका प्रयोग अकर्मक किया है। जैसे 'राधा हँसी, चली' आदि होता है, वैसे ही 'चितई' भी। पर 'लखी' का प्रयोग भी मौजूद है—

उत दै सखिहि उराहनो इत चितई मो ओर।
सुबि पगधुनि चितई इतै न्हाति दियें ही पीठि।
पति रति की बतियाँ कहीं सखी लखी मुसुकाय।
लहि रतिसुख लगियै हियें लखी लजौंहीं नीठि॥

सतसैया में लिंगविपर्यय भी बहुत है। एक ही शब्द कहीं पुल्लिग और कहीं स्त्रीलिंग है। संस्कृत के कुछ पुल्लिग शब्द हिंदी में स्त्रीलिंग हो गए हैं; जैसे आत्मा, अग्नि, वायु आदि। संस्कृत के पक्षपातियों का कहना है कि संस्कृत के लिंग की रक्षा हिंदी में भी होनी चाहिए। पर यह प्रकृतिविरुद्ध है। फारसी का 'कलम' लीजिए। हिंदी में पहले से 'लेखिनी' शब्द प्रचलित था, इसलिए उसी अर्थ में प्रयुक्त 'कलम' शब्द का लिंग भी उसी के अनुकूल हो गया, यद्यपि फारसी में यह पुल्लिग है। यदि 'कलम' शब्द को संस्कृत से ही आया मानें (कलमः पुंसि लेखिन्याम्—मेदिनी) तो भी अधिक प्रचलित 'लेखिनी' के अनुकूल उसका लिंग भी बदल गया। पर एक ही शब्द के एक ही अर्थ में लिंग भिन्न हों यह ठीक नहीं, और एक ही कवि जब उसको दो लिंगों में प्रयुक्त करे तो और भी ठीक नहीं। कुछ पंडित संस्कृत के शब्दों या उनके विकृत रूपों को उसी लिंग में लाते थे जो लिंग संस्कृत में मान्य था। 'देवता' शब्द हिंदी में पुल्लिग हो गया पर केशवदास उसे स्त्रीलिंग ही लिखते थे। महाभाष्यकार ने भी लिंग के संबंध में लोक को ही प्रमाण माना है—'लोकाश्रयाच्च लिंगम्।' देशभेद से भी लिंगभेद हो जाता है। दही शब्द वाराणसी में स्त्रीलिंग है, पर पश्चिम में पुल्लिग। 'गेंद' पूरब में पुल्लिग है, व्रज में स्त्रीलिंग। कवियों ने इसी से दोनों लिंगों में एक ही शब्द का एक ही अर्थ में प्रयोग किया है।

फिरि फिरि बिलखी ह्वै लखति फिरि फिरि लेति उसास।

इस दोहे में 'उसास' का लिंग संदिग्ध है। रत्नाकरजी ने 'उसासु' रूप रखा है, अतः उनके अनुसार पुल्लिग है। संस्कृत के 'उछ्वास' से ही बिगड़कर 'उसास' शब्द बना है। संस्कृत में 'श्वास-उच्छवास' पुल्लिग हैं। पर हिंदी के 'साँस-उसास' शब्दों का प्रयोग पूरब में स्त्रीलिंग होता है—

बोझनि सौतिन कें हियें आवति रूँधि उसास।

यहाँ 'उसास' स्त्रीलिंग है, 'आवति' क्रिया से। पर 'आवत' भी हो सकता है।

पल न चलै जकि सी रही थकि सी रही उसास।
नई नई बहुर्यौ दई दई उसासि उसास॥

यहाँ 'उसास' के साथ जो क्रियापद आए हैं वे 'अनुप्रास' की लपेट में पड़े हैं, इसलिए इनके पाठांतरों की कल्पना नहीं की जा सकती। सतसैया भर में नौ बार 'उसास' शब्द का प्रयोग हुआ है। कई स्थानों पर क्रियापद के साथ उसका अन्वय न होने से लिंग संदिग्ध है। यदि 'उकार' (उसासु) को पुल्लिग का द्योतक मानें तो 'बिहारीरत्नाकर' के अनुसार चार दोहों में पुल्लिग और तीन में स्त्रीलिंग है। शेष में लिंग संदिग्ध है।

इसी प्रकार संस्कृत का 'वायु' शब्द है। हिंदी में 'वायु' शब्द का प्रयोग स्त्रीलिंग में

होता है। पर संस्कृत का अनुगमन करनेवाले उसे पुल्लिग ही लिखते हैं। ब्रजभाषा में 'वायु' शब्द स्त्रीलिंग है, पर इन्होंने उसे दोनों लिंगों में प्रयुक्त किया है—

आवति नारि नवोढ़ लौं सुखद बायु गतिमंद।

यहाँ 'वायु' स्त्रीलिंग है, पर अगले दोहे में पुल्लिग—

आवत दच्छिन देस तें थक्यौ बटोही बाय।

व्रजभाषा में व्रजवासी कवियों ने 'मिठास' को पुल्लिग रखा है, यह पश्चिम में पुल्लिग है, पूर्व में स्त्रीलिंग—

कितो मिठास दयौ दई इते सलोने रूप।

जहाँ तक अर्थ की बात है इन्होंने पूर्वी अर्थ में किसी शब्द का व्यवहार नहीं किया है। यदि कोई शब्द पूर्व और पश्चिम दोनों में अर्थभेद से प्रयुक्त होता है तो इन्होंने उसे पश्चिमी अर्थ में ही प्रयुक्त किया है, जैसे 'सुघर' शब्द। इसका अर्थ पश्चिम में 'चतुर' होता है और पूर्व में 'सुंदर'। सतसैया के पूरबिहा टीकाकारों ने इसका 'सुंदर' अर्थ दिया है।

भाषा भावों-विचारों को व्यक्त करती है। भावों-विचारों को व्यक्त करने के लिए भाषा चाहे जो हो तो ठीक है, पर चाहे जैसी हो ठीक नहीं। उसे भाव-विचार के अनुरूप होना चाहिए। बिहारी की भाषा बहुत चुस्त है। इतनी ठोस या प्रौढ़ भाषा लिखनेवाले हिंदी में कम हुए हैं। व्याकरण की व्यवस्था भी भाषा में अपेक्षित है इस पर कम कवियों ने ध्यान दिया है। बिहारी के बाद मतिराम, पद्माकर, दास, घनआनंद, द्विजदेव आदि थोड़े से ही कवि ऐसे हैं जो व्याकरण-सम्मत भाषा लिखते थे। सतसैया में कहीं-कहीं कर्ता क्रिया से दूर जा पड़ा है, पर यह छंद की विविशता है—

१—गड़े बड़े छबिछाक छकि छिगुनीछोर छुटैं न।
रहे सुरँग रँग रँगि उहीं नह दी महदी नैन।
२—ये कजरारे कौन पर करत कजाकी नैन।

पहले उदाहरण में 'गड़े' क्रिया आदि में है और 'नैन' कर्ता एकदम अंत में। दूसरे में भी 'नैन' विशेष्य 'कजरारे' विशेषण से कुछ दूर है।

लक्षणा की बहुत-सी बातें भाषा के भीतर ही आती हैं। मुख्यतया रूढ़ प्रयोग, जिनमें मुहावरे भी हैं। गुण, वृत्ति, रीति आदि एक प्रकार से भाषा के ही विचार हैं। भाषा का आलंकारिक गुण देखा जाए तो इन्होंने अनुप्रास की योजना बहुत सावधानी से की है। कहीं-कहीं तो प्रसंगानुकूल झंकृति भी है। आजकल अँगरेजी भाषा की अनुकृति पर इस झंकृति की बड़ी महिमा है। झरने के वर्णन में ऐसी शब्दावली रहे जिससे प्रपात की-सी ध्वनि निकलती हो। किसी के आभूषणों की ध्वनि-सी ध्वनि छंद से निकले, जैसे तुलसीदास की इस अर्धाली में—

कंकन किंकिनि नूपुर धुनि सुनि। कहत लखन सन राम हृदय गुनि॥

'कंकन किंकिनि' शब्द ऐसे हैं जिनसे उन आभूषणों की-सी ध्वनि भी निकल रही है। बिहारी में भी यह गुण है—

रनित भृंग घंटावली झरित दान मद नीर।
मंद मंद आवत चल्यौ कुंजर कुंज समीर॥

इसमें घंटा-बँधे हाथी के चलने और वायु के संचरित होने की ध्वनि निकलती है।

व्रजभाषा समासबहुल भाषा नहीं, इसलिए उसमें सामासिक पदावली की अधिकता अच्छी नहीं। कवि स्तुति या रूपवर्णन आदि में सामासिक पदावली लाते हैं और अधिकतर संस्कृत-पदावली का सहारा लेते हैं। बिहारी ने व्रजी की प्रकृति के अनुरूप छोटे-छोटे समास ही रखे हैं। भाषा में कसावट लाने के लिए और भाषा की व्यंजकता बढ़ाकर छोटे साँचे में अधिक भाव भरने के लिए सामासिक पदावली का सहारा लेना आवश्यक था। सामान्यतया उन्होंने तीन-चार पदों तक ही समास रखे हैं। पर सामासिक पदावली के कारण धारा में या अर्थ की अभिव्यक्ति में कोई अड़चन नहीं हुई है—

बिकसित नवमल्ली कुसुम निकसित परिमल पाय।
सारद बारद बीजुरी भा रद कीजति लाल॥

पर कहीं-कहीं इससे भी लंबे समास हो गए हैं—

समरस समर सकोच बस बिबस न ठिक ठहराय।
बन बिहार थाकी तरुनि खरे थकाए नैन।

कुछ लोग 'तरुनि' के बाद 'खरे थकाए' को अलग रखते हैं।

लाक्षणिक प्रयोगों और मुहावरों पर आइए। मुहावरे भी एक प्रकार के लाक्षणिक प्रयोग ही हैं, पर अधिकतर रूढ़। इनकी मुहावरों की बंदिश अच्छी है। इनकी कविता पर मुसलमानी लाक्षणिकता का भी कुछ प्रभाव पड़ा है। यहाँ मुहावरों का प्रचलन अपेक्षाकृत कम रहा है, पर बाहरी प्रभाव से मुहावरों का प्रयोग बढ़ा। इन्होंने अधिकतर लाक्षणिकता व्रजी की प्रकृति के अनुरूप ही रखी है। रीतिमुक्त कवियों में बाहरी रंग-ढंग कुछ विशेष है, पर उन्होंने कभी व्रजी की प्रकृति के विरुद्ध जाने का प्रयास नहीं किया। बिहारी की मुहावरेबंदिश में बाहरी प्रभाव वहाँ स्पष्ट जान पड़ने लगता है जहाँ मुहावरों को लेकर ही कलाबाजी की गई है—

मूड़ चढ़ाएँऊ रहै पर्‌यौ पीठि कच भार।
रहै गरें परि राखियै तऊ हियें पर हार॥

'मूड़ चढ़ाएँ', 'पर्‌यौ पीठि', 'गरें परि' और 'हियें पर' की मुहावरे-बंदिश से जो दोहरे अर्थ—वाच्यार्थ एवं लक्ष्यार्थ—निकाले गए हैं वह मुसलमानी प्रभाव से। पर सतसैया में ऐसे दोहे बहुत कम मिलेंगे। जहाँ मुहावरों का विदेशी विन्यास मिलता भी है वहाँ वह अपने यहाँ की पद्धति के अनुकूल और स्वाभाविक है।

इन्होंने कुछ शब्द पुराने रखे हैं, जैसे—लोयन, बिय आदि। पर ऐसे शब्द अधिक नहीं हैं। इन पर सबसे बड़ा दोष यह लगाया गया कि इन्होंने शब्दों को बहुत तोड़ा-मरोड़ा है। कवि भाषा की प्रकृति के अनुसार शब्द गढ़ते हैं। 'स्मर' को 'समर' करना तो कुछ नहीं, पर 'ज्यौं ज्यौं' के लिए जज्यौं, त्यौं त्यौं के लिए 'तत्यौं' ठीक नहीं, ऐसे ही 'कैकै' के स्थान पर 'ककै'। पर इन्हें छंदानुरोध से ही कहीं-कहीं ऐसा करना पडा है। इनकी भाषा में लोग जैसा तोड़-मरोड़ दिखलाते हैं वैसा है नहीं।

"बिहारी की भाषा चलती होने पर भी साहित्यिक है। वाक्य-रचना व्यवस्थित है और शब्दों के रूपों का व्यवहार एक निश्चित प्रणाली पर है। यह बात बहुत कम कवियों में पाई जाती है। व्रजभाषा के कवियों में शब्दों को तोड़-मरोड़कर विकृत करने की आदत बहुतों में पाई जाती है। 'भूषण' और 'देव' ने शब्दों का बहुत अंग-भंग किया है और कहीं-कहीं गढ़ंत शब्दों का व्यवहार किया है। बिहारी की भाषा इस दोष से बहुत कुछ मुक्त है। दो-एक स्थल पर ही 'स्मर' के लिए 'समर', 'ककै' ऐसे कुछ विकृत रूप मिलेंगे। जो यह भी नहीं जानते कि संक्रांति को संक्रमण (अपभ्रंश 'संक्रोन') भी कहते हैं, 'अच्छ' साफ के अर्थ में संस्कृत शब्द है, 'रोज' रुलाई के अर्थ में आगरा के आसपास बोला जाता है और कबीर, जायसी आदि द्वारा बराबर व्यवहृत हुआ है, 'सोनजाइ' शब्द 'स्वर्णजाती' से निकला है—जुही से कोई मतलब नहीं, संस्कृत में 'वारि' और 'वार्' दोनों शब्द हैं और 'वार्द' का अर्थ भी बादल है, 'मिलान' पड़ाव या मुकाम के अर्थ में पुरानी कविता में भरा पड़ा है। चलती व्रजभाषा में 'पिछानना' रूप ही आता है, 'खटकति' का रूप बहुवचन में भी यही रहेगा, यदि पचासो शब्द उनकी समझ में न आए तो बेचारे बिहारी का क्या दोष।"[१]

सतसैया के शब्दरूपों में 'ए' का 'ऐ' और 'ओ' का 'औ' उच्चारण तो अधिक विचार की बात नहीं, व्रजभाषा प्रदेश या पुराने साहित्य में गृहीत रूपों और इनमें कोई विभेद नहीं। इसलिए 'कीजियौ, गयौ, कह्यौ' आदि क्रियापद के रूप तथा विभक्तियों के 'मैं, कौं, सौं, तैं' आदि रूप विशेष विचारणीय नहीं। दोनों प्रकार के रूपों में से संज्ञा और क्रिया के रूपों में हस्तलेखों में यह अंतर अवश्य है कि 'औकारांत' रूप संज्ञा शब्दों के कम मिलते हैं। सबसे पहले पूर्वकालिक क्रियाओं के रूपों पर विचार करना चाहिए। 'समुझाइ, दिखाइ, बसाइ' आदि में रूप स्वरांत है अर्थात् इनके अंत में 'इ' है। पर व्रज का उच्चारण या व्रजभाषा में पूर्वकालिक क्रिया का रूप व्यंजनांत या यकारांत होता है अर्थात् समुझाय, दिखाय, बसाय आदि रूप होने चाहिएँ। 'इ' वाली प्रवृत्ति अवधी की है। तो

१. हिंदी-साहित्य का इतिहास।

क्या बिहारी ने यहाँ भी अवधी के ही रूप स्वीकृत किए हैं। अवधी का व्रजी पर इतना अधिक प्रभाव उस समय नहीं था, पीछे चाहे जो हो गया हो। इसलिए ये रूप पुरानी परंपरा के द्योतक माने जाएँगे, जो बहुत दिनों से चले आ रहे थे। अपभ्रंश में 'इ' वाले रूप होते हैं।

पुरानी भाषा में बहुवचन रूप 'न' लगाने से बनते हैं। इन्हीं के 'निकारांत' और 'नुकारांत' रूप भी मिलते हैं; जैसे दृगन, दृगनि, दृगनु। ऐसे रूपों के संबंध में विचारना यह है कि कौन-सा रूप व्याकरणसम्मत होगा। नकारांत और निकारांत रूप तो व्रजभाषा में बराबर आते हैं, पर 'नुकारांत' कम मिलते हैं। 'बिहारीरत्नाकर' में नुकारांत रूप ही रखे गए हैं। टीकाकार ने गणना करके यह देखा कि नुकारांत रूप हस्तलिखित प्रतियों में अधिक हैं, इसलिए इसे ही बिहारीस्वीकृत रूप माना। उसका कहना है कि एकवचन में 'उकारांत' रूप होते हैं। इसलिए बहुवचन में भी 'नकारांत' रूपों में 'उ' लगाना ठीक है। 'अकारांत' पुल्लिग शब्दों के ही एकवचन में और कर्ता एवं कर्म कारकों में 'उकारांत' रूप होते हैं। यह संस्कृत के विसर्ग का ही 'ओ' होकर लघु हुआ रूप है। इसलिए अकारांत पुल्लिग शब्द के एकवचन तथा कर्ता एवं कर्म कारक में 'उ' हो सकता है। उनके विशेषणों और कृदंत विशेषणों में भी 'उ' ठीक है—रहतु, चलतु आदि। पर बहुवचन में इस 'उ' का पहुँचना विचार करने योग्य है। अपभ्रंश के बहुवचन में अकारांत या आकारान्त रूप ही बनते थे—

अद्धा बलया महिहि गय अद्धा फुट्टि तड़त्ति।

इसमें आकारांत रूप मिलता है जो संस्कृत के 'आः' से विसर्गलोप के कारण बना माना जाएगा।

प्रश्न होता है कि बहुवचन का 'न' आया कहाँ से। यह नपुंसकलिंग के 'नि' से आया है। इसी का घिसा रूप 'न' है। इसलिए 'नकारांत' या 'निकारांत' रूप अधिक व्याकरणसम्मत हैं। इसके अतिरिक्त नियमानुसार 'नि' रूप का प्रयोग प्रथमा और द्वितीया में ही होना चाहिए। पर इसका प्रयोग अन्य कारकों में भी होता है। कहीं सामान्यकारक की 'हि' विभक्ति का घिसा रूप 'इ' न आ लगा हो!

अब कारणसूचक रूपों पर विचार कीजिए। चलें, जाएँ, लखें आदि के संबंध में कुछ नहीं कहना है। अपभ्रंश में ऐसे रूप मिलते हैं। पर कुछ लोग निरनुनासिक रूप भी लिखते हैं। कारणसूचक शब्दों के अतिरिक्त जहाँ किसी कारकचिह्न का लोप है वहाँ भी रत्नाकरजी ने इसी प्रकार के रूप रखे हैं—

सोंधे कें डोरें लगी अली चली सँग जाय़।

इसमें 'डोरें' का अर्थ है 'डोरे' में। 'डोरें' को तो 'हि' या 'हिं' के घिसे रूप से बना मान लिया जाएगा, पर 'कें डोरें में' कारकचिह्न भी अपना भेस बदले हुए है। वस्तुतः

अनुनासिकता आगे के लोप को व्यक्त करती है। जहाँ-जहाँ शब्द के बाद विभक्ति का लोप होता है वहाँ-वहाँ संबंध का चिह्न अनुनासिक हो जाता है—

मकराकृति गोपाल कें सोहत कुंडल कान।

'कें' या 'कैं' का संबंध 'कान' से है—'गोपाल के कान में'। इसी प्रकार शब्दलोप होने पर भी 'के', 'कें' या 'कैं' हो गया है—

रोज सरोजन कें परै हँसी ससी की होय।

यहाँ 'सरोजन कें' का अर्थ होगा 'सरोजों के यहाँ' या 'सरोजों के निमित्त'।

इसी 'कैं' का जोड़ीदार 'सैं' भी है, जिसका बिहारीरत्नाकर में कई जगह प्रयोग किया गया है। यह 'सी ही' का विकृत रूप बताया जाता है। अन्य पुस्तकों में इसका रूप 'सी' मिलता है।

सटपटाति सी ससिमुखी मुख घूँघटपट ढाँकि।

'सटपटाति सी' का अर्थ होगा 'सटपटाती हुई सी'। संभावना या समता या दोनों का बोध कराने के लिए 'सी' का प्रयोग होता है। यहाँ संभावना के लिए 'सी' का प्रयोग है।

त्यौं त्यौं छुही गुलाब सैं छतिया अति सियराति।
चढ़ी हिंडोरें सैं रहे लगी उसासनि साथ।

'छुही गुलाब सैं' का अर्थ—'गुलाब से छुही हुई सी, सिंची हुई सी' और 'चढ़ी हिंडोरे सैं' का अर्थ—'हिंडोले पर चढ़ी हुई सी' है।

बिहारी की भाषा व्याकरण से गठी हुई है; मुहावरों के प्रयोग, सांकेतिक शब्दावली और सुष्ठु पदावली (डिक्सन) से संयुक्त हैं। भाषा प्रौढ़ एवं प्रांजल है। इसके अतिरिक्त विषय के अनुरूप भी इनकी भाषा अपना रूप बदल दिया करती थी। यदि किसी नागरिक नायिका का वर्णन आएगा तो उसकी शब्दावली दूसरे ढंग की होगी, ग्रामीण स्त्री का वर्णन होगा तो उसकी पदावली अन्य। बिहारी का भाषा पर अच्छा और सच्चा अधिकार था।

अन्य सतसइयाँ

अन्य सतसइयों में कालक्रम से सबसे पहला नाम 'मतिरामसतसई' का आता है। मतिराम का समय बिहारी के समय के कुछ ही पीछे पड़ता है। इसी से कुछ लोगों का कहना है कि मतिराम की सतसई में बिहारी का अनुकरण नहीं है। पर मतिरामसतसई को देखने पर इस कथन की पुष्टि नहीं होती। सबसे पहले तो मतिराम की भाषा ही बिहारी से मिलती हुई है, यद्यपि दोनों में पूर्व-पश्चिम का भेद स्पष्ट लक्षित हो जाता है। इसके अतिरिक्त उनकी कविता में कितने ही दोहे ऐसे हैं जो इस बात की सूचना देते हैं कि

इनके रचनेवाले ने सतसैयाँ देखी है या बिहारी के दोहे सुने हैं। उस समय बिहारी के दोहों का प्रचार तेजी से हो रहा था। दो मिलते हुए दोहे देखिए—

कहत सबै बेंदी दियें आँक दसगुनो होत।
तिय लिलार बेंदी दिये अगनित बढ़त उदोत॥ —सतसैया।

होत दसगुनो अंक है दियें एक ज्यौं बिंदु।
दियें डिठौना यौं बढ़ी आनन आभा इंदु॥—मतिराम सतसई।

लाज लगाम न मानहीं नैना मो बस नाहिं।
ये मुँहजोर तुरंग ज्यौं ऐंचतहूँ चलि जाहिं॥ —सतसैया।

मानत लाज लगाम नहिं नेक न गहत मरोर।[१]
होत लाल लखि बाल के दृग तुरंग मुँहजोर॥—मतिराम सतसई।

मतिरामसतसई के अनेक दोहे सतसैया के दोहों से मिलते हैं। मतिराम प्रवीण और समर्थ कवि थे, इसलिए उन्होंने बिहारी के भावों को अच्छे ढंग से ग्रहण किया है। उनका भाषा पर अच्छा अधिकार था। भाषा की कसावट, भावों की उठान, पद्धति सब कुछ बिहारी के ढंग की है, इसी से लोगों का कहना है कि मतिराम के दोहे यदि सतसैया में मिला दिए जाएँ तो लोग निःसंकोच उन्हें बिहारी का मान लेंगे। मतिराम का निम्नलिखित दोहा सतसैया की कई टीकाओं में पाया जाता है—

झूठें ही ब्रज में लग्यौ मोहि कलंक गुपाल।
सपनेहूँ कबहूँ हिये लगे न तुम नँदलाल॥

अब शृंगारसतसई के दो दोहे देखिए। भाव भी वे ही हैं, भाषा की भी नकल है—

जदपि चवाइनि चीकनी चलत चहूँ दिसि सैन।
तऊ न छाड़त दुहुन के हँसी रसीले नैन॥ —सतसैया।
घरहाइन चवचैं चलैं चातुर चाइन सैन।
तदपि सनेह सने लगैं ललकि दुहूँ के नैन॥ —शृंगार सतसई।
लिखन बैठि जाकी सबी गहि गहि गरब गरूर।
भए न केते जगत के चतुर चितेरे कूर॥ —सतसैया।
सगरब गरब खिंचै सदा चतुर चितेरे आय।
पर वाकी बाँकी अदा नेकु न खींची जाय॥ —शृंगार सतसई।

---

१. यह दोहा मतिराम के 'ललितललाम' में भी है। मतिराम सतसई में उनके ललितललाम और रसराज के अधिकतर दोहे रखे हुए हैं।

दो उदाहरण विक्रमसतसई से भी—

ललित स्याम लीला ललन चढ़ी चिबुक छबि दून।
मधु छाक्यौ मधुकर पर्‌यौ मनौ गुलाब प्रसून॥ —सतसैया।
अति दुति ठोढ़ी बिंदु की ऐसी लखी कहूँ न।
मधुकर सूनु छक्यौ पर्‌यौ मनौ गुलाब प्रसून॥ —विक्रम सतसई।
लाज लगाम न मानहीं नैना मो बस नाहिं।
ये मुँहजोर तुरंग लौं ऐंचतहूँ चलि जाहिं॥ —सतसैया।
चपल चलाकिन सों चलत गनत न लाज लगाम।
रोके नहिं क्यौंहूँ रहत द्दग तुरंग गतिबाम॥ —विक्रम सतसई।

दो उदाहरण 'रतनहजारा' के भी—

पलनि पीक अंजन अधर धरे महावर भाल।
आजु मिले सु भली करी भले बने हौ लाल॥ —सतसैया।
देत जताए प्रगट जो जावक लाग्यौ भाल।
नवनागरि के नेह सौं भले बने हौ लाल॥ —रतनहजारा।
पत्राहीं तिथि पाइयत वा घर के चहुँ पास।
नितप्रति पून्यौई रहै आनन ओप उजास॥ —सतसैया।
कुहू निसा तिथिपत्र में बाचन कौं रहि जाय।
तुब मुख ससि की चाँदनी उदै करत है आय॥ —रतनहजारा।

'रतनहजारा' के पचासों दोहे बिहारी के भाव में फेर-फार करके बने हैं। बिहारी के ही भाव नहीं, तुलसी, रहीम, केशव आदि अन्य कवियों के भाव भी इसमें गृहीत हैं। 'रसनिधि' पर बिहारी का रंग अधिक चढ़ गया था। पर कहीं-कहीं भाव और भाषा दोनों में उर्दू की जबाँदानी की भद्दी नकल भी है।

रीतिमुक्त
हास्यकाव्य
प्रशस्तिकाव्य
नीति की सूक्तियाँ
नाट्यकाव्य
अनुवादकाव्य
गद्य
परिशिष्ट

—रीतिमुक्त काव्य

स्वच्छंद काव्यधारा

हिंदी-साहित्य की लगभग एक सहस्र वर्षों की दीर्घकालीन परंपरा का विभाजन करते हुए ऐतिहासिकों ने उसे प्रायः तीन बृहत् खंडों में विभाजित किया है—आदि, मध्य और आधुनिक। आदिकाल की ऐसी साहित्यिक सामग्री जिसे निर्भ्रांत रूप से हिंदी-साहित्य के आभोग में गृहीत किया जा सके एक तो प्रभूत परिमाण में उपलब्ध नहीं, दूसरे जो उपलब्ध भी है उसकी प्रामाणिक छानबीन करने पर इसी निष्कर्ष पर पहुँचना पड़ता है कि उसमें से बहुत कुछ परवर्ती रचना है। उसमें का संवृद्ध अंश अधिकतर मध्यकाल में निर्मित हुआ। तात्पर्य यह कि यदि राजनीतिक साहित्यसेवियों के बहकावे में न आकर जैनों की सांप्रदायिक और अपभ्रंश की रचनाओं का मोह छोड़ दिया जाए तो आदिकाल में हिंदी-साहित्य की उपलब्ध सामग्री बहुत थोड़ी है और साहित्य के निर्विकृत आभोग के भीतर आनेवाले कर्ताओं के नाम भी इने-गिने ही हैं। जितने कर्ताओं की गणना की जाएगी उनमें विद्यापति को छोड़कर शेष में साहित्य का उत्कर्ष उत्तम कोटि का नहीं मिलेगा। अपना मानदंड चाहे शिथिल भी कर दिया जाए तो भी तीन-चार से अधिक उच्चकोटि के कर्ता उस युग में नहीं दिखाए जा सकते।

आधुनिककाल में हिंदी-साहित्य का विस्तार बहुत अधिक हो गया। केवल पद्यबद्ध रचनाएँ ही उसमें नहीं रहीं, गद्य में भी बहुत कुछ लिखा जाने लगा। नाटक लिखे और खेले

भी जाने लगे। पद्यबद्ध कृति अर्थात् कविता के क्षेत्र में ही इतने प्रकार की और इतने परिमाण में रचनाएँ होने लगीं कि भारत की किसी भाषा का साहित्य हिंदी में हुई रचना के परिमाण में आधुनिक युग में भी उसकी तुलना नहीं कर सकता। नाटक, उपन्यास, कहानी, निबंध, आलोचना आदि का जितना वाङ्मय आधुनिक युग में प्रस्तुत हुआ उसमें तथा कविता में भी जितनी कृतियाँ लिखी गईं उनमें भी अधिकांश-अधिकतर नहीं तो भी पर्याप्त परिमाण में ऐसी रचनाएँ हुई हैं जिनके कर्ता शुद्ध साहित्य की प्रवृत्ति से प्रेरित होकर अपना कर्तृत्व दिखाने नहीं बैठे हैं, अनेक प्रकार की राजनीतिक, सामाजिक या आर्थिक विचारधाराओं से प्रेरित होकर उन्होंने उस प्रकार की रचनाएँ की हैं। आज शुद्ध साहित्य की रचना को पृथक् करने का कोई मानदंड तक हिंदीवालों के पास नहीं रह गया है। फल यह है कि साहित्य के नाम पर ऐसी रचनाएँ भी गृहीत हो रही हैं जो निर्विकारात्मक चित्त से उसमें कथमपि संगृहीत नहीं की जा सकतीं। आलोचना के शास्त्रीय या पारंपरिक या साहित्यिक मानदंडों को त्यागकर बहुत से राजनीतिक साहित्यसेवी अपना प्रातिभ मानदंड लेकर साहित्य में साहित्य के अतिरिक्त कला यहाँ तक कि विज्ञान को भी समेट लेने की उदारता दिखलाकर अपने प्रचार के हथकंडे निकाल रहे हैं और रस की सात्त्विक सरणि का उद्‌घोष छोड़ मानवता का चाकचिक्य सामने कर सबसे बड़े पंडित बनने की लिप्सा से उछल-कूद मचा रहे हैं। इतना होने पर भी यदि उत्तमोत्तम कर्ताओं की सूची बनाई जाए तो ऐसों की संख्या १५-२० से किसी प्रकार अधिक न होगी।

अब मध्यकाल में आइए। उसके दो टुकड़े किए गए हैं—पूर्वमध्यकाल और उत्तरमध्यकाल। पूर्वमध्यकाल का नाम भक्तिकाल रखा गया है। उसमें अधिक परिमाण में भक्ति की रचनाएँ हुई हैं, इसी से उसको यह नाम दिया गया है। पर भक्तिकाल की वे रचनाएँ जो इड़ा-पिंगला-सुषुम्ना के गोरखधंधे में ही सामाजिक को फँसाए रखनेवाली हों शुद्ध साहित्य में गृहीत नहीं हो सकतीं। साहित्य के भीतर सन्निविष्ट होने के लिए किसी रचना में सर्वसामान्य भावसत्ता का आधार अनिवार्य है। फिर भी यदि ऐतिहासिकों के सम्मान की दृष्टि से इन्हें भी साहित्य के आभोग में माना ही जाए तो भी इन्हें मिलाकर भक्तिकाल में यदि उत्तमोत्तम कर्ताओं की गणना की जाएगी तो २५-३० से अधिक संख्या फिर भी नहीं हो सकती।

अब उत्तरमध्यकाल को लीजिए। इसे रीतिकाल या शृंगारकाल नाम दिया गया है। सच पूछा जाए तो शुद्ध साहित्य की दृष्टि से निर्माण करनेवाले कर्ता इस युग में जितने अधिक हुए हिंदी-साहित्य के सहस्र वर्षों के दीर्घकालीन जीवन में उतने अधिक कर्ता शुद्ध साहित्य की दृष्टि से निर्माण करनेवाले कभी नहीं हुए, आधुनिककाल में भी नहीं। इन कर्ताओं में से यदि उत्तमोत्तम कर्ताओं को छाँटा जाए और बहुत अनुदार होकर छाँटा जाए तो भी उनकी संख्या ७५-८० से किसी प्रकार कम न होगी। कहने का तात्पर्य यह कि हिंदी-साहित्य के इतिहास में अन्य कालों में शुद्ध साहित्य की दृष्टि से काव्य का निर्माण करनेवालों की संख्या रीतिकाल में इसी दृष्टि से निर्माण करनेवालों की संख्या की

अपेक्षा निश्चय ही न्यून-न्यूनतर है। एक ही युग में एक से एक उत्तम कर्ता संख्या में सबसे अधिक इसी उत्तरमध्यकाल या शृंगारकाल व रीतिकाल में हुए। हिंदी का सच्चा साहित्ययुग यदि कोई था तो वस्तुतः यही था। मेरे गुरुदेव लाला भगवानदीन कहा करते थे कि जिसे इस युग के रीतिकाव्य का ज्ञान नहीं वह हिंदी का साहित्यज्ञ नहीं। जिसे इसका ज्ञान है उसे अन्य का ज्ञान अल्पप्रयास से ही हो जा सकता है। रीति-साहित्य का ज्ञान प्राप्त करने के लिए महत्प्रयास की अपेक्षा होती है। कहने की आवश्यकता नहीं कि लालाजी की कसौटी पर यदि कसा जाए तो संप्रति हिंदी-साहित्य की गद्दियों पर बैठे कई महंत अपने दरबारियों सहित उसके अनधिकारी सिद्ध होंगे।

हिंदी-साहित्य के मध्यकाल में सभी इतिहासकारों ने किसी-न-किसी रूप में भक्ति और रीति का नामोल्लेख तो किया है पर युग में प्रवाहित होनेवाली एक साहित्यधारा को एकदम भूल ही गए हैं। मध्यकाल में तत्त्वतः तीन प्रकार की काव्यधाराएँ प्रवाहित थीं— एक थी भक्ति की, दूसरी थी रीति की और तीसरी थी स्वच्छंद वृत्ति की। भक्ति की धारा का हिंदी-साहित्य में कितना ही महत्त्व क्यों न हो, यह तो मानना ही पड़ेगा कि भक्ति ही उसका साध्य थी, कविता उसके लिए साधन मात्र थी। पर रीति की धारावालों का साध्य काव्य ही था साधन भी काव्य ही था। काव्य की साधना में भी साध्य और साधन दोनों पर सम्यक् दृष्टि रखनी होती है। रीतिधारा के कर्ताओं ने साधनपक्ष पर जितना अधिक ध्यान दिया उतना अधिक उसके साध्यपक्ष पर नहीं, रीतिधारा का अर्थ ही है काव्यरीति की धारा अर्थात् काव्यसाधन की धारा। ये लोग काव्य की रीति अर्थात् उसके साधन पर विशेष ध्यान रखनेवाले थे। काव्य का साध्य उसका अंतरंग-पक्ष होता है और साधन उसका बहिरंग-पक्ष। इस प्रकार ये जितना अधिक ध्यान काव्य के बहिरंग पर रखते थे उतना अधिक उसके अंतरंग पर नहीं। काव्य का बहिरंग-पक्ष नाना प्रकार के नियमों के आधार पर चलता है। उन नियमों और विधियों में किसी प्रकार की त्रुटि हुई तो रीति के कर्ता सारा खेल बिगड़ा समझते हैं। इन नियमों और विधियों को ध्यान में रखना और उनके अनुसार सारा संभार करना पुरुषार्थ का कार्य होता है। रचना करनेवाले को अपनी बुद्धि चारों ओर से समेटकर लगना पड़ता है। तात्पर्य यह कि काव्यशक्ति के अतिरिक्त उसके उत्पाद्यपक्ष पर, निपुणता और अभ्यास पर, इनकी सबसे अधिक दृष्टि रहती है। यहाँ तक कि यदि किसी में काव्यशक्ति न्यून भी हो तो वह निपुणता और अभ्यास के बल पर 'कविराज' बन सकता है या ठोंक-पीटकर वैद्यराज (अपर पर्याय 'कविराज') बनाया जा सकता है। ये लोग कभी-कभी कुछ बातें सीखकर कविता करने में लग जाया करते थे। ठाकुर कवि ऐसों के ही लिए कह गए हैं—

सीखि लीनो मीन मृग खंजन कमलनैन सीखि लीनो जस औ प्रतापको कहानो है।
सीखि लीनो कल्पबृक्ष कामधेनु चिंतामनि सीखि लीनो मेर औ कुबेर गिरिआनो है।
ठाकुर कहत याकी बड़ी है कठिन बात याको नहीं भूलि कहूँ बाँधिवत बानो है।
डेल सो बनाय आय मेलत सभा के बीच लोगन कबित्त कीबो खेल करि जानो है॥

स्वच्छंद धारा का साध्य काव्य था और साधन भी काव्य ही था। पर इस धारा के कवियों ने साधन की अपेक्षा साध्य पर अधिक ध्यान दिया। साधन पर ये ध्यान न देते हों सो नहीं, उस पर भी ध्यान रहता था। पर स्थिति यह है कि जो साध्य पर ध्यान रखकर साधन पर ध्यान रखता है उसका साध्य-साधन का समन्वय बना रहता है, किंतु जो साधन पर ध्यान अधिक रखता है धीरे-धीरे साध्य उसकी दृष्टि से ओझल हो जाता है। साध्य चुपचाप खिसक जाता है, हाथ में केवल साधन बच रहता है। इसे यों समझें कि एक का अंगी साध्य और अंग साधन, दूसरे का अंगी साधन और अंग साध्य। पहले को इसी से साधन के लिए पृथक् प्रयत्न करने की अपेक्षा नहीं रहती, साध्य ठीक है तो दंडापूपिका न्याय से साधन भी उसके साथ आपसे आप आ जाएगा। बहुत आधुनिक ढंग से सोचें तो कहेंगे कि इनके यहाँ साध्य-साधन में परमार्थतया भेद नहीं है, प्रत्युत अभेद है। रीतिधारा वाले जिस साज-सज्जा में लगते हैं उसमें बुद्धि का योग अधिक करना पड़ता है, उनकी रचना बुद्धिबोधित होती है, इसी से काव्य का साध्य भाव उससे धीरे-धीरे हटने लगता है। रीतिकाव्य की रानी बुद्धि है, भाव उसका किंकर। पर स्वच्छंद काव्य की रानी है अनुभूति, उसकी दासी है बुद्धि—

रीझि सुजान सची पटरानी बची बुधि बावरी ह्वैकरि दासी।

स्वच्छंद काव्य भावभावित होता है, बुद्धिबोधित नहीं, इसलिए आंतरिकता उसका सर्वोपरि गुण है। आंतरिकता की इस प्रवृत्ति के कारण स्वच्छंद-काव्य की सारी साधनसंपत्ति शासित रहती है और यही वह दृष्टि है जिसके द्वारा इन कर्ताओं की रचना के मूल उत्स तक पहुँचा जा सकता है। बहुत आधुनिक ढंग से कहें तो कहेंगे कि स्वच्छंद वृत्ति के कवियों की अनुभूति ही उनका मुख्य आधार है, उसी के सहारे उनकी कृति की छानबीन की जा सकती है। रीतिकाव्य के कर्ताओं का मूल आधारभूत तत्त्व है भंगिमा। स्वच्छंद कर्ता में भंगिमा कहीं कदाचित् न भी हो, पर अनुभूतिशून्य उसकी रचना नहीं हो सकती। रीतिकर्ता में अनुभूति चाहे न भी हो पर भंगिमा अवश्य रहेगी। बिहारी ऐसे कवियों में भंगिमा चाहे अनुभूतिपूर्ण हो चाहे शुद्ध भंगिमा ही हो, पर उसमें साहित्यिक चारुत्व अपने चरमउत्कर्ष पर ही दिखाई देता है, इसी से उनकी रचना सर्वत्र आकर्षक है। पर बहुत से ऐसे भी हैं जिनकी भंगिमा केवल वर्णसौंदर्य तक ही रुक गई, वह ऐसी पेशलता न ला सकी जिससे उसमें सहृदयों के लिए वांछित आकर्षण होता। अनुभूति में बाहरी आकर्षण न भी हो तो भी वह हृदय खींच लेती है। अनुभूति हृदय से उठती है, हृदय को आकृष्ट करती है। उसके लिए किसी अन्य माध्यम की अपेक्षा नहीं। भंगिमा हृदय से ईरित भी हो सकती है और बुद्धि से प्रेरित भी। हृदय से ईरित भंगिमा आकर्षक होती है, पर वह सीधे हृदय में नहीं पहुँचती। उसके लिए माध्यम की अपेक्षा होती है। वह बुद्धि के, नियमविधि के, शास्त्र के माध्यम से हृदय में पहुँचती है। उसके लिए कर्ता को जैसे शास्त्रविधि-निष्णात होना चाहिए वैसे ही ग्राहक को भी शास्त्रचिंतननदीष्ण होना

चाहिए। अनुभूति के लिए न कर्ता को उस (शास्त्रविधि) की विशेष आवश्यकता है और न ग्राहक की।

तो क्या शास्त्राभ्यासशून्य होना चाहिए, संवेदनशील स्वच्छंद कवि को। नहीं शास्त्र का अभ्यास तो समुचित मात्रा में सभी को करना चाहिए। स्वच्छंदकर्ता को भी और उसके ग्राहक को भी। पर शास्त्र के सहारे अपना कर्तृत्व दिखाने में लगना अनुभूति या संवेदना का लक्ष्य नहीं होता। संवेदना, संवेदना की स्थिति के संपादन में लगती है, शास्त्र की स्थिति के संपादन में नहीं। दोष शास्त्रस्थिति का संपादन है, शास्त्राभ्यास या शास्त्रज्ञान नहीं। रीतिकाव्य के लिए जिस दोष की संभावना रहती है वह यही है। इसी से प्रायः रीतिकर्ता इस दोष में जकड़ जाते हैं।

स्वच्छंदवृत्तिवालों की संवेदना अनेक प्रकार की हो सकती है। पर मध्यकाल के इन स्वच्छंदकर्ताओं की संवेदना केवल प्रेम की संवेदना थी, ये प्रेम की पीर के पक्षी थे। हिंदी-साहित्य में आदिकाल में विद्यापति 'प्रेमसंवेदना' के कवि दिखाई देते हैं। पर प्रेम की यह संवेदना पारंपरिक रूप में मध्यकाल के स्वच्छंद गायकों को नहीं मिली है। प्रेम की यह संवेदना फारसी-साहित्य और सूफी-साधना के प्रवाह से संबद्ध है। भारतीय प्रेमसंवेदना और फारसी-प्रणय-संवेदना का और चाहे जो पार्थक्य हो, पर यह पार्थक्य बहुत स्पष्ट है कि फारसी-प्रणय-संवेदना रहस्यात्मक वृत्ति को भी लेकर चली है। भारतीय साहित्य में प्रेम की संवेदना चाहे जितनी तीव्र हो वह रहस्यात्मक स्वरूप नहीं धारण करती। पर फारसी-साहित्य और सूफी-साधना के संमर्क में आने के अनंतर भारतीय साहित्य पर और भारतीय भक्तिप्रवाह पर भी इसका प्रभाव पड़ा। हमारे मुसलमान बंधुओं के आगमन के अनंतर भी जब तक इस 'प्रेम की पीर' के संपर्क में हमारा साहित्य और हमारी भक्ति नहीं आई थी तब तक उसका अपना नैसर्गिक रूप बना हुआ था। नाथसिद्ध भक्ति की सहजधारा को प्रभावित करते-करते भी बहुत अल्पांश में प्रभावित कर सके और साहित्य को तो उन्होंने कुछ भी प्रभावित नहीं किया। इसी से जयदेव और विद्यापति की रचना रहस्यात्मक रूप नहीं पकड़ सकी। जो लोग इनमें अध्यात्म अर्थात् रहस्य की खोज करते हैं वे सतयुग में कलियुग ढूँढ़ निकालना चाहते हैं। भक्ति के क्षेत्र में रहस्यात्मक प्रवृत्ति का मेल जितना अधिक निर्गुणसाधना से बैठता है उतना अधिक सगुणसाधना से नहीं। भक्ति के कुछ सगुणसंप्रदायों या प्रवाहों में जो रहस्यात्मक साधना ने घर कर लिया है वह परवर्ती प्रभाव है और भक्तिसंप्रदायों की भावसाधना में वह अपना आरोपित रूप सहज ही स्पष्ट कर देती है। सगुणभक्ति की साधना में अधिक गुह्यसाधना चल नहीं पाती और यदि उसमें कुछ थोड़ी-बहुत चलती भी हो तो भारतीय साहित्य की व्यक्त शब्दसाधना इसका बोझ बहुत अधिक और बहुत दिनों तक नहीं सँभाल सकती। इसी से मध्यकाल के स्वच्छंद प्रवाह में रहस्य की झलक भर मिलती है। आधुनिक युग में भी छायावाद के साथ जो रहस्यात्मक प्रवृत्ति प्रबल हुई वह बहुत दिनों तक टिक न सकी। केवल महादेवी वर्मा अभी तक उसे ढोए चल रही हैं। पर वहाँ भी

परिमाण अत्यंत क्षीण हो गया है।

स्वच्छंद प्रवाह के प्रमुख कर्ताओं में रसखानि, आलम, ठाकुर, घनआनंद, बोधा और द्विजदेव का नाम लिया जा सकता है। छानबीन करने पर इस प्रवाह के छुटभैये भी कई मिल सकते हैं। इन सबमें श्रेष्ठ घनआनंद ही प्रतीत होते हैं। इसका कारण यह है कि उनकी संवेदना सर्वाधिक साहित्यिक है। रसखानि में साहित्यिक निखार न होकर संवेदना की सहज अभिव्यक्ति मात्र है। श्रेष्ठता का वास्तविक कारण घनआनंद की साहित्यश्रुतता है। उक्त छहों कर्ताओं में सबसे अधिक साहित्यश्रुत घनआनंद ही प्रतीत होते हैं। इस साहित्यश्रुति का प्रभाव उनकी रचना के प्रत्येक अवयव पर पड़ा। उनकी रचना के दो प्रकार हैं—एक प्रेमसंवेदना की अभिव्यक्ति, दूसरी भक्तिसंवेदना की व्यक्ति। इनकी भक्तिसंवेदना की व्यक्ति रसखानि के बहुत निकट है। प्रेमसंवेदना की अभिव्यक्ति साहित्यिक भंगिमा संवलित है और भक्तिसंवेदना की व्यक्ति में उस भंगिमा की कमी या अभाव लक्ष्यभेद के कारण है। एक रचना सहृदयों के लिए है दूसरी कोरे भक्तों के लिए। एक सम्यक् अनुभूति के लिए है दूसरी संकीर्तन के लिए। घनआनंद की कृति में केवल रसखानि की-सी रचना नहीं मिलती उसमें आलम, ठाकुर, बोधा, द्विजदेव सबकी उत्कृष्ट विशेषताओं का समावेश हो गया है। पर घनआनंद की कुछ विशेषता ऐसी है जो न रसखानि में है, न आलम में, न ठाकुर में, न बोधा में, न द्विजदेव में। यह कहने की आवश्यकता नहीं कि जो उक्त स्वच्छंद गायकों से अपनी विशेषताओं के कारण पृथक् और श्रेष्ठ है वह रीतिकाव्य के कर्ताओं से अपनी विशेषताओं और प्रवृत्तियों के कारण निश्चय ही पृथकतर और श्रेष्ठतर है। इसका अनुभव स्वयं घनआनंद ने भी किया था जिसे उन्होंने अपनी इस पंक्ति में व्यक्त कर रखा है—

लोग हैं लागि कबित्त बनावत मोहिं तौ मेरे कबित्त बनावत।

उनकी रचना अर्थात् उनकी प्रेमसंवेदना के कबित्तों के संग्रहकर्ता श्री व्रजनाथ ने भी उनकी इस पृथक्ता को लक्षित किया था—

जग की कविताई के धोखें रहै ह्याँ प्रबीनन की मति जाति जकी।

कविता में लगकर उसका निर्माण करनेवाले रीतिवेत्ता ही थे और 'जग की कविता' साहित्यसंसार में बहुप्रचलित रचना उस समय रीतिकविता ही थी। पर घनआनंद की रचना में कुछ ऐसी विशेषता थी कि उसकी सूक्ष्मता सबके लिए सुलभ नहीं थी, काव्यमार्ग के प्रवीण पथिक भी उसे देखकर चकपकाते थे। यह कठिनाई न रसखानि की कविता में थी, न आलम की कविता में, न ठाकुर की कविता में, न बोधा की कविता में और न द्विजदेव की कविता में। उनकी प्रेमसंवेदना चाहे जितनी गहरी, चाहे जितनी मार्मिक हो, पर उसके संबंध में यह कठिनाई थी ही नहीं।

रसखानि

रसखानि की रचना को भक्ति की प्रचारक रचना नहीं कह सकते, भले ही कबीर, जायसी, सूर, तुलसीदास की रचना को प्रचारक कहा जाए और कबीर को कवीश्वर सिद्ध करने के लिए जायसी, सूर, तुलसीदास को भी मत-प्रचारक कहकर एकसूत्रता स्थापित की जाए। 'काञ्चं मणिं काञ्चनमेकसूत्रे' हो जाने से एकरूपता नहीं होती, एकसूत्रता भले ही हो जाए। जो भी हो, रसखानि को न प्रचारक माना गया है, न माना जा सकता है। ये प्रेमोमंग के गायक थे। अतः हिंदी की स्वच्छंद काव्यधारा के सबसे प्राचीन कवि 'रसखानि' ही ठहरते हैं।

जिस प्रकार रीतिबद्ध रचयिताओं की प्रवृत्तियाँ भक्तिकाल में मिलती हैं उसी प्रकार रीतिमुक्त कवियों की भी। श्रीकृष्ण की जिस स्वच्छंद लीला का आश्रय कृष्णभक्त कवियों ने लिया उसी से रीतिमुक्त कवियों को उत्तेजक शक्ति मिली। सूरदास आदि भक्तों ने कृष्ण और गोपियों के प्रेम का स्वरूप उन्मुक्त रखा है। इसलिए रीतिमुक्त गायकों के लिए वह आकर्षण का हेतु हुआ। रसखानि भक्तों की श्रेणी में बैठाए जाते हैं, वे वस्तुतः उन्मुक्त प्रेमोन्मत्त कवि थे। उन्होंने कृष्णभक्तों की गीतपरंपरा का त्याग करके और कवियों की परंपरागत कबित्त-सवैया पद्धति का अवलंब लेकर स्पष्ट प्रस्थानभेद सूचित कर दिया है। इसी से रसखानि प्रेमोमंग के ही कवि ठहरते हैं। उन्हें भक्तों की श्रेणी से खारिज करने की भी आवश्यकता नहीं है, क्योंकि प्रेमोन्माद के अभिव्यंजक इन कर्ताओं के लिए राधा-कृष्ण या गोपी-कृष्ण की लीलाएँ काव्य-सामग्री का काम देती रही हैं। व्यक्तिबद्ध प्रेम की एकनिष्ठता के कारण जब इन्हें व्यक्तिपक्ष त्यागना पड़ा है तब ये कृष्ण की क्रीड़ाशील प्रवृत्ति के उपासक बनकर उनके भक्त हो गए हैं। इसीलिए इनकी रचनाओं का आलोड़न करने पर इस तथ्य पर पहुँचना पड़ता है कि पहले तो ये रीतिबद्ध रचना करने में प्रवृत्त् होते थे, पर हृदय की दौड़ के लिए वहाँ खुला मैदान न पाकर रीतिमुक्त हो जाते थे। भारतीय काव्यपरंपरा में उन्मुक्त प्रेम के लौकिक आलंबन का विधान न पाकर ये श्रीकृष्ण का अलौकिक आलंबन ग्रहण करते थे। अतः अंत में इनकी मुक्तक-रचना का भक्ति में पर्यवसान हो जाता था। इसी से इस प्रकार के प्रायः सभी कवि अंत में कृष्णलीला के गायक या भक्त हो जाते हैं। यों तो रीतिबद्ध कवि भी 'राधिका कन्हाई के सुमिरन का बहाना' करते थे, पर उनकी वृत्ति भक्ति में लीन नहीं हुई है। यही इन दोनों में पार्थक्य है। शुद्ध भक्तों से इनका पार्थक्य इनकी स्वच्छंद प्रवृत्ति द्वारा हो जाता है। रसखानि में वैसा सांप्रदायिक कट्टरपन नहीं, जैसा आचार्यों के संपर्कवाले भक्तों में था।

प्रेम की पराकाष्ठा की अभिव्यक्ति के लिए ही रीतिमुक्त कवि अधिकतर प्रेम की विषमता के उद्गार सुनाते हैं। प्रेम की यह विषमता उनमें कहाँ से आई। भारतीय काव्यपरंपरा में दृश्य और श्रव्य काव्य के प्राचीन संस्कृतग्रंथों में प्रेम के समरूप का ही विधान है। प्रेम का उद्‌भव दोनों पक्षों में एक-सा दिखाया गया है। बाल्मीकि ने राम और सीता में, कालिदास ने दुष्यंत और शकुंतला में, बाण ने चंद्रापीड़ और कादम्बरी में सम प्रेम की ही प्रतिष्ठा की है। हिंगी में विद्यापति ने भी राधा और कृष्ण का प्रेम बहुत कुछ सम ही रखा, पर सूरदास तक आते-आते प्रेम में वैषम्य का आरंभ हो गया। सूरदास आदि कृष्णभक्तिशाखा के आदिम कवियों में इस विषमता की विवृति अधिक नहीं हुई। श्रीकृष्ण को भी गोपियों के प्रेम में विकल दिखलाकर समता की सुरक्षा बहुत कुछ कर ली गई। पर आगे के कवियों ने श्रीकृष्ण का मानसपक्ष उतना दिखाया ही नहीं। फल यह हुआ कि आगे की रचना में नायक का पक्ष दबने लगा। रीतिबद्ध रचना में साफ दिखाई देता है कि संयोग पक्ष में नायिका की रूपवर्णन की योजना नायक की उक्ति के रूप में होती है, पर विरहवर्णन में नायिका की विरहदशा का ही साधारण वर्णन किया जाता है। यह कहने की आवश्यकता नहीं कि संयोगपक्ष में बहिर्वृत्ति की प्रधानता होती है और वियोगपक्ष में अंतर्वृत्ति की। इस प्रकार प्रेम के क्षेत्र में, जहाँ तक हृदय का संबंध है, शृंगारकाल में यह विषमता व्यापक हो गई। फिर भी रीतिबद्ध रचना में विषमता का बढ़ा-चढ़ा रूप उतना नहीं है, पर स्वच्छंद धारा के कवियों में यह पराकाष्ठा को पहुँचा हुआ है। निश्चय ही यह सूफी कवियों का प्रभाव है। फारसी-साहित्य में प्रेम का वैषम्य स्वीकृत है और उर्दू में उस परंपरा का निर्वाह आज तक हो रहा है। पिछले काँटे के कृष्णभक्त कवि और स्वच्छंदधारा के रीतिमुक्त कवि सूफी-संतों और फारसी-साहित्य की प्रवृत्ति से प्रभावित हुए हैं, यह असंदिग्ध है।

कृष्णभक्त कवियों में जो प्रेम का वैषम्य दिखाई देता है उस पर भी विचार कर लेना चाहिए। महाभारत में कृष्णप्रेम में वैषम्य की विवृति नहीं है, पर श्रीमद्‌भागवत में इसकी विषमता स्पष्ट लक्षित होती है। उपासक की भक्ति में लीनता और उपास्य के विरह में आरूढ़ होने के प्रयोजन की सिद्धि के निमित्त ही प्रेमलक्षणा भक्ति के अनुकूल यह विस्तार हुआ है। ब्रह्म की ओर आत्मा के आकृष्ट होने के आदर्श के कारण यह विषमता सामने लाई गई है अर्थात् उद्धव ऐसे ज्ञान के अहंकार में चूर व्यक्ति को प्रेमयोग या भक्तियोग की शिक्षा देने के निमित्त यह योजना की गई है। क्योंकि भक्ति का प्रथम सोपान है अहम् का लोप, आत्मविस्मृति। अतः कृष्णभक्ति में प्रेम-वैषम्य का प्रसार श्रीमद्‌भागवत, ब्रह्मवैवर्तपुराण आदि के प्रसार के साथ ही हुआ। प्रेम का वैषम्य और भक्ति की विषमता में अंतर है। प्रेम में प्रिय-पक्ष में निष्ठुरता, कठोरता, क्रूरता आदि का आरोप होता है, पर भक्ति में नहीं। भक्ति के आलंबन भगवान् के जिस रूप की कल्पना इस क्षेत्र में हुई वह भगवान् में हृदयपक्ष या करुणा के अत्यधिक आरोप को ही लेकर हुई। अतः भक्ति के क्षेत्र में क्रूरता का अधिक आरोप प्रेमलक्षणा भक्ति में शृंगार का

अवयव अधिकाधिक आने पर ही हुआ। गोपियों की भक्ति के साथ-साथ शृंगार का दृष्टांत प्रबल पड़ने पर ही उसमें श्रीकृष्ण की निष्ठुरता आदि का उल्लेख हो चला। भागवत में यह प्रसंग भ्रमरवृत्तांत के रूप में जुड़ा हुआ है। कृष्णभक्तों में भ्रमरगीत के भीतर इसी का अधिक विस्तार हुआ। भ्रमर के व्याज से श्रीकृष्ण कितव, छली, कपटी आदि कहे गए; यह भक्ति में माधुर्यभाव के ही कारण हुआ। भागवत में वर्णित यह प्रेमयोग कृष्णभक्ति शाखा में सखीसंप्रदाय की उद्भावना का आदर्श ही बन गया। उद्धव तो गोपवेश ही धारण करके लौटे थे, पर इधर पुरुषों ने भी सखी या गोपीवेश धारण करना आरंभ किया। मीरा की उपासना तो गोपीरूप में स्वाभाविक जान पड़ती है, पर पुरुषों का गोपीवेश बहुतों को प्राकृतिक नहीं प्रतीत होता। गोपियों में इस भाव का उदय अत्यंत सान्निध्य के ही कारण प्रदर्शित किया गया है। ज्ञान के द्वारा ब्रह्म ज्ञेय ही था, प्रेम के द्वारा वह प्रेय बनाया गया। चित्त की विश्रांति प्रेमतत्त्व की योजना के द्वारा भक्ति में ही हुई। ज्ञान के क्षेत्र में तो बुद्धि की ही विश्रांति हो सकती थी। ज्ञान ने ब्रह्म को जाना, पर उसकी कोई कल्पना वह न कर सका। इसी से वह उसे निर्विकल्प, निराकार, निर्गुण आदि कहता आया, पर भक्ति की संतुष्टि इससे न हो सकी, उसने उसे साकार और सगुण कर दिया। ज्ञान 'नेति-नेति' कहता रहा, पर भक्ति ने 'सर्वंखल्विदम्' का सहारा लिया। वेदांत (अद्वैत) भी तो विवर्तवाद, दृष्टिसृष्टिवाद, प्रतिबिंबवाद आदि से थककर अजातवाद और प्रौढ़िवाद की शरण गया। उसे भी स्वीकार करना पड़ा कि जो जैसा है वह वैसा ही है।

तुलसीदास ने रामभक्ति का जो आदर्श चातक की साधना द्वारा प्रतिष्ठित किया उसमें भी चातक के पन का निरूपण विस्तार से है। वहाँ बादल को उदार, करुणालु आदि रूप में ही अधिकतर प्रदर्शित किया गया है। केवल कहीं-कहीं उसकी कठोरता का निदर्शन प्रेमीहृदय की उच्चता और दृढ़ता का प्रतिपादन करने का अर्थ जोड़ दिया गया है। कृष्णभक्ति और रामभक्ति के स्वरूप में बड़ा भेद था। रामभक्ति का रूप उपास्य और उपासक से सेव्य और सेवक की भावना को दृढ़ करनेवाला था। स्वयं तुलसीदास ने स्पष्ट शब्दों में काकभुशुंडि के मुँह से कहलाया है—

सेवक, सेव्य भाव बिन भव न तरिय उरगारि।

पर कृष्णभक्तों में प्रेमलक्षणा भक्ति की उपासना बढ़ी, 'परानुरक्तिरीश्वरे' का प्राधान्य हुआ। शांत और दास्य भाव से बढ़कर सख्य, वात्सल्य और माधुर्य भाव का आनंदातिरेक उपासना का प्रधान अंग हुआ। दास्य भाव उसी में अंतर्भुक्त हो गया। साधना की चरम सीमा पर पहुँचकर उपास्यपक्ष में कठोरता का आरोप भी हुआ। यह प्रेम के लौकिक पक्ष के द्वारा अलौकिक पक्ष तक पहुँचने के कारण ही हुआ है। भक्तों द्वारा कथित कृष्णलीला के उपालंभपरक पद उनकी प्रेमलक्षणा भक्ति की सूचना देते हों चाहे न देते हों पर गोपियों की उपालंभभावना का विस्तार से वर्णन करने की रुचि प्रेमलक्षणा भक्ति की प्रेरणा से अवश्य हुई है। भक्ति के इस स्वरूप ने प्रेमभाव के क्षेत्र का कोना-

कोना छान डालने की रुचि अवश्य उत्पन्न की। प्रेम का अधिक आरोप होने के कारण मधुररस शृंगाररस के अतिरिक्त और कुछ न रह गया। बहुतों ने उस पर लौकिक स्वरूप इतना अधिक आरोपित कर दिया कि उनकी रचना घोर शृंगारी कवियों से मिल गई।

यह सब होते हुए भी स्वच्छंद कवियों की कृति में यह वैषम्य कृष्णभक्तों की रचना से ही सीधे उतर आया हो, ऐसा प्रतीत नहीं होता। भक्ति की साधना में प्रेमगत वैषम्य भक्ति की ऊँची और गहरी अनुभूति उद्भावित करने के लिए नियोजित है, प्रिय की वास्तविक कठोरता उसका प्रतिपाद्य नहीं। पर स्वच्छंद कविता में प्रिय की वास्तविक कठोरता का वर्णन विस्तार के साथ और प्रतिपाद्य रूप में स्वीकृत है। यह निश्चय ही फारसी की कविता का प्रभाव है, जहाँ प्रिय की योजना इसी रूप में की जाती है। एक पक्ष तटस्थ रहता है और दूसरा अनुरागरस से संपृक्त। संस्कृतकवियों के विरह में इस प्रकार का क्रूर प्रियपक्ष नहीं है। इसीलिए इस कठोरता या उदासीनता का मूलस्रोत फारसी की काव्यधारा ही है जहाँ प्रधान काव्यवस्तु (थीम) यही है और जो उर्दू की रचना पर अपना दीर्घकालीन प्रभाव डाल चुकी है। हिंदी के बहुत से मध्यकालीन कवि इस विषमता के वर्णन में लगे। बिहारी पर भी इसका प्रभाव पड़ा था। रसनिधि की रचनाओं में तो शब्दावली तक ज्यों-की-त्यों उठाकर रख दी गई है। शृंगार के साथ फारसी या उर्दू की रचना में कुछ बीभत्स व्यापार भी लगे रहते हैं। भारतीय परंपरा में जुगुप्साव्यंजक व्यापारों का ग्रहण केवल वियोगपक्ष में ही विरह की दस दशाओं के अंतर्गत व्याधि, मरण आदि में हो सकता है (आलस्यौग्र्यजुगुप्साः संयोगे वर्ज्याः—रसतरंगिणी)। पर वहाँ भी छालों का फूटना, पीव-मवाद का बहना कहीं नहीं दिखाई देता। यहाँ शिष्ट रुचि के अनुकूल ही जुगुप्साव्यंजक व्यापार रखे गए हैं। रसनिधि ने वैसे बीभत्स व्यापार भी ग्रहण कर लिये हैं। उर्दू-रचना की इस विवृति का आकर्षण पुराने ही नहीं, अच्छे-अच्छे नए कवियों में भी कहीं-कहीं दिखाई देता है। प्रसाद के छिल-छिलकर छाले फोड़े मल-मलकर मृदुल चरण से, (—आँसू) में इसी का प्रभाव है। कुछ पंडितंमन्य देशी काव्य की मीमांसा में विदेशी प्रभोव की चर्चा से ही रुष्ट हो जाते हैं। उन्हें भारतीय और विदेशी काव्यपरंपरा के यथार्थ स्वरूप का अनुशीलन करना चाहिए।

प्रेम के उदात्त स्वरूप का निरूपण करने के लिए प्रीति-विषमता की स्वीकृति हुई। इसमें वियोग की प्रधानता आवश्यक थी। रीतिबद्ध काव्यरचना में वियोग के वर्णन शास्त्रस्थिति-संपादन के लिए तो आते ही थे, वस्तुव्यंजना और दूर की उड़ान के लिए भी गृहीत होते थे। संयोग और विप्रलंभ शृंगार में प्रेमी के पक्ष से यह सदा ध्यान में रखने योग्य है कि संयोग में प्रेमी की वृत्ति बहिर्मुख रहती है और वियोग में अंतर्मुख। इसका हेतु भी स्पष्ट है। संयोग में प्रिय सामने रहता है—उसके रूप का निरीक्षण, उसकी मुद्राओं का अवलोकन, उसके संलाप का सुख प्राप्त करने के लिए प्रेमी प्रिय की ओर तो देखता ही है उसके चतुर्दिक् छाई सृष्टि की ओर भी रागभरी दृष्टि डालता है। सारा संसार उसे प्रेममय, आनंदमय दिखाई देता है। शृंगार में शास्त्राभ्यासियों द्वारा सृष्टि की प्राकृतिक

सामग्री जो उद्दीपन के खाते में डाल दी गई है उसका रहस्य यही है। पर वियोग में प्रिय के सम्मुख न रहने पर वियोगी अपनी सारी वृत्तियों को समेटकर अंतर्मुखी हो जाता है। संयोग में सृष्टि से वह सुख का संचय करता था, पर वियोग में उसी से विषाद संचित करने लगता है। सुख, हर्ष, उल्लास आदि आनंदमयी वृत्तियाँ विकासमयी होती हैं, इसी से हृदय में न समाकर बाहर उमड़ पड़ती हैं; पर विषाद, करुणा आदि दुःखमयी वृत्तियाँ संकोचकारिणी होती हैं, इसी से उनमें सिमटाव होता है; बाहर से अपने को खींचकर विरही सिमटकर भीतर बैठ जाता है। यही कारण है कि अंतर्वृत्ति के निरूपण पर ही इन कवियों की दृष्टि जमी दिखाई देती है। पर इन कवियों की वियोग-विषयक धारणा रीतिबद्ध कवियों से विलक्षण भी है। यहाँ संयोग में भी वियोग पीछा नहीं छोड़ता—'यह कैसो सँजोग न बूझि परै जु बियोग न क्यौं हूँ बिछोहत है' (—घनआनंद)। संयोग में वियोग की खटक लगी रहती है। प्रेमी यह समझकर उद्विग्न रहता है कि कहीं वियोग न हो जाए—'अनोखी हिलग दैया ! बिछुरै तौ मिल्यौ चाहै मिलैहूँ मैं मारै जारैं खरक बिछोह की' (—घनआनंद)। इसी हेतु इन विरहियों को न संयोग में शांति मिलती है न वियोग में। ये वस्तुतः प्रेम की तृषा बढ़ानेवाले हैं—'प्रेम-तृषा बाढ़ति भली घटे घटैगी कानि' (—दोहावली)। रीतिबद्ध कवियों में न तो वियोग की यह चरमावस्था कहीं मिलेगी और न उसके स्वरूप का आभास ही। इसलिए ये स्वच्छंद कवि अपनी इस विशिष्ट वियोगभावना के कारण उनसे पृथक् हो जाते हैं। इनकी प्रेम की पीर विलक्षण है। उसे ताकने के लिए 'हिय-आँखिन' की आवश्यकता पड़ती है।[१]

प्रेम की पीर सूफी कवियों का प्रतिपाद्यविषय है। अतः स्वच्छंद कवियों ने प्रेम की यह पीर फारसी-काव्यधारा की वेदना की विवृति के साथ सूफी कवियों से ही ली है, इसमें कोई संदेह नहीं रह जाता। सूफियों का विरहवर्णन प्रसिद्ध है। जायसी ने 'पद्मावत' में भी प्रेम की पीर का महत्त्व प्रतिपादित किया है। सूफी अपनी सांप्रदायिक भावना के अनुसार सारी सृष्टि में विरह के दर्शन करता है। 'रनबन' को विरह के बाणों से बिद्ध मानता है, पशु-पक्षी के रोएँ और पंख उसे विरह की बाणावली दिखाई देते हैं, सारी सृष्टि उसे परमपुरुष के वियोग में कलपती जान पड़ती है। सूफियों के विरह और भारतीय भक्तिमार्ग के विरह में भेद है। सूफियों का विरह यदि शाश्वत नहीं है तो जीवन में अपरिहार्य अवश्य है, कभी-कभी बेहोशी में ही संयोग-सुख क्षण-भर के लिए मिल सकता है। पर भारतीय भक्त का विरह ऐसा नहीं है। इसका कारण सूफियों के ब्रह्म की निर्गुण-निराकार-भावना है। भक्तिमार्ग ने तो निर्गुण को ज्ञानक्षेत्र के लिए छोड़कर उपासना में उसका सगुणरूप ही ग्रहण किया है। इसी से भारतीय भक्त को विरहज्वाला में निरंतर तपते रहने की आवश्यकता नहीं पड़ती। इन स्वच्छंद कवियों ने फारसी-काव्यगत वेदना की विवृति के साथ इस 'प्रेम-पीर' का स्वागत किया। इनकी

---

१. **समुझै कबिता घनआनँद की हिय आँखिन नेह की पीर तकी।** —घनआनंद-कबित्त।

रचना में वियोग के आधिक्य का कारण यही है। लौकिक पक्ष में इनका विरहनिवेदन फारसीकाव्य की वेदना की विवृति से प्रभावित है और अलौकिक पक्ष में सूफियों की प्रेमपीर से। कृष्णभक्ति के अंतर्गत विरह की पुकार का अवकाश पाकर ये कवि कृष्ण और गोपियों की विरहदशा की ओर स्वभावतः उन्मुख हुए। इसी से सूफियों की भाँति रहस्यदर्शिता के व्याख्यान की व्यापक वृत्ति इनमें नहीं रह गई। निर्गुण को त्यागकर सगुण की ओर प्रवृत्त हो जाने से इनमें रहस्य की वृत्ति विस्तार न पा सकी। भारतीय भक्तिमार्ग अपने प्रकृत रूप में रहस्यदर्शी नहीं रहा—उसे रहस्य, गुह्य, गोप्य आदि की आवश्यकता नहीं थी। ब्रह्म का सगुणरूप सामने रहने के कारण ही ऐसा हो सका है, भले ही सगुण की कामना के मूल में रहस्य हो, पर भक्तिसाधना में वह नहीं रहा। पर बाद में सखीभाव की उपासना का प्रसार होने पर रहस्य भी थोड़ा बहुत इन भक्तों में अवश्य छा गया। 'यह रहस्यभावना सूफी भावना से प्रभावित है या स्वगत विकास है' इस विवाद में पड़ना अप्रासंगिक होगा। स्वच्छंद कवियों के संपर्क और प्रभाव के कारण कहीं-कहीं रहस्य की झलक भर मिलती है। अपनी भावना से मेल खाती हुई इन कवियों की वृत्ति कृष्णभक्ति-भावना में लीन हुई। बात यह थी कि इन कवियों में से कई अपने व्यक्तिगत जीवन में प्रेम की एकनिष्ठता के उपासक हुए। प्रिय की ओर से प्रेम की स्वीकृति उचित परिमाण में न पाकर या उसमें किसी प्रकार की लौकिक बाधा खड़ी हो जाने के कारण ये संसार से विरक्त हो गए। ऐसी दशा में इनके लिए दो ही मार्ग थे। या तो ये निर्गुण-संप्रदाय का अनुगमन करते या सगुणसंप्रदाय में दीक्षित होते। निर्गुण में रूप की योजना न होने के कारण उसकी उपासना इनके चित्त के लिए अभिमत नहीं हो सकती थी, अतः इन्होंने सगुण में अपनी स्वच्छंद वृत्ति लीन की। रसखानि और घनआनंद दोनों ने ही प्रेममार्ग की इस विशेषता का उत्कीर्तन किया है—

आनँद अनुभव होत नहिं बिना प्रेम जग जान।
कै वह बिषयानंद कै ब्रह्मानंद बखान॥ —रसखानि

कृष्णभक्ति की ओर इनके आकृष्ट होने और उसमें लीन हो जाने का वास्तविक कारण यही था। इन्हें शुद्ध भक्त न मानकर प्रेमोमंग के कवि ही मानने का भी वास्तविक कारण यही है। रीतिबद्ध 'बिहारी' निंबार्क (राधातत्त्वप्रधान) संप्रदाय में दीक्षित थे। अपनी 'सतसैया' के आरंभ में राधा से बाधाहरण करने की प्रार्थना करके उन्होंने अपना संप्रदाय व्यक्त भी कर दिया है। पर वे भक्तों की श्रेणी में नहीं बैठाए गए। इसका कारण यही है कि उनकी रचना भक्त कवियों की-सी नहीं है। घनआनंद ने अंत में भक्तिसंप्रदाय में दीक्षा ले ली थी, पर लौकिक प्रेम का 'सुजान' नाम वे भूल न सके। श्रीकृष्ण का विशेषण 'सुजान', 'जान', 'जानराय' आदि रखकर वे उनकी प्रेममयी गाथा निरंतर गाते रहे। इन स्वच्छंद कवियों की आत्माभिव्यक्ति के लिए कृष्णलीला सामग्री का काम कर गई। रीतिबद्ध कवियों ने कृष्णलीला के प्रसंग बराबर लिये हैं, पर वे भक्त नहीं माने जाते, न

माने जा सकते हैं। 'आगे के सुकबि रीझिहैं तौ कबिताई नतु राधिकाकन्हाई सुमिरन को बहानो है' लिख देने से कोई भक्त नहीं माना जा सकता। इन स्वच्छंद कवियों ने हृदय के योग के साथ भक्ति की रचनाएँ की हैं। ये साधन के रूप में ही कृष्णलीला का उपयोग करते थे। कृष्णभक्तों की भक्ति-भावना परिमित, सांप्रदायिक या अनन्य दिखाई देती है। श्रीकृष्ण से आगे वे प्रायः नहीं बढ़ते। प्रेमोन्मत्त गायकों ने उदारतापूर्वक अन्य देवी-देवताओं को भी ग्रहण किया। यदि कहा जाए कि यह उदारता भक्ति का लक्षण है तो पूछना पड़ेगा कि 'रहीम' ने अपनी भक्ति-भावना उदार रखी है, पर वे भक्त कवि नहीं माने जाते। 'सेनापति' रामोपासक थे, राम की कथा के साथ उन्होंने कृष्णकथा भी 'कबित्तरत्नाकर' में सन्निविष्ट की है, पर वे भक्त नहीं शृंगारी कवि ही स्वीकृत हैं। इसलिए रसखानि, शेखआलम, घनआनंद आदि को शुद्ध भक्त कहने में हिचक होती है। सूरदास या अन्य भक्त कवि जैसे पद के अंत में 'सूर के प्रभु', 'सूर के स्वामी', 'परमानंद के प्रभु', 'छीत के स्वामी' आदि पदावली का उपयोग करते हैं, वैसी प्रवृत्ति भी इन कवियों में नहीं दिखाई देती। पद्माकर, मतिराम, देव आदि की जैसी उक्तियाँ हैं वैसी ही इनकी भी हैं। यदि बिना भक्त कहे संतोष न होता तो विधि मिलाने के लिए यह बात ध्यान में रखनी होगी कि इनकी रचना के प्रायः तीन खंड हैं। प्रथम खंड की रुचि रीतिबद्ध रचना की ओर दिखाई देती है, जिसमें इनकी ऐसी रचनाएँ आती हैं जिनमें इन्होंने काव्य-क्षेत्र में अपनी वाणी की परख या जाँच की है। दूसरे खंड में इन्होंने रीतिबद्ध रचना का त्याग कर दिया है और स्वच्छंद रूप से प्रेम के पवित्र क्षेत्र में पदार्पण किया है। तीसरे खंड में इनकी रचनाएँ भक्तिपरक हो गई हैं। इन कवियों का लक्ष्य श्रीकृष्ण ही हों सो भी नहीं है। सबसे अधिक विरोध रसखानि के संबंध में संभावित है। पर रसखानि ने स्वयं प्रेम को साध्य कहा है—

जेहि पाएँ बैकुंठ अरु हरिहूँ की नहिं चाहि।
सोइ अलौकिक सुद्ध सुभ सरस सुप्रेम कहाहि॥

श्री वल्लभाचार्य ने हृदय के संस्कार और विकास की दृष्टि से भक्ति को साध्य अवश्य कहा है, पर ईश्वरभक्ति को ही, यह कभी न भूलना चाहिए। पर रसखानि स्पष्ट कहते हैं—

इक अंगी बिनु कारनहिं इकरस सदा समान।
गनै प्रियहि सर्वस्व जो सोई प्रेम प्रमान॥

श्री वल्लभाचार्य के अनुसार भगवद्भक्ति या अलौकिक प्रेम ही साध्य हो सकता है, उसे ही एकांगी, निर्हेतुक, एकरस होना चाहिए। पर रसखानि लौकिक प्रेम में ही इसे स्वीकार करते हैं। तात्पर्य यह कि जिस प्रकार ये रीति से अपने को स्वच्छंद रखते थे उसी प्रकार भक्ति की सांप्रदायिक नीति से भी। अतः ये भक्तिमार्गी कृष्णभक्तों, प्रेममार्गी

सूफियों, रीतिमार्गी कवियों सबसे पृथक् स्वच्छंदमार्गी प्रेमोन्मत्त गायक थे। कोई इन्हें इनकी भक्तिविषयक रचना के कारण भक्त कहता हो तो कहे पर इतने 'व्यतिरेक' के साथ कि ये स्वच्छंद प्रेममार्गी भक्त थे, तो कोई बाधा नहीं है! स्वच्छंदता इनका नित्य लक्षण है। यही कारण है कि इन्होंने काव्यशैली की दृष्टि से भी भक्तों से प्रस्थानभेद सूचित किया। कृष्णभक्तों की अधिकतर रचनाएँ गीत में ही मिलती हैं। काव्य की प्राचीन कबित्त-सवैयेवाली शैली में उन्होंने पूरी आस्था नहीं दिखाई। भगवदुपासना के रागरंग के लिए राग-रागिनियों के अनुकूल पदन्यास करनेवाले गीत ही उन्हें अधिक रुचे हैं। इन स्वच्छंद कवियों की कुछ रचनाएँ पद की भी अवश्य हैं पर इनकी एक प्रकार से प्रवृत्ति-बोधिनी कृति कबित्त-सवैयों में ही है, बीच-बीच में दोहे, सोरठे और छप्पय भी आ गए हैं, यह दूसरी बात है। इनके स्वच्छंद प्रेममय कविपक्ष के अनुकूल इस तर्क की उपेक्षा नहीं की जा सकती। 'रसखानि' ने भी भक्तों की 'गीतिरीति' का त्याग कर दिया है।

स्वच्छंद कवियों ने रीति की रचना आरंभ में स्वीकृत करके भी त्याग दी। उसका जितना अंश उन्होंने लिया वह परिमित है; कुछ चुने हुए प्रसंग ही अधिक हैं। नेत्रव्यापार की कुछ उक्तियाँ सभी कवियों में पाई जाती हैं। भक्त, रीतिबद्ध, रीतिसिद्ध और रीतिमुक्त सभी कवियों ने नेत्रों पर उक्तियाँ बाँधी हैं। 'सूरसागर' में तो इस प्रकार की उक्तियाँ भरी पड़ी हैं। यदि कोई चाहे तो नेत्रों की उक्तियों का हिंदी के पुराने कवियों के काव्य से बहुत बड़ा संग्रह कर सकता है। एक छोटा-सा संग्रह निकला भी है, पर उसमें भी चमत्कारातिशययुक्त रचनाएँ ही संकलित की गई हैं। नेत्रों की इन उक्तियों को रीतिबद्ध रचना के अंतर्गत नहीं ले जा सकते। खंडिता की उक्तियाँ भी इन कवियों में पाई जाती हैं। 'बिहारी' की भी कोई एक-तिहाई रचना खंडिता की उक्तियों से निर्मित हुई है। रसखानि, आलम, ठाकुर, घनआनंद सबमें खंडिता की उक्तियाँ मिलती हैं। इसके हेतु का विचार करना भी आवश्यक है। बात यह है कि जो कवि दरबारी थे उन्होंने तो उर्दू या फारसी की काव्यरचना के रकीबों और माशूकों के जोड़-तोड़ में खंडिता को दरबार में पेश किया। भारतीय परंपरा में उन्हें खंडिता की उक्ति ही उससे मेल खानेवाली दिखाई पड़ी। सौतों की क्रीड़ा में विशेष संलग्न होने का कारण दरबारी कवियों में तो दरबारी दंगल ही प्रतीत होता है। स्वच्छंद कवियों ने इसका ग्रहण इसी से किया कि प्रेमवैषम्य के लिए उन्हें भी भारतीय काव्यपद्धति में यही बात अनुकूल दिखाई पड़ी। फारसी ढंग का प्रेम वे देशी प्रणाली के अभिमानी होकर दिखा नहीं सकते थे। प्रेम की गंभीरता पर भी तो उनकी दृष्टि आरंभ से ही थी; अतः रीतिबद्ध कवियों का यही काव्यार्थ इन्हें सुभीते का जान पड़ा। पर खंडिता की इनकी उक्तियों में भेद है। स्वयं नायिकाभेद के भीतर धीराधीरादि और खंडिता के रूप में अंतर दिखाई देता है। खंडिता में अधिकतर सपत्नी के संसर्ग से उपलब्ध नायक के शरीर पर के चिह्नों पर ही विशेष दृष्टि रहती है और वह भी बेढंगे चिह्नों पर। जैसे भाल पर महावर का चिह्न, आँखों में पान की पीक, अधरों में अंजन, छाती पर 'बेगुन की

माला' आदि। रीतिबद्ध कवियों ने इन विशेष चिह्नों की उद्धरणी पर ही विशेष ध्यान दिया है; खंडिता के हृद्‌गत भावों पर उनकी वृत्ति प्रायः नहीं जमी है।

धीराधीरादि में भी वचनावली की कठोरता या कोमलता को ही उन्होंने लक्ष्य किया। उक्ति के साथ लिपटकर हृदय सामने न आ सका; पर स्वच्छंद कवियों ने खंडिता के चिह्नों की उद्धरणी पर ध्यान न देकर उसका हृदय दिखलाने का प्रयत्न किया है। उक्ति खंडिता की ही है, इसके लिए किसी एक चिह्न का संकेत करके वे भाव के विधान में लग गए। पर इस प्रकार की उक्तियों में भी उनका मन नहीं रम सकता था, अतः उन्होंने इनका भी त्याग कर दिया। सुरतांत या विपरीत रति आदि की कुरुचिपूर्ण रचनाएँ स्वच्छंद कवियों की रचना में प्रायः नहीं मिलतीं। जहाँ मिलती हैं वहाँ उनकी आरंभिक रचना के रूप में, जब उन्होंने हाथ आजमाने के लिए रीतिबद्ध रचना की सरणि स्वीकृत की थी। बाद में ऐसी रचना की उन्होंने पूर्ण उपेक्षा की। बोधा में ही कुछ बाजारू रंग-ढंग कहीं-कहीं मिलता है। यह उन पर फारसी की रचना का आरंभिक प्रभाव है। रीतिबद्ध लक्ष्यकारों में जो स्थिति रसनिधि की है, भक्तों में जो रूप कुंदनशाह का है, वैसा ही स्वच्छंद कवियों में बोधा का समझना चाहिए, जो आत्मविस्तृत होकर बाहरी रंग में रंग गए हैं। कुशल मानिए कि बोधा ने अपनी सारी रचना इसी प्रकार की नहीं रखी। घनआनंद, ठाकुर आदि ने तो विदेशी रंग-ढंग ग्रहण करने की पद्धति बताई। विदेशीपन इनकी काव्यधारा में घुल गया। बिहारी ने भी रसनिधि की अपेक्षा विदेशीपन को बड़े कटकीने से ओढ़ा है, बीभत्स व्यापार कहीं ग्रहण नहीं किया। रसखानि में विदेशीपन की कुछ झलक अवश्य दिखाई देती है।

जीवनवृत्त

रसखानि, रसखान या रस खाँ कवि का उपनाम या छाप है। इनका वास्तविक नाम क्या था इसका ठीक-ठीक पता नहीं चलता। 'शिवसिंहसरोज' में इन्हें सैयद इब्राहीम पिहानीवाले लिखा गया है। पिहानी सैयद-पठानों की बस्ती है। कहा जाता है कि शेरशाह सूरी के पीछा करने पर जब हुमायूँ भाग रहा था तब उसे कन्नौज के काजी सैयद अब्दुल गफूर ने आश्रय दिया। इससे प्रसन्न होकर अपनी कृतज्ञता का प्रकाश करते हुए उन्हें हुमायूँ ने हरदोई जिले की तहसील शाहाबाद परगना पिडरबा में ५००० बीघे का जंगल और पाँच गाँव दिए। पिहानी की बस्ती के मूल ये ही गाँव हैं। हुमायूँ की मृत्यु के बाद अकबर की भी इस स्थान के प्रति अनुकूल वृत्ति बराबर रही और उससे सहायता मिलती रही। पठानों की बस्तियाँ सीमाप्रांत के जिलों पंजाब और रुहेलखंड में रही हैं। यदि रसखानि पिहानी के सैयद इब्राहीम थे तो इनका संबंध दिल्ली से कैसे हुआ, यह विचारणीय है। 'दो सौ बावन वैष्णवन की वार्ता' में रसखानि दिल्ली के पठान कहे गए हैं। स्वयं रसखानि ने भी अपनी 'प्रेमवाटिका' में लिखा है—

देखि गदर हित साहिबी दिल्ली नगर मसान।
छिनक बादसाबंस की ठसक छोरि रसखान ॥
प्रेमनिकेतन श्रीबनहिं आय गोबर्धन धाम।
लह्यो सरन चित चाहिकै जुगलसरूप ललाम ॥

इससे स्पष्ट है कि रसखानि उस समय दिल्ली से हटे जब वहाँ साहबी के लिए गदर हुआ और दिल्ली नगर मसान हो गया। इन्होंने बादशाह-वंश की ठसक का त्याग किया और ये वृंदावन में आ बसे। यदि पिहानी से इनका संबंध रहा हो तो यही अनुमान करना पड़ेगा कि हुमायूँ की अनुकूलता और अकबर के अनुग्रह से सैयदों को दिल्ली में भी कुछ आश्रयस्थान अवश्य मिला होगा। संभव है ये पिहानी से दिल्ली चले गए हों और वहीं रहने लगे हों। पर पठानों के उपद्रव अकबर और जहाँगीर के समय में इतिहासप्रसिद्ध हैं। अकब्बर ने तो इन्हें बराबर दबाने का प्रयत्न किया। जहाँगीर के समय में भी इनका उपद्रव शांत नहीं हुआ। काँगड़ा को विजय और आहलीदाद पठान की पराजय की चर्चा जहाँगीर ने बड़े आह्लाद के साथ की है। यह कहा है कि जो पठान मेरे पिता के समय से उपद्रव मचा रहे थे उन्हें दबाने में बड़ी कठिनाई के बाद मुझे अब सफलता मिली। पठान भारत के पुराने शासक थे। वे मुगलों को विदेशी और अपने को देशी समझते थे। शेरशाह सूरी अफगान था और अफ़गान पठानों की ही शाखा है। इनका व्यवहार देश के प्राचीन निवासी हिंदुओं के प्रति जैसा था उससे इसका पूरा संकेत मिलता है कि ये भारत को अपनी देशी-भूमि समझते थे। मुगलों की गणना लुटेरों और विदेशियों के रूप में की जाती थी। यही कारण था कि ये बराबर षड्यंत्र करते रहते थे और अवसर मिलने पर सिर उठा ही देते थे। बंगाल के पठानों का विद्रोह प्रसिद्ध है। जान पड़ता है कि पठानों के विद्रोह से क्षुब्ध होकर दिल्ली में कुछ षड्यंत्रकारी पठानों को दंड दिया गया और वहाँ बसे हुए पठान भाग खड़े हुए। दिल्ली ने इस प्रकार श्मशान का रूप धारण किया। रसखानि ने स्पष्ट लिखा है कि 'देखि गदर हित-साहिबी'। 'साहिबी' अर्थात् सल्तनत के लिए यह विद्रोह हुआ था। ये बादशाही खानदान के थे और सल्तनत उलटने के उपद्रव में इनके ऊपर भी संदेह होने की पूरी आशंका थी। 'प्रेमदेव की छबि' के दीवाने मियाँ रसखानि को ये उपद्रव कब पसंद रहे होंगे। इन्होंने उसका परित्याग कर दिया। इसकी पूरी संभावना है कि इस विद्रोह में इनके कुटुंबवाले भी रहे हों और उन्होंने प्राणदंड पाया हो।

रसखानि का समय भी विचारणीय है। 'दो सौ बावन वैष्णवन की वार्ता' के अनुसार ये गोसाईं विट्ठलनाथ के शिष्य हुए थे। विट्ठलजी का गोलोकवास संवत् १६४२ में हुआ। इसलिए ये उनके शिष्य इसके पहले ही हो गए होंगे, इधर अपनी प्रेमवाटिका का निर्माणकाल इन्होंने इस प्रकार बतलाया है—

बिधु[१] सागर[७] रस[६] इंदु[१] सुभ बरस सरस रसखानि।[१]
प्रेमबाटिका रचि रुचिर चिर हिय हरष बखानि॥

प्रेमवाटिका में प्रेमसिद्धांत का निरूपण है और इसमें श्रीकृष्ण और राधा की भक्तिभावना का उल्लेख किया गया है। प्रेमवाटिका के वे ही माली और मालिन के द्वंद्व (जोड़े) कहे गए हैं। इससे यह तो स्पष्ट है कि यह रचना उत्तरकालीन है। इसे आरंभिक रचना मानने की भूल न करनी चाहिए। ये किस समय उनके शिष्य हुए कहा नहीं जा सकता। विट्ठलनाथ १५९९ में गद्दी पर बैठे थे। उस समय उनकी वय २७ वर्ष थी। किसी मुसलमान को वैष्णवधर्म में दीक्षित करने की दृढ़ता प्रौढ़ावस्था में ही संभव है। इसलिए ५०-६० वर्ष से कम की वय में मियाँ रसखानि इनकी शरण न गए होंगे, १६१५ के आसपास इनके शिष्य न हुए होंगे। इस प्रकार दिल्ली का उपप्लव अकबर के ही राजत्वकाल का होगा और बहुत संभव है कि जिस समय मिरजा हकीम को दबाने के लिए वह व्यग्र था उसी समय दिल्ली के पठानों पर भी उसका क्रोध गरजा हो। क्योंकि पठान बराबर मुगल शासन को उखाड़ फेंकने के प्रयत्न में लगे रहते थे। दिल्ली में मारकाट की किसी घटना का उल्लेख अकबर के समय में नहीं है। अकबरनामा, तबकाते अकबरी, आइने अकबरी आदि में से किसी ने इस घटना का उल्लेख नहीं किया। पर शाह मंसूर की फाँसी इतिहासप्रसिद्ध है। मिरजा हकीम से संबंध रखने का षड्यंत्र दरबारी कर रहे थे जिसका अगुआ शाह मंसूर कहा जाता है। इसके कई पत्र पहले भी पकड़े गए थे। पर अकबर ने इसे शाह मंसूर से जलनेवालों का षड्यंत्र समझा था। पर अंत में कुछ पत्र और पकड़े गए और उसे बबूल के पेड़ में लटकाकर मार डाला गया। कहा जाता है कि अकबर को शाह मंसूर के मरवा डालने का बाद में खेद हुआ। खेद हुआ हो, पर यह निश्चित है कि वह मरवाया गया। क्या अनुमान नहीं किया जा सकता कि शाह मंसूर को मरवाने के साथ ही दिल्ली के कुछ और साधारण लोग भी, जो कदाचित् पठान ही रहे होंगे, मरवाए गए हों। इतिहास में इसका विवरण नहीं है, पर ऐसी घटना घटित होने की संभावना की जा सकती है। स्मरण रखने की बात है कि शाह मंसूर दिल्ली से कुछ ही कोसों की दूरी पर मरवाया गया था। उसमें दरबारियों का षड्यंत्र भी था। वे दरबारी कैसे बचे? यदि वे दरबारी मारे न गए होंगे तो उन्हें कड़े दंड और चेतावनी अवश्य दी गई होगी। उक्त दोहे में 'गदर हित-साहिबी' पदावली ध्यान देने योग्य है। यह उपप्लव 'बादशाही' के लिए ही हुआ था। यदि शाह मंसूर निर्दोष था तो भी वे दरबारी, जिन्होंने उसके विरुद्ध षड्यंत्र किया था, क्या निर्दंड बच गए। वे दरबारी केवल आगरा के रहे हों ऐसी नहीं जान पड़ता, दिल्लीवालों का हाथ इसमें हो सकता है। इसलिए दिल्ली में ऐसी

---

१. यहाँ 'सागर' का अर्थ '७' न करके कोई '४' करते हैं। पर हिंदी में 'सागर' शब्द का किसी ने कदाचित् ही कहीं '४' के अर्थ में प्रयोग किया हो। संस्कृत में ऐसा अवश्य हुआ है।

घटना की संभावना पूरी है। शाह मंसूर को सन् १५८१ अर्थात् सं० १६३८ में फाँसी दी गई थी, अतः रसखानि जिस घटना की ओर संकेत कर रहे हैं उसका मेल पूर्वापर विचार करने से इसी से ठीक बैठता भी है।[१]

रसखानि का सबसे प्राचीन उल्लेख 'दो सौ बावन वैष्णवन की वार्त्ता' में मिलता है, जहाँ इन्हें दिल्ली का पठान कहा गया है। उसमें कहा गया है कि ये किसी साहूकार के लड़के पर आसक्त थे। उसके देखे बिना बेचैन रहते, उसका जूठा खाते आदि। इनकी यह आसक्ति इतनी प्रसिद्ध हो गई कि लोग इनके प्रेम का दृष्टांत देने लगे। कहीं चार वैष्णव यह कह रहे थे कि प्रभु में वैसा ही प्रेम करना चाहिए जैसा रसखानि का साहूकार के पुत्र पर है। इसे इन्होंने सुन लिया। वैष्णव ने इनसे कहा कि जैसा प्रेम तुम साहूकार के बेटे पर करते हो वैसा यदि प्रभु से करते तो तुम्हारा जीवन बन जाता। रसखानि ने जिज्ञासा की कि प्रभु कौन हैं। उसने श्रीकृष्ण का नाम बताया और उनका चित्र दिखाया। ये उस मूर्ति पर मुग्ध हो गए। फिर व्रज में आए और प्रभु के दर्शन के लिए गोविंदकुंड पर तीन दिन तक पड़े रहे, अंत में गोसाईं विट्ठलनाथ को स्वप्न हुआ और ये 'बड़ी जाति' के होने पर भी शिष्य कर लिए गए। दूसरी किंवदंती में साहूकार के पुत्र के स्थान पर किसी स्त्री की बात कही जाती है, जो बड़ी मानिनी थी। उसने इन्हें वैसे ही ताना मारा जैसे तुलसीदास की पत्नी ने ताना मारा था। फल भी वही हुआ, तुलसी श्रीराम के भक्त हो गए और रसखानि श्रीकृष्ण के। तीसरी बात भागवत की कथा से संबद्ध है। इन कथाओं से दो तथ्य उपलब्ध होते हैं। एक तो यह कि ये किसी पर मुग्ध अवश्य थे, वह पुरुष था या स्त्री यह दूसरी बात है। दूसरे इन्होंने श्रीकृष्ण का कोई मनोहर चित्र भी देखा। इन दोनों का समर्थन प्रेमवाटिका के इस दोहे से होता है—

तोरि मानिनी तें हियो फोरि मोहिनी मान।
प्रेमदेव की छबिही लखि भए मियाँ रसखान॥

इस दोहे में 'मानिनी' और 'मोहिनी' दो शब्द हैं और दोनों संकेत करते हैं। दोनों स्त्रीलिंग हैं यह भी ध्यान देने योग्य है। जान पड़ता है कि इन्होंने अपनी धर्मपत्नी और उपपत्नी दोनों का त्याग किया था। 'मानिनी' (मान करनेवाली, पति के व्यवहार से रूठी रहनेवाली धर्मपत्नी) से इन्होंने अपना हृदय तोड़ लिया। सामाजिक संबंधसूत्र तोड़कर हृदय को दूसरी ओर जोड़ा। 'मोहिनी' (मोह लेनेवाली, रूपवती उपपत्नी) के मान (सम्मान या अभिमान) का घड़ा फोड़ डाला। जान पड़ता है कि इनके 'मोहिनीप्रेम' की कथा ख्यात भी थी। धर्मपत्नी कदाचित् इसीलिए 'मानिनी' बनी रहती थी। 'फोरि' शब्द से यह व्यंजना स्पष्ट है कि उसका 'अभिमान' इन्हें 'फोड़ डालना' पड़ा अर्थात्

---

१. 'साहिबी-हित गदर' से 'दिल्ली नगर मसान' कब हुआ इस पर मतभेद है। सं० १६११-१२ में जो घटनाएँ घटित हुईं उनकी ओर रसखानि का संकेत है ऐसा मानने से भी कोई विशेष लाभ प्रतीत नहीं होता।

'मोहिनी' इनसे प्रायः रूपगर्व के कारण अभिमान के भाव से भरी हुई मिलती थी, जिससे इनके हृदय को चोट पहुँचती थी। चेतन प्रिय का उदासीन रहना प्रेमी बहुत दिनों तक सँभाल नहीं सकता। ईश्वर का अलौकिक आधार मिलते ही वह लौकिक आधार चुपचाप छोड़ दिया गया। 'साहूकार' का 'छोरा' न होकर उसकी 'छोरी' होने की ही संभावना अधिक है। ये मियाँ थे और बाद में 'रसखानि' हुए यह भी पता चलता है। 'प्रेमदेव' के अतिरिक्त 'सुजान रसखान' में मोहन की छबि का वर्णन भी आया है। देखिए—

मोहनछबि रसखानि लखि अब दृग अपने नाहिं।
ऐंचे आवत धनुष से छूटे सर से जाहिं॥
देख्यो रूप अपार मोहन सुंदर स्याम को।
वह ब्रजराजकुमार हिय जिय नैननि में बस्यौ॥

मियाँ सैयद इब्राहीम का किसी छोरे पर प्रेम होना अनहोनी बात तो नहीं, पर स्वयं कवि जब उस घटना का उल्लेख स्पष्ट दूसरे रूप में कर रहा है तो जान पड़ता है कि प्रेम स्त्री के प्रति था, पुरुष के प्रति नहीं। यह निश्चय ही 'वार्त्ता लिखनेवाले की ओर से जोड़ी हुई या अनुमित की हुई घटना है'।

इसी दोहे में इसका भी उल्लेख है कि 'मियाँ' रसखान (रसखानि) हो गए। दीक्षित होने पर ही ये रसखानि नाम से प्रसिद्ध हुए। इसका भी आभास इसी दोहे से अवगत होता है। इससे यह सिद्ध है कि 'प्रेमवाटिका' दीक्षित होने के अनंतर बनी और बहुत समयानंतर बनी।

रसखानि के बारे में दूसरी किंवदंती यह है कि ये मक्का जाने के लिए अपने कुछ साथी-संगातियों के साथ चले, पर रास्ते में वृंदावन पहुँचे और वहाँ का राग-रंग इतना आकर्षक प्रतीत हुआ कि वहीं रम गए और अंत में विट्ठलनाथ के शिष्य हो गए। यदि 'नामूला तु जनश्रुतिः' के अनुसार इसकी छानबीन करें तो यह मानना पड़ेगा कि इनका स्थान पूर्व में ही होना चाहिए। क्योंकि दिल्ली का रहनेवाला उलटे मथुरा-वृंदावन से होकर मक्के क्यों जाएगा। इसके अनुसार संगति यही बैठ सकती है कि ये अपने पूर्वी वासस्थान से दिल्ली गए और दिल्ली में उपद्रव हो जाने से मुथरा-वृंदावन चले आए। दिल्ली में ये अधिक दिन रहे यह तो स्वयं इनके उल्लेख से ही प्रमाणित हो जाता है। 'मानिनी' और 'मोहिनी' दिल्ली में ही थीं। जान पड़ता है, ये उपद्रव से तो व्यग्र हुए ही, 'मानिनी' और 'मोहिनी' की असूया से भी व्यथित हुए। दोनों ने इन्हें वृंदावन में शरण लेने को बाध्य किया। जान पड़ता है, इनके मक्के जाने की कथा साधारण है। उन दिनों मियाँ लोग मक्के बहुत जाते थे। जाते भी थे और भेजे भी जाते थे। बादशाह अकबर जिन मियाँ लोगों से या उनके कार्य से अप्रसन्न हो जाता था वे मक्के भेज दिए जाते थे। दिल्ली के उपद्रव में यदि इनसे या इनके परिवार से बादशाह अप्रसन्न हो गया हो तो

संभव है इन्हें मक्के जाने की सलाह मिली हो, पर ये वहाँ न जाकर वृंदावन में ही आकर रम गए हों। संभव है और लोग भी मक्के भेजे गए हों। दिल्ली नगर कुछ तो भय से भागनेवालों के कारण और कुछ मक्के जानेवालों के कारण श्मशान हो गया हो। बादशाहवंश की ठसक इन्हें छोड़नी पड़ी। वंशगौरव की शान-शौकत इन्होंने क्षण-भर में छोड़ दी। वहाँ से वृंदावन में आ रहे। कहा जाता है कि इनके कृष्णभक्त हो जाने पर बादशाह से इनके काफिर हो जाने की चुगली खाई गई। इसका पता चला तो इन्होंने निम्नलिखित दोहा कहा—

कहा करै रसखानि को कोऊ चुगल लबार।
जो पै राखनहार है माखन चाखनहार॥

यह दोहा न 'प्रेमवाटिका' में मिलता है न इनके काव्यसंग्रह 'सुजान रसखानि' में, पर प्रसिद्ध है। इसमें यह स्पष्ट संकेत है कि किसी लबार या चुगलखोर ने इनकी कुछ चुगली अवश्य खाई थी। किससे खाई थी यह व्यक्त नहीं है। पर यह अवश्य जान पड़ता है कि किसी बड़े अधिकारी से चुगली की गई। क्या चुगली की गई यह भी स्पष्ट नहीं है। चुगली के रूप का पता 'राखनहार' से कुछ अवश्य मिलता है। इनके 'काफिर' होने की बात से इस दोहे का संबंध नहीं जान पड़ता। अकबर धर्म के मामले में उदार था, यह इतिहासप्रसिद्ध है। यह कल्पना बड़े मजे में की जा सकती है कि अकबर की दीनइलाही में आने के लिए इनसे कहा गया हो। यदि 'गदर' से इनका प्रत्यक्ष संबंध प्रमाणित न हुआ हो तो या तो इनसे मक्का जाने के लिए कहा गया हो या दीनइलाही में योग देने का लोभ दिखाया गया हो। संभव है कि दीनइलाही में शामिल होने के बदले ये कृष्णभक्त हो गए हों और यही समाचार बादशाह को दिया गया हो। बादशाह इस पर कुछ अप्रसन्न हुआ हो। 'दीनइलाही' न मानकर कृष्णभक्त हो जाने से बादशाह का चिढ़ना स्वाभाविक है। वह दरबारी लोगों से तो दीनइलाही में योग देने की आशा करता ही था औरों से भी आशा रखता था। साधु-फकीरों को भी उसमें घसीटना चाहता था। यदि रसखानि मियाँ उसमें नहीं आए तो उससे अप्रसन्न तो अवश्य हुआ होगा, पर धर्म-विषयक अपनी उदारनीति के कारण इन्हें कुछ प्रत्यक्ष न कहा होगा। 'राखनहार' का अर्थ या तो मृत्यु से बचानेवाला हो सकता है या बादशाह के किसी कड़े कोप से। जो भी हो, यह अनुमान ही अनुमान है। इस संबंध में दृढ़तापूर्वक कुछ कह सकना पर्याप्त सामग्री के अभाव में कठिन ही है।

शेख आलम

विवाहसंबंध की नीति है—'कन्या वरयते रूपम्'। वरपक्ष से देखें तो इसी को 'वरो वरयते रूपम्' मानना पड़ेगा। तात्पर्य यह कि वर हो या कन्या दोनों एक-दूसरे के सौंदर्य पर ही मुग्ध होते हैं। पश्चिमी देशों में भी 'प्रथम दर्शन' से अनुराग मानते हैं (लव् ऐत फर्स्त साइत)। पर ऐसे अनुराग के उदाहरण बहुत कम मिलेंगे जिसमें कोई किसी की कविता पर मुग्ध होकर उससे विवाह कर ले। विवाह ही न कर ले प्रत्युत निकाह कर ले अर्थात् कविता के नाम पर धर्म की भी परवाह न करे। ऐसी अनोखी, उमंग कविहृदय, सच्चे कविहृदय में ही पाई जाती है। आलम, मियाँ आलम, के संबंध में यही जनश्रुति ख्यात है। उनके लिए उक्त लोकनीति को इस प्रकार पढ़ना पड़ेगा—'कन्या वरयते काव्यम्' या 'वरो वरयते काव्यम्'।

अकबर के समय में एक द्विज देवता ने काव्य को ही 'मान' मानकर कन्या का वरण किया। बिहारी या केशव के जो चित्र मिले हैं उन्हीं के आधार पर कल्पना कीजिए कि लंबी मिरजई पहननेवाला, कमर में फेटा कसनेवाला और सिर पर पगड़ी बाँधनेवाला एक ब्राह्मण कवि कविता पर फिदा होकर 'आलम' हो गया। इन कविजी की बान थी कि उमंग उठने पर जितना अंश बन पाता लिख लिया करते थे और दुपट्टे या पगड़ी के कोने में बाँध रखते थे। एक बार पगड़ी के कोने में एक अधूरा दोहा बँधा रह गया। ब्राह्मण देवता उसे भूल ही गए। पगड़ी रँगने के लिए रँगरेजिन को दे दी गई। जो आज भी कोट, कमीज या कुरते की जेब में पड़े नोट या जरूरी पुरजों सहित उन्हें धोबी को दे दिया करते हैं वे उक्त पंडितजी की भूल समझ सकते हैं। रंगरेजिन ने रँगने के लिए पगड़ी उठाई तो छोर में कुछ बँधा पाया। देखा तो उसमें चिट पर अधूरा दोहा लिखा हुआ है। ताड़ गई कि कविजी इसे पूरा नहीं कर पाए, इसीसे यह यों ही पड़ा रह गया है। उसने ध्यान से पढ़ा—

कनक छरी सी कामिनी काहे तें कटि छीन।

शायरी का उसे भी शौक था। उसने दोहा पूरा कर दिया—

कटि को कंचन काटि बिधि कुचन मध्य धरि दीन।

आधे दोहे में जो प्रश्न था उसका उत्तर सटीक बैठ गया। पगड़ी जब रँग गई तो पुरजा फिर बाँध दिया गया—पूरे दोहे सहित। ब्राह्मण देवता ने पगड़ी के छोर में कुछ बँधा देखा तो उत्सुकता से खोलकर पढ़ने लगे। अपने आधे दोहे की ऐसी अनोखी पूर्ति देख

वे रँगरेजिन की तबियतदारी पर फिदा हो गए। उस रँगरेजिन के साथ निकाह कर लिया। कविजी हुए मियाँ आलम और उनकी बीबी बनी रही रँगरेजिन शेख।

अब मियाँ-बीबी दोनों मिलकर कविता करने लगे। कुछ उस्तादों का कहना है कि आलम की कविता में शेख का बहुत जबर्दस्त हाथ है। इनकी कल्पना का घोड़ा जब रुक जाया करता तो शेख की कल्पना उड़ान भरकर मंजिल पूरी कर देती। इसके कई उदाहरण पेश किए जाते हैं। उनका कहना है कि आलम की कविता में जहाँ-जहाँ अद्‌भुत और भावभरी उत्प्रेक्षाएँ या अनोखी सूझें मिलती हैं वे सब शेख की ही करामात हैं। कहते हैं कि एक बार एक कबित्त के तीन चरण बनाकर आलम रुक गए—

प्रेमरंग पगे जगमगे जगे जामिनि के जोबन की जोति जागि जोर उमगत हैं।
मदन के माते मतवारे ऐसे घूमत हैं झूमत हैं झुकि झुकि झपि उघरत हैं।
आलम सो नवल निकाई इन नैननि की पाँखुरी पदुम पै भँवर थिरकत हैं।

चौथे चरण की पूर्ति शेख ने इस प्रकार की—

चाहत हैं उड़िबे कौं देखत मयंक मुख जानत हैं रैनि तातें ताहि मैं रहत हैं।।

इसमें कितनी सचाई है, दैव ही जाने। लाला भगवानदीनजी ने आलम की कविता का जो संग्रह 'आलमकेलि' नाम से प्रकाशित कराया है उसमें आलम और शेख दोनों नामों या छापों की रचना है। संग्रह की लगभग चौथाई रचना शेख छाप की है। आलम छाप की रचना को शेख छाप की रचना से मिलाने पर दोनों में कुछ अंतर झलकता भर है।

शेख में केवल काव्यशक्ति ही नहीं प्रत्युत्पन्नमतित्व (हाजिरजवाबी) भी था। किवदंती है कि आलम और शेख के एक पुत्र हुआ। उसका नाम 'जहान' रखा गया। एक दिन शेख से किसी ने हँसी में पूछा कि 'आलम (संसार) की औरत आप ही हैं।' उसने छूटते ही जवाब दिया—'हाँ जहान (संसार) की माँ मैं ही हूँ'। इसी से आलम की अधिकांश रचना में रंगामेजी उस रँगरेजिन की मानते हैं।

इस जनश्रुति में इतना ही सत्य हो सकता है कि आलम पहले ब्राह्मण थे और किसी कारण आगे चलकर किसी 'यवनी नवनीतकोमलांगी' के फेर में 'शेख आलम' हो गए। रचना में वे 'आलम' और 'शेख' दोनों छापों का व्यवहार करते थे। किसी रँगरेजिन का नाम 'शेख' नहीं हो सकता, रँगरेज का अलबत हो सकता है। एक ही कवि दो-दो छापों से रचना करनेवाले हुए हैं। किसी को दो नामों के कारण रचना में दो का कर्तृत्व मानने की कल्पना सूझी और उसने उसकी विधि बैठा ली।

आलम स्वच्छंद कवि थे। स्वच्छंद काव्य की प्रेरणा विदेशी अर्थात् फारसी की है। पर उसका पर्यवसान भी भारतीय सगुणधारा में हो गया। इसी से इनकी रचना में प्रेम के आलंबन कृष्ण ही हैं। इन्होंने व्रजी में ही नहीं, चलन के अनुसार रेखता (खड़ी) में भी कुछ

छंद और एक खंडकाव्य सुदामाचरित भी लिखा है।

आलम में सच्ची उमंग थी। वे प्रेम के कोकिल भी थे और पपीहे भी। उनका कलकंठ देखिए—

लता प्रसूनडोलबोल कोकिलाअलाप केकिलोल कोककंठ त्यों प्रचंडभृंग गुंज की।
समीर बास रासरंग रासके बिलास बास पास हंसनंदिनी हिलोर केलिपुंज की।
आलम रसालबनगान ताल काल सोबिहंग बाग बेगि चालि चित्त लाज लुंज की।
सदाबसंतहंतसोकओक देवलोकतेंबिलोकरीझि रही पाँति भाँतिसों निकुंज की॥

बैसवाड़े की लय से पढ़िए तो अनुरणनध्वनि का भरपूर आनंद मिलेगा। पदावली बरबस जुटाई नहीं जान पड़ती। प्रवाह प्रकृत है। स्वच्छंदता के कारण कोकिला के साथ-साथ 'केकी (मयूर) का भी आलाप सुनाई पड़ता है। रसाल के वर्णन से समय वसंत का है। वसंत में रीति के अनुगामी मयूर का वर्णन नहीं करते, वर्षा में कोकिल का कंठ भी नहीं खुलने देते। पर पपीहे की पीर भी देखिए—

जा थल कीन्हें बिहार अनेकन ता थल काँकरी बैठि चुन्यौ करैं।
जा रसना सों करी बहु बातन ता रसना सों चरित्र गुन्यौ करैं।
आलम जौन से कुंजन में करी केलि तहाँ कब सीस धुन्यौ करैं।
नैनन में जो सदा बसते तिनकी सब कान कहानी सुन्यौ करैं॥

वाग्योग का विनियोग भी कैसा जन-जन-सुलभ है।

नायिका की खीझ का स्वच्छंद निरूपण देखें—

कैधों मोर सोर तजि गए री अनत बाजि कैधों उत दादुर न बोलत हैं ए दई।
कैधों पिक चातक महीप काहूँ मारि डारे कैधों बगपाँति उत अंतगति ह्वै गई।
आलम कहै हो आली अजहूँ न आए प्यारे कैधों उत रीति बिपरीत बिधि ने ठई।
मदन महीप की दुहाई फिरिबे तें रही जूझि गए मेघ कैधों दामिनी सती भई॥

श्रीकृष्णलीला को काव्यविषय बनाने से केवल दांपत्यरति तक ही नहीं रुके, इन्होंने वात्सल्यरति का भी वैसा ही उमंगपूर्ण वर्णन किया है। यशोदा का अभिलाष है—

देहों दधिमुधर धरनिधर्यौछोरि खैहैं धाम तें निकसि धौरी धेनु धाई खोलिहैं।
धूरि लोटि ऐहैं लपटैहैं लपटत लैहैं सुखद सुनैहैं बेनु बतियाँ अमोलिहैं।
आलम सुकबि मेरे ललन चलन सीखैं बलन की बाँह ब्रजगलिन में डोलिहैं।
सुदिनसुदिन दिन ता दिन गिनौंगी माई जा दिन कन्हैया मोसों मैया कहि बोलिहैं॥

'चंद्रकलंक' पर कवि ने नवीन कल्पना की है—

बिधु ब्रह्मकुलाल को चक्र कियौ मथि राजति कालिमा रेनु लगी।
छबि धौं सुरभीर पियूष की कीच कि बाहन पीठ की छाँह खगी।
कबि आलम रैन सँजोगिनि ह्वै पिय के सुखसंगम रंग पगी।
गए लोचन बूड़ि चकोरन के सु मनो पुतरीन की पाँति जगी॥

आलम का आलम निराला था। भावव्यंजना के लिए जैसे-जैसे खंडवृत्तों की इन्होंने कल्पना की और रूपवर्णन के लिए जैसे-जैसे खंडदृश्य ये सामने लाए उनमें सच्ची भावुकता और सच्ची अनुभूति पाई जाती है। भाषा का प्रवाह ऐसा पिच्छल और वाग्धारा ऐसी स्फीत है कि पढ़नेवाला भाव में मग्न होने के साथ ही रसना के प्रकृत स्वाद एवं तृप्तिदायिनी मिठास का भी अनुभव करता है। जो कहते हैं कि हिंदी की मध्यकालीन कविता में केवल नायिकाभेद है या उसमें पिष्टपेषण मात्र है उन्हें आँख खोलकर इन स्वच्छंद गायकों की कविता देखनी चाहिए और कान खोलकर उन्हें सुनना चाहिए। 'शेख' छाप का एक छंद देखिए—

निधरक भई अनुभक्त है नंदधर और ठौर कहूँ टोहेहू न अहटाति है।
पौरी पाखे पिछवारे कौरे कौरे लागी रहै आँगन देहली याही बीच मँडराति है।
हरि रसराती सेख नेकहू न होई हाती प्रेममदमाती न गनति दिनराति है।
जब जब आवति है तब कुछू भूलि जाति भूल्यौ लेन आवति है और भूलि जाति है॥

एक वस्तु के प्रति हृदय की एक ही वृत्ति एक समय में रह सकती है। अन्य वस्तु की स्मृति जग जाने से पहली वस्तु की स्मृति चित्त से उतर जाती है। इसमें रतिजन्य विस्मृति की सूक्ष्म अनुभूति लक्षित कराई गई है।

'आलमकेलि' में अंत के दो छप्पय छोड़कर शेष छंद कबित्त और सवैये हैं। व्रजी की प्रेम की कविता इन्हीं दो छंदों में अधिक हुई है। दोहे में नाद कम पड़ जाता है। अभिव्यक्ति को खुल-खेलने के लिए रंगभूमि भी पूरी नहीं मिलती। स्वच्छंद कवियों ने अधिकतर इन्हीं छंदों का चुनाव किया है—रसखानि, घनआनंद, ठाकुर सभी ने। रसखानि, तो कबित्त-सवैयों की शैली में लिखकर भक्तों से प्रस्थानभेद भी सूचित करते हैं।

आलम की व्रजी बहुत कुछ परिष्कृत साहित्यिक है। एक छंद में 'जाहिनै, काहिनै' (जिसको, किसको) का भी प्रयोग है। यह प्रयोग पंजाबी है। 'भूषण' ने भी 'मियाँ-बीबी' के संवाद में, 'मियाँ कहियत काहिनै' लिखा है। व्रजी में पंजाबी के प्रयोग परिस्थितिजन्य हैं। ये प्रयोग सूचित करते हैं कि साहित्यिक भाषा तो व्रजी थी, पर बोलचाल में खड़ी उठ खड़ी हुई थी। 'कीन', 'दीन' आदि पूरबी प्रयोग (जो बिहारी तक में मिलते हैं) इनकी कविता में भी मौजूद हैं।

इन स्वच्छंद प्रेम के गायकों की ही भाषा यदि आगे आदर्श रहती तो व्रजी में वैसी अव्यवस्था न होती जैसी शब्दझंकृति के फेर में हो गई है।

इनकी कविता देखने से पता चलता है कि ये साहित्यिक परंपरा के पूरे अध्ययन के अनंतर काव्य में प्रवृत्त हुए हैं। सूरदास, तुलसीदास के भावों से मिलते-जुलते कई छंद इनकी रचना में मिलते हैं। आगे के कवियों के लिए भी ये नवीन प्रयोग करते गए हैं। देव के 'गोरो गोरो मुख आजु ओरो सो बिलानो जात' की तारीफ करनेवालों को आलम के 'ओरती से नैना आँगु ओरो सो ओरातु है' की विदग्धता पर भी ध्यान देना चाहिए।

आलम का समय

हिंदी-साहित्य के आधुनिक इतिहासग्रंथों में सबसे प्रथम 'शिवसिंहसरोज' में आलम का उल्लेख मिलता है। इस इतिहास के प्रणेता ठाकुर शिवसिंह सेंगर ने ग्रंथ के पूर्वखंड में इनकी रचना में से निम्नांकित सवैया उद्‌धृत किया है जिसमें मोजमशाह (मुअज्जमशाह) की प्रशस्ति है—

जानत औलि किताबन कों जे निसाफ के माने कहें हैं ते चीन्हे।
पालत हौ इंत आलम कों उत नीके रहीम के नाम कों लीन्हे।
मोजमसाह तुम्हैं करता करिबे को दिलीपति हैं बर दीन्हे।
काबिल हैं ते रहैं कितहूँ कहूँ काबिल होत हैं काबिल कीन्हे॥

इस सवैये में किसी ऐसी घटना की ओर संकेत है जो मुअज्जमशाह के प्रति औरंगजेब की अनुकूलता और उसके अन्य भाइयों की ओर बादशाह की प्रतिकूलता व्यक्त करनेवाली है। मध्यकालीन भारत के इतिहासग्रंथों से यह स्पष्ट है कि औरंगजेब अपने पुत्रों में से इसे (मुअज्जमशाह को) विशेष चाहता था। उसे इसकी पूरी आशंका थी कि कहीं मेरे देहावसान के अनंतर साम्राज्य के विभाजन के लिए रक्तपात न हो। इसीलिए कहा जाता है कि वह अपना आंतरिक अभिप्राय अपनी मरणशय्या पर पत्र में लिखकर रख गया था। इसमें मुअज्जमशाह को उसने सबसे बड़ा भाग देने की बात लिखी थी, साम्राज्य का विभाजन करने का निषेध किया था।[१] यही मुअज्जमशाह उसकी मृत्यु के पश्चात् बहादुरशाह के नाम से शासक बना। औरंगजेब इसे ही अपनी प्रकृति की प्रतिकृति समझता था। साम्राज्य का शासन करते हुए सांप्रदायिक धर्मभाव को जागरित रखने का जैसा कठोर व्रत उसने लिया था वैसा ही मुअज्जमशाह ने भी। आलमगीर (औरंगजेब) का दुलारा 'शाहआलम' (औरंगजेब का रखा हुआ मुअज्जमशाह का प्यार का नाम) भी उसी के अनुरूप था। वह साम्राज्य के शासन की क्षमता के साथ धर्म की सांप्रदायिकता भी बनाए रखनेवाला था। कवि ने इसी का संकेत सवैये के दूसरे चरण में किया है। शासन करते हुए, संसार (आलम) को पालते हुए भी आप 'रहीम' (खुदा) का नाम लेते रहते हैं, तसबीह लिए उस परवरदिगार को जपा करते हैं, ठीक औरंगजेब की

१. विलियम इरविन कृत 'लेटर मुगल्स', खंड १, पृष्ठ ६।

पद्धति पर। औरंगजेब की मृत्यु के अनंतर संवत् १७६४ (सन् १७०७) में वह बादशाह बना और संवत् १७६९ (सन् १७१२) में जाजामऊ के युद्ध में मार डाला गया।[१] इसलिए सवैया संवत् १७६३-६४ के इधर-उधर किसी समय निर्मित हुआ होगा।

इस सवैये में प्रयुक्त 'आलम' शब्द को ठाकुर साहब ने कवि का नाम माना है। यदि यह कवि का नाम माना जाए तो 'पालत हौ इत आलम को' चरणांश में 'आलम' शब्द को बिना द्व्यर्थक माने कोई चमत्कार न रह जाएगा। इसमें जो विशेष चमत्कार है वह 'आलम' के अर्थ 'जगत्' के ही कारण। 'रहीम' पद की ओर ध्यान दें तो स्पष्ट लक्षित होता है कि कवि 'जगत्' की लौकिक क्षमता और ईश्वरचिंतन की अलौकिक योग्यता रूपी विरोधिनी अंतःशक्तियों की युगपत् स्थिति पर ही दृष्टि आकृष्ट करने का इच्छुक है। वह ऐहिक और आमुष्मिक साधनों के विलक्षण संयोग को लक्ष्य करके उसकी असाधारणता की प्रतिष्ठा करने का अभिलाषुक है। इस विस्तार से 'आलम' का यहाँ प्रधान अर्थ 'जगत्' ही ठहरता है। आलम के नाम से प्रकाशित किसी ग्रंथ में या उनके नाम से उपलब्ध किसी हस्तलिखित ग्रंथ में यह सवैया नहीं मिलता। यदि 'आलम' के प्रयोग से, जिसका मुख्य अर्थ यहाँ 'जगत्' है, इसे आलम कवि की रचना घोषित किया जाएगा तो इसी चरण में प्रयुक्त 'रहीम' को द्व्यर्थक मानकर कोई इसे 'रहीम' की रचना मानने में भी तत्पर हो सकता है। कवि का काव्यप्रयुक्त नाम (उपनाम या छाप) कहीं किसी भी अर्थ में देखकर उसे कवि की ही कृति स्वीकृत कर लेने से इतिहास में अव्यवस्था हो सकती है। इसे आलम की रचना स्थिर करके और इसमें मुअज्जमशाह की प्रशस्ति देखकर 'सरोज' में इनका समय 'सं० १७१२' माना गया है।

१७१२ संख्या भी विचार की अपेक्षा करती है। 'शिवसिंहसरोज' में उल्लिखित सन्-संवतों को हिंदी-साहित्य के इतिहासकार प्रायः विक्रमी संवत् और कवि का जन्मकाल मानते हैं। जन्मकाल मानने का हेतु यह है कि 'सरोज' के उत्तर-खंड में प्रत्येक कवि के नाम के साथ जो समय की संख्या संलग्न है उसके अनंतर मुद्रित हैं 'में उ०'। विक्रमी संवत् मानने का हेतु यह है कि प्रत्येक नाम के आगे 'सं०' लिखकर संवत् की संख्या दी गई है। 'सं०' संवत् का ही संक्षेप माना गया है और 'संवत्' का अर्थ गृहीत हुआ है 'विक्रमी संवत्'। साहित्य के इतिहास लेखकों का ही अनुगमन किया जाए तो १७१२ आलम कवि का जन्मकाल निश्चत हुआ। इसके आधार पर एक ओर कवि का रचनाकाल लगभग १७३५ से १७७० तक मानना पड़ेगा और दूसरी ओर यह रचना चाहे जिसकी हो, रचयिता मुअज्जमशाह के जीवनकाल में उनका दरबारी हो सकता है।

इसी आधार पर हिंदी-साहित्य में 'आलम' का उल्लेख, क्या साहित्य के इतिहासों में, क्या अन्यत्र, सर्वत्र मुअज्जमशाह का समसामयिक मानकर ही होने लगा। सन् १९०३ की खोज रिपोर्ट में 'आलम' के काव्यसंग्रह 'आलमकेलि' का पता पहले-पहल चला।

---

१. श्रीधर कृत 'जंगनामा'।

महाराज बनारस के राजकीय पुस्तकालय 'सरस्वती भंडार' में उस समय यह ग्रंथ सुरक्षित था। उसकी पुष्पिका में ग्रंथ का लिपिकाल संवत् १७५३ आश्विन कृष्ण ८, शुक्रवार दिया हुआ था। इसलिए 'आलम' को संवत् १७५३ के लगभग उपस्थित माना गया और 'शिवसिंहसरोज' के अनुसार इन्हें मुअज्जमशाह (बहादुरशाह) का आश्रित घोषित किया गया। संवत् १९७० (सन् १९१३) में हिंदी-साहित्य का बृहत् इतिहास-ग्रंथ 'मिश्रबंधुविनोद' प्रकाशित हुआ। इसमें भी 'सरोज' के आधार पर 'आलम' का काव्यकाल संवत् १७४० विक्रमी माना गया। संवत् १९७९ में स्व. लाला भगवानदीन ने 'आलमकेलि' नामक आलम का काव्यसंग्रह प्रकाशित कराया। जिस हस्तलिखित प्रति के आधार पर इसका प्रकाशन हुआ उसकी पुष्पिका में भी लिपिकाल यों दिया है—

इति श्री आलम कृत कबित्त आलमकेलि समाप्तम्। संवत् १७५३ समये आसन् बदी अष्टमी बार सुक्र।

इस लिपिकाल की 'आलम' के इतिहाससम्मत रचनाकाल से संगति बैठाने के लिए उन्होंने यह कल्पना की कि 'आलम और शेख का कविताकाल साधारणतः सं० १७४० से सं० १७७० तक माना जाता है'। यह हस्तलिखित प्रति जिसके अनुसार यह पुस्तक छपी है, सं० १७५३ की लिखी हुई है। इससे यह स्पष्ट है कि इसमें वे ही छंद संग्रहीत हैं जो उस समय तक बन चुके थे। यही कारण है कि इसमें आलम और शेख के कुछ अधिक प्रख्यात कबित्त (जो इस संग्रह के बाद रचे गए होंगे) नहीं मिलते। उदाहरणवत् 'आलम' के ये मशहूर छंद इसमें नहीं हैं।×× इसका कारण यही जान पड़ता है कि वे छंद इस हस्तलिपि के बाद की रचनाएँ हैं। यह हस्तलिपि आलम के जीवनकाल में ही उनके किसी शिष्य या भक्त द्वारा लिखी गई है। अतः हमें तो अत्यंत प्रामाणिक जँचती है'।

सन् १९०४ में 'खोज' के सिलसिले में महाराज बनारस के ही राजकीय पुस्तकालय 'सरस्वती-भंडार' में आलम की माधवानल-कामकंदला नामक प्रेमकथा दोहे-चौपाइयों में लिखी हुई मिली थी। 'खोज' के तत्कालीन निरीक्षक बाबू श्यामसुंदरदास ने उसमें उल्लिखित रचनाकाल ९९१ हिजरी (सन् १५८३) के आधार पर यह धोषणा की थी कि हिंदी में एक नहीं दो आलम हैं, क्योंकि 'माधवानल-कामकंदला' में अकबर और उनके भूव्यवस्थापक टोडरमल का उल्लेख है। साहित्य के इतिहासलेखकों की दृष्टि उस समय उधर नहीं गई थी, क्योंकि संवत् १९८३ (सन् १९२९ में नागरी प्रचारिणी सभा द्वारा प्रस्तुत 'हिंदी-शब्दसागर' की भूमिका में एक ही आलम का उल्लेख है और वे मुअज्जमशाह के समकालीन माने गए हैं, पर संवत् १९९४ (सन् १९३९) में जब 'मिश्रबंधुविनोद' का द्वितीय प्रवर्धित संस्करण प्रकाशित हुआ तब उसमें इसका विवेचन किया गया और कहा गया कि यदि 'सरोज' में उल्लिखित 'मोजमशाह' का तात्पर्य मुअज्जमशाह (बहादुरशाह) से ही हो, जो औरंगजेब का पुत्र था, तो निश्चय ही दो आलम होने की संभावना है। मुंशी देवीप्रसाद एक ही

आलम मानते थे और उन्हें अकबर का समसामयिक स्वीकार करते थे। इन 'आलम' के ५०० छंद भी उनके पास थे। पंडित रामचंद्र शुक्ल ने 'हिंदी-साहित्य का इतिहास' संवत् १९९७ में संशोधित और प्रवर्द्धित किया। इसमें उन्होंने दो आलम स्पष्ट स्वीकार किए—एक अकबर के समसामयिक और 'माधवानल-कामकंदला' के प्रणेता प्रबंधकाव्यकर्ता और दूसरे मुअज्जमशाह के समसामयिक और 'आलमकेलि' के कर्ता मुक्तक रचनाकार। हिंदुस्तानी अकादमी से संवत् १९९८ (सन् १९४१) में 'हिंदी कवि और काव्य' नामक ग्रंथ प्रकाशित हुआ। इसमें भी दो आलम स्वीकृत किए गए और 'माधवानल-कामकंदला' को अकबर के समसामयिक 'आलम' की रचना बताया गया। सन् १९२३-२५ की खोज-रिपोर्ट में आलम की 'माधवानल-कामकंदला' की दूसरी प्रति मिली। इसके अनुसार 'खोज' में भी दो आलम पृथक्-पृथक् मान लिये गए। इसमें उल्लिखित प्रति माधवानल-कामकंदला' की अन्य प्रतियों से भिन्न है। काशी नागरी प्रचारिणी सभा के आर्यभाषा पुस्तकालय में भी 'माधवानल-कामकंदला' की एक हस्तलिखित प्रति है। इसमें अकबर और टोडरमल का उल्लेख है और ग्रंथ के आरंभ करने का समय ९९१ हिजरी दिया गया है—

दिल्लीपति अकबर सुरताना। सप्त दीप मैं जाकी आना।
आगे नेक महामति मंडन। नृप राजा टोडरमल दंडन।
सन् नौ सै इक्या (व) नबै आही। कहौं कथा अब बोलौं ताही।

आलम के संबंध में प्रचलित जनश्रुति का उल्लेख हो चुका है। 'खोज' में मिले आलम के काव्यसंग्रहों और आलमकेलि की मुद्रित तथा हस्तलिखित प्रतियों में आलम के साथ शेख नाम की छाप के छंद भी मिलते हैं। शिवसिंह सेंगर ने आलम के रँगरेजिन से प्रेम करने और फलस्वरूप ब्राह्मण से मुसलमान हो जाने का उल्लेख तो किया है, पर रँगरेजिन के नाम का उल्लेख नहीं किया है। 'सरोज' में शेख नाम के कवि का उल्लेख अवश्य है। यह लिखा है कि इनकी रचनाएँ कालिदास के हजारे में मिलती हैं। इस प्रकार शिवसिंह सेंगर आलम की प्रेमकथा तो जानते थे, पर यह नहीं जानते थे कि रँगरेजिन का नाम शेख था। उनको 'आलमकेलि' का पता नहीं था। यदि पता होता तो उन्होंने एक तो उसका उल्लेख अवश्य किया होता, दूसरे 'आलमकेलि' में 'आलम' और 'शेख' दोनों की रचनाएँ समाविष्ट हैं, इसलिए शेख को पृथक् रखते हुए वे कदाचित् दोनों के संबंध पर भी विचार करते। 'सरोज' के पूर्वखंड में शेख के दो कबित्त भी दिए गए हैं। ये दोनों ही कबित्त 'आलमकेलि' में थोड़े से पाठांतरों के साथ ज्यों-के-त्यों मिल जाते हैं। इसलिए यह सिद्ध है कि 'सरोज' में जिन शेख का उल्लेख है वे आलम से संबद्ध शेख ही हैं। 'सरोज' में शेख का रचनाकाल १६८० दिया गया है, और जैसा कहा जा चुका है, यह बताया गया है कि इनकी रचना कालिदास के हजारे में मिलती है। कालिदास के हजारे में स्वयं शिवसिंह सेंगर के ही शब्दों में 'सं० १४८०

से लेकर अपने समय तक, अर्थात् संवत् १७७५ तक के कवियों के एक हजार कबित्त' सन्निविष्ट है। कालिदास का यह हजारा अप्राप्य है।[१] 'खोज' में भी इसकी किसी हस्तलिखित प्रति का आज तक पता नहीं चला। सेंगर के पास यह था। 'सरोज' में कुल ७५ कवियों के विवरणों में इस ग्रंथ का उल्लेख किया गया है। हजारे में २१२ कवियों की रचनाएँ संगृहीत हैं, यह स्वयं सरोजकार ने लिखा है। जिन कवियों का पता अन्य साधनों से चला या जिनका समय-निरूपण उनके ग्रंथों अथवा अन्य आधारों से किया जा सका उनके प्रसंग में हजारे की चर्चा नहीं की गई है। कालिदास का रचनाकाल १७४९ माना गया, क्योंकि पूर्वखंड में कालिदास के 'बधूविनोद' ग्रंथ के उद्धरण में उसका निर्माणकाल स्पष्ट लिखा है—संवत् सत्रह सै उनचास। कालिदास किय ग्रंथ बिलास। 'सरोज' की भूमिका में हजारे का निर्माणकाल १७५५ और ठाकुर के विवरण में १७४५ दिया गया। कालिदास औरंगजेब के दरबारी कवि थे और गोलकुंडा की लड़ाई में उनके साथ रहे। स्वयं 'सरोज' में उनके समय की उत्तरसीमा १७७५ मानी गई है।

हजारे में शेख की रचनाएँ तो हैं पर आलम की हैं या नहीं, इसका पता 'सरोज' से नहीं चलता। आलम के वृत्त में हजारे की चर्चा नहीं है। पर आलम और साथ ही शेख का उल्लेख हजारे के निर्माणकाल से पहले मिलता है।

बिहारी के भानजे कुलपति मिश्र ने संवत् १७४३ में 'युक्तितरंगिणी' नामक दोहों की सतसई समाप्त की। इसका आरंभ दो-तीन वर्ष पूर्व अवश्य किया होगा। इसके उपक्रम में उन्होंने कतिपय संस्कृत के और कुछ हिंदी के कवियों की वंदना की है। हिंदी के जिन कवियों की वंदना की है उनके नाम क्रमशः ये हैं—पिंगल, सूरदास, [illegible]म, गंग, प्रसिद्ध, केशवराय और बिहारी। इनमें से पिंगल से तात्पर्य अपभ्रंश के पिंगलसूत्रों की रचना करनेवाले पिंगलाचार्य से है, जिनका समय विक्रम की चौदहवीं शती से इधर का नहीं है। हम्मीरदेव की प्रशंसा के छंद 'प्राकृतपैंगलम्' में हैं, अतः इस ग्रंथ का प्रणयन हम्मीरदेव के अनंतर हुआ, पर उस पर जो टीकाएँ हैं वे विक्रम की सोलहवीं शती के बाद की नहीं हैं, अतः उससे पूर्व की रचना वह निश्चित है। बिहारी का समय १७२० के पहले का है, क्योंकि उनकी सतसई का तिलक कृष्ण कवि ने संवत् १७१९ में किया। शेष कवियों में से आलम को छोड़कर और सभी अकबर या जहाँगीर के समसामयिक हैं। सूरदास का रचनाकाल संवत् १६४० माना जाता है। वल्लभाचार्य के पुत्र और शिष्य विट्ठलनाथ के समय में ये थे ही। गंग ने अकबर और अब्दुर्रहीम खानखाना का दरबार किया था। उनकी प्रशंसा में उनके कबित्त मिलते हैं। 'प्रसिद्ध' कवि खानखाना के दरबारी थे। अकबर के दरबारी कवियों में भी उनका उल्लेख है—

१. डॉ० किशोरीलाल गुप्त ने अनुसंधान द्वारा सिद्ध किया है कि सेंगर ने भ्रम से किसी परवर्ती रचना को कालिदास हजारा मान लिया है। इससे हिंदी में कई कवि दो-दो हो गए हैं। बिहारी तक दो हो गए हैं।

पूखी प्रसिद्ध पुरंदर ब्रह्म सुधारस अंमृत अंमृत बानी।
गोकुल गोप गोपाल गनेस गुनी गुन सागर गंग सु ज्ञानी।
जोध जगन्न जगे जगदीस जगामग जैत जगत्त है जानो।
को रे अकब्बर सैं न कथी इतने मिलिकै कबिता जु बखानी।

'सरोज' में 'प्रसिद्ध' कवि को खानखाना का दरबारी लिखा है और रचनाकाल १५९० दिया है। यदि १५९० को ईसाई संवत् भी माना जाए तो भी इनका समय संवत् १६४७ ही होता है। 'केशवराय' को यदि प्रसिद्ध कवि केशवदास माना जाए तो उनका समय संवत् १६५० से १६७० ठहरता है। पर ये केशवराय निश्चय ही उनसे भिन्न हैं। ये वस्तुतः कुलपति मिश्र के नाना और बिहारी के पिता जान पड़ते हैं। 'द्रोणपर्व' या 'संग्रामसार' में कुलपति मिश्र ने इनका स्मरण मातामह के नाम से किया है—

कबिबर मातामह सुमिरि केसव केसवराय।
कहौं कथा भारत्थ की भाषा छंद बनाय॥

इस प्रकार सिद्ध है कि कुलपति मिश्र ने जिन कवियों की स्तुति की है वे सब उनसे पहले के हैं। 'आलम' को इन्होंने सूरदास और गंग के मध्य रखा है। अतः इनका समय सूरदास और गंग या केशवराय के समय से ही मिलनेवाला होना चाहिए। आलम की जो स्तुति की गई है वह भी ध्यान देने योग्य है—

नवरसमय मूरति सदा जिन बरने नँदलाल।
आलम आलम बस कियो दै निज कबिता जाल॥ —युक्तितरंगिणी

'नवरसमय मूरति' नंदलाल का वर्णन करनेवाले सूरदास और गंग के समकालीन आलम कौन हैं। यदि आलमकेलि के प्रणेता आलम से भिन्न कोई दूसरे 'आलम' हैं तो उनकी रचना कौन-सी है। यदि 'माधवानल-कामकंदला' के रचयिता ही ये आलम हैं तो 'माधवानल-कामकंदला' में नंदलाल का वर्णन कहाँ है? उनकी अन्य रचना यदि 'आलमकेलि' ही नहीं है तो और कौन-सी है, जिसमें नंदलाल का वर्णन है? यदि इन आलम को कुलपति के कुछ ही पूर्व माना जाए तो यह भी मानना ही पड़ेगा कि इनकी नंदलाल की प्रशस्तिवाली कृति के इतना प्रसिद्ध होने के लिए कि कुलपति मिश्र जैसा प्रकांड पंडित चुने हुए कवियों के साथ उनकी प्रशंसा करने लगे, ३०-४० वर्ष तो अवश्य लगे होंगे। 'आलम' को इससे कम समय में कैसे वश में किया जाएगा। अतः बहुत पीछे रखने पर भी संवत् १७०० विक्रमी के लगभग इनका रचनाकाल फिर भी मानना पड़ेगा। यदि ऐसा माना जाए तो संवत् १७७० संवत् १७०० एक साथ रचनाकाल कैसे हो सकते हैं। यही क्यों, इससे पहले भी इनका उल्लेख मिलता है।

संवत् १७२० में 'अनेक सत्कविराजोक्तिसार-संग्रह दोहा' का संकलन किया

गया—

> **सत्रह सौ बीसोत्तरा मास चैत्र गुरुबार।**
> **सुक्ल पक्ष दुतिया तिथी रचो सो दोहासार॥**

इस ग्रंथ में दोहों का संग्रह है। इसमें आलम और शेख छाप के भी दोहे संकलित हैं। कुछ उदाहरण पेश किए जाते हैं—

> **आलम प्रेम-बियोग में उठत अटपटी झार।**
> **मन लागै जियरा जरै लाज होत बरि छार॥**
> **हित चित दै सबही सुनो साँच कहत है सेख।**
> **संगति तैसो होय फल यामें मीन न मेख॥**
> **सेख सुमन औ कापुरुष तीजी ठौर न जायँ।**
> **कै सबके सिर पै रहैं कै बन माँझ बिलायँ॥**[1]

इस प्रकार 'आलमकेलि' के रचयिता को मुअज्जमशाह के दरबार में पहुँचानेवाला 'शिवसिंहसरोज' का पूर्वोद्धृत सवैया ही है। 'सरोज' से ही यह परंपरा चली है। हिंदी-साहित्य के पुराने ग्रंथ तो यही कहते हैं कि नंदलाल का वर्णन करनेवाले कोई आलम थे, मुअज्जमशाह के समय से पहले। 'दोहासार-संग्रह' के अनुसार चलकर यदि 'आलम' की प्रसिद्धि का समय ३०-४० वर्ष ही माना जाय तो भी १७२० के पहले १६८० में कवि का होना कोई दुर्घट घटना नहीं है। 'माधवानल-कामकंदला' के रचयिता का समय विक्रमी संवत् १६४० ठहरता है। यदि उसे कवि की आरंभिक रचना माना जाए तो १६८० तक रचनाकाल रहने में कोई बाधा नहीं। यदि कहा जाए कि आलम की सी मुक्तक-रचना करनेवाला 'माधवानल-कामकंदला' लिखने क्यों गया, यह तो सूफी कवियों की प्रवृत्ति थी, तो 'बोधा' इसके प्रमाण में पेश किए जा सकते हैं। 'बोधा' ने स्वच्छंद कविवृत्ति रखते हुए एक ओर तो मुक्तक-रचना की और दूसरी ओर प्रबंधकाव्य निर्मित किया। 'माधवानल-कामकंदला-चरित्र' या 'विरहवारीश' उनकी प्रथम या प्रारंभिक रचना है। तदनंतर उन्होंने 'विरहीदंपति-सुभानविलास' लिखा, जिसमें उनकी प्रौढ़ और प्रेममार्ग का निरूपण करनेवाली रचनाएँ हैं। हिंदी में तो, जहाँ तक पता चलता है, आलम ने ही 'माधवानल-कामकंदला' की रचना सबसे पहले प्रस्तुत की और प्रेम की स्वच्छंद वृत्ति रखनेवाले उसकी ओर उन्मुख हुए। इन्हीं की देखादेखी बोधा ने भी इस प्रकार की रचना का विस्तार किया। आलम इस रचना के द्वारा अपने लांछित करनेवालों का मुँह बंद करना चाहते थे। सुभान वेश्या के प्रेमी बोधा ने भी यही किया। बोधा के समक्ष आलम की पोथी थी। इसका प्रमाण यह है कि उनके आश्रयदाता थे खेतसिंह और खेतसिंह के बड़े भाई 'हिंदूपति' के लिए 'माधवानल-कामकंदला' की पोथी राजाराम नामक ब्राह्मण ने

१. माधुरी, वर्ष ३. खंड १, संख्या ५।

अनुलिपि द्वारा प्रस्तुत की थी। इसका उल्लेख आर्यभाषा पुस्तकालय में सुरक्षित आलमकृत 'माधवानल-कामकंदला' की पुष्पिका में इस प्रकार है—**'इति श्री माधवानल-कामकंदला' कथा संपूरन। सुभमस्तू: जद्रिसं पुस्तकं द्रस्टा तद्रिसं लिखतं मया जदि सुधक सोधो या मम दोषो न दीयते। स्वस्ति श्री नृप विक्रमार्क समयातीत सुसंवतु १८१७ वर्ष सावन प्रथम सुदि २ सोमवासरे कौ माधवानल की कथा संपूरणं। सुभ स्थान मौजे रानीपुर खानि हीरन की राज्य श्री महाराजाधिराज श्री महाराजा श्री राजा हिंदूपति जू कौ लिखतं प्रधान राजाराम पुस्तिक अपनी।**

इसके अतिरिक्त सबसे पक्का प्रमाण आलम के एक होने का यह है कि स्वयं शिवसिंह सेंगर ने अपने ग्रंथ में उक्त सवैये के साथ आलम का जो एक दोहा उद्‌धृत किया है वह भी आलमकृत 'माधवानल-कामकंदला' में मौजूद है। 'सरोज' में उद्‌धृत दोहा इस प्रकार है—

आलम ऐसी प्रीति पर सरबस दीजै वारि।
गुप्त प्रगट कैसी रहै दीजै कपट पिटारि।

यही आर्यभाषा पुस्तकालय की हस्तलिखित 'माधवानल-कामकंदला' की पोथी में यों दिया हुआ है—

आलम ऐसी प्रीति पर तन मन दीजै धाइ।
गुप्त प्रगट अँखियाँ मिलैं दियौ कपट पट जाइ॥

बाबू बालकृष्णदास (राधाकृष्णदासजी के पुत्र) की हस्तलिखित बड़ी प्रति में दिया हुआ इसका रूप 'सरोज' के उद्‌धृत दोहे के रूप से बिलकुल मिल जाता है—

आलम ऐसी प्रीति पर सरबस दीजै वारि।
गुप्त प्रगट अँखियन मिलै दियै कपट पट डारि॥

इस प्रकार मेरा दृढ़ विश्वास है कि सवैया किसी दूसरे का बनाया हुआ है, 'आलम' शब्द के कारण भ्रांति उत्पन्न हो जाने से वह उनका निर्मित समझ लिया गया है। वह मुअज्जमशाह के किसी दरबारी कवि का रचा हुआ है। सेंगरजी के ऐसा लिख देने का फल यह हुआ कि 'माधवानल-कामकंदला' मिलने पर लोग दो आलम मानने लगे। यदि पूरी छानबीन हुई होती तो यह भ्रांति उत्पन्न ही न होती। एक ही आलम मानकर विचार करने से सारी स्थितियाँ स्पष्ट हो जाती हैं। संवत् १७५३ 'आलमकेलि' का लिपिकाल है। इनकी रचना का संग्रह कदाचित् किसी ने बाद में 'आलमकेलि' के नाम से किया है। 'आलमकेलि' नाम विलक्षण है। आलम ने स्वयं यह नाम रखा होगा, ऐसा जान नहीं पड़ता, क्योंकि इस संग्रह का नाम 'आलम के कबित्त' सर्वत्र मिलता है। जिन दो हस्तलिखित ग्रंथों में 'आलमकेलि' नाम दिया गया है उनमें भी 'आलम के कबित्त'

लिखकर तब यह नाम रखा गया है। स्व. मायाशंकरजी याज्ञिक का कहना था कि यह नाम प्रतिलिपिकार की भ्रांति से चल पड़ा है। उनके अनुसार 'आलम के कबित्त लिख्यते' के स्थान पर किसी प्रति में 'कबित्त' शब्द छूट गया और 'लिख्यते' का 'लि' पहली पंक्ति के अंत में आया। लिखनेवाले ने दूसरी पंक्ति लिखते समय या तो पूरा शब्द 'लिख्यते' लिख दिया या उसने तो 'ख्यते' ही लिखा, पर उस प्रति से लिपि करनेवाले ने एक 'लि' की छूट मान ली। इस प्रकार 'आलम के लि लिख्यते' बन गया। पर यह नाम जिन हस्तलिखित पोथियों के अंत में आया है उनमें पुष्पिका में दिया गया है। अतः अधिक संभावना इसी बात की है कि यह नाम बनाया गया है, भ्रम से बना नहीं है। कुछ भी हो इसकी पुष्पिका का संवत् ही बतलाता है कि रचना उसके पूर्व की है। यही क्यों, काँकरौली के 'सरस्वती-भंडार' में इसी ग्रंथ की एक हस्तलिखित प्रति सुरक्षित है, जिसे वहाँ के पुस्तकाध्यक्ष ने 'आलम' की नई रचना उद्‌घोषित किया है और पुष्पिका में ग्रंथ का कोई नाम न पाकर चार सौ छंदों का ग्रंथ होने से 'चतुःशती' नाम रखा है। इस ग्रंथ की पुष्पिका यों दी गई है—

इति शेख आलम के कबित्त संपूर्ण, संवत् १७१२ वर्षे भाद्रपद मासे शुक्लपक्षे बुधवासरातायां लिखित श्रीवर वैष्णवं ब्रह्मचारी श्री मधुपुर्या नमः। पुस्तक स्वामी गोविंददास को श्री श्री श्री।[१]

इससे निश्चित है कि शेख आलम का यह संग्रह बहुत प्राचीनकाल से चला आ रहा है। संवत् १७१२ (सन् १६५५) में तो मुअज्जमशाह केवल १२ वर्ष का रहा होगा। उस समय ग्रंथ बना नहीं, 'ब्रह्मचारी' जी ने उसकी प्रतिलिपि की। जो छंद आलम का कहकर उद्‌धृत है वह उसके सिंहासन पर बैठने के अवसर का है। इससे यह निश्चय हो गया कि आलम की रचना 'आलमकेलि' बहुत प्राचीन है। वह 'माधवानल-कामकंदला' के रचयिता के समय की है। दोनों के एक ही की कृति माने जाने में कोई बाधा नहीं है।

काँकरौली के इसी पुस्तकालय में 'आलम' का एक ग्रंथ और है, जिसका नाम 'सुदामाचरित' है। इसके आरंभ में लिखा है—**श्री गणेशायनमः अथ आलमकृत सुदामाचरित्र लिख्यते**। पुष्पिका यों है—**येति श्री आलमकृत सुदामाचरित्र संपूर्ण श्रीरस्तु लषतं अवमन।**[२] इससे यह सिद्ध हो जाता है कि यह ग्रंथ आलम का ही है। 'खोज' में भी 'सुदामाचरित्र' की हस्तलिखित प्रतियों का पता चला है। सन् १९४३-४५ की 'खोज' में 'सुदामाचरित' की जो प्रति प्राप्त हुई है उसके अंत में 'रेखता छंद' लिखा है। इससे स्पष्ट है कि यह ग्रंथ रेखता अर्थात् खड़ी बोली में है। 'खोज' की प्राप्ति में कोई सन्-संवत् नहीं है। पर काँकरौली में उसी लेखक की लिखी उसी जिल्द में दूसरी पुस्तक भी है जिसमें लिखा है—**इति करुणाभरण नाटक संपूर्ण लच्छीरामकृत लिखितं अधययन चिरंजीवो**

१. व्रजभारती, फाल्गुन, संवत् १९९८, पृष्ठ १७।
२. वही, चैत्र संवत् १९९९, पृष्ठ १८।

लाला जी वाचनार्थ।[1] ये लालाजी श्री व्रजभूषणलालजी हैं, जिन्हें श्री गिरधरलालजी महाराज ने संवत् १७०७ में गोद लिया था। इससे भी स्पष्ट है कि 'सुदामाचरित्र' का लिपिकाल भी १७०७ के कुछ वर्षों के अनंतर हो होगा। संवत् १७२० में वे लोग काँकरौली गए थे। इसलिए इसके आसपास ही पोथी की प्रतिलिपि भी हुई होगी। इसके अनुसार भी आलम का समय पहले ही का निर्धारित होता है। 'सुदामाचरित्र' में लावनी की तर्ज पर रचना की गई है। 'आलमकेलि' में भी 'आलम' के तीन कबित्त 'रेखता' में दिए हुए हैं। इससे भी प्रमाणित होता है कि इस भाषा में भी रचना करने का शौक आलम को था। 'रेखता' आरंभ में मुसलमानी दरबार की भाषा मानी जाती थी। काव्यभाषा व्रजी स्वीकृत थी। उस भाषा में रचना करनेवाला स्वभावतः अरबी-फारसी के शब्दों का पुट कुछ अवश्य देता था। यही बात दोनों स्थानों पर दिखाई देती है। बोधा के दोनों ग्रंथों (विरहवारीश और विरहीदंपति-सुभानविलास या इश्कनामा) में इस भाषा के छंद्र मिलते हैं। इस प्रकार ज्ञात हुआ कि ऐसे कवियों की प्रवृत्ति के अनुकूल ही आलम की यह रचना पड़ती है, अतः इसे उनकी कृति मानने में न कोई बाधा ही रह जाती है और न उनका रचनाकाल इधर लाने की ही आवश्यकता पड़ती है। 'आलमकेलि' में शेख छाप के एक कबित्त में 'कामकंदला को कामी' का प्रयोग उपमानरूप में हुआ है। यह भी एक संकेत है 'कामकंदला और माधवानल' की कथा से उनके परिचय का। हिंदी में यह उपमान विरल है। जब आलम की रचना 'माधवानल- कामकंदला' सामने आती है तब इसका संबंध उससे जोड़ा जा सकता है—

मानस को कहा बसि कीजतु है बाबरी सु बासी सुरबासहु को बसिकै बसाऊँ री
मैनकाको स्वामी कामकंदलाकोकामी मारि मैनहू की मानिनीको मन मोहिलाऊँरी।[2]

'माधवानल-कामकंदला' से यह भी प्रमाणित होता है कि 'आलम' नाम के जिस कवि ने इस ग्रंथ का निर्माण किया, वह जन्मजात मुसलमान नहीं था। प्रेमकथाकाव्य लिखनेवालों की परंपरा का अनुशीलन करने से स्पष्ट ज्ञात होता है कि हिंदी में इस प्रकार के जितने ग्रंथ उपलब्ध हैं उनकी स्पष्ट दो शाखाएँ हैं। कुछ काव्य तो सूफियों के हैं, जिन्होंने अधिकतर कल्पित कथाओं का आधार लेकर रहस्यात्मक काव्यों की रचना की। कुछ ने फारसी कथाएँ भी ली हैं, जैसे 'यूसुफ-जुलेखा' की कथा। इनकी रचना मसनवी ढंग से चलती है, जिसमें खुदा की स्तुति, मुहम्मद साहब की वंदना, शाहेवक्त की प्रशस्ति बराबर रहती है। ये ग्रंथ मुसलमानों द्वारा ही प्रणीत हैं। इनका लक्ष्य सूफी मत का प्रसार करना होता था। इन पर भारतीय सर्गबद्ध महाकाव्य की पद्धति का प्रभाव नहीं पड़ा। इनमें खुदा और मुहम्मद साहब की वंदना अवश्य रहती है। गणेश, सरस्वती या परब्रह्म

---

१. वही।
२. आलमकेलि, छंदसंख्या १६५।

की वंदना ये नहीं करते। दूसरी ओर ऐसे प्रेमाख्यान-काव्य मिलते हैं जो शुद्ध काव्य की दृष्टि से लिखे गए हैं। इनका लक्ष्य प्रेम का व्यापक रूप सामने लाना भले ही हो, पर ये रहस्यात्मक ढंग से अपने काव्य का निर्माण नहीं करते। उन सूफी काव्यों में लौकिक और अलौकिक दोनों प्रकार के प्रेम का निर्वाह किया गया है, पर इनमें लौकिक प्रेम का ही वर्णन है। इन्होंने कथा कहने में सुभीते के विचार से दोहे, सोरठे और चौपाइयों का ग्रहण अवश्य किया है, पर ये परोक्ष रूप से न तो किसी सांप्रदायिक मत का ही प्रचार करते दिखाई देते हैं और न अलौकिक सत्ता का आभास ही देना चाहते हैं। इन शुद्ध प्रेमाख्यानों के कवि हिंदू हैं, अतः इनमें खुदा और मुहम्मद, साहब की वंदना कही नहीं मिलती। हाँ, गणेश, सरस्वती या ईश्वर की वंदना से इनका मंगलाचरण बराबर हुआ है। प्रेमकथा कहने की यह परंपरा भारतीय है और इसकी शृंखला संस्कृत के प्रबंधबद्ध गद्यकाव्यों से मिली हुई समझनी चाहिए। इनमें शाहेवक्त की प्रशस्ति कहीं-कहीं मिलती हैं जो मसनवी-शैली के सूफी प्रेमाख्यानों की नकल पर ही रखी गई है।

'माधवानल-कामकंदला' की दो प्रतियों में, जिन्हें संक्षिप्तीकृत समझना चाहिए, परब्रह्म की वंदना से ही मंगलाचरण होता है। पर इधर 'खोज' (सन् १९२२-२५) में भरतपुर की जिस प्रति का उल्लेख है उसमें पहले गणेश की वंदना की गई है, फिर ईश्वर की वंदना है। विवरण लेनेवाले साहित्यान्वेषक ने लिखा है कि इसमें रसूल पैगंबर (मुहम्मद साहब) की भी वंदना है। यदि इस प्रति के लिए यह माना जाए कि विस्तार बाद में किया गया तो यह मानना पड़ेगा कि किसी मुसलमान ने रसूल की वंदना उसमें जोड़ दी है, पर उसने गणेश की वंदना किसलिए बढ़ाई। इससे जान यही पड़ता है कि यह किसी ऐसे व्यक्ति की रचना है जिसके संस्कार भारतीय थे, पर जो किसी कारणवश मुसलमान हो गया था। अतः आलम के संबंध में प्रचलित किंवदंती का समन्वय इस अनुमान से हो सकता है। यदि यह मानें कि दूसरे प्रकार की प्रतियाँ ही मूल प्रतियाँ हैं तो भी परब्रह्म की वंदना से यह निश्चित है कि यह किसी जन्मजात मुसलमान की रचना नहीं है, किसी ऐसे की रचना है जिसके संस्कार हिंदू के थे। वह बाद में आलम हो गया। आलम होने के अनंतर उसने कदाचित् रसखानि का ढर्रा पकड़ा। जैसे रसखानि मुसलमान होते हुए कृष्णभक्त हो गए थे वैसे ही शेख आलम पीछे कृष्ण के भक्त हो गए। पर उदार भावना के कृष्णभक्त, जो केवल कृष्ण की ही लीलाओं का वर्णन नहीं करते प्रत्युत जिस देवी-देवता में उनका मन रमता है उसी की वंदना करने लगते हैं। रसखानि ने कृष्ण की भक्ति के प्रेमोन्माद का वर्णन करते हुए भी शिव, गंगा आदि के गीत गाए हैं। रहीम में भी यही प्रवृत्ति दिखाई देती है। भारत की भक्तिधारा का यह कैसा पुण्य प्रवाह था जिसने हिंदू और मुसलमान को एक कर दिया था। काव्य की रसमयी सरिता का अवगाहन करते हुए भारतभूमि में आविर्भूत होकर ये कवि भारतीकंठ हो गए थे। काव्य किस प्रकार हृदय के योग, जन्मभूमि की रमणीयता, अतीत जीवन के अनुराग का मिश्रण संघटित करता है, इसके ये कवि प्रत्यक्ष प्रमाण हैं। आलम 'मियाँ आलम' न हो सके, भक्तिसिंधु का अवगाहन करने में लगे। उदार भक्तिभावना और स्वच्छंद प्रेमोन्माद के

कारण इन्होंने राम, शिव, गंगा और कृष्ण के गीत गाए। इनके द्वारा अधिक लीलाएँ कृष्ण की ही वर्णित हैं।

प्रश्न हो सकता है कि 'सरोज' में उद्धृत छंद यदि आलम का नहीं, तो है किसका। इसका सीधा उत्तर यह है कि यह मुअज्जमशाह के दरबारी कवि लाला जैतसिंह महापात्र का है। स्वयं उन्हीं के हाथ का लिखा बहुत बड़ा हस्तलेख काशी नागरी प्रचारिणी सभा के आर्यभाषा पुस्तकालय में सुरक्षित है। उसमें उन्होंने कुछ ग्रंथ तो अपने पुरखों के अपने ही हाथ से लिख रखे हैं और कुछ रचना अपनी। उन्होंने मुअज्जमशाह के नाम पर 'माजमप्रभाव' नामक अलंकारग्रंथ भी निर्मित किया और उसकी तथा उसके कुछ अन्य सहायकों की प्रशस्ति के स्वरचित सैकड़ों कबित्त भी इसी में स्वाक्षर में लिख रखे हैं। इन्हीं फुटकल कबित्तों में से सबसे प्रथम छंद, जो उन्हीं के स्वाक्षर में लिखा है, ज्यों-का-त्यों उद्धृत किया जाता है—

जानत ओलि किताबनि कों जे निसाफ के माने कहे हे ते चीन्हे।
पालत हो इत आलम को उत नीके रहीम के नाम कों लीन्हे।
माजमसाहि तुम्हे करता करिबे कों दिल्लीपति हे बरु दीन्हे।
काबिल हें ते रहे कितहूँ कहा काबिल होत हैं काबिल कीन्हे॥

इसके साथ दिए हुए कबित्तों में मुअज्जमशाह की मराठों पर चढ़ाई, विवाह आदि की अनेक बार चर्चा हुई है, जिसका ऐतिहासिक दृष्टि से अत्यधिक महत्त्व है। इन्होंने अपने वर्षफल आदि का विचार भी पत्रों पर कर रखा है, जिससे स्पष्ट हो जाता है कि इनका जन्म संवत् १७०३ के श्रावण मास में हुआ था। संवत् १७२९ में इन्होंने 'माजमप्रभाव' रचा और संवत् १७६२ में 'प्रबोधचंद्रोदय' का अनुवाद किया। उक्त सवैया भी १७६२ के आसपास कभी बना होगा। इस प्रकार आलम के संबंध में 'सरोज' के उल्लेख द्वारा जो भ्रांति फैली थी उसका पूरा-पूरा निराकरण हो जाता है। अतः आलम को एक मानने में अब कोई बाधा नहीं है और उनका रचनाकाल भी संवत् १६४० से संवत् १६८० तक निश्चित है।[१]

१. आलम की 'माधवानल-कामकंदला' में एक अंश ऐसा है जिसमें रागों का उल्लेख है। इसका नाम 'रागमाला' है। यह 'रागमाला' श्री नानकजी के 'गुरुग्रंथ साहब' में संकलित है। हिंदी में एक आलम का समय मुअज्जमशाह का समय माने जाने का परिणाम यह हुआ कि पंजाब में सिखों के बीच भारी विवाद खड़ा हो गया। एक दल कहने लगा कि आलम का समय मुअज्जमशाह का समय है। इन्हीं आलम ने 'माधवानल-कामकंदला' का प्रणयन किया। इसलिए 'ग्रंथसाहब' में 'रागमाला' वाला अंश बाद में जोड़ा गया। वह 'प्रक्षिप्त' है। दूसरा दल कहता कि जिन आलम ने 'माधवानल-कामकंदला' का निर्माण किया वे अकबर के समय में थे; इसलिए 'ग्रंथसाहब' के पूर्व ही उसका प्रणयन हो गया था। अतः रागमाला वाला अंश उसमें प्रक्षिप्त नहीं है। इस विषय में वास्तविकता का निर्णय करने के लिए वे दल नागरी-प्रचारिणी सभा पहुँचे। सभा ने उन्हें मेरे पास भेज दिया। हर्ष का विषय है कि उपरिलिखित लेख के पढ़ लेने के अनंतर उनका पारस्परिक विवाद समाप्त हो गया। 'रागमाला' प्रक्षिप्त है, इस भ्रम का निवारण हो गया।

कृतियाँ

'खोज' में आलम कवि के निम्नलिखित ग्रंथों का उल्लेख है—[१] आलमकेलि (१९०३-३३), [२] आलम कवि की कविता (१९३३-९बी), [३] आलम के कबित्त (१९२३–९ सी), [४] कबित्तसंग्रह (१९४१), [५] संग्रह (१९२३–९ डी), [६] छप्पय (१९२३–९ स), [७] सुदामाचरित (१९३५–४, १९४३), [८] श्यामसनेही (१९३२–६), [९] माधवानल-कामकंदला (१९०४–९)।

इनमें संख्या १ से ५ तक के ग्रंथ एक ही हैं। 'आलमकेलि' में कई खंड हैं। उसके प्रकीर्ण अंश पृथक् होकर इन नामों से व्यक्त हुए हैं—कहीं ग्रंथ का नाम न मिलने से, कहीं पुष्पिका में 'आलम के कबित्त' नाम होने से। 'आलमकेलि' का और कोई नाम न मिलने से काँकरौली के पुस्तकालयाध्यक्ष ने उसका एक नया नाम 'चतुःशती' गढ़ लिया है, क्योंकि 'आलमकेलि' में कुल चार सौ छंद हैं। कहीं संख्या कम भी मिलती है। जैसे, मुद्रित 'आलमकेलि' में ३९७ छंद हैं। इसका कारण यही है कि ३ छंद उसमें नहीं हैं। एक प्रति में अंत की संख्या ४२० दी गई है। पर उसमें दो छंद दो-दो बार लिखे गए हैं। 'छप्पय' नाम की कोई पोथी नहीं है; १४ छप्पय एक साथ आलम के कहीं मिले हैं उन्हें, पृथक् ग्रंथरूप में उनका उल्लेख नहीं हो सकता। अतः यह भी फुटकल रचना ही है, ग्रंथ नहीं।

'सुदामाचरित' में श्रीकृष्ण से भेंट करने के लिए सुदामा के द्वारका जाने और उनका दारिद्र्य दूर होने की कथा वर्णित है। यह पोथी लावनी या 'ककुभ छंद' में है। भाषा रेखता (खड़ी बोली) है। 'श्यामसनेही' में रुक्मिणी के ब्याह का वर्णन है। यह खंडकाव्य है; दोहे, चौपाइयों में प्रणीत हुआ है। 'माधवानल-कामकंदला' प्रेमकाव्य है। इसमें दोहे, सोरठे, चौपाइयों का विधान है। इनके अतिरिक्त व्रजभारती (१, ८ पृष्ठ २०) में 'अक्षरमालिका' का उल्लेख है जिसमें आलम के कबित्त, सवैये बारहखड़ी के अनुक्रम से रखे गए हैं। उसमें 'आलमकेलि' के ही छंद हैं। अतः वे 'आलमकेलि' के विचार में ही गतार्थ हैं। इस प्रकार आलम के निम्नलिखित ग्रंथ हैं—'माधवानल-कामकंदला', 'श्यामसनेही', 'सुदामाचरित' और 'आलमकेलि' । इनमें से 'आलमकेलि' मुक्तक-रचनाओं का संग्रह है। शेष तीन प्रबंधकाव्य हैं। 'माधवानल-कामकंदला' और 'श्यामसनेही' दोनों पुस्तकें एक ही ढर्रे पर लिखी गई हैं। 'सुदामाचरित' का ढर्रा दूसरे प्रकार का है। इन तीनों में सबसे बड़ी रचना 'माधवानल-कामकंदला' है।

'माधवानल-कामकंदला' की दो प्रकार की प्रतियाँ मिलती हैं। एक वे जिनमें पाँच अर्धालियों के बाद नियम से एक दोहा या सोरठा है। दूसरी वे जिनमें पाँच अर्धालियों के बाद एक सोरठा और एक दोहा भी है। दूसरे प्रकार की प्रतियों में कुछ वर्णनात्मक अंश बढ़े हुए हैं। यही नहीं, कथाभाग भी कुछ अधिक है। दोनों प्रकार की प्रतियों की वर्ण्य वस्तु का अंतर निर्दिष्ट करने के लिए स्थूल रूप से घटनाओं का विवरण सामने

रखना आवश्यक है। पहले प्रकार की प्रतियों में कथाभाग इस प्रकार है—पुष्पावती नाम्नी नगरी में जिस समय गोपीचंद नामक राजा राज कर रहा था उस समय माधवानल नाम का योगाभ्यासी ब्राह्मण भी वहाँ रहता था, जो राजा को देवपूजा की तुलसी दिया करता था। वह अनेक शास्त्रों में पारंगत था और वीणा बजाने में प्रवीण। उसके वीणावादन से नारियाँ मूर्छित हो जाती थीं। किसी दिन कोई गृहिणी भोजन का थाल लिये जा रही थी, माधव की वीणा बजी और उसकी स्वरलहरी में मग्न हो जाने से उसके हाथ से थाल गिर पड़ा। इस पर उसका पति उस पर अप्रसन्न हो गया। थाल गिरने का कारण पूछे जाने पर उसने सच बात कह दी। वह गृहस्थ राजदरबार में गया और उसने राजा से कहा कि आप इस ब्राह्मण को नगर से निर्वासित कर दीजिए, अन्यथा हमलोग नगर त्याग देंगे। राजा ने इस पर माधवानल को बुलवा भेजा। उसके वीणावादन की परीक्षा ली। राजा के रनिवास की दासियों पर वही मोहक प्रभाव पड़ा। यह सोचकर कि प्रजा के नगर से चले जाने पर तो नगर ही उजड़ जाएगा, उसने माधवानल को तीन पान भिजावाकर यह कहलाया कि मेरे नगर से तुम निर्वासित हो। माधव वहाँ से चल पड़ा और कामवती नगरी पहुँचा। वहाँ उसने किसी दिन सुना कि कामकंदला नाम की वेश्या का गायन-वादन राजप्रासाद में हो रहा है। वह भी उसे देखने-सुनने के विचार से चला। पर उसे दरबार में द्वारपाल ने नहीं जाने दिया। माधव ने द्वारपाल को बतलाया कि राजसभा में सभी सभासद अनाड़ी हैं। वेश्या नाचती है, पर उसका ताल बिगड़ता है, क्योंकि बारहों तबला बजानेवालों में से एक के हाथ में चार ही उँगलियाँ हैं। द्वारपाल ने यह अचरजभरी वार्त्ता राजा को जा सुनाई। राजा कामसेन ने तबलचियों को बुलवाकर इसकी जाँच की, तो पता चला कि सचमुच एक तबलची के अँगूठा ही नहीं है, मोम का अँगूठा लगा हुआ है। आश्चर्यचकित हो उसने ब्राह्मण को बुला भेजा और उसका आदर-सत्कार किया; मुकुट, कुडंल, मोती की माला और द्रव्य का उपहार दिया। कामकंदला ने ऐसे गुणी को दिखाने के लिए विविध प्रकार की रागरागिनियों में गान गाया। जिस समय वह गीत गाने में मग्न थी उस समय उसके अंग में चर्चित अंगराग की सुगंध से आकृष्ट होकर कहीं से कोई भौंरा उड़ता हुआ आया और उसके स्तन पर जा बैठा। संगीत भंग न हो, इस विचार से कामकंदला ने शरीर भर से वायु को केंद्रीभूत कर स्तन के रोमकूपों से उसका ऐसा वेग और दबाव किया कि भौंरा उड़ गया। गणिका के हाव-भाव में ही अन्य लोग डूबे थे। केवल माधवानल ने इसे जान पाया। नर्तकी के इस कौशल पर मुग्ध होकर उसने राजा द्वारा लब्ध सारा उपायन उसे भेंट कर दिया। ब्राह्मण की धृष्टता पर कुपित होकर राजा ने उसे देशनिकाले का दंड दिया। पर वेश्या उसके रूप और गुण पर मुग्ध हो चुकी थी, माधव भी उस पर मोहित हो गया था। वेश्या ने उसे अपने यहाँ बुलवाया। परोक्ष रूप में उसने उसे अपने यहाँ रखा, दोनों में प्रेम हो गया। पर माधव ने राजकोप के भय से इस प्रकार गुप्त रीति से उस नगर में वास करना उचित नहीं समझा। अतः वह वहाँ से

अन्यत्र चला गया। कामकंदला उसके विरह में व्याकुल रहने लगी।

जिस प्रकार कामकंदला माधवानल के विरह में संतप्त थी उसी प्रकार कामकंदला के विरह में माधवानल भी। बहुत दिनों तक वह वन-वन भटकता रहा। अंत में उसने सोचा कि किसी परोपकारी की सहायता प्राप्त कर अपना संताप निवारण करना चाहिए। यह विचार कर वह विक्रमनरेश की राजधानी उज्जयिनी पहुँचा। वहाँ भी कुछ दिनों तक इधर-उधर दिन काटते-काटते वह किसी दिन शिवमंदिर में गया। यहाँ राजा नित्य दर्शन के लिए आया करता था। उस मंदिर की भित्ति पर उसने इस आशय का दोहा लिख दिया—

कहा करौं कित जाउँ हौं राजा राम न आहि।
सियबियोग संताप बस राघौ जानत ताहि॥

विक्रम ने दोहा पढ़ा तो उसके वियोग के कारण के लिए डुग्गी पिटवाई कि नगर में कोई वियोगी ब्राह्मण आया है, जो उसका अनुसंधान करके मेरे समक्ष उपस्थित करेगा वह पुरस्कृत होगा। राजा ने वियोगी का पता लग जाने तक के लिए अन्न-जल भी त्याग दिया था। राजा की अति चुतर दासी ज्ञानवती ने वीणा बजाते और विरहगीत गाते माधव को देखा, तो अनुमानित कर लिया कि अभीष्ट व्यक्ति यही है। वह माधव को सांत्वना देकर राजसभा में ले गई। विक्रम ने उसका आदर-सत्कार किया और कुशलप्रश्न पूछा। विरह-विपत्ति की कथा से अवगत होकर उसने माधव को समझाया कि इतने विद्याविशिष्ट ब्राह्मण होकर आप गणिका के प्रणय में क्यों पड़े ? भला वेश्या भी किसी प्राणी के साथ स्नेहनिर्वाह करती है ? आप धन, राज्य आदि जो चाहें ले सकते हैं, वेश्याप्रेम का परित्याग कीजिए। इसपर माधव ने प्रेम की एकनिष्ठता और उसके समक्ष अर्थ की तुच्छता का प्रतिपादन किया। अंत में कामकंदला को उससे मिलाने के लिए विक्रम प्रतिश्रुत हुआ। फलतः उसने कामवती पर अभियान की व्यवस्था करके सेनासहित प्रस्थान किया। जब नगर दस कोस रह गया तब राजा ने कामकंदला के प्रेम की परीक्षा लेने का विचार किया। वह वेश बदलकर नगर में प्रविष्ट हुआ और कामकंदला के यहाँ पहुँचा। दूतियों ने भद्रपुरुष के आगमन की सूचना दी। राजा कामकंदला के निकट पहुँचा। उसने उसे उदास देखकर उससे प्रश्न किया कि मैंने वेश्या की ऐसी उदासीनता नहीं देखी। मैं तेरे रूप-गुण की प्रशंसा सुनकर तेरे पास आया हूँ और तू इस प्रकार मुझसे क्यों उदासीन है। तू जो द्रव्य चाहे तुझे दिया जाएगा। कामकंदला ने माधव ब्राह्मण के प्रेम की चर्चा की और प्रेम की एकनिष्ठता का बखान किया। राजा ने कहा कि हाँ, माधव वैरागी को मैं भी जानता हूँ। वह उज्जयिनी में वीणा बजाते हुए चक्कर काटा करता था। पर वह तो विरह में व्याकुल होकर कभी का मर चुका। इसे सुनते ही कामकंदला ने प्राण-विसर्जन कर दिया। राजा नारी-हत्या के पातक से दग्धचित्त हो पड़ाव पर लौटा। उसने माधव से समस्त वृत्तांत कह सुनाया। कामकंदला के प्राणत्याग का समाचार पाते ही उसने भी

प्राणपरित्याग कर दिया। सारी सेना में हाहाकार मच गया कि जिस ब्राह्मण के निमित्त सारा सैन्यसंभार हुआ वही चल बसा। राजा ने भी दो-दो हत्याओं के अघ से व्यथित होकर नदीतट पर जीते जी चिता में भस्म हो जाना ही निश्चित किया। वह चितारोहण कर चुका। चिता में अग्निसंचार मात्र का विलंब था कि उसका पुराना मित्र वैताल यह समाचार पाकर दौड़ता हुआ उसके पास आया। उसने उसे चिता से यह कहकर पृथक् किया कि मैं अमृत लाकर दोनों को पुनरुज्जीवित कर दूँगा। वह पाताल से अमृत लाया और माधव के मुख में एक बूँद टपकाकर उसने उसे जिलाया। वह 'कंदला-कंदला' चिल्लाता हुआ उठ बैठा । राजा सभासमेत प्रफुल्ल हो गया। इसी प्रकार वैताल ने राजा के साथ जाकर कामकंदला को भी जिलाया। वह भी माधव का नामोच्चारण करती हुई प्रबुद्ध हुई। विक्रम ने उसे सारे वृत्तांत से अवगत किया और अपना भी रहस्य उद्घाटित कर दिया। कामकंदला ने उस जैसे परोपकारी की प्रशंसा की।

राजा ने वहाँ से लौटकर श्रीपति नामक रघुवंशी दूत को कामसेन राजा के पास भेजा कि युद्ध करोगे या कामकंदला को दे दोगे। राजा ने युद्ध का निश्चय किया। फलस्वरूप घनघोर युद्ध हुआ। दोनों पक्षों के कितने ही शूरवीर शिव की मुंडमाला में अपने कपालों को अर्पित कर सूर्यमंडल वेध स्वर्ग सिधारे। पर विक्रम की विश्वविजयिनी सेना के समक्ष वह बेचारा कब तक टिकता। अंततोगत्वा वह हारा और उसने विक्रम को कामकंदला देकर संधि की। माधव को कामकंदला सौंपकर विक्रम उज्जयिनी लौट गया। वे दोनों पुष्पावती चले गए।

पर 'खोज' (१९२३-२९) में जो बड़ी पोथी उपलब्ध हुई उसमें मूल कथा के आगे-पीछे और भी कुछ अवांतर या प्रासंगिक कथाओं का संविधान किया गया है। मंगलाचरण के अनंतर उसमें इंद्र की सभा का वर्णन है जिसमें जयंती नाम की अप्सरा उर्वशी की भाँति अभिशप्त होती है। वह शिला होकर वन में पड़ी रहती है। माधव अपने गुरु के लिए सामग्री लेने जाता है और शिला को देखता है। उसके द्वारा शिला का उद्धार होता है। माधव उसके साथ इंद्र की सभा देखने की इच्छा करता है। जयंती उसके गुण पर रीझती है, वह पृथ्वी पर कामकंदला के रूप में अवतरित होती है। पुष्पावती नगरी के नरेश गोविन्दचंद्र के यहाँ से माधव निर्वासित किया जाता है और कामवती नगरी में आता है, वहाँ राजा की दी हुई भेंट वह कामकंदला के नृत्य-कौशल पर रीझकर दे देता है। राजा उसकी धृष्टता पर खीझकर उसे देशनिकाले की घोषणा करता है। विक्रम से सहायता प्राप्त कर वह कामवती पर उसे चढ़ा लाता है। कामकंदला और माधवानल की मृत्यु होती है और वैताल अमृत लाकर उन्हें जिलाता है। युद्ध होने पर कामसेन पराजित होता है और कामकंदला को दे देता है, जिसे पाकर माधव घर लौटता है।

श्री बालकृष्णदास की हस्तलिखित प्रति आरंभ में खंडित है। पर अंत में बहुत-सा अंश 'सभा' वाली छोटी प्रति से उसमें अधिक अवश्य सन्निविष्ट है, जिसमें माधव के

पिता शंकरदास का भी वर्णन है। विक्रम माधव के अनुरोध पर उसके साथ पुष्पावती की ओर गया। राजा ने विक्रम का आगमन सुना तो अपने पुरोहित शंकरदास को दूत बनाकर उसके पास भेजा। वह विक्रम के पास पहुँचकर उसे भेंट आदि देकर आने का कारण पूछने लगा। विक्रम ने भी शंकरदास की उदासी का निमित्त जानने की इच्छा की। वह रो पड़ा और कहने लगा कि मेरा पुत्र पुष्पावती से निर्वासित हो जब से कामवती नगरी की ओर गया तब से उसका पता नहीं चलता। विक्रम ने माधव को उसके सामने किया। पिता परम प्रसन्न हुआ। माधव ने निर्वासित होने के पश्चात् की सारी गाथा पिता के समक्ष निवेदित की। विक्रम ने कहा कि मैं तो केवल माधव को सौंपने के लिए आया था, मेरा कोई अन्य प्रयोजन नहीं। पुरोहित ने लौटकर गोविंदचंद्र से पूरी कथा कही। राजा ने आकर सत्कारपूर्वक माधव को नगर में बुला लिया।

'श्यामसनेही' में रुक्मिणी-विवाह की प्रसिद्ध कथा दोहे-चौपाइयों में कहीं गई है। इसमें वर्णनों का विस्तार किया गया है। शिशुपाल के साथ स्थिर हुए रुक्मिणी के विवाह में किस प्रकार श्रीकृष्ण ने रुक्मिणी के पत्र पर जाकर उसका हरण किया, इतनी ही तो कथा है। अतः उसका विस्तार वर्णनों से ही हो सकता था। प्रबंधकाव्य के घटनात्मक, भावात्मक, विचारात्मक और वर्णनात्मक अवयवों में से किस प्रकार वर्णनात्मक अवयव की प्रधानता हिंदी में बहुत दिनों से चली आ रही है इसका प्रमाण 'श्यामसनेही' भी है। केशवदास ने जिस प्रकार 'रामचंद्रचंद्रिका' में विवाह के प्रसंग में गाली गवाई है उसी प्रकार रुक्मिणी के विवाह में आलम ने भी। तुलसीदास ने 'गारि गावहिं' कहकर बात टाल दी है। पर आलम ने उसको टाला नहीं। यह प्रेम और भक्ति दोनों की रचना है। इसे कवि ने स्पष्ट कहा है—

प्रेम 'रु भक्ति ताहि मन भावै। करै कंठ जग सोभा पावै।

इसके नामकरण का कारण भी दिया है—

प्रीति अंग सब सुंदर देही। नाम धर्‌यौ तिहि 'स्यामसनेही'।

निर्माण का कारण यह है—

आलम जीवहु जो पलक इहि चंचल संसार।
दै अहार पोषहु मनहिं प्रेमभक्ति आधार॥

इसकी भाषा मिश्रित व्रजी है।

'सुदामाचरित' में सुदामा की प्रसिद्ध कथा है। दरिद्र सुदामा अपने गाँव में दीन-हीन अवस्था में निवास करते हैं। उनकी स्त्री ने जब सुना कि मेरे पति के मित्र द्वारकाधीश हैं तब वह उन्हें द्वारका जाने के लिए प्रेरित करने लगी। अपनी दरिद्रता और श्रीकृष्ण के वैभव का वैषम्य सामने कर वे द्वारका जाने में आगा-पीछा करने लगे। ब्राह्मणी ने जब

बातचीत में उनके न जाने का व्याज उपायन का अभाव सुना तब वह पड़ोसिन से चावल माँग लाई, जिसे लेकर सुदामा द्वारका चले। वहाँ श्रीकृष्ण ने उनका आतिथ्य-सत्कार किया; चावलों की उनकी पोटली छीनकर प्रेमपूर्वक उससे दो मुट्ठी चावल चबाए। सुदामा लौटने लगे तो उन्हें कुछ नहीं दिया। उधर श्रीकृष्ण ने विश्वकर्मा को भेजकर उनकी झोपड़ी को राजप्रासाद में परिवर्तित करा दिया। सुदामा अपने घर पहुँचे तो उन्हें झोपड़ी के स्थान पर राजप्रासाद मिला। सारा रहस्य खुला तो वे श्रीकृष्ण की उदारता पर चकित रह गए।

'सुदामाचरित' में प्रायः इतनी ही कथा का ग्रहण हिंदी के अनेक कवियों ने किया हैं। बीच-बीच में कुछ प्रसंगों का वर्णन करने में भले ही विस्तार कर दिया हो, घटनाचक्र प्रायः इतना ही लिया गया है। नरोत्तमदास का 'सुदामाचरित' बहुत प्रसिद्ध और सरल भी है। संवादों का विधान उसमें रमणीय है और नाटकीय ढर्रे का है। आलम का सुदामाचरित नरोत्तमदास की रचना से बहुत मिलता-जुलता है। नरोत्तमदास का रचनाकाल सं० १६०२ के आसपास माना जाता है। वे बाड़ी ग्राम (सीतापुर) के बतलाए जाते हैं। हो सकता है कि आलम के सामने उनकी पोथी रही हो। ऐसा मानने में कोई बाधा नहीं है। कृष्णभक्ति का जो प्रवाह वल्लभाचार्य और चैतन्यदेव की प्रस्थापनाओं के परिणामस्वरूप प्रवाहित हुआ उसमें भक्त कवियों ने तो योग दिया ही, शुद्ध काव्य की प्रेरणा से भी उसकी ओर लोग प्रवृत्त हुए। भक्तकवियों ने तो वृंदावन को लीलाभूमि बनानेवाला श्रीकृष्ण का बाल और यौवन जीवन चुना पर उनके जीवन के अन्य रसात्मक खंड भी आकर्षक प्रतीत हुए, जिनमें से सुदामा का दारिद्र्य-मोचन भी उनके प्रेमभाव के उदात्त रूप का निदर्शक था। ऐसा प्रतीत होता है कि भक्तकवियों ने तो पदों में अपनी संगीतधारा प्रवाहित की, पर काव्य की ओर रमे रहनेवालों ने हिंदी के कबित्त-सवैया छदों में उनके जीवन के इन्हीं रसात्मक खंडों को या उनके द्वारा व्यक्त अन्य रसात्मक खंडों को भी ग्रहण किया। नरोत्तमदास के 'सुदामाचरित' का विशेष प्रसार हुआ। काव्यभाषा व्रजी में तो उसका बंध बाँधा ही गया था; लोकभाषा के रूप में रेखता या खड़ी बोली फैल चुकी थी, बोलचाल की भाषा में उसे लाने की आवश्यकता समझकर ही आलम ने उसे 'रेखता-बंद' कर दिया। निश्चय ही नरोत्तमदास का ग्रंथ पहले पूरबी देशों में फैला होगा। आलम की व्रजी, अवधी या पूरबी प्रयोगों से युक्त है। इसलिए यदि यह माना जाए कि ये पूरब के ही निवासी थे तो 'सुदामाचरित' का 'रेखता-बंद' होना यह बतलाता है कि यह भाषा लोकभाषा के रूप में छाने लगी थी या पूरब में भी छा गई थी। अथवा यह मानना पड़ेगा कि ये पहले पूरब में रहते थे, बाद में कहीं पछाँह में जा बसे। वहाँ इन्होंने इसे 'रेखता-बंद' किया। सुना जाता है कि आलम जौनपुर जिले के रहनेवाले थे, पर अभी तक जो सामग्री मिली है उसके आधार पर आलम के निवासस्थान का पक्का निश्चय नहीं हो सकता।

'आलमकेलि' का वर्ण्य विषय इस प्रकार है—श्रीकृष्ण की बाललीला, नवोढ़ा,

प्रौढ़ा, अभिसार, मानिनी, संकेतस्थल, नायक की दूती, विरहवर्णन, सखी की उक्ति, सखी प्रति, खंडिता, प्रेमकथन, वंशी, प्रवत्स्यत्पतिका, भँवरगीत, उद्धव का लौटना, यशोदाविरह, गोपीविरह, पवनवर्णन, यमुनाकुंज, गंगावर्णन, दीनता, शिव के कबित्त, देवी के कबित्त, रामलीला, रेखता, सवैया (प्रेमवर्णन), विपरीत, यशोदा की उक्ति, नवयौवना, मानवर्णन, चंद्रकलंक, कुचछवि, युगलमूर्ति, अभिसार, आगतपतिका और शांतरस। इस तालिका से स्पष्ट है कि इसमें शेख आलम की यह प्रकीर्ण रचना क्रमबद्ध की गई और शीर्षकों में बाँटी गई है। प्रश्न होता है कि स्वयं कवि ने ऐसा किया या किसी दूसरे ने। संग्रह दूसरों के द्वारा ही हुआ है; क्योंकि आलम की रचना पर चाहे जिस प्रकार के विचार किया जाए ये स्वच्छंद वृत्ति के प्रेमी कवि ही प्रतीत होते हैं। इनकी रचना में रीतिबद्ध कृतियाँ अवश्य हैं, पर सारी रचनाएँ रीति के साँचे में ढली नहीं हैं। अतः ऐसा प्रतीत होता है कि बाद में किसी रीतिप्रेमी व्यक्ति ने चाहे वह इनका अनुगामी ही रहा हो, इन्हें विभाजित किया। शृंगार की कविता का विभाजन करने के लिए नायक-नायिका के अवांतर भेद विशेष अनुकूल और सुखसाध्य थे। इसी के इनकी रचना इस प्रकार विभाजित की गई।

शृंगारकाल के ये कवि पहले तो रीतिबद्ध रचना में संलग्न हुए, पर उसके बंधनों में इन उन्मुक्त कवियों की वाणी बँधकर नहीं चल सकती थी, इसलिए ये रीति के बंधन से मुक्त होकर स्वच्छंद मार्ग पर चलने लगे। श्रीकृष्ण का स्वच्छंद प्रेम, जो भक्तिभूमि पर खड़ा हो गया था, इनकी प्रवृत्ति के अनुकूल और आधाररूप में मिल गया। फल यह हुआ कि ये स्वच्छंद गायक कृष्णकाव्य की ओर मुड़े और इनमें भक्ति का रंग चढ़ गया। रीतिबद्ध रचना का पर्यवसान कृष्णभक्ति में नहीं होता, यद्यपि शास्त्र-सम्मत विधि के अनुकूल उनकी शृंगारिक रचना राधा और कृष्ण के प्रेम को ही लेकर चलती है। श्रीकृष्ण के जीवन की स्वच्छंद वृत्तियों में उनकी प्रवृत्ति नहीं लक्षित होती। वे श्रीकृष्ण या राधा के क्रीड़ा-कौतुकमय जीवन में डूबने के स्थान पर नायक-नायिका के हाव-भाव में डूबे दिखाई देते हैं। पर इन उन्मुक्त विचरण करनेवालों ने उनके मुक्त जीवन की रमणीयता बारंबार सामने की है। रसखानि को इस प्रकार की रचना का संस्थापक मानने में इसीलिए कोई बाधा नहीं दिखाई देती। उनकी रचनाओं में भी कुछ रीतिबद्ध हैं, कुछ स्वच्छंद वृत्ति का पोषण करनेवाली और कुछ श्रीकृष्ण के स्वच्छंद जीवन का पूर्ण आभास देनेवाली भक्तिभावित। यह रसखानि की स्वच्छंद वृत्ति की ही देन है, जो उन्हें भक्ति के क्षेत्र में ले जाकर 'मानुष हौं तौ वहै रसखानि बसौं बन गोकुल गाँव के ग्वारन' आदि कहने की प्रेरणा उत्पन्न करती है।

इसलिए एक ओर इन स्वच्छंद कवियों की कुछ रचना यदि रीतिबद्ध कविता करने-वालों से मिलती है तो कुछ उनसे पृथक् भी दिखाई देती है, क्योंकि इनकी रीतिबद्ध रचना में भी शास्त्रस्थिति-संपादन की इच्छा स्वल्प और भावाभिव्यंजन की रुचि प्रभूत परिमाण में है। दूसरी ओर ये भक्तकवियों से जा मिलते हैं, पर उनसे भी पृथक् लक्षित होते हैं, क्योंकि इनकी रचनाओं में भक्ति की स्थिरता के स्थान पर स्वच्छंदता की चपलता और

भावधारा का वेग है। इसलिए रसखानि को, कृष्णभक्त मानते और जानते हुए भी, स्वच्छंद गायकों की श्रेणी में रखना प्रवृत्तियों के विभाजन के सुभीते के लिए अपेक्षित है। कबित्त-सवैयों की ओर ये इसी से प्रवृत्त थे। संगीत के बंधनों से भी ये अपने को उसी प्रकार मुक्त रखना चाहते थे जिस प्रकार काव्य के शास्त्रसम्मत बंधनों से। देवी-देवताओं के प्रति रसखानि की उदार वृत्ति भी यही बताती है कि ये वस्तुतः कृष्णभक्त होते हुए भी सांप्रदायिक बंधनों से अपने को पृथक् रखना चाहते हैं। 'भागवत' के नवम स्कंध की कथा को भी बाँधने के विचार से सूर ने रामचरित भी पदों में गाया, पर साफ जान पड़ता है कि उनकी रुचि वहाँ से काम निबटाकर भागने का यत्न कर रही है। रसखानि या आलम की रचना से यह प्रतीत नहीं होता। 'भागवत' का आधार लेकर चलने के कारण रामकथा भी कहनी ही पड़े, यह बंधन तो इनके सामने था नहीं, फिर भी ये ऐसा करते हैं। इसका कारण इनकी स्वच्छंद पर उदार वृत्ति ही है। पंचदेवोपासना की जो प्रतिष्ठा पुराणों की भावना के प्रसार के कारण हो गई और जिसके परिणामस्वरूप इन देवों की अभिन्नता प्रतिपादित हो चुकी थी, इन्होंने उसी का ग्रहण किया।

घनआनंद

घनआनंद के कबित्तों के संग्रहकर्ता श्री व्रजनाथ लिखते हैं—

प्रेम सदा अति ऊँचो लहै सु कहै इहि भाँति की बात छकी।
सुनिकै सबके मन लालच दौरै पै बौरे लखैं सब बुद्धि चकी।
जग की कबिताई के धोखें रहै ह्याँ प्रबीनन की मति जाति जकी।
समुझै कबिता घनआनँद की हिय-आँखिन नेह की पीर तकी॥

घनआनंद की 'कबिताई' में प्रवीणों की मति को जकानेवाली कई विशेषताएँ हैं। सबसे पहली विशेषता तो यह है कि इनकी रचना में बहुत-सी स्थितियाँ मौन हैं अर्थात् इनकी रचना अभिधा के वाच्यरूप में कम, लक्षणा के लक्ष्य और व्यंजना के व्यंग्यरूप में अधिक है। जो लक्षणा-व्यंजना के इन लक्ष्य-व्यंग्य अर्थों तक पहुँचने की क्षमता रखनेवाला न होगा उसके लिए इनकी रचना नीरस नहीं तो सरस भी न होगी। अपनी कृति के भावक का रूप स्वयं घनआनंद ने इस सवैये में व्यक्त कर दिया है—

उर-भौन में मौन को घूँघट कै दुरि बैठी बिराजति बात बनी।
मृदु मंजु पदारथ भूषन सौं सु लसै हुलसै रसरूप-मनी।

रसना अली कान गली मधि ह्वै पधरावति लै चितसेज ठनी।
घनआनँद बूझनि-अंक बसै बिलसै रिझवार सुजान धनी॥

इनकी कविता हृदय के भवन में मौन का घूघँट डाले अपने को छिपाए बैठी है। रही संभार की बात। सो सारे शास्त्रीय संभार इसमें हैं—पदार्थ हैं, पर कोमल चुने हुए मंजुल। इसमें पद अर्थात् शब्द ही नहीं अर्थ भी हैं, वाच्य, लक्ष्य, व्यंग्य एक से एक मृदु, एक से एक मंजु। कोई कहे कि इसमें अवर अंश वाच्यार्थमात्रविशिष्ट अलंकार न हो, सो बात भी नहीं है। इसमें अलंकार भी हैं, गहने भी हैं, पर वे आभूषण, अलंकार, रत्नजटित हैं, चमचमानेवाले हैं, दीप्ति करनेवाले हैं। रत्न या मणि है क्या?—'रस'। अलंकार की सारी योजना रस की दीप्ति के लिए है, केवल शरीर पर लदाव के लिए नहीं। यह वाणी, यह कविता, यह बनी दूल्हन रसना-सखी के साथ जाती है। रसना-सखी के संग, जीभ के संग नहीं—रस की ओर ले जानेवाली रसना—रसाश्रयहृदय की शय्या पर, सुसज्ज शय्या पर, सहृदयता की सजी सेज पर उसे पहुँचाती है। इस कविता-दूल्हन का रसिक (बना, धनी, स्वामी) कोई साधारण व्यक्ति कैसे हो सकता है। वह सुजान है, प्रवीण है, साहित्य के विधि-विधानों से अभिज्ञ है। वही इस पर रीझता है, इसकी सूक्ष्म भाव-भंगिमा को समझता है। बूझनि प्रतीति, रस-प्रतीति की गोद में काव्य-प्रतीति के अंक में उसे लेकर विलसता है। घनआनंद की रचना का सौंदर्य आवृत है, वह शब्दों द्वारा वाच्य नहीं है। हृदय ही, सहृदय ही, उसके मर्म को समझ सकता है।

पर इस मौन को अमौन या बखान में परिणत कौन कर सकता है। वाणी जिस प्रकार मौन में अनेक बखानों को समेटे पड़ी रहती है उसी प्रकार वाणी उस मौन में छिपे तत्त्वों को प्रकाशित भी कर सकती है। जिसकी वाणी में मौन के भीतर अनेक अमौन तत्त्वों को छिपा रखने की क्षमता नहीं वह कर्ता, समर्थ कर्ता नहीं और जिसकी वाणी में उनको प्रकाशित कर सकने की शक्ति नहीं वह सूक्ष्म ग्रहीता नहीं, सहृदय नहीं। घनआनंद को इस विषय में नैराश्य नहीं। नैराश्य भारतीय परंपरा में नहीं, अँगरेजी की अनुकृति पर है। नैराश्य की नदी छायावादी बंधु भले ही प्रवाहित कर चुके हों और अपनी रचना की गूढ़ता के समझने के संबंध में भी चाहे उन्हें नैराश्य ही रहा हो, पर न भवभूति को नैराश्य था न घनआनंद को। ये वाणी की, सहृदय की वाणी की, प्रशस्ति यों करते हैं—

आँखिन मूँदिबो बात दिखाबत सोवनि जागनि बात ही देखि लै।
बात-सरूप अनूप अरूप दै भूल्यौ कहा तू अलेखहि लेखि लै।
बात की बात सुबात बिचारियो है छमता सब ठौर बिसेखि लै।
नैननि काननि बीच बसे घनआनँद मौन बखान सु देखि लै॥

वाणी की गति अत्यंत सूक्ष्म है जो अन्य विधि से असंभव या दुःसंभव है, उसे अपनी सूक्ष्मेक्षिका से वाणी संभव कर दे सकती है और बात की बात में संभव कर दे

सकती है। किसी आँख के मूँदने में कितने रहस्य हैं इनका उद्‌घाटन वाणी कर सकती है। एक मात्र सोना और जागना वाणी ही से देखा जा सकता है। वाणी या काव्य स्वयं एक दर्शन है, दृष्टि है। उसकी रूपरेखा सूक्ष्म है, वह अलेख का, निराकार का, लेखा-जोखा भी प्रस्तुत कर सकती है। ब्रह्म का, निर्गुण ब्रह्म का, साक्षात्कार वाणी ही से संभव है। वह निराकार अनुभूति का विषय हो चाहे न हो, पर वाणी का विषय तो हो ही सकता है, हुआ ही है। जगत् भले ही अनिर्वचनीय हो, पर वह (ब्रह्म) अनिर्वचनीय नहीं है। वह अज्ञेय चाहे हो, पर अवाच्य नहीं है। अच्छी से अच्छी, ऊँची से ऊँची स्थिति को सर्वत्र वाणी ही बात की बात में बतला सकती है। कोई ऐसा स्थान नहीं है जहाँ वाणी अपनी विशेषता न दिखला दे। जो और प्रकार से इंगित नहीं किया जा सकता, वाणी उसे इंगित करती है। 'अपाणिपादो जवनो ग्रहीता' को , अज्ञेय अपिरमेय को, इन शब्दों से इंगित करनेवाला कौन है ? वाणी ही न ! जो मन का, चित्त का, बुद्धि का विषय न बन सके उसे भी वाणी का विषय बनना ही पड़ता है। वह मन, चित्त, बुद्धि का विषय नहीं है इसे वाणी ही तो बतलाती है। वह नेत्रों में कान लगा सकती है और उन कानों को मौन की पुकार वाणी ही सुना सकती है, मौन के बखान को वाणी ही दिखा सकती है। वाणी क्या नहीं कर सकती।

घनआनंद की आवृत अर्थसंपति की, उनके मौन की, विशेषता बताते हुए वाणी की विशेषता तक पहुँचना पड़ा। इसका कारण यह है कि इनकी विरह-साधना और काव्य-साधना में समरसता है। 'बिरही बिचारन की मौन में पुकार है' यहीं तक इनकी वाणी नहीं है, वह स्वयं 'मौन की पुकार' में लीन है, 'उर भौन में मौन के घूँघट' में अपने को छिपाए हुए है। ठीक इसी प्रकार विरही विषम प्रेम की साधना में विषम परिस्थितियों का सामना करता है तो कवि भी विषम प्रेम की अभिव्यक्ति में विषम शब्द-साधना करता है। घनआनंद की रचना की यह वैषम्यमूलकता या विरोध-वृत्ति केवल शब्द-साधना नहीं है। प्रेम की विषमता और इस विरोध-वृत्ति में साम्य है। हिंदी के अन्य मध्यकालीन स्वच्छंद कवियों में विरोध-वृत्ति सार्वत्रिक न होकर क्वाचित्क है। घनआनंद की रचना में यह सार्वत्रिक है। यहाँ तक कि इनके कीर्तन के कोरे भक्तिभावित पदों में भी यह बहुधा मिल जाती है। इस विरोध-वृत्ति के लिए इन्होंने लक्षणा का सहारा लिया है और लक्षण के जैसे चमत्कार इन्होंने दिखलाए हैं, हिंदी-साहित्य के प्राचीनकाल के किसी कवि में उतने लाक्षणिक वैलक्षण्य तो हैं ही नहीं, आधुनिककाल के जिन छायावादी कवियों में इस विलक्षणता के दर्शन प्रभूत परिमाण में होते हैं उनमें भी वह विशेषता नहीं है जो घनआनंद के प्रयोगों में मिलती है।

पहली ध्यान देने की बात यह है कि घनआनंद की कविता भले ही फारसी-काव्य और सूफी-साधना की प्रेरणा से हिंदी में निर्मित हुई हो, पर इन्होंने ज्यों-की-त्यों अनुकृति नहीं की। फारसी के मुहावरे उठाकर इन्होंने हिंदी में नहीं धर दिए। ये फारसी-प्रवीण थे, इन्होंने फारसी में एक मसनवी भी लिखी है, पर ये व्रजभाषा-प्रवीण भी थे। व्रजभाषा के

प्रयोगों के आधार पर नूतन वाग्योग संघटित कर लेने के लिए भाषा-प्रवीण भी थे।' घनआनंद के प्रयोग व्रजभाषा के प्रयोग तो हैं ही, नवीन प्रयोग भी एकदम नए नहीं हैं, व्रजी के अनुकूल गढ़े गए हैं। इनका अंतःकरण भारतीय था, वेश-भूषा भी भारतीय थी। ढंग-ढर्रा कुछ बाहरी रहा हो तो हो, पर वह भी कृष्ण-राधा के प्रेमतत्त्व में सर्वात्मना भारतीय बन बैठा।

इस भारतीयता के भाषागत सौंदर्य के लिए लाक्षणिक प्रयोगों का भेद स्पष्ट कर लेना चाहिए। फारसी में और उसकी अनुकृति पर उर्दू में जिस प्रकार की लाक्षणिकता दिखाई देती है वह भारतीय लाक्षणिकता से भिन्न है। फारसी-उर्दू में जिस लाक्षणिकता का विकास हुआ वह मुहावरों को आधार बनाती है। मुहावरों में प्रयोजनवती और रूढ़ि—दोनों प्रकार की लक्षणाएँ हो सकती हैं, पर अधिकतर लक्षणाएँ रूढ़ि के खाते में आती हैं। जिस प्रकार का प्रयोग बहुत दिनों से होता चला आ रहा हो उसी को अनेक प्रकार के मिश्रण द्वारा नवीन रूप में लाना फारसी-उर्दू की विशेषता है। मुहावरों के अधिक प्रयोग से यह स्पष्ट है कि फारसी-उर्दू में रचना लक्षणाप्रधान होती है। लक्षणाप्रधान होने पर भी परंपरा के आश्रय में रहने के कारण व्यंजना में अर्थात् उन लाक्षणिक प्रयोगों से निकलनेवाले व्यंग्यार्थ में संलक्ष्यक्रमता स्पष्ट रहती है और एक साथ अनेक व्यंग्यार्थों के उपस्थित होने पर भी संदेह के लिए स्थान नहीं रहता। हिंदी में आधुनिक युग में अँगरेजी-साहित्य के संपर्क के कारण जिस प्रकार के लाक्षणिक प्रयोग किए जाने लगे उनमें रूढ़ि के बदले प्रयोजनवती पर अधिक ध्यान है। प्रत्येक कवि अपने नए-नए प्रयोजन के लिए नई नई लक्षणाएँ करता है। परंपरा का साथ न होने से ऐसे स्थल प्रायः सामने आ जाते हैं कि उनके व्यंग्यार्थों में संदेह बना रहता है। अँगरेजी भाषा लक्षणाप्रधान है, फारसी से अधिक। वह परंपरा के निर्वाह का आग्रह नहीं करती। फल यह है कि किसी आधुनिक छायावादी कवि के प्रयोगों के संबंध में ऐसे स्थल प्रायः आ जाया करते हैं जहाँ व्यंग्यार्थों में से किसी एक का निश्चय करना कठिन हो जाता है। भारतीय भाषा लक्षणाप्रधान न होकर व्यंजनाप्रधान है। इसका अर्थ यह है कि उसके लाक्षणिक प्रयोगों का व्यंग्य बहुत कुछ नियत है। लक्षण से एक व्यंग्य निकलने पर दूसरा व्यंग्य, फिर तीसरा व्यंग्य इस प्रकार अनेक व्यंग्य निकलते जाते हैं। एक साथ कई व्यंग्यार्थ सामने आकर प्रायः संदेह नहीं खड़ा करते ।

घनआनंद ने मुहावरों के प्रयोग की पद्धति निश्चय ही फारसी की प्रेरणा से ग्रहण की है। पर फारसी मुहावरों की योजना नहीं की, जैसा उर्दूवालों ने किया—फारसी के बहुत से मुहावरे चुपचाप देशी भाषा के रूप में उल्था करके रख दिए। उन्हीं की कृतियों की छानबीन करके उर्दू का कोश प्रस्तुत करनेवाले 'फरंहगे आसफिया' के संपादक इसी से उर्दू के मुहावरों को फारसी के मुहावरों का उल्था कहते हैं, यद्यपि उर्दू में भी सबके सब फारसी से उड़ाए हुए मुहावरे नहीं हैं। आजमगढ़ में ही यह सब होते देख स्व. पं० अयोध्यासिंह उपाध्याय का हिंदीज्ञान तिलमिला उठा और उन्होंने 'चोखे चौपदे',

'चुभते चौपदे' से ही संतोष न कर 'बोलचाल' नाम की पुस्तक ही लिख डाली, जिसमें हिंदी के मुहावरों का संग्रह ही नहीं, उनके प्रयोग द्वारा मार्मिक रचना भी की गई है। घनआनंद ने हिंदी के मुहावरों का विनियोग करके जो चमत्कार उत्पन्न किया है और साथ ही जिस भावना तक सहृदय को पहुँचाया है. यह स्थान-स्थान पर दर्शनीय है—

रावरे पेट की बूझि परै नहीं रीझि पचाय कै डोलत भूखे।

एक ही उदाहरण से उनके प्रयोग की विशेषता स्पष्ट हो जाएगी। पेट की न बूझ पड़ना, पचाना और भूखे डोलना तीनों प्रयोग लाक्षणिक हैं। किसी के पेट की बात तब समझ में भी नहीं आ सकती जब उसके पेट में अन्य पेटों से विलक्षणता हो। यदि कोई निरंतर खाता हो और खाए को पचाकर भूखा फिरता हो तो अचरज होने की बात ही है। निरंतर खानेवाला यदि भूखा फिरता है तो उसकी पाचनशक्ति या तो बहुत अधिक है या उसे कोई रोग है। रोग होने पर उसका प्रभाव बाहरी अंगों पर स्पष्ट दिखाई देता है। वे पीले पड़ जाते हैं, रक्त नहीं बनता, मोटा होने के बदले वह दिन-दिन दुबला होता जाता है, उसे भस्मक रोग से ग्रस्त समझना पड़ता है। प्रिय में ये लक्षण व्यक्त नहीं हैं। इससे स्पष्ट है कि पाचनशक्ति ही बढ़कर है। प्रिय रीझ पचाता चला जा रहा है। एक रीझ, दूसरी रीझ, तीसरी, चौथी—रीझों की परंपरा उसके सामने आती है, वह पचाता जा रहा है। फिर भी उसकी बुभुक्षा शांत नहीं, नए-नए प्रेमियों को खोजता फिरता है, एक की रीझें पचा गया, दूसरे की पचा गया, तीसरे की पचा गया। रीझ पचाने की चीज नहीं है, कोई खाद्य नहीं है। अभिधेनार्थ बैठता नहीं इसलिए पचाने का अर्थ '(रीझ से) प्रभावित न होना' करना पड़ता है। 'एक प्रेमी के रीझने से प्रभावित नहीं, दूसरे के रीझने से प्रभावित नहीं।' रीझ उसके मन पर कोई प्रभाव ही नहीं डालती। इसलिए 'पेट' का अर्थ 'मन' करना पड़ता है। भूखे डोलने का अर्थ 'नए-नए प्रेमियों की रीझ की खोज में प्रवृत्त रहता' मानना पड़ता है। घनआनंद ने चलते मुहावरों से, नित्य व्यवहार के प्रयोगों से, साधारण वाग्योगों से, असाधारण कार्य-साधन किया है। यहाँ अर्थ-परंपरा एक के अनंतर दूसरी आपसे आप निकलती है। आपके पेट अर्थात् मन की बात समझ में ही नहीं आती। क्यों नहीं समझ में आती। इससे कि इस प्रकार का प्रभावग्रहरणपराङ्मुख कदाचित् ही कोई मिले। इससे आप सहृदय नहीं हैं, असहृदय हैं, क्रूर स्वभाव हैं, वज्रकठोर हैं। ऐसे निर्दय से प्रेम! अपना अभाग्य! अपने पास रीझ ही संपत्ति थी, उससे कुछ सिद्धि नहीं, अतः जीवन-भर दुख भोगना ही हाथ ! इसी क्रम से अनेक अर्थ—एक से दूसरा, दूसरे से तीसरा—निकलते रहते हैं।

प्रिय की बुभुक्षा का तो यह हाल, प्रेमी की बुभुक्षा का इससे भी विकट हाल! पूरा भस्मक रोग ही हो गया है।—देखियै दसा असाध अँखियाँ निपेटनि को भसमी बिथा पै नित लंघन करति हैं', भस्मक रोग वह है जिसमें रोगी सामान्य भोजन का कई गुना करने लगता है। पर उसकी भूख शांत नहीं होती। वह नित्य दुबला होता जाता है। उसके

शरीर में रक्त नहीं बनता। ऐसे रोगी से लंघन नहीं कराया जाता। भोजन देते हैं औषध करते हैं। क्रमशः उसका रोग शांत होता है। लघंन करने से तो रोग असाध्य हो जाता है। यदि ऐसे को यह रोग हो जो बड़ा चटोर हो, पेटू हो, तो रोग दुःसाध्य रहता है। पेटू भी कई प्रकार के होते हैं—साधारण और असाधारण। असाधारण पेटू के लिए तो भारी कठिनाई होती है। यहाँ आँखें केवल पेटनी, पेटू नहीं हैं, निपेटनी हैं, 'नितराम् पेटू' हैं। फिर भी कभी-कभी नहीं, नित्य लंघन और रोग भस्मक! असाध्य स्थिति स्पष्ट है। 'भसमी' शब्द से ही भस्मक रोग का संकेत कर दिया गया है। कई शब्दों के अर्थ वाच्य से लक्ष्य-व्यंग्य आपसे आप हो जाते हैं। आँखें प्रियदर्शनेप्सु हैं, अतिदर्शनेप्सा है उनमें, पर प्रिय के दर्शन कभी नहीं होते। विरह की दाहक स्थिति, भीषण जलन आँखों में। प्रिय के दर्शन की अंजन से कुछ लाभ हो सकता है, पर वह अप्राप्य हैं। इसलिए अब आँखें रहें इसमें संदेह है। प्रियदर्शन से ही संतोष हो सकता है, पर वह भी दुर्लभ। प्रिय के रूप पर रीझा है प्रेमी। प्रेम का कारण रूपलिप्सा है। आँखों को हुए अधिक कष्ट से यह संकेत मिलता है। यहाँ 'भस्मी' शब्द से सहसा भस्मक रोग पर सबका ध्यान नहीं जा सकता, पर ध्यान न भी जाए तो भी पेट की भस्मी व्यथा-बुभुक्षा, भीषण बुभुक्षा अर्थ पर पहुँचने में कोई बाधा नहीं है। जहाँ तीखी बुभुत्सा पर ध्यान गया सारी योजना स्पष्ट है। केशवदास में कोई शब्द पारिभाषिक अर्थ से संबद्ध हुआ तो उस शास्त्र का ज्ञान बिना हुए अर्थ ही नहीं खुलेगा। घनआनंद में यह बात नहीं है। घनआनंद में जहाँ कोई पारिभाषिक शब्द भी आ पड़ा है वहाँ भी प्रसंगप्राप्त अर्थ बलात्कृत नहीं होता।

वाणी का प्रयोग जैसा यह कवि कर गया, कोई क्या करेगा! अपनी विरह-वेदना की असीमता को न जाने कितने प्रकार से इन्होंने व्यक्त किया है। कहते हैं—

जो दुख देखति हौं घनआनँद रैनि-दिना बिन जान सुतंतर।
जानैं वेई दिन-रात बखाने तें जाय परै दिन-राति को अंतर॥

प्रिय के वियोग में जो कष्ट हो रहा है वह कष्ट, वह वेदना, कालावच्छिन्न है। जिस समय वह पीड़ा कही जा रही है उस समय जैसी व्यथा हो रही है, उसके अनंतर फिर किसी दिन या किसी रात में जब उसकी अनुभूति की जाएगी तब वैसी अनुभूति नहीं हो सकेगी। जिस समय अनुभूति हुई उसी समय अनुभूति का वह प्रकृत रूप अनुभूत था। उसके अनंतर स्वयं अनुभव करनेवाला भी चाहे तो उसका वैसा ही अनुभव नहीं कर सकता। स्मृति के समय उस विरहानुभूति का प्रथम रूप कथमपि अनुभव नहीं हो सकता। जिसका अनुभव ही पुनः नहीं किया जा सकता उसे वचनों द्वारा कहना तो और भी कठिन है। अनुभव करनेवाले को ही कहना हो तो भी वह कुछ कह सके। अनुभव हृदय में और कहना जीभ को। भला जीभ उसे क्या कह सकेगी। फलतः अनुभूत दशा और कथित रूप में दिन-रात का अंतर हो जाता है।

जहाँ अनुभूति की यह स्थिति हो उस मनुष्य के संयोग और वियोग को पतंग और

मीन से मिलाना घनआनंद को असहृदयता जान पड़ती है। मनुष्य चेतन प्राणी ही नहीं है, वह चेतन-सृष्टि का सर्वोत्तम प्राणी है। सृष्टि के विकास में वह सबसे अंत में अपनी विकसित चेतना लेकर अवतीर्ण हुआ है। वह अपने लिये सुख के साधन एकत्र करने में ही अन्य प्राणियों से विशिष्ट नहीं है। दुःख के सहने में भी वह अन्यों से बहुत बढ़ा-चढ़ा है। रीतिकाल के शास्त्रपरंपरानुयायी 'बिछुरनि मीन की औ मिलनी पतंग की' को आदर्श मानते थे। घनआनंद ने इसी से इसका खंडन किया है—

मरिबो बिसराम गनै वह तौ यह बापुरो मीत-तज्यौ तरसै।
वह रूप-छटा न सहारि सकै यह तेज तवै चितवै बरसै।
घनआनँद कौन अनोखी दसा मति आबरी बापरी ह्वै थरसै।
बिछुरें मिलें मीन-पतंग-दसा कहा जो जिय की गति कों परसै॥

कहाँ तो 'बिछुरें मिले मीत-पतंग-दसा' को कोई आदर्श दशा, सबसे ऊँची दशा, मान रहा है। आदर्श वही होता है जहाँ तक सामान्यता पहुँचा न जा सके। मीन और पतंग की साधना दूसरों की दृष्टि में चाहे जितनी ऊँची हो, पर घनआनंद की दृष्टि में वह इतनी नीची है कि मनुष्य की संयोग-वियोग-साधना का स्पर्श भी नहीं कर सकती, बराबर होना दूर, ऊँची होना तो असंभव। उसके लिए तर्क देते हैं कि मीन तो प्रिय से वियुक्त होते ही मरण में विश्रांति लेती है, पर मनुष्य प्रिय से वियुक्त होने पर उसके लिए बराबर तरसता रहता है। अन्यों ने अंतर यह समझ रखा है कि मीन प्रिय के वियोग में मर जाता है और मनुष्य मरता नहीं इसलिए उसका विरह घटकर है। स्थिति यह है कि विरही मरण से बढ़कर पीड़ा सहता रहता है और इस आशा में जीता है कि प्रिय से भेंट होगी। पर मीन तो मरा और सारे कष्टों से उसे छुट्टी मिली। उसमें पीड़ा के सहने की शक्ति नहीं, वह अशक्त विरही है। उसकी एवं मनुष्य की क्या बराबरी ! रहा पतंग ! वह प्रिय के रूप को देखकर, उसकी छटा से आकृष्ट होकर अपने को सँभाल नहीं पाता। इसलिए उसमें, दीपशिखा में, जाकर वह गिर पड़ता है। मीन विरह नहीं सँभाल पाता, पतंग रूपछटा नहीं सँभाल पाता। ऐसा उतावला मनुष्य नहीं होता। वह प्रिय के रूपतेज से तपता है। फिर भी उसकी रूपछटा देखता रहता है और साथ ही आँसू बरसाता रहता है। उसके तेज से तपने और आँसू बरसाने से यह स्पष्ट है कि वह पीड़ा पा रहा है। उसकी वेदना पतंग की वेदना से, जो उसे दीपशिखा में जलने से होती है, कहीं बढ़कर है। फिर भी वह रूपज्वाला में भस्म होकर शरीर का परित्याग नहीं करता। मीन-जल की साधना भारतीय परंपरा का उदाहरण है और पतंगदीप का प्रणय फारसी-परंपरा का दृष्टांत है, शमा-परवाना वहाँ प्रतीक हैं। दोनों को सामने रखकर घनआनंद ने मनुष्य की साधना का महत्त्व दिखाया है, परंपरा न भारतीय स्वीकृत की न अभारतीय, अपनी स्वच्छंदता के कारण। पर भारतीय आशावाद का परित्याग नहीं किया। मीन और पतंग की साधना नैराश्य की झलक है। पर घनआनंद ने इस नैराश्य का ग्रहण नहीं किया। वे अन्यत्र कहते हैं—

हीन भएँ जल मीन अधीन कहा कुछ मो अकुलानि समानै।
नीर-सनेही कों लाय कलक निरास ह्वै कायर त्यागत प्रानै।
प्रीति की रीति सु क्यौं समुझै जड़ मीत के पानि परे कों प्रमानै।
या मन की की जु दसा घनआनँद जीव की जीवनि जान ही जानै ॥

जल के अपर्याप्त होने पर मीन विवश हो जाता है। उसकी वह विवशता मनुष्य की आकुलता का क्या किंचिन्मात्र साम्य कर सकती है। कभी नहीं। प्रेम की साधना में प्राण का परित्याग करना कायरता का चिह्न है। इसमें जल (प्रिय) को कलंक लगता है, मीन (प्रेमी) को कलंग लगता है और उसके प्रेम को कलंक लगता है। मनुष्य विरह-साधना में इस प्रकार का कलंक किसी को नहीं लगने देना चाहता। मीन का प्रिय सच पूछिए तो जड़ है। न प्रिय प्रीति की रीति समझता है और न प्रेमी। जड़ की उपासना करने से मीन भी जड़ हो जाता है। परिणाम यह है कि प्रिय के हाथ में ही वह अपने को समर्पित किए रहता है, उसकी चेतनता प्रिय के जड़त्व में ही विलीन हो जाती है इसी से वह केवल प्रिय को पाने में छटपटाता हुआ मर जाता है। उसके छटपटाने में क्या कष्ट है इसे जल न पहले समझता था और न उसके छटपटाकर मर जाने पर ही समझता है। पर मनुष्य के विरहजन्य कष्ट का अनुभव उसका प्रिय करता है। प्रत्युत यह कहना चाहिए कि जैसी वेदना प्रेमी को हो रही है ठीक-ठीक उसका अनुभव और कोई नहीं कर सकता, यदि उसकी ठीक अनुभूति किसी और को हो सकती है तो प्रिय को ही। प्रेम की अनुभूति करनेवाला, समान अनुभूति करनेवाला प्रिय यदि आकृष्ट न हो तो विरही के कष्ट का सहज अनुमान किया जा सकता है। मीन-जल और पतंग-दीप में एक पक्ष जड़, दूसरा पक्ष चेतन होने पर भी चेतनपक्ष वैसी चेतना का धारणकर्ता नहीं है जैसी मनुष्य को होती है। इसलिए मनुष्य की प्रेम-साधना को इनकी प्रेम-साधना से मिलाना मनुष्य का अपमान करना है।

घनआनंद की प्रेम-साधना इसीलिए चरम-साधना के रूप में प्रतिष्ठित है। उसकी चरम-साधना सामान्य प्रेमप्रवाह से बहुत आगे है। विरह में मंजिष्ठाराग हो जाता है। प्रेम का पूरा परिपाक हो जाता है या प्रेम का भोग न होने से वह राशीभूत हो जाता है। यह साहित्यपरंपरा कहती चली आ रही है, पर वहाँ प्रेम की वह चरम-साधना नहीं दिखाई देती जहाँ वियोग में ही नहीं संयोग में भी वियोग का अनुभव होता रहता है। 'यह कैसो संजोग न बूझि परै कि बियोग न क्योंहूँ बिछोहत है'। प्रिय के वियोग में ही नहीं संयोग में भी अशांति साथ नहीं छोड़ती। प्रिय के वियोग की आशंका संयोग में भी बनी रहती है। संयोग में वियोग का अनुभव। भक्तिसंप्रदायों में प्रिय के क्षण-भर के लिए कुंज में छिप जाने पर गोपिकाएँ जो अत्यंत व्याकुल दिखाई गई हैं वह इसी प्रेम-साधना या विरह-साधना के कारण। लौकिक दृष्टि से उसमें अत्युक्ति, अतिशयोक्ति दिखती है, पर पारलौकिक दृष्टि से वह अनिवार्य है। घनआनंद इसी विरह-साधना की गाथा अपनी

रचना में गाते रहे हैं। छायावादी रचना में जो पीड़ा का साम्राज्य दिखता है वह किधर का साम्राज्य है, यह थोड़ा ध्यान देते ही स्पष्ट हो जाएगा। पर उस साम्राज्य को जैसा स्वकीय रूप घनआनंद ने दिया वैसा उसे छायावादी रचना में नहीं मिल सका। इसका कारण स्पष्ट है। भक्तिकाल के अनंतर रीतिकाल में सूफियों की निर्गुणभक्ति भारतीय सगुणभक्ति में समा गई। जागतिक प्रेम की चरमसीमा पर पहुँचकर साधक निर्गुण की ओर न जाकर सगुण की ओर लौट पड़ा। पर छायावाद फिर से निर्गुण और अज्ञात के चक्कर में पड़ा। अपने लौकिक प्रेम के चरमोत्कर्ष को वह निर्गुण के प्रेम में वैसे ही छिपाने का प्रयास करने लगा जैसा सूफियों या फारसी-उर्दू के शायरों में था। इसी से आलोचक विवश होकर कहते हैं कि 'इनकी रहस्यवादी रचनाओं को देख चाहे तो यह कहें कि इनकी मधुचर्या को मानसप्रसार के लिए रहस्यवाद का परदा मिल गया अथवा यों कहें कि इनकी सारी प्रणयानुभूति ससीम पर से कूदकर असीम पर जा रही'। घनआनंद की रचना में दुराव-छिपाव का प्रश्न ही नहीं है। ये तो जगत् के प्रेम के संबंध में राधा-कृष्ण के प्रेम की, प्रेम के महोदधि की चर्चा यों करते हैं—

प्रेम को महोदधि अपार हेरिकै बिचार बापुरो हहरि वार ही तेंफिरि आयौ है।
ताही एकरस ह्वै बिबस अवगा हैं दोऊ नेही हरि-राधा जिन्हैं देखें सरसायौ है।
ताकी कोऊ तरल तरंग-संग छूट्यौ कन पूरि लोकलोकनि उमगि उफनायौ है।
सोई घनआनँद सुजान लागि हेतु होत ऐसे मथि मन पै स्वरूप ठहरायौ है॥

प्रेम का महोदधि ऐसा अपार है कि उसका पार पाना तो दूर विचार (ज्ञान) इसी तट से, वार से ही, लौट आता है। ज्ञान या बुद्धि द्वारा प्रेम के महासागर को पार पाना कठिन है। उस प्रेमसागर में प्रेम से विवश होकर एकरस राधा और कृष्ण अवगाहन करते हैं। प्रेम का यह समुद्र उन्हें देखकर उसी प्रकार सरसाता है, बढ़ता है, जिस प्रकार चंद्र को देखकर सागर में तरंगें उठती हैं, ज्वार आता है। उस प्रेमसागर की तरंग का एक-एक कण इतना विशाल है कि अनेक लोगों में जो प्रेम छाया हुआ है वह भी उसके कण मात्र से कम है। वह कण स्वयं ऐसा विशाल समुद्र है कि सारे लोकों में प्रेम को पूरित करने पर भी वह उफनाता रहता है। उन लोकों की सीमा में न समा सकने के कारण वह उबरता है। भूलोक में उसी कण का एक अंश है। जगत् के जितने प्रेम हैं उसी के अंग हैं। घनआनंद और सुजान का प्रेम भी उसी कण के स्पर्श से हुआ है। प्रेम के इस स्वरूप की कल्पना मन को मथकर की गई है। यहाँ जिस परमभाव या महाभाव के रूप में प्रेम की चर्चा की गई है वह भक्तिसंप्रदायों की प्रेम-साधना का स्वरूप है। उस परमभाव के अंतर्गत सब प्रकार की सत्ताएँ आ जाती हैं। भक्त भावात्मक या प्रेमात्मक सत्ता को ही परमभाव मानते हैं। इसी से ज्ञान उसकी सीमा में प्रवेश नहीं कर पाता।

यह प्रेम या इस प्रेम की साधना साधारण नहीं—

चंदहि चकोर करै सोऊ ससिदेह धरै मनसाहू रै एक देखिबे कों रहै द्वै।
ज्ञानहूँ तें आगें जाकि पदवी परम ऊँची रस उपजावैतामें भोगी भोग जात ग्वै।
जान घनआनँद अनोखो यह प्रेमपंथ भूले ते चलत रहैं सुधि के थकित ह्वै।
बुरो जिन मानौ जौ न जानौ कहूँ सीखिलेहु रसनाके छाले परैं प्यारे नेह नाव छ्वै ॥

ब्रह्म स्वयं द्विधा होकर इस प्रेम-साधना में अवतीर्ण होता है। वह स्वयं साधक बन जाता है, प्रेमी बन जाता है और प्रिय की ओर वैसे ही आकृष्ट होता है जैसे चंद्र की ओर चकोर। प्रेम की साधना इतनी ऊँची साधना है कि इसके लिए स्वयं ब्रह्म को जीव का रूप धरकर उसमें लगना पड़ता है, लीला करनी पड़ती है। साध्य रहने में वह सुख या आनंद नहीं जो साधक बनने में है। यह परमभाव ज्ञान से आगे है, उसकी सीमा समाप्त हो जाने पर इसका आरंभ होता है। यह रसात्मक साधना है। इस साधना की विशेषता है कि जो सांसारिक विषयभोग में पड़े हुए हैं यदि कहीं इसकी ओर आकृष्ट हुए तो उन भोगियों का भोग इस महासागर में डूब जाता है। विषयी अपने विषयभोग का परित्याग इसमें सहज ही कर देते हैं। यह राग की वह दिव्य भूमि है जहाँ पहुँचकर परमराग का उदय होता है और जगत् के साधारण राग उसके सामने नगण्य और तुच्छ दिखाई देते हैं। इसी से इस प्रेममार्ग की साधना विलक्षण बताई जाती है। जो इसमें अपने को सर्वात्मना लीन कर देते हैं वे ही इस मार्ग में चलते हैं, जिन्हें अपनी सुध-बुध बनी हो वे इसमें नहीं चल सकते। सुध-बुध ज्ञान से संबद्ध है। इस मार्ग पर ज्ञान का दखल है ही नहीं। इस प्रेममार्ग का नित्य लक्षण है परम संताप की साधना। इस प्रेम का नाम लेने पर ही जीभ में छाले पड़ जाते हैं। इसलिए कि विरह की वेदना का, परम ज्वालामयी वेदना का, जीभ ने अनुभव किया कि वह संतप्त हुई। जहाँ प्रेम की चर्चा में ही वह स्थिति है वहाँ उसकी साधना करना, उसके मार्ग पर चलना कितना कठिन है, केवल कल्पना से ही जाना जा सकता है। इसी से इस प्रेम-साधना का नित्य लक्षण है विरह। कुंज में जो गोपियाँ श्रीकृष्ण के छिपने पर व्याकुल होती हैं, उसमें छिपने में कम-से-कम आँख से ओझल हो जाना तो स्पष्ट है। अचरज होगा यदि यह बताया जाए कि राधा और कृष्ण के प्रेम की चरमसीमा भक्ति-संप्रदाय की साधना इस रूप में मानती है कि प्रियाजू के निकट रहते हुए भी संयोग में वे वह अनुभव करने लगते हैं कि प्रिया वहाँ नहीं हैं और व्याकुल हो जाते हैं। स्वयं प्रियाजू उन्हें बारंबार समझाकर यह अनुभूति कराने में बहुत देर से समर्थ होती हैं कि मैं यहीं हूँ, स्थानांतर में नहीं। भाव-साधना और रस-साधना सगुण में ही अपने प्रकर्ष में हो सकती है। जो ज्ञान का विषय हो सकता है वह प्रेम का विषय भी हो सकता है यह तर्क भी स्वयं ज्ञान ही है, प्रेम नहीं। निर्गुण और सगुण ब्रह्म के दो रूपों में मध्यकालीन भक्तों को आपत्ति नहीं है। आपत्ति इस अंश में है कि निर्गुण सबकी साधना का विषय हो सकता है, साधारणजनों की साधना का विषय हो सकता है परन्तु भावात्मक सत्ता न होने के कारण वह उनके भावों के टिकाने का समुचित आलंबन नहीं हो सकता। वह विरही की पुकार से

द्रवीभूत नहीं हो सकता—

तोहि सब गावैं एक तोही कों बतावैं बेद पावैं फल ध्यावैं जैसी भावनानि भरि रे।
जलथलब्यापी सदा अंतरजामी उदार जगत मैं नावँ जानराय रह्यौ परि रे।
एते गुन पाय हाय छाय घनआनँद यौं कैधों मोहिं दीस्यौं निरगुन ही उधरि हे।
जरौं बिरहागिनि मैं करौं हौं पुकार कासौं दई गयौ तू हू निरदई ओर ढरि रे॥

उस प्रेम की साधना के लिए ज्ञान की दृष्टि अपेक्षित नहीं है। प्रेम की साधना से पीड़ा भी मधुर हो जाती है। माधुर्य का कारण यह है कि प्रेम की चरमावस्था पर पहुँचने पर जगत् के द्वंद्वभाव का विनाश हो जाता है। ज्ञान-भेद करानेवाला है प्रेम या राग अभेद उत्पन्न करनेवाला है। राग-द्वेष जगत् के द्वंद्व हैं। परमराग या महाराग की भूमिका में प्रवेश करने पर केवल राग रह जाता है। हर्ष और विषाद तो केवल स्वादवाद रहते हैं। हर्ष का अर्थात् आनंद का पूर्ण अनुभव बिना विषाद की अनुभूति के नहीं हो सकता, इसलिए विषाद भी आनंद की साधना का अंग बन जाया करता है। प्रेम की ऐसी परमदृष्टि जिसे हो उसी की दृष्टि दृष्टि है अन्यथा अन्य आँखें मोरपंख में बनी आँखों की भाँति जड़ हैं—

मोरचंद्रिका सी सब देखन कौं धरे रहैं सूछम अगाध रूप-साध उर आनहीं।
जाहि सूझ तिनहूँ सो देखि भूलि ऐसी दसा ताहि ते बिचारे जड़ कैसें पहिचानहीं।
जान प्रान प्यारे के बिलोकें अबिलोकिबे कों हरष-विषाद स्वादबाद अनुमानहीं।
चाह मीठी पीर जिन्हें उठति अनंदघन तेई आँखैं साखैं और पाखैं कहा जानहीं॥

प्रेम का स्वरूप अत्यंत सूक्ष्म और उसकी गंभीरता अगाध है। वह रूप जिन्हें दिखता है जब वे भी अपने को भूल जाया करते हैं, तब जड़ उस प्रेम को क्या पहचान सकेंगे। प्रिय के दर्शन पर, उसके संयोग में भी, उसको आगे भी देखते ही रहने की लालसा के कारण हर्ष और विषाद स्वादवाद के रूप में होते हैं। संयोग में भी वियोग कि स्थिति संयोग की परम साधना के लिए ही होती है। इस प्रकार की मीठी पीड़ा जिनकी आँखों में हो, जिनके हृदय में यह मधुर वेदना हो वे ही नयनवंत हैं, अन्यथा और कुछ। घनआनंद की इस 'मधुर वेदना' को महादेवी वर्मा की 'परम पीड़ा' से मिलाकर देखिए, दोनों में वही अंतर है जो ब्रह्म की सगुण और निर्गुण धारणा के कारण संभाव्य है।

घनआनंद 'बिरही बिचारन की मौन में पुकार है' क्यों कहते हैं, यह कदाचित् कुछ स्पष्ट हो गया होगा। यही कारण है कि ये संसार के प्राणियों से किसी प्रकार की सहायता की अपेक्षा नहीं करते। इनकी वेदना को केवल हरि ही जान सकते हैं—

पहिचानै हरि कौन मो से अनपहिचान कों।
त्यों पुकार मधि मौन कृपा-कान-मधि-नैन-ज्यों॥

संसार के व्यक्ति विरही की पुकार इसलिए नहीं सुन पाते कि उसकी पुकार मौन में रहती है। विरही स्वयं तो कुछ कहता नहीं जो उसकी विरहावस्था से देख समझकर जान ले वही उसकी वेदना को हृदयंगम कर सकता है। पर मौन की पुकार सुनने के लिए संसारियों के पास कान कहाँ। जब नेत्रों से देखकर विरही की अवस्था को जानना है, उसकी मौन की पुकार सुननी है तब फिर नेत्रों में ही कान हों तभी तो कोई उसे सुने। ऐसी दृष्टि जगत् के किसी व्यक्ति के पास नहीं। होगी तो भी काम सर नहीं सकता। इसलिए कि यदि किसी ने नेत्रों के कान से पुकार सुन भी ली तो वह उस वेदना के परिमार्जन का उपाय करने की शक्ति कहाँ पाएगा। उसके जान लेने से तो काम चलेगा नहीं। किसी ने जान लिया कि अमुक विरही है इतने से ही तो विरही का कष्ट दूर नहीं हो सकता। जब जानकार में समानुभूति हो तब कदाचित् ऐसा कुछ हो सके। पर विरही की सी वेदना का अनुभव करनेवाला शीघ्र जगत् में मिलता नहीं। यदि ऐसा भी मिल जाए तो भी कठिनाई है। इसलिए कि यदि कोई समानुभूति करनेवाला मिला तो वह समानुभूति करके रह जाएगा। पहले तो विरही कुछ कहता नहीं। 'इस वेदना में पड़े हम कष्ट झेल रहे हैं, इससे हमें उबारो', यह भला कोई विरही क्यों कहने लगा, जबकि उसकी साधना मौन-साधना है। अपनी ओर से उसके कष्ट-निवारण का कोई प्रयास करे तो भी क्या। उस कष्ट के निवारण का सामर्थ्य उसमें कहाँ से आएगा। पर हरि के नेत्रों में 'कृपा' के कान लगे होते हैं। वे पुकार सुनते ही नहीं, कष्ट दूर करने के लिए कृपा भी करते हैं। कृपा किसी आपन्न के प्रति की जानेवाली वह अनुकूलता है जो अयाचित हो। याचित अनुकूलता का नाम 'अनुग्रह' है। भरत, राम से दोनों प्रकार की अनुकूलता पाने का उद्घोष तुलसीदास के मानस में यों करते हैं—

कृपा अनुग्रह अंगु अघाई।

राम ने याचित अनुकूलता ही नहीं दिखाई, जिसकी अपेक्षा थी उसे स्वयं अयाचित भी कर दिया। कृपा की वारिधारा और अनुग्रह के वारिप्रवाह दोनों से भरत तृप्त हो गए। परिपूर्ण अनुग्रह और कृपा दोनों की प्राप्ति उन्हें हुई। पहले 'ग्रह-ग्रहण-याचना' तब अनुग्रह—अनुकूलताप्रदर्शन'।

घनआनंद की कृति में रहस्यात्मक प्रवृत्ति की झलक सूफीभावना और फारसी-साहित्य की प्रेरणा से उसके प्रस्तुत होने के प्रमाण उपस्थित करती है। पर रहस्य किस प्रकार सगुणसाधना में विलीन हो गया है इसका पता भी इनकी रचना स्थान-स्थान पर देती है—

अंतर हौ किधौं अंत रहौ द्दग फारि फिरौं कि अभागनि भीरौं।
आगि जरौं अकि पानी परौं अब कैसी करौं हिय का बिधि धीरौं।
जौ घनआनँद ऐसी रुची तौ कहा बस है अहो प्रानिन पीरौं।
पाऊँ कहाँ हरि हाय तुम्हैं धरनी मैं धँसौं कि अकासहि चीरौं॥

प्रिय के प्रति प्रेमी के ऐसे आकर्षण का हेतु क्या है? क्या वह परमप्रिय स्वयं इतना आकर्षक है जिसके कारण प्रेमी सदा आकृष्ट रहता है अथवा प्रेमी की वृत्ति ही इस प्रकार की है। आकर्षण विषयविशिष्ट है या विषयिविशिष्ट है। इस जिज्ञासा का हेतु यह है कि परम वेदना होने पर भी प्रिय की ओर से उदासीन होने का नाम नहीं, प्रिय का रूप न तो धुँधला ही पड़ता है न हट ही जाता है। वेदना नाना प्रकार की वृत्तियों का विनाश कर डालती है, पर प्रेम की रेखा ज्यों-की-त्यों रहती है, उसमें अंतर नहीं पड़ता—

लिखि राख्यौ चित्र यौं प्रबाहरूपी नैननि पै लही न परत गति ऊलट अनेरे की।
रूपकोचरित्र है अनंदघन जान प्यारी अकिधौं बिचित्रताई मो चितचितेरे की॥

नेत्रों से आँसुओं का प्रवाह निरंतर बह रहा है और उसी प्रवाह में बिना फीका पड़े तथा बिना धुले प्रिय का चित्र भी ज्यों-का-त्यों बना है। यह विचित्रता किसकी, चित्र की या चित्रकार की प्रिय की या प्रेमी की, आलंबन की या आश्रय की।

कवि ने इसका उत्तर अन्यत्र दे दिया है—

रावरे रूप की रीति अनूप नयो नयो लागत ज्यौं ज्यौं निहारियैं।
त्यौं इन आँखिन बानि अनोखी अघानि कहूँ नहि आनि तिहारियैं॥

रूप में भी अनोखापन है, अनुपमता है। ज्यों-त्यों उसे ध्यान से देखा जाता है वह नया दिखाई देता है। सौंदर्य की परिभाषा भी तो यही है—क्षणे क्षणे यन्नवतामुपैति तदैव रूपं रमणीयतायाः। आँखों की वृत्ति भी अनोखी है कि इन्हें अन्यत्र कहीं तृप्ति नहीं मिलती। उभयपक्ष विशिष्ट नूतनता है। अनोखा = सं. नवक > नोक > नोख > अ का आगम होकर > अनोख > अनोखा > अनोखी मूल शब्द 'नोखा' ही है > नोखे की नायन बाँस की नहरनी।

प्रेमी और प्रिय दोनों ही असाधारण हैं। इसी से प्रेमी (विरही) का विषाद भी असाधारण है। उसके विषाद पर, परमविषाद पर सारी सृष्टि समानुभूति व्यक्त करती है—

बिकल विषाद भरे ताही की तरफ ताकि दामिनी हूँ लहकि बहकि यौंजर्‌यौ करै।
जीवनअधार पनपूरित पुकारनि सों आरत पपीहा नित कूकनि कर्‌यौ करै।
अथिर उदेग गति देखिकै अनंदघन पौन बिडर्‌यौ सो बन बिथिन रर्‌यौ करै।
बूँ दै न परतिं मेरे जान जान प्यारी तेरे बिंरही कों हेरि मेघ आँसुनि झर्‌यौ करै॥

बिजली के लपलपाने और दाहपूर्ण होने का हेतु विरही की व्यथा के कारण उसका सकरुण होना है, अनुकंपन में वह स्वयं जलने लगती है, मारे सहृदयता के। पपीहे की रट, विरही की अति पुकार, अव्यक्त मौन पुकार की व्यक्त अनुकृति है। उसकी अनुकृति से विरही के विषाद का, परमविषाद का अनुमान होता है। जिसकी समानुभूति में चातक की

इतनी मार्मिक रटन है वह स्वयं कितनी अधिक मर्मविघातिनी वेदना होगी। पवन में स्थिरता न होने का कारण यही है कि वह भी विरही की अस्थिर उद्वेग की गति से सम्वेदना प्रकट कर रहा है। उसका अरण्यरोदन भले ही कोई न सुने समझे, पर वह समझ-बूझ को खोकर स्वयं जो रोदन कर रहा है वह परहृदयदु:खकातरता के ही कारण। मेघ से गिरनेवाली बूँदें नहीं हैं। वे उसके विगलित हृदय के आँसू हैं। कालिदास का यक्ष मेघ की इसी समानुभूति के संकेत से उसके प्रति 'याच्ञा' करने को प्रस्तुत हुआ था और उसे दूत, प्रेयसी के निकट जानेवाला दूत, बनाकर भेजा था। घनआनंद का विरही भी उससे दूत बनकर जाने की प्रार्थना करता है। मेरे खारे आँसुओं को मधुर बनाकर अमृत करके, बिसासी (विश्वासघाती, विष + आशी) सुजान के आँगन में बरस दो।

कहने का तात्पर्य यह कि विदेशी प्रेरणा होने पर भी घनआनंद का काव्यविकास भारतीय साहित्यपरंपरा के भीतर ही हुआ है, पर सर्वथा नवीन शैली में। इनकी कविता का बखान करना सहज नहीं है। व्रजनाथ के इस सवैये से उसके बखान की कठिनाई का अनुभव किया जा सकता है—

नेही महा ब्रजभाषाप्रबीन औ सुंदरतानि के भेद कों जानै।
जोग-बियोग की रीति मैं कौबिद भावनाभेद स्वरूप कों ठानै।
चाह के रंग मैं भीज्यौ हियो बिछुरें-मिलें प्रितम सांति न मानै।
भाषाप्रबीन सुछंद सदा रहै सो घनजी के कबित्त बखानै॥

कृतियाँ

हिंदी के आधुनिक इतिहासग्रंथों के अग्रणी 'शिवसिंहसरोज' ने घनआनंद के संबंध में कोई विशेष उल्लेख नहीं किया। उसमें इतना ही लिखा गया है कि '**आनंदघन कवि दिल्लीवाले, सं० १७१५ में उ०। इन कवि की कविता सूर्य के समान भासमान है। मैंने कोई ग्रंथ इनका नहीं देखा। इनके फुटकर कबित्त प्राय: पाँच सौ तक मेरे पुस्तकालय में होंगे।**' पर 'सरोज' में 'आनंदघन' का ही उल्लेख नहीं है, 'घनआनंद' का भी विवरण है। उनका वृत्त इस प्रकार दिया गया है—'**घनआनंद कवि, सं० १६१५ में उ०। यह कवि कवि लोगों में महा उत्तम हो गए हैं**'। इस प्रकार 'सरोज' में दो कवि हैं—एक 'आनंदघन' (दिल्लीवाले)' और दूसरे 'घनआनंद'। दोनों के समय में भी सौ वर्षों का अतंर है। 'घनआनंद' कवि की जो रचना वहाँ उद्धृत की गई है वह निम्नांकित है—

गाइहौं देबी गनेस महेस दिनेसहि पूजत ही फल पाइहौं।
पाइहौं पावन तीरथ नीर सुनेकु जहों हरि को चित लाइहौं।
लाइहौं आछे द्विजातिन को अरु गोधन दान करौं चरचाइहौं।
चाह अनेकन सौं सजनी घनआनँद मीतहिं कठ लगाइहौं।

इस सवैये से स्पष्ट है कि कोई देवी-देवताओं को प्रियप्राप्ति के लिए पूजने की बात कह रही है। पर 'आनंदघन' के नाम पर उद्धृत अंश इससे मेल खानेवाले नहीं हैं। देखिए—

आपुही ते तन हेरि हँसे तिरछे करि नैनन नेह के चाउ मैं।
हाय दई सु बिसारि दई सुधि कैसी करौं सु कहौ कित जाउँ मैं।
मीत सुजान अनीत कहा यह ऐसी न चाहियै प्रिति के भाउ मैं।
मोहनी मूरति देखिबे को तरसावत हौ बसि एकहि गाउँ मैं॥१॥
जैहे सबै सुधि भूलि तुम्हैं फिरि भूलि न मो तन भूलि चितैहैं।
एक को आँक बनावत मेटत पोथिम काँख लिए दिन जैहैं।
साँची हौं भाखति मोहीं कका की सौं पीतम की गति तोरिह ह्वै हैं।
मोसों कहा अठिलात अजासुत कैहौं ककाजी सों तोहूँ सिखै हैं॥२॥

इन दोनों में शृंगार का वर्णन स्पष्ट है। कवि की छाप भी नहीं है। इन दोनों में से पहला सवैया सरदार कवि कृत 'शृंगारसंग्रह' में इनकी रचना के बीच रखा हुआ है। इसलिए यह रचना 'घनआनंद' की ही है। इसमें 'सुजान' शब्द का प्रयोग भी ध्यान देने योग्य है। इनके संबंध में प्रचलित जनश्रुति बतलाती है कि ये मुहम्मदशाह रँगीले के दरबार में मीर मुंशी थे और वहाँ की 'सुजान' नाम की वेश्या पर मुग्ध थे। इस प्रेम के फलस्वरूप इनका देशनिकाला भी हो गया था। बाद में ये भक्त हो गए, पर 'सुजान' नाम नहीं छोड़ा। भक्त होकर 'सुजान' नाम से श्रीकृष्ण या राधा का स्मरण करने लगे। लौकिक प्रेम अलौकिक हो गया। इश्कमजाजी ने हकीकी का पथ पकड़ा। ये निंबार्कसंप्रदाय में दीक्षित हो गए। इनकी जितनी रचना मिली है उसमें 'सुजान' या 'जान' नाम की उद्धरणी प्रायः मिलती है। हिंदी में अभी तक जो रचनाएँ मुद्रित हुई हैं वे दिल्लीवाले सुजानप्रेमी 'घनआनंद' या 'आनंदघन' की ही हैं, पर ऊपर उद्धृत 'जैहै सबै सुधि भूलि' प्रतीकवाला दूसरा सवैया भी इन्हीं का है, इसमें संदेह है। इस सवैये में जो तथ्य अंकित है वह भी विचारणीय है। कोई स्त्री अजासुत (बकरे) को डाँट रही है। कह रही है कि काका (श्वसुर) की शपथ यदि तू इसी प्रकार की दुष्टता करेगा तो मैं काका से कहकर तुझे भी वही शिक्षा दिला दूँगी जिसे पाकर मेरे पति विरक्त हो गए। जनश्रुति में इस प्रकार की कथा प्रसिद्ध कवि केशवदास से जुड़ी हुई है[1]।

यदि 'मिश्रबंधुविनोद' उठाते हैं तो उसमें भी दो कवि मिलते हैं—आनंदघन और घनआनंद। पहले विवरण में इतना ही लिखा है—'नाम ३४४/१ आनंदघन। ग्रंथ—आनंदघन बहत्तरी स्तवावली। रचनाकाल—१७०५। विवरण-यशोविजय के समसामयिक थे।' यशोविजय का उल्लेख 'मिश्रबंधुविनोद' में ही इस प्रकार किया गया

१. देखिए ऊपर 'केशवदास'।

है—'नाम ३४६/४ यशोविजय जैन । ग्रंथ—(१) 'जसविलास', (२) 'आनंदघन अष्टपदी'। जन्मकाल—१६८०, मृत्युकाल १७४५ । रचनाकाल —१७०५। विवरण—नयविजय के शिष्य, संस्कृत, प्राकृत, गुजराती तथा हिंदी के ज्ञाता एवं कवि थे।' इस प्रकार यह ज्ञात हुआ कि ये कोई जैन कवि हैं जिन्होंने जैन तीर्थंकारों का प्रशस्तिपाठ किया है। हिंदी-हस्तलिखित ग्रंथों की 'खोज' (१९४१-४३) में भी 'आनंदघन' नाम से किन्हीं जैन कवि का उल्लेख मिलता है जिन्होंने चौबीसों तीर्थंकारों की महिमा गाई है। उदाहृत रचना देखने से ये दोनों एक ही प्रतीत होते हैं। 'सरोज' में उल्लिखित 'घनआनंद' ये नहीं हैं, क्योंकि वे सनातनमार्गी हैं। इस प्रकार स्पष्ट तीन आनंदघन जान पड़ते हैं। एक व्रजवासी आनंदघन हैं, जो वस्तुतः ब्राह्मण थे। सुजानप्रेमी 'घनआनंद' से भिन्न थे।

इन बातों पर विचार करने के पहले इस बात का विचार कर लेना भी आवश्यक है कि सुजानप्रेमी 'घनआनंद' के नाम पर हिंदी में किन अन्य कवियों की रचनाएँ गृहित होती आई हैं। 'रागकल्पद्रुम' में 'आनंदघन' के बहुत से पद संगृहित हैं। उसमें कुछ पद 'आनंद' नाम के किसी कवि के हैं। पर संपादक ने 'आनंद' और 'आनंदघन' को एक ही मानकर अनुक्रमणिका में दोनों नाम पदों का उल्लेख एक ही साथ किया है। हिंदी-साहित्य के इतिहास में भी 'आनंद' और 'आनंदघन' की रचनाओं को एक ही मान लिया गया है या भ्रांतिवश 'आनंदघन' के नाम पर 'आनंद' की कृतियाँ भी बेखटके रख दी गई हैं। 'मिश्रबंधुविनोद' में 'आनंद' कवि का उल्लेख इस प्रकार है—'नाम—(३९०) आनंद। ग्रंथ—(१) कोकसार [खोज १९०२], (२) सामुद्रिक। रचनाकाल-१७११। विवरण— खोज-रिपोर्ट से इनके समय का पता संवत् १७९१ चलता है।' घनआनंद या आनंदघन के विवरण में 'आनंद' कवि का यह 'कोकसार' भी पड़ा है—इन्होंने 'सुजानसागर', 'कोकसार', 'घनानंद-कबित्त', 'रसकेलिवल्ली', 'वियोगवेली' और 'कृपाकांड निबंध' नामक ग्रंथ बनाए जो [१९०० तथा १९०३ ई०] खोज में मिले हैं।' यह ग्रंथ शुक्लजी के इतिहास में भी ज्यों-का-त्यों उल्लिखित है—'घनआनंद' जी के इतने ग्रंथों का पता लगता है—'सुजानसागर', 'विरहलीला', 'कोकसार', 'रसकेलिवल्ली' और 'कृपाकांड'। खोज के उद्धरणों से स्पष्ट है कि 'आनंद' नाम के पृथक् ही कवि थे और वे कोकसार, सामुद्रिक आदि के रचयिता थे। अतः 'आनंदघन' या 'घनआनंद' से 'आनंद' का कोई सरोकार नहीं। जैन कवि आनंदघन को भी पृथक् कर देने से कम से कम दो—आनंदघन या घनआनंद का संशय रह जाता है। इस पर विचार करने के लिए आवश्यक है कि इन दोनों नामों पर मिलनेवाली सारी रचनाओं पर ही पहले विचार कर लिया जाए।

जिन्हें 'सुजानप्रेमी' घनआनंद कहा गया है उनकी रचनाएँ हिंदी के प्राचीन कई संग्रहों में मिलती हैं। उनकी रचना का पृथक् संग्रह 'सुजानशतक' भारतेंदु बाबू हरिश्चंद्र ने मुद्रित कराया था। 'सुजानसागर' के नाम से इनकी रचना का संग्रह पहले पहल स्व. बा० जगन्नाथदास 'रत्नाकार' ने हरिप्रकाश यंत्रालय से प्रकाशित कराया था। पीछे वही अमीरसिंह द्वारा संपादित होकर नागरी प्रचारिणी सभा से प्रकाशित हुआ। इसके

अतिरिक्त उनके नाम पर निम्नलिखित ग्रंथ खोज-रिपोर्टों में उल्लिखित हैं— 'घनानंदकबित्त', 'आनंदघन के कबित्त', 'आनंदघनजू के कबित्त', 'कबित्त', 'इश्कलता', 'आनंदघनजू की पदावली', 'कृपाकांड-निबंध', 'रसकेलिबल्ली', 'सुजानहित', 'प्रीतिपावस', 'वियोगवेली', 'सुजान-विनोद', 'कबित्तसंग्रह', 'स्फुट कबित्त', 'वृंदावनसत' और 'जमुनाजस'। इनमें से 'कबित्त' नामवाले ग्रंथ भिन्न-भिन्न प्रकार के संग्रह मात्र हैं। 'सुजानविनोद' भी कबित्तसंग्रह ही है। जान पड़ता कि किसी ने सुजान का नाम जोड़कर बाद में यह संग्रह किया, जैसे बहुत पहले उनके सभी ग्रंथों से कबित्त-सवैयों का संग्रह व्रजनाथ ने किया था और नाम रखा था 'घनआनंद-कबित्त'। व्रजनाथ का ही संग्रह, जिसका नाम 'घनआनंद-कबित्त' है 'सुजानसागर' के नाम से नागरी प्रचारिणी सभा द्वारा प्रकाशित किया गया है। 'सभा' से जो ग्रंथ प्रकाशित हुआ है वह खंडित है। उसकी पूरी प्रति वहीं के आर्यभाषा पुस्तकालय के 'रत्नाकरसंग्रह' में सुरक्षित है। 'रत्नाकरसंग्रह' में दो प्रतियाँ हैं। इनमें से एक में उतने ही छंद दिए गए हैं, जितने सभा द्वारा प्रकाशित 'सुजानसागर' में हैं। अतः स्पष्ट है कि 'रत्नाकरजी' ने इसी प्रति के आधार पर 'सुजानसागर' प्रकाशित किया था। दूसरी प्रति वही है जिसका उल्लेख १९०० ई० की खोज रिपोर्ट में ७९ संख्या पर हुआ है। यह पंडित नवनीतजी चतुर्वेदी की प्रति है जो बहुत शुद्ध है। अब यह बीच में खंडित है (छंद २७४ से ४२५ तक) है। 'सुजानसागर' नाम हिंदी में भ्रम से प्रचलित हो गया है। घनआनंद के एक संग्रह ग्रंथ 'सुजानहित' का उल्लेख ऊपर हो चुका है। कदाचित् इसी नाम की भ्रांति ने परंपरा में 'सुजानसागर' रूप धारण किया। इसका सबसे पहले उल्लेख भारतेंदु बाबू हरिश्चंद्र के संग्रह 'सुजानशतक' की भूमिका में हुआ है। 'इसकी कविता इनके सच्चे प्रेम की परीक्षा देने हेतु रसिकजनों के सामने निवेदित है जो 'सुजानसागर' ग्रंथ से चुनी गई है। 'रत्नाकरजी' ने जब सबसे पहले 'घनआनंद-कबित्त' प्रकाशित किया तब उसे 'सुजानसागर' समझ लिया, और घनआनंद के ग्रंथों की सूची में एक नाम बढ़ गया। जिस संग्रह पर 'सुजानसागर' नाम छापा गया है उसकी हस्तलिखित प्रतियाँ 'आनंदघन के कबित्त', 'घनआनंद-कबित्त', 'आनंदघनजू के कबित्त' आदि नामों के संग्रह से मिलती है। मुद्रित 'सुजानसागर' के आरंभ में जो छंद 'घनआनंद' तथा उनकी रचना की प्रशंसा के छपे हैं वे संग्रहकर्ता व्रजनाथ के हैं। उपक्रम में उनके दो सवैये मिलते हैं और उपसंहार में दो कबित्त और तीन सवैये। इस प्रकार ब्रजनाथ के कुल ८ प्रशस्ति के पद्य इसमें संलग्न हैं। व्रजनाथ ने अपना नाम केवल कबित्तों में दिया है। 'व्रजनाथ' ने इस संग्रह का नाम 'कबित्त' ही रखा था। इसमें उन्होंने दो स्थलों पर 'घन' नाम का व्यवहार किया है और छह स्थलों पर 'घनआनंद' नाम का।

यह ध्यान देने योग्य है कि 'घनआनंद' या 'आनंदघन' नाम में से 'व्रजनाथ' ने छोटा रूप 'घन' ही लिया है। इससे यह भी प्रमाणित होता है कि इनके नाम का मुख्य अंश उनकी दृष्टि में 'घन' है 'आनंद' नहीं। जब वे 'घनआनंद' शब्द का व्यवहार करते हैं तो यह स्पष्ट हो जाता है कि कवि का नाम उनकी दृष्टि से 'घनआनंद' ही है।

'इश्कलता' में प्रेम के उदात्त स्वरूप का वर्णन है। उसके पाँच आरंभिक दोहों में 'आनंदघन' और 'घनआनंद' दोनों नाम नाम आए हैं—

छैल छबीलो साँवरो गोपबधूचितचोर।
आनँदघन बंदन करै जै जै नंदकिसोर॥
बिरहसूल सों बारि करि घनआनँद सों सींच।
इस्कलता झालरि रही हिये चतन के बीच॥

पर 'अरिल्ल' छंद में पंजाबी भाषा और 'आनंदजीवन जान' नाम का व्यवहार भी देखा जाता है—

सजन सलोना यार नंद दा सोहना।
रसिकबिहारी छैल सुमनमन-मोहना।
दिखलाओ मुखचंद सु झाँकी प्यारियाँ।
आनंदजीवन जान असाड़ी ज्यारियाँ।

'आनंदघन-पदावली' का 'खोज' में दो स्थानों पर उल्लेख है। उसके आदि और अंत के दो पदों का मिलान करने से पता चलता है कि दोनों एक-सी हैं। इस पदावली में सर्वत्र 'आनंदघन' नाम है। इसमें पंजाबी भाषा के भी पद हैं—

निमाँण्यां दी बस्ती।
वो होवे बंगी रहै तेंडी जान।
ऐसी वे तू साडरे दरस भिखारी होवे सौदा दस्त बदस्ती।
तेंडे वे कारणे फिरणे दिवाने हुसन परस्त अलमस्ती।
आनँदघन ब्रजमोहन ज नी तैंडे तलब दी मस्ती॥१३॥

इसके अतिरिक्त इसमें कृष्णराधा की लीलाओं के अतिरिक्त रामजन्म का भी वर्णन है, शिव की प्रशस्ति है, बलराम और यशोदा का वर्णन तो है ही, वामन आदि की भी महिमा वर्णित है। पदावली में साँझी, होली, हिंडोला आदि के पद तो हैं ही, पंजाबी, राजस्थानी और बँगला के भी पद हैं—

राजस्थानी—होजी साँवला थे तो भला बिस बरसाया।
बृजमोहर आनंदघन ऊभी ऊभी डीका थे।
ओठे झर लाया नहीं आया परचाया॥ १४॥

बँगला— जो मन करिया काह देखि सेई करिबो।
प्रान सखी बिसाखा बिनती मनै धरिबो।
बंसी धुनि सुनि सुनि है या छबि कारी।
मदन अनल जाता अंतर या डारी।

स्यामे रमि राम कथा बूझिते ना पारी।
आनंदघन ब्रजमोहर बिहारी ॥१५॥

नागरीदास के 'नागरसमुच्चय' में भी इसी प्रकार की प्रवृत्ति मिलती है। उसमें राम आदि की लीला का वर्णन भी है। स्वयं उन्होंने अपनी अन्य भाषाओं की रचना तो नहीं दी है, पर 'रसिकबिहारी' नाम के सखीभावोपासक कवि के व्रज से इतर भाषा के पद 'आन कवि कृत' कहकर ग्रंथों के बीच में अवश्य उद्‌धृत किए हैं। 'रसिकबिहारी' की रचनाएँ सब प्रकार की मिलती हैं। नागरीदास का 'इश्कचमन' और आनंदघन की 'इश्कलता' में पंजाबी-रूप अधिक मिलता है। 'इश्कचमन' में रेखता या खड़ी बोली का व्यवहार है।

'वियोगबेलि' का नाम 'विरहलीला' भी है और यह काशी नागरी प्रचारिणी सभा द्वारा प्राचीन ग्रंथमाला में प्रकाशित की गई है। यह व्रजभाषा की रचना है। केवल छंद फारसी का है। उसमें घनआनंद की विरोधवाली प्रवृत्ति, जो कबित्त-सवैयों में बराबर मिलती है, पाई जाती है। स्थान-स्थान पर विरोध की प्रवृत्ति घनआनंद में प्रकृतिस्थ जान पड़ती है।

'वियोगबेलि' में उक्त प्रवृत्ति सर्वत्र है। 'इश्कलता' या 'पदावली' में भी यह प्रवृत्ति है। पर सर्वत्र नहीं।

'रसकेलिवल्ली' का तो नाम ही नाम है। १९०० ई० की खोज-रिपोर्ट में उसके संबंध में इतना ही लिखा है—ऐसा कहा जाता है कि इन्होंने १५०० कबित्तों की एक पुस्तक 'रसकेलिवल्ली' नाम की बनाई थी जिसमें से इस संग्रह (घनानंद-कबित्त) में ५१६ कबित्त हैं। अब रह गए शेष तीन ग्रंथ—'प्रीतिपावस', 'जमुनाजस' और 'वृंदावनसत'। इनमें से 'प्रीतिपावस' में वर्षा का वर्णन है। यह दोहे-चौपाइयों में बना है। इसके अंत में 'आनंदघन' शब्द आया है—

घन चातक को मरम न परसै। ब्रज प्यासनि आनँदघन बरसै।

'जमुनाजस' में 'यमुना' की कीर्ति का वर्णन है। जैसा उसके नाम ही से प्रकट है। इसमें भी 'आनंदघन' नाम प्रयुक्त है—

तब कछु जमुना मरमहि परस्यौ। बानी लै आनँदघन बरस्यौ।

'प्रीतिपावस' की भाँति यह रचना भी दोहे-चौपाइयों में है और सरस सीधी माहात्म्यवर्णिनी पदयोजना है। इसमें भी 'आनंदघन' नाम आया है। 'वृंदावनसत' में 'वृंदावन' का माहात्म्य कथित है। 'वृंदावनशतक' गौड़ीय चैतन्यसंप्रदाय की प्रसिद्ध पुस्तक है। इस ग्रंथ में 'आनंदघन' पद यों आया है—

श्रीबृंदाबन आनंदघन अतिसय सो रसवंत।
हौं अपने जिय डरत हौं यह बिनती भगवंत॥

इसका रचनाकाल भी दिया हुआ है।

संबत दस सै सात औ सात बरस है जानि।
चैत मास में चतुर बर भाषा कियो बखानि॥

इन्होंने अपनी गुरुपरंपरा का भी उल्लेख किया है—

प्रथम दया-परमोद मोद जिहि मन को दीनो।
श्रीगुरु श्रीहरिदास दयामै भाषा कीनो।
श्रीमाधो मुद्रित प्रसंस हंस जिन रतिरस गायो।
तिनको हौं निज अंस रहसि रस तिनतें पायो।
इष्ट चंद्र गोबिंदबर श्रीराधा-जीवनप्रानधन।
हितसंगी रंगी भजन सु कहत सुनत कल्यानबन।[१]

इससे प्रकट है कि ये हरिदास के शिष्य और माधवमुदित के पुत्र थे। वस्तुतः खोज के साहित्यान्वेषक की भ्रांति से यह ग्रंथ घनआनंद के नाम पर चढ़ गया है। यह 'भगवतमुदित' की रचना है। खोज, १९४२ में 'वृंदावनसत' की जो प्रति मिली है उसमें 'मुदितभगवंत' नाम स्पष्ट दिया है।

गौरबर चंद्र अरबिंद बृंदा बिपिन मुदित भगवंत सोई जान हेरी।

आनंदघन या घनआनंद के नाम पर अन्यत्र अधिक ग्रंथों का उल्लेख है। 'मिश्रबंधुविनोद' में लिखा है—'हमको इनका ५४२ बड़े पृष्ठों का एक भारी ग्रंथ संवत् १८८२ का लिखा हुआ दरबार छतरपुर के पुस्तकालय में देखने को मिला जिसमें १८११ विविध छंदों तथा १०४४ पदों द्वारा निम्नलिखित विषय वर्णित हैं—प्रियाप्रसाद, व्रजव्योहार, वियोगवेली, कृपाकांड निबंध, गिरिगाथा, भावनाप्रकाश, गोकुलविनोद, व्रजप्रसाद, धाम-चमत्कार, कृष्णकौमुदी, नाममाधुरी, वृंदावनमुद्रा, प्रेमपत्रिका, व्रजवर्णन, रसवसंत, अनुभव-चंद्रिका, रंगबधाई, परमहंस वंशाली और पद। इनमें पदों की रचना साधारण है और उनमें भक्ति तथा व्रजलीलाओं का वर्णन किया गया है। दूसरे वर्णन विविध छंदों में किए गए हैं जिनमें कबित्त-सवैयों की अधिकता है।' छतरपुर राज-पुस्तकालय का यह ग्रंथ तो नहीं मिला पर व्रजदर्पण को छोड़कर शेष ग्रंथ मिल गए हैं और 'घनआनंद'-ग्रंथावली के नाम के प्रकाशित हो गए हैं।[२]

'हिंदी-साहित्य का इतिहास' में पं० रामचंद्र शुक्ल ने इनके निम्नलिखित ग्रंथों का उल्लेख किया है—'सुजानसागर', 'विरहलीला', 'कोकसार' और 'कृपाकांड'। इनमें से

---

१. इसके विवरण में भी 'यह बिनती भगवंत' पद आया है, जिसमें भगवंत कवि का नाम है। दोनों 'वृंदावनसत' एक ही हैं।

२. वाणी-वितान प्रकाशन, वाराणसी से प्रकाशित, सं० २००९।

'सुजानसार' वस्तुतः 'घनआनंद-कबित्त' ही है जिसका विचार किया जा चुका है। 'विरहलीला' 'वियोगबेली' ही है, यह भी बताया गया है। 'कोकसार' इनकी नहीं 'आनंद' की रचना है। 'रसकेलिवल्ली' का नाम ही नाम मिलता है, जनश्रुति के आधार पर। 'कृपाकांड' कृपाकंद ही है। रोमी अक्षरों की 'कृपा' से यह 'कांड' हो गया है। वियोगी हरि कृत संग्रह 'व्रजमाधुरी-सार' में 'कृपाकांड' निबंध के स्थान पर 'कृपाकांड निबंध' नाम दिया गया है। यहीं से शुक्लजी ने 'कृपाकांड' नाम रखा था। 'व्रजमाधुरी-सार' में इनके एक अन्य ग्रंथ 'बानी' का उल्लेख भी है। जो पद के अतिरिक्त कोई दूसरी रचना नहीं।

अब देखना चाहिए कि 'घनआनंद-कबित्त' आदि में इनकी छाप किस प्रकार आई है। 'घनआनंद-कबित्त' में कुल ५० २ छंद हैं। इनमें केवल ४२ छंद ऐसे हैं जिसमें कवि का नाम प्रयुक्त नहीं है। २७ में तो कवि का नाम नहीं, पर ५ में 'सुजान' नाम आया है। शेष अधिकतर वे छंद हैं जिनमें कृष्ण की लीलाओं का वर्णन है। उनमें कृष्ण, घनश्याम आदि नाम आए हैं। श्रीकृष्ण के लिए 'सुजान' नाम प्रयुक्त करने का उसमें अवकाश ही नहीं मिला। १५ में 'आनंद' नाम आया है। पर वह कवि के नाम का संकेत नहीं जान पड़ता। 'आनंदनिधान', 'आनंदनिधि', 'आनंदआसव' आदि शब्दों के बीच 'आनंद' शब्द फँसा पड़ा है। कवि के नाम का संकेत बनकर वह नहीं है। चार छंदों में नाम के ये पर्याय आए हैं—आनंद-अंबुद, पयोदमोद, आनंद-अमृतकंद (कंद = बादल, घन), आनंदपयोद। तीन स्थलों पर 'आनंद के घन' हैं। केवल तीन सवैयों में 'आनंद के घन' आया है। दो छप्पयों में 'आनंदघन' है। २६ कबित्तों में 'आनंदघन' है। १८ कबित्तों में 'आनंद के घन' है।

इस पूरे विवरण पर विचार करने से स्पष्ट होता है कि ४०४ छंदों में 'घनआनंद' नाम ही आया है। सवैयों में प्रायः 'घनआनंद' ही नाम रखा गया है, कहीं-कहीं छंदानुरोध से उसे 'आनंद को घन' या 'आनंद के घन' कर देना पड़ा है और वह भी विशेष आलंकारिक चमत्कार लाने के लिए। कबित्तों में भी अधिकतर 'घनआनंद' ही रखा गया है। पर छंदानुरोध के कारण कहीं-कहीं 'आनंदघन' करने की अनिवार्यता आ पड़ी है और ध्यान देने से स्पष्ट ज्ञात होता है कि ऐसे स्थलों पर 'आनंद का बादल' अर्थ लेने की उन्हें अपेक्षा थी। कबित्तों में 'आनंद के घन' पद भी आया है। यहाँ पर भी वही आवश्यकता थी। स्मरण रखने की बात है कि 'घनआनंद' ने अपने नाम का अधिकतर दुहरे अर्थ में प्रयोग किया है। 'घनआनंद' का अर्थ अधिकतर 'आनंद का बादल' लिया है (उलटा समास करके) पर कुछ स्थलों पर 'घनआनंद' अर्थ भी लिया गया है। जहाँ 'आनंद' शब्द 'घन' के पहले आया है वहाँ नाम का अर्थ 'आनंद का घन' करने की आवश्यकता थी। यदि नाम आ सका है तो पर्याय भी नियोजित है। शुद्ध छाप के रूप में इनका नाम निम्नलिखित कबित्त में है—

जाहि जीव चाहै सो तहीं पै ताहि दाहै वाहि ढूँढत ही मेरी गति मति गई खोय है।
करौं कित दौर औ रहौं तौ लहौं न ठौर घर को उजारिकै बसत बन जोय है।

बनी आनि ऐसी घनआनँद अनैसी दसा जीवौ जान प्यारेबिन जागें गयौ सोय है।
जगत हँसत यौं जियत मोहिं तुम्हैं नैन मेरे दुख देखि रोवौ फिर कौन रोय है॥

विरही की यह उक्ति अपने नेत्रों के प्रति है। इसलिए घनआनंद को प्रिय के विशेषण के रूप में नहीं मान सकते। इसलिए यहाँ शुद्ध छाप है।

कबित्त-सवैयों में कृष्णलीला के कुछ अवसरों पर कृष्ण का नाम आ जाने से 'सुजान' नाम नहीं आया है। अन्यथा पूरे ग्रंथ में लगभग ३०० बार सुजान, जानराय आदि नामों की उद्धरणी हुई है, लौकिक और भक्ति-विषयक दोनों प्रकार के प्रसंगों में। यही क्यों, प्रेम की उत्कृष्टता के लिए इन छंदों में केवल ३-४ स्थानों पर राधा, राधिका नाम आया है, अन्यत्र कहीं नहीं। 'घनआनंद' ने राधा की प्रधानता कबित्त में यों दी है—

साधक जितेक ते असाधन के नेग लगौ साधक को महामतसार गहि ताहि तू।
प्रेम सो रतन जातें पाइ है सहज ही मैं वहै नाम रूप सु अनूप गुन चाहि तू।
राधिका-चरन-नख-चंद त्यों चकोर कैसु बाढ़त अनंद त्यों तरंगनि उमाहि तू।
बोहित बिसासहू चढ़ाय लैहै सोई हा हा कृष्ण कृपासिंधु मेरे मन अवगाहि तू।

कृष्ण की कृपा का वर्णन इन्होंने 'कृपाकंद निबंध' नामक अपनी पोथी में पृथक् ही किया है। उसमें भी यह छंद है। पर उसमें स्थल-स्थल पर गोपिकाओं का ही नाम अधिक आया है।

'कृपाकंद निबंध' में कृपा का निरूपण है। इनकी आरंभिक रचनाओं में अधिकतर 'घनआनंद' और उत्तरकालिक रचनाओं में 'आनंदघन' प्रयुक्त है। इनका नाम घनआनंद था और भक्त होने पर इन्हें महात्मा 'आनंदघन' नाम मिला। रघुराजसिंह ने स्पष्ट इन्हें 'सखी' कहा है—

एक भक्त को पुनि कहौं 'घनआनँद' इतिहास।
'घनआनँद' है नाम जिन सुनत हरत मम त्रास॥
मथुरापुरी मलेच्छन घेरे। लाखो यमन खड़े चहुँ फेरे।
कारन तासु सुनौ अब सोई। दिल्ली मैं सहिजादा कोई।
एक समय मधुपुरी सिधायो। सबै मथुरियन हास बढ़ाओ।
पनही की रचिकै यक माला। डार्‌यौ सहिजादा के भाला।
सो प्रकोपि निज कटक बुलायो। चहुँ कित मथुरापुरी घिरायो।
दीन्हौं हुकुम नगर महँ जेते। अब बचि जाय जियत नहिं तेते।
मारन लगे मलेच्छ प्रचारी। बचे न माथुर भटहु भिखारी।
घनआनँद बंसीबट पाहीं। बैठे रहे भावना माहीं।
राजा माधव के मधि रासा। सखीरूप छबि-पीवन-आसा।

यही नहीं 'आनंदघन' का उल्लेख भारतेंदु बाबू हरिश्चंद्र ने भी सखी-भावनावाले भक्तों के बीच किया है—

कही जुगल रसकेलि माधुरीदास मनोहर।
बिह्वल बिपुल बिनोद बिहारिनि तिमि अति सुंदर।
रसिकबिहारी लौं वह पद बहु सरस बनाए।
तिमि श्रीभट्टहु कृष्णचरित गुप्तहु बहु गाए।
कल्यानदेव हित-कमलदृग नरबाहन आनंदघन।
हित राम राय भगवान बलि हठी अली जगनाथ जन॥[१]

नागरीदास (सावंतसिंह, कृष्णगढ़नरेश) के प्रसंग में जिन 'आनंदघन' का उल्लेख 'छप्पनभोग-चंद्रिका' में 'जयलाल' कवि ने किया है वे ये ही 'आनंदघन' हैं—

आनँदघन हरिदास आदि संतन बच सुनि सुनि।
धमारादि में कही वहै नहिं कही सु सुक मुनि।
अंकुर रूप भयो सु प्रेम लघु जबै होय मधि।
हरिगुन चर्चा कहत सुनत संचारी बिधि मधि।
आनँदघन हरिदास आदि सौं संत सभा मधि।
प्रगट भए अनुभाव सबै याके जु तथाबिधि।
बिप्रन सों सुनि बेद भागवत अर्थ सुधार्‌यौ।
हरीदास हित मान कही सो हो अनुसार्‌यौ।
मुरलिदास अरु बंसिदास सौं समयगुजार्‌यौ।
आनँदघन को संग करत तन मन कों वार्‌यौ।

'आनंदघन-पदावली' में एक पद श्रीचैतन्य महाप्रभु की प्रशस्ति का भी है—

श्रीचैतन्य दयानिधि धीर।
कलि-काल मलीन दीन जन पावन करन परम गंभीर।
पूरनचंद नंदनंदन को उदै सदा उमगनि की भीर।
बहु नाव चढ़ाय बहुत जह प्रेममगन करि पाए तीर।
भाव तरंग अभंग विभंजित महा मधुर रस रूप सरीर।
निज जन रतन-जालजुत राजत धुनि हुंकार उसास समीर।
बिबिध ताप तें जरत जीव जे सीतल किये परसि पद नीर।
करुनादृष्टि बृष्टि सों सीचै जय जय जय आनंदमुदीर।

इसमें 'आनंदघन' छाप के स्थान पर 'आनंदमुदीर' आया है और दुहरे अर्थ में

१. भक्तमाल, उत्तरार्ध, पृष्ठ ३०।

आया है। 'आनंदमुदीर' का अर्थ 'आनंद-घन; आनंद के मेघ' है जो एक ओर चैतन्य का विशेषण है और दूसरी ओर कवि की छाप का पर्याय।

जीवनवृत्त

घनआनंद मुगल सम्राट् मुहम्मदशाह रँगीले के मुंशी थे। इस बखेड़े को छोड़िए कि ये उनके 'खास कलम' (प्राइवेट सेक्रेटरी) थे या दरबार के 'मीर मुंशी'। कहा जाता है कि सदा रँगीले के दरबार की 'सुजान' नामक वेश्या पर ये आसक्त हो गए थे। अन्य दरबारी लोग इस बात के आधार पर षड्यंत्र करके इन्हें दिल्ली से निष्कासित करने का हेतु बने। दरबारियों ने बादशाह से एक दिन कह दिया की मुंशीजी गाते बहुत अच्छा हैं। फिर क्या था, बादशाह ने इनका गाना सुनने की हठ पकड़ ली। पर ये नम्रतावश गाना सुनाने में अपनी अशक्ति का ही निवेदन करते रहे। अंत में उन षड्यंत्रकारियों ने बादशाह से चुपके-चुपके यह कहा कि ये यों न गाएँगे, यदि 'सुजान' बुलाई जाय, जिस पर ये आसक्त हैं, तभी गाना सुनाएँगे। 'सुजान' बुलाई गई और इन्होंने उसकी ओर उन्मुख होकर सचमुच गाया और ऐसा गाया कि सारा दरबार मंत्रमुग्ध हो गया। बादशाह ने गाने का रस लूटने के अनंतर जो होश सँभाला तो इनकी इस गुस्ताखी पर बहुत अप्रसन्न हुआ कि इन्होंने वेश्या का मान बादशाह से अधिक किया। फलस्वरूप उसने इन्हें देशनिकाले का दंड दिया। कहा जाता है कि ये 'सुजान' के निकट गए और उससे भी साथ देने को कहा, पर उसने साथ चलना अस्वीकार कर दिया। अंत में ये वृंदावन चले गए और वहाँ निंबार्कसंप्रदाय में दीक्षित हो गए। पर 'सुजान' नाम इन्होंने कभी नहीं त्यागा। भगवद्‌भक्ति में इस शब्द का व्यवहार श्रीकृष्ण और श्रीराधिका के लिए अपनी रचना में बराबर करते रहे। अंत में कहा जाता है कि मथुरा पर होनेवाले नादिरशाह के हमले में ये मारे गए।

इतिहास में मथुरा पर नादिरशाह के हमले की चर्चा नहीं है। अहमदशाह अब्दाली या दुर्रानी के हमले की ही बात आई है। सबसे पहले नागरीदास के जीवनचरित्र में बाबू राधाकृष्णदास ने यह संकेत किया कि हमला दुर्रानी का था। मेरे शिष्य स्वर्गीय विद्याधर पाठक ने बड़े परिश्रम से इस भ्रांति का निराकरण करने की ओर विद्वानों का ध्यान आकृष्ट किया। उसके अनंतर श्रीज्ञानवती त्रिवेदी ने 'घनआनंद' नामक पुस्तक में यह भली-भांति सिद्ध कर दिया कि यह हमला अब्दाली का ही हो सकता है। संवत् १८४९ के लिखे कृष्णभक्ति-विषयक एक पदसंग्रह में इस हमले का उल्लेख इस प्रकार है—'श्रीकामवन के मंदिर मलेछनि करि जो उतपात भयौ ताकौ हेत जो रसिकनि के विचार में आयौ सो लिख्यौ है।' उत्पात का कारण पूजा में त्रुटि बतलाया गया है। रघुराजसिंहजू देव की 'रामरसिकावली' में दी हुई घनआनंद की कथा से यह 'वार्त्ता' कुछ मिलती है। श्रीवृंदावनदास ने इसका संकेत अपनी 'श्रीकृष्ण-विवाह-उत्कंठा-बेली' में इस प्रकार दिया है—

जमन कछू संका दई ब्रजजन भए उदास।
ता समयें चलि तहाँ तें कियौं कृष्नगढ़ बास॥

(खोज १९१७—३४ एफ्)।

अब इधर जो नवीन सामग्री प्राप्त हुई है उससे इसी की पुष्टी होती जाती है कि घनआनंद का निधन मथुरा में ही हुआ और ये नादिरशाह के आक्रमण में न मारे जाकर अहमदशाह के आक्रमण में ही मारे गए। अब्दाली ने एक बार सन् १७५७ (सं० १८१३) में और दूसरी बार सन् १७६१ (सं० १८१७) में मथुरा पर आक्रमण किया था।

नादिरशाह के आक्रमण के अनंतर तो ये जीवित थे। यह इन्हीं के कथन द्वारा सिद्ध है। इधर आनंदघन के ग्रंथों के जो बहुत संग्रह प्राप्त हुए हैं उनमें एक 'मुरलिकामोद' भी है। इसके अंत में स्वयं लिखते हैं—

गोपमास श्रीकृष्न-पक्ष सुचि। संबत्सर अठानबे अति रुचि।

यह 'संबत्सर अठानवे' १७८९ है। नादिरशाह का भारत पर आक्रमण सं० १७९६ में हुआ और दिल्ली तक ही परिमित रहा। संवत् १७९८ में आनंदघन ग्रंथ की रचना कर रहे हैं अर्थात् उसके दो वर्षों के अनंतर भी जीवित हैं। इस प्रकार अब यह निश्चित हो गया कि ये सं० १७९६ में नहीं मारे गए। इनकी मृत्यु या हत्या नादिरशाही में कदापि नहीं हुई। पर ये अब्दाली के दोनों आक्रमणों में से पहले में मारे गए या दूसरे में इसका निश्चय कर लेना चाहिए। संवत् १८१३ में आनंदघन कृष्णगढ़ के महाराज सावंतसिंह नागरीदास के साथ दिखाई देते हैं। 'जब वृंदावन से महाराज नागरीदास और घनानंद कृष्णगढ़ आए थे तब पहले जयपुर आए और श्रीगोविंद के दर्शनों को गए थे। वहाँ श्रीगोविंददेव के सान्निध्य में आनंदघनजी ने कीर्तन गाए। उस समय जयपुर के महाराजजी दर्शनों को आए थे सो जयपुर महाराज ने उनके कबित्तों की बड़ी प्रशंसा की। तब आनंदघनजी ने कहा कि 'तुम प्रशंसा करनेवाले कौन? हमारे कीर्तनों की प्रशंसा करैं तो श्री गोवर्धनजी करैं'। यह कहकर वहाँ से विदा हुए और नागरीदासजी से कहा हम ऐसे देश में आगे नहीं चलेंगे पीछे ही जाएँगे सो पीछे ही मथुरा चले गए और यह भी सुना जाता है कि मथुरा में कत्लेआम करनेवालों से कहा कि मेरे तलवार के घाव बहुत थोड़े-थोड़े बहुत देर तक दो। इनको ज्यों-ज्यों तलवार के घाव लगते गए त्यों-त्यों वह व्रजरज में लोटते रहे ऐसे देह त्याग किया।' (—राधाकृष्णदास- ग्रंथावली, पृष्ठ १७३)

व्रज से नागरीदास और घनआनंद के प्रस्थान का संवत् 'नागरसमुच्चय' में कवीश्वर जयलाल ने कह दिया है—

अट्ठारह सै ऊपरै संबत तेरह जान।
चैत्र कृष्न तिथि द्वादसी ब्रज तें कियो पयान॥

चैत्र कृष्ण अमावस्या को संवत १८१३ समाप्त हो जाता है और चैत्र शुक्ल प्रतिपदा से संवत् १८१४ का आरंभ होता है। अब्दाली का सन् १७५७ में कत्लेआम १ मार्च से ६ मार्च तक हुआ था। 'इंडियन एफिमरीज' के अनुसार यह समय फाल्गुन शुक्ल दशमी से चैत्र कृष्ण प्रतिपदा तक पड़ता है। अब्दाली का हमला संवत् १८१३ में ही हुआ था, संवत् १८१४ में नहीं। इसका प्रमाण 'खोज' के एक विवरण में मिलता है।

चाचा हितवृंदावनदास की 'हरिकलावेली' के विवरण में लिखा है—

काबुल वा कंधार का रहनेवाला एक कलंदरशाह मुसलमानों की एक फौज लेकर पहली बार संवत् १८१३ में और दूसरी बार संवत् १८१७ में ब्रज पर चढ़ आया था।

त्रैवार्षिक खोज-विवरण (१९१२-१४, १९६ के) में इस 'हरिकलावेली' के आरंभ में ही लिखा है—

ठारह सै तेरहों बरष हरि यह करा।
जमन बिगोयो देस बिपति गाढ़ी परी।
तब मन त्तिंता बाढ़ी साधु पतन करे।
हरिहीं मनहु सिष्टि-संचार-काल आयुध धरे॥ १॥

दोहा—भाजि भाजि कोउ छूटे तब मन उपज्यो सोच।
अहो नाथ तुम जन हते भए कौन बिधिपोच॥ २॥
बार बार सोचत यही गए प्रान बौराइ।
संत करे बध जमन नै यह दुख सह्यौ न जाइ॥३॥
सहर फरूखाबाद जहँ गए सुरधुनी पास।
चैत्र सुदी एकादसी तहाँ भयौ इक रास॥ ४॥
तीन पहर रजनी गई ये कबि कीयो गान।
तहाँ एक कौतुक भयौ जाकौ करौ बखान॥ ५॥
आनँदघन को ख्याल इक गायौ खुलि गए नैन।
सुनत महा बिहवल भयौ मन नहिं पायौ चैन॥ ६॥
ऐसेहू हरि-संत-जन मारे जमननि आइ।
यह अति देखि हियो भयो लीनौ सोच दबाइ॥ ७॥

आनंदघन का ख्याल किसी 'इक' ने गाया। सुनकर वृंदावनदास विह्वल हो गए, उनके चित्त में स्थिरता नहीं रही। ऐसे ख्याल के निर्माता आनंदघन के समान हरि-संत-जनों को यवनों ने मार डाला।

बिरह सौं तायौ तन निबाह्यौ न साँचौपन धन्य आनंदघन मुखगाई सोई करी है।
एहो ब्रजराज कुँबर धन्य धन्य तुमहूँ कौ कहा नीकी प्रभु यह जगमें बिस्तरी है।

गाढ़ौ बृजउपासी जिन देह अंत पूरी पारी रजकी अभिलाष सो तहाँही देहधरी है।
बृंदाबन हित रूप तुमहू हरि उड़ाई धूरि ऐपै साँची निष्ठा जनही की लखि परी है।

हरि तो 'धूल ही उड़ाते रहे' पर भक्त की निष्ठा ही सत्य निकली कि शरीर व्रजरज में ही मिला, खंड-खंड, कण-कण होकर।

मुहम्मदशाह रँगीले और उसके अमीर-उमरावों ने पतन की किस सीमा तक मुगलवंश को पहुँचा दिया था। इसका भी स्पष्ट उल्लेख है—

नित पातसाहउ क्यौ सूबनिमन सूबचूक्यौ बहुत दिन निजाम कूक्यौ काबिल दरेरो कियै।
बेस्या मनपानकरि छकिगए अमीर जेते रजतमकी धार काढ़ी बूड़े को बिलकियै।
दिल्ली भई बिल्ली कटैला कुत्त देखि डरी भूल्यो मुहमदसाह पहिले अबकाह डोकियै।
बाबर हिमायुँ को चलाऊ अब बंसभयौ ताको यह फेल्यौ सोक परजा करम ठोकियै॥

आनंदघन की हत्या का प्रत्यक्षदर्शी यह महात्मा जो कुछ कह रहा है उसे अब सत्य मानकर हिंदीवालों को अपनी 'नादिरशाही' त्याग देनी चाहिए। 'हरिकलावेली' का निर्माणकाल यह है—

ठारह सै सत्रहों वर्ष गत जानियै। साढ़ बदि हरिबासर बेल बखानियै॥

जयलालजी ने सुनी-सुनाई वार्त्ता लिखी है इसलिए यह कहा जा सकता है कि उन्होंने ठीक समय नहीं दिया। हरिकलावेली १८१७ में समाप्त हुई इसके पहले ही इनका वध हो गया था। संवत् १८१३ में फरूखाबाद में गंगा के किनारे कवि उनके वध से दुखी है इसलिए दुर्रानी के पहले आक्रमण में ही इनका शरीरपात हुआ। कहते हैं लुटेरे इनसे 'जर जर' (धन धन) कहते थे और ये उसे उलटकर व्रजधूलि उठाकर उन्हें 'रज-रज' कहते हुए देते थे।

सख्यभाव का नाम

निंबार्कसंप्रदाय में उपासना का भाव 'सख्य' माना जाता है। यह 'सनकादिसंप्रदाय' कहलाता है और इसका दार्शनिक मत 'द्वैताद्वैत' है। इस संप्रदाय में 'सखीभाव' की उपासना चलती है। 'सख्यभाव' की उपासना करनेवाले महात्माओं के, जो साधना के अनेक सोपान पार कर इस भाव में लीन हो जाते हैं, सांप्रदायिक नाम भी उनके सिद्ध गुरुओं द्वारा रख दिए जाते हैं। निंबार्कसंप्रदाय की गद्दी पर आसीन होनेवाले सभी आचार्यों के सांप्रदायिक नाम थे और वे अपने अंतरंग परिसर में उसी नाम से अभिहित होते रहे हैं। ऐसे नाम साधना की ऊँची भूमिका में पहुँचाने पर ही प्राप्त होते हैं। 'नागरसमुच्चय' में जो वृत्त 'आनंदघन' के संबंध में राजकवि जयलाल ने दिया है उससे 'आनंदघन' महात्माकोटि में माने जाते थे। प्रेम-साधना का अत्यधिक पथ पार कर ये बड़े- बड़े साधकों, सिद्धों को पीछे

छोड़ 'सुजानों' की कोटि में पहुँच गए थे। अतः संप्रदाय में इनका सखीभाव का नामकरण हो गया था। यों तो निंबार्कसंप्रदाय के जितने आचार्य हुए हैं साधनागत उन सभी के सखी नाम थे, पर यहाँ निबार्कसंप्रदाय के अत्यंत प्रसिद्ध आचार्य हरिव्यासदेव से घनआनंद के गुरु श्री वृंदावनदेव तक प्रत्येक आचार्य के सखीनाम दिए जाते हैं। अपनी 'परमहंस-वंशावली' में घनआनंद ने अन्य आचार्यों को तो प्रसिद्ध नाम ही दिया है किंतु परशुरामाचार्य को उन्होंने सखीनाम दिया है। वें लिखते हैं—

तिनके पाट बिराजिकै परमा निधि श्रीमान।
पदवी कों पदवी दई मुनिबर कृपानिधान॥

यहाँ 'परमा' परशुरामाचार्य का सखीनाम है। इनका लोकव्यवहार का नाम इन्होंने अपनी 'भोजनादिधुन' में स्पष्ट दिया है—

परसुराम सुखधाम महाप्रभु। श्रीहरिबंस हंस ईस्वर बिभु॥

जिन्हें इस बात का पता न होगा वे 'परमानिधि' को अपाठ या अपपाठ मानेंगे और यह अनुमान करेंगे कि हो न हो 'परमानिधि' के स्थान पर मूल में 'परसुराम' ही रहा होगा। 'परमानिधि' के बदले 'परसुराम' दोहे में ठीक-ठीक बैठ भी जाता है।

अब आचार्यों के सखीनाम देखिये—

श्री हरिव्यासदेव	हरिप्रिया सखी।
श्री परसुरामदेव	परम सहेली।
श्री हरिवंशदेव	हित अलबेली।
श्री नारायणदेव	नित्य नवेली।
श्री वृंदावनदेव	मनमंजरी।

संप्रति घनआनंद के सखीनाम का पता न संप्रदायवालों को है, न साहित्यवालों को, पर इनकी नवीन प्राप्त दो पुस्तकों से इनके सखीनाम का संकेत मिलता है। 'वृषभानपुरसुषमावर्णन' में स्पष्ट कहा गया है—

नीको नावँ बहुगुनी मेरो। बरसाने ही सुंदर खेरो।

यह नाम स्वयं श्रीराधा ने रखा है—

राधा नावँ बहुगुनी राख्यौ। सोई अरथ हिये अभिलाख्यौ।

'बहुगुनी' को कला कब प्रदीप्त होती है इसे भी जान लीजिए—

रीझनि बिबस होत जब जानौ। तब बहुगुनी कला उर आनौ।
ताही सुरहि साध कछु बोलौं। प्रेमलपेटी गाँसनि खोलौं।
दुरी बातहू उघरि परै जब। सो सुख कह्यौ न परत कछु तब।

'प्रियाप्रसाद' में भी यह नाम श्रीराधा का रखा हुआ कहा गया है—

राधा धर्स्यौ बहुगुनी नाउँ। टर लगि रहौं बुलाएँ जाऊँ।

'बहुगुनी' सदा श्रीराधा के साथ रहती है अथवा श्रीराधा बहुगुनी का साथ कभी नहीं छोड़तीं। 'बहुगुनी' तान-गाण में प्रवीण है, श्रीराधा के मित्र को वह अपने इस गुण से रिझाया भी तो करती है—

राधा सब ठाँ सब समै रहति बहुगुनि संग।
तान रमन गुन गान को लै बरसावति रंग॥
राधा अचल सुहाग के ललित रँगिले गीत।
रागनि भीजी बहुगुनी रिझवति राधा-मीत॥

घनआनंद संगीत के बहुत अच्छे जानकार थे, जनश्रुति में यह प्रसिद्ध है। किशनगढ़ से प्राप्त चित्र में उनकी प्रशस्ति में 'गानकला में अति कुशल' लिखा है। चित्र में ये सितार लिये वीरासन से बैठे हैं। राम-रागिनियों में उनके सहस्राधिक पद मिलते हैं, और कविता में कहीं-कहीं मृदंग ठनकता जान पड़ता है, ऐसे ढंग से पदावली रखी गई है।

होगी मंगल गई

हिंदी के प्रसिद्ध और स्वच्छंदवृत्तिविशिष्ट व्रजभाषाप्रवीण घनआनंद का निम्नलिखित कबित्त पढ़ रहा था—

पीरी परी देह छीनी राजत सनेह भीनी कीनी है अनंग अंग अंग रंग बोरी सी।
नैन पिचकारी ज्यों चल्यौई करैं रैन दिन बगराए बारनि फिरति झकझोरी सी।
कहाँ लौं बखानौं घनआनँद दुहेली दसा फागमई भई जान प्यारे वह भोरी सी।
तिहारे निहारे बिन प्राननि करति होरा बिरह अँगारनि मगारि हिये होरी सी॥

पर 'मगारि' का अर्थ स्फुरित नहीं हो रहा था। काशी नागरी प्रचारिणी सभा से प्रकाशित 'रसखान और घनआनंद' में सुजानसागर के पृष्ठ ७८ पर 'मगारि' के बदले 'मगरि' पाठ है और उसकी टिप्पणी ग्रंथ के संपादक स्व. काव्यमर्मज्ञ श्रीअमीरसिंह ने यों दी है—'मगरि = छोकड़ी'। यह 'छोकड़ी' यहाँ किसी प्रकार बैठ ही नहीं रही थी, बैठाने पर 'चौकड़ी' भरने लगती थी। जब बहुत सिर खपाने पर भी कोई संगति न बैठी तब पोथी बंद करके रख दी। कई वर्ष पहले की बात है खास होली का दिन था, घर से निकला और रोशनाई लेने नंदकिशोर ऐंड ब्रदर्स की दूकान पर पहुँचा। वहाँ श्री मनोहरलाल भार्गव ने देखते ही प्रश्न किया 'कहिए आपके महल्ले में होली मंगल गई'। मेरा अर्थ लग गया। मैंने उत्तर देने के बदले कुछ सहेज लेने की प्रवृत्ति से, बात

अनसुनी रह गई है इस मुद्रा में पूछा 'क्या कहा'। उन्होंने सरलतापूर्वक अपनी पदावली दुहरा दी। मेरा प्रश्न दुबारा हुआ। वे घबरा गए। फिर भी कुछ अनमने से हँसते-हँसते उन्होंने पदावली तिहराई। इस प्रकार तिखार लेने पर मैंने उत्तर दिया—मेरे महल्ले में ही नहीं मेरे मन में और मेरी पुस्तक में भी 'होली मंगल गई'। वे और घबराए, उनकी 'आशंका' बढ़ रही थी और मेरी उमंग। उन्होंने कुछ और पूछना व्यर्थ समझा और मैंने कुछ बतलाना। यही 'मंगल जाना' या 'मंगलना' 'घनआनंद' के उद्धृत पद में प्रयुक्त है। 'मंगलना' का ही 'मंगरना' हो गया है—'रलयोरभेदात्', 'र' और 'ल' के अभेद से। अनुस्वार हटने पर 'मगरना' हो गया, जिसका अर्थ है 'जलना'। 'मगरना' का अर्थ हुआ 'जलना' और 'मगारना' का अर्थ हुआ 'जलाना'। श्री अमीरसिंह की 'छोकड़ी' भी इसी 'मंगल' की लड़की है। उसका नाम 'मंगला' ही नहीं 'मंगली' (कल्याणी) भी होता है। इसी 'मंगली' से 'मंगरी', फिर 'मगरी', और छंद के प्रवाहानुरोध से 'मगरि' भी हो सकता है। वैसे ही जैसे मंगल के दिन जनमने से लड़के का नाम 'मँगलू' या 'मँगरू' हो जाता है। किंतु उक्त कबित्त में 'मंगली' संज्ञा नहीं क्रिया है, नामधातु है। इसी अर्थ से इसकी संगति बैठती है।

भाषाविज्ञान के जानकार जानते हैं कि 'अर्थविचार' के अंतर्गत शब्दों के अर्थों के विस्तार-संकोच की जो अनेक प्रवृत्तियाँ मानी जाती हैं उनमें एक वह भी होती है जिसे 'यूफीइज्म' का 'मंगलभाषित' कहते हैं। यह 'अमंगलवारण' के लिए होती है। अमांगलिक स्थिति को मांगलिक शब्दों से व्यक्त करते हैं। मुसलमानी दरबारों में यह बात इतनी बढ़ गई थी कि यदि 'हुजूर बीमार हैं' कहना हो तो 'हुजूर के दुश्मनों की तबीयत अलील है' कहते थे। छोटी जाति के लोगों का नाम लेना धार्मिक लोग 'अमंगल' समझते हैं। फल यह हुआ कि भंगी को 'मेहतर' (महत्तर=बड़ा) कहने लगे। यह भ्रम न हो कि कहाँ फारसी का 'मेहतर' और कहाँ संस्कृत का 'महत्तर'। एक तो वह भाषा आर्यकुटुंब की ही है, दूसरे अब भी 'मेहतर' का एक अर्थ 'बड़ा आदमी', 'महापुरुष' भी है। धोबी को 'बरेठा'(वरिष्ठ=श्रेष्ठ) कहते हैं। वैष्णवभक्तों के मंदिरों में 'मुसलमान' शब्द नहीं बोलते। अतः 'मुसलनान' की 'बड़ी जाति के' कहलाते हैं। दो सौ बावन वैष्णवन की वार्त्ता में 'रसखानि' को 'बड़ी जाति का' ही लिखा है। तुलसीदास ने हनुमान के मुख से नम्रता और शिष्टता के नाते कहलाया—

प्रात लेइ जो नाम हमारा। ता दिन ताहि न मिलै अहारा।

बस फिर क्या था 'अहारा' के प्रेमी प्रातःकाल उनका नाम नहीं लेते। कोई उन्हें 'ऊपरवाले' कहता है, कोई 'रामभगत' कहकर पुकारता है, कोई 'लालमुँहवाले' से काम चलाता है। रात में 'साँप' का नाम लेना अमंगल माना जाता है। अतः गावों में उसे 'मामा' कहते हैं। विश्वास यहाँ तक है कि 'मामा मामा' कहने से साँप कभी आक्रमण नहीं करता। 'बवंडर' को देखकर गाँववाले जब जोर-जोर से 'मामा-मामा' चिल्लाते तब

लड़कपन में मैं समझता कि कोई मंत्र पढ़ रहे हैं। 'मुर्दा' नाम लेना अमंगल समझते हैं अतः काशी में मुर्दे को देखकर 'महादेव महादेव' कहते हैं। यहाँ मरा हुआ प्राणी 'शिव' हो जाता है, ऐसा विश्वास है। 'मरना' कहना 'अमंगल' वाचक है। अतः कहते हैं 'कैलासवास हो गया', 'काशीवास हो गया', 'बैकुंठवास, गोलोकवास, स्वर्गवास हो गया'। इसी के लिए 'देहावसान' हो गया, दिवंगत हो गए, पीछा हो गया, जाता रहा आदि अनेक प्रकार चल पड़े हैं। 'गंगालाभ, यमुनालाभ, सरयूलाभ' आदि शब्द भी प्रदेश और उपासनाभेद से चलते हैं। संन्यासी लोग 'ब्रह्मीभूत' होते हैं, समाधि लेते हैं, कैवल्यपद प्राप्त करते हैं।

राजपूताना या पछाहँ में होली ही नहीं 'मंगलती' या 'मंगल जाती', वहाँ 'दरवाजा' भी 'मंगल किया जाता है' है। 'दरवाजा बन्द करो' न कहकर 'दरवाजा मंगल करो' कहते हैं। पहुँचने में देर होने का बहाना करके छुट्टी माँगनी हो तो कहेंगे 'मेरे तो नौ बजे दरवाजा मंगल हो जाता है'। कहीं-कहीं 'दूकान बढ़ने' के बदले 'दुकान मंगल गई' भी बोल देते हैं। मेरे मध्यप्रांती मित्र कह रहे थे कि वहाँ 'चूल्हा जलाया', चिताया या जगाया नहीं जाता, 'मँगारा' जाता है। अँगीठी को 'अंगारधानिका', 'अंगारी', 'अंगारिका' कहते हैं। पर 'अंगार' शब्द में जलाने का भाव है, इसलिए उसे 'हसनी, हसतीं, हसंतिका' भी कहते हैं, वह 'दमकती' जो है। इधर की बोलचाल में उसे 'मंगारी' में कहते हैं। 'मंगारी' को चाहे 'मांगलि़की' समझें चाहे 'मंगाली' (जलाई हुई, सुलगाई हुई)।

'मंगल' ग्रह ही को समझ लीजिए। उसका नाम है 'अंगारक' चाहे 'अंगारे' की भाँति 'जलने' से, चमकने से ही, चाहे अंगारे की भाँति 'जलाने' से, वह है 'अंगारक' ही। ज्योतिष में वह क्रूर ग्रह माना जाता है। उसकी गति 'वक्री' भी हुआ करती है। ऐसे का भला सा नाम 'मंगल' क्यों। सीधा उत्तर है 'अमगंलवारण' के लिए। नाम चाहे जैसे रख दें, काम भी कहीं बदलता है। 'मंगला' लड़के के घर चाहे 'मटमँगरा' (मातृकापूजा का उत्सव) होने में बहुत दिन न लगें पर 'मंगली' लड़की का 'मंगल' (ब्याह) शीघ्र नहीं हो पाता। यदि 'माँग मंगल' हो (कुंडली में सातवें स्थान पर मंगलग्रह हो) तो बड़ी कठिनाई होती है।

वेश्या 'सदासुहागिन' तो कहलाती ही है, 'मंगलामुखी' भी कही जाती है। 'शकुन' में उसका विशेष स्थान है, 'मंगलामुखी सदा सुखी' प्रसिद्ध है।

ठाकुर

संस्कृत में कालिदास के संबंध में सुप्रचलित है—शृंगारे ललितोद्गारे कालिदासत्रयी किमु'। एक ही कालिदास के 'ललिदोद्गारों' से लोग झूमने लगते हैं फिर एक-दो-तीन के

'ललितोद्गारों' से जो मस्ति आएगी वह झूमने की कौन कह, उठने भी न देगी। हिंदी के 'ललितोद्गारी' कवियों की गिनती करें तो 'त्रयी' किसी की नहीं, न बिहारीत्रयी मिलेगी, न देवयत्री मिलेगी, न 'मतिरामत्रयी'। हाँ, इन श्रृंगारललितोद्गारप्रवीण कवियों के नक्काल बहुत से मिलेंगे। कुछ दोहे बनानेवालों की इस बात में भी प्रशंसा समझी जाती है कि उनके दोहे यदि बिहारी के दोहों में मिला दिए जाएँ तो पहचाने नहीं जा सकते। पर इतना होने पर भी उनकी सारी रचना बिहारी से नहीं मिल सकी। फुटकल दोहों का भ्रम किसी को हो गया हो तो नहीं कह सकते, पर हिंदी में अनुश्रति के अनुसार एक ही नामवाले , एक ही आनबानबाले, एक ही उमंगवाले सिर्फ तीन ही कवि हैं—जिनकी कविता में मिला दी जाए तो मिल जाए ही नहीं बल्कि ऐसी मिली हुई है कि आज तक अलग नहीं की जा सकी। सब-की-सब एक ही नाम पर चल रही है। अलग करनेवाले भी उस रस में ऐसे मग्न हो गए की घोषणा करके भी एक की कविता दूसरे के नाम पर उसी पोथी में रख दी। इस त्रयी का नाम 'ठाकुरत्रयी' है । कालिदास की तरह हिंदी में भी तीन ठाकुर हैं जिनके श्रृंगार के 'ललितोद्गार' एक से हैं। इसलिए ऊपरवाली पंक्ति को हिंदी में ऐसे पढ़ें तो कोई खटका नहीं 'श्रृंगारे ललितोद्गार श्रीठाकुरत्रयी किमु'। तीनों ठाकुरों में से दो तो असनी (फतहपुर) के हैं और एक बुंदेलखंडी। असनी के दोनों ब्रह्मभट्ट थे और बुंदेलखंडवाले कायस्थ। असनी के एक पुराने ठाकुर हैं जिनका चरित्र कुछ भी ज्ञात नहीं, दूसरे ठाकुर ऋषिनाथ के पुत्र थे। इन्होंने काशी के देवकीनंदन रईस (जिनकी हवेली प्रख्यात है) के आश्रय में 'बिहारीसतसई' की वर्णार्थ टीका बनाई है। इन्होंने वर्ण-वर्ण की अर्थात् बहुत बारीकी से टीका लिखी है। 'देवकीनदंन टीका' नाम से यह प्रख्यात है। आगे के कई टीका़कारों ने इसी के आधार पर अपना महल खड़ा किया है। गूढ़ार्थ खोलने के लिए प्रश्नोत्तर भी खूब दिए गए हैं। इसी टिका में बिहारी की जीवनी के संबंध में यह भी लिखा है कि उनकी पत्नी ने ही दोहों की रचना की थी, जिनकी संख्या १४०० थी। अस्तु, ये ठाकुर कवि ही नहीं, काव्यमर्मज्ञ भी बहुत बड़े थे।

बुंदेलखंडवाले ठाकुर जैतपुर में रहते थे। इनके पूर्वज लखनऊ के काकोरी (जहाँ राष्ट्रीय क्रांतिकारियों ने पिस्तौल तानी थी और जो तभी से बहुत प्रसिद्ध है) स्थान के थे। इनके पितामह खङ्गराय जो नामतः और कार्यतः खङ्गराय थे, बड़े मंसबदार थे। इनके पुत्र गुलाबराय का विवाह ओरछे के रावराजा की कन्या से हुआ। इन्हीं गुलाबराय के पुत्र मुंशी ठाकुरदास हुए। बड़े होने पर ये कवि निकले और जैतपुर में सम्मानित होकर रहने लगे। ठाकुर के कुलवाले बिजावर में भी जा बसे थे। वहाँ अब भी इनके वंशज हैं। जैतपुर के तत्कालीन नरेश केसरीसिंह के उत्तराधिकारी राजा पारीक्षत जब गद्दी पर बैठे तब ये भी दरबारी लोगों में से एक थे। अपनी कविता का स्वाद चखाने अन्य दरबारों में भी जाया करते थे। पद्माकर के साथ इनकी नोंक-झोंक भी हुई थी। भाषा की सफाई और शब्दों की चुनावट पर ध्यान रखनेवाले पद्माकर ने एक बार कहा कि 'ठाकुर कविता तो अच्छी करते हैं पर पद कुछ हलके पड़ते हैं'। आपने छूटते ही जवाब दिया 'तभी तो मेरी

कविता उड़ी-उड़ी फिरती है'। इसी से पता चल जाता है कि ये हाजिरजवाब भी थे और इनकी ख्याति भी बहुत हो गई थी।

ठाकुर की कविता पुराने पढ़ंत लोगों के मुँह से तो सुनी जाती है पर कोई हस्तलिखित ग्रंथ नहीं मिलता। भारतजीवन प्रेस से श्री नकछेदी तिवारी ने 'ठाकुरशतक' नाम से एक छोटा-सा संग्रह निकाला था। बाद में स्व. लाला भगवानदीन ने 'ठाकुरठसक' के नाम से लाला ठाकुरदास की कविताओं का संग्रह प्रकाशित किया है। कायस्थ कवियों का जीवनवृत्त एकत्र करते समय उन्हें जैतपुरवाले ठाकुर की बहुत-सी कविताएँ मिली थीं। उक्त संग्रह इन्हीं रचनाओं का है।

तीनों ठाकुरों की कविता में सामान्यतया अंतर नहीं है। कहन, शब्द-विन्यास, प्रयोग आदि एक से हैं। बुंदेलखंडी ठाकुर की कविता में वहाँ के शब्दों, मुहावरों और लोकोक्तियों का विशेष प्रयोग है तो असनीवाले ठाकुर की कविता में अंतर्वेदी शब्दों, मुहावरों आदि का। हमारे विचार में जैतपुरवाले ठाकुर रीतिमुक्त थे और असनीवाले रीतिबद्ध। सतसैया की टीका से भी एक की रीतिबद्धता बहुत स्पष्ट है।

ठाकुर में ठसक भी है और कसक भी। इनकी ठसक देखनी हो तो ऐसे कबित्तों को देखिए—

सेवक सिपाही हम उन रजपूतन के दान जुद्ध जुरिबे में नेकु जे न मुरके।
नीति देनवारे हैं मही के महीपालन को हिये के बिसुद्ध हैं सनेही साँचे उर के।
ठाकुर कहत हम बैरी बेवकूफन के जालिम दमाद हैं अदानिया ससुर के।
चोजिन के चोजी महामोजिन के महाराज हम कबिराज हैं पै चाकर चतुर के॥

ये कोरे कविराज ही नहीं थे, मुंशीजी कलम भी चलाते थे और तलवार भी। इनकी रचना बैठेठाले कुछ जोड़ने की आदतवाले लोगों की कविता नहीं है। अवसर विशेष पर कवि के हृदय में जो उमंग उठा करती थी वही कविता के रूप में बाहर आती थी। बिना सच्ची अनुभूति के न कोई ऐसा ओज ला सकता है और न हृदय पर चोट कर सकता है। उद्धृत कबित्त भी ऐतिहासिक महत्त्व रखता है। पद्माकर के एक आश्रयदाता हिम्मतबहादुर (गोसाईं अनूपगिरि) जिनके नाम पर उन्होंने 'हिम्मतबहादुर-विरुदावली' लिखी है, दुरंगी चालवाले बाबा थे। कभी लखनऊ के नवाब की ओर हो अपने को दुग्धपायी बतलाते और कभी अँगरेजों का पक्ष लेकर पक्षी बन जाते। यह चमगादड़ी नीति ठाकुर ने भली-भाँति लख ली थी। गोसाईं बाबा ने पारीक्षत को भी धोखा देकर बाँदा बुलाया। ठाकुर ने अभिप्रायांतरगर्भ एक सवैया पढ़कर उनका जाना रोक दिया। ठाकुर को गोसाईं ने बुलाया और उनसे जवाब तलब किया। तब उन्होंने अपना उसूल बतलाया। फिर भी कड़ी बातें करने पर ये तलवार खींचते हुए ऊपरवाला कबित्त पढ़ने लगे।

दूसरी बात यह है कि 'गुलाम राधारानी के' और 'नगद दमाद अभिमानी के'

भारतेंदु बाबू हरिश्चंद्र को भी यह उमंग यहीं से मिली थी।

कसक देखनी हो ऐसे सवैयों को पढ़िए—

गति मेरी यही निसिवासर है चित तेरी गलीन के गाहने है।
मन कीन्हो कठोर कहा इतनो कब तोहि नहीं यह चाहने है।
कबि ठाकुर नेकु नहीं दरसी कपटीन को काह सराहने है।
मन भावै सुजान सोई करियौ हमैं नेह को नातो निबाहने है॥

कविता में अनुभूति के साथ-साथ ये कला को भी स्थान देनेवाले थे। केवल अनूठा भाव ही नहीं, अनूठी भाषा (कहन) भी होनी चाहिए। सच्ची अनुभूति पर प्रवीण (रसिक) प्रसन्न होंगे और अनूठी कहन पर पंडित (काव्यमर्मज्ञ)। ये लिखते हैं—

मोतिन कैसी मनोहर माल गुहै तुक अच्छर जोरि बनावै।
प्रेम को पंथ कथा हरिनाम की बात अनूठी बनाइ सुनावै।
ठाकुर सो कवि भावत मोहिं जो राजसभा में बड़प्पन पावै।
पंडित और प्रबीनन को जोइ चित्त हरै सो कबित्त कहावै॥

प्रेम के पंथ को वर्ण्य विषय बनाकर भी ये नायिकाभेद के चक्कर में नहीं पड़े। ये बड़ी स्वच्छंद उमंग और वृत्ति रखनेवाले थे। कविता के लिए 'रटंत' विद्या को बहुत बुरा मानते थे। कविता को ये हृदय कि चीज भी समझते थे और सभा की भी।

ठाकुर ने अपनी कारीगरी मुहावरों की बंदिश और कहावतों के जोड़ में दिखाई। कहावतों का ऐसा प्रयोग हिंदी में कोई दूसरा कवि नहीं कर सका। ठाकुर की कविता की पहचान ही मानी जाती है कि उसमें कहावत की वचनभंगिमा और कहावतों का बेजोड़ जुगाड़ है—

यह चारहूँ ओर उदौ मुखचंद को चाँदनी चारु निहारि लै री।
बलि जो पै अधीन भयौ पिय प्यारी तौ एतो बिचार बिचारि लै री।
कबि ठाकुर चूकि गयो जो गुपाल तुही बिगरी को सँवारि लै री।
अब रैहे न रैहै यहौ समयौ बहती नदी पायँ पखारि लै री॥

हिंदी में ऐसे मस्त, टीसवाले, स्वच्छंद और पारखी कवि इने-गिने ही हुए हैं। घनआनंद की तरह प्रेम का वियोगपक्ष ही इनमें प्रधान है। रूपचित्रण आदि भी 'प्रेमपीर' के रूप में ही देख जाते हैं। पर जीवन के अन्य पक्षों से उदास रहनेवाले ये नहीं हैं। फाग, होली, वसंत, अखती आदि के अवसर पर भी उसी तल्लीनता से कविता लिखी है। कवि की वृत्ति केवल इसीलिए अंतर्मुखी नहीं है, बहिर्मुख़ी भी है। ये प्रसंग, संवाद या उक्ति-प्रत्युक्ति का भी विधान करते हैं—

कोहौ ज्योतिसीहौं कछू जोतिसै बिचार तहौ याही सुभकाम-धाम जाहिर हमारौ तौ।
आओ बैठिजाऔ पान खाऔ पानी पियौ, फेर होइकै सुचित्त नेक गनित निकारौ तौ।
ठाकुर कहत प्रेमनेम को परेखो देखि इच्छा की परिच्छा भलीभाँति निरधारौ तौ।
मेरो मन मोहन सों लागत है भाँतिभाँति मोहन को मोसौ मन लागिहैबिचारौ तौ।

इनका प्रेम चाहे निराला ही रहा हो पर संसार की ओर से इन्होंने आखें नहीं बंद कीं। दुनिया के लोगों को भी फटकारते चलते हैं, विधि के विधान पर भी क्षोभ दिखलाते हैं। कवि प्रेमपारखी भी है और लोकदर्शी भी। भाषा, भाव-व्यंजना, प्रवाह, माधुरी, किसी भी विचार से ठाकुर का कोई भी कबित्त या सवैया उठाइए पढ़ते ही हृदय नाच उठेगा। देखना और विचारना यह है कि ठाकुर ने परंपरा की नकल नहीं की है। एक-एक छंद में इन्होंने एक-एक नई योजना की है। रीतिवादी कवियों की भाँति पुरानी लकीर कहीं भी नहीं पीटी। नायिकाभेद के ढंग से इनकी रचनाओं का विराग कोई करने बैठे भी तो उसे मगज मारने पर भी कोई रास्ता न मिलेगा। यदि कोई इनकी नकल भी करे तो 'जने जने ठाकुर' नहीं हो सकते।[१]

बोधा

प्रेम एकोन्मुख होता है। चकोर चंद्रमा को ही चाहता है और चातक बादल को ही, दूसरे की ओर आँख उठाकर भी नहीं देखता। यही स्नेह का सच्चा रूप है। इसे ही एकनिष्ठ सहज स्नेह कहते हैं। जिसके प्रति पहले स्नेह हो गया फिर प्रेमी उसे ही देखेगा। चकोरी का प्रिय चंद्रमा न जाने कितनी दूर है, वह उसे ही देखती है। प्रेम के कारण प्रिय और प्रेमी के बीच देशकाल का अंतर—महदंतर—बाधक नहीं होता। इसीलिए किसी कवि ने कहा है—

सखि साहजिकं प्रेम दूरादपि बिराजते।
चकोरीनयनद्वंद्वमानंदयति चंद्रमा ॥

ऐसा ही सहज स्नेह हिंदी के एक पुराने कवि में, व्रजी के एक स्वच्छंद गायक में, प्रेम के चकोर में, प्रणय के पपीहे में भी दिखाई पड़ता है।

---

१. इधर 'कालिदासहजारा' के संबंध में मेरे प्रिय शिष्य श्री किशोरीलाल गुप्त ने जो सामग्री संकलित की है उससे प्रमाणित होता है कि किसी परवर्ती रचना को 'कालिदासहजारा' मान लिया गया है। इस स्थापना के अनुसार प्राचीन ठाकुर का कोई अस्तित्व नहीं रह जाता। इस प्रकार दो ही ठाकुर बच रहते हैं—एक असनीवाले रीतिबद्ध कवि और दूसरे जैतपुरवाले रीतिमुक्त स्वच्छंद कवि।

जिस राजापुर में महात्मा तुलसीदास के मानस का द्वितीय सोपान (अयोध्याकांड) अत्यंत प्राचीन हस्तलिपि में रखा है, उसी में संवत् १८६१ में एक सरवरिया ब्राह्मण के घर पुत्र का जन्म हुआ। द्विजदेवता ने कदाचित् बुद्ध के चमत्कार पर विश्वास के कारण पुत्र का नाम बुद्धसेन रखा। पुत्र काव्यप्रेमी निकला, कविता का पूरा रसिक। यह देखकर पन्ना दरबार में रहनेवाले उसके संबंधियों ने महाराज को रस की धारा में मग्न करते रहने के उद्देश्य से उसे दरबारी कवि बना लिया।

प्रेम की नई उमंग में दरबार में प्रेम का गान करनेवाले बुद्धसेन की आँखें दरबार में गाने का जौहर दिखानेवाली 'सुभान' नाम की वेश्या से उलझ गईं। ऐसी उलझीं कि जीवन के अंत तक सुलझ न सकीं। फिर क्या था प्रेम की सरिता बहने लगी। पपीहा पुकार उठा—

एक सुभान के आनन पै कुरबान जहाँ लगि रूप जहाँ को।
कैयो सतक्रतु की पदवी लुटियै लखिकै मुसकाहट ताकौ।
सो कजरा गुजरान जहाँ कबि बोधा जहाँ उजरा न तहाँ को।
जान मिलै तो जहान मिलै नहिं जान मिलै तो जहान कहाँ को॥

बुद्धसेन 'बोधा' हो गए। कहते हैं कि महाराज ने इनकी प्रेमरस की कविता पर मुग्ध होकर प्यार से बुलाने के लिए 'बुद्ध' के स्थान पर इन्हें 'बोधा' कहना प्रारंभ किया। 'बुद्ध' से ही 'बुद्धू' और 'बोधा' दोनों निकले हैं, अर्थ में एकदम विपरीत। महाराज को क्या पता था कि बोधा की इन प्रेमभरी कविताओं का प्रकृत आलंबन उन्हीं के दरबार की 'सुभान' है। जब पता चला तो इन्हें छह महीने का देशनिकाला दे दिया। ये प्रसन्नतापूर्वक नीचे का सवैया पढ़ते हुए सुभान के दरेदौलत पर गए—

पच्छिन कौं बिरछौ हैं घने बिरछान कौं पच्छियौ हैं बड़े चाहक।
मोरन कौं हैं पहार घने औ पहारन मोर रहैं मिलि नाहक।
बोधा महीपन कौं मुकुता औ घने मुकतान के होंहि बेसाहक।
जो धन है तो गुनी बहुतै अरु जो गुन है तो अनेक हैं गाहक॥

पर सुभान (सुबहान) ने बोधा का साथ न दिया। बोधा ने इसकी परवा न की। पपीहा बादल के पत्थर बरसाने पर क्या रुष्ट होता है। फिर ये तो प्रेम का निरूपण इस प्रकार करनेवाले थे—

अति छीन मृनाल के तारहु तैं तेहि ऊपर पाँव दै आवनो है।
सुईबेह तें द्वार सकीन तहाँ परतीत को टाँडो लदावनो है।
कबि बोधा अनी घनी नेजहुँ तें चढ़ि ता पै न चित्त डगावनो है।
यह प्रेम को पंथ करार है जू तरवार की धार पै धावनो है॥

प्रवास में एक दिन के लिए भी सुभान को नहीं भूले। बल्कि उसके विरह में एक बहुत बड़ी रचना कर डाली, जिसका नाम 'विरहवारीश' रखा। अवधि व्यतीत होने पर फिर दरबार में हाजिर हुए। महाराज ने कविता सुनाने की आज्ञा दी। इन्होंने रसस्रोत से सबको प्रवाहित कर दिया, विरहकाव्य के उस 'वारीश' में सभी डूबने लगे, खारे आँसुओं का सोता सबकी आँखों से फूट पड़ा—

रितु पावस स्याम घटा उनई लखिकै मन धीर धिरातौ नहीं।
पुनि दादुर मोर पपीहन की सुनिकै धुनि चित्त थिरातौ नहीं।
जब तें बिछुरे कबि बोधा हितू तब तें उरदाह सिरातौ नहीं।
हम कौन सों पीर कहैं अपनी दिलदार तौ कोऊ दिखातौ नहीं॥

महाराज कविता सुनकर अत्यंत प्रसन्न हुए। उन्होंने बोधा से कहा कि कुछ माँगो। प्रेम का यह पपीहा भला और क्या माँगता। उसने महाराज की उक्ति पर आश्चर्य प्रकट करते हुए और श्लेष के द्वारा उसी वचनावली से अपनी मुराद भी माँगते हुए कहा— 'सुभान अल्लाह'। महाराज ने इनकी यह श्लिष्ट उक्ति और प्रेम की एकरसता देखकर इनका अभिलाष पूर्ण कर दिया, सुभान बोधा को मिल गई।

बोधा में भी प्रेम की सच्ची पीर थी। ये प्रेम के चकोर कम, पपीहे अधिक हैं। ऐसी रसमग्न करनेवाली उमंग थोड़े ही कवियों में मिलेगी। इनकी अधिकांश कविता प्रेममार्ग-निरूपिणी है। प्रेम की अंतर्दशा का, मन पर पड़े हुए प्रेम के प्रभाव का, प्रेमदशा की विवशता का वर्णन भी सच्ची अनुभूति के साथ कहा है—

कबहूँ मिलिबो कबहूँ मिलिबो यह धीरज ही मैं धरैबो करै।
उर तें गढ़ि आवै गरे तें फिरै मन की मन ही मैं सिरैबो करै।
कबि बोधा न चाँड़ सरी कबहूँ नितही हरवा सों हिरैबो करै।
सहते ही बनै कहते न बनै मन ही मन पीर पिरैबो करै॥

बोधा में तेजस्विता भी थी और मनस्विता भी। इनकी तेजस्विता की झलक देखनी हो तो ऐसे सवैये देखिए—

त्याग कों जोग जहान कहै हम तो तब हीं चुकी त्यागि जहानैं।
मौत-कलेस को लेस नहीं कबि बोधा गोपाल मैं चित्त समानैं।
खैंचतीं पौन कों मौन गहें अरु नींद अहार नहीं उर आनैं।
ऊधौजू जोग की रीति कहौ हम जोग ना दूजौ बियोग तें जानैं॥

मनस्विता देखनी हो तो ऐसे कबित्त में देखिए—

हिलिमिलि जानै तासों हिलिमिलि लीजै आप हितको न जानै ताकों हित न बिसाहियै।
होय मगरूर तासों दूनी मगरूरी कीजै लघु ह्वै चलै जो तासों लघुता निबाहियै।
बोधा कबि नीतिको निबेरो याही भाँति करौ आपकों सराहैं ताहि आपहू सराहियै।
दाता कहा सूर कहाँ सुंदर सुजान कहा आपकों न चाहै ताके बाप को न चाहियै।

आगे के कवियों ने अकड़ दिखाने के लिए 'आपको न मानै ताके बाप को न मानियै' लिखा है।

इन मुक्त गायकों की कविता के रहते जो कहते हैं कि रीतियुग की कविता केवल नायिकाभेद की कविता है अथवा केशव की पंक्ति 'भूषन बिन न बिराजई कबिता बनिता मित्त' पढ़कर या किसी से सुनकर जो यह कहते हैं कि उसमें अलंकार ही अलंकार हैं, वे कान को नहीं देखते कौए को देखते हैं। इन स्वच्छंद कवियों का अलंकार के प्रति वह अनुराग ही नहीं जिससे भाव दबे। बोधा थोथा चमत्कार उत्पन्न करनेवाले अलंकारों से दूर हैं। ये प्रेम की प्रदर्शनी के दर्शन नहीं उसकी वनस्थली में घूमनेवाले चक्रवाक हैं— रात के चक्रवाक। इनके कोमल हृदय में वास्तविक टीस उठती थी—

क्वैलिया तेरी कुठार सी बानि लगे पर कौन को धीरज रैहै।
या तें मैं तो सों करौं बिनती कबि बोधा तुही फिरिकै पछितैहै।
स्वास्थ औ परमारथ को गथ तेरे कछू सुनु हाथ न ऐहै।
ठौर कुठौर बियोगिन के कहूँ दूबरी देहन में लगि जैहै॥

भाषा इनकी चलती है। उसमें च्युत-संस्कृतत्व दोष अवश्य पाया जाता है। पर वह बामुहावरा भी है। शब्दों के ठेठ रूप और बोलचाल के शब्दों का प्रयोग इनमें बराबर मिलता है। फारसी के ढंग की कुछ हलकी कविता भी इनमें मिलती है। इन्होंने यद्यपि सोरठा, दोहा, बरवै, कबित्त आदि कई छंदों में कविता की है पर सवैये में इनकी मुक्तक-रचना अधिक है और उसी में अधिक मार्मिक व्यंजनाएँ भी बन पड़ी हैं। 'विरहवारीश' के अतिरिक्त इनकी दूसरी पुस्तक 'इस्कनामा' या 'विरहासुभान-दंपतिविलास' है।

वृत्त

हिंदी-साहित्य के मध्यकाल में स्वच्छंद काव्यप्रवृत्ति वाले कवियों की अत्यंत विशिष्ट काव्यधारा प्रवाहित हो रही थी। पर उस धारा और उस प्रवृत्ति के कवियों पर इतिहासकारों ने बहुत कम ध्यान दिया। परिणाम यह हुआ कि भक्तिकाल के अनंतर जो काव्यकाल प्रवर्तित हुआ उसका उपयुक्त विभाजन करने का उन विद्वानों को कोई स्पष्ट मार्ग नहीं दिखाई पड़ा। फलतः उस काव्यकाल का नाम कहीं 'अलंकृतकाल' और कहीं 'रीतिकाल' रखा गया। बाह्य वेशभूषा पर ही दृष्टि रखने से ऐसे नाम रखने पड़े और फिर भी अंतर्विभाग न हो सके। आंतर काव्यप्रवृत्ति पर ध्यान देते ही उसका उपयुक्त नाम

कैसे 'शृंगारकाल' रखा जा सकता है और इससे विभाजन की कैसी सुव्यवस्था हो सकती है इसका विवेचन किया जा चुका है। इस काव्यधारा को लक्षित कर लेने पर इतिहास का इतना ही (विभाजन मात्र) लाभ नहीं है, और भी कई लाभ हैं। अनुसंधायकों को उस दृष्टि से देखने पर इस काव्यकाल के अध्ययन में सुविधा तथा सरलता दृष्टिगोचर होगी।

इस प्रवृत्ति को लक्षित कर लेने पर और इसका गंभीरतापूर्वक मनन करने से इस काल के एक ही या एक से नामवाले कवियों के अध्ययन में विशेष सहायता मिलती है। 'आलम' के संबंध में जो 'द्विधा' की 'द्विविधा' फैली हुई थी उसका कुछ परिचय दिया जा चुका है। 'ठाकुर' नाम के दो प्रसिद्ध कवियों की रचनाओं में कैसा घालमेल हो गया है और उनकी प्रवृत्तियों के व्यक्तिगत या धारागत भेद का पुष्ट आधार न होने के कारण केवल प्रांतीय भाषाभेद के अवलंबन से पारस्परिक अंतर की कल्पना करने और रचनाओं के छाँटने का प्रयास करने पर किस प्रकार एक की रचना दूसरे के नाम पर चढ़ गई है यह कहा जा चुका है। प्राचीन संग्रहग्रंथों में रीतिबद्ध परिपाटी का ही अनुगमन हुआ है और उक्त रीतिमुक्त कवियों की कृतियाँ भी रीतिबद्ध रचयिताओं की रचनाओं के साथ रख दी गई हैं; नायक-नायिकाभेद की स्थूल और बलात्कृत कल्पना द्वारा किसी भेद में अंतर्भुक्त हो गई हैं। उनकी रचनाओं के छाँटने में 'भाषा-प्रबीनता' की आवश्यकता थी अवश्य, परंतु एक बात पर ध्यान देने की अपेक्षा और थी। 'घनआनंद' की रचनाओं का 'घनआनंद-कबित्त' नाम से संग्रह करनेवाले श्री व्रजनाथ ने इसका स्पष्ट संकेत किया है—

भाषाप्रबीन सुछंद सदा रहै सो 'घन' जी के कबित्त बखानै।

यह 'सुछंद' शब्द विशेष काम का है; क्योंकि 'जग की कबिताई' (रीतिबद्ध रचना) से इनकी रचना पृथक् कैंडे की थी। उसके 'धोखे' में रहने से इनके समझने में धोखा हो सकता था। अतः 'प्रवीणों' को भी जो कहीं-कहीं 'जकना' पड़ा तो यह तत्कालीन काव्यपरंपरा का ही दोष था। 'जग की कबिताई' के धोखे में रहने से 'बोधा' (रीतिमुक्त) के संबंध में भी गड़बड़ हुई है।

'शिवसिंहसरोज' में एक तो 'बोधा कवि संवत् १८०४' हैं और दूसरे 'बोध कवि बुंदेलखंडी, संवत् १८५५'। कहा जा चुका है कि 'शिवसिंहसरोज' के 'सन्-संवत्' उत्पति के नहीं, उपस्थिति के समय के हैं। 'मिश्रबंधुविनोद' में इन संवतों को जन्मकाल माना गया है। श्री मिश्रबंधु लिखते हैं–

ठाकुर शिवसिंह जी ने इनका जन्म-संवत् १८०४ लिखा है, जो अनुमान से ठीक जान पड़ता है। बोधा एक बड़े प्रशंसनीय और जगद्विख्यात कवि थे, अतः यदि ये संवत् १७७५ के पहले के होते तो कालिदासजी इनके छंद हजारा में अवश्य लिखते। इधर सूदन कवि ने संवत् १८१५ के लगभग 'सुजानचरित्र' बनाया, जिसमें उन्होंने १७५ कवियों के नाम लिखे हैं। इस नामावली से प्रायः कोई भी तत्कालीन, वर्तमान अथवा पुराना आदरणीय कवि छूट नहीं रहा है, परंतु इसमें बोधा का नाम नहीं है। इससे विदित होता है कि संवत् १८१५ तक ये महाशय प्रसिद्ध नहीं हुए थे। फिर पद्माकर आदि की भाँति बोधा

का अर्वाचीन कवि होना भी प्रसिद्ध नहीं है, अतः शिवसिंहजी का संवत् प्रामाणिक जान पड़ता है। जान पड़ता है कि बोधा ने लगभग संवत् १८३० से १८६० तक कविता की।

डुमरावँ (शाहाबाद) के पं० नकछेदी तिवारी ने 'भारतजीवन यंत्रालय' से बोधा का 'इश्कनामा' प्रकाशित कराया है। हिंदी में सबसे प्रथम इसी ग्रंथ में बोधा का कुछ वृत्त दिया गया है। जो कथावृत्त उन्होंने बुँदेलखंडी कवियों से सुना उसका संग्रह भी भूमिका में कर दिया है। उनके वृत्तसंग्रह के अनुसार—

बोधा कवि जी (बुद्धसेन) सवरिया ब्राह्मण राजापुर—प्रयाग[1] के रहनेवाले थे। किसी घनिष्ठ संबंध के कारण बाल्यावस्था ही में निज भवन को छोड़ बुंदेलखंड की राजधानी पन्ना में जा पहुँचे। गुणों से महाराजा साहब बहुत मानने लगे यहाँ तक कि मारे प्यार के बुद्धसेन से बोधा कहने लगे तब इनका नाम बोधा प्रसिद्ध हुआ।

इसके अनंतर 'सुभान' नामक दरबार की 'यमनी वेश्या' से उनके प्रेम की प्रख्यात कथा देकर लिखा है कि दरबार से छह महीने के लिए देशनिकाले का दंड मिलने पर इन्होंने 'सुभान' के वियोगानल में अपना तन-मन जलाते जंगल, पहाड़, दरिया और अनेक शहरों की खाक छानी और इश्कनामा तथा माधवानल का आशय लेकर 'विरहवारीश' नामक अद्वितीय पुस्तक बनाई।

नियमित समय व्यतीत होने पर आप दरबार पन्ना में हाजिर हुए। उस समय 'सुभान' भी उपस्थित थी। महाराज ने कुशलता पूछी, उन्होंने छूटते ही 'विरहवारीश' को तरंगित किया। फिर क्या पूछना था सबके सब गोता खाने लगे। ...निदान कुछ देर बाद महाराज ने कहा कि 'बोधा जी बस कीजिए बहुत हुआ अब कुछ माँगिए।' जब ऐसी बात कई बार महाराज ने कही और बोधाजी ने इस बात पर महाराज को दृढ़ देखा तो कहा कि 'सुभान अल्लाह'। शीलसागर परमप्रतिज्ञ महाराजा साहब बहादुर ने स्वीकार कर 'सुभान' को इनके साथ रहने की आज्ञा दे दी।

तिवारीजी ने 'सरोज' के संवत् पर यह मत प्रकट किया है—ठाकुर शिवसिंह सेंगर इंस्पेक्टर पुलिस ने अपने ग्रंथ में अंदाजी संवत् १८०४ लिखा और इनकी जीवनी तथा ग्रंथों के विषय में कुछ भी नहीं लिखा है। इससे इनके संवत् में मुझे बिलकुल शक है।

तिवारीजी को बोधा का 'इश्कनामा' ही मिला था, 'विरहवारीश' नहीं—'संप्रति कवि-समाज में 'विरहवारीश' की बड़ी तलाश है अतएव पाठक मात्र से निवेदन है कि उक्त पुस्तक तथा इनके पूर्ण जीवन-चरित्र को प्रकाश करने का उद्योग करें। पर 'विनोद' में बोधा को फिरोजाबादी ही माना गया है। क्योंकि 'आगरा के पं० लक्ष्मीदत्त ने हमें लिख भेजा कि बोधा के लिखे एक पत्र में १८४५ संवत् दिया हुआ है। आपने सौजीराम और मौजीराम को बोधा के भाई बलदेव, मनसाराम और डालचंद को पुत्र, टीकाराम को

---

१. राजापुर को 'शिवसिंहसरोज' में गोस्वामी तुलसीदास के वृत्त में 'जिले प्रयाग' में बतलाया गया है। (सप्तम संस्करण, पृष्ठ ४२७) इसी से तिवारीजी ने कदाचित् ऐसा लिखा। वह वस्तुतः बाँदा में है।

पौत्र और गोपीलाल को प्रपौत्र लिखा है, जिनका अभी जीवित होना आप बतलाते हैं। आप कहते हैं कि बोधा कवि फिरोजाबाद, जिला आगरा के रहने वाले थे।'

आगे यह भी लिखा है—'पं० सुशीलचंद्र चतुर्वेदी ने फिरोजाबादी बोधा कवि के विषय में एक नोट लिख भेजा है कि बोधा कवि बुंदेलखंडी से बोधा कवि फिरोजाबादी इतर समझ पड़ते हैं। फिरोजाबादी बोधा कवि सनाढ्य ब्राह्मण थे, तथा इनकी कुछ पैतृक भूमि 'रहना' नामक ग्राम में, जो फिरोजाबाद के पास है, थी। इनकी कविता कुछ अप्राप्य सी हो रही है। इन्होंने 'बागविलास' नामक एक ग्रंथ रचा था। ये सन् १८३० अर्थात् संवत् १८८७ में वर्तमान थे। पर 'विनोद' ने इसे नहीं माना—'समय के विचार से तथा कविताशैली को दृष्टि से हमें यह दोनों एक ही कवि समझ पड़ते हैं।'

नागरी प्रचारिणी सभा को 'खोज' में बोधा के नाम पर अब तक इतने ग्रंथ मिले हैं—(१) विरही-सुभान-दंपतिविलास (१७-२०), (२०-२१), (२) बागवर्णन (३२-२१ ए), (३) बारहमासी (३१-३१ बी), (४) फूलमाला (३२-३१ सी), (५) पक्षीमंजरी (३१-३१ डी)।

इनमें पहला ग्रंथ वही है जिसे 'इश्कनामा' कहते हैं। यह बुंदेलखंडी बोधा की रचना है। संख्या दो से पाँच तक के सभी ग्रंथ फिरोजाबादी बोधा के हैं। 'खोज' के साहित्यान्वेषक के अनुसार ये बोधा उसायनी (फीरोजाबाद, आगरा) के रहनेवाले थे। 'पक्षीमंजरी' में ग्रंथ का रचनाकाल भी दिया हुआ है—

संबत सोरह सै सही जानौ तुम छत्तीस।
तेरस सुक्ल असाढ़ की बार कुंभ को ईस॥

इसके अनुसार संवत् १६३६ की आषाढ़ शुक्ल त्रयोदशी, कुंभेश (शनि) वार को पुस्तक लिखी गई। पर संवत् संदिग्ध जान पड़ता है; क्योंकि 'पक्षीमंजरी' में एक दोहा यह भी है—

सुनौ सखी मानी नहीं ननदी बरजी सासु।
बौरी किनहू पाइयो चील्ह घोसुआ मासु॥

यह दोहा बिहारी के इस दोहे से मिला लीजिए—

बहकि न इहि बहिनापने जब तब बीर बिनासु।
बचै न बड़ी सबीलहू चील्ह घोंसुआ मासु॥

बिहारी सं० १७१९ तक वर्तमान थे, ऐसा माना जाता है। इसलिए 'पक्षीमंजरी' का निर्माण सं० १७१९ के अनंतर होना चाहिए। कहीं 'सोरह' के बदले 'सतरह' या 'ठारह' न हो! बिहारी ने 'पक्षीमंजरी' के दोहे की नकल पर अपना दोहा बनाया हो ऐसा मानना उचित नहीं प्रतीत होता।

'इंडियन एफिमरीज' से गणना करने पर सं० १७३६ की आसाढ़ शुक्ल त्रयोदशी सोमवार को पड़ती है, सं० १७३६ की वही तिथि शुक्रवार को और सं० १८३६ में शनिवार

को। सर्वत्र उदया तिथि ली गई है। इस प्रकार सं० १८३६ की ही आषाढ़ शुक्ल त्रयोदशी शनिवार को पड़ती है। ये बोधा फीरोजाबादी थे, इसका पता इस कबित्त से भी चलता है—

पाऊँ हौं गुपाल गुन गाऊँहौं गोबिंदजू के ध्याऊँ सिवसंकर मनाऊँ गनपति को।
सारदा सहाई बुद्ध देई अधिकाई हर करिदे सवाई महामाई मोरी मति को।
श्रीफल चढ़ाऊँ धूपदीप धरि लाऊँ जल अगन निवास वाकदेव बोध सुत को।
परम पिरोजाबाद बाग महासिंहजू को लेऊँ मन पेड़ सो बनाई देऊँ गति को॥

'बागविलास' का यह बाग फीरोजाबाद का बाग है और 'महासिंहजू' का बाग है। ये महासिंह कौन हैं। इतिहास में दो महासिंह मिलते हैं—एक तो प्रसिद्ध महाराज मानसिंह के पुत्र और जयसिंह के पिता, जो जयपुर के थे। पर उनका 'पिरोजाबाद' से क्या संबंध था, पता नहीं। दूसरे महासिंह उस भदावर राज के थे जो आगरा की नौगाँव तहसील में पड़ता है। उनका विवरण यों मिलता है—उसके (बदनसिंह के) पुत्र महासिंह को हजारा, ६०० सवार का मन्सब, राजा की पदवी और घोड़ा मिला। २८वें वर्ष में यह काबुल गया। ३१वें वर्ष में इमका मन्सब हजारी, १००० सवार का हो गया। इसके अनंतर (जब औरंगजेब विजयी हुआ और दाराशिकोह परास्त हुआ तब) यह पहले ही वर्ष में आलमगीर की सेवा में पहुँचकर शुभकरण बुंदेले के साथ चंपत बुंदेले पर भेजा गया। १०वें वर्ष (सन् १६६७ ई०) में कामिल खाँ के साथ यूसुफजई अफगानों को दंड देने में वीरता दिखलाई। इसके उपलक्ष में ५०० सवार दो अस्पः सेहअस्पः कर दिए गए। २६वें वर्ष में यह मर गया।[१]

इस प्रकार इन महासिंह की मृत्यु संवत् १७४० वि० में हो गई। इनके पिता बदनसिंह ने बटेश्वर ग्राम में बटेश्वरनाथ का मंदिर संवत् १७०३ में निर्माण कराया था। उसी समय से इस ग्राम की अधिक उन्नति हुई और अनेक महल तथा मंदिर आदि बनते गए।[२] यही क्यों महल तथा बाग बनवाने की प्रवृत्ति इसके वंशजों में बराबर थी— **(महासिंह के पुत्र) उदयसिंह के बाद कल्याणसिंह हुए जिन्होंने बाग बसाया था। यहाँ इन्होंने बाग बसाया था। यहाँ इन्होंने एक महल और बाग भी बनवाया था।**[३] इसलिए संभव है महासिंह ने फीरोजाबाद में बाग बनवाया हो। किसी महासिंह ने फीरोजाबाद में मंदिर भी बनवाए थे—**टू टेंपुल्स् डेडिकेटेड टु महादेव एंड श्यामसुंदर एरेक्टेड बाइ महासिंह ए ब्राह्मण हू गेव हिज नेम टु वन आव् दि महल्लाज।**[४]

'गजेटियर' ने महासिंह को ब्राह्मण लिखा है। बिजनौर की ओर कुछ तगा ब्राह्मण होते हैं जिनके नामों में सिंह लगता है। पर महासिंह ऐसे ही कोई ब्राह्मण थे, भूमिहार

१. मआसरुिल उमरा, पृष्ठ १०७।
२. वही, पृष्ठ १०६, टिप्पणी।
३. वही, पृष्ठ १०७, टिप्पणी।
४. आगरा गजेटियर, पृष्ठ २७४।

ब्राह्मण थे या सिक्खधर्म स्वीकार कर सिंह हो गए थे, इसका कोई पता 'गजेटियर' नहीं देता। भदावरवाले 'क्षत्रिय' हैं। इससे 'गजेटियर' वाले महासिंह और ये कदाचित् एक नहीं हैं। दूसरे छंद में इन्होंने एक दूसरे ही राजा का नाम लिया है—

श्रीफल बादाम तूत जामन जभीरी आम खारक खजूर नीम नीबू तून काज है।
करना कनेर बेर सीस सरों गुलाचीन गूलर गुलाब ककरोंदा कैंथ साज है।
रेल बेला केतकी पलास पोपलौ नरंगी कुंदन कदंब सेब सेवती समाज है।
आवासिंह कहै बोध जाके सम लेखियत सुरननिवास हेतु बागो बनराज है॥

ये आवासिंह कौन हैं, इनका पता नहीं चला। ये भी फीरोजाबाद के ही होंगे। शिवाजी के एक सरदार का नाम आवाजी सोनदेव था, पर उन आवाजी का फीरोजाबाद से कोई संबंध मुझे ज्ञात नहीं। 'आवागढ़' से संबद्ध किसी नरेश का उल्लेख तो नहीं है? 'आवासिंह' का अर्थ हो 'आवा' के 'सिंह'! दैव जाने! पर यह तो निश्चित ही है कि ये बोधा फीरोजाबाद के थे। ऊपर उद्धृत कबित्तों में कवि का नाम 'बोध' आया है। यह भी ध्यान देने योग्य है। शिवसिंह सेंगर ने 'बोध' और 'बोधा' में अंतर किया है। यद्यपि उन्होंने 'बोध' को बुंदेलखंडी लिखा है तथापि उनका जो निम्नलिखित कबित्त अपने 'सरोज' में उदधृत किया है उसका पता बुंदेलखंडी 'बोधा' की अब तक प्राप्त किसी रचना में नहीं चला। 'बोध' के नाम पर उदधृत रचना किसी रीतिबद्ध रचयिता की रची प्रतीत होती है—

परम प्रसिद्ध की सुमृति सतबुद्धि की सदाई रिद्धि सिद्धि की घमस मचिबो करै।
पूरन पसार पसरत पुन्यवारे मारे गुनिन के बृंद बेदबानी बचिबो करै।
भनै बोध कबि छबि देखत छकित होत एकौ छन मन न जुदाई खचिबो करै।
देवतटिनी के तट अंगन तरंग संग रातो दिन मुकुति नटी सी नचिबो करै॥

'खोज' में जितने ग्रंथ फीरोजाबादी के नाम पर मिले हैं उनमें से 'पक्षीमंजरी' के अतिरिक्त विवरण-पत्रों में उदधृत अंशों में कहीं कवि का नाम नहीं है। 'पक्षीमंजरी' के आदि में 'बोधा कृत लिख्यते' है, बीच में 'बोधा' नाम आया है और अंत में 'इति बोधसेनि क्रत पंछीमंजरी समाप्तं' लिखा है। जितनी रचना मिली है उसमें राधा-कृष्ण या गोपीकृष्ण की लीला का उल्लेख है। 'सरोज' में बोधा कवि के नाम पर जो कबित्त दिया गया है उसमें भी गोपीकृष्णलीला का ही वर्णन है—

एकै लिये चौंरी कर छत्र लिये एकै हाथ एकै छाहँगीर एकै दावन सकेलतीं।
एकै लिये पानदान पीकदान सीसा सीसी एकै लै गुलाबन की सीसी सीस मेलतीं।
बोधा कबि कोऊ बीन बाँसुरी सितार लिये लाड़ली लड़ावैं फूलगेंदन की झेलतीं।
छोटे ब्रजराज छोटी रावटी रँगीन तामें छोटी छोटी छोहरी अहीरन की खेलतीं॥

'पक्षीमंजरी' में दोहे हैं इसलिए बोधा के स्थान पर 'बोध' नहीं हो सकता क्योंकि

मात्रा और प्रवाह में कमी हो जाती है, पर कबित्तों में जहाँ 'बोध' है वहाँ 'बोधा' रहे तो भी कोई क्षति नहीं। इसलिए कहीं ऐसा तो नहीं है कि 'बोधा' के बदले 'बोध' लिपिप्रमाद से चल गया हो और कवि का नाम 'बोध' मान लिया गया हो, क्योंकि बुंदेलखंडी 'बोधा' ने सर्वत्र अपनी 'छाप' 'बोधा' ही रखी है।

'सरोज' में 'बोध', 'बोधा' के अतिरिक्त एक 'बुद्धिसेन' कवि भी हैं। 'पक्षीमंजरी' के अंत में फीरोजाबादी 'बोधा' के लिए 'बोधसेनि' नाम दिया गया है। इससे यह तो स्पष्ट हो जाता है कि 'बोधा' नाम 'बोधसेन,' 'बुद्धिसेन या बुद्धसेन' से ही बना है और 'छाप' के लिए रखा गया है। पर यह पता नहीं चलता कि 'पक्षीमंजरी' के 'बोधा' से बुद्धिसेन कवि का कोई संबंध है या नहीं। जो कबित्त 'सरोज' में दिया गया है वह किसी ब्रह्मभट्ट कवि का जान पड़ता है—

बारी औ खँगार नाऊ धीमर कुम्हार काछी खटिक दसौंधी ये हजूर को सुहात हैं।
कोल गोंड गूजर अहीर तेली नीच सबै पास के रहे से कहाँ ऊँते भए जात हैं।
बुद्धिसेन राजन के निकट हमेस बसैं कूकर बिलार कहा गुन अधिकात हैं।
दूर ही गयंद बाँधे दूर गुनवान ठाढ़े गज औ गुनी के कहा मोल घटि जात हैं॥

राजा के निकट रहनेवाले गुणहीन पार्षदों से कविजी अप्रसन्न हो गए हैं। इस बात का पता नहीं चलता कि किस राजा से यह उक्ति कही गई है। बुँदेलखंडी 'बोधा' का नाम भी बुद्धिसेन था यह पहले बताया जा चुका है। उन्होंने अपने 'विरहवारीश' में 'बोधा' छाप के स्थान पर 'बुद्धिसेन' छाप का भी व्यवहार दो स्थलों पर किया है—

कंत सों न मंत और गेहसों न नेह कछू सुत सों न सुत रह्यौ ज्ञान को न गास्यो है।
बेद सों न भेद लहैभाभी को भरोसो कौन दुक्ख को न दोष बुद्धिसेन यों बिचास्यौहै॥
काहू कह्यो अंमृत कबित्त के निबेदन में कबिन बतायो प्रेमगान में लसतु है।
प्रेमगान अंमृत बतायो है फनिंद ही के फनिप बतायो छपाकर में बसतु है।
छपाकर बतायो अमी साधुन की संगति में साधुन बतायो बेदरिचा दरसतु है।
बेदरिचा अंमृत बतायो हमैं बुद्धिसेन तरुनी की तरल तरंगन बसतु है॥

यों यह तो निश्चित हो जाता है कि 'बोधा' नाम 'बुद्धिसेन' का ही संक्षिप्त रूप है और छाप में उसी का व्यवहार प्राचीनकाल में इस नामवाले करते थे। पर यह ठीक-ठीक पता नहीं चलता कि बुद्धिसेन कोई पृथक् कवि हैं या उपर्युक्त दोनों कवियों में से किसी एक की पूरे नाम की यह छाप नए कवि के अवतार का कारण हो गई है। इससे यह भी जान पड़ता है कि 'बुद्धिसेन' की संक्षिप्त छाप 'बोधा' ही होती थी 'बोध' नहीं। तो क्या 'बोध' नाम यों ही चल पड़ा! पर्याप्त सामग्री के अभाव में इस जिज्ञासा का समाधान नहीं हो पाता। पर बुंदेलखंडी कवि 'बोध' नहीं थे, 'बोधा' थे यह निश्चित है।

अब देखना चाहिए कि बुँदेलखंडी बोधा किस समय हुए थे। 'खोज' में

'विरहीसुभान-दंपतिविलास' या 'इश्कनामा' की जो प्रति सन् १९१७ की त्रिवर्षी में मिली है उसका पहला ही दोहा है—

खेतसिंह नरनाह को हुकुम चित्त हित पाइ।
ग्रंथ इस्कनामा कियो बोधा सुकबि बनाइ॥

इससे स्पष्ट है कि ये खेतसिंह के दरबारी थे। 'विरहवारीश' में भी इन्हीं खेतसिंह की प्रशस्ति मिलती है। उसमें दरबार से देशनिकाले का दंड भी कथित है, कवि का पूरा नाम भी है और यह भी बतलाया गया है कि ग्रंथ के निर्माण का कारण क्या है—

बिछुरन परी महाजन कावा। तब बिरही यह ग्रंथ बनावा।
पंती छत्र बुँदेल को छेत्रसिंह भुवमान।
दिल माहिर जाहिर जगत दान जुद्ध सनमान॥
सिंह अमान समर्थ के भैया लहुरे आहिं।
बुद्धिसैन चित चैनजुत सैवौं तिन्हैं सदाहिं॥
कुछ मोतें खोटी भई छोटी यही बिचार।
उनमान्यौ मान्यौ मनै तज्यो देख निरधार॥
इतराजी नरनाह की बिछुरि गयो महबूब।
'बिरहसिंधु' बिरही सुकबि गोता खायो खूब॥
वर्ष एक परखत फिरो हर्षवंत महराज।
लह्यो दान सनमान पै चित न चह्यो सुखसाज॥
यह चिंता चित मैं बढ़ी चित मोहित घट कीन।
भौन रौन मृगछौन सो तौन कहा परबीन॥

इससे ज्ञात होता है कि क्षेत्रसिंह (= खेतसिंह) पन्नानरेश महाराज छत्रसाल के पंती अर्थात् पनाती (प्रपौत्र) थे और अमानसिंह के छोटे भाई थे। इतिहास में वंशवृक्ष इस प्रकार है[1]—

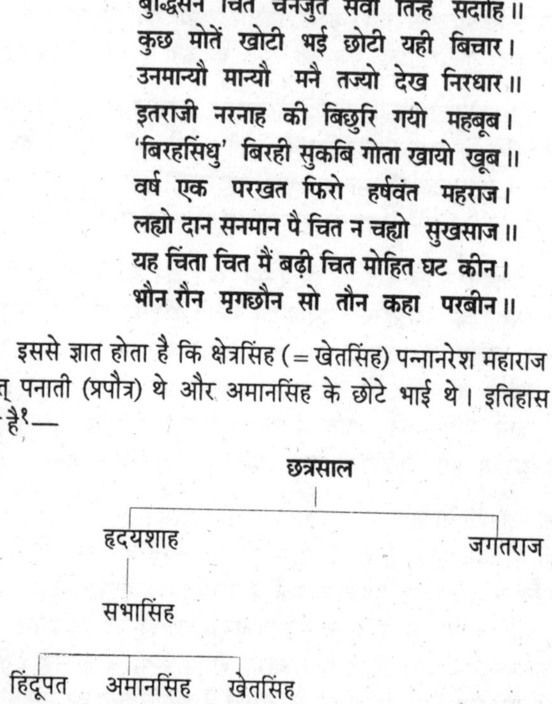

१. बुंदेलखंड का संक्षिप्त इतिहास, नागरी प्रचारिणी पत्रिका, वर्ष १३, अंक २, पृष्ठ १३८।

दूसरे यह भी पता चलता है कि कवि का नाम 'बुद्धिसैन' अर्थात् 'बुद्धिसेन' था। 'सैन' तो 'चैन' के अनुप्रास से हो गया है। तीसरे यह भी प्रकट होता है कि कुछ खोटी हो जाने से राजा अप्रसन्न थे, एक वर्ष तक उनकी सुमुखता की प्रतीक्षा करनी पड़ी। किसी से वियोग के समय 'विरहसिंधु' (विरहवारीश) बनाया। वियोग का कारण नरनाह की 'इतराजी' थी। 'अपडर' के कारण ये राजा के सम्मुख वर्षभर नहीं गए। छह महीने के देशनिकाले की किंवदंती निराधार नहीं है; हाँ, छह के स्थान पर 'बारह' होना चाहिए था।

यही नहीं, इसका भी पता चलता है कि अनेक दरबारों में टक्कर खा लेने के अनंतर खेतसिंह के दरबार में 'बोधा' गए थे—

बढ़ि दाता बड़ कुल सबै देखे नृपति अनेक।
त्याग पाय त्यागे तिन्हैं चित में चुभे न एक॥

कहाँ-कहाँ चक्कर काटा था, उन स्थानों की भी सूची इस कबित्त में दे दी गई है—

देवगढ़ चाँदा गढ़ा मंडला उजैन रीवाँ साम्हर सिरोज अजमेर लौं निहारो जोइ।
पटना कुमाऊ पैधि कुर्रा औ जहानाबाद साँकरी गलीलौंबारे भूपदेखि आयो सोइ।
बोधा कबि प्राग औ बनारस सुहागपुर खुरदा निहारि फिरि मुरक्यो उदास होइ।
बड़े बड़े दाता ते अड़े न चित्त माहिं कहूँ ठाकुर प्रबीन खेतसिंह सो लखो न कोई॥

खेतसिंह कौन थे, इसका भी पता बोधा ने ही दे दिया है—

बुंदेला बुंदेलखंड कासी-कुलमंडन।
गहरिवार पंचम नरेस अरिदल-बल-खंडन।
तासु बंस छत्ता समर्थ परनापत बुझिये।
तासु सुबन हिरदेस कुल्ल आलम जस सुझिये।
पुनि सभासिंह नरनाथ लखि बीर धीर हिरदेससुव।
तिहि पुत्र प्रबल कबि कल्पतरु खेतसिंह चिरजीव हुव॥

श्री सभासिंह की मृत्यु सं० १८०९ में हुई। इनके तीन पुत्र थे—हिंदूपत, अमानसिंह और खेतसिंह। अमानसिंह बड़े दानी थे। इनकी दानप्रशंसा में 'पराग' कवि ने लिखा है—

कलि में अमानसिंह कर्नअवतार जानो जाको जस छाजत छबीलो छपाकर सो।

सभासिंह अमानसिंह को बहुत चाहते थे—उनकी सुशीलता और उनके विशिष्ट गुणों के कारण। प्रजा भी उनके दैवी गुणों से प्रसन्न थी। इसलिए हिंदूपत से छोटे होने पर भी राज्य के अधिकारी ये ही बनाए गए, पर संवत् १८१५ में राज्य के लोभ से 'हिंदूपत' ने इनको मरवा डाला और वह स्वयं राजगद्दी पर बैठ गया। बोधा ने 'हिंदूपत' का नाम भी नहीं लिया। 'अमानसिंह' को 'समर्थ' अवश्य लिखा पर 'महाराज' नहीं

लिखा। खेतसिंह को महाराज, नरेश आदि विशेषण बराबर दिए हैं। इस संबंध में चाहे जो भी अनुमान लगाया जाए। 'सरोज' में जो सं० १८०४ बोधा कवि का काव्यकाल दिया गया है वह ठीक बैठ जाता है, जन्मकाल वह नहीं है। यदि अमानसिंह का समय लें तो सं० १८०९ से १८१५ तक के आगे-पीछे इस ग्रंथ का निर्माण होना चाहिए। बोधा के विवरण से सभासिंह की मृत्यु का अनुमान तो किया जा सकता है, पर अमानसिंह की मृत्यु का कोई संकेत नहीं मिलता। इससे सं० १८०९ के बाद की ही यह रचना होगी। इनके काव्यकाल को सं० १८३० से १८६० तक नहीं खींचा जा सकता।

'बोधा' को 'बाला' कैसे मिली इसका भी 'विरहवारीश' में उल्लेख है—

जिकिर लगी महबूब सों फिर गुस्सा महाराज।
बिन प्यारी होवै सो क्यों मो मन को सुखसाज॥
सो सुनि गुनि निज चित्त में लिखि दिय बाला एक।
रहिये खेत नरेस के चरन सरन तजि टेक॥
तब हौं अपने चित्त में सकुचौं सोच बनाय।
मेरे ऐसी वस्तु कह काहि मिलौं ले जाय॥
बनत यहै बनिता कही वे राजा तुम दीन।
भाषा करि माधो कथा सो लै मिलौ प्रबीन॥
यों सुनि थिर हो हो कथी बिरही कथा रसाल।
सुनि रीझे खीझैं-तजें खेतसिंह छितिपाल॥

वह 'एक बाला' कौन थी। उसका नाम भी दिया है और गुण भी—

नवयौवन बनिता निपुन सुभ गुन सदन सुभान।
बूझते रस चसके बहुत प्रिय पै प्रीति-विधान॥
अतन-कथन के कथन यों केलिकथन परबीन।
बिरहगिरह प्रेरित तहाँ बिरही-पति रसलीन।
बाला बूझत बालमैं सुन बालम सज्ञान।
कहा प्रीति की रीति है कीनै कत उनमान॥

'विरहवारीश' या 'माधवानल-कामकंदला-चरित्र' विरही (बोधा) और सुभान के संवाद के रूप में ही बनता गया है—

सुन सुभान अब कथा सुहाई। कालिदास बहु रुचि सह गाई।
सिंहासन बत्तीसी माहीं। पुतरिन कही भोज नृप पाहीं।
पिंगल कहँ बैताल सुनाई। बोधा खेतसिंह सह गाई।

'माधवानल-कामकंदला'-कथा की परंपरा भी बोधा ने यहाँ बता दी है। आलम की भाँति

दोहे-चौपाई में ही यह ग्रंथ नहीं है, अनेक प्रकार के छंदों में यह बहुत बड़ा ग्रंथ है। इसमें नौ खंड हैं और प्रत्येक खंड में तीन या चार तरंगें हैं। खंडों का विवरण यों है—

प्रथम साप पुनि बाल द्वितिय आरन्य खंड गुनि।
पुनि कामावति देस बेस उज्जैन गबन भनि।
जुद्ध खंड पुनि गाह रुचिर सिंगार बखानो।
पुनि बहुधा बन देस नवम बर ज्ञान बखानो।
कहि प्रीति रीति गुन की सिपत नृप बिक्रम को सरस जस।
नौ खंड माधवा-कथा में नौ रस बिद्या चतुरदस॥

नौ खंड ये हैं—(१) शाप, (२) बाल, (३) आरण्य, (४) कामावती, (५) उज्जैन, (६) युद्ध, (७) शृंगार, (८) वनदेश, (९) ज्ञान।

'विरहीसुभान-दंपतिविलास' या 'इश्कनामा' के कई छंद 'विरहवारीश' में भी रखे हुए हैं। निर्माणकाज का समय किसी ग्रंथ से ज्ञात नहीं होता। 'इश्कनामा' में प्रेममार्ग के निरूपण की प्रवृत्ति है। 'दंपतिविलास' से जान पड़ता है कि प्रिया की प्राप्ति के अनंतर ही प्रेम का यह निरूपण हुआ होगा। इससे अनुमान होता है 'इश्कनामा' 'विरहवारीश' के बाद ही संकलित किया गया। इसमें कुछ रचनाएँ तो 'विरहवारीश' से पूर्व की होंगी जो 'सुभान' के सौंदर्य और पूर्वराग से संबंध रखती हैं और कुछ प्रेममार्ग की कठिनाई का निरूपण करनेवाली बाद की कृतियाँ हैं।

रीतिबद्ध रचनाकारों की-सी शास्त्रबद्ध प्रवृत्ति पन्नावाले बुंदेलखंडी बोधा में नहीं है, इससे इन्हें फीरोजाबादी बोधा से पृथक् करने में कोई कठिनाई नहीं रह जाती। दोनों की शैली एक-सी कहीं नहीं है, जैसा अनुमान लगाया गया है। इस प्रकार यह निश्चित है कि एक बोधा रीतिबद्ध रचना करनेवाले थे। वे फीरोजाबाद (आगरा) के थे और महासिंह के वंशज आवासिंह के आश्रित थे। दूसरे रीतिमुक्त रचनाकार थे, ये पन्ना (बुंदेलखंड) के थे और खेतसिंह के आश्रित थे।

विरहवारीश

रीतिबद्ध रचना करनेवालों ने मुक्तक से आगे अपना कर्तृत्व नहीं दिखाया, पर रीतिमुक्त स्वच्छंद कवियों ने प्रबंधरचना की प्रवृत्ति भी प्रदर्शित की, यद्यपि इनके प्रबंध प्रेम के ही प्रबंध थे। इन स्वच्छंद कवियों में सूफीभाव भारतीय भाव में अंतर्भुक्त हो गया था। संप्रति रीतिमुक्त बोधा कवि के उस इतिहास-प्रसिद्ध 'विरहवारीश' का परिचय देना है जिसका हिंदी-साहित्य को अभी तक पता नहीं था। यह बहुत बड़ा प्रेमप्रबंध है और इसमें प्राकृतकाल से चली आती हुई 'माधवानल-कामकंदला' की कथा काव्यनिबद्ध है। इसका दूसरा नाम 'माधवानल-कामकंदला-चरित्र' भी है। हिंदी के कई स्वच्छंमति कवियों ने यह कथा रची थी।

हिंदी में 'माधवानल-कामकंदला' का चरित्र तीन कवियों द्वारा पद्यबद्ध प्राप्त होता है। सबसे पहले सं० १६४० (९९१ हिजरी) में आलम ने 'माधवानल-कामकंदला' के नाम से दोहे, सोरठे और चौपाइयों में यह कथा छंदोबद्ध की। फिर हरिनारायण ने 'माधवानल की कथा' के नाम से सं० १८१२ में इसे काव्यबद्ध किया। उन्होंने अपनी कथा 'आलम' वाली कथा सुनकर लिखी थी। आलम-कृत ग्रंथ में तीन ही छंद व्यवहृत हुए हैं। पर उन्होंने बीच में कबित्त, सवैया, छप्पय आदि हिंदी के अन्य बड़े छंदों का भी प्रयोग किया है। उन्होंने स्वयं लिखा है—

कथा माधवानलहि की आलम प्रथम उचार।
स्त्रवन सुनी फिरि कै गुनी करत भयौं बिस्तार॥ ३॥
प्रथम चौपही आलम कीनी। ताते कथा स्त्रवन सुनि लीनी।
कहूँ कहूँ बिच दोहा परे। तापै बहुरि सोरठा धरे॥ ८१ ॥
हरिनारायण सो सुनी करयो ताहि बिस्तार।
छप्पै छंद कबित्त मिलि कियो जाहि निरधार॥ ८२ ॥

आलम की 'माधवानल-कामकंदला' की तीन हस्तलिखित प्रतियाँ मेरे देखने में आई हैं। एक तो काशिराज के 'सरस्वती-भंडार' में सुरक्षित है, दूसरी काशी नागरी प्रचारिणी सभा के 'आर्यभाषा पुस्तकालय' में, तीसरी आदि-अंत में त्रुटित बाबू राधाकृष्णदास के सुपुत्र बालकृष्णदास के पुस्तकालय में। पहले की दोनों प्रतियों में पाँच अर्द्धालियों के अनंतर एक दोहा और उसके बाद एक सोरठा है। प्रतियों का मिलान करने से थोड़े हेर-फेर के साथ तीनों मिल जाती हैं। ऐसा प्रतीत होता है कि मूल प्रति में दोहे और सोरठे दोनों ही प्रयुक्त थे, पर बाद में कदाचित् छोटा करने के विचार से किसी ने सोरठों को या यथास्थान दोहों को हटा दिया है। सोरठों में प्रायः दोहों में कथित तथ्य पल्लवित या पुष्ट किया गया है। पहली दोनों प्रतियों में केवल कथाभाग ही मिलता है, वस्तुवर्णन, भावाभिव्यक्ति आदि के अंश भी पृथक् कर दिए गए हैं। शुद्ध घटनाचक्र ही छाँटकर रखा गया है। हरिनारायण के प्रमाण पर यह सिद्ध है कि मूल ग्रंथ में दोहे-सोरठे दोनों का सन्निवेश था। इसलिए हिंदी-साहित्य के इतिहासों में जो यह उल्लेख हुआ है कि आलम-कृत उपाख्यान कथा का पद्यबद्धरूप मात्र है ऐसी वस्तुस्थिति नहीं प्रतीत होती। यह तो नहीं कहा जा सकता कि आलम के ग्रंथ में वस्तुवर्णन का या भावुकतापूर्ण स्थलों के रमणीयता-विधायक अभिव्यंजन का पर्याप्त विस्तार है, पर यह निश्चित है कि उनका अभाव भी नहीं है।

यही प्रेमाख्यानक बोधा ने काव्यबद्ध किया है। कथा का जैसा विस्तार और नूतन कथाप्रसंगों का जैसा संविधान इनके प्रबंधकाव्य में है वैसा उन दोनों में नहीं। आलम और हरिनारायण दोनों की रचना में सूफियों द्वारा गृहीत दोहे-चौपाई की प्रेमाख्यानवर्णन की पद्धति ही स्वीकृत हुई है। हरिनारायण-कृत ग्रंथ में छप्पय, सवैया और कबित्त का विनियोग पर्याप्त परिमाण में नहीं है। यत्र-तत्र रससिक्त बड़े छंद घटनाचक्र की इतिवृत्तात्मकता का

रूखापन हटाने के लिए जोड़ दिए गए हैं। इनकी पोथी आकार में आलम की पोथी से छोटी है। यदि संक्षिप्तीकृत ग्रंथ को तुलना के लिए सामने न रखा जाए और उसके बृहत् एवं विस्तृत रूप से मिलाया जाए तो पोथी लगभग आधी है। हरिनारायण का प्रयास केवल इतिवृत्त को ही सुथरे रूप में प्रस्तुत करने का प्रतीत होता है। काव्यगत रमणीयता का विचार उसमें न्यून ही है, पर उन्होंने कथा भारतीय सर्गबद्ध पद्धति से ही कही हैं। आलम की रचना में कथा तो आद्यंत सीधी ही चली है, पर सर्गों का विधान नहीं हैं। सूफियों के प्रेमाख्यानक-काव्यों में मसनवी-शैली का अनुगमन होने से कथा की शृंखला आरंभ से इति तक जुड़ती चली जाती है। उसमें सर्गों का विधान करके कथा का विभाजन करने का चलन नहीं है। बीच-बीच में कथाप्रसंगों का पार्थक्य सूचित करने के लिए शीर्षक बाँध दिए जाते हैं। पर उनके कारण अनुबंध में तिलमात्र भी भेद उपस्थित नहीं होता। शीर्षकों को पृथक् कर लेने पर भी कथाक्रम में कोई अंतर नहीं पड़ सकता। वस्तुतः दो प्रसंगों के बीच कोई व्यवधान मसनवी-शैली को सह्य नहीं है। भारतीय प्रबंधकाव्यों में सर्गों के बीच व्यवधान रहता है। सर्ग की समाप्ति पर जो कथा-प्रसंग छूट जाता है, दूसरे सर्ग के आरंभ में उसे फिर से जोड़ते हैं। आलम की रचना मसनवी-शैली का अनुगमन करती है। उसमें कहीं प्रसंगों का पार्थक्य सूचित नहीं किया गया है। हाँ, संक्षिप्त की हुई पोथियों में 'अध्याय' की योजना कदाचित् संक्षेप करनेवाले ने अपनी ओर से कर ली है।

विरहवारीश की कथा इस प्रकार है—

श्रीकृष्ण ने जब द्वारका को प्रस्थान किया तब उनके विरह में व्रज की गोपांगनाएँ अति व्यथित रहने लगीं। श्रीकृष्ण के वियोग में जब सबसे प्रथम वसंत का अवसर आया तब काम और रति ने व्रज में आकर अपनी माया का प्रसार किया और उद्दीपक साधनों द्वारा ये उनकी विरह-व्यथा बढ़ाने लगे। बेचारी गोपिकाएँ तो इधर-उधर वनों में घूमती हुई श्रीकृष्ण की लीलाभूमि के दर्शन करके विरहाग्नि में तप रही थीं और ये दोनों अपने प्रभाव-विस्तार द्वारा उनका विषाद उद्दीप्त कर रहे थे। काम और रति के इस चरित्र से गोपवधूटियों का हृदय क्रोध से अभिभूत हो गया। उन्होंने अति क्षुब्ध होकर उन्हें शाप दिया कि तुम हमें जैसा विरह का कष्ट दे रहे हो वैसा ही कलियुग में तुम्हें भी मिले। इस अभिशाप से ये व्यग्र हो गए। इन्होंने क्षमा माँगी और पूछा कि यह विरह हमें कितने दिनों तक सहन करना होगा। उन्होंने कहा कि यह वियोगव्यथा तुम्हें बारह वर्ष पर्यंत भोगनी पड़ेगी। फलस्वरूप काम और रति को नरयोनि में जन्म ग्रहण करना पड़ा। काम 'माधवानल' हुआ और रति 'कामकंदला' हुई।

द्वापर के अंत में काशी में सुमंत कायस्थ निवास करता था। उसे लीलावती नाम की कन्या थी। वह बड़ी विदुषी थी। उसने अनेक ग्रंथों का निर्माण भी किया। काशी में एक बार कोई ब्राह्मण देवता शास्त्रार्थ करते और दिग्विजय का डंका पीटते पहुँचे। काशी में 'पंडित' की परख बहुत प्राचीनकाल से होती आ रही है। उन्होंने काशी के उद्‌भट विद्वानों को शास्त्रार्थ में ललकारा और चार प्रहर में ही सबको परास्त कर दिया। सकलविद्या-

निष्णात लीलावती को जब इसका पता चला तब उसने प्रातःकाल उन विजेता पंडित से शास्त्रार्थ करने का संकल्प किया। दोनों में वाद-विवाद हुआ। अंत में लीलावती ने अपने विद्याबल से उन्हें पराजित कर दिया। इस पर नगरनिवासियों ने उनकी बड़ी खिल्ली उड़ाई। उन्होंने विजित और लज्जित होकर लीलावती को अभिशाप दिया कि जा तेरे ग्रंथ जो पढ़े वह दरिद्र और रुग्ण हो जाए तथा तू वैधव्य का दुःख भोग। शाप के प्रभावस्वरूप लीलावती विधवा हो गई और तब उसने बारह वर्ष पर्यंत भगवान् शंकर की आराधना की और उन्हें प्रसन्न करके यह वरदान पाया कि तेरा पति स्वयं कामदेव हो। दूसरे जन्म में पुष्पावती के राजा गोविंदचंद्र के राजपुरोहित रघुदत्त ब्राह्मण के घर वह जन्मी। पुरोहित का वासस्थल राजधानी से कुछ दूर था।

नगरी में ही विद्याप्रकाश नाम का कोई ब्राह्मण बड़ा पंडित और धर्मिष्ठ था, जिसके यहाँ पुत्र ने जन्म ग्रहण किया। राजा के निकट उसका मान तो पहले से ही था, पर पुत्रोत्पत्ति के अनंतर उसका भाग्यवश विशेष मान होने लगा। उसने पुत्र का नाम माधवानल (माधवानंद) रखा। जब माधव पाँच वर्ष का हुआ तभी से उसमें वीणा बजाने की विशेष अभिरुचि हो गई। धीरे-धीरे वय के साथ वीणावादन की उसकी विशेषता भी बढ़ती गई। जब वह वयस्क हुआ तब वीणा लिये उसे बजाता घूमा करता था। एक दिन वह शिव के उद्यान में वीणा बजा रहा था। इसी समय लीलावती वहाँ दर्शन करने आई। वह माधव के रूप पर मोहित और वीणा की मोहक ध्वनि से मूर्च्छित हो गई। माधव भी उसकी रमणीयता में ऐसा लीन हुआ कि अचेतन हो गया। घर लौटा तो उसकी बेढंगी चाल-ढाल से पिता ने समझ लिया कि लड़का बिगड़ गया। उसने इसे विष्णुदास पंडित को विद्याध्ययन के लिए सौंप दिया। संयोग की बात लीलावती भी उन्हीं की संस्था में पढ़ने आती थी। दोनों का विद्याव्यसन और प्रेमव्यापार साथ-साथ बढ़ने लगा। विद्याध्ययन समाप्त करने के अनंतर लीलावती अपने घर चली गई। माधव उसके विरह में व्याकुल हो इधर-उधर वीणा बजाता घूमने लगा। उसकी वीणा से ऐसी आकर्षक ध्वनि उत्पन्न होती थी कि जब वह वीणावादन में निरत होता तब उसे सुननेवाला अपना समस्त कार्यव्यापार स्थगित कर उसी के श्रवण में लीन हो जाता। वह घर में, नदीतट पर, इधर-उधर जहाँ और जिस समय उसकी इच्छा होती तान छेड़ देता। नगरी की रमणियाँ गृह का काम-काज छोड़ उसकी वीणा सुनने में मग्न हो जाया करतीं। गृहस्थों को इससे बड़ी चिंता हुई। उन्होंने राजा के यहाँ पुकार की कि यदि माधव इसी प्रकार समय-असमय या देश-अदेश का विचार किए बिना वीणा का राग अलापता रहेगा तो फिर नगरी का नाश ही हुआ समझिए। यदि ऐसे व्यक्ति को नगरी से पृथक् न किया गया तो नगरवासी मरे। राजा ने माधव को बुलाकर कहा कि तुम ऐसा क्यों करते हो, कोई जादू-टोना तो नहीं सीख रखा है। माधव ने कहा कि महाराज परीक्षा ले ली जाय। अंत में राजा ने माधव की परीक्षा ली। उसने अपने गुण का ऐसा प्रदर्शन किया कि सारी सभ स्तब्ध रह गई। राजा ने ऐसे अद्भुत गुणी को निर्वासित करना न्यायोचित नहीं समझा। वह प्रजा के विद्रोह से

व्यग्र होकर रनिवास में चला गया। मंत्रियों ने आगे-पीछे का विचार करके स्वयं राजा के नाम से पत्र लिखकर दूत के द्वारा माधव के पास भिजवा दिया। लीलावती को जब पता चला तब वह दौड़ी आई और उसने राजा की भर्त्सना करने का निश्चय किया। माधव के समझाने पर वह शांत हुई। माधव जब चलने लगा तब लीलावती भी उसके साथ चली। प्रजा ने रोक न लिया होता तो वह भी उसी के साथ वनवासिनी हो जाती। स्नेह के प्रकट हो जाने से रघुदत्त विशेष चिंतित हुआ। पर लोगों के यह समझाने पर कि माधव की वीणा में ही दोष था, इस बेचारी का क्या दोष, उसके चित्त को शांति हुई।

दक्षिण देश में नर्मदा के तट पर अवस्थित प्रभावती नगरी थी। वहाँ का राजा रुक्मण था। उसके यहाँ एक अति रूपवती कन्या का जन्म हुआ। ज्योतिषियों ने उसके जन्म-लग्न पर विचार करके एक स्वर से घोषणा की कि यह कन्या संगीत में दक्ष होगी और वेश्यावृत्ति करेगी। राजा ने लोकभीति से उसे काष्ठ की मंजूषा में स्थित करके रातोंरात नर्मदा की धारा में प्रवाहित कर दिया। मंजूषा बहती हुई वेश्याओं के हीरापुर नामक ग्राम के निकट घाट पर जा लगी। उस घाट पर प्रातःकाल वेश्याओं का नायक गूजर स्नान करने आया करता था। उस दिन उसे वह मंजूषा तट पर लगी दिखाई पड़ी। कुतूहलवश उसने मंजूषा को नदी से बाहर कर और खोलकर उसका रहस्य जानना चाहा। खोलने पर उसमें नवजात कन्या मिली, जिसे वह घर उठा ले गया और पाला-पोसा। जब वह कन्या पाँच वर्ष की हुई तब वह उसे संगीत की विधिपूर्वक शिक्षा देने लगा। उसकी ग्राहिका शक्ति को तीव्र और कंठ को मधुर जानकर उसे विशेष आह्लाद हुआ। ऐसे रत्न को उसने अपने पास न रखकर अपने देश के राजा को समर्पित करने का निश्चय किया। उसने वह कन्या कामवती पुरी के नरेश कामसेन को ले जाकर समर्पित की। उसकी गानविद्या और मधुरालाप से प्रसन्न होकर राजा ने गूजर नायक को द्रव्य देकर निहाल कर दिया। उसका नाम 'कामकंदला' पड़ा। राजा ने उसे राजप्रासाद के कुछ दूर नए महल में रख छोड़ा।

उधर माधव चलते-चलते बांधबगढ़ (रीवाँ) पहुँचा। लोगों ने उसके गुण के कारण उसकी बड़ी आवभगत की। एक दिन यह वट की छाया में बैठा विरह के गीत गा रहा था, जिसे प्रवीण नामधारी सुग्गे ने सुना और इसका प्रबोध किया। इस विलक्षण वियोगी का तमाशा देखने के लिए स्त्रियों की भीड़ लग जाती थी। कोई मेघ को संदेश देते देख इसे पागल समझती, कोई वीणा बजाते लख जादूगर। इसने बतलाया कि मैं विरही हूँ। चातुर्मास्य वहीं व्यतीत करके माधव आगे चला। शुक भी इसके साथ हो लिया। यह वहाँ से कामद पर्वत (कामतानाथ = चित्रकूट) पर पहुँचा। जनकतनया के स्नान से पुण्योदका पयस्विनी में इसने स्नान किया और मर्यादापुरुषोत्तम राम तथा पतिपरायणा सीता के गुणगान में मग्न रहने लगा। वहाँ से आगे चलकर यह फिर मंदाकिनी के तट [illegible] पहुँचा। सुग्गा इसके साथ-साथ था। और आगे बढ़ने पर यमुना मिली। उसके तट पर स्त्रियों की बड़ी भीड़ थी। वहाँ के वनों में द्रुम-लताओं से यह अपना विरहनिवेदन करता फिरा। किसी ने इसे योगी समझा, किसी ने भोगी। एक वृद्धा ने बतलाया कि न यह

भोगी है न योगी यह तो वियोगी है। कुछ दिनों वहाँ रहकर यह कामवती पुरी की ओर चला। उस नगरी में पहुँचने पर एक तमोली युवक की दुकान पर, जिसका नाम गुलजार था, इसने रुककर अपनी वीणा बजाई। उससे इसकी परम मित्रता हो गई।

एक दिन पता चला कि वहाँ के राजा कामसेन के दरबार में नृत्यगीत होनेवाला है। भला संगीतप्रेमी और कलाविद् माधव इस अवसर पर कैसे रुक सकता था, यह भी संगीतसमाज देखने चला। पर द्वारपाल ने अजनबी को रोक दिया। यह बाहर से ही ध्यान लगाकर संगीत सुनने लगा। ध्यान देते ही इसे कुछ त्रुटि का आभास मिला। इसने द्वारपाल से कहा कि बिना प्रवीण लोगों के संगीतसमाज व्यर्थ ही है। सभा में सब मूर्ख ही जान पड़ते हैं। ताल में पूर्व की ओर के एक मृदंगी के हाथ का अँगूठा नहीं है। वह मोम का अँगूठा लगाए हुए है जिससे बोल ठीक नहीं निकलते, नर्तकी खीझ रही है। सभा को अंधी जानकर वह प्रत्यक्ष कुछ कह नहीं पा रही है। द्वारपाल ने समझा कि यह कोई कलावंत है। उसने जाकर राजा से सब वृत्तांत कह सुनाया। पता चलने पर बात ठीक निकली। राजा ने माधव को बुला भेजा और बड़ा आदर-सत्कार किया। इसके अद्‌भुत संगीतज्ञान पर रीझकर मोतियों की माला उसे पहना दी। माधव ध्यान देकर नृत्य देखने लगा। कामकंदला नाच रही थी। उसने इसे कलाविद् जानकर अपनी कला का प्रदर्शन विशेष रूप से किया। जिस समय वह नृत्य में मग्न थी उस समय माला के फूलों की सुरभि से खिंचकर एक भ्रमर कामकंदला के पास आया और उसके स्तन पर बैठकर काटने लगा। वेदना से वह विह्वल होने लगी, पर नृत्य अस्त-व्यस्त या शिथिल न पड़े इसलिए उसने हाथ की भावभंगी रोककर भ्रमर को नहीं उड़ाया, प्रत्युत सारे शरीर की वायु को स्तन के पास एकत्र किया। स्तन पर वायु के आकर राशीभूत होने और रंध्रों से वेगपूर्वक निकलने का फल यह हुआ कि भ्रमर उड़ गया। सारी सभा ने यह चतुराई नहीं लख पाई, पर माधव ने इसे लख लिया। यह भरी सभा में उठा और राजा की दी हुई मोतियों की माला, नर्तकी की कला पर रीझकर उसके गले में इसने डाल दी। यह स्वयं कामकंदला के साथ गाने और अपनी कला का प्रदर्शन करने लगा। फल यह हुआ कि दोनों के हृदय में एक-दूसरे के प्रति प्रेम का अंकुर उग आया। सारी सभा इनके संगीत से मुग्ध हुई। पर राजा को यह बेअदबी खल गई। उसने रुष्ट होकर सभा भंग कर दी और माधव को तुरंत उस नगरी से बाहर चले जाने की आज्ञा दी। जब माधव जाने लगा तब कामकंदला ने अपनी कुविदा दासी से उसे चुपचाप अपने यहाँ बुलवा भेजा। दोनों का संगीत वहाँ छिड़ गया। कामकंदला बहुत चाहती थी कि माधव चुपचाप वहाँ पड़ा रहे, पर राजाज्ञा को अमान्य करना अनुचित मानकर माधव उससे विदा लेकर चल पड़ा। जाते समय वह मूर्च्छित होकर गिर पड़ी। उसी मूर्च्छित दशा में उसे छोड़कर यह आँसू गिराता चला। गुलजार भी इसके देशनिकाले की बात सुनकर इसका पता लगाता, वहाँ तक पहुँचा और उसने कहा कि मैं भी आपके साथ ही चलूँगा। माधव ने बहुत समझाया, ऊँचा-नीचा सुझाया, तब कहीं वह रुका। जाते समय माधव कंदला को यह पत्र लिखा गया कि एक वर्ष तक मेरे लौटने की प्रतीक्षा करना।

माधव अपने मित्र सुग्गे को साथ ले चला। मित्र से इसने पश्चात्ताप करते हुए बतलाया कि देखो भाग्य कैसा है कि जिस नगर में जाता हूँ वहीं अपने वीणावादन के फलस्वरूप निर्वासन मेरे सामने आ खड़ा होता है। वीणा छोड़कर मैं जी नहीं सकता और उसके वादन में लीन होता हूँ तो यह विपत्ति! सुग्गे ने उसका विशेष रूप से प्रबोध किया और उज्जयिनी नगरी में विक्रमादित्य की शरण में जाने का परामर्श दिया।

चलते-चलते किसी प्रकार दोनों उज्जयिनी पहुँचे। वहाँ भूख से व्यथित होकर चिंतामणि नामक षड्दर्शनशास्त्री की शरण ली। उसने सुग्गे को कंदला के नाम अपनी विरहकथा पत्र में लिखकर दी और उसे कामवती के लिए विदा किया और स्वयं वटवृक्ष की छाया में रहने लगा। सुग्गा पाँच दिनों में कंदला का समाचार लेकर लौटा। माधव ने परामर्श करके शिवमंदिर के द्वार पर, जहाँ राजा विक्रमादित्य नित्य पूजन करने आता था, यह दोहा लिखा—

धन गुन विद्या रूप के हेती लोग अनेक।
जो गरीब पर हित करैं सो नहिं लहियतु एक॥

राजा ने दोहा पढ़ा और नीचे लिख दिया—

काज पराए सीस देते बिक्रम सुन्यो।

इसके नीचे माधव ने निम्नलिखित 'गाथा' दूसरे दिन लिखी—

कूतांकिं अंग पुकारं जौन राम अवधेसकुमारं।
बिछुरं दरद अपारं सहि जानंति माधवा बिरही॥

राजा ने प्रतिज्ञापूर्वक इस दोहे में उत्तर दिया—

गाज परै ता राज में सुख ताको जरि जाय।
बिरही दुख टारे बिना अन्न पान जौ खाय॥

राजा ने वहाँ से लौटकर नगर में डौंडी पिटवाई कि मेरे नगर में कोई विरही आया है, यदि उसका पता कोई लगाएगा तो पुरस्कृत होगा। सभी खोजने-ढूँढ़ने में लग गए। अंत में एक वेश्या ने ही उसे ढूँढ़ निकाला। उसने विरहगान आरंभ किए, जिन्हें सुनकर माधव 'कंदला कंदला' पुकार उठा, मूर्च्छित हो गया। वेश्या ने समझ लिया कि यही वह विरही है। उसने राजा को सूचना दी कि शिव की वाटिका में वट की छाया में वह विरही है। राजा ने माधव के लिए रथ भेजा, जिस पर अधिष्ठित होकर वह राजा के सम्मुख उपस्थित हुआ। प्रणाम और आशीर्वाद के अनंतर राजा ने माधव के विरह का वृत्तांत पूछा। इसने सारी कथा संक्षेप में निवेदित कर दी। राजा ने माधव को आगा-पीछा, ऊँचा-नीचा सुझाया—ब्राह्मण, कुलोद्भूत होकर वेश्या के प्रणय में प्राण देना शोभा नहीं।

यदि तुम सुंदरी रमणी चाहते हो तो मेरे नगर में एक से बढ़कर एक रमणियाँ हैं। तुम जिसे चाहो अपनी प्रणयिनी बना लो। राजा ने अनेक रमणियाँ साज-बाज के साथ बुलाईं, पर माधव कामकंदला के अतिरिक्त दूसरी की ओर देखना भी पातक समझता था। इस प्रकार से हिला-डुलाकर देख लेने पर जब ब्राह्मण के प्रणय की दृढ़ता राजा ने समझ ली तब सेनापति को आहूत किया और कामवती पर आक्रमण करने के लिए सैन्यसंभार करने का आदेश दिया।

विक्रम अपनी सेना लेकर कामवती पर चढ़ दौड़ा। पर आक्रमण के पूर्व उसने कामकंदला के प्रणय की भी परीक्षा ले लेना आवश्यक समझा। उसने नगर से एक कोस की दूरी पर मदनावती वाटिका में डेरा डाल दिया और स्वयं गुपचुप वैद्य का वेश धारण कर नगरी में जा पहुँचा। कामकंदला के द्वार पर जाकर अपने अद्भुत वैद्य होने की बात दासी से कही। दासी ने कुतूहलवश इसे ले जाकर कामकंदला को दिखाया। नाड़ी आदि की परीक्षा कर विक्रम ने बतलाया कि इसे विरहरोग है। यह सुनते ही कंदला ने अपनी विरहगाथा वैद्य को कह सुनाई। उसने कहा कि हाँ, वीणा बजानेवाले उस माधव को मैंने भी देखा है, पर वह तो विरहाकुल होकर अंत में स्वर्ग सिधार गया। यह सुनते ही काम कंदला विरह की प्रचंड वेदना से व्याकुल होकर मर गई।

राजा कामकंदला के प्राणत्याग से उद्विग्न हो गया। उसने सोचा नाहक मैंने यह पातक अपने सिर लिया। दासी से यह कहकर कि 'यह मरी नहीं है, विरह में मूर्च्छित है, इसका शव इसी प्रकार रहने देना, मैं जड़ी-बूटी लेने जाता हूँ', वहाँ से मलिन-मन डेरे को लौटा और आकर सारा वृत्तांत माधव को सुनाया। माधव कंदला की मृत्यु के समाचार से विह्वल हो गया और उसने भी प्राण त्याग दिए। यह देख राजा ने सिर धुन लिया। दो प्राणियों के वध के पाप से उसका चित्त व्याकुल हो उठा। उसने निश्चय किया कि मुझ जैसे पातकी का शरीरधारण वृथा है! उसने आदेश दिया कि मेरे लिए नदी किनारे चिता लगाई जाय, मैं जल मरूँगा। ज्योंही राजा ने चितारोहण किया, और आग लगाई जाने लगी त्योंही दर्शकों की भीड़ चीरता हुआ वैताल आ पहुँचा। उसने राजा से सारी कथा सुनी और कहा कि आपके शरीरत्याग की आवश्यकता नहीं, मैं अमृत लाकर दोनों को जिलाए देता हूँ। ऐसा कहकर वह पाताललोक गया और वहाँ से दो बूँद अमृत लाया। एक बूँद से माधव को जिलाया और दूसरी से कामकंदला को।

अब राजा विक्रम ने कामसेन के यहाँ वैताल को दूत बनाकर भेजा और कहलाया कि या तो कामकंदला को मुझे समर्पित करो या संग्राम के लिए प्रस्तुत हो जाओ। कामसेन ने कामकंदला को देना अपमानजनक समझा। उसने युद्ध करने का ही निश्चय किया। फलस्वरूप दोनों में घनघोर युद्ध हुआ। दोनों पक्ष के सहस्रों योद्धा मारे गए। युद्ध की समाप्ति का शीघ्र कोई लक्षण न देखकर यह निश्चय किया गया कि दोनों पक्ष से एक-एक वीर द्वंद्वयुद्ध के लिए चुना जाए। जिस पक्ष का वीर मारा जाए या पराजित हो जाए वह पक्ष अपने को विजित समझे। विक्रम के पक्ष से रणजोरसिंह पवाँर और कामसेन

के पक्ष से मेढ़ामल्ल का चुनाव हुआ। विकट मल्लयुद्ध के अनंतर मेढ़ामल्ल जूझ गया। तब कामसेन स्वयं विक्रम से नम्रतापूर्वक मिलने आया। उसने कहा कि यह क्षात्रधर्म के विपरीत होता यदि मैं आपके कहने पर तुरंत कामकंदला को अर्पित कर देता। वह विक्रम, माधव तथा अन्य पदाधिकारियों को आग्रहपूर्वक कामवती ले गया। आतिथ्य करने के अनंतर कामसेन ने माधव को कामकंदला भेंट कर दी। माधव से सुग्गा और तमोली गुलजार भी आ मिले।

उधर माधव के वियोग में लीलावती विकल रहा करती थी। कामकंदला के साथ रहते माधव ने लीलावती को स्वप्न में अत्यंत व्यथित देखा। प्रातःकाल उसकी व्यथा की चिंता में वह उदास मन बैठा था, कामकंदला से बात भी नहीं करना चाहता था। पर उसके विशेष आग्रह पर माधव ने लीलावती की प्रेम-कहानी और स्वप्न की बात कह सुनाई। इस पर कामकंदला ने स्वयं राजा विक्रमादित्य से जाकर सारी कथा कही और माधव को लीलावती दिलाने की प्रार्थना की। विक्रम ने उसकी प्रार्थना स्वीकृत की और पुष्पावती पर आक्रमण करने का आदेश दिया। पर राजा गोविंदचंद्र बड़ा नीतिविशारद था। उसने जब दूतों से यह समाचार सुना तब सम्राट् विक्रम की अगवानी के लिए वह स्वयं चला आया। अंत में लीलावती के साथ बड़ी धूमधाम से माधव का विवाह संपन्न हुआ। लीलावती और कामकंदला एक साथ सुखपूर्वक, बिना किसी प्रकार की सापत्न्यजनित ईर्ष्या के रहने लगी।

'विरहवारीश' का जितना अंश प्राप्त है उसमें इतनी ही कथा है। किंतु कवि ने पुस्तक के आरंभ में कहा है कि इसमें नव खंड हैं—

प्रथम साप[१] कृत बाल[२] दुतिय आरन्य[३] खंड गनि।
पुनि कामावति[४] देस बेस, उज्जैन[५] गवन भनि।
युद्धखंड[६] पुनि गाह रुचिर सिंगार[७] बखानो।
पुनि बहुधा बनदेस[८] नवम बर ज्ञानहि[९] जानो॥
कहि प्रीतिरीति गुन की सिपत नृप बिक्रम को सरस जस।
नौखंड माधवा-कथा मैं नौरस बिद्या चतुर्दस।

उपलब्ध भाग में शापखंड, बालखंड, अरण्यखंड, कामावतीखंड, उज्जयिनीखंड, युद्धखंड और शृंगारखंड—ये सात ही हैं। शेष दो खंड—वनदेशखंड और ज्ञानखंड नहीं हैं। पहले से लेकर छठे खंड तक प्रत्येक में चार-चार तरंगें हैं। शृंगारखंड में सात तरंगें हैं। इस प्रकार प्राप्तांश में कुल इकतीस तरंगें हैं। यदि अनुपलब्धांश में कम-से-कम प्रतिखंड चार-पाँच तरंगों के हिसाब से आठ-नौ ही तरंगें हों तो भी यह ग्रंथ चालीस तरंगों का बृहत् प्रबंधकाव्य है। अप्राप्त अंश में कथा क्या होगी, इसका केवल अनुमान किया जा सकता है। खंडों के नाम से जान पड़ता है कि कोई ऐसी घटना हुई है जिससे माधव को वियोग हो गया है, जिसके लिए उसे फिर वन-वन घूमना पड़ा है। नवे खंड में ज्ञान

की वार्ता है। कदाचित् वह प्रेमसिद्धांत और ज्ञान की आध्यात्मिक पीठिका है। यदि ऐसा ही हो तो कहा जा सकता है कि कवि ने इसे सूफीप्रेमकाव्यों से समन्वित करने का प्रयत्न किया है, जिनमें कथाएँ वियोगांत रखी जाती हैं और सारा कथांश अव्यवसित होता है। तरंगों की समाप्ति पर यत्र-तत्र प्रेम की विविध स्थितियों के द्योतक नाम भी रखे गए हैं।

द्विजदेव

अयोध्यापति महाराज मानसिंह 'द्विजदेव' नाम से हिंदी में कविता करते थे। इनका जन्म संवत् १८७५ के आसपास हुआ था। संवत् १९२७ में इनका स्वर्गवास हो गया। ये शाकद्वीपी ब्राह्मण थे। कवियों और विद्वानों का आदर करते थे। प्रसिद्ध कवि 'लछिराम', 'रसिकबिहारी' इन्हीं के दरबार में रहते थे। कुछ सज्जन द्विजदेव की कविता को लछिराम कृत बतलाकर इन पर प्रसिद्धि पाने का लांछन लगाते हैं। परंतु द्विजदेव की कविता लछिराम की कविता से भिन्न प्रकार की और अच्छी भी है। लछिराम रीतिबद्ध रचना करनेवाले हैं और ये रीतिमुक्त। इन्होंने दो ग्रंथ बनाए हैं—शृंगारलतिका और शृंगारबत्तीसी। दूसरी पुस्तक पहली का ही अंश है। ये अपने समय के श्रेष्ठ कवि थे। इनकी कविता में अलंकार की बाह्य साजसज्जा का उतना आदर नहीं जितना भाव का। ये प्रकृतिवर्णन में विशेष पटु थे। यह वर्णन इनके स्वतंत्र निरीक्षण का परिचायक है। इनकी काव्यकुशलता इनके वर्णनों से सिद्ध है। शृंगारलतिका में वसंतवर्णन के अतिरिक्त 'शिखनख' वर्णन भी है। दोनों वर्णन रीतिबद्ध नहीं हैं। उनमें क्रमस्थापना भी नहीं है। जब जैसी उमंग आई तब तैसा लिख दिया। वसंतागम देखिए—

गुंजरन लागीं भौंर भीरैं केलिकुंजन मैं क्वैलिया के मुख तें कुहूकनि कढ़ें लगी।
द्विजदेव तैसे कछु गहब गुलाबन तें चहकि चहूँधा चटकाहट गढ़ै लगी।
लागों सरसावन मनोज निज ओज रति बिरहसतावन की बतियाँ कढ़ै लगी।
होन लागी प्रीतिरीति बहुरि नई सी नव नेह उनई सी मति मोह सों मढ़ै लगी॥

वसंत में प्रातःकाल तंद्रा की अवस्था में जब न तो उठने का ही मन हो और न नींद ही भरपूर लगती हो, कोकिल की काकली, गुलाब के पुष्पों का चटचट शोर और भ्रमरमंडली का गुंजार क्या हृदय को आनंद से परिपूर्ण नहीं कर देता।

वसंत की मादकता का भार चतुर्दिक् छाया है—

सुन ही के भार सूधे सबद सुकीरन के मंदिर त्यागि करैं अनत कहूँ न गौन।
द्विजदेव त्यौंही मधुभारन अपारन सों नेक झुकि झूमि रहे मोगरे मरूब दौन।

खोलि इन नैनत निहारौं तौ निहारौं कहा सुषमा अभूत छाय रही प्रति भौनभौन।
चाँदनी के भारन देखात उनयौ सौ चंद गंध ही के भारन बहत मंद मंद पौन॥

स्वर-भार से तोतों के शब्द मंदिर के बाहर तक नहीं पहुँचते। वे अत्यंत सुरीला बोल बोलते हैं। सुरीलेपन के आधिक्य के कारण वह बोल मंद होता है। स्वर के भार से जो मंदिर ही में गूँजकर रह जाता है। मोगरे, मरुए तथा दौने के पौधे झुके हैं। क्या पवन से? नहीं, मधु (मकरंद = पुष्परस) के भार से। मानो चाँदनी के भार से चंद्रमा भी झुक गया है और वायु भी मंद-मंद बहती है—सुगंध के भार से।

वर्णन के छंद भी तत्तत् भावोद्बोधक चुने गए हैं। केशवदास ने भी अपनी 'रामचंद्रचंद्रिका' में वर्णन के लिए इन्हीं छंदों का प्रयोग किया है। पर उनके वर्णन दृश्यचित्रण के बदले अलंकार की छटा ही अधिक दिखाते हैं।

वसंत के आते ही कैसा परिवर्तन हो गया है—

औरे भाँति कोकिल चकोर ठौर ठौर बोलैं औरे भाँति सबद पपीहन के ह्वै गए।
और भाँति पल्लव लिये हैं बृंद बृंद तरु औरे छबि पुंज कुंजपुंजन उनै गए।
औरे भाँति सीतल सुगंध मंद डोलै पौन द्विजदेव देखत न ऐसे पल द्वै गए।
औरे रति औरे रंग औरे साज औरे संग औरे बन औरे घन औरे मन ह्वै गए॥

यह कबित्त पद्माकर के जोड़-तोड़ पर बना है—

औरे भाँति कुंजन में गुंजरत भौंरभीर औरे ठौर झौरन के बौरन के ह्वै गए।
कहै पदमाकर सुऔरे भाँति गलियान छलिया छबीले छैल औरे छबि छ्वै गए।
औरे भाँति बिहँगसमाज में आवाज होत ऐसे रितुराज के न आजु दिन द्वै गए।
औरे रस औरे रीति औरे राग औरे रंग औरे तन औरे मन औरे बन ह्वै गए।

द्विजदेव प्राकृतिक दृश्यों का विच्छेद सहन नहीं कर सकते। पद्माकर छलिया, छैल और छवि भी देखने दौड़ पड़ते हैं। श्लेष का भी चमत्कार कहीं-कहीं दिखाया है।

चंद्रोपालंभ की एक उक्ति लीजिए—

साँझही तें आवत हिलावत कटारी कर पायकै सुसंगति कुसानु दुखदाई को।
निपट निसंक ह्वैतजी तैं कुलकानी, खानि औगुन की नेकहूँ तुलै न बाप भाई को।
एरे मतिमंद चंद आवति न लाज तोहि देत दुखख बापुरे बियोगी समुदाई को।
ह्वैकै सुधाधाम काम बिष को बगारै मूढ़ ह्वैकै द्विजराज काज करत कसाई को॥

करनी से ही पिता को भी दंड भोगना पड़ा। मतिराम कहते हैं—

एरे मतिमंद चंद धिग है अनंद तेरो जौ पै बिरहिनि जरि जात तेरे ताप तें।
तू तो दोषाकर दूजे धरै है कलंक उर तीसरे कपाली संग लखौ सिर छाप तें।

कहै मतिराम हाल जाहिर जहान तेरो बारुनी को बासी भासी रबिके प्रताप तें।
बाँधौगयौ मथौगयौ पियौगयौ खारौभयौ बापुरो समुद्र तो कपूतहीके पाप तें।।

पद्माकर उसके उत्तम कुल और संगति का स्मरण करते हुए कहते हैं—

सिंधु को सपूत सुत सिंधुतनया को बंधु मंदिर अमंद सुभ सुंदर सुधाई के।
कहै पदमाकर गिरीस के बसे हौ सीस तारन के ईस कुलकारन कन्हाई के।
हाल ही तू बिरह बिचारी ब्रजबाल ही पै ज्वाल से जगावत जुवाल से जुन्हाई के।
एरे मतिमंद चंद आवत न लाज तोहि ह्वैकै द्विजराज काज करत कसाई के।।

द्विजदेव की उक्ति से इसका बहुत मेल है। स्व. लाला भगवानदीन ने तो कसाईपन के कारण भी ढूँढ़ दिए हैं—

भैरवको भूषन हैं पूषनको मित्र प्यारो दूषनको हेतु गुप्त गौतमलुगाई को।
तीखी रुद्रनैनज्वाल निकट बसैया चंद भैया है हलाहल को सारो सेषसाई को।
जानै को कितेक बार बसिबदरानसंग ढंग सीखि लीन्यौ चंचला तें चंचलाई को।
दीन काबे याही तें बिसारि निज नाम लाज ह्वैकै द्विजराज काज करत कसाई को।।

द्विजदेव की भाषा प्रवाहपूर्ण व्रजी है। चित्रतत्त्व पर उन्होंने अधिक ध्यान दिया है। 'शृंगारलतिका' में २२८ छंद हैं। प्रकृतिवर्णन के कुछ अंशों के अतिरिक्त कबित्त-सवैयों में ही यह ग्रंथ पूरा हुआ है।

—हास्यकाव्य

हास्यकाव्य

'शृंगाराद्भवेत् हासः' के अनुसार हास की उत्पत्ति शृंगार से है। पर हिंदी के शृंगारकाल में हास्यरस की रचनाएँ उतनी नहीं लिखी गईं जितनी अपेक्षित थीं। कारण यह है कि शृंगारकाल में रचना दरबारी हो गई थी। दरबारों में भाँडों के द्वारा हास-विनोद का काम हो जाया करता था। कुछ भाट भड़ौआ लिखा करते थे। रीतिकाल के अच्छे कवि हास्यरस में इसीलिए नहीं पड़े कि वह हलका रस है। इस हलकेपन से बचने का परिणाम यह हुआ कि रीतिबद्ध रचना प्रस्तुत करते रहे। फिर भी हिंदी-साहित्य में शृंगारी

युग हास्यरस की रचनाओं से सर्वथा रहित नहीं है।

शृंगारकाल के कवियों ने हास्यरस की जो भी रचनाएँ की हैं उनसे उनकी परिष्कृत अभिरुचि का परिचय मिलता है। जैसा ऊपर कह आए हैं भड़ौओं से अच्छे कवि अपने को बचाते रहे, इसीसे हास्यरस की कविताएँ परिष्कृत रूप ग्रहण कर सकीं। हास्य हलका रस है। इसलिए बहुत सँभालकर उसका प्रयोग करने की आवश्यकता है, अन्यथा हास परिहास में परिणत हो जाता है। हिंदी के कवियों ने हास को उज्ज्वल बनाने के लिए उसे देवकोटि से संबद्ध किया। जिस प्रकार शृंगार राधा-श्याम से संबद्ध होकर पारंपरिक दृष्टि से श्याम होते हुए भी उज्ज्वल हो गया उसी प्रकार जो हास्य पारंपरिक दृष्टि से उज्ज्वल होते हुए भी कल्मष से अधिक संयुक्त रहता था, दिव्य संयोग से उसमें निष्कल्मष उज्ज्वलता आ गई। देवकोटि में महादेव अपने स्वरूप और अपनी मंडली के कारण हास्यरस के प्रधान आलंबन रहे हैं। हास्यरस के देवता प्रमथ माने जाते हैं। प्रमथ भी महादेव का पर्यायवाची नाम है। पौराणिक रूप में उनके परिवार की विलक्षणता को लेकर अनेक प्रकार की उक्तियाँ कही गई हैं—

स्वयं पञ्चमुखः पुत्रौ गजाननषडाननौ।
दिगम्बरः कथं जीवेदन्नपूर्णान चेद् गृहे॥

महादेवजी पर हिंदी के कवियों ने आरंभ से ही हास्यात्मक कल्पनाएँ की हैं। विद्यापति ने बूढ़े बाबा के विवाह को लेकर हास्यरस के गीत लिखे हैं।

तुलसीदास ने रामचरितमानस में हास्यरस नारदप्रसंग में ही नहीं दिखलाया, महादेवजी के विवाहप्रसंग में भी दिखलाया। विनयपत्रिका ने तो बहुत ही मार्मिक ढंग से उनके फक्कड़पन को आधार बनाकर हास्य की उक्ति कही है। 'पार्वतीजी से ब्रह्मा प्रार्थना करते हैं—

बावरो रावरो नाह भवानी
दानि बढ़ो दिन देत दए बिनु बेदबड़ाई भानी।
निज घर की घरबात बिलोकहु हौ तुम परम सयानी।
सिव की दई संपदा देखत श्रीसारदा सिहानी।
जिनके भाल लिखी लिपि मेरी सुख की नहीं निसानी।
तिन रंकन कों नाक सँवारत हौं आथों नकबानी।
दुखदीनता दुखी इनके दुख जाचकता अकुलानी।
यह अधिकार सौंपिये औरहि भीख भली मैं जानी।
प्रेम प्रसंसा बिनय व्यंग जुत सुनि बिधि की बरबानी।
तुलसी मुदित महेसम नहि मन जगतमास मुसकानी॥

तुलसीदास की यह उक्ति सरस्वती द्वारा ब्रह्मा से की गई उस प्रार्थना की याद दिलाती है

जिसमें गौड़ों अर्थात् बंगालियों के गाथा पढ़ने की लिहाड़ी ली गई है—

ब्रह्मन् विज्ञापयामि त्वां स्वाधिकारजिहासया।
गौडस्त्यजतु वा गाथां अन्या वास्तु सरस्वती ।।

तुलसीदास ने व्याजस्तुति का सहारा लिया है। व्याजस्तुति को लेकर पद्माकर ने गंगालहरी में बड़ी मार्मिक उक्तियाँ कही हैं। यहाँ प्रश्न यह उपस्थित होता है कि अलंकारयोजना में हास्यरस सहायक होकर आया है इसलिए वह रसवत् अलंकारमात्र है या उसकी रसरूप में सत्ता है। अलंकार एक प्रकार की शैली है, यह शैली भाव की अभिव्यक्ति में सहायक हो सकती है। यदि कोई अलंकृत शैली का सहारा लेकर भाव की अभिव्यक्ति करता है तो ऐसी स्थिति में वहाँ रसभाव गौण नहीं हो सकता। घनआनंद ने विरोध-शैली में अनुभूतियों की व्यंजना प्रकाम की है। यदि उसे केवल विरोधाभास अलंकार के अंतर्गत माना जाए तो अनुभूतियों की व्यंजना अमान्य करनी होगी, पर ऐसी स्थिति नहीं है। शैली सौंदर्यबोध के लिए है और व्यंग्यरूप में भावनाभेद दिखाई देता है, अतः व्याजस्तुतिशैली में यदि रचना की गई है तो यही माना जा सकता है कि अलंकार के स्थूल क्षेत्र से उसे हटाकर अनुभूति के सूक्ष्म क्षेत्र में उसकी नियोजना की गई है। अलंकार वहाँ सहायक है, दास है, गौण है; प्रधान रस ही है।

अस्तु, शृंगारी युग में महादेव तो हास्य-आलंबन बने ही रहे, अन्य देवताओं के माध्यम से भी उसकी रचना की गई। इस प्रसंग में यह स्पष्ट कर देने की आवश्यकता है कि परिहास को इन कवियों ने बड़ी चतुराई से हास्यरस की व्यंजना के लिए गृहीत किया है। राधा-कृष्ण के विनोदपूर्ण झगड़ों को हास के लिए ग्रहण किया गया है। महादेवजी को आलंबन बनाकर हास्य की जो रचनाएँ हुईं उनमें भक्तिभाव भी प्रेरक रहता था। राधा-कृष्ण के परिहास को आधार बनाकर जो रचनाएँ हुईं उनके संबंध में यह विवाद अवश्य खड़ा हो सकता है कि ऐसी रचनाओं को शृंगाररस के अंतर्गत रखा जाए या हास्यरस के। राधा-कृष्ण-विषयक परिहास वस्तुतः शृंगार का ही अंग है, अतः वहाँ भाव ही हो सकता है, हास्यरस नहीं। राधाकृष्ण के परिहास की देखादेखी जानकी जी के परिहास की भी कुछ रचनाएँ की गई हैं।

रसप्रक्रिया में मुख्य आलंबन होता है। किसी रस की अभिव्यक्ति के लिए आलंबन का औचित्य आवश्यक है। आलंबन जितना ही सर्वव्यापक होगा रस की अभिव्यक्ति उतनी ही गंभीर होगी। आलंबन की इस मुख्यता का परिणाम यह भी है कि कुछ रसों में केवल आलंबन का वर्णन ही रस की स्थिति लाने में समर्थ हो जाता है। जिन रसों में केवल आलंबन के वर्णन से ही पूर्ण रसव्यंजना हो सकती है उनमें हास्यरस प्रधान है। इसका रहस्य यह है कि प्रत्येक व्यक्ति विशेष परिस्थितियों में हँसने के लिए प्रस्तुत रहता है। विकृत वेशरचना पर हँसने के लिए सभी विकृत वेशरचना की खोज में रहते हैं।

हास्यरस के नियत और प्राचीन आलंबन मूर्ख हैं। मूर्खों के कार्यों में विसंगति

हुआ करती है। इसी विसंगति के कारण वे हँसी के आलंबन होते हैं। यह विसंगति जहाँ भी होगी वहाँ हँसी के लिए अवकाश हो जाएगा। यही कारण है कि पूज्य देवताओं के चरित्र की विसंगति दिखलाकर उनकी भी हँसी उड़ाई गई है। भारतीय शास्त्रपरंपरा रसावस्था को सात्त्विक मानती है, इसलिए हास के आलंबन के प्रति द्वेषबुद्धि नहीं मानी जाती। संप्रति मान्यता है कि जिसकी हँसी उड़ाई जाती है उसके प्रति तुच्छता की भावना रहती है। इसका खंडन रसशास्त्रीय परंपरा ने पूज्यों को आलंबन बनाकर कर दिया है।

मध्यकाल में हास्य के दूसरे प्रसिद्ध आलंबन सूम रहे हैं। द्रव्य की त्रिधा गति होती है—दान, भोग और नाश। इन तीनों में उत्तरोत्तर अपकर्ष है। सूम के द्रव्य की गति तीसरी होती है। न वह दूसरे को दान देकर भोगने का अवसर देता है और न स्वयं भोगता है। इसलिए उसका धन नष्ट होता है। 'नष्ट होता है' का तात्पर्य है कि जो द्रव्य पाने का अधिकारी है उसे वह नहीं मिलता। कुपात्र उसे पाता है और उसका सदुपयोग नहीं करता। दान सत्पात्र के लिए ही विहित है, इसलिए विवेकपूर्वक दान द्वारा द्रव्य के अनुचित उपयोग की संभावना नहीं है या कम है।

हास्य के तीसरे प्रसिद्ध आलंबन नपुंसक हैं। संस्कृतनाटकों में इनका आधार यथास्थान लिया गया है। राजदरबारों में, विशेष रूप से रनिवासों में, इनकी नियुक्ति हुआ करती थी। इनके साथ ही पेटू ब्राह्मण भी उन्हीं नाटकों में हास्य के आलंबन बनाए गए हैं। प्रसाद ने अपने नाटकों में संस्कृत की इस परंपरा को सुरक्षित रखने का प्रयास किया है। जिस प्रकार नपुंसक और पेटू हास्य के आलंबन हैं उसी प्रकार नशा करनेवाले भी अपने व्यवहार की असंगतियों के कारण इसके आलंबन होते हैं। मध्यकाल में नशा करनेवालों के बदले नशा को ही आधार मानकर हास्यरस की रचना की गई है। पर केवल अफीम और विजया पर ही थोड़ा-बहुत लिखा गया है।

खटमल हास्यरस के सार्वजनीन आलंबन हैं। संस्कृत में भी हास्य के प्रथित आलंबन हैं—

कमले कमला शेते हरः शेते हिमालये।
क्षीराब्धौ च हरिः शेते मन्ये मत्कुणशंकया॥

मध्यकाल में 'खटमल-बाईसी' नामक रचना इन्हीं को आलंबन बनाकर की गई, जो प्रसिद्ध है।

—प्रशस्तिकाव्य

वीरकाव्य

वीरत्व लौकिक गुण है। समाज के उद्‌भव के साथ ही इसका भी आविर्भाव हुआ है। इससे उपेत महापुरुषों का यश अनादिकाल से गाया गया है। इसे लौकिक कहने का तात्पर्य यही है कि लोक के संपर्क में आने पर ही इसका उदात्त स्वरूप व्यक्त होता है। व्यक्तिसाधना या आत्मसाधना के रूप में इसका जो प्रदुर्भाव होता है उसकी भी थोड़ी-बहुत प्रशंसा होती ही है, पर विरुदावली नहीं गाई जाती। आत्मरक्षा के निमित्त अपने शरीर की पुष्टि करनेवाला प्रशंसनीय हो सकता है परंतु उसके द्वारा वीरत्व का आलंबन नहीं खड़ा हो सकता। जब अत्याचार के दमन, दुष्टों के निर्दलन और पीड़ितों के रक्षण की ओर वीरत्व उन्मुख होता है तभी उसका सच्चा रूप निखरता है। आत्मगत वीरत्व स्वार्थघटक होकर समाज में उद्दंडता, उच्छृंखलता, अहंता आदि असत् वृत्तियों को उद्बुद्ध करता है। इसी से उसका परार्थघटक होना समाज के लिए उपयोगी है। अतः इसी के गीत गाए जाते हैं। वीरत्व का लक्ष्य, सत् का संघटन और असत् का विघटन, बहुत प्राचीनकाल से माना गया है। इसीसे काव्य में वीरत्व के आलंबन या नेता वे ही माने गए हैं जो लोककल्याण या लोकरक्षण में प्रवृत्त रहते हैं। राम, कृष्ण, महाराणा प्रताप, शिवाजी, छत्रसाल आदि महापुरुष ही सच्चे वीरनायक हैं।

वीरत्व की अन्विति रक्षित से रक्षक द्वारा होती हुई प्रशंसक या भावुक तक चली जाती है। इसी से वीरत्व की प्रशंसा लोक में तभी होती है जब रक्षा-पात्र रक्षा का पूर्ण अधिकारी हो और रक्षक बिना किसी विशेष स्वार्थ के उसकी रक्षा करे। श्रद्धा, सम्मान, प्रशंसा आदि का पात्र बनने के लिए वीरत्व से स्वार्थ का निष्कासन अनिवार्य है। वीररस का प्रवाह तभी बह सकता है जब वीरत्व या उत्साह का उत्स परार्थ या धर्म की ओर उन्मुख हो और उसका आलंबन या लक्ष्य अधर्म को बहा या मिटा देना हो। सच्चे वीरत्व के आधार या आश्रय और लक्ष्य या आलंबन में सत् और असत् की पक्ष-प्रतिपक्ष-रूप में स्थिति परमावश्यक है। किंतु इसका यह अभिप्राय नहीं कि कोरे वीरत्व में कोई आकर्षण ही नहीं होता। सामान्य शक्ति या पहुँच से आगे बढ़ा हुआ असामान्यत्व का प्रदर्शन भी चित्त को अपनी ओर खींचता ही है। ऐसी स्थिति में भावुक के हृदय में श्रद्धा या सम्मान चाहे न भी जगे पर कुतूहल या आश्चर्य के उद्रेक से वह वीरत्व की प्रशंसा किए बिना न रहेगा। यदि कोरा वीरत्व असत्-साधन में प्रवृत्त होगा तो उसके प्रवर्तक के प्रति लोकशत्रु के नाते घृणा, क्रोध, रोष, क्षोभ आदि दुःखात्मक वृत्तियाँ जगेंगी और वीरत्व के कारण उद्‌बुद्ध होनेवाली उत्साह, आश्चर्य, कुतूहल आदि सुखात्मक वृत्तियों से विरोध उत्पन्न हो

जाएगा। फलतः ये दबते-दबते दब जाएँगी। इस प्रकार स्पष्ट हुआ कि वीरत्व तीन प्रकार का होता है। लोकसाधक परार्थघटक उत्तम वीरत्व, कोरा स्वार्थघटक मध्यम वीरत्व और स्वार्थसाधक परार्थविघटक अलोकोपयोगी निकृष्ट वीरत्व। इन्हें ही क्रम से सात्त्विक, राजस और तामस भी कह सकते हैं। इनमें काव्योपयोगी अर्थात् वीररस का संचार करनेवाला सात्त्विक या राजस वीरत्व ही होता है। पर प्रबंधकाव्यों में पक्ष-प्रतिपक्ष के रूप का संविधान होने के कारण तामस वीरत्व का भी वर्णन अवश्य होता है। रामकथा में राम, लक्ष्मण, हनूमान आदि का वीरत्व सात्त्विक, धनुर्यज्ञ में धनुष उठाने में राजाओं का वीरत्व राजस और रावण, कुंभकर्ण आदि का वीरत्व तामस था।

वीरत्व या वीररस का पोषक भाव उत्साह है। यहाँ तक उस उत्साह का वर्णन किया गया जो युद्ध की ओर प्रवृत्त करता है। पर वीरत्व की अभिव्यक्ति केवल योद्धा में ही नहीं होती। युद्धपर्यवसायी उत्साह के अतिरिक्त उसकी अन्य अनेक स्थितियाँ होती हैं जो सात्त्विक ही होती हैं। रीतिग्रंथों में दयावीर, दानवीर, धर्मवीर, सत्यवीर, क्षमावीर आदि जो अनेक वीर माने गए हैं उनसे यह बात स्पष्ट हो जाता है। किंतु इन सभी उदात्त वीरों के सच्चे रूप का बोध सानुबंध रचनाओं द्वारा ही ठीक से हो सकता है। इसलिए निर्बंध, फुटकल या मुक्तक रचना में इनके उदाहरण कम मिलते हैं। पर युद्धवीर के संबंध में यह बात नहीं है। युद्धवीरता की विविधता के कारण उसके उदाहरण सानुबंध और निरनुबंध दोनों प्रकार की पद्धतियों में सुगमतापूर्वक प्रस्तुत हो सकते हैं। इसी विविधता के कारण वीरत्व का रूप खड़ा करने में अर्थात् विभावन करने में व्याप्ति अधिक दिखाई देती है। युद्धवीर के अधिक उदाहरण मिलने का मुख्य कारण यही है।

उत्साह लक्ष्य और साध्य दो की ओर देखनेवाला भाव है। इसीलिए यह अन्य भावों से विलक्षण है। उत्साह जिस वस्तु या व्यक्ति की ओर प्रवृत्त होता है वह तो इसका लक्ष्य या आलंबन है पर जिस विचार से प्रवृत्त होता है वह इसका साध्य है। किसी दानी का लक्ष्य दानपात्र होता है और उसका साध्य यश। लक्ष्य व्यक्त रहता है और साध्य अव्यक्त। इसलिए कहा जा सकता है कि उत्साह के दोहरे आलंबन होते हैं—एक व्यक्त और दूसरा अव्यक्त। व्यक्त साधक होता है और अव्यक्त साध्य। चरम साध्य अव्यक्त आलंबन ही होता है, इसी से कुछ लोग उसे ही उत्साह का वास्तविक आलंबन मानते हैं। किंतु काव्य की प्रक्रिया में प्रत्यक्ष कार्यसाधक व्यक्त आलंबन ही होता है। अतः शास्त्रकारों ने उसी को प्रकृत आलंबन कहा है। आश्रय और आलंबन के साथ साध्य को जोड़ लेने से उत्साह के स्वरूप का ठीक-ठीक बोध हो जाता है। जहाँ उत्साह का साध्य कोई अन्य भाव होता है वहाँ यह उस भाव का अंग बन जाता है। यदि कोई किसी से प्रेम में उत्साह प्रदर्शित कर रहा हो, उसकी सेवा-सुश्रुषा में दौड़-धूप मचा रहा हो तो उसका वह उत्साह प्रेमभाव या शृंगाररस का अंग अर्थात् संचारीभाव कहा जाएगा। अतः वह उत्साह वीररस का निष्पादक न होगा और वह उत्साही वीर न कहा जाएगा। आधुनिक हिंदी में देश पर जितनी रचनाएँ हुई हैं उन्हें उत्साह या वीररस की उक्तियाँ समझकर भ्रम में न

पड़ना चाहिए। जहाँ देश के स्वरूप, ऐश्वर्य, महत्ता आदि का दर्पपूर्ण वर्णन रहता है वहाँ देश के प्रति प्रेमभाव की ही व्यंजना होती है। जहाँ उसकी विपत्ति, अवनति, पराधीनता आदि पर आँसू बहाए जाते हैं वहाँ शोकभाव या करुणरस की अभिव्यक्ति होती है। केवल जहाँ देशोद्धार का संकल्प करके विपत्ति सहने, मर मिटने, बलिवेदी पर चढ़ जाने की सानंद प्रतिज्ञा होती है वहीं उत्साह या वीररस अपने प्रकृत रूप में प्रकट होता है। स्मरण रखना चाहिए कि विस्मय और उत्साह ऐसे भाव हैं जिनका संचरण सभी रसों में हुआ करता है[१]। विस्मय या चमत्कार के इसी सर्वसंचरण से प्राचीनकाल में धोखा खाकर श्रीनारायण कृती ने कहा था—

रसे सारश्चमत्कारः सर्वत्राप्यनुभूयते। तच्चमत्कारसारत्वे सर्वत्राप्यद्भुतो रसः॥

ठीक इसी प्रकार संप्रति उत्साह की स्थिति सर्वत्र देखकर सर्वत्र वीररस होने का धोखा लोगों को हो रहा है।

वीर और वीरत्व पर संक्षिप्त विचार कर लेने के अनंतर वीर कविकर्म पर भी थोड़ा ध्यान देना आवश्यक प्रतीत होता है। पहले कहा जा चुका है कि काव्य में अधिक उदाहरण युद्धवीर के ही मिलते हैं, अतः युद्धवर्णन की ही मीमांसा समीचीन होगी। युद्ध में कवि की दृष्टि दोनों पर रहती है—योद्धा पर भी और उसके कर्म युद्ध पर भी। योद्धा का वर्णन करते हुए वह उसकी तेजस्विता, धीरता, प्रचंडता, भीषणता आदि का भी उल्लेख करता है और उसकी मार-काट, संहार-विनाश का भी। इस प्रकार कवि वीर की अंतर्वृत्ति के साथ-साथ उसकी बहिर्वृत्ति का भी निरूपण करता है और उसके द्वारा प्रवर्तित कार्य की व्याप्ति का भी। इससे उसकी दृष्टि एक ओर से दूसरी ओर और दूसरी ओर से पहली ओर तक आती-जाती रहती है। अतः वह कवि युद्धवर्णन में समर्थ हो सकता है जिसमें समाहार की शक्ति प्रबल हो। कभी-कभी युद्ध दूर तक फैला रहता है, इसलिए उस विस्तृत युद्धक्षेत्र का अंकन करने के लिए कवि को अनेक व्यापारों का एक ही साँस में कथन करना पड़ता है। युद्ध में यदि उसकी दृष्टि एक ही व्यापार से बद्ध होकर रह जाए तो उसे बहुत से व्यापार छोड़ देने पड़ेंगे। अतः जो कवि अपनी दृष्टि का प्रसार व्यापक नहीं बना सकता वह ऐसे युद्धों का वर्णन करने में विफल रहेगा। रणभूमि में घटित होनेवाले विकट व्यापारों पर उसकी दृष्टि एक से दूसरे, दूसरे से तीसरे, तीसरे से चौथे पर होती हुई त्वरित गति से प्रसरित होनी चाहिए। इससे स्पष्ट हुआ कि निरीक्षण की पूर्ण क्षमता और समाहार की सच्ची शक्ति के बिना युद्ध का मनोग्राह्य लेखा कोई कवि प्रस्तुत नहीं कर सकता।

युद्ध में गिनाने को तो अनेक धर्म हो सकते हैं, पर सबकी सूची देकर न तो युद्ध

---

१. **स्थायिनोऽपि व्यभिचरन्ति हासः शृंगारे रतिः शान्तकरुणहास्येषु भयशोकौ करुणशृंगारयोः क्रोधो वीरे जुगुप्सा भयानके उत्साहविस्मयौ सर्वरसेषु।** —रसतरंगिणी।

का दृश्य ही अंकित किया जा सकता है और न कोई प्रभावकारी परिणाम ही निकाला जा सकता है। अतः समर के बहुल व्यापारों में से चुने हुए मार्मिक उत्कट कर्म ही लेने पड़ते हैं। जो कवि इन संशोधित खंडवृत्तों का चयन नहीं कर सकता उसके विवरण प्रभविष्णु नहीं बन सकते। वास्तविक वीरकर्म का कथन सुगम नहीं है। राजसी ठाटबाट, चमत्कार या जानकारी के दिखावे में लग जानेवाले प्रायः इसी अवसर पर चूक जाया करते हैं और साज-सामान की लंबी सूची भर रख देते हैं। सूची प्रस्तुत करना और बात है और लेखा देना और बात। सूचीकार का बाना पहनकर कवि अपने प्रकृत कर्म से तो विरत होता ही है, काव्यश्रोता पाठक को भी विरत कर देता है। श्रोता या सहृदय समरसंहार, वीरव्यापार, नरसंहार आदि के खंडदृश्य मानसप्रत्यक्ष करना चाहता है; अनजाने अस्त्रों, पशुभेदों, सामग्रियों आदि की नामावली सुनना नहीं। अतः नाममाला गूँथने में संलग्न होना दोष है। सूदन में यह प्रवृत्ति औरों की अपेक्षा विशेष है।

वीरकाव्य ओजस्वी होना चाहिए। अतः ओजगुण की निष्पत्ति के लिए तदनुकूल भाषा एवं ध्वनि की आवश्यकता होती है। भाषा के विचार से पुराने वीरगायक द्वित्व वर्णों, संयुक्ताक्षरों, टवर्ग, रेफ आदि का विधान किया करते थे और ध्वनि के विचार से उद्धत छंदों जैसे अमृतध्वनि, छप्पय, कबित्त, भुजंगी, तोटक आदि का प्रयोग करते थे। पर केवल ओज लाने के लिए शब्दों का अंग-भंग करना उचित नहीं। समर्थ कवि बिना वर्णविकृति के ही ओजस्विता उत्पन्न कर लेते हैं, जैसे तुलसीदास। किंतु छंदोविधान के संबंध में ऐसी बात नहीं है। विविध वृत्तों का संघटन ही ऐसा किया गया है कि वे विभिन्न रसों के अनुकूल नाद उद्‌भूत कर सकें। कबित्त तो सब रसों में मँज चुका है, पर छप्पय में वीररस ही खिलता है। चौपाई के चरण वीरभाव के अनुकूल नहीं पड़ते। इसीसे लाल के छत्रप्रकाश में छंदसंगीत का अभाव है। रामचरितमानस का बंध चौपाई-बहुल है, पर उसमें भी युद्धप्रसंग में अन्य छंदों का भी उपयोग किया गया है। वृत्त-परिवृत्ति से उसका रणप्रसंग रसमय हो उठा है।

वीरभाव के रसोद्‌बोधक नाना रूप हुआ करते हैं। इन सबका प्रभूत भंडार हिंदीवाङ्मय में आदिकाल से लेकर आधुनिककाल तक संचित होता आया है। त्रेता के राम-लक्ष्मण आदि वीरों से लेकर कलि के हम्मीर, प्रताप, शिवाजी, छत्रसाल आदि वीरों के पृथक्तासूचक युद्धप्रसंगों की वीरगाथा कई प्रकार की वाणी एवं वृत्तों में व्यक्त हुई है। प्राचीनकाल के रावण, जरासंध आदि की शौर्यपूर्ण दुर्मद रणलीला, मध्यकाल के अलाउद्दीन, दलेल खाँ के दुष्कर करुणापरिचायक वीरकथाकाव्य भी बने हैं।

वीररस का स्थायीभाव 'उत्साह' माना गया है। अतः जितने प्रकार के वीरत्व में 'उत्साह' होगा वे सभी वीररस के अंतर्गत आ जाएँगे। कुछ लोग तो उत्साह के क्षेत्र को विस्तृत बनाकर सभी प्रकार की 'स्फूर्ति' में उत्साह मानते हैं; यहाँ तक कि शृंगार में भी। किंतु 'उत्साह' और 'स्फूर्ति' में अंतर है। स्फूर्ति तो एक प्रकार से सभी स्थायीभावों में वर्तमान रहती है। स्फूर्ति का तात्पर्य भाव के 'वेग' से है। यही कारण है कि भावों को

मनोवेग कहते हैं। इसलिए सभी स्थायियों में उत्साह को मिश्रित मानना ठीक नहीं है। उत्साह वह मनोवेग है जो किसी महत्कार्य के संपन्न करने में प्रवृत्त करता है। महत्कार्य से संबद्ध होने से वीरत्व की अभिव्यक्ति अनेक रूपों में होती है। पर 'विद्यावीर' का क्षेत्र परिमित है और कर्मवीर का व्यापक। इसी से दानवीर, दयावीर, धर्मवीर और युद्धवीर ये चार प्रकार के वीर प्रधान मान गए हैं।

सब प्रकार के वीरत्व में युद्धवीरत्व प्रधान है। दयावीर को दयापात्र की रक्षा के लिए, धर्मवीर को धर्म की सुरक्षा के हेतु कभी-कभी अनिवार्य रूप से झगड़ा मोल लेना पड़ता है। दान और कर्म में भी युद्ध की संभावना रहती ही है। इसी से युद्धवीरता प्रधान मानी गई। इसके उदाहरण भूषण आदि की रचना में अनेक हैं। कहीं-कहीं चारों प्रकार की वीरता एक ही कबित्त में कथित है। जैसे—'दान-समै द्विज देखि मेरहू कुबेरहू की' प्रतीकवाले भूषण के कबित्त में। जिसके चारों चरणों में क्रमशः दान, धर्म, दया और युद्ध की वीरता वर्णित हैं।

वीरकाव्य का द्वितीय उत्थान

हिंदू-राजदरबारों में ही राजकवि नहीं होते थे, भारत के मुसलमान शासक भी अपने दरबारों में राजकवि रखते थे। मुगल दरबार में गंग, शिरोमणि भट्ट, चिंतामणि और कालिदास त्रिवेदी उल्लेखयोग्य कबिंद हुए हैं, जिन्होंने प्रशस्तिकाव्य लिखा। रजवाड़े के दरबारी कवि केशवदास ने 'रतनबावनी', 'वीरचरित्र' और 'जहाँगीरजसचंद्रिका' तीन वीरकाव्य लिखे। रीवाँ के अजबेस कवि के कई फुटकल छंद मिलते हैं। दुरसाजी चारण ने महाराणा प्रताप की प्रशंसा और अकबर की निंदा में 'प्रतापचौहत्तरी' लिखी। 'रासो' की पद्धति पर लिखा मान कवि का 'राजविलास' उदयपुर के महाराणा राजसिंह की प्रशस्ति है।

द्वितीय उत्थान में पाँच प्रकार को पद्धतियाँ मिलती हैं—(१) शुद्ध वीरकाव्य, (२) रासोपद्धति का शृंगारमिश्रित वीरकाव्य, (३) वीर-देव-काव्य या भक्तिभावित वीरकाव्य, (४) अनूदित वीरकाव्य (महाभारत ऐसे वीरकाव्यों के अनुवाद), (५) दरबारी कवियों का प्रकीर्ण वीरकाव्य। प्रथम पद्धति के प्रधान कवि—भूषण, श्रीधर, लाल, सूदन और पद्माकर हैं। इन पाँचों में भी उदात्त-भावनाभावित कर्ता दो ही हैं—भूषण और लाल। भूषण की उदात्तभावना लाल से भी बढ़ी-चढ़ी कही जा सकती है। भूषण ने आश्रयदाताओं को परखकर महाराज शिवाजी और छत्रसाल को चरितनायक बनाया था। भूषण ने 'शिवभूषण' के अतिरिक्त प्रकीर्ण वीरकाव्य भी लिखा है। भूषण को जातीय अर्थात् जातिगत भेदभाव रखनेवाला कवि कहा गया है। क्योंकि उन्होंने हिंदूपति

शिवाजी की प्रशंसा और कट्टर मुसलमान बादशाह औरंगजेब की निंदा की है। ध्यान देने योग्य है कि भूषण के उद्गार मुसलमानी धर्म के विरोध में नहीं हैं, अत्याचार और अन्याय के विरोध में हैं। वह भी विशेष रूप से औरंगजेब या उसके सूबेदारों के अनाचारों-अतिचारों के विरोध में। यदि इनकी दृष्टि जातिद्वेष से दूषित होती तो 'औरंगजेब' ही को क्यों, उसके पूर्वपुरुषों और वंशजों को भी खोटी-खरी कहते । पर स्थिति ठीक विपरीत है। औरंगजेब की तो निंदा है और उसके बाप-दादों की प्रशंसा—

१. दौलति दिली की पाय कहाए अलमगीर बब्बर अकब्बर के बिरद बिसारे तैं।

२. बब्बर अकब्बर हिमायूँ साह सासन सों नेह तें सुधारी हेम हीरन तें सगरी।

३. बब्बर अकब्बर हिमायूँ हद्द बाँधि गए हिंद औ तुरूक की कुरान-बेद ढब की।

औरंगजेब के प्रति उनकी खीझ अकृत्यों के कारण थी, जातिगत रागद्वेष के कारण नहीं। भूषण का वीरकाव्य क्या राजनीतिक, क्या साहित्यिक, क्या सामाजिक सभी दृष्टियों से महत्त्वपूर्ण है। उसको यदि लघुता मिली है तो आलंकारिक पद्धति से। अलंकार से चमत्कारी बंधन से जहाँ वह मुक्त है वहाँ उत्कृष्ट और प्रकृत है। जैसे 'शिवभूषण' के आदि का रायगढ़-वर्णन और शिवाजी तथा छत्रसाल की प्रशस्ति में बनी प्रकीर्ण रचना।

श्रीधर ने 'जंगनामा' में फर्रुखसियर और जहाँदारशाह के युद्ध का वर्णन किया है। यह ६६ पृष्ठों का बढ़िया युद्धकाव्य है। लाल कवि ने महाराज छत्रसाल के वीरचरित पर कई ग्रंथ लिखे, जिनमें 'छत्रप्रकाश' प्रसिद्ध है। इनके ग्रंथ इतिवृत्तात्मक हैं। स्थान-स्थान पर साहित्यिक छटा भी मिलती है। लाल ने वीरकाव्य के उपयुक्त छंदों का चुनाव नहीं किया। छंद रखे दोहा-चौपाई में, जो वीररस के छंद ही नहीं हैं। तुलसीदास ने दोहे-चौपाई में लिखे रामचरितमानस में वीररस का अधिकतर वर्णन दूसरे-दूसरे छंदों में किया है। इतने से ही संतोष न हो सका तो दंडक, छप्पय, झूलना आदि उद्धृत कबित्तों का प्रयोग वीररस के लिए किया, जिनका संग्रह 'कबित्तावली' में हुआ है। दूसरी बात भाषा-संबंधी है। उक्त छंद अवधी के खास छंद हैं, व्रजी के नहीं। लाल की जो रचना कबित्तों में है उससे उनके शक्तिसामर्थ्य का पूरा पता चलता है।

सूदन ने भरतपुर के महाराजा बदनसिंह के पुत्र सुजानसिंह उपनाम 'सूरजमल' के युद्धों का लंबा वर्णन 'सुजानचरित्र' में किया। यह ग्रंथ भी अच्छा है। पर इसमें कुछ भद्दी प्रवृत्ति भी दिखाई देती है। स्थान-स्थान पर घोड़ों, तलवारों अन्य अस्त्र-शस्त्रों की लंबी सूची या वस्तुओं की नामावली सरसता में विघातक है। इसका प्रभाव भाषा की सुबोधता पर पड़ा और वह अरबी-फारसी के कठिन शब्दों से लदकर दुरूह हो गई। ओजगुण के लिए वे शब्द बिगाड़े भी गए।

पद्माकर की 'हिम्मतबहादुर-विरुदावली' भी वर्णनात्मक पोथी है। रचना साधारण है। पद्माकर के फुटकल वीररस के छंदों में जो ओज है वह इसमें नहीं। इसमें बाँदा के

नवाब के सरदार 'हिम्मतबहादुर' के वीरकृत्यों का वर्णन है। यह पद्माकर की आरंभिक रचना है।

रासोवाली मिश्रित पद्धति पर वीरकाव्य के केवल तीन कर्ता उल्लेख्य हैं—जोधराज, चंद्रशेखर और सूर्यमल्ल। जोधराज ने 'हम्मीररासो' बनाया। इसमें केवल पद्धति का ही नहीं, चारणों की भाषा का भी अनुकरण है। चंद्रशेखर वाजपेयी ने 'हम्मीरहठ' नामक छोटा पर उत्तम वीरकाव्य रचा। इसमें चारणों की पद्धति का साहित्यिक संस्कार है। भाषा में सौष्ठव है और वर्णन में समीचीनता। एक स्थल पर कवि ने न जाने सुअवसर कैसे खो दिया। हम्मीर के प्रतिनायक अलाउद्दीन को महल में चुहिया के फुदकने मात्र से डरा दिया। चरितनायक का अधिक-से-अधिक उत्कर्ष प्रदर्शित करने के लिए प्रतिनायक की भी वीरता बहुत बढ़ा-चढ़ाकर कही जाती है। परंपरा में प्रचलित कथा ज्यों-की-त्यों ले लेने से यह दोष आ गया। जनता में प्रचलित 'तिरिया तेल हमीरहठ चढ़ै न दूजी बार' कहावत इसी पोथी की है। सूर्यमल्ल का 'वंशभास्कर' भारी पोथा है, जिसमें बूँदी के राजवंश का विस्तृत वर्णन है।

वीर-देवकाव्य की अधिकांश पुस्तकें वीरकेसरी हनूमान् के यशोगान में हैं। शेष देवताओं की संख्या भी परिमित है—दुर्गा, कालिका, नृसिंह तक। संस्कृत के हनुमन्नांटक के हिंदी में कई अनुवाद भी हुए, जिनमें से 'हृदयराम' का कबित्त-सवैयों में अनुवाद सुदर है। इस पद्धति पर रची पुस्तकों में भगवंतराय खीची का 'हनुमान-पचासा', मनियारसिंह की हनुमत-छब्बीसी, मून का राम-रावण युद्ध, बहादुरसिंह (चरखारी) कृत हनुमान-चरित्र, वीररामायण, खुमान 'मान' (चरखारी) कृत हनुमान नखशिख, हनुमान-पचक, हनुमान-पच्चीसी, लक्ष्मणशतक, नृसिंह-चरित्र, नृसिंह-पच्चीसी का नाम विशेष उल्लेख योग्य है।

महाभारत का अनुवाद कई कवियों ने किया। कुछ ने स्वतंत्र रूप से भी कितने ही छंद बनाकर जोड़े। सबसे पुराना अनुवाद सबलसिंह चौहान का है जो दोहे-चौपाई में है। कुछ ने पूरे ग्रंथ का अनुवाद न करके किसी अंश का ही अनुवाद किया है। जैसे कुलपति का 'द्रोणपर्व' और गणेशपुरी 'पद्मेश' का 'कर्णपर्व'। कुलपति ने दुर्गा पर भी कुछ कविता लिखी है। छत्रसिंह कायस्थ का 'विजयमुक्तावली' महाभारत के आधार पर होते हुए भी बहुत कुछ स्वतंत्र है। वर्णन अपने ढंग के बनाकर जोड़े हैं। महाभारत का सबसे उत्तम अनुवाद काशिराज के तीन दरबारी कवियों का है। प्रसिद्ध कवि रघुनाथ के पुत्र गोकुलनाथ, उनके पौत्र गोपीनाथ तथा गोकुलनाथ के शिष्य मणिदेव ने मिलकर यह महत्कार्य संपन्न किया। जिसने जितने अंश का अनुवाद किया उसका उल्लेख भी है। अनुवाद की भाषा परिमार्जित है।

कुछ नरेशों के राजदरबार ऐसे भी थे जहाँ कवियों की खासी मंडली होती थी। ऐसे नरेश स्वयं कवि या काव्यमर्मज्ञ होते थे। महाराज छत्रसाल, भगवंतराय खीची (फतेहपुर), रीवाँ नरेश, अयोध्यानरेश महाराज मानसिंह, काशीनरेश आदि का नाम उल्लेख्य है। इन दरबारों में सब प्रकार की कविता रची गई। उसी के अंतर्गत वीरकाव्य

भी है। उल्लेखयोग्य दरबारी कवि ये हैं—घनश्याम शुक्ल, इन्होंने दलेल खाँ की प्रशंसा में कविता लिखी; मोहनलाल भट्ट, ये पद्माकर के पिता थे, इन्होंने कई राजाओं की युद्धवीरता का वर्णन किया; हरिकेस, ये महाराज छत्रसाल के दरबारी कवियों में बड़े ही काव्यनिपुण थे; भगवंतराय खीची के दरबारी कवि शंभुनाथ, मल्ल, मून, भूधर, नाथ आदि; राजा जोरावरसिंह के पुत्र और नरेंद्रभूषण के रचयिता भान कवि, 'दलेलप्रकाश' के प्रणेता थान कवि, पंडित प्रबीन, लछिराम आदि।

इनमें से दो प्रकार के कवियों की कविता का अधिक प्रचार हुआ। एक उनकी जिनके चरितनायक देशप्रसिद्ध वीर शिवाजी, छत्रसाल आदि थे; दूसरे वे जो देवकाव्य के रूप में लिखी गईं। शेष में से बहुतों की कविता कालचक्र से नष्ट हो गई। उन दरबारी कवियों को द्रव्यलोभी ही समझिए जो समाज अथवा देश के उन्नायक लोकनायकों को त्याग साधारणों की चाटुकारी में पड़े रह गए। कविता केवल रुपयों के लिए करना शक्ति का अपव्यय है। पर सभी ऐसे नहीं थे और न सबने केवल प्रशंसा के पुल ही बाँधे थे। वीर-काव्य का विषय निश्चित न होने से आश्रयदाता ही विषय हो जाते थे।

जोधराज

जोधराज का हम्मीररासो सं० १७८५ में निर्मित हुआ। हम्मीर की कथा को लेकर हिंदी में कई ग्रंथों का निर्माण हुआ है। कहा जाता है कि शार्ङ्गधर ने अपभ्रंश भाषा में हम्मीर पर एक काव्य लिखा है। शार्ङ्गधर हम्मीर के प्रधान सभासद राघवदेव के पौत्र थे। इनका समय विक्रम की १४वीं शती का अंतिम चरण माना जाता है। प्राकृतपैंगलम् में हम्मीर की प्रशस्ति के कई छंद दिए हुए हैं। स्व० आचार्य रामचंद्र शुक्ल का अनुमान है कि वे पद्य शार्ङ्गधर के हम्मीररासो से ही उद्धृत किए गए हैं। उक्त हम्मीररासो में कथा क्या दी है इसका निश्चय पूरा ग्रंथ न मिलने से नहीं किया जा सकता, किंतु जोधराज के हम्मीररासो में जो कथा आई है उसका आधार शार्ङ्गधर के हम्मीररासो की कथा हो सकती है। जोधराज के इस ग्रंथ में चौहानों की उत्पत्ति के संबंध में जो कथा आई है वह पृथ्वीराजरासो में आई कथा से कुछ मेल खाती है। जान पड़ता है कि अपने समय के पूर्व प्रचलित सभी प्रकार की किंवदंतियों का सहारा लेकर कवि ने इस कथा की कल्पना की है।

जोधराज चौहानवंशी चंद्रभान के राजकवि थे। चंद्रभान का राज्य नीवागढ़ या नीमराणा (अलवर के पास) था। हम्मीररासो की कथा जानकारी के लिए संक्षेप में दी जाती है।

सबसे पहले इसमें सृष्टि-निर्माण का वर्णन है। परमेश्वर योगनिद्रा में पड़े थे।

निद्रा टूटने पर माया का जन्म हुआ। उनके नाभिकमल से ब्रह्मा की उत्पत्ति हुई। ब्रह्मा ने पंचतत्त्वों का निर्माण किया और सनक, सनंदन, सनातन और सनत्कुमार पुत्र उत्पन्न किए। मरीचि पुलस्त्य, पुलह आदि उनके विभिन्न अंगों से जन्मे। इन्हीं ऋषियों से नरसृष्टि हुई। मरीचि की स्त्री कला से कश्यप और धर्म की उत्पत्ति हुई, कश्यप के सूर्य हुए जिनसे सूर्यवंश चला। अत्रि ऋषि के तीन पुत्र हुए—दत्त, सोम और दुर्वासा। सोम के बुध और पुरुरवा हुए। इस प्रकार चंद्रवंश चला। भृगु ऋषि से चौहानवंश की उत्पत्ति हुई। भृगु की दो स्त्रियाँ थीं। पहली से धाता और विधाता और दूसरी से शुक्र और च्यवन हुए। च्यवन के ऋचीक, ऋचीक के जमदग्नि, जमदग्नि के परशुराम हुए। परशुराम ने क्षत्रियों का विनाश कर डाला। इसलिए ऋषियों ने अपने यज्ञादि कर्मों के रक्षार्थ क्षत्रियों की उत्पत्ति की इच्छा से अर्बुद (आबू) पहाड़ पर यज्ञ किया। उस यज्ञ की अग्निशिखा से चालुक्य, परमार और परिहार क्षत्रिय उत्पन्न हुए। इन्होंने यज्ञ के बाधकों का विनाश किया।

ऋषियों ने उसी पर्वत पर दूसरा यज्ञकुंड बनाया। उससे अग्नि के समान तेजस्वी पुरुष की उत्पत्ति हुई जिसका नाम चहुआन रखा गया। इस पुरुष के चार भुजाएँ थीं, जिनमें खड्ग, धनुष, शूल और चक्र थे। चार भुजाओं वाला होने से वह चहुआन कहलाया। इसी चहुआन के वंश में बारहवीं शती में जैतवार हुए। जैतवार आखेट के लिए वन में गए, जहाँ इन्होंने जंगली शूकर का पीछा किया। शूकर ओझल हो गया और ये वन में भटकते रहे। वहाँ इन्हें एक ऋषि का आश्रम दिखाई पड़ा। ऋषि का नाम पद्म था। ऋषि की आज्ञा से ये वहाँ शिवार्चन करने में लग गए और वहाँ एक सुंदर गढ़ बनवा दिया। यही रणथंभौर का प्रसिद्ध किला है। इस गढ़ के निकट सुंदर नगर बसाया गया। पद्मऋषि की तपश्चर्या से इंद्र भयभीत हुआ और उसने उन्हें तपोभ्रष्ट करने के लिए अप्सराओं को भेजा। ऋषि का तप भग्न हो गया। जब उनका मोह टूटा तब उन्होंने अपना शरीर त्याग दिया। शरीर के पाँच खंड करके वेदिका में डाल दिए। सिर से अलाउद्दीन, छाती से हम्मीर, बाहु से महिमाशाह और मीर गबरू और पैर से अलाउद्दीन की बेगम का जन्म हुआ। ऋषि के अवसान के अनंतर जैतवार के हम्मीर नामक पुत्र की उत्पत्ति हुई।

अलाउद्दीन और हम्मीर का जन्म एक ही दिन हुआ। अलाउद्दीन बादशाह होने के अनंतर एक दिन मृगया के लिए वन में गया तब उसकी रूपविचित्रा नामक बेगम सहसा आँधी आ जाने से भटक गई। भटकते हुए उसे महिमाशाह दिखाई पड़ा, जिसे वह पहले से ही प्यार करती थी। महिमाशाह ने उसकी रक्षा की। रतियाचना करने पर उसने उसकी भी पूर्ति की और आते हुए सिंह को देखकर त्रस्त बेगम का त्रास वहीं से बाण मारकर दूर किया। दिल्ली में आकर रूपविचित्रा यथापूर्व रनिवास में रहने लगी। अलाउद्दीन ने एक दिन रंगमहल में बाण से चूहे को मारकर जब अपने शौर्य की प्रशंसा की तब बेगम ने मुसकुराकर उपेक्षा व्यक्त की। बादशाह की पृच्छा पर वचनबद्ध होने पर उसने महिमाशाह के शौर्य का उल्लेख किया। इस पर बादशाह का क्रोध महिमाशाह पर

गरजा। वह वहाँ से हम्मीर की शरण में आया और उन्होंने शरणागत की रक्षा का वचन दिया। अलाउद्दीन के अनेक बार दूत भेजने पर भी उसे महिमाशाह को नहीं सौंपा। इस पर रणथंभौर पर बादशाह की चढ़ाई हुई। युद्ध होते समय एक दिन हम्मीर ने दुर्ग में नृत्य का आयोजन किया। ऊँचाई पर मंडप बनाया गया जो किले को घेरनेवाले अलाउद्दीन को भी दिखाई पड़ता था। वेश्या उसकी ओर पीठ करके नाच रही थी। इससे अपमानित हो उसने अपने वीरों से उसे मार डालने को कहा। मीर गबरू ने उसका मारना अनुचित बतलाकर केवल उसे बेकाम करने का सुझाव दिया और बाण मारकर उसके पैर आहत कर दिए। इसके उत्तर में उधर से महिमाशाह ने अलाउद्दीन का मुकुट बाण मारकर गिरा दिया।

इससे अलाउद्दीन के पक्षवाले विचलित हो गए और उन्होंने वहाँ से हट जाना ही श्रेयस्कर समझा। ठीक इसी अवसर पर हम्मीर के पक्ष के सुरजनसिंह उसके निकट आए और उन्होंने कहा कि यदि मुझे छाड़गढ़ का राज्य मिले तो मैं आपकी विजय करा दूँ। यह प्रस्ताव उसने स्वीकार कर लिया। सुरजन ने लौटकर हम्मीर से कहा कि सामग्री समाप्त हो गई है। इसलिए उचित है कि महिमाशाह को देकर संधि कर ली जाए। हम्मीर ने जाँच-पड़ताल से यह पता पाया कि सामग्री अवशिष्ट नहीं है। इस पर वे स्तब्ध रह गए। महिमा ने कहा कि मैं आपको चिंतामुक्त करने के लिए स्वयं जाकर अलाउद्दीन से मिल जाऊँ। हम्मीर ने कहा कि शरणागत को इस प्रकार लौटाना क्षत्रियों के लिए कलंक है। सुरजन ने इस परिस्थिति का संकेत अलाउद्दीन को दिया। इस पर उसने हम्मीर के सामने प्रस्ताव रखा कि यदि देवल रानी की पुत्री चंद्रकला अर्पित करके राव क्षमार्थी हों तो मैं आक्रमण से विरत हो जाऊँ। हम्मीर ने इसके उत्तर में चिमना बेगम को देने की बात कहला भेजी। इस उत्तर से अलाउद्दीन को सुरजन पर संदेह हुआ। राव चिंतितचित्त रनिवास में गए और सारी परिस्थिति महारानी को बताई। उन्होंने शरणागत की रक्षा को ही श्रेयस्कर बतलाया। रानी की दृढ़ता से राव के चित्त से चिंता का विकार दूर हो गया।

इसके अनंतर राजकुमार रतन को चित्तौड़ भिजवा दिया। दूसरे दिन प्रातःकाल ही अपनी सुभटसेना के साथ आक्रामक से युद्ध करने के लिए वे निकल पड़े। युद्ध में उधर की बहुत-सी सेना कट गई। इस पर महिमाशाह अलाउद्दीन के सामने उपस्थित हुआ और उसने यह कहा कि अपराधी मैं हूँ, मुझे गिरफ्तार करें। बादशाह ने खुरासान खाँ को उसे पकड़ने के लिए कहा। परिणामस्वरूप जो युद्ध हुआ उसमें खुरासान खाँ मारा गया। महिमाशाह भीषण युद्ध करने के पूर्व हम्मीरराव के प्रति कृतज्ञता व्यक्त करने गया। उन्होंने कहा कि हम और तुम एक ही अंश से संसार में जन्मे हैं, इसलिए हमारा-तुम्हारा मिलन अंत में अवश्यंभावी है। महिमाशाह इसके अनंतर युद्ध करने में प्रवृत्त हुआ और जब अपने छोटे भाई मीर गबरू से युद्ध कर रहा था तब अलाउद्दीन ने उससे कहा कि मैं तुम्हारे अपराध को क्षमा करता हूँ। तुम मेरे पक्ष में चले आओ। इसे उसने अस्वीकार कर दिया। अंत में बंधुओं में युद्ध हुआ और दोनों स्वर्ग सिधारे। महिमाशाह के वीरगति

प्राप्त कर लेने पर अलाउद्दीन ने हम्मीर से युद्ध समाप्त करने को कहा। हम्मीर ने इसे अस्वीकार किया और कहा कि हम दोनों पद्मऋषि के अंश हैं, हमारा युद्ध करना ही समयोचित है। इस अवसर पर भील सरदार भोज ने आकर युद्ध करने का आदेश राव से माँगा। राव ने विवश होकर उसे आदेश दिया। वह भीषण युद्ध करके वीरोचित गति को प्राप्त हुआ। तदनंतर राव ने भीषण युद्ध आरंभ किया। राव का हाथी अलाउद्दीन के सम्मुख जा डटा और उसे द्वंद्वयुद्ध के लिए आहूत किया गया। संकट की स्थिति में उसने मंत्री के परामर्श से संधि का प्रस्ताव किया जिसे राव ने स्वीकार नहीं किया।

हम्मीर के योद्धा बड़ी वीरता से लड़े और उन्होंने अलाउद्दीन के हाथी को घेर लिया। हाथी-सहित उसे राव के सम्मुख उपस्थित किया। राव ने अपने सुभटों से उसे उसकी सेना में पहुँचा देने को कहा। उसे उन्होंने अदंड कहा। अलाउद्दीन वहाँ से लौटने पर दिल्ली चला गया। जब इस प्रकार विजय प्राप्त करके राव दुर्ग की ओर लौटे तब विजय के उल्लास में शाही झंडों को सैनिकों ने अपने हाथ में ले लिया। दुर्ग की ओर उन झंडों को आते देख सबने यही समझा कि शत्रु की विजय हो गई है। अतः सरदार तो चित्तौड़ में कुमार की रक्षा के लिए भेज दिए गए और रानियों ने अग्नि में अपने शरीर की आहुति दे दी। राव ने दुर्ग में पहुँचकर ज़ब यह स्थिति देखी तब शिवमंदिर में जाकर अर्चनापूर्वक यह वरदान माँगते हुए कि मैं जब जन्म धारण करूँ तब क्षत्रियवंश में ही, तलवार से शिर काटकर शिवजी पर चढ़ा दिया।

जब यह समाचार अलाउद्दीन के पास पहुँचा तब वह यहाँ आया और राव के सम्मुख प्रमाण करके आज्ञा माँगी कि मेरे लिए क्या करणीय है। कटे सिर ने उत्तर दिया कि जाकर समुद्र में शरीर त्याग करो। बादशाह तदनुसार रामेश्वरम् चला गया और समुद्र में उसने शरीर का परित्याग किया। इस प्रकार सब स्वर्ग में जाकर मिले जहाँ उन पर पुष्पवृष्टि हुई।

राव चंद्रभान ने जोधराज से यह वृत्तांत सुनकर बहुत-सा दान दिया।

यद्यपि यह ग्रंथ पद्य में ही लिखा गया है तथापि बीच-बीच में वचनिका, वार्तिक या वार्ता के नाम से गद्य भी दिया हुआ है। ध्यान से देखने पर प्रतीत होता है कि जिन प्रसंगों का काव्य में विस्तार अनपेक्षित है उन प्रसंगों का उल्लेख वचनिका के द्वारा कर दिया गया है। जिस प्रकार नाटक में कुछ घटनाएँ संकेत के द्वारा निर्दिष्ट की जाती हैं उसी प्रकार श्रव्यकाव्य में भी कुछ घटनाओं का पूरा विवरण देना अपेक्षित नहीं होता। ऐसी ही घटनाएँ इसमें वचनिका के द्वारा कथित हैं। श्रव्यकाव्य भारतीय परंपरा के अनुसार वर्णनात्मक अधिक हुआ करता है। वर्णनात्मक प्रसंगों के अतिरिक्त कथाभाग के कहने में कुछ कवियों की रुचि होती है, कुछ की नहीं। कथाभाग भी दो प्रकार से कथित होता है। जिसमें घटनाएँ स्वाभाविक रूप में कह दी जाएँ वह उसकी साधारण या स्वभावोक्तिपद्धति कही जा सकती है। दूसरी वक्रोक्तिपद्धति होती है जिसमें घटनाओं का उल्लेख विशेष प्रकार की भंगिमा से होता है। इस प्रकार कथासूत्र किसी प्रबंधकाव्य

में तीन प्रकार से गृहीत देखा जाता है। हिंदी में विशेष प्रकार की भंगिमा से घटनाओं के कहने की पद्धति संस्कृत में होने पर भी परंपरा के रूप में गृहीत नहीं हुई। अतः हिंदी में उसका विकास नहीं हुआ। इस प्रकार मुख्य रूप से दो ही पद्धतियाँ दिखाई पड़ती हैं—एक में कथासूत्र को नियोजित करनेवाली घटनाएँ ज्यों-की-त्यों उल्लिखित रहती हैं, दूसरी में उनके कम-से-कम ग्रहण की प्रवृत्ति रहती है। पहली पद्धति तुलसीदास के रामचरितमानस में दिखाई देती है, दूसरी केशवदास की रामचंद्रचंद्रिका में। हम्मीररासो में इन दोनों पद्धतियों का मिश्रण दिखाई देता है। अर्थात् कहीं थोड़ी-सी घटनाएँ कह भी दी गई हैं अन्यत्र उन्हें छोड़ दिया गया है या वचनिका के माध्यम से उनका उल्लेख कर दिया है।

छंदों पर ध्यान देने से स्पष्ट होता है कि इसमें वर्णवृत और मात्रावृत दोनों का मेल है। वर्णवृत्त प्रमुख रूप से संस्कृत के वृत्त हैं और मात्रावृत्तों का आरंभ अपभ्रंश और देशी भाषा का अपना विकास है। ध्यान देने की बात है कि प्राकृत के गाथा छंद का व्यवहार इसमें नहीं किया गया है। पृथ्वीराजरासो में गाथा का प्रयोग उसके विविध भेदों के साथ मिलता है। इससे स्पष्ट है कि संस्कृत की अपेक्षित छंदशैली तो गृहीत हुई पर प्राकृतछंद का परित्याग करना पड़ा। इसका वास्तविक कारण यह था कि प्राकृतछंद देशी भाषा की छंदशैली से मेल खानेवाला नहीं था। हिंदी ने सम छंद और अर्धसम छंद का ही ग्रहण किया है। गाथा छंद, अर्धसम और विषम का मिश्रण है। हिंदी में आधुनिककाल में आकर स्वच्छंद छंदों का जो ग्रहण हुआ उसे विषम पद्धति की ओर जाना माना जा सकता था, पर अनुसंधायकों ने उनकी चीर-फाड़ करके यह सिद्ध कर दिया है कि वे भी हिंदी के ज्ञात छंदों की ही सीमा में अंतर्भुक्त हैं।

अपभ्रंश के अनंतर मात्रावृत्तों में पश्चिमी अंचल में चौपाई छंद का अधिक व्यवहार हुआ, चौपाई का अपेक्षाकृत कम। इधर जो सामग्री मिल रही है उससे पता चलता है कि चौपाई का प्रयोग पश्चिमी अंचल में भी हुआ है। विष्णुदास की रचना हरिहरविलास में, तुलसीदास के मानस में प्रयुक्त दोहे-चौपाईवाला पूर्ववर्ती रूप मिलता है। ये विष्णुदास पश्चिमी अंचल के भक्त थे। हम्मीररासो में चौपाई का भी प्रयोग मिलता है और चौपाई के बदले पद्धरी का व्यवहार भी हुआ है। केशवदास की रामचंद्रचंद्रिका में चौपाई का अल्प प्रयोग मिलता है। प्रशस्तिकाव्य वीरचरित्र में उन्होंने चौपई का ग्रहण किया है। रासोपद्धति के ग्रंथों में कबित्त या मनहरण घनाक्षरी छंद नहीं मिलता, छप्पय का ही प्रकाम प्रयोग पाया जाता है। इसमें एक कबित्त इस बात की सूचना देता है कि कबित्त राजस्थान में भी फैल गया था। फिर भी इसमें सवैया छंद का व्यवहार नहीं है। कबित्त भी शृंगार के प्रसंग में रखा गया है। अपभ्रंश के प्राकृतपैंगलम् में कबित्त-सवैया छंदों का पता नहीं चलता , वर्णवृत्तों से इनका विकास कष्टकल्पना है। अपभ्रंश के अनंतर देशी भाषा के उद्‌भव के समय भाटों के द्वारा इन छंदों की उद्‌भावना की गई है। अपभ्रंश और देशी भाषा में मात्रावृत्तप्रधान पद्धति है। इसलिए मात्रावृत्तों से

ही इनका उद्‌भव समीचीन प्रतीत होता है। ये वर्णावृत्त होकर भी मात्रावृत्त की भाँति लचकदार हैं।

इसमें तुलसीदास के रामचरितमानस का यह दोहा पूर्वपक्ष लिखकर उद्‌धृत किया गया है—

का नहिं पावक जारि सक का न समुद्र समाय।
का न करै अबला प्रबल किहिं जग काल न खाय॥

इसका उत्तर आगे के लोगों ने यों दिया है—

काल न पावक जारि सक जस न समुद्र समाय।
पुत्र न अबला करि सकै नामहि काल न खाय॥

जोधराज ने 'का न करै अबला प्रबल' के 'अबला' को ही 'सबला' सिद्ध करने का प्रयास किया है—

कबि लक्खन अबला कहत सबला जोध कहंत।
दुबिला तन मैं प्रगट जिहिं मोहत संत असंत॥

इस प्रसंग में तुलसीदास को आधार बनाने से यह स्पष्ट हो जाता है कि हिंदी का प्रवाह तुलसीदास की काव्यपरंपराएँ स्वीकृत करता आया है, जो उन्हें काव्यक्षेत्र से निष्कासित करना चाहते हैं वे किसी पूर्वग्रह के कारण।

रासोपद्धति की बहुत-सी बातें इसमें मिलती हैं, साथ ही कुछ विकास भी दिखाई देता है। छंदों के चुनाव, उनके न्यूनाधिक विनियोग, प्रवाहयुक्त भाषा के न्यास और संस्कृताभास पदों के अपेक्षाकृत कम प्रयोग से इसमें निश्चय ही विकास सूचित होता है। पूरा ग्रंथ सामान्यतया विभाजित नहीं किया गया है अथवा यह कहा जा सकता है कि जो विभाजन किया गया है वह प्रतिलिपिप्रवाह में अस्त-व्यस्त हो गया है। इसका पता एक स्थान पर आए हुए शीर्षक से चलता है जहाँ 'अथ हम्मरीराव को और अलावद्दीन पातसाह को बैर समयो वर्णन' लिखा है। स्मरण रखने की बात है कि पृथ्वीराजरासो के अध्यायों का नाम 'समय' ही रखा गया है। बीच-बीच में अन्यत्र भी शीर्षक अध्यायों का संकेत करते हैं, जैसे 'हम्मीरराव का जन्मवर्णन'। ऋतुओं के नाम के साथ 'वर्णन' शब्द लगाकर शीर्षक दिए हुए हैं।

यह कहने की आवश्यकता नहीं कि यह भी वर्णनप्रधान काव्य है। प्रेम और युद्ध दोनों का रासोपद्धति पर संगम होने के कारण इसमें वर्णन कोमल और उग्र दोनों प्रकार के आए हैं। शृंगार के ही अंतर्गत ऋतुवर्णन भी रखा गया है। प्रेम पूर्वपीठिका के रूप में है जिसका पर्यवसान युद्ध में होता है। इस प्रकार इसके युद्धप्रधान काव्य होने से युद्धवर्णन से संबंध में कुछ विवरण समुचित जान पड़ता है। युद्धकाव्य में तीन स्थितियाँ स्पष्ट होती हैं—युद्ध के लिए प्रस्थान, युद्ध और युद्ध का अंत। रणप्रस्थान में सैन्यसज्जा, वीरों की उमंग और

सैन्यसंचालन से भूमंडल में कंपन, आकाश में धूलि छाने आदि का वर्णन नियत है। युद्ध में सुभटयुद्ध और सामूहिक युद्ध दो प्रकार के वर्णन दिखाई देते हैं। सुभटयुद्ध का तात्पर्य है कि किसी विशेष योद्धा के युद्धार्थ उतरने पर जिस प्रकार के करतब दिखाए उन सबका वर्णन। सामूहिक युद्ध का तात्पर्य सेना में होनेवाली मार-काट के सम्मिलित वर्णन से है। ऊपर उद्धृत हम्मीररासो की कथा से स्पष्ट है कि इसमें बार-बार विशेष प्रकार के योद्धाओं के रणभूमि में युद्धहेतु उपस्थित होने की कथा है। फलस्वरूप इसमें सुभटयुद्ध का वर्णन अधिक है, सामूहिक युद्ध का वर्णन कम। युद्ध के अंत की त्रिधा स्थिति होती है—उभयपक्ष में संधि, एक पक्ष की विजय और अपर पक्ष की पराजय। युद्धांत-वर्णन अधिक विस्तृत नहीं होता। अंत में विजय दिखाने पर प्रशस्तिपाठ हुआ करता है।

युद्ध के प्रसंग में घोड़ों, अस्त्र-शस्त्रों आदि की नामावली प्रस्तुत करना बहुत से कवि आवश्यक समझते हैं। उसके द्वारा युद्ध के दृश्य के दर्शन तो नहीं होते, कवि की जानकारी का प्रदर्शन अवश्य हो जाता है। हम्मीररासो में इस प्रकार की नामावली की ओर विशेष रुचि नहीं दिखाई गई है। दूसरे, ओजगुण लाने के लिए अनावश्यक द्वित्व की प्रवृत्ति भी बहुत से वीरकाव्य-रचयिताओं में दिखाई देती है। राजस्थान के भाषाप्रवाह में द्वित्व की प्रवृत्ति सहज भी है। काव्यभाषा में कवियों के द्वारा आरोपित प्रवृत्ति इससे भिन्न है। इसमें अधिकतर पहली प्रवृत्ति का ही सहारा लिया गया है, दूसरी प्रवृत्ति कहीं-कहीं सानुप्रासिकता उत्पन्न करने के लिए रख दी गई है। अमृतध्वनि में जैसे आगे चलकर संयुक्त और द्वित्व वर्णों का जमघट लगाने की प्रवृत्ति जगी अथवा जैसी प्रवृत्ति पृथ्वीराजरासो में शब्दझंकृति उत्पन्न करने के लिए स्थान-स्थान पर दिखाई देती है वैसी इसमें नहीं है। भाषा के कुछ प्राचीन रूप परंपरा की रक्षा के रूप में अवश्य पाए जाते हैं।

सबको संपिंडित करके कहना यह है कि वीरकाव्य का यह ऐसा ग्रंथ है जिसमें पूर्ववर्ती रचनाओं के दोषों से बहुत कुछ अपने का पृथक् करके वीरकथा-काव्य की पुष्ट पद्धति का विकास किया गया है। यदि इसके आदर्श का पालन भविष्य में भी होता रहता तो वीरकाव्य की आगे की रचनाएँ और अधिक विकसित होतीं। आगे चलकर वीरकाव्य के बहिरंग पर जितना अधिक ध्यान दिया गया उतना उसके अंतरंग पर नहीं। इसलिए हिंदी में वीरकाव्य का परिपूर्ण विकास नहीं हो सका।

भूषण

'भूषण' की कविता मुक्तक है। इसकी आलोचना भाषा, भाव और वर्णन-शैली की दृष्टि से की जा सकती है। पर इनकी कविता का संबंध इतिहास से भी है। वर्ण्य ऐतिहासिक होने से उस दृष्टि से भी विचार होना चाहिए। 'शिवभूषण' रीतिशास्त्र है,

उसमें अलंकारों का निरूपण है, इसलिए अलंकारशास्त्र की दृष्टि से इसका विश्लेषण आवश्यक है। भूषण की आलोचना में भाषाकाव्य के प्रमुख कवियों से उनकी तुलना भी की जा सकती है।

'भूषण के पहले से ही हिंदी-साहित्य में सर्वत्र सामान्य-काव्यभाषा प्रयोग में आती थी। राजस्थान में इसका नाम 'पिंगल' था। राजस्थानी जोड़-तोड़ में अपनी भाषा को 'डिंगल' कहते थे। इस सामान्य-काव्यभाषा का संक्षिप्त नाम 'भाषा' था और वह व्रजी ही थी। प्रेमगाथावाले 'जायसी' आदि कवियों ने अवधी का व्यवहार किया। आगे चलकर तुलसीदास ने दोनों के मेल से मिश्रित काव्यभाषा का मार्ग दिखलाया जिसमें रीढ़ व्रजी की थी, पर प्रयोग अवधी के भी मिल जाते हैं। फिर भी तुलसीदास ने कबित्तावली, गीतावली, विनयपत्रिका आदि में सामान्य-काव्याभाषा व्रजी का रूप प्रधान रखा है। तुलसीदास के अनंतर जो व्रजी का रूप गृहीत हुआ वह मिश्रित भाषा का ही रूप था। शुद्ध व्रजी व्रजवासी कवियों में दिखाई देती है, जैसे 'रसखानि और घनआनंद' में । जो कवि जिस प्रदेश का होता था वह अपनी प्रादेशिक बोली का मेल व्रजी में अवश्य करता था। केशव ने बुंदेली का मेल किया तो देव और भूषण ने पांचाली और बैसवाड़ी का। तुलसीदास ने व्रजी में संस्कृत की कोमलकांत और सामासिक पदावली का ग्रहण करके नूतन सरणि की उद्भावना की। विनयपत्रिका के आरंभिक पदों में उनकी नूतन सरणि दिखाई देती है। केशवदास संस्कृत के पंडित थे और उन्हें संस्कृत का अभिमान भी था, किंतु सामान्य-काव्यभाषा में संस्कृत की सरणि किस प्रकार गृहीत हो इधर उनका ध्यान न गया ही और न ऐसी सरणि की उद्भावना में वे समर्थ ही थे। उन्होंने पांडित्य का प्रदर्शन करने के लिए संस्कृत के अप्रचलित और हिंदी के लिए अव्यावहारिक शब्द का प्रयोग अवश्य किया। काव्योपयोगी जनभाषा के रूप में हिंदी का परिष्कार वे न कर सके।

सामान्य-काव्यभाषा व्रजी जिस प्रकार प्रादेशिक बोलियों के शब्दों का चयन करती आई उसी प्रकार विदेशी भाषा के भी प्रचलित और व्यवहारयोग्य शब्दों का संग्रह भी। तुलसीदास के समय से लेकर शृंगारकाल के अंत तक होनेवाले कवियों ने विदेशी शब्दों को एकदम अस्पृश्य नहीं समझा। मुसलमान भारत में विदेशी भाषा लेकर आए। उन्हें राजकाज के व्यवहार के लिए तथा अपनी बात समझाने और यहाँ के निवासियों के विचार समझने में जो कठिनाई अनुभूत हुई उसके लिए आरंभ ही से प्रयत्न होते आए हैं। अमीर खुसरो के नाम से प्रसिद्ध खालिकवारी ने हिंदी और अरबी-फारसी शब्दों के पर्यायों का संग्रह किया। प्रचलित खालिकबारी भले ही खुसरो की रचना न हो पर वैसे प्रयास उस समय अवश्य हो रहे थे। संस्कृत और अरबी-फारसी के पर्यायों के भी कई कोश समय-समय पर निर्मित होते रहे हैं। कहा जाता है कि इस प्रकार के कोशों के बहुत से हस्तलेख लिखवाकर और उन्हें ऊँटों पर लदवाकर वितरित किया जाता था। 'पारसीकप्रकाश' नाम का एक कोश मिलता है जो संस्कृत और अरबी-फारसी के पर्यायों का कोश है। ऐसे ही प्रयासों का परिणाम यह हुआ कि ब्याह-शादी, धन-दौलत, हर-एक आदि बहुत से शब्द

युग्मक व्यवहार में आ गए, जिनमें एक शब्द देशी भाषा हिंदी का और दूसरा विदेशी भाषा का है। ऐसे कोशों का प्रभाव हिंदी के व्याकरण पर भी पड़ा। संस्कृत का आत्मा शब्द पुल्लिग होते हुए भी 'रुह' के संसर्ग से स्त्रीलिंग हो गया। कैसी विलक्षणता है कि हिंदी में आत्मा का व्यवहार स्त्रीलिंग में होता है और परमात्मा का पुल्लिग में। संस्कृत का देवता शब्द स्त्रीलिंग होते हुए भी हिंदी में पुल्लिग हो गया, क्योंकि विदेशी, आकारांत शब्दों को पुल्लिग लिखने-बोलने के अभ्यासी थे। केशवदास एक ओर देवता को स्त्रीलिंग लिखते रहे, दूसरी ओर तुलसीदास पुल्लिग। यदि आगे चलकर हिंदी में संस्कृत का लिंग सुरक्षित रखने की प्रवृत्ति न जगती तो माला, धर्मशाला, पाठशाला, दुविधा आदि कितने ही शब्द पुल्लिग ही में व्यवहृत होते। व्रजी के कवि कुछ दिनों तक यही समझते रहे कि विदेशी-भाषा-मिश्रित खड़ी बोली मुसलमानों की ही विशिष्ट बोलीबानी है। इसीलिए उनका प्रसंग आने पर व्रजी में भी खड़ी के वाक्यांश वे बहुधा रख दिया करते थे, जैसा भूषण ने किया है। एक भाषा की दो भिन्न शैलियाँ किस प्रकार हो गईं और एक अधिकतर मुसलमानों के व्यवहार में रहकर तथा अरबी-फारसी के शब्दों और प्रयोगों से लदकर स्वतंत्र भाषा की भ्रांति उत्पन्न करने में कैसे सहायक हुई इसका पता उस समय की परिस्थिति पर ध्यान देने से तुरंत चल जाता है। भूषण औरंगजेब और उसके सरदारों के प्रसंग में खड़ी बोली का वाक्यांश रखना प्रायः नहीं भूलते, जैसे—

अफजल खानजू को मारा मयदान जाने बीजापुर गोलकुंडा डराया दराज है।
बचैगा न समुहाने बहलील खाँ अयाने भूषन बखाने दिल आन मेरा बरजा।
अवरँग अठाना साह सूरकी न मानै आनि जब्बरजोराना भयो जालिम जमाना को।
सिवा की बड़ाई और हमारी लघुताई क्यों कहत गरो परिबेकों पातसाह गरजा।

उद्धरणों से स्पष्ट है कि कवि खड़ी के वाक्यांश तो रखना चाहता है पर व्रजी के प्रयोग भी अभ्यासवश और छंदानुरोध से आ ही गए हैं, जैसे भयो, गरो आदि।

विदेशी शब्द किस प्रकार अपना लिये गए थे इसका पता इतने ही से चल जाता है कि उनसे क्रियाएँ भी बनाई जाती थीं और वे भाषा के व्याकरण से शासित भी किए गए थे। 'शरीर' से 'शरीकता' और 'गम' से 'गमिहैं' तुलसीदास के काव्य में प्रयुक्त हैं। भूषण ने ऊपर 'जोर' से 'जोरना' का प्रयोग किया ही है। 'लरजीदन' से 'लरजना' व्रज में बन ही गया और ऐसा बना कि अब इस बात पर सहसा ध्यान नहीं जाता कि वह किसी विदेशी शब्द से बना है। व्रजभाषा के अच्छे-अच्छे कवियों ने बेधड़क इसका प्रयोग किया है, जैसे पद्माकर ने—

कहै पद्माकर लवंगनि की लोनी लता लरजि गई ती फेरि लरजन लागी री।
पात बिन कीन्हे ऐसी भाँत गन बेलिन के परत न चीन्हे जे ये लरजत लुंज हैं।

भूषण की रचना में विदेशी शब्दों से बने क्रियापद देखिए—

भूषन भनत तहाँ सरजा सिवाजी गाजी तिनको तुजुक देखि नेकहू न लरजा।
पेसकसैं भेजत बिलाइति पुरतगाल सुनिकै सहमि जाति करनाट-थली है।
कीरति के काज महराज सिवराज सब ऐसे गजराज कबिराजन कों बकसै।
ताते है अनेक कोऊ सामने चलत कोऊ पीठ दै चलत मुख नाइ सरमात हैं।
सुनिये खुमान हरि तिनको गुमान तिन्हैं देबे को जवाब कबि भूषन यों अरजा।

'मुगलेटे', 'पठनेटे' आदि प्रादेशिक प्रयोग हैं अथवा गढ़े हुए। 'अनचैन' और 'दलदार' में उपसर्ग संस्कृत का और शब्द फारसी का तथा इसका विपर्यास शब्द संस्कृत का और प्रत्यय फारसी का दिखाई देता है।

'भूषण' ने अरबी-फारसी और तुर्की के शब्द कुछ अधिक प्रत्युक्त किए हैं। इसका मुख्य कारण एक और था। इसके आश्रयदाता शिवाजी थे और महाराष्ट्र देश में इन्हें अपनी कविता को उसके निवासियों के लिए बोधगम्य बनाना था। अतः इन्होंने तत्कालीन मराठी की प्रवृत्ति ग्रहण की। यद्यपि आधुनिक मराठी बँगला की ही भाँति संस्कृतशब्द-बहुल हो रही है तथापि शिवाजी के समय की मराठी में अरबी-फारसी शब्दों का अधिक प्रयोग होता था। बाहुल्य यहाँ तक बढ़ा कि तत्कालीन मराठी को अरबी-फारसी जाने बिना समझना दुरुह है। उस समय के मराठी पत्रों में ९६ प्रतिशत तक फारसी शब्द मिलते हैं। केवल पत्र-व्यवहार में नहीं, मराठी कविता में भी फारसी शब्द घुस गए थे। बाह्य संघटन और भाषा की शैली पर भी फारसी का प्रभाव पड़ा। उसमें प्रयुक्त किल्लें, परगणें, मौजें आदि फारसी के किलये, परगनये और मौजये के घिसे रूप हैं। मराठी के नियमानुसार इन्हें किल्ला, परगणा, मौजा होना चाहिए। बेदिल, गैरमिसिल ऐसे शब्द 'भूषण' की भाषा में मराठी से आए हैं। फारसी का प्रभाव उपाधिवाची शब्दों तक पर पड़ा, जैसे—चिटणीस, फड़नीस, अब्बा, बाब आदि। आदिलशाह का 'एदिल' और बहादुर खाँ का 'बादर खाँ' मराठी की नकल है। माची, गुसुलखाना, भठी, फिरंगै, बीछू, हुन्नैं, जुमिला, नालबंदी, बारगीर, बरगी, आमखास, तोड़दार ऐसे शब्द मराठी से लिये गए। ऐसे शब्दों का प्रयोग बखरों में निःसंकोच किया गया है।

व्रजी में बुंदेली के कुछ क्रियापद सर्वसामान्य हो गए हैं। बिहारी तक ने 'देखबी' का प्रयोग किया है। तुलसीदास की अवधी में भी ऐसे प्रयोग पहुँच गए थे—'ये दारिका परिचारिका करि पालिबी करुनामई'। भूषन की रचना में भी ऐसे रूप आए हैं—

(१) **धीर धरबी न धरा कुतुब के धुर की।**
(२) **कीबी कहैं कहा औ गरीबी गहे भागी जाहिं।**

भूषण ने बैसवाड़ी एवं अंतर्वेदी के प्रादेशिक प्रयोग भी किए हैं—

(१) **लागैं सब और छितिपाल छिति में छिया।**
(२) **सूबन साजि पठावत है नित फौज लखे मरहठ्ठन केरी।**
(३) **काल्हि के जोगी कलींदे को खप्पर।**

(४) गजन की ठेल-पेल सैल उसलत है।

(५) तेरी तरवार स्याह नागिन तें जासती।

भूषण ने सामान्य-काव्यभाषा का जो रूप लिया वह बहुत परिष्कृत नहीं है। जैसी सफाई इनकी प्रकीर्ण रचना में है और जो शब्दमाधुरी शृंगाररस की कृति में उपलब्ध होती है वह 'शिवभूषण' में नहीं। अपनी भाषा को बोधगम्य बनाने का प्रयास इन्होंने अवश्य किया। यह दूसरी बात है कि ये अभ्यासवश प्रादेशिक शब्दों और छंदानुरोध से विकृत शब्दों का भी प्रयोग करते रहे।

यह विकार या तोड़-मरोड़ विदेशी शब्दों तक में है, जैसे फारसी के तनाय (तनाव = डोर), बगार (बलगार = दुर्गम घाटी), अरबी के सरजा (शरजः = सिंह), अबस (व्यर्थ), तुर्की के तुरमती (तिलक)। भूषण ने तत्सम रूपों का प्रयोग अपेक्षाकृत कम किया है। तद्‌भव या ठेठ शब्द अधिक हैं—जैसे आह (हियाव, सामर्थ्य), ओत (आश्रय), गारो (गर्व), नेतु (निश्चय), धोप (तलवार), पैली (उस पार), कलकानि (दुःख) आदि। तुलसीदास की नकल पर संस्कृत के क्रियापद भी कहीं-कहीं गढ़कर रख दिए गए हैं, जैसे—जहत हैं, सिदति है।

भूषण ने अपभ्रंशकाल से चले आते पुराने रूप कम लिए हैं और जो लिए भी हैं वे बहुत चलते, जैसे—बयन, पैज, नयर, पब्वय, पुहुमि, गढ़ोइ (गढ़वइ)। इस दिग्दर्शन का तात्पर्य यह कि भूषण की भाषा मिश्रित है। शब्द तोड़े-मरोड़े अवश्य गए; पर विवशता से, छंद में बैठाने के लिए, प्रवाह और पादांत के हेतु। महिमावान का महिमेवाने, अंबरीष का अंबरीक तुकांत के लिए ही है। बीच में विकृत रूप न अधिक हैं और न बेठिकाने ही। जिन बहुत से शब्दों का अंग-भंग करने का दोष भूषण पर लगाया जाता है, वे अधिकतर मराठी से लिए गए हैं।

भूषण की कृति वीररस की है और वीररस का गुण 'ओज' माना गया है। इस ओजगुण के लिए काव्य में परुषा वृत्ति लानी पड़ती है। इस वृत्ति के अनुकूल संयुक्त वर्ण, रेफयुक्त वर्ण और द्वित्व वर्णों का प्रयोग अधिक किया जाता है तथा टवर्ग का भी अधिक व्यवहार अपेक्षित होता है। बड़े आश्चर्य की बात है कि वीररस की रचनाओं में भूषण ने इस वृत्ति का विशेष सहारा नहीं लिया। अमृतध्वनि छंद में ही अनुप्रास की छटा दिखाने के लिए अवश्य कुछ ऐसा प्रयास किया है जो इस वृत्ति के अनुकूल है। अमृतध्वनि छंद में विशेष उच्चारण से शब्दों के वर्ण या वर्णों का द्वित्व अथवा सम्मिलन कर दिया जाता है। परिचित शब्द भी इसी से बहुतों को दुर्बोध हो जाते हैं। वे शब्दों के उच्चारण की विशेष विधि पर ध्यान नहीं देते, जैसे—'बंक क्करि अति डंक क्करि' में पाँच शब्दों का व्यवहार हुआ है—बंक, करि, अति, डंक और करि। 'बंक' और 'करि' दो शब्द परुषा वृत्ति को केवल उच्चारण के द्वारा विशेष रूप से व्यक्त करते हैं। सामान्यतया बंक शब्द का उच्चारण करने में बं पर उदात्त स्वर है, पर परुषा वृत्ति के लिए दोनों वर्ण उदात्त कर दिए गए हैं। फलतः बंक और करि के मेल में 'क्' वर्ण (बंक के द्वितीय वर्ण

'क्') को द्वित्व प्राप्त हो गया है। इसी प्रकार 'सोचच्चकित भरोचच्चलिय बिमोचच्चखजल' मूल रूप में सोचत, चलिय, बिमोचत, चखजल शब्द हैं। अपेक्षित वर्णों को उदात्त कर देने से उन्हें ऊपर वाले रूप प्राप्त हो गए हैं। उदात्त स्वर का प्रयोग लिखने में न होने के कारण ऐसे छंद विलक्षण और कठिन जान पड़ते हैं। पृथ्वीराजरासो आदि में इस प्रकार के शतशः प्रयोग हुए हैं और उदात्त स्वर के व्यवहार से अपरिचित होने के कारण 'रासो' के जितने संस्करण आज तक प्रकाशित हुए हैं सब भ्रष्ट और अशुद्ध छपे हैं।

'वीररस की रचना के लिए परुषा वृत्ति प्रयोग में आती है' ऐसा कहने का यह तात्पर्य नहीं कि वीरकाव्य का कर्ता सर्वत्र शब्दों पर अनावश्यक बोझ लादता रहे। जिन चारण-भाटों ने रासो आदि प्रशस्तिकाव्य लिखे उनकी प्रकृत्ति ही ऐसी हो गई थी कि वे शब्दों पर वैसा अपेक्षित भार डालते रहे। मध्यकाल में सूदन ने अपने सुजानचरित्र में इस प्रकार का प्रयोग बहुत किया है। पद्माकर ने भी 'हिम्मतबहादुर-विरुदावली' में ऐसी प्रवृत्ति कुछ-कुछ दिखलाई है। गोस्वामी तुलसीदास की 'कबित्तावली' में एक-आध स्थल पर ही यह प्रवृत्ति दिखती है, जैसे—'डिगति उर्बि अति गुर्बि सब्ब पब्बै समुद्द सर' और 'परत दसकंठ मुखखभर' में। उन्होंने सर्वत्र इस पद्धति का ग्रहण इसलिए नहीं किया कि इसमें कृत्रिमता अधिक है। भूषण की रचना में उपरिकथित रासोपद्धति अमृतध्वनि को छोड़कर अन्यत्र नहीं दिखती। इसका हेतु यही है कि इन्होंने केवल बानगी के लिए ऐसे प्रयोग कर दिए। ये भी इसे कृत्रिम ही मानते थे। रसानुभूति के लिए परुषा वृत्ति का प्रयोग अनिवार्य नहीं है, जो वास्तविक अनुभूति जगाने में अक्षम होते हैं वे ही वृत्ति के बाहरी दिखावे से अधिक काम लेना चाहते हैं। इसलिए यह स्वीकार करना पड़ता है कि कम-से-कम इस विषय में भूषण ने समझदारी से काम लिया है।

देशी भाषाओं में अपभ्रंशकाल की अनेक प्रवृत्तियाँ आई हैं। प्रत्युत संस्कृत से देशी का पार्थक्य अपभ्रंशकाल से ही समझना चाहिए। देशी भाषाओं में तुकांत और मात्रावृत्तों का विशेष ग्रहण अपभ्रंश से ही होता है। यह अप्रभंश भाषा 'उकारबहुला' थी। 'नाम' अर्थात् संज्ञा और विशेषण अकारांत पुल्लिग होने पर कर्ता और कर्म में 'उकारांत' कर दिए जाते थे। अपभ्रंश की यह विशेषता साहित्य में गृहीत व्रजी और अवधी दोनों में है, पर सार्वत्रिक न होकर क्वाचित्क है। साहित्यिक व्रजी में यह वैकल्पिक है। इसी से किसी कवि की रचना में यह अधिक मिलती है और किसी में कम। परवर्तीकाल में यह धीरे-धीरे हटती गई। इसी से केशवदास, बिहारी आदि की कृति में यह अधिक है और पद्माकर, द्विजदेव में नाममात्र को। भूषण की रचना में भी यह कम है, पर है अवश्य। अठारहवीं शती के प्रथम चरण से यह प्रवृत्ति कम होने लगी और बीसवीं शती के प्रथम चरण अर्थात् भारतेंदु के उदित होने पर हट गई। 'खड़ी' के अधिक व्यवहार ने भी इसके हटने-हटाने में सहायता की। भूषण की शृंगारी रचना में अर्थात् आरंभिक कृति में यह कुछ अधिक है। गोतु, उदोतु, सोतु, होतु के प्रयोग वहीं मिलते हैं। दाटियतु, पाटियतु,

बाहियतु, मारु, दुवारु, दरकतु, धरकतु, अतवारु, पारु, गाइयतु, काँधियतु, बाँधियतु आदि के प्रयोग शृंगारेतर रचना में गिने-चुने हैं और गुजरात की ओर के हस्तलेखों में ही अधिक मिलते हैं।

भाषा में विशेष प्रकार का वाग्योग उसके शक्तिसामर्थ्य का व्यंजक है। मार्मिकता के लिए प्रत्येक समर्थ भाषा वाग्योगों का अधिक व्यवहार करती है। इसी प्रकार लोक में अनेक ऐसी उक्तियाँ भी प्रचलित हो जाती हैं जो किसी घटना या कथांश के आधार पर चल पड़ती हैं और विविध प्रसंगों में किसी समर्थनीय का समर्थन करने आया करती हैं। व्रजी में वाग्योग अर्थात् मुहावरों के प्रयोग में घनआनंद और लोकोक्तियों के विनियोग में ठाकुर विशिष्ट हैं। प्रदेशभेद से अनेक रंग-ढंग के प्रयोग-विनियोग होते रहे हैं।भूषण की रचना में अंतर्वेदी रीति अधिक है—

मुहावरे— १. केते धौं नदी-नदन की **रेल उतरति** है।
२. **पाग बाँधियतु** मानों **कोट बाँधियतु** है।
३. **दंत तोरि** तखत तरें ते आयो सरजा।
४. मीरन के **अवसान गए मिटि**।
५. नाह **दिवाल की राह न धाओ**।

लोकोक्ति—१. काल्हि के जोगी कलींदे को खप्पर।
२. सौ-सौ चूहे खायकै बिलाई बैठी जप के।

रसव्यंजना

वीररस के सहकारी रौद्र और भयानक हैं। इन दोनों की भी व्यंजना भूषण ने की है। भयानकरस की अभिव्यक्ति में स्थान-स्थान पर शिवाजी की धाक से प्रतिपक्षियों का भयभीत होना ऐतिहासिक दृष्टि से कुछ को खटका है। काव्य और इतिहास में अंतर अवश्य है। जो काव्य में व्यंजित होता है वह इतिहास में कथित रहता है। अभिव्यक्ति की प्रणाली में कहीं कथितार्थ बढ़ा-चढ़ा हो सकता है पर उसका व्यंग्यार्थ मात्र वहाँ प्रयोजनीय होगा। भयानकरस की व्यंजना में प्रतिपक्ष को भीत दिखाना ही इष्ट है। अतः काव्य और इतिहास में पार्थक्य नहीं रह जाता। भूषण ने यह कोई असत्य बात नहीं लिखी। शिवाजी की युद्धनीति सहसा आक्रमण की थी। इसे इतिहास सकारता है। सहसा आक्रमण द्वारा भीत कर देने से ही पर्याप्त आतंक छा जाता है। उस समय शिवाजी की धाक ने शत्रुओं को जितना त्रस्त कर रखा था उतना उनकी जमकर लड़ाइयों ने नहीं। शिवाजी की इस धाक का जैसा उल्लेख भूषण ने किया है उसके समानार्थी वचन तत्कालीन विदेशियों के पत्रों में मिलते हैं। भूषण ने धाक की व्यंजना करने में प्रतिपक्षी की शक्ति का अपलाप नहीं किया है। औरंगजेब के ऐश्वर्य और सामर्थ्य का निदर्शन 'उत्तर पहार बिधनोल खंडहर झारखंडहु प्रचार चारु केली है बिरद की' प्रतीक वाले कबित्त में बहुत स्पष्ट है। रौद्ररस की व्यंजना 'सबन के ऊपर ही ठाढ़ो रहिबे के जोग' प्रतीक-

वाले कबित्त में और भयानक रस की 'कत्ता की कराकनि चकत्ता को कटक काटि' प्रतीक की घनाक्षरी में है।

बीभत्स की व्यंजना में कालिका, रुद्र आदि के महामहोत्सव का पारंपरिक वर्णन है, जैसे—'भूप सिवराज कोप करि रन-मंडल में' और 'किलकति कालिका कलेजे की कलल करि' प्रतीक के कबित्तों में।

शत्रुनारियों-शत्रुदेशवासियों के वैधव्य-शोकादि का वर्णन करके अंगरूप में करुण की भी व्यंजना 'बिज्ञपूर बिदनूर सूर सरधनुष न संधहि' प्रतीक के छप्पय में तथा अन्यत्र भी की है। अद्भुतरस अंगरूप में 'सुमन में मकरंद रहत हे साहिनंद' प्रतीक के कबित्त में माना जाएगा और 'हास'अंगरूप में 'चित्त अनचैन आँसू उमगत नैन देखि' प्रतीक के कबित्त में कहा जाएगा। ऐसे ही 'निर्वेद' 'साहिन के उमराव जितेक सिवा सरजा सब लूटि लए हैं' प्रतीक के सवैये में आया है। शांतरस की व्यंजना पृथक् ही 'देह देह देह फिर पाइए न ऐसी देह' प्रतीक के कबित्त में उपदेशात्मक पद्धति से की गई है। शृंगार के अंगरूप वीर 'मेचक कवच साजि बाहन बयारि बाजि' प्रतीक के कबित्त में रखा गया है।

यह सब दिखाने का प्रयोजन इतना ही है कि वीररस का जो क्षेत्र भूषण ने चुना उसमें इन्होंने विविध प्रकार से उसकी व्यंजना की है। त्रास या भय के अनेक रूपों की व्यंजना अनेक प्रकार की रसात्मक स्थितियों की कल्पना के साथ की गई है। नूतन उद्भावना की क्षमता भूषण में अच्छी थी। अलंकारों के फेर में पड़ने से उसमें भले ही त्रुटि आ गई हो। खीझ, व्याकुलता, दैन्य आदि की सहायता से शिवाजी के आतंक की व्यंजना में नूतनोद्भावना के अनेक प्रयोग भूषण की रचना में हैं, जैसे—'मुलुक लुटायो तो लुटायो कहा भयो, तन आपनो बचायो महाकाज करि आयो है' में खीझ, 'तोरि कै छरा सों अच्छा सी यों निचोरि कहैं, तुमने कहे ते कंत मुकतों में पानी है' में व्याकुलता, 'भीख माँगि खैहैं बिन मनसब रैहैं, पै न जैहैं हजरत महाबली सिवराज पै' तथा 'करि मुहीम आए कहत, हजरत मनसब दैन, सिव सरजा सों बैर करि ऐहैं बचिकं हैं न' में दैन्य और 'चौंकि चौंकि चकता कहत चहुँघा तें यारो, लेत रहौ खबरि कहाँ लौं सिवकाज है' में प्रतिपक्षी की व्यग्रता आतंक की व्यक्ति में सहायक है और 'मानव की कहा चली एते मान आगरे में आयो-आयो सिवराज रटैं सुकसारिका' में पक्षियों के भी उसे रटने से उसकी व्याप्ति दिखाई गई है। वीररस की ही भाँति शृंगाररस की व्यंजना में भी भूषण ने नवीन उद्भावनाएँ की हैं, जैसे—'रावरेहू आए हाय-हाय मेघराय सब धरती जुड़ानी पै न बरती जुड़ानी मैं' तथा 'कारो धन घेरि-घेरि मार्‌यो अब चाहत है एते पर करति भरोसो कारे काग को' में। दूसरे उदाहरण में कागों से ठगी जाकर भी गोपिका काले कौए का विश्वास कर रही है। मानवमन की कैसी विलक्षणता है!

दृश्यचित्रण के लिए मुक्तक में स्थान ही कम होता है। वीररस की कृति में युद्धस्थल का चित्रण आ सकता है, पर युद्धस्थल में अनेक दृश्यों के त्वरित गति से संघटित होने के कारण चित्रण की विशेष विधि ही काम में आ सकती है। अनेक दृश्यों

का सुगुंफित चित्रण वहाँ प्रायः नहीं आ पाता। इसलिए भूषण की रचना में स्थिर दृश्यचित्रण का अनुसंधान व्यर्थ ही है। शिवभूषण के आरंभ में रायगढ़ का वर्णन करने में स्थिर दृश्यचित्रण का अवसर इन्हें मिला है। पर जैसी अन्य हिंदी कवियों की स्थिति है वैसी ही इनकी भी। वह वर्णन भी अलंकारों के घटाटोप से आच्छादित है। इतना अवश्य कह सकते हैं कि कल्पना संभावना भूषण ने विलक्षण अथवा प्रसंगानुभूतिविरुद्ध नहीं की है। इसका यह तात्पर्य नहीं कि वे परंपरासिद्ध वर्ण्यवस्तुसंकलन से भी विमुख हैं। केशवदास की कविप्रिया या कविशिक्षा से वे पूर्ण प्रभावित हैं। रायगढ़ में अफगानिस्तानी मेवों के अतिरिक्त छहों ऋतुओं में वसंत का निवास भी है। 'लवली लवंग यलानि केरे' के साथ ही 'दाख दाड़िम सेव' भी हैं और अंत में 'छहु रितु बसत बसंत जहँ'। इसके लिए यही कहा जा सकता है कि राजा-रईस अपने बगीचों में शौकिया दूसरे देशों के फल-फूलों के पेड़-पौधे भी लगाते हैं। भौगोलिक दृष्टि से रायगढ़ समशीतोष्ण भी हो सकता है। अतः वर्ष भर वसंत की-सी स्थिति कहना कविप्रौढ़ोक्ति-सिद्ध न होकर कुछ प्रकृतिसिद्ध भी है।

वीरता के आतंक की व्यंजना करते हुए सारूप्य-साधर्म्य का विचार बहुत कुछ भूषण ने अवश्य रखा है। अन्य बहुत से दरबारी कवियों की भाँति पारंपरिक उक्तियाँ ही या चमत्कारिक सूक्तियाँ ही नहीं कही हैं, जैसे—

छूटे बार-बार छूटे बारन तें लाल देखि भूषन सुकबि बरनत हरखत हैं।
क्यों न उतपात होहिं बैरिन के झुंडन में कारे घन उमड़ि अँगारे बरखत हैं॥

काले केशों और काले बादलों एवं लाल तथा अंगारों में वर्णसाम्य मात्र नहीं, उत्पात की भीषणता दिखाने के लिए पानी के स्थान पर आग बरसाई गई है। शृंगाररस (संयोग) में केशों का ऐसा वर्णन भावविरुद्ध हो जाता।

समद लौं समद की सेना त्यों बुँदेलन की सेलैं सुमसेरैं भईं बाड़व की लपटैं।

अब्दुस्समद की सेना को समुद्र कहने में उसकी अपारता व्यंग्य है। दूर से बहुत से मनुष्य का जमावड़ा जलराशि की भाँति लहराता हुआ भी ज्ञात होता है। भीड़ को 'रेला' (प्रवाह) कहते भी हैं।

औरंगजेब दक्षिण में जिन सूबेदारों को भेजता है उनका पानी उतर जाता है। वे अपना-सा मुँह लेकर लौट आते हैं। यदि बादशाह ने उन्हें उत्साहित करके पुनः भेजा तो भी उनकी वही दशा होती है। इसके लिए कहा गया है—

रहँट की घरी जैसे औरँगके उमराव पानी दिली तें ल्याइ ढारि ढारि जात हैं।

उत्तर से दक्षिण और दक्षिण से उत्तर आने-जाने में जो चक्कर काटना पड़ता है वह 'रहँट' से बहुत मेल खाता है। घड़े पेंच के सहारे चला करते हैं, उमराव भी परप्रेषित

यंत्रवत् विवश हैं। 'पानिप' का श्लेष है सो तो है ही।

सूखत जानि सिवाजू के तेज तें पान से फेरत औरँग सूबा।

'पान' यदि उलटे-पलटे न जाएँ तो वे गरमी-पानी से सूख-सड़ जाते हैं, सूबेदारों की भी ऐसी ही स्थिति; 'सूखत',' तेज' और 'फेरत' श्लिष्ट।

आलमगीर के मीर वजीर फिरैं चउगान बटान से मारे।

शिवाजी के सामने आते हैं तो मार-पीटकर भगा दिए जाते हैं और लौटकर औरंगजेब के पास पहुँचते हैं तो वहाँ से फटकार सुनकर फिर दक्षिण पलटते हैं।

कहीं-कहीं असावधानी भी हो गई हैं, जैसे—

मिलतहि कुरुख चकत्ताको निरखि कीन्हो सरजा सुरेस ज्यों दुचित ब्रजराज को।

औरंगजेब को 'व्रजराज' (श्रीकृष्ण) कहना ठीक नहीं हुआ। श्रीकृष्ण ने इंद्र की वर्षा से जनसमाज की रक्षा की थी, दूसरे 'दुचित' नहीं हुए थे। औरंगजेब के प्रति जो भाव जगाना अभिप्रेत है उसकी सिद्धि नहीं होती।

वीररस के प्रसंग से रणस्थलवर्णन की अपेक्षा रणप्रस्थानवर्णन ही भूषण की रचना में अधिक है और जो है वह प्रौढ़ोक्तिसिद्ध है। सेना के चलने से शेष-कच्छप की दुर्दशा, समुद्र का हिलना, धूल से सूर्य का छिपना आदि—

(१) तारा सो तरनि धूरिधारा में लगत जिमि थारापर पारा पारावार यों हलत है।
(२) टूटि गे पहार बिकरार भुवमंडल के सेष के सहसफन कच्छप कचरि गे।
(३) दल के दरारन तें कमठ करारे फूटे केराके से पात बिहराने फन सेष के।
(४) उलटत पलटत गिरत झुकत उझकत सेषफन बेदपाठिन के हाथ से।
(५) रंकीभूत दुवन करंकीभूत दिगदंती पंकीभूत समुद सुलंकी के पयान तें।
(६) काँचसे कचरिजात सेषके असेष फन कमठकी पीठपै पिठी सी बाँटियतु है।

अत्युक्ति-अतिशयोक्ति की भी कमी नहीं—

(१) 'आयो-आयो' सुनत ही सिव सरजा तुव नाँव।
बैरि-नारि-द्दगजलन सो बूड़ि जात अरि-गाँव॥
(२) रावरे नगारे सुनि बैरवारे नगरन नैनवारे नदन नबारे चाहियतु है।

अलंकारनिरूपण

केशव और दास ऐसे आचार्यों ने भी रीतिशास्त्र के विवेचन में जब पूरी सफलता नहीं पाई तब भूषण की कथा ही क्या! उन दोनों की दृष्टि में शास्त्रपक्ष प्रधान था, काव्यपक्ष नहीं। फिर भी विफलता ही हाथ! भूषण के सामने शास्त्र या अलंकारनिरूपण साधन है, ब्याज-बहाना है, वह भी व्यवस्थारहित। क्रम से उदाहरण नहीं बनाए गए। कुछ

तो पहले से ही बने बनाए थे, शेष बना डाले गए। ग्रंथ का ढाँचा खड़ा हो गया। सहारा या अध्ययनानुशीलन सीधे किसी संस्कृत-अलंकारग्रंथ का भी नहीं ! इसी से भूषण के लक्षण और उदाहरण दोनों कई स्थलों पर अस्पष्ट और दोषपूर्ण हैं।

भूषण के अलंकारनिरूपण में एक बात और है। लक्षण में कहीं-कहीं अलंकारों के प्रकार तो कई गिनाए हैं पर उदाहरण सबके नहीं दिए। कारण यह होगा कि पहले से प्रस्तुत कविता में उस अलंकार का उदाहरण न रहा होगा। तात्पर्य यह कि 'भूषण' में आलंकारिक विशेषता ढूँढ़ना और अलंकारशास्त्र की सूक्ष्म दृष्टि खोजना व्यर्थ है। केवल कहाँ-कहाँ गड़बड़ है इसका निर्देश भर पर्याप्त होगा।

पंचम 'प्रतीप' का लक्षण भूषण ने यों दिया है—'हीन होय उपमेय सों नष्ट होत उपमान'। इसका अर्थ है कि उपमेय से 'हीन' (घटकर) होने के कारण उपमान नष्ट हो जाए। चंद्रालोककार का लक्षण यों है—'उपमानस्य कैमर्थ्यमपि मन्वते'। तात्पर्य यह कि जब उपमेय उपमान का भी कार्य कर सकने में समर्थ है तब उसकी (उपमान की) क्या आवश्यकता कही जाए। पुस्तक में इस अलंकार के तीन उदाहरण हैं। पहले उदाहरण में उपमान के नष्ट होने की बात स्पष्ट वर्णित है। शेष दो उदाहरणों में उपमानों का 'कैमर्थ्य' दिखाया गया है। उपमानों की केवल हीनता दिखाने से यह 'व्यतिरेक' का विषय हो गया है।

भूषण ने विरोध और विरोधाभास दो अलंकार माने हैं। विरोध का लक्षण यों है—'द्रव्य क्रिया गुन में जहाँ उपजत काज विरोध'। विरोध को कुछ लोगों ने स्वतंत्र अलंकार नहीं माना, क्योंकि दो वस्तुओं के प्रत्यक्ष विरोध में वैसा चमत्कार नहीं। दो वस्तुओं के बीच होनेवाले वैषम्य को लोगों ने 'विषम' अलंकार का विषय माना है जिसका लक्षण यों है—

गुणक्रियाभ्यां कार्यस्य कारणस्य गुणक्रिये।
क्रमेण च विरुद्धे यत्स एव विषमो मतः॥

'कार्य और कारण की गुण-क्रियाओं में विरोध हो'—यदि लक्षण की संगति बैठाई जाए तो 'द्रव्य' के स्थान पर 'हेतु' ठीक होता। 'विरोध', 'विरोधाभास' तो नहीं है? क्योंकि 'विरोधाभास' में द्रव्य, क्रिया, गुण और जाति का परस्पर विरोध होता है। 'विरोधाभास' के लक्षण में इन चारों का नाम भी नहीं लिया, अलंकार के नाम की व्याख्या भर है। 'विरोध' के उदाहरण में वैषम्य तो है, पर कार्य-कारण का संबंध सुस्पष्ट नहीं है।

छेकानुप्रास और लाटानुप्रास का लक्षण भूषण ने यों दिया है—

स्वरसमेत अच्छर पदनि आवत सद्दस प्रकास।
भिन्न अभिन्ननि पदन सों छेक लाट अनुप्रास॥

अक्षरों का सादृश्यप्रकाश हो तो छैकानुप्रास और अभिन्न पदों का सादृश्यप्रकाश हो तो लाटानुप्रास। उक्त लक्षण में 'स्वर समेत' पद चिंत्य है। बिना स्वर मिले भी केवल व्यंजनों से अनुप्रास होता है। भूषण ने भी अपने उदाहरण में उसे ग्रहण किया है। जैसे 'दिल्लय दलन' में 'द ल' अक्षरों का अनुप्रास है पर दोनों शब्दों में इनकी मात्राएँ एक सी नहीं हैं।

'संकर' का लक्षण भी भ्रामक है—'भूषण एक कबित्त में भूषण होत अनेक'। यह तो 'उभयालंकार' का लक्षण है। उभयालंकार के दो भेद 'संकर' और 'संसृष्टि' माने जाते हैं। 'संकर' में अलंकारों की मिलावट क्षीर-निरवत् (दूध-पानी की तरह) होती है और संसृष्टि में तिल-तंदुलवत् (तिल-चावल की भाँति स्पष्ट पृथक्)।

लक्षणों की अपेक्षा भूषण के उदाहरण अधिक अशुद्ध हैं। उपमा के दूसरे उदाहरण में उपमान तो आया है पर उपमेय का पता नहीं। उक्त छंद के पाठांतर से संगति बैठ सकती है। पाठांतर 'अल्लिफतै' है। पर इतिहास से इस नाम की पुष्टि नहीं होती। यदि इसे शाइस्ता खाँ के पुत्र 'अबुलफतह' का विकृत नाम मानें तभी विधि बैठ सकती है। लुप्तोपमा के दूसरे उदाहरण में—'तारे सम तारे गए मूँदि तुरकन के' है। इसमें उपमा के चारों अंग स्पष्ट हैं। इससे पूर्णोपमा होगी, लुप्तोपमा नहीं।

परिणाम अलंकार का उदाहरण कई स्थलों पर पूरक हो गया है। लक्षण भी अस्पष्ट है। दोनों में अतंर यह है कि रूपक में उपमान अपना कार्य करने की योग्यता स्वयं रखता है पर परिणाम में उपमान असमर्थ होते हुए उपमेय के साहचर्य से समर्थ हो जाता है। भूषण के पहले उदाहरण की पहली पंक्ति 'भौंसिला भूप बली भुव को भुज भारी भुजंगम सो भरु लीनो' में परिणाम है। 'भुजंगम' उपमान पृथ्वी का भार उठाने में असमर्थ है, पर 'भुज' उपमेय के साहचर्य से उसमें उक्त योग्यता आ गई है। कुछ लोग 'भारी भुजंगम' को 'शेषनाग' समझते हैं। ऐसा हो तो पहली पंक्ति में भी 'परिणाम' न होगा। अन्य चरणों में शुद्ध रूपक है। इस अलंकार का दूसरा उदाहरण भी ठीक नहीं।

भ्रांतिमान् का उदाहरण लीजिए। प्रकृत (उपमेय) को अप्रकृत (उपमान) के रूप में देखकर उसे अप्रकृत के तुल्य मान बैठना भ्रांतिमान् है। यह भ्रम निश्चयकोटिक होता है। प्रकृत को निश्चय ही अप्रकृत समझ लिया जाता है। पर भूषण का उदाहरण है—

सिहं सिवा के सुबीरन सों गो अमीर न बाँचि गुनीजन घोषै।

'घोषै' का पाठांतर 'धोषै' भी है जिसका अर्थ है 'गुणीजन के धोखे' अर्थात् अमीर इस भ्रम में नहीं बच गए कि उन्हें गुणीजन समझ लिया गया। यह तो उलटी बात है। यदि गुणियों के धोखे अमीर बच जाते तो भ्रांतिमान् होता।

'निदर्शना' के प्रथम भेद में दो भिन्न वाक्यों को उपमा द्वारा एक किया जाता है। मम्मट लिखते हैं—अभवन्वस्तुसंबंध उपमापरिकल्पकः'। भूषण के उदाहरण में न तो भिन्न वाक्य ही स्पष्ट हैं और न उपमा द्वारा उनका एकीकरण ही—

बौद्ध में जो अरु जो कलकी महँ बिक्रम हूबे को आगे सुनो है।
साहस भूमि-अधार सोई अब श्रीसरजा सिवराज में सोहै॥

'जो विक्रम बौद्ध और कल्कि में सुना गया वही शिवाजी में शोभित है' भिन्न वाक्य कहाँ है। केवल 'जो सो' द्वारा दोनों के विक्रम की एकरूपता दिखा दी गई। मम्मट ने कालिदास का यह प्रसिद्ध श्लोक उदाहरण में दिया है—

क सूर्यप्रभवो वंशः क चाल्पविषया मतिः।
तितीर्षुर्दुस्तरं मोहादुडुपेनास्मि सागरम्॥

पहली पंक्ति एक वाक्य और दूसरी पंक्ति दूसरा वाक्य है। दोनों की एकता उपमा द्वारा की गई है।

समासोक्ति में श्लिष्ट विशेषणों के बल पर प्रस्तुत से अप्रस्तुत स्फुरित होता है। भूषण ने जो लक्षण दिया है उसमें अतिव्याति दोष है, क्योंकि वह अप्रस्तुतप्रशंसा पर भी घटित हो सकता है। दोहेवाला दूसरा उदाहरण श्लेष हो गया है, क्योंकि शिवाजी के पक्षवाले जिस अर्थ को अप्रस्तुत मानना है वह स्पष्ट प्रस्तुत है। दोनों अर्थों के प्रस्तुत होने से श्लेष ही होगा, समासोक्ति नहीं—

तुही साँच द्विजराज है तेरी कला प्रमान।
तो पर सीव किरपा करी जानत सकल जहान॥

यही दशा तीसरे उदाहरण की है।

अप्रस्तुतप्रशंसा में अप्रस्तुत के वर्णन द्वारा प्रस्तुत का बोध कराया जाता है। इसके पाँच भेद होते हैं जिनमें एक सारूप्यनिबंधना 'अन्योक्ति' नाम से प्रसिद्ध है। भूषण के उदाहरण में अन्योक्ति का उदाहरण एक भी नहीं। सब अस्पष्ट है। ये तीनों कार्यनिबंधना के उदाहरण माने जा सकते हैं। पहले दो विशेषनिबंधना भी माने जा सकते हैं। भूषण ने 'सामान्य-विशेष' नामक पृथक् ही अलंकार माना है, जो विशेषनिबंधना से भिन्न नहीं। देखिए—

हिंदुनि सों तुरुकिनि कहैं तुम्हें सदा संतोष।
नाहिन तुम्हरे पतिन पै सिव सरजा को रोष॥

वर्णन से 'रोष' के कारण की ओर ध्यान जाता है, इसीसे इसे 'कार्यनिबंधना' कहा गया है।

द्वितीय पर्यायोक्ति का उदाहरण अन्यत्र 'कैतवापह्नुति' में है। कैतवापह्नुति में जो और उदाहरण है उसमें तो अपह्नुति किसी प्रकार सिद्ध भी हो जाती है, पर उक्त उदाहरण पर्यायोक्ति का ही है। कैतवापह्नुति में मिस, व्याज आदि शब्दों का प्रयोग निषेध के लिए होता है। इस प्रकार उपमेय का निषेध करके उपमान की स्थापना की जाती है। पर

पर्यायोक्ति में 'मिस' कार्यसाधन के लिए आता है। यहाँ उपमेय उपमान की स्थिति नहीं होती। 'पक्का मतो करिकै मलेच्छ मनसब छाँडि, मक्का ही के मिस उतरत दरियाव है' में मक्का जाने का बहाना प्राण बचाने के अभिप्राय से है। कैंतवापह्नुति के उदाहरण में 'अमर के नाम के बहाने गो अमरपुर' में 'अमरसिंह' उपमेय का निषेध होकर 'देवता' उपमान की स्थापना हो रही है, इससे इसमें अपह्नुति हो जाएगी।

समालंकार के उदाहरण भी अस्पष्ट हैं। भूषण दिखलाना चाहते हैं कि जैसा औरंगजेब था वैसे ही उसे शिवाजी मिले। पर कहने में न तो चमत्कार है और न अनुरूप वस्तुओं के योग की सम्यक् प्रशंसा ही। 'जोर सिवा करता अनरत्थ भली भई हत्य हथ्यार न आया' और 'भली करै सिवराज सों, औरँग करै सलाह' में केवल 'भली भई' एवं 'भली करै' समालंकार के द्योतक आ गए हैं।

बरबस शिवाजी से संबद्ध अर्थ प्रकट करने के कारण 'विकल्प' अलंकार की भी दुर्दशा हो गई। 'विकल्प' में दो समान बलवाली वस्तुओं का विरोध दिखाया जाता है। साहित्यादर्पणाकार लिखते हैं—'वकल्पस्तुल्यबलयोर्विरोधश्चातुरीयुतः'। इसीलिए उक्त दोनों वस्तुओं में से किसी एक के भी होने का निश्चय नहीं होता; दोनों का विकल्प रहता है। यहाँ महत्ता दिखाने के लिए अंत में शिवाजी का पक्ष निश्चित कर दिया गया—

(१) मोरँग जाहु कि जाहु कमाऊँ सिरीनगरै कि कबित बनाए।
भूषन गाय फिरौ महि में बनिहै चितचाह सिवाहि रिझाए॥
(२) और करौ किन कोटिक राह सलाह बिना बचिहौ न सिवा सों।

यदि कहा जाता कि 'या तो मोरँग आदि में चितचाह की पूर्ति हो सकती है या शिवाजी के यहाँ' तो अलंकार बन जाता। हाँ, बात ठीक न होती। यदि कहा जाता कि 'मनोभिलाष या तो शंकर पूर्ण कर सकते है या शिवाजी' तो बात बनी रह जाती। विकल्प में केवल दो समान बलवाली वस्तुएँ इसीलिए दिखाई जाती हैं कि तीसरी का अभाव होता है।

'काकुवक्रोक्ति' हिंदी में संस्कृत से भिन्न समझ ली गई है। वक्रोक्ति में दूसरे की उक्ति का भिन्नार्थ किया जाता है, अपनी उक्ति का नहीं। यदि कहें कि 'आप तो बड़े महाशय हैं' और इसका तात्पर्य कंठध्वनि-विकार से 'आप तो बड़े दुराशय हैं' हो तो यह अपनी उक्ति का ही भिन्नार्थ हुआ। इस प्रकार के कथनों में विपरीत-लक्षणा के बल पर काक्वाक्षिप्त व्यंग्य होता है, वक्रोक्ति नहीं। भूषण ने भी इसी परंपरा की लकीर पीटी है। मम्मटाचार्य कहते हैं—

यदुक्तर्मन्यथा वाक्यमन्यथाऽन्येन योज्यते।
श्लेषेणा काक्वा वा ज्ञेया सा वक्रोक्तिस्तथा द्विधा॥

साहित्यदर्पणकार भी बतलाते हैं—

अन्यस्यान्यार्थकं वाक्यमन्यथा योजयेद्यदि।
अन्य: श्लेषेण काक्वा वा सा वक्रोक्तिस्ततो द्विधा॥

इन ग्रंथों में उदाहरणों की व्याख्या में परोक्ति का विश्लेषण भी है—

काले कोकिलवाचाले सहकारमनोहरे।
कृतागस: परित्यागात्तस्याश्चेतो न दूयते॥

एक सखी ने निषेधार्थ में कहा कि 'इस वसंत में भी अपराधी पति के त्याग से नायिका का चित्त खिन्न नहीं है'। दूसरी ने 'खिन्न नहीं है' को जरा गले की आवाज से दूसरी तरह से कहकर उसी वाक्य को दुहराया। बस, अर्थ पलट गया। इस प्रकार के दो पक्षों की योजना भुलाकर दूसरे ही पक्ष पर ध्यान रखने से हिंदी में भ्रांति हो गई अर्थात् हिंदीवालों ने कंठध्वनि-विकार को तो पकड़ा पर परोक्ति को छोड़ दिया।

अधिक विचार-विश्लेषण की आवश्यकता नहीं। अन्य उदाहरणों के लिए फलोत्प्रेक्षा, परिकर, विभावना (चतुर्थ), काव्यलिंग, अर्थांतरन्यास (विशेष-भेद), मिथ्याध्यवसिति, निरुक्ति और छेकानुप्रास के उदाहरण देखिए।

भूषण ने जो दो नवीन अलंकार 'सामान्य-विशेष' और 'भाविक-छवि' रखे हैं उनकी भी यही स्थिति है। नूतनोद्‌भावना में सफलता कैसे मिलती जब प्राचीन के समझने में ही भ्रम है।

भूषण ने कुल १०५ अलंकार कहे हैं, जिनमें १०० अर्थालंकार हैं और ५ अनुप्रास, यमक, पुनरुक्तिवदाभास, चित्र, संकर हैं; जिनमें से पहले चार शब्दालंकार हैं। संकर उभयालंकार का प्रकारभेद है। अर्थालंकारों में भेदों की संख्या भी जुड़ी हुई है। इस प्रकार इन्होंने अर्थालंकार भी पूरे नहीं कहे। अल्प, विकस्वर, ललित, मुद्रा, रत्नावली, विवृतोक्ति, युक्ति, प्रतिषेध आदि कई अलंकार छूट गए। जितने अलंकार लिये हैं उनमें से कुछ के पूरे भेद कहे हैं, कुछ के अधूरे और कुछ के भेद नहीं कहे।

दोषविचार

पुरानी कविता में कुछ दोष तो प्रतिलिपिकारों की असावधानी से हो जाते हैं पर कुछ दोष ऐसे होते हैं जो प्रतिलिपिकारों के मत्थे नहीं मढ़े जा सकते। भूषण की कविता के विरतिभंग और यतिभंग दोष ऐसे ही हैं। कवित्तों के चरणों में 'विश्राम' यथास्थान नहीं है, प्रवाह बहुत उखड़ा हुआ है। 'शिवभूषण' के पहले ही कबित्त में दो स्थानों पर विरतिभंग है—

इहिलोक परलोक सुफलकरन कोकनद से चरन हिये आनिकै जुड़ाइए।
अलिकुलकलित कपोल ध्याइ ललित अनंदरूप सरित में भूषन अन्हाइए।

कबित में १६ अक्षरों पर चरण के बीच 'विश्राम' होता है। 'विश्राम' के लिए 'कोकनद' के दो टुकड़े करने पड़ेंगे। कहा जाता है कि १६ के बदले १४ में भी विश्राम कुछ कर्ताओं ने रखा है। यदि ऐसा भी मान लें तो दूसरे चरण में १५ वर्णों पर विश्राम पड़ेगा। १६ पर मानें तो 'अनंद' के 'अ' अक्षर के बाद होगा। आगे के उदाहरण में विरति और प्रवाह दोनों गड़बड़ हैं—

सुभट सराहे चंदावत कछवाहे मुगलौ पठान डर हे फरकत परे फर मैं।

'मुगलौ' के 'मुग' पर 'विश्राम' पड़ता है। १४ वर्णों पर ही विश्राम समझें तो भी प्रवाह बढ़िया नहीं—'ढाहे मुगलौ पठान' होता तो अच्छा होता। प्रवाह का दोष नीचे के चरण में बहुत ही खटकता है—

सातौ बार आठौ जाम जाचक नेवाजै नव अवतार थिर राजै कृपन हरि गदा।

उत्तरार्ध में कई लघु अक्षरों के आ जाने से ही धारा बिगड़ गई है।

लवली लवंग यलानि केरे लाखहों लगि लेखिये।
कहुँ केतकी कदली करौंदा कुंद अरु करबीर हैं॥

'केरे' कह लेने पर 'कदली' कहना पुनरुक्ति है। यदि 'केरे' का अर्थ 'के' लगाया जाए तो भी 'तरु' की आकांक्षा-अपेक्षा है। अतः 'न्यूनपदत्व' फिर भी होगा।

'बैरि-नारि' दृग-जलन सों बूड़ि जात अरि-गाँव।

'बैरि' और 'अरि' के पर्याय से शब्द की पुनरुक्ति बचाई गई है। 'अरि' के बिना भी काम चल सकता था।

दावा द्रुमदंड पर चीता मृगझुंड पर भूषण बितुंड पर जैसे मृगराज है।

दावाग्नि द्वारा पेड़ की डाल (दंड) का जलना क्या, वन का वन जल जाता है। कहीं-कहीं 'दंड' के बदले 'डुंड' पाठ है। 'सूखा वृक्ष' शीघ्र जलेगा। इससे भी आग की भीषणता व्यक्त न हुई। दावाग्नि हरे वृक्ष को भी जला देती है।

दुहूँ कर सों सहसकर मानियतु तोहिं दुहूँ बाहु सहसबाहु जानियतु है।

'दुहूँ' का अर्थ 'दो ही' लिया गया है, पर होता है 'दोनों ही'। 'दुही' होता तो ठीक होता।

बिन अवलंब कलि कानि आसमान में ह्वै होत बिसराम जहाँ इंदु और उदथ के।

'उदथ' का अर्थ है 'उदय और अस्त होनेवाले सूर्य'। यह गढ़ंत शब्द है। ठीक अर्थ की व्यक्ति कष्ट से होती है। कहीं-कहीं 'उड्ड थके' पाठ है और 'होते' के बदले 'लेत' है। इससे उक्त दोष तो नहीं रह जाता पर अर्थ में चमत्कार 'सूर्य' अर्थ से ही अधिक है।

बीररस ख्याल सिवराज भुवपाल तुव हाथको बिसाल भयो भूषन बखान को।

शिवाजी के खड्ग का वर्णन है। 'हाथ को बिसाल' का अर्थ है 'हाथ की विशालता का कारण'। पर 'बिसाल' शब्द उक्त अर्थ व्यक्त करने में असमर्थ है।

तेहि निषेध अभ्यास ही भनि भूषन सो और।

यह निषेधाक्षेप' का लक्षण है। अर्थ यह है कि जहाँ निषेध का अभ्यास (दिखाया गया) हो वहाँ अन्य आक्षेप (निषेधाक्षेप) होता है। निषेधाक्षेप में निषेध का आभास होता है अभ्यास नहीं। यह प्रतिलिपि का प्रमाद हो सकता है।

नरलोक में तीरथ लसै महि तीरथों की समाज में।
महि मैं बड़ी महिमा भली महिमै महाराज लाज में।

'महि' का अर्थ अस्पष्ट है। 'महि' का अर्थ 'पृथ्वी' नहीं होगा; क्योंकि तीर्थ ही वस्तुतः पृथ्वी में होते हैं, तीर्थों में पृथ्वी नहीं। यदि 'महि' का अर्थ 'महाराष्ट्र' लिया जाए, जैसा कुछ लोगों ने लिया है, तो भी संगति नहीं बैठती।

'शिवभूषण' के छंद ३१५ में 'को चकवा को सुखद?' का उत्तर 'साहिनंद' है। शिवाजी के पक्ष में तो 'साहिनंद' का अर्थ स्पष्ट है, पर उक्त उत्तर में इसकी विधि नहीं बैठती। यदि 'चकवा' का अर्थ 'चक्रवाक' किया जाए तो उत्तर में सूर्यवाची कोई शब्द आना चाहिए। 'साहिनंद' का अर्थ 'सूर्य' नहीं हो सकता। यदि 'चकवा' का अर्थ चक्रवर्ती लिया जाए तो साहिनंद का अर्थ 'राजपुत्र' होगा। दूसरे अर्थ से ही संगति बैठ सकती है। कवि का अभिप्रेतार्थ स्पष्ट नहीं है।

कंस के कन्हैया कामदेवहू के कंठनील कैटभ के कालिका बिहंगम के बाज हौ।

'कंस के कन्हैया' आदि कह लेने पर 'विहंगमं के धाज' कहना पतत्प्रकर्ष दोष है।

तुलना

अलंकारनिरूपण की दृष्टि से भूषण की तुलना किसी से व्यर्थ है। इनका अलंकारनिरूपण उत्तम नहीं कहा जा सकता। वीरकाव्यकर्ता की दृष्टि से भूषण की तुलना दूसरों से हो सकती है। वीरकाव्यकर्ताओं में भी कितने ही चरितनायक के अनुपयुक्त

चुनाव के कारण छँट जाते हैं। 'रासो' के रचयिताओं की वीररस की धारा श्रृंगाररस से मिश्रित है। भूषण ने वीर में कहीं श्रृंगार की पुट नहीं दी, इससे शुद्ध वीरकाव्यकर्ताओं से ही इनकी तुलना हो सकती है। शुद्ध वीरकाव्यकारों में केवल लाल और सूदन ही ऐसे हैं जो भूषण के सामने रखे जा सकते हैं। लाल ने काव्य को इतिहासवत् कहा है। सूदन ने वस्तुओं की सूची गिनाने में जितनी शक्ति लगाई उतनी रसाभिव्यक्ति को उत्कृष्ट करने में नहीं। अतः भूषण की कविता हिंदी में उत्तम वीरकाव्य है यह निःसंदिग्ध है। भूषण वीररस के सर्वश्रेष्ठ कवि हैं, वीरकाव्यकर्ताओं के 'भूषण' हैं।

अलंकार का ज्ञान प्राप्त करने के लिए कोई 'शिवभूषण' नहीं उठाता। काव्य की चमत्कारपूर्ण सूक्तियाँ वीरदेवकाव्यों में भूषण के काव्य से कहीं अच्छी हैं। इनकी कविता के पढ़ने और सुनने की लालसा का कारण दूसरा ही है। इन्होंने लोकरक्षा का भाव प्रधान रखा। शिवाजी ऐसे लोकोपकारक एवं देशरक्षक नायक को आलंबन बनाया। जिन वीरनायकों द्वारा लोक का कल्याण एवं उद्धार होता है जनता उन्हीं को अपने हृदयमंदिर में प्रतिष्ठित करती है। भूषण ने इस बात को भली-भाँति समझा था। वे कहते हैं—

भूषन यों कलि के कबिराजन राजन के गुन गाय नसानी।
पुन्यचरित्र सिवा सरजै सर न्हाय पवित्र भई पुनि बानी।

काव्यकृति

भूषण की काव्यकृतियों के संबंध में श्री शिवसिंह सेंगर लिखते हैं—इनके बनाए हुए ग्रंथ शिवराजभूषण १, भूषणहजारा २, भूषणउल्लास ३, दूषणउल्लास ४ ये चार ग्रंथ सुने जाते हैं। कालिदासजू ने अपने ग्रंथ हजारा की आदि में ७० कबित्त नवरस के इन्हीं महाराज के बनाए हुए लिखे हैं। इस विवरण में उल्लिखित चार ग्रंथों में से केवल पहला मिलता है। 'भूषणहजारा' यदि 'कालिदासहजारा' की ही भाँति हो तो वह संग्रहग्रंथ होगा, अन्यथा वह कवि के ही एक सहस्र मुक्तकों का संकलन होगा। यदि सचमुच 'भूषणहजारा' ग्रंथ हो और उसमें कवि के एक सहस्र मुक्तक संकलित हों तो यह निश्चित है कि अब तक इनकी आधी रचना ही उपलब्ध है। उसके अतिरिक्त भी रचना होगी। जो रचना आज प्राप्त है उसमें की न्यूनाधिक उसमें न भी होगी आदि आदि कल्पना-अनुमान की शाखा-प्रशाखा से बहुत कुछ सोचा-समझा जा सकता है। भूषणउल्लास और दूषणउल्लास नामों को एक साथ देखने से यही जान पड़ता है कि ये काव्यरीति पर लिखे गए संपूर्ण ग्रंथ के दो अध्याय हैं—पहला अलंकारप्रकरण है और दूसरा दोषप्रकरण। यदि ऐसा ही हो तो भूषण ने संपूर्ण काव्यांगों पर भी कोई ग्रंथ अवश्य लिखा होगा। उसके अन्य प्रकरण भी होंगे। उन प्रकरणों में नायक-नायिकाभेद का प्रकरण भी हो सकता है। इधर भूषण की जो श्रृंगारसंबंधी बहुत-सी रचनाएँ मिली हैं उनमें नायिकाओं के उदाहरणरूप में बने अनेक कबित्त-सवैये स्पष्ट जान पड़ते हैं। यदि उसका कोई नायिका-भेदप्रकरण न हो तो इन्होंने नायिकाभेद पर स्वतंत्र

पुस्तक लिखी होगी, यह कल्पना बड़े मजे में की जा सकती है।

इनके अतिरिक्त 'शिवाबावनी' और 'छत्रसालदशक' दो पोथियाँ इनके नाम पर चलती हैं तथा कुछ वीररस के फुटकल कबित्त, कुछ प्रशस्तिकाव्य और शृंगाररस की कुछ प्रकीर्ण रचनाएँ भी प्राप्त हुई हैं। शांतरस का भी एक छंद प्राप्त हुआ है। इनके नाम पर मिली रचना में से कुछ संदिग्ध हैं, क्योंकि वे दूसरे दूसरे कवियों के नाम पर भी विभिन्न संग्रहग्रंथों में संगृहीत की गई हैं। 'शिवाबावनी' और 'छत्रसालदशक' बहुत आधुनिक संग्रह हैं। ये भूषण की पुस्तकाकार कृतियाँ नहीं हैं। इस प्रकार इनका अब केवल एक ही ग्रंथ प्राप्त है—'शिवभूषण' या 'शिवराजभूषण'; शेष इनकी वीर शृंगार रसों की प्रकीर्ण रचना है। शिवभूषण' की रचना सवत् १७३० वि० में हुई थी।

इधर कुछ दिनों पूर्व भूषणकृत 'शिवभूषण' की एक बहुत पुरानी प्रति देखने को मिली जो संवत् १८१८ की लिखी हुई है। अब तक 'शिवभूषण' की जितनी प्रतियाँ मिली हैं यह उन सबसे प्राचीन है। यह प्रति काशी के सुप्रसिद्ध वैद्य स्व. श्री चुन्नीलालजी के संग्रह की है। यहाँ उसी प्रति पर कुछ विचार करने की आवश्यकता है, क्योंकि इस प्रति द्वारा भूषण के संबंध में कुछ नई बातें ज्ञात हुई हैं।

'शिवभूषण' की जितनी हस्तलिखित पुस्तकों का मुझे पता चला है वे सब बहुत बाद की लिखी हुई हैं। एक प्रति काशिराज के 'सरस्वती-भंडार' में है। इसमें लिपिकाल नहीं दिया गया है। पर पुस्तकालय के सूचीपत्र में लिपिकार का नाम 'हनुमान तिवारी' लिखा हुआ है। राजपुस्तकालय के अनेक हस्तलिखित ग्रंथों और सूची-पत्र का आलोड़न करने से पता चला कि श्री हनुमान तिवारी ने सैकड़ों ग्रंथों की प्रतिलिपियाँ की हैं। ये राज्य के स्थायी लिपिकार जान पड़ते हैं। इनका समय संवत् १९०० के आसपास अनुमित होता है। इसके अतिरिक्त 'हिंदी हस्तलिखित ग्रंथों की खोज' के विवरणों से 'शिवभूषण' की दो और हस्तलिखित प्रतियों का पता चलता है। एक प्रति नीलगाँव (सीतापुर) के तालुकेदार राजा लालताबख्शसिंह के पास है जो संवत् १९०२ की लिखी हुई है। लेखक का नाम दुर्गाप्रसाद है। दूसरी प्रति श्री कृष्णबिहारी मिश्र के पास है। यह संवत् १९४३ की लिखी है। इसके लिपिकार श्री युगुलकिशोर मिश्र हैं। इसी प्रति के आधार पर मिश्रबंधु महोदयों ने अपनी 'भूषणग्रंथावली' के 'शिवराजभूषण' का संपादन किया है। इन दोनों प्रतियों में पूर्ण साम्य है। इसलिए यह निश्चित है कि या तो ये दोनों प्रतियाँ किसी एक ही प्राचीन प्रति की प्रतिलिपियाँ हैं या दूसरी प्रति पहली प्रति से नकल की गई है। श्री कृष्णबिहारी मिश्र के पास मुझे शिवभूषण की एक और खंडित प्रति भी देखने को मिली थी, जिसमें जहाँ तक मुझे स्मरण है, लिपिकाल नहीं दिया है। पर अनुमान से मैं यह कह सकता हूँ कि उससे और मिश्रबंधु महोदयों की मुद्रित प्रति से मिलान करने पर कोई उल्लेखनीय अंतर नहीं दिखाई पड़ा। इसलिए वह प्रति भी संवत् १९०० के आसपास की ही है और कदाचित् श्री युगलकिशोर की प्रतिलिपि के आधार पर ही लिखी गई होगी।

इनके अतिरिक्त इसकी एक हस्तलिखित प्रति सिहोर (काठियावाड़) निवासी स्व.

श्री गोविंद गिल्लाभाई के पास भी थी। इसका उल्लेख उन्होंने अपने गुजराती 'शिवराजशतक' की भूमिका में किया है। पर इसका लिपिकाल नहीं दिया गया है। अतः यह नहीं कहा जा सकता कि यह प्रति पूर्वोक्त प्रति से प्राचीन है या उसके बाद की। हाँ, यह अवश्य कह सकते हैं कि उक्त प्रति और श्री गोविंद गिल्लाभाई की प्रति में बहुत अधिक साम्य है। इसलिए यह निश्चित है कि ये दोनों किसी एक ही मूल प्रति से नकल की गई हैं। इसके लिपिकार 'जीवन सूरदास' नाम के कोई सज्जन हैं जिन्होंने ग्रंथ की प्रतिलिपि 'स्वअध्ययनार्थ' की है। इन्होंने ग्रंथ के आरंभ में 'श्री गणेशाय नमः' लिखने के स्थान पर 'पार्श्वनाथाय नमः' लिखा है। इससे स्पष्ट है कि यह प्रति जैनधर्मावलंबी व्यक्ति की लिखी है। अतः गुजरात में ही कहीं यह प्रतिलिपि की गई होगी। बहुत संभव है कि इन दोनों प्रतियों में से एक दूसरी से उतारी गई हो। पर जब तक श्री गोविन्द गिल्लाभाई वाली प्रति सामने न हो तब तक दृढ़तापूर्वक कुछ नहीं कहा जा सकता।

शिवाजी के संबंध में जब से दक्षिण में अनुसंधानकार्य होने लगा तब से इतिहासज्ञ शिवाजी के राजकवि भूषण की रचना की खोज करने लगे। तब तक इनकी कोई रचना मुद्रित नहीं हुई थी। संवत् १९४४ के आसपास पूने से श्री शंकर पाडुरंग और रानाडे महोदय के प्रयत्न से 'शिवभूषण' सबसे पहले मुद्रित हुआ। इसका संपादन श्री गोविंद गिल्लाभाई की प्रति और जयपुर के राजपुस्तकालय से प्राप्त प्रति के आधार पर हुआ था। संवत् १९४६ में डकन कॉलेज के श्री जनार्दन और जयपुर के श्री दुर्गाप्रसाद शास्त्री के उद्योग से 'शिवभूषण' का दूसरी बार प्रकाशन हुआ। संवत् १९५० में जबलपुर के श्री परमानंद सुहाने ने इसी सामग्री के आधार पर तीसरी बार 'शिवभूषण' का संशोधन करके उसे लखनऊ के नवलकिशोर प्रेस से प्रकाशित कराया। कलकत्ते के बंगवासी प्रेस और वेंकटेश्वर प्रेस से भी इसके संस्करण प्रकाशित हुए। काशी नागरी प्रचारिणी सभा द्वारा श्री मिश्रबंधुओं की ऐतिहासिक छानबीन से पूर्ण 'भूषणग्रंथावली' इसके अनंतर प्रकाशित हुई, जिसमें 'शिवभूषण' के अतिरिक्त 'शिवाबावनी' और 'छत्रसालदशक' भी सम्मिलित थे।

पूने और बंबई से 'शिवभूषण' का प्रकाशन होने पर भूषण की कविता की ओर बहुत से लोग आकृष्ट हुए। कच्छभुज के भाटिया बुकसेलर्स गोवर्धनदास लक्ष्मणदास ने संवत् १९४६ में सबसे पहले भूषण के कुछ सुने-सुनाए छंदों का संग्रह 'शिवाबावनी' और 'छत्रसालदशक' के नाम से प्रकाशित किया। इसमें कुछ फुटकल छंद भी संगृहीत थे। मिश्रबंधु महोदयों की 'भूषणग्रंथावली' में इसी संस्करण की रचनाएँ ली गई थीं, पर उसमें कुछ उलटफेर भी किया गया है। 'शिवाबावनी' और 'छत्रसालदशक' संवत् १९४६ के पूर्व अस्तित्व में नहीं आए थे। इनकी कोई भी हस्तलिखित प्राचीन प्रति कहीं नहीं मिलती। प्रकाशक ने स्वयं यह बात लिखी है कि हमने ही 'शिवाबावनी' और 'छत्रसालदशक' नाम रखे हैं।

'शिवभूषण' की मुद्रित और हस्तलिखित प्रतियों को सामने रखकर मिलान करने

पर स्पष्ट प्रतीत होता कि इसकी तीन प्रकार की हस्तलिखित प्रतियाँ मिलती हैं। एक प्रकार की वे हैं जिनका साम्य काशिराज के पुस्तकालय की प्रति से होता है। दूसरे प्रकार की प्रतियाँ वे हैं जिनका ऐक्य श्री मिश्रबंधुओं की प्रति या श्री युगुलकिशोर की प्रति से होता है। तीसरे प्रकार की प्रतियाँ वे हैं जिनका एकत्व श्री गोविंद गिल्लाभाई की प्रति से स्थापित हो जाता है। तीनों में जो भेद है उसका भी निर्देश कर देना आवश्यक है। काशिराज की प्रति से मिलनेवाली प्रतियों और श्री मिश्रबंधुओं की प्रति से साम्य रखनेवाली प्रतियों में अलंकारों की संख्या बराबर है, अंतर केवल उदाहरणों का है। काशिराज की प्रति में अलंकारों के उदाहरण अपेक्षाकृत कम हैं। श्री मिश्रबंधुओं की प्रति में बहुधा दो-दो तीन-तीन छंद प्रत्येक अलंकार में उदाहरणस्वरूप दिए गए हैं, पर काशिराज की प्रति में बहुधा एक ही उदाहरण या यदा-कदा दो उदाहरण भी हैं। दोनों में अलंकारों की सूची भी अंत में दी गई है। पर निर्माणकाल का दोहा काशिराजवाली प्रति में श्रीमिश्रबंधुओं की प्रति से पूरा मेल नहीं खाता। वह पाठ में श्री गोविंद गिल्लाभाई की प्रति के दोहे से ही मिलता है।

श्री गोविंद गिल्लाभाई की प्रति में प्रत्येक अलंकार के उदाहरण बहुधा दो-दो हैं। एक बड़े छंद (कबित्त, सवैया, छप्पय आदि) में और दूसरा छोटे छंद (दोहे या सोरठे) में। पर दोहे के उदाहरण श्री मिश्रबंधुओं की प्रति में इससे कहीं अधिक अलंकारों में दिए गए हैं। इतना ही नहीं, इसमें अंलकारों की सूची अंत में नहीं है। यही नहीं, कुछ अधिक अलंकारों का विवेचन भी मिलता है। तुल्ययोगिता अलंकार में 'अवर्ण्य भेद' भी रखा गया है, उसके उदाहरण में 'सपत नगेस आठो ककुभ गजेस' प्रतीकवाला कबित्त उद्धृत है। श्री मिश्रवाली प्रति में यह छंद फुटकल में है। कुछ अधिक अलंकार भी लक्षण-लक्ष्य-सहित बढ़े हुए हैं; जैसे—विपरीत, ललित, पूरब अवस्था, गूढ़ोत्तर, चित्रोत्तर (इसी में प्रश्नोत्तर भी है), सूक्ष्म, युक्ति, प्रतिषेध और विधि नामक अलंकार।

यह कहा जा चुका है कि प्रस्तुत प्रति श्री गोविंद गिल्लाभाई की प्रति से मेल खाती है, इसलिए ये अलंकार भी लक्षण-लक्ष्यसहित इसमें मिलते हैं। भूषण के कुछ छंद फुटकल में ऐसे मिलते थे जो स्पष्ट ही अलंकारों के उदाहरण के लिए रचे जान पड़ते थे। ऐसे सभी छंद इन नए अलंकारों के उदाहरणों में समा गए हैं। इनके अतिरिक्त भी इसमें कुछ नए छंद मिलते हैं जो अभी तक अमुद्रित थे।

इस प्रति में उक्त बढ़ती के अतिरिक्त ध्यान देने योग्य भिन्नता है कवि के पिता के नाम की। आज तक 'शिवभूषण' की जितनी प्रतियाँ प्रकाशित हुई हैं उन सबमें भूषण के पिता का नाम 'रत्नाकर' दिया हुआ है—

दुज कनौज कुल कस्यपी रत्नाकर-सुत धीर।
बसत तिबिक्रमपुर सदा तरनितनूजा-तीर॥

पर उसमें इसके स्थान पर दोहे का पाठ इस प्रकार है—

द्विज कनोज कुल कस्यपी रतिनाथ को कुमार।
बसत तिविक्रमपुर सदा जमुनाकंठ सुठार॥

काव्यकाल

भूषण के 'शिवभूषण' के निर्माणकाल १७३० वि० को अशुद्ध समझकर और 'शिवभूषण' में कथित ऐतिहासिक तथ्यों को कई स्थानों पर उसके अनंतर का दिखाकर भूषण को शिवाजी का दरबारी कवि न मानकर उनके पौत्र साहूजी का दरबारी कहा गया है। अनेक ऐतिहासिक ग्रंथों का आलोड़न कर और भूषण के शिवभूषण में आई घटनाओं से मिलान कर यही निष्कर्ष निकाला कि भूषण को शिवाजी का दरबारी कवि न मानने में और शिवभूषण के निर्माण-संवत् १७३० को अशुद्ध या 'सम सत्रह सै तीस' या 'सें तीस' को संवत् १७३७ मानने में शुद्ध भ्रम है। इस भ्रम का कारण इतना ही है कि शिवसिंह सेंगर ने अपने 'शिवसिंहसरोज' नामक कविवृत्तसंग्रह में भूषण का समय (उपस्थितिकाल) १७३८ दिया है। यह १७३८ उनका जन्मकाल मान लिया गया है। शिवसिंहरोज में दिए सन्-संवतों के संबंध में प्रायः भ्रांति हो गई है[1]।

'शिवभूषण' या 'शिवराजभूषण' का रचनाकाल जिस दोहे में उल्लिखित है उसका पाठ भिन्न-भिन्न संस्करणों में भिन्न-भिन्न मिलता है—

सम सत्रह सै तीस पर सुचि बदि तेरस भान।
भूषण सिवभूषन कियो पढ़ियो सुनो सुजान॥

—काशिराज और बंगबासी प्रेस

सुभ सत्रह सै तीस पर बुध सुदि तेरसि मान। —मिश्रबंधु

समत सत्रह से तीस पर सुचि बदि तेरसि भान।
भूखन सिवभूखन कियौ पढ़ो सकल सुज्ञान॥

—श्री चुन्नीलाल वैद्य

संवत सतरह तीस पर सुचि बदि तेरस भान।
भूषण सिवभूषन कियो पढ़ो सकल सुज्ञान॥ —गोविंद गिल्लाभाई

सर्वत्र संवत् १७३० ही है। 'सें तीस' सैंतीस नहीं है। 'सै' को 'सें' लिखना प्रवाह-प्राप्त है। पर जिसने 'सरोज' के १७३८ वि० को भूषण का जन्मकाल समझा उसने यह घोषणा कर दी कि दोहा जाली है और बाद में जोड़ा गया है। विचारने की बात है कि जाल करने की आवश्यकता ही किसी को क्यों पड़ी। जब जन्मकाल १७३८ वि० किसी प्रकार सिद्ध

१. देखिए परिशिष्ट में 'शिवसिंहसरोज के सन्-संवत्' शीर्षक लेख।

न हो सका तो कहा गया कि 'शिवभूषण' का निर्माणकाल ही १७३८ वि० है। 'सैंतीस पर' का अर्थ ३७ के आगे की संख्या ३८ लिया। संवत् १७३८ वि० में यदि 'शिवभूषण' का निर्माणकाल मान लिया जाय तो यह कहा जा सकता था कि शिवाजी के दरबार में भूषण नहीं गए। क्योंकि संवत् १७३८ वि० में उनका स्वर्गारोहण हो गया था। वे साहूजी के दरबार में गए। हिंदी के नूतन संधान करने का यश लेने के लिए ऐसी कल्पना की गई। मगर अब यह कहा जा रहा है कि इस दोहे में भूषण ने ग्रंथ का निर्माणकाल और अपना जन्मकाल दोनों बड़ी विदग्धता के साथ प्रकट किए हैं। कोई ऐसी कल्पना नहीं कर सकता । पर हिंदी में ऐसा कहनेवाले हैं और ऐसों की ही साखी पर श्री यदुनाथ सरकार ने 'शिवभूषण' को शिवाजी के इतिहास के लिए अप्रमाणिक घोषित कर दिया है।

ऊपर जो पाठ दिए गए हैं उनमें मुख्य अंतर दोहे के द्वितीय चरण में है। मिश्रबंधुओं की प्रति में 'बुध' दिन है पर महीने का नाम नहीं है। अतः उन्होंने संवत् १७३० के पंचांग से पता चलाकर माना है कि कार्तिक शुक्ल त्रयोदशी को ग्रंथ का निर्माण हुआ। ऐसा जान पड़ता है कि 'बुध सुदि तेरस मान' लिपिप्रमाद से हो गया है। 'भान' का 'मान' हो जाना तो कुछ भी कठिन नहीं है। 'बुध सुदि' के संबंध में यह कल्पना हो सकती है कि पहले 'सुचि बदि' में शब्दों का व्यत्यय हुआ और 'बदि सुचि' हुआ। हो सकता है कि 'बदि' हुआ हो और 'बुध' समझा गया हो। ऐसे ही 'सुचि' को 'सुदि' रूप मिला हो या माना गया हो। अतः यही ठीक जान पड़ता है कि मूल पाठ 'सुचि बदि तेरस भान' था।

अब देखना चाहिए की 'सुचि' शब्द का अर्थ क्या है। अमरकोश कहता है कि

वैशाखे माधवो राधो ज्येष्ठे शुक्रः शुचिस्त्वयम्।
आषाढे श्रावणे तुस्यान्नभाः श्रावणिकश्चसः॥

इसके अनुसार 'शुचि' का अर्थ आषाढ़ है। 'शुचि' शब्द ग्रीष्म ऋतु के लिए भी आता है और ग्रीष्म में ज्येष्ठ और आषाढ़ दो महीने होते हैं। मेदनीकोश में स्पष्ट उल्लेख है—

शुचि ग्रीष्माग्नि शृंगारेष्वाषाढे शुद्धमन्त्रिणि ।
ज्येष्ठे च पुंसि धवले शुद्धेऽनुपहते त्रिषु ॥

इस प्रकार काल-विभाग के लिए 'शुचि' ग्रीष्म, ज्येष्ठ और आषाढ़ तीन के लिए आता है। अब यह देखना है कि 'शिवभूषण' में 'शुचि' का अर्थ क्या है। 'शुचि' का अर्थ 'ग्रीष्म' नहीं है। उसमें दो मास होते हैं, 'बदि' किसी एक ही महीने की होगी। अतः 'शुचि' का अर्थ यहाँ या तो आषाढ़ है या ज्येष्ठ। उत्तर और दक्षिण के पंचांगों और व्यवहार में महीनों के शुक्लपक्ष में तो कोई भेद नहीं होता पर कृष्णपक्ष में अंतर पड़ता है। यहाँ 'बदि' कृष्णपक्ष के लिए है। उत्तर में पूर्णिमांत मास होते हैं और दक्षिण में अमांत। इससे अंतर यह पड़ता है कि जिसे उत्तरवाले आषाढ़ कृष्ण कहेंगे उसे दक्षिणवाले ज्येष्ठ कृष्ण। जान पड़ता है कि यहाँ भूषण ने 'शुचि' शब्द का व्यवहार इसी चातुर्य से

किया है। यहाँ 'शुचि' के दोनों अर्थ हैं आषाढ़ भी और ज्येष्ठ भी। दक्षिण के अनुसार ज्येष्ठ कृष्ण था और उत्तर के अनुसार आषाढ़ कृष्ण।

भूषण और मतिराम

सं० १८६९ में मतिराम के वंशज शिवसहाय तिवारी आदि मथुरा की तीर्थयात्रा करने गए थे। प्रचलित प्रथानुसार उन्होंने चौबों की बही (कन्हैयालाल छगनलाल, मानिक चौक, मथुरा—कनौजियों के मुट्ठे) में अपना वंशपरिचय भी अपने ही हाथों से लिखा है। इस परिचय की प्रतिलिपि पं० जवाहरलाल चतुर्वेदी ने कृपापूर्वक बहुत दिन हुए मेरे पास भेजी थी। उसे मैं यहाँ उद्धृत करता हूँ—

शिवसहाय, श्रीभाई बिहारीलाल तथा शिवगुलाम तथा रामदीन बैजनाथ के बेटा दुइ, शिवसहाय व रामदीन सीतलजू के बेटा दुइ, बिहारीलाल व शिवगुलाम। जगन्नाथ के नाती, मतिराम कवि के पंति, रतिनाथ के परपंती। शिवसहाय के बेटा गयादत्त, रामदीन के बेटा दुइ प्रागदत्त व नंदकिसोर, बिहारीलाल के बेटा काशीदत्त, शिवगुलाम के बेटा शिवराखन। तिवारी गूदरपुर के, सुखवास तिकवाँपुर पर : बीरबलक अकबरपुर, मं० गूदरपुर पट्टी सुराजपुर। सं १८६९ भादों सु० ८।

इससे यदि वंशवृक्ष बनाएँ तो यों होगा—

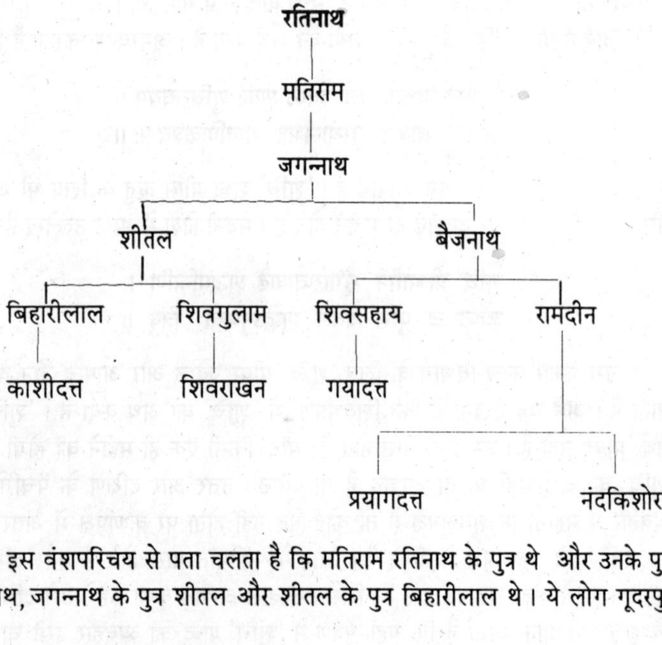

इस वंशपरिचय से पता चलता है कि मतिराम रतिनाथ के पुत्र थे और उनके पुत्र जगन्नाथ, जगन्नाथ के पुत्र शीतल और शीतल के पुत्र बिहारीलाल थे। ये लोग गूदरपुर

के तिवारी (कान्यकुब्ज) थे। तिकवापुर (त्रिविक्रमपुर) में सुखवास करते हैं। इसी वंश में श्री बिहारीबाल बड़े अच्छे काव्यमर्मज्ञ हुए हैं। उन्होंने प्रसिद्ध विक्रमसतसई पर टीका लिखी है। उस टीका में उन्होंने जो अपना परिचय दिया है वह इस वंशवृक्ष से बिलकुल मिल जाता है। देखिए—

बसत त्रिबिक्रमसुर नगर कालिंदी के तीर ।
बिरच्यो भूप हमीर जनु मध्यदेस को हीर ।
भूषन चिंतामनि तहाँ कवि भूषण मतिराम।
नृप हमीर सनमान तें कीन्हें निज निज धाम।
हैं पंती मतिराम के सुकबि बिहारीलाल।
जगन्नाथ नाती बिदित सीतल-सुत सुभ चाल।
कस्यप बंस कनौजिया बिदित त्रिपाठी गोत।
कबिराजन के बृंद में कोबिद सुमती उदोत। —रसचंद्रिका टीका

इस टीका का निर्माणकाल भी इस प्रकार दिया गया है—

दृग[३] मुनि[७] बसु[८] ससि[१] वर्ष में सिद्धि सोम मधु माग।

ऊपर के उदाहरण से सिद्ध है कि बिहारीलाल त्रिविक्रमपुर (तिकवाँपुर) में यमुना के किनारे रहते थे। इस नगर में भूषण, चिंतामणि और मतिराम ने किसी हमीरनरेश की कृपा से अपने-अपने घर बनवाए थे। बिहारीलाल मतिराम के पंती (पनाती-प्रपौत्र), जगन्नाथ के नाती (पौत्र) और शीतल के पुत्र थे। वे कश्यपगोत्रीय कान्यकुब्ज ब्राह्मण थे और उनका आस्पद 'त्रिपाठी' था। उन्होंने यह टीका सं० १८७२ के चैत्र मास में पूर्ण की थी। सबका मिलान करने से, स्पष्ट पता चल जाता है कि भूषण और मतिराम रतिनाथ के पुत्र थे, तिकवाँपुर में रहते थे और कश्यपगोत्रीय कान्यकुब्ज त्रिपाठी थे।

पछाहँ में 'नाती' पौत्र और दौहित्र दोनों को कहते हैं और 'पोता' के स्थान पर 'नाती' शब्द का व्यवहार करते हैं। यह संस्कृत के 'नप्ता' शब्द का विकृत रूप है। इसका प्रयोग केशवदास ने अपने ग्रंथों में किया है। सरस्वती की वंदना में लिखते हैं—

पति बरनै चारमुख पूत बरनै पाँचमुख नाती बरनै षटमुख तदपि नई नई।

ठीक इसी प्रकार पंती शब्द पनाती (प्रनप्ता) अर्थात् प्रपौत्र के लिए चलता है। परपंती छनायी या प्रपौत्र के लिए व्यवहृत होता है। 'पंती', 'पनाती' का ही घिसा रूप है (पनाती = पनती = पंती)।

फिर भी मतिराम और भूषण के बंधुत्व में संशय किया गया है और हेतु दिया गया है कि मतिराम 'वृत्तकौमुदी' के कर्ता हैं और उसमें रचयिता ने अपना परिचय इस प्रकार दिया है—

तिरपाठी बनपुर बसैं बत्सगोत्र सुठि गेह।
बिबुध चक्रमनि पुत्र तहँ गिरिधर गिरिधर देह॥
भूमिदेव बलभद्र हुअ तिनहिं तनुज मुनि गान।
मंडित पंडित मंडली मंडन मही महान॥
तिनके तनय उदारमति बिस्वनाथ हुव नाम।
दुतिधर श्रुतिधर कौ अनुज सकल गुगनि कौ धाम॥
तासु पुत्र मतिराम कबि निज मति के अनुसार।
सिंह स्वरूप सुजान को बरन्यो सुजस अपार।

इसके अनुसार 'वृत्तकौमुदी' वाले मतिराम का वंशवृक्ष यों होगा—

चक्रमणि
|
गिरिधर
|
बलभद्र
|
द्युतिधर — श्रुतिधर — विश्वनाथ
|
मतिराम (विश्वनाथ के पुत्र)

इस कथन के अनुसार 'वृत्तकौमुदी' के रचयिता त्रिपाठी थे, वनपुर में बसते थे। उनका गोत्र वत्स था। उन्होंने स्वरूपसिंह के यश का वर्णन किया है। अब आश्रयदाताओं के सन्-संवतों को कहीं शिखा और कहीं पाद पकड़कर पूर्ववर्ती मतिराम को (जो वस्तुतः भूषण के भाई थे) भूषण का समसामयिक होने से पृथक् कर दिया गया। फिर 'वृत्तकौमुदी' का उद्धरण देकर यह दिखलाया गया कि भूषण के समसामयिक होने की संभावना जिन मतिराम के संबंध में की जा सकती है वे तो भाई हो ही नहीं सकते, क्योंकि भूषण कश्यपगोत्रीय थे और ये मतिराम वत्सगोत्रीय। वे तिकवाँपुर में रहते थे और ये वनपुर में। वे रत्नाकर (रतिनाथ) के पुत्र थे और ये विश्वनाथ के।

मतिराम के वर्तमान वंशजों को 'वृत्तकौमुदी' वाले मतिराम का वंशज सिद्ध करने का प्रयास किया गया। मतिराम के वर्तमान वंशज 'तिकवाँपुर' के समीप सँजेती और बाँद नामक गाँवों (जिला कानपुर) में रहते थे। ये सब अपने को कश्यपगोत्रीय बछई के तिवारी कहते हैं। उनके यहाँ से जो कान्यकुब्जवंशावली प्राप्त हुई है उसमें भी बछई के तिवारी कश्यपगोत्र के अन्तर्गत हैं। इससे स्पष्ट है कि मतिराम और उनके वंशज

वास्तव में कश्यपगोत्री हैं।

यहाँ तक तो ठीक है। पर इसके आगे— 'इस दशा में फिर यह प्रश्न होता है कि मतिराम ने कश्यपगोत्री होते हुए भी अपने को वत्सगोत्री क्यों लिखा? इसका कारण यही प्रतीत होता है कि बछई 'वत्स' का अप्रभंश रूप है, अतः उन्होंने बछई को 'वत्स' रूप देकर अपने को शुद्ध और परिष्कृत रूप में लाने का प्रयास किया है। कान्यकुब्जों में आज भी निम्नकोटि कनौजिया उच्चवंश में होने के लिए आस्पद और गोत्र बदलते हैं। मतिराम में भी संभवतः यही भावना काम करती हुई प्रतीत होती है'। पर कान्यकुब्जवंशावलियाँ बतलाती हैं कि कश्यपगोत्रवाले ऊँचे होते हैं। और वत्सगोत्रवाले नीचे। प्रमाण लीजिए। कान्यकुब्जों में १६ गोत्र होते हैं जिनमें ६ गोत्रवाले उत्तम और षट्कुलवाले कहलाते हैं तथा १० गोत्रवाले निकृष्ट या धाकर कहलाते हैं—

'अथ गोत्राणि वक्ष्यामि कान्यकुब्जद्विजन्मनाम्' इत्यादि

—कान्यकुब्जवंशावली खेमराज।

इसके अनुसार कान्यकुब्जों के १६ गोत्र ये हुए—कश्यप, भरद्वांज, शांडिल्य, सांस्कृत, कात्यायन, उपमन्यु, काश्यप, धनंजय, कविस्त, गौतम, गर्ग, भारद्वाज, कौशिक, वशिष्ठ, वत्स, पाराशर। इनमें से आदि के ६ अर्थात् कश्यप, भरद्वाज, शांडिल्य, सांस्कृत, कात्यायन और उपमन्यु गोत्रवाले उत्तम कान्यकुब्ज या षटकुलवाले कहलाते हैं और अंत के दश गोत्रवाले (काश्यप से पाराशर तक) धाकर या निष्कृष्ट। अब अल्पातिअल्प बुद्धि रखनेवाला भी समझ सकता है कि कश्यपगोत्रवाले उत्तम कुल के मतिराम को अपनी उच्चता के लिए वत्सगोत्रीय बनने की कोई आवश्यकता न थी।

ऊपर शिवसहाय तिवारी का जो वंशवृक्ष दिया गया है उसमें उन्होंने अपने को गूदरपुर का तिवारी लिखा है और मतिराम के वर्तमान वंशज अपने को बछई का तिवारी कहते हैं। ये दोनों भी एक ही हैं। कान्यकुब्जों में गोत्र के अनुसार प्रसिद्धि नहीं होती, स्थान और पुरुषों के नाम से अपना परिचय दिया जाता है। 'गूदरपुर' पुरुषों का मूल निवासस्थान है और 'बछई' पुरुखा का नाम है। प्रमाण लीजिए। कश्यपवंश (गोत्र) का वर्णन वंशावली में यों मिलता है—

ब्रह्मा के पुत्र मारीच, के पुत्र कश्यप, कश्यप के पुत्र देवल, देवल के आशादत्त। आशादत्त से १० ॥ साढ़े दश घर भए। तिनकी व्याख्या। काश्मीरवासी आशादत्तजी प्रथम भदावर में आए। भदौरिया राजा ने उक्त पंडितजी का बड़ा आदर किया फिर वहाँ से शिवराजपुर में आए और शिवराजपुर के पुरोहित भए। आशादत्त के पुत्र पड़े प्रतापी हुए, उन्होंने अपने-अपने नाम के ग्राम बसाए यथा—शिवबली, शिवराज, मनु, गुरुदयाल, वरुण, हरिवंश, प्रचारक, निमिस सखेरज।

आशादत्त के दश पुत्र हुए। तिन्हीं पुत्रों ने अपने-अपने नाम से दश ग्राम बसाए— जैसे गुरुदत्त (गुरुदयाल) जी ने गूदरपुर, मनु ने मनोह, सखरेज ने सखेरज, वरुण ने वरुआ,

हरिवंश ने हरिवंशपुर, शिवबली ने शिवली, आदि, आदि।

—कान्यकुब्जवंशावली (लीथो, कान्यकुब्ज यंत्रालय)।

इससे सिद्ध है कि गुरुदयाल या गुरुदत्त ने जो ग्राम बसाया वह गुरुदयालपुर या गुरुदत्तपुर कहलाया जिसका अपभ्रष्ट रूप गूदरपुर है। इन्हीं गूदरपुर के तिवारियों का व्यौरा वंशावलियों में इस प्रकार है—

१. गूदरपुर में चंदन त्रिपाठी के पुत्र ३-कँधई १, बछई २, भवदास ३।

—वंशावली (लीथो, काशीप्रकाश यंत्रालय)।

२. अथ गुरुदत्त के स्थान गूदरपुर का व्यौरा। गुरुदत्त के चंदन त्रिपाठी। तिनके तीन पुत्र—कन्हई १, वक्षस्थराज २, भवशर्मा ३।

—कान्यकुब्ज-वंशावली (लीथों, कान्यकुब्ज यंत्रालय)।

इससे पता चला कि गूदरपुर के तिवारियों के तीन पुरुषा हैं—कन्हई, बछई और भवदास या भवशर्मा। इन तीनों के नाम पर उनके वंशज कन्हई के तिवारी, बछई के तिवारी और भवदास के तिवारी भी कहलाते हैं। अतः यदि मतिराम के वंशज अपने को 'बछई के तिवारी' कहते हैं तो वे अपने 'पुरखा' के नाम पर अपने को ऐसा बतलाते हैं। वे गूदरपुर के तिवारी हैं और बछई के वंश में हैं। इसका ठीक तात्पर्य यही है।

'बछई' शब्द इस प्रकार 'वत्स' (गोत्र) का अपभ्रंश न होकर 'वक्षस्थराज' का अपभ्रंश है। अतः सिद्ध हुआ कि तिकवाँपुरवाले मतिराम वत्सगोत्रीय न होकर कश्यपगोत्रीय ही थे और गूदरपुर के तिवारी थे तथा बछई के वंश में थे। उन्होंने अपने को उच्चकुल का सिद्ध करने के लिए कभी उलटी गंगा नहीं बहाई। उन्होंने अपने वंश या आस्पद का परिष्कार या संस्कार कभी नहीं किया।

भूषण का नाम

'भूषण' कवि का उपनाम है। इसका संकेत 'शिवभूषण' के इस दोहे से मिलता है—

कुल सुलंक चितकूटपति साहस सील समुद्र।
कवि भूषन पदवी दई हृदयराम सुतरुद्र।

इसमें कहा गया है हृदयराम ने 'कवि भूषण' की उपाधि दी। यदि 'भूषण' कवि का नाम ही माना जाए तो यह अर्थ करना होगा कि हृदयराम ने कहा कि 'आप भूषण हैं, कवियों में भूषण है'। ऐसा अर्थ लग सकता है, पर उसमें इस प्रकार का उल्लेख-योग्य चमत्कार कम ही मानना पड़ेगा। इसी से भूषण के असल नाम की खोज होने लगी। सबसे पहले यह घोषणा की गई कि इनका नाम 'पतिराम' था (विशालभारत, श्रावण, १९८७ वि०)। यह नाम उनके भाई 'मतिराम' के वजन पर था। पर भाट को धोखा 'मतिराम' के 'म' को 'प' पढ़ने-समझने से हुआ। फिर दूसरे महाशय ने खोज की कि 'पतिराम' नहीं 'मनिराम' नाम

था। यहाँ भी 'मतिराम' के 'त' ने 'न' बनकर या लक्षित होकर भ्रम में डाला। ये महाशय लिखते हैं कि 'कुमाऊँ के इतिहास' (पृष्ठ ३०३) में लिखा है—'सितारागढ़ नरेश साहू महाराज के राजकवि 'मनिराम' राजा के पास अलमोड़ा आए थे'। इसके अनंतर यह कबित्त उद्धृत है—

पुराण पुरुष के परम दृग दोउ अहैं...कहत बेद बानी यों पढ़ गई।
ये दिवसपति वे निसापति जोतकर हैं काहू की बढ़ाई बढ़ाए ते न बढ़ गई।
सूरज के घर में करन महादानी भयो यहै सोचि समुझि चितै चिता मढ़ि गई।
अब तोहि राज बैठत उदोतचंद चंद के कर्ण की किरक करेजे सों कढ़ि गई॥

उक्त कबित्त की पहली पंक्ति के उत्तरार्द्ध के आदि में तीन अक्षर कम पड़ते हैं। उन महाशय का कहना है कि यहाँ भूषण नाम था जो छूट गया है। किंतु वे यदि 'शिवसिंहसरोज' में मतिराम के नाम पर उद्धृत कविता का अवलोकन कर लेते तो यही कबित्त उन्हें वहाँ इस रूप में मिल जाता—

पूरन पुरुष के परम दृग दोऊ जानि कहत पुरान बेद बानि जोरि रढ़ि गई।
कबि मतिराम दिनपति जो निसापति जो दुहुनकी कीरति दिसन माँझ मढ़ि गई।
रबिके करनभए एक महादानि यह जानि जिय आनि चिंता चित्तमाँझ चढ़ि गई।
तोहि राज बैठत कुमाऊँ श्रीउदोत चंद चंद्रमा की करक करेजहू तें कढ़ि गई॥

इतिहासकार को धोखा हो गया, भूषण की कथा 'मतिराम' के साथ जोड़ दी और 'मतिराम' के स्थान पर 'मनिराम' हो गया।

मेरा अनुमान है कि 'भूषण' का असल नाम 'घनश्याम' था। महाराज शिवाजी के पिता शाहजी के दरबारी कवि श्रीजयराम पिंड्ये ने उनके नाम पर 'राधामाधवविलास चंपू' अथवा 'शहाजी महाराजचरित्र' नामक ग्रंथ लिखा है। इन्होंने शाहजी के दरबार में आनेवाले, कविता सुनानेवाले, समस्यापूर्ति करनेवाले संस्कृत, हिंदी, गुजराती आदि भाषाओं के विविध कवियों तथा पंडितों का उल्लेख किया है, जिनकी संख्या ७० है। वे उक्त ग्रंथ में लिखते हैं—

(कुंडलिया)

गायो उत्तर देश को द्वै गुनि अति अभिराम।
नाम एक को लालमनि दुसरो है घनशाम।
बात अचंभो एक यह जंत्र सजे को ठाट।
चित्र चना के दारि मह चित्र चना के दारि मह।
चित्र चना के दारि बारन साट लिखि ल्यायो।
जंत्र सज्यो जह ठाट राग मारूत वुरि गायो।

(झूलन राग)

घंघग्रिदि घनशाम बंबग्रिदि बात कही छंदग्रिदि छंद पुनि एक गायो।
मंमग्रिदि मत्तगज हंहग्रिदि हेमहय तंतग्रदि ताहि धरि दान पायो।
जंजग्रिदि जंत्र अरु चिंचिग्रिदि चित्र पुनि नंनग्रिदि नृप साहे करि सिखायो।
कंकग्रिदि कवि माहे जंजग्रिदि जयराम यंयग्रिदि यह भात पठि दिखायो॥

(पृष्ठ २७५-७६)

हिन्दी में चिंतामणि त्रिपाठी दो नामों (भणिता, छाप) से रचना करते थे—मनिलाल और लालमनि से। इसलिए 'लालमनि' तो अत्यंत परिचित नाम है। 'शहाजी महाराजचरित्र' के मराठे संपादक महोदय के लिए वह अपरिचित हो यह दूसरी बात है। इनके साथ जानेवाले, रहनेवाले ये उत्तर देश के गुणी 'घनश्याम' कौन हैं। 'घनश्याम' का स्मरण जयराम ने घंघग्रिदि घनशाम' में पुनः किया है। उनके एक छंद गाने-पढ़ने का भी उल्लेख है। यही नहीं आगे तुरंत ही अमृतध्वनि छंद में जयराम की वैसी ही रचना भी मिलती है जैसी भूषण ने शिवभूषण में अनुप्रास के उदाहरण में रखी है। वे कहते ही हैं—

द्वै वह बात पर अरु अमृताध्वनि यक छंद।
मन मों कबि जयराम के पठन होत आनंद।
जंत्र सज्यो नृप साह जग कल्यानहि के ठाठ।

कुंडलिया के विस्तृत अर्थ के चक्कर में पड़ने की आवश्यकता नहीं। संक्षेप में 'चित्र चना के दारि मह' को समझिए कि 'चना के दारि मह चित्र' (चने की दाल में चित्र) है। चित्र क्या है, किसका है, तो 'वारन' (हाथी) का। 'जंत्र सज्यो' का अर्थ इतना ही कि 'वुरि'(वुहि = उहि, उसने) मारुत (वायु के संचार से) राग भी गाया। आगे कहा है—

अद्ध चना पर कोटि गज लिखते कोन बिसेख।
दस बीसक गज साहजी दये तिलक पर देख॥

'तिलक' शब्द श्लिष्ट है यह कहने की आवश्यकता नहीं। अस्तु। 'द्वै वह बात' की संगति यों लगी, और फिर 'अमृतध्वनि यक छंद' किसने सुनाया। घनश्याम ने। उसे सुनकर जयराम के मन में भी वैसा ही छंद पठन (पढ़ने = बनाने) का आनंद होने लगा। द्वादश भाषाओं का पंडित जयराम भला क्यों न जोड़-तोड़ में 'अमृतध्वनि' पढ़ने को उत्साहित होता। उसने सुनाया ही—

नृपबल निकरत हय गज पतितर सैन सजै चतुरंग।
नृपबर तरकस बाँधि के करि तहँ करकस जंग।
जंजज्जंगं करन तुरंगं चढ़ि रनरंगं लहि अरिभंगं।

किंयरत बंबं बिलपि कलिंगं दवन्त तिलंगं।
भजि जियगंगं जलनि मतंगं प्रबिस तरंगं।
तट पर लंघे निकरत।

मिलाइए—'भंगग्गरब तिलंगग्गयउ कलिंगग्गलि अति (भूषण) आदि से। अतः जान पड़ता है कि ये 'घनश्याम' 'कवि भूषण' की पदवी पानेवाले सज्जन होंगे। यदि ये 'घनश्याम' नहीं हैं तो क्या कोई विरहिणी गोपिका ही 'घनश्याम' को यों कोस रही है—

देखत ही जीवन बिडारौ तौ तिहारो जान्यो जीवन-द नाम कहिबेही को कहानी मैं।
कैधों घनस्याम जो कहावैं सो सतावैं मोहि निहचै कै आजु यह बात उर आनी मैं।
भूषन सुकबि कीजै कौनपर रोसु निजभागुही को दोसु आगि उठति ज्यों पानी मैं।
रावरेहु आए हाय हाय मेघराय सब घरती जुड़ानी पै न बरती जुड़ानी मैं।

'मेघराय' के आने से क्या, 'घनश्याम' आएँ तब न मनस्ताप दूर हो।

इस प्रकार 'भूषण' का असल नाम 'घनश्याम' होने की पूरी संभावना है। जान पड़ता है कि इनके परिवार में नाम और उपनाम सभी के थे, या हो गए थे। इनके पिता के ('शिवभूषण' की विभिन्न शाखा के हस्तलेखों के अनुसार) दो नाम ठहरते हैं—रतिनाथ और रत्नाकर। हस्तलेखों में पाठ ही भिन्न-भिन्न है और यह भी संभावना नहीं है कि 'रतिनाथ' का स्थानापन्न 'रत्नाकर' पद हो सके या इसका विपर्यास। अतः दोनों के संबंध में यह कल्पना की जा सकती है कि एक नाम और दूसरा उपनाम। 'रतिनाथ' नाम पंडों की बही में है, इससे यही उनका असल नाम है और 'रत्नाकर' उपनाम। 'रत्नाकर' पुकार का नाम भी हो सकता है और काव्य में छाप देने के लिए भी। यदि दूसरी स्थिति हो तो हिंदी के मध्यकाल में भी एक 'रत्नाकर' के होने की संभावना है। चिंतामणि के दो उपनाम ऊपर कहे ही गए हैं। प्राचीन संग्रहों में उनके संग्राहकों ने इन नामों का उल्लेख कवियों के दो-दो उपनामों की लंबी सूची में किया है। जटाशंकर का भी उपनाम नीलकंठ था, इसे शिवसिंह सेंगर तक जानते थे। केवल 'मतिराम' के ही नामोपनाम भिन्न-भिन्न नहीं हैं। हो सकता है कि 'मतिराम' कवि का उपनाम ही हो और नाम कुछ दूसरा ही रहा हो।

इतिहास से समन्वय

यद्यपि भूषण ने शिवाजी का चरित्र यथाक्रम नहीं लिखा तथापि उनकी प्रकीर्ण रचना में ऐसे सूक्ष्म संकेत हैं जिनका इतिहास से पूरा समन्वय है। संपूर्ण ऐतिहासिक सामग्री का आलोड़न किए बिना हिंदी में कुछ महाशयों द्वारा ऐतिहासिक दृष्टि से नूतन पक्ष की स्थापना करने का फल यह हुआ कि श्री युदनाथ सरकार ने 'शिवाजी' नामक ग्रंथ में इधर भूषण की रचना में कथित इतिहास-संबंधी उक्तियों की प्रामाणिकता पर संदेह करते हुए लिख दिया कि कुछ लोग इसको इतिहास के लिए अप्रामाणिक मानते हैं।

काव्य न इतिहास होता है न होना ही चाहिए। दोनों में पार्थक्य ही क्या रहेगा।

काव्य में जो तथ्य व्यंजना से द्योतित होता है इतिहास में वह स्पष्ट कथित। पर काव्य में अलंकार अव्यंग्य अर्थात् अल्पव्यंग्य होते हैं। अतः भूषण की कृति में आलंकारिक सजावट के भीतर इतिहास के तथ्य ज्यों-के-त्यों रखे हैं। कुछ उदाहरण दिए जाते हैं—

. (१) **सूरत कों मारि बदसूरत सिवा करी**—एवरी थिंग एक्जिस्तिग इन सूरत वाज दैत दे रिड्यस्ड टु ऐशेज एंड मेनी कंसीदरेबुल मरचेंट्स लॉस्त आल् दैत दि एनिमि हैद नात प्लंदर्द थ्रू दिस तेरिबुल फायर, नैरोली इस्केपिंग विद देयर लाइब्ज—(फारेन बायग्राफीज आव् शिवाजी, पृष्ठ ३६१)।

(२) **होरी सी जराय सिवा सूरत फनाँ करी**—मीन ह्वाइल दि बर्निंग ऐंद ब्लेजिंग, दि वीपिंग, वेलिंग ऐंद लैमेंतिंग आव् दि अनहैपी पीपुल ऐबेंदद इन दि ताउन वेयर तेरिबुल तु सी ऐंद हियर आल्सो, इन स्पाइत आव् दि आल्रेदी ग्रेत देंजर काज्द बाइ कनफ्लैग्रेशन, शिवाजीज पीपुल कंतीन्यूद तु आग्मेंत इत विथ फ्रेश फुएल। (वही, पृष्ठ ३६१)।

(३) **सोचच्चकित भरोचच्चलिय विमोचच्चखजल**—वन में इंदीद वंदर दैत सो पीपुल्स ए ताउन शुद सो पेशेंतली सफर इतसेल्फ तु बी प्लंदर्द बाइ ए हैंदफुल आव् मेन, नो सूनर दिद शिवाजी ऐपियर विद हिज स्माल बादी आव् मेन; बत आल फ्लेद सम तु दि कंत्री तु सेव देमसेल्वज ऐत बरोच, एंड अदर्स तु दि कैसिल, ह्विदर दि गवर्नर रित्रीतेद विद दि फर्स्त। (वही, पृष्ठ १७९)।

(४) **ऐसो ऊँची दुरग महाबली को जामें नखतावली सों बहस दीपावली करति है**—इत वाज सो हाई एंद लाफ्ती दैत इत कुद वी सीन फ्राम दि ऐदजेसेंत कंत्री तु दिस्तेंस आव् मेनी लीग्ज, इत वाज सिचुएतेद थर्तीन लीग्ज फ्राम दि सी ××× इत वाज सो शेप्द दैत फ्राम दि हाइएस्त टाप आव् दि स्टीप हिल कुद बी सीन एवरी प्लेस राउंद इत्स बेस। (वही, पृष्ठ २०)।

वी रिसीब्द आर्दर तु ऐस्सेंद अप दि हिल इन तु दि कैसिल; दि राजा हैविंग एनार्दर्द अस ए हाउस देयर, ह्विच वी दिद, लीविंग पंचरा अबाउत थ्री आव् दि क्लाक इन दि आफ्तरनून, वी अराइब्द दि तॉप आव् दैत स्ट्रांग माउंतेन अबाउत सनसेत। (वही, पृष्ठ ४६१)।

(५) **जहाँ पातसाही तहाँ दावा सिवराज को**—ही हैज वाउंद तु हिज पगोर नेवर तु शीद हिज शोद तिल ही हैज रीच्द दिल्ली ऐंद शत अप औरंगशा इन इत. मोरापंत, वन आव् हिज जेनरल्स हैथ आल्सो आव् लेत प्लंदर्द त्रुबंक, नस्सेर ऐंद अदर कंसीदरेबुल प्लेसेज विदिन दि मुगल्स तेरितरीज। ह्वि हैथ ऐदेद मच तु हिज त्रेजर। (वही, पृष्ठ ४७५-७६)

(६) **भौंसिला भुवाल साहितने गढ़पाल दिन द्वैहू ना लगाए गढ़ लेते पचतीस को। सरजा सिवाजी जयसाह मिरजा को लीबे सौगुनी बड़ाई गढ़ दीन्हे हैं दिलीस को।** ए दिस्कशन अरोज अबाउत दि फोर्त्स ऐंद इत वाज फाइनली सेतेल्द दैत आउत आव् दि थर्ती फाइव फोर्त्स, दैत ही पजेस्द, दि कीज आव् त्वेंती थ्री शुद बी गिबेन अप, विद देयर

रेवन्यूज, अमाउंतिंग तु तेन लैक्स आव् हून्स ऑर फोर्ती लैक्स आव् रूपीज। (सोर्सबुक आव् मराठा हिस्ट्री—खफा खाँ, पृष्ठ १४७)।

(७) दंत तोरि तखत तरे तें आयो सरजा।

तत्सर्वं स्वामिभिस्तावन्न श्रुतं वा न वीक्षितम्।
भवतामग्रतोत्युग्रैः सभायां तैर्महत्तरैः॥
दशद्वादशसाहस्त्ररश्वाराधिपैः स्थितम्॥
तत्राप्यशस्त्रककरः क्रूरत्वं न विमुक्तवान्॥

—पर्णालपर्वतग्रहणाख्यान, अध्याय ९, श्लोक ३६-३७।

(८) परयो रह्यो पलँग परेवा सेवा ह्वै गयो।

द्रष्टव्यं स्वामिभिस्तत्र यद्यत्नेन रक्षितः।
तथापि पक्षिवत्तूर्णं पुत्रेण सह निर्गतः॥

—पर्णालपर्वतग्रहणाख्यान, अ० २, श्लो. ३८।

(९) साहि निजाम सखा भयो दुग्ग देवगिरि खंभु।

एतस्तिन्नेव समये दुर्गं देवगिरिं श्रयन्।
निजामशाहो धर्मात्मा पालयामास मेदिनीम्॥

—शिवभारत, अध्याय १, श्लोक ५९।

(१०) दानव आयो दगा करि जावली दीह भयारो महामद भारयो।

इत्थं चेतसि चिन्तितं बत निजे म्लेच्छने तेनच्छलम्।
तद्विज्ञाय शिवः स एष सकलं सद्यस्तदीयं फलम्॥
तस्मै दातुमथोद्यतो युधि यथा वक्ष्यामि सर्वं तथा।
मन्ये तद्यशसा सुधामधुकथा पीयूषवार्ता वृथा॥

—शिवभारत, अध्याय २०, श्लोक ६५।

बलादफजलं नाम दनुजं हन्तुमुद्यतः।
प्रस्थितोऽमित्रविजयी जयवल्लीं यदा शिवः॥

—शिवभारत, अध्याय २३, श्लोक ७।

(११) सिंह-थरि जाने बिन जावली जँगल भठी हठी गज एदिल पठाय करि भटक्यौ।

जयवल्लीवनं घोरं गृहं कण्ठीरवस्य मे।
विशन्निधनमागन्ता द्विषन्नफजलो गजः॥

—शिवभारत, अ० १८, श्लोक ३९।

आलंकारिक प्रयोगों की लपेट में पड़े हुए कुछ ऐतिहासिक तथ्यों की भी बानगी लीजिए—

(१) ऊँचे सुछज्ज छटा उचटी प्रगटी परभा परभात की मानौ।

पंक्ति 'सिंहगढ़' के प्रसंग की है। ऐतिहासिक तथ्य के बिना जाने 'ऊँचे सुछज्ज छटा उचटी' का अर्थ नहीं लग सकता। तानाजी मालसरे ने अँधेरी रात में सिंहगढ़ पर आक्रमण किया था। जब मरहठों ने किले पर आधिपत्य स्थापित कर लिया तब घुड़सवारों की झोपड़ियाँ जलाकर उसके प्रकाश द्वारा शिवाजी को विजय की सूचना दी थी। शिवाजी उस समय सिंहगढ़ से साढ़े चार कोस की दूरी पर राजगढ़ में थे। इसी प्रकाश को उक्त पंक्ति में लक्ष्य किया गया है।

(२) आकुत महाउत सु अंकुस लै सटक्यौ।

'अंकुश' शब्द का प्रयोग श्लिष्ट है। याकूत खाँ, अंकुश खाँ आदि बीजापुरी योद्धा थे जो अफजल खाँ की सहायता कर रहे थे। जब अफजल खाँ मारा गया तब ये सब भाग गए। अपने अपमान का बदला लेने के लिए इन सबने शिवाजी से युद्ध करने की नई योजना बनाई, पर ये उसमें भी विफल रहे।

(३) ये अब सूबहु आवैं सिवा पर कालि्ह के जोगी कलींदे को खप्पर।

उक्ति बहादुर खाँ से संबद्ध है। उदाहरण छेकोक्ति का है, जहाँ अर्थांतर-गर्भ लोकोक्ति रखी जाती है। ऐतिहासिक तथ्य जाने बिना अभिप्रायांतर स्पष्ट नहीं हो सकता। इसी से कुछ लोगों ने इसे लोकोक्ति का उपयुक्त उदाहरण नहीं माना। बहादुर खाँ गुजरात का सूबेदार था। महावत खाँ के धीमे काम से असंतुष्ट होकर औरंगजेब ने इसे दिलेर खाँ के साथ शिवाजी को दबाने के लिए भेजा था। जब महावत खाँ और शहजादा मुअज्जम दक्षिण से लौट आए तब यह ईसाई संवत् १६७२ में वहाँ का सूबेदार नियत किया गया। इसके कार्य से प्रसन्न होकर औरंगजेब ने जनवरी-फरवरी १६७३ ई० में इसे 'खाँ जहाँबहादुर' की उपाधि से विभूषित किया था। 'भूषण' का 'शिवभूषण' मई १६७३ ई० में समाप्त होता है। बहादुर खाँ की चढ़ाई को लक्ष्य करके इसी से उसे 'कालि्ह के जोगी' कहा गया है। जिन शिवाजी से शाइस्ता खाँ ऐसे पुराने और राजकाज में मँजे व्यक्ति भी हारकर भाग गए उनपर वह चढ़ाई करे और जीत जाए!

(४) 'भूषण' का छप्पय है—

बिज्जपूर-बिदनूर-सूर सर-धनुष न संधहिं।
मंगल बिनु मल्लारि-नारि धम्मिल नहिं बंधहिं।
गिरत गब्भ कोटे गरब्भ चिंजी चिंजाउर।
चालकुंड दलकुंड गोलकुंडा संका उर।
भूषन प्रताप सिवराज तव इमि दच्छिन दिसि संचरै।
मधुरा-धरेस धकधकत सो द्रविड़ निबिड़ उर दवि डरै॥

नीचे की चार पंक्तियों का पाठ 'बंगवासी' प्रेस की प्रति में इस प्रकार है—

गिरत गब्भ कोटे गरब्भ चिंजी चिंजा डर।
चालकुंड दलकुंड गोलकुंडा संका उर॥
भूषन प्रताप सिवराज तुब इमि दच्छिन दिसि संचरहि।
मधुरा-धरेस धकधकत सो द्रविड़ निबिड़ डर दबि डरहि॥

स्व. गोविंद गिल्लाभाईजी ने गुजराती में 'शिवराजशतक' के नाम से 'भूषण' की १०० सुंदर कविताओं का संग्रह बहुत पहले निकाला था। भाईजी के पास 'शिवभूषण' की हस्तलिखित प्रति भी थी। उक्त 'शिवराजशतक' में पूर्वोक्त चार पंक्तियों का पाठ यों है—

गिरत गर्भ कोटीन गहत चिंजी चिंता उर।
चालकुंड दलकुंड गोलकुंडा शंका उर॥
भूषन प्रताप शिवराज तुव इमि दक्षिन दिसि संचरहि।
मधुरा-धरेस धकधक धकत द्रविड़ निबिड़ अविरल डरहि॥

भाईजी ने गुजराती में प्रत्येक पद्य की टीका भी की है। उन्होंने 'गहत चिंजी चिंता उर' का अर्थ यों लिखा है—'चिंजी गामना लोका मन मा चिंता ग्रहण करे छे' (चिंजी ग्राम के लोग मन में चिंता करते हैं)। मिश्रबंधुओं की संपादित प्रति में सबसे पहला पाठ है और 'चिंजा चिंजा' का अर्थ 'लड़की लड़का' किया है।

'भूषणग्रंथावली' के अब तक कई संस्करण निकल चुके हैं। सबमें 'चिंजी चिंजा' का अर्थ 'लड़की लड़का' ही किया गया है। 'हिंदी-शब्दसागर' में भी यही अर्थ दिया गया है और 'भूषण' की उक्त पंक्ति उद्धृत कर दी गई है। 'शब्दसागर' में इसका मूल रूप संस्कृत का 'चिरंजीविन्' माना गया है। श्री रामचंद्र गोविंद काटे महाशय ने अपने 'संपूर्ण भूषण' नामक मराठी संस्करण में मिश्रबंधुओं के अनुकरण पर वही पुराना अर्थ किया है। काटे महाशय ने अर्थ तो 'लड़की-लड़का' ही किया है, पर स्थल-सूची में 'चिंजाउर और चिंजी' देकर उक्त छंद की संख्या दी है। संभवतः उन्हें इनके स्थल होने का ज्ञान बाद में हुआ। कुछ लोग कहते हैं कि 'लड़की लड़के' के लिए उक्त शब्दों का प्रयोग दक्षिण में होता है पर कोशों में यह अर्थ नहीं मिलता! 'शिवकालीन पत्रसारसंग्रह' में छत्रपति शिवाजी के समय के पत्रों का सारांश दिया हुआ है। इस पुस्तक के द्वितीय खंड के ७१५ पृष्ठ पर एक पत्र दिया हुआ है जो इस प्रकार है—

शिवाजी ने चैंजी, चेंजावर, पिलमदल आणि इतर कित्येक किल्ले घेतले

(शिवाजी ने 'चेंजी, चेंजावर, पिलमदल और कितने ही अन्य किले ले लिए')।

इस 'चेंजी चेंजावर' से उक्त छंद की तीसरी पंक्ति का बहुत अधिक मेल है। वस्तुतः 'चेंजी चेंजावर' के दुर्ग ले लेने के कारण 'भूषण' का यह कहना कितना सटीक

है— गिरत गब्भ कोटै गरब्भ' (कोट के भीतर गर्भ गिर जाते हैं)। 'भूषण' की उक्त पंक्ति का पाठ 'चिंजी चिंजा डर' अथवा 'चिंजी चिंता उर' न होकर 'चिजी चिंजाउर' (चेंजी चेंजावर) ही रहा होगा, जो अर्थ न समझ सकने के कारण बदल गया।

मिश्रबंधु महोदयों ने 'चिंजी' के स्थान विशेष होने का विरोध किया है। वे 'चिंजी चिंजा' की पादटिप्पणी में लिखते हैं—लड़का लड़की। इसका प्रयोजन चिंजी से नहीं है, क्योंकि चिंजी का वास्तविक नाम 'चंडी' था, जो शब्द 'चिंजी चिंजा' से असंबद्ध है। (—भूषणग्रंथावली मूल, पृष्ठ १४६)।

किंतु 'चिंजी' का ही नाम' चंडी, चिंजी और चेंजी' था। चिंजाउर या चेंजावर आधुनिक 'तंजौर' है। बा० सुरेंद्रनाथ सेन महोदय ने अँग्रेजी में एक पुस्तक लिखी है जिसका नाम है 'फारेन बायोग्राफी आव् शिवाजी' (विदेशियों द्वारा लिखित शिवाजी-चरित्र)। पुस्तक में ऐसे-ऐसे लेखों और पत्रों का संग्रह है जो शिवाजी के संबंध में तत्कालीन विदेशियों के लिखे हैं। पुस्तक अत्यधिक प्रामाणिक मानी जाती है; क्योंकि स्वदेशी ऐतिहासिक वाङ्मय में प्रक्षिप्तांश के जोड़ देने की बहुत संभावना है; पर विदेशियों के लेखों में सामान्यतया ऐसा नहीं हो सकता। उक्त पुस्तक में सेन महोदय ने स्पष्ट लिखा है कि 'चिंजी, चेंजी अथवा चिंडी; चंडी आधुनिक जिंजी है और चिंजाउर, चेंजावर, चिंडीवर अथवा चंडावर आधुनिक तंजौर'। वे पृष्ठ ४७५ में चिंडी (या चंडी) और चिंडावर (या चंडावर) की पादटिप्पणी में लिखते हैं—जिंजी ऐद तंजौर आर काल्द चंडी ऐद चंडावर इन मराठी (जिंजी और तंजौर मराठी में चंडी और चंडावर कहे जाते हैं)। 'चंडी' और 'चंडावर' ही विकृत होकर जिंजी और तंजौर हो गए हैं। 'चंडी' से चंजी हुआ, जैसे 'चंजी घेतली' (शिवकालीन पत्रसारसंग्रह, खंड २, पृष्ठ ७१४) और चंडावर से चंजावर जैसे—या निमित्य तुम्हाला चंजाउरास जावयाचा निरोप दिधला (शिवकालीन पत्रसारसंग्रह, खंड २, पृष्ठ ७१४)। चंजी से चेंजी या चिंजी और चंजाउर से चेंजावर या चिंजाउर हो गया। (चेंजी के लिए देखिए 'फारेन बायोग्राफी आव् शिवाजी, पृष्ठ ४७३)। चिंजी से जिंजी शब्द बना है, चंजावर से तंजावर ('तंजावर च्या' शिवकालीन पत्रसारसंग्रह; पृष्ठ २२५) और अब तंजौर। शिवाजी ने जिंजी और तंजौर के किलों पर चढ़ाई की थी और उन्हें जीता था। इसका वर्णन ऐतिहासिक ग्रंथों से स्पष्ट ही है। अतः उक्त पद्य की तीसरी पंक्ति का पाठ 'चिंजी चिजाउर' ही है। इतिहास की दृष्टि से अर्थ 'जिंजी' और 'तंजौर' ही है।

लाल

लाल कवि के चार ग्रंथों का उल्लेख खोज-विवरणों में पाया जाता है—(१) छत्रप्रकाश, (२) राजविनोद, (३) विष्णुविलास और (४) बरवै। 'खोज' १९०६ के

अनुसार लाल कवि के तीन ग्रंथ हैं—बरवै, छत्रप्रकाश और राजविनोद। 'खोज' १९२३ में विष्णुविलास विवृत हुआ है। यह भी अधिकतर बरवै में लिखा हुआ है। इसलिए हो सकता है कि सन् १९०६ के विवरण में जिसे 'बरवै' कहा गया है वह विष्णुविलास ग्रंथ ही हो। दोनों ही हस्तलेख खंडित हैं। इसलिए यह निर्णय करना कठिन है कि दोनों ग्रंथ एक ही हैं या भिन्न-भिन्न। बरवै नाम साहित्यान्वेषक का दिया हुआ है। बरवै के जो उद्धरण दिए गए हैं उनसे इसमें देव के जातिविलास के ढंग की कुछ रचनाएँ जान पड़ती हैं। इसमें उत्कल, सरवार, तिरहुत, कान्यकुब्ज आदि देशों की स्त्रियों का वर्णन है। अंत के छंदों में बरवै छंद का लक्षण भी लिखा गया है और यह कहा गया है कि 'सहसदस' बरवै हमने लिखे हैं। 'सहसदस' का अर्थ कदाचित् दस हजार नहीं है, एक हजार दस हो सकता है। ग्रंथ का परिमाण ८५७ लिखा गया है। इससे जान पड़ता है कि ग्रंथ में एक हजार दस बरवै हैं और ग्रंथ केवल बरवै छंद में लिखा गया है। बरवै-संबंधी अंतिम उद्धरण इस बात का संकेत देते हैं कि ग्रंथ समाप्ति के निकट है। यदि इसमें केवल बरवै छंदों का ही व्यवहार है तो यह विष्णुविलास से भिन्न रचना होगी, क्योंकि विष्णुविलास के जो उद्धरण खोज में दिए हुए हैं उनमें अनेक छंदों का व्यवहार है। राजविनोद नामक पुस्तक लाल कवि के नाम पर तो है ही महाराज छत्रसाल के नाम पर भी चढ़ी हुई है। दोनों के उद्धरणों को मिलाने से स्पष्ट दिखाई देता है कि एक ही रचना भूल से दोनों कवियों के नाम पर चढ़ी हुई है। छत्रसाल के नाम पर जो हस्तलेख दिया हुआ है उसकी पुष्पिका यह है—इति श्रीमहाराजाधिराज श्रीमहाराजा श्री राजा छत्रसालजू देव निदेसा। इससे जान पड़ता है कि यह उल्लेख हस्तलेख के संबंध में है, पुस्तक के संबंध में नहीं। प्रथम ग्रंथ की पुष्पिका में जो अंतिम छंद है उससे यह स्पष्ट हो जाता है कि यह छत्रसाल की रचना होगी—

इछ्या दै अक्षरनि सषिय ब्रजमाह बस इय।
बाल बिलास दिषाई रास रस रंग रमाइय।
अक्षर कौ परतक्ष धाम लीला दरसाइय।
सषियन बिरह जनाय जोग माया उडसाइय।
सुर मैं भृभाइ भृम नाल मैं लाल हेरि प्रैमनि पग्यउ।
सषियन समेत छतसालउर सु जुगल रूप जगजग जग्यउ॥

इसमें आए हुए 'लाल' शब्द को लाल कवि की छाप समझकर कदाचित् यह रचना उनके नाम पर चढ़ा दी गई। इस प्रकार इनकी तीन रचनाएँ निश्चित होती हैं—बरवै, विष्णुविलास[1] और छत्रप्रकाश।

बरवै के जो उद्धरण दिए गए हैं उनसे इस बात का पूरा संकेत नहीं मिलता कि इसमें किन-किन विषयों का वर्णन है। निरीक्षक ने भी अपने विवरण में कोई विशेष बात

१. शिवसिंह सेंगर ने इसे बूँदीवाले छत्रसाल के आश्रित लाल कवि का बताया है। संभव है 'बरवै' भी उन्हीं की रचना हो। इस प्रकार इनका एक ही ग्रंथ 'छत्रप्रकाश' बच रहेगा।

नहीं लिखी। विष्णुविलास के संबंध में कथित विषयों का विस्तृत उल्लेख किया गया है। नायकलक्षण में धीरोदात्त आदि चार और अनुकूल आदि चार तथा उत्तम, मध्यम और अधम तीन भेद करके उनकी संख्या अड़तालीस बताई गई है। मध्या के जो भेद इसमें दिए गए हैं वे अन्यत्र सामान्यतया नहीं मिलते—उद्धतयौवना, अनूढ़यौवना, उद्भूतमनोभवा, चित्रसुरता, परिहासविशारदा, मोहांतरिता। प्रगल्भा अर्थात् प्रौढ़ा के धीराधीरा भेद में यौवनांधा, काममदमत्ता, रतिखंडिता, आक्रमितकांता, धृष्टसुरता; अद्भुतविभ्रमा भेद किए गए हैं। धीरप्रगल्भा में सावहित्था, सादरा, सुरतोदासा भेद दिए गए हैं। परकीया के अंतर्गत प्रत्यक्षदर्शन, चित्रदर्शन, स्वप्नदर्शन के अतिरिक्त परिछाही दर्शन और मायादर्शन का भी उल्लेख है। ऊढ़ा के अमिला, दुर्मिला, सुखमिला भेद किए गए हैं। गुरुजनभीता, सखीपरिजनरुद्धा, अनुरागिनी ये अमिला के अंतर्गत जान पड़ते हैं। दुर्मिला में दुष्टवेष्टिता लोकभीरु, चंचलमना, दूतिवर्जिता चार भेद किए गए हैं। इस सूची से स्पष्ट हो जाता है कि लाल कवि ने बड़े विस्तार से नायक-नायिका-भेद का वर्णन किया है। लोकभीरु का उदाहरण यह है—

रीझे न बंक बिलोकनि नैन कि बैन कि नाइ तिही गसु ठाने।
साध मरो न धरो कुछ चाउ सो भानु की नीरस एक न जाने।
छाँडति वाहि डरो परलोकहि संग के लीन्हें जु होति निदाने।
देहु कछू उपदेस कहा करों मोहि सखी मरिबो मनु माने॥

चंचलमना का उदाहरण यह है—

बेगि सिराति न राति बसंत की होति है हानि तरंगन हेरे।
कंत बिदेस दुरंत मनोज रहे दुरि दूती समै घरु घेरे।
कैसे के धीर धरै परलोकहि पाँच के बोल फिरै मति फेरे।
नंद के लाल हैं ख्याल परे सु कहा धौं ललाट लख्यो बिधि मेरे॥

बरवै की रचना भी बड़ी प्रौढ़ दिखाई देती है। ऐसा जान पड़ता है कि वंदना के अंतर्गत इसमें इन्होंने अपने गुरु की वंदना की है—

जय जय जय जय माधव जय हरिबंस।
जय कुमार जय बल्लभकुलअवतंस।
कबिमंडन कुलमंडन जय गोबिंद।
जय जय गुरु पुररुषोत्तम पग अरबिंद॥

साहित्य में इनकी प्रसिद्धि 'छत्रप्रकाश' नामक वीरकाव्य को ही लेकर है। छत्रप्रकाश में महाराज छत्रसाल के युद्धों का वर्णन है। इसमें दोहा और चौपाई छंदों का व्यवहार किया गया है। चौपाई का नाम पादाकुलक दिया गया है। आरंभ के तीन दोहों के अतिरिक्त सर्वत्र ८ अर्द्धाली के अनंतर दोहा रखने का प्रायः प्रयास किया गया। अध्याय के अंत में

इस नियम का खंडन होता हुआ दिखाई देता है। इसमें २६ अध्याय हैं। आरंभिक दो अध्यायों में बुंदेल (जिनके नाम पर बुंदेला जाति हुई) के जन्म का तथा वंश का वर्णन है। इसके अनुसार काशी के राजा गहरवार क्षत्रिय वंश में वीरभद्र हुए। वीरभद्र का संबंध सूर्यवंशी महाराज रामचंद्र से बताया गया है। वीरभद्र के पाँच पुत्र थे, उनमें से जगदास पिता को विशेष प्रिय था। पिता ने उसे आधा राज्य दिया। फलस्वरूप चार भाइयों से उसका युद्ध हुआ। जगदास दुखी होकर अपना राज्य छोड़ विंध्येश्वरी देवी की शरण गया। देवी की उपासना करने के अनंतर उसने अपना सिर काटकर उन्हें चढ़ाने का विचार किया। देवी ने उसे इससे रोक दिया और वर दिया कि तेरी विजय होगी। तू राजा होगा और तेरे वंश का राज्य चलेगा। तलवार से सिर काटने का प्रयत्न करते समय वह सिर में लग गई, जिससे रक्त की बूँद गिर पड़ी। इसी कारण उसके वंशज बुंदेला कहलाए। जगदास का उपनाम पंचम था इसलिए उसके वंशज पंचम भी कहलाते हैं।

इसके तीसरे अध्याय में छत्रसाल के पूर्वजन्म की कथा दी हुई है। छत्रसाल के पिता चपतराय के पाँच पुत्र थे, जिनमें से प्रथम सारवाहन थे। उनको बांकी खाँ के साथ युद्ध में वीरगति प्राप्त हुई। उस समय सारवाहन बच्चे थे। इन्हीं सारवाहन ने शुत्र से वैर चुकाने के लिए छत्रसाल (शत्रुशल्य) के रूप में पुनः अवतार लिया। चौथे अध्याय में छत्रसाल के लड़कपन की मनोरंजक घटना दी हुई है। देवमंदिर में इन्होंने पुजारी से पूछा कि ठाकुरजी बोलते क्यों नहीं। पुजारी ने इन्हें बालबुद्धि कहकर बात टाल दिया। इन्हें संतोष नहीं हुआ, इसलिए इन्होंने एकान्त में यह अभिलाष किया कि यदि बालमुकुंदजी नाचें तो इनको मक्खन दिया जाए और इनका नृत्य भी देखने को मिले। कहते हैं कि बालमुकुंदजी सचमुच नाचने लगे। जब लोगों को पता चला तब वे बड़े आश्चर्य में पड़े। पुजारी इस अनहोनी से भयभीत हो गए और उन्होंने बालमुकुंदजी को संपुट में बंद कर दिया। संपुट में बंद हो जाने पर भी बालगोविंदजी उसमें नाचते ही रहे जिसका पता संपुट में होनेवाली ध्वनि से लगता था। छत्रसाल की इच्छा पूरी नहीं हुई। वे सोच रहे थे कि वे जितना अधिक नाचते उतनी ही मिठाई खिलाई जाती। लाल कवि का कहना है कि चेतन शरीर से लीलापुरुषोत्तम ने ब्रजगोपिकाओं के साथ रास में नृत्य किया था। छत्रसाल के प्रेम के कारण वे अपने अचेतन शरीर से भी नाच उठे—

चेतन तन नाचे ब्रजबनितन के संग।
छत्रसाल के प्रेम सों नचे अचेतन अंग॥

छत्रसाल के गुरु थे महात्मा प्राणनाथ, जैसे शिवाजी के गुरु थे महात्मा रामदास। ग्रंथ के उपसंहार में प्राणनाथ का उल्लेख है। उन्होंने यह बतलाया कि वस्तुतः सारा जगत् भगवल्लीला के रूप में संचालित होता है। इसी प्रसंग में उन्होंने कृष्णजन्म का वर्णन भी किया है। उन्होंने सारे संसार को तात्त्विक दृष्टि से स्वप्न और हरिइच्छा की दृष्टि से लीला समझा। प्राणनाथ प्रभु ने आशीर्वाद दिया और इनका राजतिलक हुआ।

यद्यपि यह एक प्रकार का ऐतिहासिक वीरकाव्य है तथापि इसमें जो युद्ध के वर्णन दिए हुए हैं वे बड़े प्रामाणिक हैं। यहाँ तक कि पहले कुछ लोगों ने यह भी अनुमान किया था कि बुंदेलखंड के इतिहास का यह एक अंशमात्र है। कैप्टन पाक्सन ने इसका अँगरेजी में उल्था भी किया था, इसके ऐतिहासिक महत्त्व के कारण। कलकत्ता के फोर्ट विलियम कॉलेज से सबसे पहले इसे मेजर प्राइस ने प्रकाशित कराया था बाद में बाबू श्यामसुंदरदास के संपादकत्व में काशी नागरी प्रचारिणी सभा से प्रकाशित हुआ।

न मानिहै सो जानिहै

लाल कवि के आश्रयदाता महाराज छत्रसाल के अनेक आनबान के कार्य थे, जिनका उल्लेख उनका जीवनवृत्त लिखनेवालों ने विस्तार से किया है। पर उनका एक कार्य विचित्र था जिसका उल्लेख किसी जीवनवृत्त में नहीं मिलता। गुरुजनों से सुन रखा था कि महाराज छत्रसाल के हस्ताक्षर विलक्षण हुआ करते थे। उस विलक्षणता की कथाएँ सुन रखी थीं, पर महापुरुषों के संबंध में प्रसिद्ध अनेक किंवदंतियों की भाँति इसे भी समझता रहा। समय पाकर यह बात भूल ही गई थी। मान लिया था कि जैसे सामान्यतया और लोगों के हस्ताक्षर हुआ करते हैं उसी प्रकार के हस्ताक्षर इनके न होंगे। नृत्यकला-विशारदों के हस्ताक्षर ऐसे होते हैं मानो उनके नाम का प्रत्येक अक्षर नृत्य कर रहा हो। चित्र उरेहनेवाले कलाकारों के अक्षरों में इतनी भंगिमाएँ रहती हैं कि उनके हस्ताक्षर चित्र ही जान पड़ने लगते हैं। कवियों—छायावादी कवियों—में से कुछ के हस्ताक्षर ऐसे दिखाई पड़े कि अक्षरों का पता ही नहीं चलता। 'अक्षर' की केवल 'छाया' ही रह गई है। पूरा रहस्य सामने आ जाता है—माया और ब्रह्म का। इसलिए सोचा था कि महाराज छत्रसाल के हस्ताक्षर जो होते रहे होंगे उनमें लिखने से तलवार बन जाती होगी, ढाल का आकार उभर आता होगा या कोई वीर दर्पपूर्ण मूर्ति झलकने लगती होगी।

पर जब स्व. गुरुवर लाला भगवानदीनजी ने बतलाया कि न ऐसी कोई बात नहीं। वे हस्ताक्षर करने में अपना नाम ही नहीं लिखते थे, उसके स्थान पर एक सूक्ति लिख दिया करते थे तो आश्चर्य का ठिकाना न रहा। इस बात को भी युग बीत गए। इधर हस्तलिखित ग्रंथों की खोज करते समय जो बहुत-सी सामग्री का आलोड़न करना पड़ा तो उससे पता चला कि वे अपनी 'छाप' में अमुक सूक्ति लिखते थे। उस सूक्ति से महाराज छत्रसाल की आनबान, उनके व्यक्तित्व, उनके वीरदर्प का पता चलता है।

बिजावर के राजा लक्ष्मणसिंह ने हिंदी में कई ग्रंथ लिखे हैं जिनमें से एक 'नृपनीतिशतक' है। इसमें हिंदी और संस्कृत छंदों में 'नृपनीति' का विवरण दिया गया है। ग्रंथ के अंत में उन्होंने महाराज छत्रसाल की छाप (हस्ताक्षर) का उल्लेख किया है। ये स्वयं नरेश थे। पन्ना राज्य के निकट थे। राजनीति-विषयक प्रामाणिक बातों का उन्होंने संग्रह किया है इसलिए इनकी उक्ति सबसे अधिक प्रामाणिक और महत्त्वपूर्ण है। वे

लिखते हैं—

जो चलिहै इहि नीति-मग ताहि न अरि-भव-ताप।
या पै लिखी प्रमान करि छत्रसाल-नृप छाप॥

महाराज छत्रसाल की छाप (हस्ताक्षर) के संबंध में वे विस्तार से इस कबित्त में यों लिखते हैं—

धर्म लीक बेद बेद लीक पै रमेस रहैं लच्छन रमेस-लीक लागौ मघवान है।
लीक मघवान की गहेंई लोकपाल चलैं लोकपाल-लीक सदा गावत पुरान है।
लीक पै पुरान की अनेक भूमिपाल रहैं भूप-लीक-त्याग तैं गुरंडन की हान है।
याही तें महीप छत्रसाल छापमाँझ लिखी जान है सो मानहै न मानहै सो जान है॥

अर्थात् उनके हस्ताक्षर का खड़ी बोली में यह रूप था—'जो जानेगा सो मानेगा जो न मानेगा सो जानेगा'—जो मेरे हस्ताक्षरों का आदर करेगा, वह उस कार्य को संपन्न करेगा जिसके लिए हस्ताक्षर हुए हैं। जो ऐसा न करेगा, कार्य करने में उपेक्षा करेगा उसे पता चल जाएगा कि उसने उपेक्षा करके अनुचित किया है, उससे बलपूर्वक कार्य करा लिया जाएगा।

सूदन

इन्होंने सुजानचरित्र नामक वीरकाव्य लिखा है। इनके एक इसी ग्रंथ का पता चलता है। इन्होंने अपना परिचय केवल इतना दिया है—

मथुरापुर सुभ धाम माथुरकुल उतपत्ति बर।
पिता बसंत सुनाम सूदन जानहु सकल कबि॥

इस प्रकार ये वसंत के पुत्र मथुरिया चौबे थे। भरतपुर के राजा बदनसिंह के पुत्र सुजानसिंह का चरित्र इस ग्रंथ में वर्णित है। सुजानसिंह का उपनाम सूरजमल था। इस ग्रंथ में इन्हीं के युद्धों का विस्तृत वर्णन है। इसमें संवत् १८०२ से लेकर संवत् १८१० तक की लड़ाइयों का वर्णन किया गया है। इसलिए अनुमान है कि ग्रंथ १८१० के अनंतर लिखा गया होगा। इसके अध्यायों का नाम जंग रखा गया है और सात जंगों में यह पुस्तक समाप्त हुई है। सातवें जंग में सुजानसिंह के जिस युद्ध का वर्णन है, वह पूरा नहीं है। संवत् १८११ के आरंभ में इस युद्ध में ये विजयी हुए थे और उसका उल्लेख इसमें नहीं किया गया है। इसलिए कुछ लोगों का अनुमान है कि ग्रंथ संवत् १८१७ के अनंतर नहीं लिखा गया, १८१० में ही लिखा गया। सप्तम जंग का अंत भी ध्यान देने

योग्य है। काशी नागरी प्रचारिणी सभा द्वारा प्रकाशित सुजानचरित्र के संस्करण में दो प्रतियों का उल्लेख किया गया है, एक हस्तलिखित प्रति का दूसरी मुद्रित प्रति का। हस्तलिखित प्रति और छपी प्रति में अतंर यह है कि पहली प्रति बीच ही में समाप्त हो गई है, सप्तम जंग की पुष्पिका या उपसंहार कुछ भी नहीं है। प्रत्येक जंग के अंत में कवि ने नियमपूर्वक एक हरगीत छंद ऐसा दिया है जिनके तीन चरण सर्वत्र ज्यों-के-त्यों रहते हैं, चौथा चरण प्रत्येक जंग का उल्लेख करनेवाला नवीन रहता है। प्रथम जंग की पुष्पिका और उपसंहार दोनों नीचे उद्‌धृत किए जाते हैं—

भुवपालपालक भूमिपति बदनेस-नंद सुजान हैं।
जाने दिलीदल दक्खिनी कीने महा कलिकान हैं।
जाको चरित्र कछूक सूदन कह्यो छंद बनाइकै।
रन असदखाँ कौ जीति सूरज अंक चौथौ आइकै॥ १७ ॥

इति चतुर्थ अंक ॥ ४ ॥

सिद्धि श्रीमन्महाराजाधिराज ब्रजेंद्र कुँवर सुजानसिंह हेतवे कवि सूदन विरचिते सुजानचरित्रे असदखान-हतनो नाम प्रथम जंग समाप्तं।

इससे स्पष्ट हो जाता है कि प्रत्येक जंग का विभाजन अंकों में किया गया है। प्रथम जंग में चार अंक, दूसरे में तीन अंक, तीसरे में चार अंक, चौथे में सात अंक, पाँचवें में चार अंक और छठे में छह अंक हैं। सातवें में प्रथम अंक की समाप्ति के अनंतर दूसरा अंक प्रारंभ तो हुआ है, पर अंत होने का उल्लेख नहीं है। इसके अतिरिक्त प्रत्येक जंग में कम से कम तीन अंक अवश्य हैं। तीसरे जंग में चौथा अंक समाप्त होने के अनंतर दस-ग्यारह छंदों में कुछ वर्णन अतिरिक्त दिया हुआ है, जिसे मुद्रित संस्करण में पाँचवाँ अंक माना गया है। छठे जंग में सैंतीसवाँ छंद 'किय संधि कूरम दुहुन की रुचि अंक सप्तम आइकैं' सात अंक की सूचना देता है, पर मुद्रित में पंचम अंक के अनंतर सैंतीस छंदों का एक ही अंक है। षष्ठ अंक का पृथक् अस्तित्वसूचक छंद मध्य में कहीं दिखाई नहीं देता, इसलिए मुद्रित प्रति में सूची के अंतर्गत छह ही अंक माने गए हैं। इस प्रकार स्पष्ट हो जाता है कि ग्रंथ निश्चय ही अंत में खंडित है। जिस प्रति के आधार पर कार्य किया गया है यदि वह अपूर्ण प्रति हो तो स्थिति दूसरी होगी, अन्यथा, यह ग्रंथ किसी कारण से कवि समाप्त नहीं कर सका है। यह माना जा सकता है कि या तो कवि आश्रयदाता से किसी कारणवश पृथक् हो गया या उसकी मृत्यु हो गई।

पुस्तक में विविध छंदों का व्यवहार है। लगभग सौ वणिक और मात्रिक छंदों का व्यवहार किया गया है। व्रजभाषा के अतिरिक्त इसमें पंजाबी भाषा का भी व्यवहार किया गया है, जिसमें नीसानी छंद का प्रयोग है। नमूने की दो पंक्तियाँ देखिए—

इसी गल्ल धरि कन्न में बकसी मुसक्याना।
हमनूँ बूझत हौ तुसी क्यों किया पयाना॥

हिंदी के मध्यकाल में कवियों ने मुसलमान पात्रों के प्रसंग में बहुधा खड़ी बोली का रंग देकर व्रजभाषा का व्यवहार किया है। खड़ी बोली का क्षेत्र पंजाबी से मिला हुआ है, इसलिए खड़ी बोली अथवा पंजाबी का व्यवहार इस प्रसंग में कुछ कवि करते रहे हैं। मध्य देशी या व्रजी के साथ-साथ अन्य बोलियों या भाषाओं में रचना करने की मनोवृत्ति कवियों में प्रायः जगती रही है। भक्तों ने तो अपनी सैलानी वृत्ति के अनुकूल दो-चार पद अन्य भाषा के प्रायः लिखे हैं। इसका संबंध केवल प्रदर्शन से न होकर भक्तों के यहाँ प्रचार और ऐक्य के भाव से जान पड़ता है।

सूदन की रचना में कई प्रवृत्तियाँ ऐसी हैं जो प्रशस्तिकाव्य में रूढ़ि के रूप में दिखाई देती हैं। परवर्ती कवियों ने न्यूनाधिक इस प्रकार की प्रवृत्ति को ग्रहण किया है। घोड़ों, हथियारों आदि की सूची प्रस्तुत करना ऐसे काव्यों की प्रवृत्ति हो गई थी। सूदन ने जितनी लंबी सूची दी है कदाचित् और किसी कवि ने उतनी लंबी सूची नहीं प्रस्तुत की। दूसरी रूढ़ि युद्ध के प्रसंग में युद्ध-क्षेत्र की अनुध्वनि गढ़ंत शब्दों और द्वित्व वर्णों के द्वारा व्यक्त करने की है। यदि कहा जाए कि ओजगुण के लिए इस प्रकार का प्रयास अपेक्षित होता है तो इतना ही कहा जा सकता है कि उक्त गुण के लिए भरती के शब्द बाहरी तड़क-भड़क मात्र उत्पन्न करते हैं। इसमें इस प्रकार की शैली निरर्थक ही प्रतीत होती है—

धरधद्धरं धरधद्धरं। भड़भम्भरं भड़भम्भरं।
तड़तत्तरं तड़तत्तरं। कड़कक्करं कड़कक्करं॥

वीररसात्मक काव्यों के निर्माण की कई पद्धतियाँ थीं। जिस प्रकार की पद्धति पर यह ग्रंथ लिखा गया है वह उस पद्धति से भिन्न है जो रासो में दिखाई देती है। ऐसा जान पड़ता है कि शृंगार और वीर दोनों के पृथक्-पृथक् वर्णन करने का जब चलन नहीं हुआ था अथवा जहाँ चलन नहीं हुआ था वहाँ दोनों के मिश्रण से रचनाएँ होती थीं। पर आगे चलकर शृंगार और वीर रसात्मक रचनाओं के वर्णन में पृथक्-पृथक् पद्धतियों का विकास हो जाने से दोनों प्रकार की रचनाएँ स्वतंत्र हो गईं। इस प्रकार की पद्धति का श्रीगणेश केशवदास से ही समझना चाहिए। स्वतंत्र रूप में प्रशस्तिकाव्यों के विकास में ऐतिहासिक पक्ष पर अधिक दृष्टि हो गई और साहित्यिक पक्ष दब चला। विभिन्न व्यक्तियों के नामों के उल्लेख और घटनाओं के घटित होने के समय की सूचना इसी ऐतिहासिक पक्ष के कारण बढ़ गई। केशवदास ने समय की सूचना देने की अभिरुचि नहीं दिखलाई है, पर व्यक्तियों और स्थानों का नाम उनके यहाँ भी प्रचुरता से पाया जाता है। प्रबंधात्मक रचनाओं में इस प्रकार का भराव सबसे अधिक रहता है, पर

मुक्तक रचनाएँ साहित्यिक सौंदर्य कुछ अधिक संगृहीत करती हैं, इसलिए उनमें नामों का उल्लेख सर्वत्र नहीं पाया जाता। अतः यह निष्कर्ष निकाला जा सकता है कि मध्ययुग में उत्कृष्ट साहित्यिक प्रशस्तिकाव्य मुक्तक रूप में ही दिखाई देता है। प्रबंधकाव्यों में उनकी प्रवृत्ति के अनुरूप विविध प्रकार के युद्धों का लगभग एक ही प्रकार का वर्णन परिवर्तित शब्दावली के द्वारा रखा जाने लगा। बीच-बीच में वीरों की प्रतिज्ञाबद्ध उक्तियाँ, रणप्रस्थान और वीरोल्लास का वर्णन भी साहित्यिक रंग कुछ अधिक लिये हुए दिखाई देता है। इन रचनाओं के बीच में जो भी रचनाएँ मुक्तकपद्धति पर रखी गई हैं वे कहीं अधिक आकर्षक दिखाई देती हैं। विविध प्रकार के युद्धों का वर्णन करने में कवियों में दिखावे की वृत्ति जग जाया करती थी, इसलिए प्रदर्शन की इस प्रकार के काव्यों में रूढ़ि हो गई थी। शब्दों का अंगभंग वीररस लिखनेवाले कवियों ने बहुत अधिक किया है। कुछ कवि युद्ध का अवसर उपस्थित होने पर अपनी रचनाएँ धारावाहिक किया करते थे, इसलिए उन्हें आवश्यकता के लिए नाना प्रकार के शब्द गढ़ने पड़ते थे। इस प्रकार भाषा की दृष्टि से भी प्रबंधबद्ध प्रशस्तिकाव्य आदर्श और महत्त्वपूर्ण नहीं रह गए। शैली की दृष्टि से अप्रस्तुत पक्ष की योजना कहीं तो अधिक आकर्षक दिखाई देती है और कहीं अपेक्षाकृत कम। केशवदास ने साहित्यिक रंग लाने में स्थान-स्थान पर अप्रस्तुतयोजना करके उसे सँभालने का प्रयास किया है। सूदन में अप्रस्तुत की आकर्षक योजना भी नहीं दिखाई देती। रणवर्णन को जो रूढ़ियाँ पहले से चली आ रही हैं और जिनके अनुसार काली, योगिनी, भैरव, भूत आदि का रणक्षेत्र में उपस्थित होना और आनंदोत्सव मनाना वर्णित होता है, उसमें भी उक्ति की वक्रता लाकर साहित्यिक सौंदर्य की अभिवृद्धि की जाती है। भूषण ने संवादात्मक भंगिमा के द्वारा चारुता लाने का प्रयास किया है, जैसा 'सिवा पूछैं सिव सों समाज आज कहाँ चली, काहू पै सिवा नरेस भृकुटी चढ़ाई है' में है। इस प्रकार की योजनाएँ भी सूदन में नहीं मिलतीं। समष्टि में कहना यह है कि सुजान चरित्र का ऐतिहासिक दृष्टि से जितना महत्त्व है साहित्यिक दृष्टि से उतना नहीं दिखाई देता।

चंद्रशेखर वाजपेयी

सन् १९०३ की खोज-रिपोर्ट के अनुसार चंद्रशेखर वाजपेयी के चार ग्रंथों का पता चलता है—(१) हम्मीरहठ, (२) हरिभक्तिविलास, (३) विवेकविलास, (४) रसिकविनोद। जगन्नाथदास रत्नाकर ने हम्मीरहठ का संपादन करते हुए भूमिका में अधिक ग्रंथों का उल्लेख किया है—हम्मीरहठ, नखशिख, रसिकविनोद, वृंदावनशतक, गुरुभक्तिपंचाशिका,

ज्योतिष का ताजक, माधुरीवसंत, हरिभक्तिविलास और राजनीति का बृहत् ग्रंथ।[१] इस सूची में विवेकविलास का उल्लेख नहीं है। विवेकविलास का जो उद्धरण खोज में है उससे पता चलता है कि वह कदाचित् नीतिविषयक ग्रंथ है। उसके उपसंहार से इसका संकेत मिलता है—

छत्रधर्म निज नीति सों निसदिन चलत पुनीत।
लियो आय निज बाप को इंद्रसैन पद जीत।
याही तें हौं कहत हौं जो नृप चलत सुनीत।
लोक सुजस परलोक सुख सो नृप लहत पुनीत॥

इससे यह अनुमान किया जा सकता है कि हो न हो यही (राजनीति का बृहत् ग्रंथ) ग्रंथ विवेकविलास होगा। अंतर यही दिखाई देता है कि विवेकविलास का परिमाण श्लोकों में १६९२ है, किंतु रत्नाकरजी ने उसका परिमाण श्लोकों में ६००० लिखा है। विवेकविलास में आलासिंह की वंशावली का वर्णन है। ये पटियालानरेश नरेंद्रसिंह के आश्रित थे। खोज में चारों ग्रंथों की जो पुष्पिकाएँ दी गई हैं उनमें नरेंद्रसिंह का उल्लेख है। हम्मीरहठ में उपक्रम के अंतर्गत श्री नरेंद्रसिंह की प्रशास्ति की गई है। ग्रंथों के उक्त विवरण से यह सिद्ध है कि इन्होंने अनेक प्रकार की रचनाएँ की हैं। शृंगार, भक्ति और वीर—तीनों रसों में इनकी समान गति जान पड़ती है।

'हम्मीरहठ' का निर्माणकाल यह है—

कर[२] नभ[०] रस[६] अरु आतमा[१] संबत फागुन मास।
कृस्न पच्छ तिथि चौथ रबि जेहि दिन ग्रंथ प्रकास॥

'रसिकविनोद' में भी निर्माणकाल दिया गया है—

संबत राम[३] अकास[०] ग्रह[९] पुनि आतमा[१] बिचार।
माघ सुकुल रबि सप्तमी भयो ग्रंथ अवतार॥

रसिकविनोद नवरसवर्णन का ग्रंथ है। इसके संबंध में यह दोहा उसकी रूपरेखा बतलाया है—

महाराज के हेत यह रसिकबिनोद सुग्रंथ।
नवरस में सेखर कियो निरखि भरत को पंथ॥

---

१. मेरे मित्र श्रीजयनाथ नलिन ने सूचना दी है कि चंद्रशेखर वाजपेयी का कवि शेखर के नाम पर देवीभागवत नामक ग्रंथ पटियाला के मोतीबाग में स्थित राजकीय पुस्तकालय में है। ग्रंथ ८८१ पत्रों में है। यह संस्कृत के देवीभागवत पुराण का पद्यबद्ध भाषांतर प्रतीत होता है। वहाँ से मुझे 'शांतिपर्व भाषा' तो मिली है पर देवी भागवत नहीं।

इसके अतिरिक्त इनका नखशिख-ग्रंथ इन्हें रीतिबद्ध कवियों की श्रेणी में ही स्थापित करता है। किंतु इनकी ख्याति हम्मीरहठ के कारण अधिक हुई, इसीलिए ये शुक्लजी के इतिहास में रीतिकाल के अन्य कवियों में रखे गए हैं। इनका नखशिख ग्रंथ भारतजीवन प्रेस से मुद्रित हो चुका है। रसिकविनोद भी मुद्रित हो चुका है। यह बड़ा ग्रंथ है इसका परिमाण श्लोकों में ११०० है।

'नखशिख' में ६१ छंद हैं। ५ दोहे, ६ सवैये और ५ कबित्त (अर्थात् मनहरण घनाक्षरी) मिलते हैं। इसमें राधिकाजी के नखशिख का वर्णन है। रचनाओं से स्पष्ट है कि शेखरजी बहुत ही समर्थ कवि थे। नखशिख में उत्प्रेक्षा, संदेह, रूपक आदि अलंकारों की जैसी छटा पारंपारिक रूप में दिखाई जाती रही है वैसी इनकी रचना में भी पाई जाती है। अंजन का वर्णन करते हुए विविध कल्पनाएँ की हैं—

कैधौं चंदमंडल मैं खेलैं खंजरीट जानि सीत को प्रसंग अंगसंग बिष धारे हैं।
कैधौं रचे जोबन नरेस मन रंजिबे कों सेतरंगवारे रसराज के अखारे हैं।
कैधौं सौतिगन के सुहाग चोरिबे को तम सेखर कै कामदेव आसन निहारे हैं।
कैधौं रही लागि मंजु कंजन मैं लाज कैधौं कामिनी के आज नैन अंजन सुधारे हैं॥

राधिकाजी का नखशिख किसके द्वारा वर्णित होता है यह विचारणीय है। शास्त्रीय ग्रंथों में मंडन के अंतर्गत नखशिख आता है और मंडन सखी का कार्य है। सखी के द्वारा नखशिख के वर्णन में शृंगार का पूरा उत्कर्ष वर्णित नहीं हो सकता। इसलिए नखशिख के वक्ता के रूप में श्रीकृष्ण या नायक की स्थापना ही की जाती है। कुछ उक्तियाँ सखी की रख दी जाती हैं और कुछ नायक की। 'मोहन के मन की मनोजताप खोइबे को मेरे जान सरस सरोवर अनूप है' के ढंग की उक्तियाँ सखी की हैं। कुछ उक्तियों से स्पष्ट पता नहीं चलता है कि ये नायक की हैं या सखी की। जहाँ भावती, प्यारी, प्राणप्यारी शब्द प्रयुक्त रहते हैं वहाँ दोनों प्रकार की कल्पनाएँ की जा सकती हैं। इसमें संदेह नहीं कि नायक की उक्ति होने से स्वारस्य अधिक आ जाता है। इसलिए मेरे विचार से जहाँ सखी और नायक दोनों के संबंध में संदेह हो वहाँ नायक की उक्ति मानना उत्तम है। दूसरे शब्दों में कहना यह है कि जहाँ उक्ति स्पष्ट सखी का उल्लेख नहीं करती, वहाँ नायक की उक्ति माननी चाहिए।

'हम्मीरहठ' का निर्माण इन्होंने चित्रित हम्मीरकाव्य के आधार पर किया—

यह हमीर को रायसो चित्र लिख्यो लखि सार।
छंदबंद सेखर कियो निज मति के अनुसार॥

इससे यह स्पष्ट हो जाता है कि हम्मीर-संबंधी घटनाओं का एक निश्चित प्रवाह परंपरा में चल पड़ा था। अलाउद्दीन और हम्मीर के युद्ध के संबंध में यद्यपि यह कल्पना पारंपरिक ही है तथापि जोधराज ने जो रूप दिया है वह इसमें पूरा-का-पूरा नहीं दिखाई देता। ऋषि

की पूर्वजन्मवली कथा इसमें नहीं ली गई है। अलाउद्दीन और हम्मीर के युद्ध के संबंध में इतिहास जो कुछ कहता है उससे इसमें भिन्न प्रकार की बातें दिखाई देती हैं। बा० जगन्नाथदास 'रत्नाकर' की इस कल्पना में कुछ सार अवश्य है कि तत्कालीन इतिहास की जो सामग्री उपलब्ध होती है उसके प्रस्तुतकर्ता मुसलमानों का उत्कर्ष और हिंदुओं का अपकर्ष दिखलाने के पूर्वग्रह से युक्त ऐतिहासिक रहे होंगे। इसके विपरीत यह भी कल्पना की जा सकता है कि हम्मीर संबंधी अनुश्रुति में भी हिंदुओं के कलंकमार्जन के लिए कुछ घटनाएँ परिवर्तित की गई होंगी। हम्मीरदेव युद्ध में मारे गए या उन्होंने आत्मघात कर लिया यह विचारणीय विषय है। युद्ध के अवसर पर हम्मीर का स्वर्गारोहण सत्य है। संस्कृत के हम्मीरकाव्य में भी हम्मीर का युद्ध में मारा जाना वर्णित है। काव्यात्मक उत्कर्ष लाने के लिए काव्यप्रवाह ने दूसरे प्रकार की कल्पना यदि कर ली हो तो असंभव नहीं है। जो कल्पना की गई है वह राजपूतों के स्वभाव के अनुकूल होने के कारण तर्क-प्रतिष्ठ है। जहाँ तक चंद्रशेखरजी का पक्ष है परंपरा का पालन करने के कारण ये नूतन कल्पना के दोष से रहित हैं। चित्र के आधार पर उसकी रचना हुई है और रत्नाकरजी के कथनानुसार पटियाला के सरस्वती-भवन में उन्होंने उपर्युक्त चित्रावली देखी थी।

ग्वाल कवि ने आगे चलकर जो हम्मीरहठ की रचना की उसमें भी यह कथा ज्यों-की-त्यों ले ली गई। ग्वाल कवि ने लिखा है कि—

जितनी जैसी जो सुनी सो बरनी करि तोष।
औरहु विधि कहुँ होय तो हमैं न दीजो दोष॥

ग्वाल कवि का ग्रंथ संवत् १८८३ में इसके निर्माण से १९ वर्ष पहले ही निर्मित हो चुका था। इसलिए यह स्पष्ट हो जाता है कि हम्मीरकथा की निश्चित योजना बहुत पहले से चली आ रही है।

हम्मीर के संबंध में जो यह दोहा प्रसिद्ध है—

सिंहसुवन सुपुरुष बचन कदलि फरत इक सार।
तिरियातेल हमीरहठ चढ़ै न दूजी बार॥

वह इसी पुस्तक का है। चंद्रशेखर वाजपेयी के समय तक आते-आते वीरकाव्य लिखने की प्रवृत्ति में पर्याप्त परिष्कार हो चुका था। वीरों के रणोत्साह, रणप्रस्थान आदि के वचन अत्यंत वीरोल्लासपूर्ण रीति से प्रस्तुत किए गए हैं। जिस प्रकार की भद्दी प्रवृत्तियाँ कुछ वीरकाव्यों में सूचीसंग्रह या ओजगुण के लिए शब्दों का अंग-भंग करने में दिखाई पड़ीं वे न तो ग्वाल में दिखाई देती हैं और न चंद्रशेखर में। ग्वाल के ग्रंथ की अपेक्षा यह ग्रंथ भाषा, शैली आदि में निश्चय ही उत्कृष्ट है। पारंपरिक प्रवाह के रूप में रासो आदि की अनुस्वारांत प्रवृत्ति कहीं-कहीं, विशेषतः भुजंगप्रयात छंद में, अवश्य दिखाई देती है।

एकाध स्थल पर किसी विशेष पात्र की उक्ति के अंतर्गत राजस्थानीरंजित प्रयोग भी रखे गए हैं—

तीराँ ऊपर तीर सहि सेलाँ ऊपर सेल।
खग्गाँ ऊपर खग्ग सहि रन सनमुख सुत खेल॥

जैसी भाषा इन्होंने प्रयुक्त की है वह वीरकाव्य की रासोवाली पद्धति से अत्यंत उत्कृष्ट है।

रसिकविनोद ग्रंथ में नायक-नायिकाभेद और रसों का वर्णन है। इस बात को कवि ने ग्रंथ के उपक्रम में स्पष्ट बतलाया है—

ग्रंथ नायिकाभेद को रचिये रसनि समेत।

इस ग्रंथ का उद्देश्य है रसिकों के हृदय में विनोद अर्थात् आनंद उत्पन्न करना—

लखत ग्रंथ रसिकन हियें बाढ़त अति आमोद।
सेखर आही पें भयो ग्रंथ सु रसिकबिनोद॥

उपसंहार में भी यही बात दूसरे शब्दों में कही गई है—

याहि लखत सब रसिकजन मन आनत अति मोद।
नाम धर्‌यो या ग्रंथ को यातें रसिकबिनोद॥

ग्रंथ में यह भी कहीं-कहीं उल्लिखित है कि संस्कृत के किस आचार्य का सहारा लिया गया है। उपक्रम में अभिधामूला और लक्षणामूला व्यंजना के संबंध में लिखा है—

अभिधामूल सु एक है एक लच्छनामूल।
इनके लच्छन कहत हौं मम्मटमतानुकूल॥

उपसंहार में भरत का नाम लिया गया है—

नवरस में सेखर कह्यो निरखि भरत को पंथ।

यहाँ 'भरत को पंथ' से तात्पर्य भरत मुनि द्वारा प्रचलित परंपरा से है। जैसे हिंदी के अन्य नायिकाभेद के ग्रंथ रसमंजरी के आधार पर बने वैसे ही इसका निर्माण भी रसमंजरी के आधार पर समझना चाहिए। रसमंजरी में केवल नायिकाभेद का वर्णन है, इसलिए रसों का विवेचन हिंदीवालों ने रसतरंगिणी के आधार पर किया है। इन्होंने भी रसमंजरी और रसतरंगिणी की ही परंपरा में ग्रंथ का निर्माण किया है। जान पड़ता है कि उक्त मूल ग्रंथों को आधार न बनाकर इन्होंने अन्य ग्रंथों का भी सहारा लिया है, जो संस्कृत और हिंदी दोनों के हो सकते हैं।

ग्रंथ का आरंभ इन्होंने लक्षण के लक्षण से किया है। इनके अनुसार जिससे लक्ष्य का ज्ञान हो वह लक्षण है—

उपजत उर जाके कहें प्रगट लक्ष्य को ज्ञानु।
ताही को कबिजन कहैं, निहचै लक्षन जानु॥

नैयायिकों के 'लक्ष्यतावच्छेदकसमनियतत्वं' को ध्यान में रखकर इन्होंने यह पारिभाषा की है। साथ ही 'अव्याप्त्यतिव्याप्त्यसम्भवदोषत्रयशून्यत्वम्' को ध्यान में रखकर भी इन्होंने लिखा है—

अतिब्यापति अब्याप्ति अरु कहत असंभव और।
लक्षन ही में होत ये तीन दोष सब ठौर॥

अतिव्याप्ति, अव्याप्ति और असंभव तीनों के उदाहरण भी दिए हैं।

इन्होंने व्यंग्य को ग्रंथ का प्रधान उद्देश्य मानकर इसके अनंतर व्यंग्य का लक्षण किया है—

व्यंग चमत्कृत अधिक करि कीने ग्रंथ कबित्त।
तातें लच्छन व्यंग को प्रथम कहत दै चित्त॥

व्यंग्य के गूढ़-अगूढ़, फिर गूढ़ के अभिधामूल तथा लक्षणामूल दो भेद किए हैं। तदनंतर कहा है कि नायक और नायिका के प्रसंग में इन व्यंग्यों की आवश्यकता होती है, इसलिए इनका उल्लेख करके नायक-नायिका वर्णन करता हूँ—

इन ब्यंगन सों नायिका नायक जाने जात।
तिनको अब बरनन करत सकल सुकबि मत आत॥

नायिका के स्वकीयादि त्रिविध भेद और उनके अवांतर भेद हिंदी के अन्य ग्रंथों के समान ही हैं। अष्टनायिका का वर्णन करने के अनंतर इन्होंने आगतपतिका का उल्लेख पद्माकर की भाँति किया है—

जे बरनत कबि आठ नव तिनतें न्यारी और।
आगतपतिका नायिका बरनत कविसिरमौर॥

यह कहा जा चुका है कि रसमंजरी के ही अनुसार हिंदी में आगतपतिका नवीन नायिका मानी गई है।

नायक-नायिकाभेद लिख चुकने के अनंतर रस का लक्षण यों लिखा है—

है ब्यापक अरु बिमल सुचि सदा रहत सुखरूप।
विद्या ग्यान सुसंग कर रसप्रभ लखत अनूप॥

इस प्रकार इन्होंने रस को संस्कृत के आचार्यों की तरह आनंदस्वरूप चिन्मय माना है और इसकी प्रतीति का बोध सहृदयों के संसर्ग से स्वीकृत किया है। इसके अनंतर भाव का लक्षण किया गया है और उसके चार भेद कहे गए हैं। विभाव और अनुभाव को भाव के अंतर्गत इन दोनों शब्दों में 'भाव' की सत्ता के कारण करने से हिंदीवाले झमेले में पड़ गए हैं। विभाव भाव के हेतु होते हैं और अनुभाव उसके कार्य। विभाव और अनुभाव में कार्य-कारण संबंध होता है। स्थायीभाव और संचारी भाव को ही भाव कहना चाहिए। ऐसा न कहने के कारण स्वभावतः शंकाएँ खड़ी होती हैं। इसी शंका के निवारण के लिए इन्होंने यह प्रश्न किया है—

मनबिकार जो भाव तहँ मन अति चंचल होइ।
थिर बिभाव में यह लखो लक्षन घटित न होइ।
तातें दूषन दूरि करि सूत्रकारमत जोइ।
मुख्य भाव लक्षन कहौं जेहि समझत सुख होइ॥
इष्ट वस्तु अनुकूल ह्वै जहाँ मगन मन होइ।
ताकी इच्छा बासना प्रगट भाव है सोइ।

अंतर्निगूढ़ेच्छा को इन्होंने विस्तृत करके इस प्रकार कहा है। अनुभाव के प्रसंग में इन्होंने भरतमत का उल्लेख एक बार और किया है। इसके देखने से पता चलता है कि इन्होंने नाट्यशास्त्र देखा अवश्य था। ये लिखते हैं—

उरगत थाई भाव को जातें अनुभव होइ।
ताहि कहत अनुभाव हैं भरतमती कबि जोइ।
बैन नैन अरु अंग सब मनबिकार अनुकूल।
ईहा प्रगटत आपनी सो अनुभव को मूल॥

भाव का लक्षण देते हुए नाट्यशास्त्र में लिखा गया है—

विभावेनाहतो योऽर्थस्त्वनुभावेन गम्यते।
वागङ्गसत्त्वाभिनयैः स भाव इति संज्ञितः॥

और अनुभाव के प्रसंग में लिखा है—

वागङ्गाभिनयेनेह यतस्त्वर्थोऽनुभाव्यते।
वागङ्गोपाङ्गसंयुक्तस्त्वनुभावस्ततः स्मृतः॥

'गम्यते' को इन्होंने 'जाते अनुभव होइ' रखा और 'वागङ्गोपाङ्ग' को 'बैन नैन अंग' से व्यक्त किया—वाग्=वचन, अंग=अंग और उपांग (अपांग?)=नयन। उपांग के स्थान में जान पड़ता है इनकी प्रति में अपांग पाठ रहा होगा अथवा उपांग में अपांग का

भ्रम हो गया होगा। इसलिए नयन शब्द का व्यवहार हुआ।

सूत्रकार से इनका तात्पर्य भरत से हो सकता है। भरत ने भाव के जो लक्षण किए हैं उनका टेढ़ा-सीधा अनुवाद इसे माना जा सकता है।

काव्यार्थान् भावयंतीति भावाः।
कवेरन्तर्गतं भावं भावयन् भाव उच्यते॥
निर्विकारात्मके चित्ते भावः प्रथमविक्रिया॥

पर विभावादि का विचार इन्होंने कथमपि उसके आधार पर नहीं किया है, क्योंकि वहाँ 'विभावः कारणं निमित्तं हेतुरिति पर्यायाः' स्पष्ट लिखा है।

रसभावादि का विचार यथाक्रम ही है। हाव का वर्णन इन्होंने संयोग शृंगार के अंतर्गत किया है। हाव का लक्षण इन्होंने 'ईषत् संभोगेच्छाप्रकाशको विकारः हावः' के अनुसार ही किया है—

करि ईहा तिय कंत उर उपजावत अतिचाव।
निज इच्छा संभोग की प्रगट करै सो हाव॥

हाव इन्होंने दस ही कहे हैं; जैसे रसतरंगिणी में वर्णित हैं। उपसंहार में इन्होंने काव्य का कल्पतरु कहा है—

बरनसिंधु तें सुकबि बिधि काव्य कल्पतरुरूप।
मंथन करि परगट कियो सुंदर सुद्ध अनूप॥

इसमें दोहा, छप्पय, घनाक्षरी और सवैये के बीच एक बरवै भी दिया गया है—

मूँदि नीलपट बेंदी बहुरि लखाइ।
परसि पानि रोमावलि मृदु मुसकाई॥

इनके लक्षण सामान्यतया बहुत स्पष्ट हैं, विचारविमर्शपूर्वक लिखे गए हैं। उदाहरण देने में इन्होंने संस्कृतग्रंथों का अनुकथन नहीं किया है, नए-नए उदाहरण बनाकर स्वतः प्रस्तुत किए हैं। यद्यपि आरंभ में राधाकृष्ण को दूल्हा-दुल्हन कहकर वंदित किया गया है तथापि शृंगार के अतिरिक्त अन्य रसों में अन्य देवी-देवताओं को भी आलंबन बनाया गया है। हास्यरस में महादेव को और अपने आश्रयदाता नरेंद्रसिंह के शत्रुओं को आलंबन बनाया है। करुण-रस में मंदोदरी आश्रय के रूप में कथित है। रौद्र-वीर-बीभत्स-अद्‌भुत रसों में अपने आश्रयदाता से संबद्ध उक्तियाँ कही हैं। भयानक में आश्रयदाता के अतिरिक्त रामचंद्र को आलंबन के रूप में रखा है। शांतरस में जगत् आलंबन है और श्रीकृष्ण की भक्ति करने का संदेश है।

स्वेद के उदाहरण में इन्होंने जो छंद दिया है। वह इनकी प्रवृत्ति का पूर्ण परिचायक

है—

लखि लालहि बाल अलीन के संग संकोचनि सों न तकै तरसै।
मग में पग सूधो परै न रही जकि सी थकि बैनसुधा बरसै।
सुखपूर प्रसेद के बुंद रहे इमि सेखर मंजुलता सरसै।
भरि नेह सों मानों मयंक के अंक लगी नखतावलि सी दरसै॥

चंद्रशेखर वाजपेयी के पुत्र गौरीशंकर वाजपेयी से जो वृत्त रत्नाकरजी को इनके संबंध में ज्ञात हुआ उसके अनुसार पौष शुक्ल दशमी संवत् १८५५ में मौजवाँबाद (फतहपुर) में इनका जन्म हुआ था। मौजवाँबाद कान्यकुब्ज (धन्नी के) वाजपेयियों का प्रसिद्ध स्थान है। वाजपेयियों के चार वंश हीरा, बीसा, धन्नी और तारा असनी के वाजपेयी कहलाते हैं। असनी के ही निकट मौजवाँबाद है। यह धन्नी के वाजपेयियों का स्थान है। इनके पिता मणिरामजी वाजपेयी अच्छे कवि थे। इतिहास से यह सिद्ध है कि असनी के आसपास कविमंडल बहुत दिनों से रहता आया है। इस प्रकार यह कहना चाहिए कि ये कवियों के वंश में उत्पन्न हुए थे। इनका वंश हुंडी से अपनी जीविका का निर्वाह करता था। इनके पूर्वज हंसराज सिखों के प्रसिद्ध गुरु श्री गोविंदसिंह के आश्रित होकर काव्यरचना से अपना निर्वाह करने लगे। तभी से इनके वंश में यही जीवनयापन का साधन हो गया। इनके हिंदीकाव्य के गुरु असनी के करनेस महापात्र थे। हिंदी में एक करनेस कवि अकबर की सभा के दरबारी कवियों में हैं जिनके बनाए हुए तीन ग्रंथों का उल्लेख शिवसिंहसरोज में किया गया है—(१) करणाभरण, (२) श्रुतिभूषण और (३) भूपभूषण। यदि इन्हीं करनेस कवि के प्रयोजन हो तो संभव नहीं प्रतीत होता। ऐसी स्थिति में या तो यह माना जाए कि १९वीं शताब्दी में कोई दूसरे करनेस हुए अथवा करनेस का कोई वंशज इनका काव्यगुरु था अथवा शिवसिंहसरोज में जिन करनेस का उल्लेख है वे तत्त्वतः परवर्ती हैं, भूल से उन्हें प्राचीन लिखा गया है। २२ वर्ष की वय में ये दरभंगा की ओर गए और सात वर्ष वहाँ रहने के अनंतर वहाँ से जोधपुर पहुँचे। तत्कालीन नरेश मानसिंह की प्रशंसा में कविमंडल के बीच इन्होंने निम्नलिखित रचना सुनाई—

द्वादस कला सों मारतंड ये उवैंगे चंड सेसवारी साँसनि समस्त सुत्रु जलिहै।
छूटिं जैहै अचल अवास अमरेसवारो कूट जैहै कहलि कली सी भूमि हलिहै।
सेखर कहत अलका में कलापात ह्वैहै पावक पिनाकी के त्रिसूल सों निकलिहै।
तू न तान भौहैं भानबंसी भूप मान ना तो जानि लैहै प्रलयपयोधि फूटे चहिहै॥

इनकी रचना से प्रभावित महाराज ने इनकी सौ रुपया मासिक वृत्ति कर दी। छह वर्ष के अनंतर मानसिंह की मृत्यु और तख्तसिंह के शासनरूढ़ होने पर इनकी वृत्ति आधी हो गई। इसलिए ये महाराज रणजीतसिंह के पास लाहौर चले गए। लाहौर से पटियाला

पहुँचे और तत्कालीन नरेश कर्मसिंह के दरबार में उपस्थित हुए। इनकी रचना से प्रभावित होकर महाराज ने इनकी पाँच रसद पक्की कर दी। अंत तक ये पटियाला में रहे। वृंदावन बीच-बीच में जाया करते थे। इनका शरीरपात संवत् १९३२ में हुआ। नीति-संबंधी बृहत् ग्रंथ इन्होंने महाराज कर्मसिंह के आदेशानुसार निर्मित किया। इनके अन्य ग्रंथ कर्मसिंह के उत्तराधिकारी महाराज नरेंद्रसिंह के काल में निर्मित हुए।

रसिकविनोद ग्रंथ में वंशवर्णन के अंतर्गत इन्होंने लिखा है कि चंद्रवंश में इंद्रसदृश साहिबसिंह हुए। इन साहिबसिंह के दो पुत्र थे—कर्मसिंह और अजीतसिंह। कर्मसिंह के दो पुत्र हुए—नरेंद्रसिंह और दीपसिंह।

'विवेकविलास' में नृपवंशवर्णन और पूर्व से आरंभ किया गया है और उसमें लिखा गया है कि चंद्रवंश में आलासिंह हुए जिनके पुत्र शार्दूलसिंह थे। शार्दूलसिंह के अमरसिंह हुए। अमरसिंह के साहिबसिंह। साहिबसिंह के बड़े लड़के कर्मसिंह थे और छोटे अजीतसिंह। कर्मसिंह के बड़े पुत्र नरेंद्रसिंह और छोटे दीपसिंह हुए।

इनके 'हरिभक्तिविलास' नामक ग्रंथ में तेरह अध्याय या कलाएँ हैं जिनमें क्रमशः वृंदावनस्थाननिर्णय, भक्तस्वरूपमहिमा, कृष्णआचरण, पार्षद, नारदागमन, गोपीक्रीड़ा, नारदअशोकमालिनीसंवादांतर्गत हरिवल्लभनाम प्रजापति, मथुरामाहात्म्य, अर्जुनचरित्र, नारदचरित्र, भगवच्चरित्र, भगवन्मंत्रार्थ विभूतिस्थान, भगवत्स्वरूप हरिधाम, व्यूहभेद, मोक्षस्वरूप, वैष्णवधर्म, शालिग्रामशिला, वैष्णवस्वरूप, तुलसीमाहात्म्य, नाममाहात्म्य आदि विषयों का विस्तार से वर्णन है। आरंभ में कहा गया है कि शैवमार्ग में विष्णु उपासक और शिव उपास्य के रूप में कहे जाते हैं और वैष्णवपंथ में विष्णु उपास्य और शिव उपासक के रूप में होते हैं। शंकर-पार्वतीसंवाद के रूप में पौराणिक पद्धति पर यह ग्रंथ लिखा गया है। निश्चय ही कोई संस्कृत का ग्रंथ इसका आधार है। कृष्णभक्तों के नित्यगोलोक की कल्पना और भूमंडल पर उसकी छाया के रूप में वृंदावन की स्थापना, उसके विधान आदि का विस्तृत उल्लेख है। ब्रह्मांड से परे जो गोलोक है उसका प्रतिबिंब पृथ्वी पर गोकुल है और बैकुंठ का प्रतिबिंब द्वारका है। श्री, भद्र, लोह, भांडीर, महा, ताल, खदिर, बहुल, कुमुद, काम्य, मधु और वृंदा इन बारह वनों की विभिन्न दिशाओं में स्थापना और फिर महारण्य, गोकुल, निधु तथा उपवन कदंबखंड आदि का विस्तार से वर्णन है। नखशिख के बदले इसमें रूपवर्णन के अन्तर्गत शिखनख का वर्णन है। अष्ट सखियों ललिता, श्यामला, श्रीमती, हरिप्रिया, विशाखा, शैव्या, पद्मा और भद्रा का क्रमशः सम्मुख, वायव्य, उत्तर, ईशान, पूर्व, अग्नि, दक्षिण और नैर्ऋत्य में स्थित होना कथित है। कहने का तात्पर्य यह कि श्रीकृष्ण की रहस्योपासना का यह विस्तृत ग्रंथ है। इससे जान पड़ता है कि वाजपेयीजी रसिकोपासक रहे होंगे।

विवेकविलास में लिखा गया है कि श्री नरेद्रसिंह मनु की नीति को जानना चाहते थे इसलिए भारत (महाभारत) के अनुसार यह नीति का कथन भाषा में किया गया है—

धर्मनीति की रीति में प्रभु की प्रीति निहार।
सेखर यह भाषा कियो भारत के अनुसार॥

इस ग्रंथ का निर्माण संवत् १९०५ में हुआ—

सिवमुख[५] नभ[०] निधि[९] आतमा[१] संबत कातिक मास।
गुरुपून्यो तिथि अवतर्‌यो ग्रंथ बिबेकबिलास॥
भयो सु हस्सत ग्राम मैं बिदुर अंध संवाद।
सो सेखर भाषा कियो भरो अनेक सुबाद॥

—नीति की सूक्तियाँ

नीति

वाणी में कोई अनुभूति, कोई विचार या कोई तथ्य प्रकट किया जाता है। साहित्यक्षेत्र में यथास्थान तीनों प्रकार के रूप वाणी के माध्यम से प्रकट होते हैं। कविता प्रधान रूप से अनुभूति को लेकर चलती है। निबंध और आलोचना में प्रधान रूप से विचार सामने आता है। कहानी, उपन्यास आदि में प्रधान रूप से तथ्य या वस्तु की अभिव्यक्ति होती है। साहित्य की ये ही तीन प्रमुख शाखाएँ हैं। उसके अन्य भेद इन्हीं शाखाओं के सांकर्य से होते हैं। इन तीनों का संबंध अंतःकरण की भिन्न वृत्तियों से हुआ करता है। तथ्य या वस्तुकथन का संबंध अंतःकरण की चित्तवृत्ति से है। चित्त का कार्य है अनुसंधान। इसी से कथा-कहानी में ढूँढ़-खोज की वृत्ति कहानीकार जगाते रहते हैं और पाठक भी घटनाओं की ढूँढ़-खोज में प्रवृत्त रहता है। इस प्रकार इसका संबंध कुतूहल या जिज्ञासा से है। जहाँ तथ्यकथन की प्रवृत्ति दिखाई देती है वहाँ कोई जानकारी प्रकट करना या कोई जानकारी प्राप्त कराना लक्ष्य हुआ करता है। नीति की जो रचनाएँ हुआ करती हैं उनमें भी तथ्य-कथन ही होता है। पर यह तथ्यकथन कहानी या उपन्यास के तथ्यकथन या वस्तुवर्णन से भिन्न होता है। कहानी या उपन्यास कुतूहलवृत्ति से संबंध रखते हैं और नीति का कथन जिज्ञासा से विशेष संबंध रखता है। कहानी-उपन्यास में जिज्ञासा कुतूहलवृत्ति को उद्‌बुद्ध करने के लिए अथवा उसकी परिपुष्टि के लिए होती है, पर नीतिकथन में इस प्रकार का लक्ष्य नहीं हुआ करता। कथा-कहानी में कुतूहल के उद्‌बोध

के लिए घटनाचक्र का प्रवर्तन किया जाता है। नीति में तथ्य घटनाचक्र के निष्कर्ष रूप में हुआ करते हैं। इसलिए नीतिकथन का संबंध नियम-सिद्धांत से हुआ करता है। जो किसी कहानी में उद्देश्य या प्रयोजन हो सकता है, पर जिसके कथन मात्र से कहानी नहीं हो सकती।

नीति शब्द के कई अर्थ हैं। जीवन के विविध क्षेत्रों में चलने के लिए जो सिद्धांत-नियम उपयोगी होते हैं उन सबकी संज्ञा नीति हो जाती है। जीवन के नाना क्षेत्रों के मार्गोपदेशक नियम विभिन्न प्रकार के व्यक्तियों के व्यावहारिक ज्ञान से बनते हैं। प्रश्न उपस्थित होता है कि यदि ये नियम, सिद्धांत या अनुभव पद्यबद्ध कर दिए जाएँ तो क्या इन्हें काव्य कह सकते हैं। भारतीय साहित्य-परंपरा तीन प्रकार की उक्तियों को काव्य के अंतर्गत मानती है—जिसका संबंध किसी प्रकार की अनुभूति की रमणीयता से हो, जिसका संबंध किसी प्रकार की तथ्यकथन-संबंधी रमणीयता से हो और जिसका संबंध किसी के स्वभाव या स्वरूप की रमणीयता से हो। इन्हीं को क्रमशः रसोक्ति, वक्रोक्ति और स्वभावोक्ति कहते हैं। यद्यपि कुछ लोग स्वभावोक्ति को किसी प्रकार का अलंकार मानने के पक्ष में नहीं हैं तथापि स्वभावोक्ति में जो रमणीयता उत्पन्न की जाती है वह तभी अलंकार के क्षेत्र में मान्य होती है जब वह कल्पनाप्रसूत हो। यदि कोई किसी हरिण के संबंध में यह कहे कि वह घास खाता है, उछलता है, इधर-उधर देखता है, दौड़ता है तो यह कथन स्वभावोक्ति के अंतर्गत न माना जाएगा। पर जब कण्व के आश्रम में दुष्यंत के प्रविष्ट होने पर कालिदास आश्रम के मृगों का वर्णन करते हुए उनके ग्रीवाभंगपूर्वक दुष्यंत के देखने और खाई जाती हुई घास को आधी ही चबाकर रुक जाने का दृश्य सामने लाते हैं तब कहा जा सकता है कि इस प्रकार का दृश्य स्वभावोक्ति है। किसी जीव के स्वभाव का संबंध उसकी किसी वृत्ति से हुआ करता है। उस वृत्ति को समुचित शब्दों में प्रकट करना और उसके स्वभाव के कारण उसके स्वरूप का जो दृश्य चित्र बनता है उसे अंकित करना ही स्वभावोक्ति है। जो निर्जीव पदार्थ माने या कहे जाते हैं उनके उस प्रकार के स्वरूपों का चित्रण करना जो अंतःकरण में रमणीयता उत्पन्न करनेवाले हों स्वभावोक्ति के अंतर्गत होंगे।

अस्तु, स्वभावोक्ति को काव्यात्मक शैली स्वीकार कर लेने पर भी नीति के कथन इन तीनों में से किसी के अंतर्गत नहीं आते। ऐसी स्थिति में ये रचनाएँ काव्य के अंतर्गत मानी जाएँ या नहीं, यह प्रश्न उपस्थित होता है। नीति का कथन कई प्रकार का हो सकता है। रसपूर्ण या वचनभंगिमापूर्ण होने के अतिरिक्त वह ऐसे ढंग से भी उपस्थिति किया जा सकता है जो कम-से-कम और कुछ न हो तो सुनने में अच्छा लगे। इस रूप में उपस्थित किया हुआ नीतिकथन सूक्ति कहा जा सकता है। पर नीतिकथन ऐसा भी हो सकता है जो तत्त्वतः सुष्ठु न हो, कोरी कोरी नीति की उक्ति मात्र हो। कोरी उक्ति को तो किसी प्रकार भी काव्य नहीं कह सकते, पर सूक्ति को यदि काव्य नहीं तो काव्याभास कहा जा सकता है।

हिंदी में नीति लिखनेवाले कर्ता कई प्रकार के हैं। संत लोग भी नीति की बातें कहते हैं, जिनका संबंध अधिकतर उनके पंथ से हुआ करता है। लोकानुभव को व्यक्त करने के लिए भी नीतिकथन किया गया है। भारतवर्ष कृषि-प्रधान देश है और इसमें गार्हस्थ्य जीवन सर्वप्रमुख माना जाता है। इसलिए लोकानुभव-संबंधी नीतियों का संबंध इन्हीं दोनों से दिखाई देता है। विशेष प्रकार की भी नीति हो सकती है जैसे राजनीति, धर्मनीति आदि। संतों की रचनाओं को धर्मनीति के अंतर्गत रख सकते हैं। राजनीति की रचनाएँ कुछ तो संस्कृत के राजनीति-संबंधी ग्रंथों के अनुवादरूप में मिलती हैं और कुछ स्वतंत्र रूप में निर्मित हुई। जैसे चाणक्यनीति के अनुवाद प्रायः होते रहे हैं। जैसा कहा जा चुका है नीति के कथन रूखे-सूखे भी हो सकते हैं और सरस भी बनाए जा सकते हैं। जो उक्तियाँ अंतःकरण की प्रेरणा से अर्थात् अनुभूतिप्रेरित होंगी उनकी सरसता साहित्यिक दृष्टि से अवश्य विचारणीय होगी। रहीम की उक्तियाँ ऐसी प्रायः मिल जाती हैं जो अनुभूतिप्रेरित हैं और जिनमें सरसता इसी कारण आ गई है। जैसे उन्होंने कड़वी बात कहनेवाले या अप्रियवादी के संबंध में कहा है—

खीरा सिर सों काटिये भरिये नमक बनाय।
रहिमन करुवे मुखन कों चहियत यही सजाय॥

इसमें कड़वे वचन बोलनेवाले के प्रति जो रोष है उसकी पूरी अभिव्यक्ति है। अनुभूतिप्रेरित जो रचनाएँ सरस होकर सामने आएँगी उन्हें काव्य में गृहीत करने में संकोच नहीं हो सकता। ये रसोक्ति न हों, पर भावोक्ति अवश्य होंगी। हिंदी में नीति की रचना करनेवाले जितने प्रकार के कर्ता हैं उनमें से धर्मसंबंधी नीतियों का उल्लेख करनेवाले तत्त्वतः नीतिवादी नहीं हैं। उनका लक्ष्य अपने मत की आचारपद्धति का उपदेश देना है अथवा दार्शनिक तत्त्वज्ञान को नीतियों के माध्यम से व्यक्त करना है। लोकानुभव होने के बदले उनमें उपदेश अधिक है। ऐसे कबीर जब किसी के प्रति बदले की भावना से प्रेरित होकर कार्य करना वर्जित करते हैं तब वे उपदेश ही देते हैं—

जो तोकूँ काँटा बुवै ताहि बोव तू फूल।
तोकूँ फूल के फूल हैं वाकूँ हैं तिरसूल॥

कबीर की धर्मनीति काँटे का उत्तर फूल से देने को कहती है, पर लोकनीति 'कंटकेनैव कंटकम्' के मार्ग पर चलनेवाली दिखाई देती है। धार्मिक या उपदेशात्मक नीतियों को नीतिविषयक रचनाओं से पृथक् ही रखना अच्छा होगा। हिंदी के नीतिकारों में रहीम और दीनदयाल गिरि साहित्यिक कोटि के नीतिकार हैं। वृंद मध्यममार्गी हैं और गिरिधर शुद्ध नीति के कर्ता हैं।

रहीम

रहीम की रचनाएँ कई प्रकार की हैं—भक्ति या धर्मसंबंधी, शृंगारसंबंधी और नीतिसंबंधी। रहीम वस्तुतः सुकुमार मार्ग के ही पथिक जान पड़ते हैं। उग्र भावों की अभिव्यक्ति इनकी रचनाओं में नहीं हुई है। शृंगार और धर्म की पर्याप्त रचनाएँ होते हुए भी इनकी नीतिसंबंधी रचनाएँ परिमाण में सबसे अधिक हैं। इसलिए ये नीति के ही प्रमुख कवि हैं। इनकी नीतियों में जीवन का अनुभव जिस रूप में व्यक्त हुआ है वह इसलिए भी आकर्षक है क्योंकि इनकी रचनाएँ अधिकतर स्वानुभव की अभिव्यक्ति हैं, यद्यपि इन्होंने संस्कृत की नीति-संबंधी उक्तियों का भी यथास्थान सुंदर अनुवाद किया है। जैसे इस संस्कृत छंद का

याचना हि पुरुषस्य महत्त्वं नाशयत्यखिलमेव तथा हि।
सद्य एव भगवानपि विष्णुर्वामनो भवति याचितुमिच्छन्॥

यह सुंदर अनुवाद है—

रहिमन जाचकता गहे बड़े छोट ह्वै जात।
नारायनहू को भयो बावन आँगुर गात॥

तथापि इनकी अनुभवजन्य नीतिसंबंधी उक्तियाँ संख्या में अधिक और मार्मिक भी हैं। जैसे—

रहिमन वे नर मर चुके जे कुछ माँगन जाहिं।
उनतें पहिले वे मुए जिन मुख निकसत नाहिं॥

पौराणिक प्रसंगों को लेकर इन्होंने सहृदयतापूर्ण कल्पनाएँ की हैं—

धूर उड़ावत सीस पै कहु रहीम केहि काज।
जेहि रज मुनिपतनी तरी तेहि ढूँढत गजराज॥

नीतिसंबंधी इनकी उक्तियाँ दोहों में कथित हैं। दोहे को रहीम समास-पद्धति की उत्कृष्ट शैली मानते हैं। थोड़े शब्दों में अधिक अर्थ की अभिव्यक्ति इसके द्वारा होती है—

दीरघ दोहा अरथ के आखर थोरे आहिं।
ज्यों रहीम नट कुंडली सिमिटि कूदि चलि जाहिं॥

दूसरा दोहा अन्य अनेक पदार्थों के साथ दोहे की प्रशंसा यों करता है—

रूप कथा पद चारु पट कंचन दोहा लाल।
ज्यों ज्यों निरखत सूक्ष्म गति मोल रहीम बिलास॥

परंपरा में प्रसिद्ध है कि रहीम ने दोहों में सतसई लिखी थी पर संप्रति उनके ढाई-पौने तीन सौ दोहे प्राप्त हैं। इधर नगरशोभा नामक जो रचना दोहों में मिली है वह स्वतंत्र ही जान पड़ती है। इसमें विभिन्न जाति की नायिकाओं का उसी प्रकार वर्णन किया गया है जिस प्रकार देव के जातिविलास में। गुलामनबी ने भी अपने रसप्रबोध में कुछ इसी प्रकार का वर्णन किया है, यथार्थवाद के नाम पर जिसकी भूरि-भूरि प्रशंसा की जाती है। रहीम की नगरशोभा से स्पष्ट है कि विभिन्न जाति की स्त्रियों का इस प्रकार वर्णन करना विदेशियों के संसर्ग के कारण भारतवर्ष में फैला। इस प्रकार के वर्णन भारतीय काव्यशिष्टता के विरुद्ध पड़ते हैं और काव्य की सर्वसामान्य शिष्टता से बाह्य हैं। काव्य अजायबघर नहीं है जिसमें देश-विदेश की विभिन्न जातियों की सामग्री इकट्ठी की जाय। इसके वर्णन अधिक शृंगारी हैं। इसका एक उदाहरण, जो अधिक शृंगारी नहीं है, यह है—

चतुर चितैरनि चित हरै चख खंजन के भाइ।
द्वै आधौ कर डारई आधौ मुख दिखराइ॥

रहीम दोहों में प्रायः अपने नाम की छाप देते हैं। इस नगरशोभा के किसी भी दोहे में इनकी छाप नहीं है। केवल हस्तलेख के आरंभ में 'अथ नगर-सोभा नवाब खानखानाकृत' सिरनामा होने से यह इनकी रचना मानी गई है। हो सकता है कि अकबर के साथ मीनाबाजार की सैर करते समय इस प्रकार की रचना की गई हो। इसमें जिस जाति की स्त्री का वर्णन किया गया है उससे संबद्ध कार्यव्यापारों का कुछ-न-कुछ उल्लेख अवश्य है। किसी-किसी का वर्णन एक से अधिक दोहे में भी है। इसमें १४२ दोहे हैं। 'शृंगारसोरठ' नाम के सोरठों में भी इनकी शृंगारी रचना मिलती है, जिसमें केवल छह सोरठे हैं। सोरठा एक प्रकार का दोहा ही है। दोहे को विपर्यस्त करके सौराष्ट्र देश में विशेष प्रकार की पद्धति प्रचलित हुई और उसका नाम ही सोरठा पड़ गया। यह नाम ही बतला देता है कि इस प्रकार की शैली का मूल स्थान कहाँ था। वैसे ही जैसे सोरठ राग अपने मूल स्थान का पता देता है। दोहे के अतिरिक्त दूसरा जो अर्धसमवृत्त रहीम को प्रिय था वह बरवै है। कहते हैं कि उनके मुंशी ने विवाह के लिए कुछ दिनों का अवकाश लिया, पर अवकाश के अनंतर वह यथासमय अपने काम पर नहीं लौटा। अतिकाल करके जाता हुआ वह सचिंत्य दिखाई पड़ा। इस पर उसकी पत्नी ने निम्नलिखित रचना की और कहा कि इसे अपने मालिक को दिखा दीजिएगा—

प्रेम प्रीत कै बिरवा चलेहु लगाय।
सोंचन की सुध लीजो मुरझि न जाय॥

यह छंद रहीम को बहुत पसंद आया और इसमें इन्होंने अपनी पर्याप्त रचनाएँ कीं। यह कहने की आवश्यकता नहीं कि मुंशीजी निश्चिंत कर दिए गए थे।

हिंदी में बहुत दिनों तक यही कल्पना की जाती रही कि बरवै नामक छंद की उद्‌भावना रहीम के मुंशी की पत्नी ने ही सर्वप्रथम की और उसके छंद में प्रयुक्त 'बिरवा' शब्द ही बरवै का मूल है। पर यह सब कपोलकल्पना मात्र है। इसमें वास्तविकता इतनी ही है कि किसी माध्यम से इनके पास यह छंद पहुँचा और पसंद आ जाने के कारण उसमें इन्होंने अपनी रचनाएँ प्रस्तुत कीं। बरवै अवधीक्षेत्र का प्रचलित छंद है, फलस्वरूप उसमें पहले और तीसरे पदों के अंत में आनेवाले शब्द प्रायः पूर्वी भाषा की विशेषता लिये आते हैं। अकारांत पुल्लिग शब्दों के अंत में 'वा' और इकारांत स्त्रीलिंग शब्दों में अंत में 'या' लगा देते हैं। दीर्घ ईकार इसके पूर्व में ह्रस्व हो जाता है। यदि पुल्लिग शब्द भी इकारांत है तो उसका अंत उसी नियम से 'या' से होता है। इसी प्रकार यदि अकारांत स्त्रीलिंग शब्द है तो उसके अंत में 'वा' लगता है। 'वा' और 'या' अपने पूर्वगामी 'अ' और 'इ' स्वरों से संबद्ध जान पड़ते हैं। कभी-कभी उकारांत शब्द के अंत में 'अ' का आगम करके 'वा' लगा दिया जाता है और कभी-कभी ऐसा भी होता है कि इकारांत शब्द के अंत में 'अ' का आगम करके 'व' आदि कर लेते हैं। ऐसा जान पड़ता है कि पछाहीं रहीम के पास पूर्वी शैली लिए यह सरस छंद जब पहुँचा तब इसकी सरसता से आकृष्ट होकर इन्होंने इसका प्रयोग स्वीकार कर लिया। यह प्रवाद मात्र जान पड़ता है कि तुलसीदास ने रहीम के कहने से बरवै रामायण की रचना बरवै छंद में की। अवध प्रांत में यह छंद प्रचलित था इसलिए स्थिति उलटी हो सकती है। तुलसीदास के बरवैप्रयोग से ही रहीम प्रभावित हुए होंगे। रहीम के कुछ बरवै छंदों में रामचरितमानस के आरंभ के मंगलसोरठों की अनुकृति सी मिलती है। जैसे गणेशवंदना का यह बरवै—

बंदौ बिघनबिनासन रिधिसिधिईस।
निर्मलबुद्धिप्रकासन सिसुससि सीस॥

इसमें तुलसीदास की वह पद्धति भी गृहीत है जिसके अनुसार उन्होंने विषम और सम दोनों प्रकार के चरणों में तुकांत मिलाया है। ऐसा केवल मंगलाचरण-संबंधी बरवै में है। कहीं-कहीं बरवै में फारसी भाषा का भी व्यवहार किया गया है। इस छंद में इन्होंने व्यवस्थित नायिकाभेद ही लिख डाला है जो बरवैनायिकाभेद नाम से प्रसद्धि है। इसके आरंभ में इन्होंने लिखा ही है—

कबित कह्यो दोहा कह्यो तुलै न छप्पै छंद।
बिरच्यौ यही बिचारि कै यह बरवा रसकंद॥

कबित्त अर्थात् घनाक्षरी और सवैये में भी इनकी रचना मिलती है और एक रचना छप्पय छंद की भी पाई जाती है, जो इनकी संस्कृतरचना का अनुवाद मात्र है। इन्होंने

संस्कृत में भी रचना की है और कभी-कभी उसका हिंदी अनुवाद भी प्रस्तुत कर दिया है। जैसे गंगा की प्रशस्ति का यह छंद—

अच्युतचरणतरंगिण शशिशेखरमौलिमालतीमाले गङ्गे।
मम तनुवितरणसमये हरता देया न मे हरिता॥

और उसका यह उल्था—

अच्युतचरनतरंगिनी सिवसिर मालतिमाल।
हरि न बनायो सुरसरी कीजो इंदवभाल॥

बरवैनायिकाभेद उदाहरण मात्र है। आगे चलकर इसमें मतिराम के रसराज के लक्षण भी जोड़ दिए गए। हो सकता है कि स्वयं मतिराम ने ही यह प्रयास किया हो।

इनमें दो भाषाओं का मिश्रण करके छंद लिखने की प्रवृत्ति भी पाई जाती है। इन्होंने ज्योतिष का एक ग्रंथ संस्कृत में लिखा है जिसमें फारसी का मेल भी किया है—

करोम्यब्दुलरहीमोऽहं खुदातालाप्रसादतः।
पारसीकपदैर्युक्तं खेटकौतुकजातकम्॥

इससे यह भी पता चलता है कि इनके पूर्व के पंडित भी फारसीमिश्रित संस्कृत के पद लिखते थे—

फारसीपदमिश्रितग्रन्थाः खलु पण्डितैः कृताः पूर्वैः।
संप्राप्य तत्पदपथं करवाणि खेटकौतुकं पद्यम्॥

पर उसमें केवल शब्द ही मिलाए गए हैं वाक्यों का मेल नहीं है—

यदा मुश्तरी केन्द्रखाने त्रिकोणे यदा वख्तखाने रिपौ आफताबः।
अतारिदविलग्ने नरो वख्तपूर्णस्तदा दीनदारोऽथवा बादशाहः॥

अन्यत्र इन्होंने वाक्यों के मिश्रण से कुछ रचनाएँ की हैं और एक पूरा अष्टक ही लिख डाला है। दो भाषाओं के वाक्यों के मिश्रण से रचना उस समय प्रचलत हुई होगी जब मुसलमानबंधु यहाँ बस गए होंगे। अमीर खुसरो के नाम पर भी ऐसी रचनाएँ मिलती हैं। मदनाष्टक से एक छंद उद्‌धृत किया जाता है—

शरदनिशि निशीथे चाँद की रोशनाई।
सघनवननिकुंजे कान्ह बंसी बजाई॥
रतिपतिसुत निद्रा साइयाँ छोड़ भागी।
मदनशिरसि भूयः क्या बला आन लागी॥

ध्यान देने की बात है कि इसमें संस्कृत और रेखता अर्थात् खड़ी बोली के वाक्यों का मिश्रण किया गया है। इस अष्टक में एक स्थल पर रेखता शब्द का व्यवहार ही कर देते हैं—

जरद बसन बाला गुलचमन देखता था।
झुकझुक मतवाला गावता रेखता था॥

यहाँ की खड़ी बोली में फारसी आदि शब्दों का मिश्रण करके जो भाषा मुसलमानों ने व्यवहृत करनी आरंभ की उसे वे अपनी भाषा के रूप में स्वीकार करते थे। व्रजभाषा के कवियों ने मुसलमानों के प्रसंग में उस प्रकार की भाषा का प्रयोग करके यह स्थिति और भी स्पष्ट कर दी है।

इनकी कुछ रचनाएँ पदों में भी मिलती हैं, पर तत्त्वतः ये पदशैली के रचनाकार नहीं जान पड़ते। कबित्त और सवैये की इनकी रचना यही प्रमाणित करती है कि जैसा अभिनिवेश और सामर्थ्य इन्होंने दोहे और बरवै में दिखलाया वैसा बड़े छंदों में नहीं। ये तत्त्वतः बिहारी की भाँति महीन कारीगरी करनेवाले जान पड़ते हैं।

संस्कृत में इनकी रचना अधिकतर प्रार्थना या विनय की है। शुद्ध भक्त की भाँति इन्होंने विनय की है। राम से इनकी यह प्रार्थना है—

अहल्या पाषाणः प्रकृतिपशुरासीत् कपिचमू।
गुहोऽभूच्चांडालस्त्रितयमपि नीतं निजपदम्।
अहं चित्तेनाश्मः पशुरपि तवार्चादिकरणे।
क्रियाभिश्चांडालो रघुवर न मामुद्धरसि किम्॥

मुनिकन्या जाह्नवी से भी इनकी प्रार्थना शुद्ध भक्तों की-सी प्रार्थना है—

भगवति मुनिकन्ये तारये पुण्यवन्तं
स तरति निजपुण्यैस्तत्र किं ते महत्त्वम्।
यदिह यवनजातं पापिनं मां पुनिहि
तदिह तव महत्त्वं तन्महत्त्वं महत्त्वम्॥

रहीम केवल कवि ही नहीं थे कवियों के आश्रयदाता भी थे। उस युग के प्रसिद्ध कवियों से इनकी भेंट भी हुई थी। केशवदास ने जहाँगीरजसचंद्रिका में इनके पुत्र एलचबहादुर की प्रशंसा की है और इनके संबंध में स्पष्ट लिखा है कि ये अकबर के सिंह थे। गंग कवि ने तो इनकी प्रशस्ति में अनेक रचनाएँ की हैं, जिससे जान पड़ता है कि वे इनके आश्रय में रहे होंगे। इनकी प्रशस्ति लिखनेवाले उस समय के कई कवि हैं जो या तो इनके दरबार में रहे होंगे या जिन्होंने इनसे कुछ पारितोषिक पाया होगा। ये केवल युद्धवीर ही नहीं दानवीर भी थे। जैसे भोज के संबंध में कई किंवदंतियाँ प्रसिद्ध हैं वैसे ही

इनके दान के संबंध में भी। इन किंवदंतियों में यह भी कहा गया है कि जब इनके पास याचकों की भीड़ अधिक हो गई थी और पास में यथेच्छ धन देने को नहीं रह गया था तब यह दोहा इन्होंने कहा था—

ये रहीम दरदर फिरैं माँगि मधुकरी खाहिं।
यारो यारी छोड़िये वे रहीम अब नाहिं॥

कहते हैं कि इन्होंने किसी विशेष अर्थी को निम्नलिखित दोहा लिखकर बांधवनरेश के निकट भेज दिया था और उसने यथेच्छ धन प्राप्त किया था—

चित्रकूट में रमि रहे रहिमन अवधनरेस।
जापर बिपदा परति है सो आवत यहि देस॥

इनके संबंध में बहुत-सी वार्त्ताएँ भी प्रचलित हैं। कहते हैं कि तुलसीदास ने इनके पास दोहे का यह पूर्वार्ध लिख भेजा था—

सुरतिय नरतिय नागतिय अरु चाहत सब कोय।

इसका उत्तर उत्तरार्ध लिखकर यों दिया गया—

गोद लिये हुलसी फिरै तुलसी सो सुत होय।

कहा जाता है कि अकबर के दरबार में तानसेन ने सूरदास का निम्नलिखित पद गाया—

जसुदा बार बार यों भाखै
है कोउ ब्रज में हितू हमारो चलत गोपालहि राखै।

अकबर को जिज्ञासा हुई कि 'बार-बार' शब्द क्यों प्रयुक्त है। तानसेन ने उसका अर्थ 'बारंबार', फैजी ने 'रोना', बीरबल ने 'द्वार-द्वार', किसी ज्योतिषी ने 'दिन दिन' किया, पर रहीम ने बताया कि बारंबार का अर्थ 'बालबाल' है अर्थात् यशोदा का रोम-रोम कह रहा है।

इन्होंने फारसी में भी रचनाएँ की हैं और तुर्की भाषा से 'वाकयाते बावरी' और 'तुजुके बावरी' का फारसी में अनुवाद किया है। फारसी में इनका एक दीवान भी कहा जाता है, पर वह अब अप्राप्य है।

जमाल

अंकाक्षरी विद्या

'जमाल' हिंदी के ऐसे कवि हैं जिन्होंने अपनी रचना में 'चित्रकाव्य के विचित्र खेल' दिखाए हैं। इन बैठे-ठाले कवियों का मन तरह-तरह के 'गोरखधंधे' दिखाने में बहुत लगता था। दरबारदारी में लोगों का मन रमाने के लिए इनके 'कूट' बड़े आकर्षक होते थे। जमाल भी ऐसे ही कवि हो गए हैं। जमाल कौन थे ? जमाल और जमालुद्दीन में कोई भेद है या नहीं ? इन जिज्ञासाओं पर यहाँ विचार नहीं करना है। यहाँ इतना ही बता देना है कि इनके संबंध में स्व. दीनदयाल गिरि के शिष्य श्री दंपतिकिशोरजी से उनके शिष्य काशी के प्रसिद्ध वैद्य और काव्यरसिक स्व. पंडित चुन्नीलालजी ने जो कथा सुन रखी थी वह विलक्षण है। उसी का संक्षिप्त उल्लेख कर जमाल की 'अंकाक्षरी विद्या' का परिचय दिया जाएगा।

'जमाल' हिंदी के प्रसिद्ध कवि अब्दुर्रहीम खानखाना के पुत्र थे, बड़े ही कुशाग्रबुद्धि और प्रत्युत्पन्नमति। पर ये भोगविलास के चक्कर में इतने अधिक पड़ गए थे कि रंगमहल के बाहर नैतिक कृत्यों के ही लिये निकलते थे। इन्हें इससे विरत करने के लिए और इनकी कुशाग्रबुद्धि से काव्यरचना का काम लेने के लिए खानखाना साहब ने रंगमहल के द्वार पर नित्य एक 'कूट' दोहा लिखवा देने का ब्योंत बाँधा, जिसे पढ़कर जमाल उसके तात्पर्य की खोज में बहुत देर तक लगे रहते और अंत में उसका प्रकृत या व्यंजित अर्थ निकालकर द्वार पर ही दोहे के रूप में लिख दिया करते। जो दोहे 'जमाल' के नाम पर मिलते हैं वे वस्तुतः द्वार पर लिखे गए दोहे हैं, जिनमें जमाल से प्रश्न किया गया है। उनके उत्तरवाले दोहे नहीं मिलते। इस 'प्रश्नोत्तरी' का परिणाम यह हुआ कि जमाल ने विषय-वासना का त्याग कर दिया और ये काव्यरचना में लीन हो गए। इस दंतकथा में कितना सत्य है, कहा नहीं जा सकता। पर इससे यह पता अवश्य चलता है कि ये अकबर के समय के कवि थे। 'शिवसिंहसरोज' में इनका कविताकाल (जन्मकाल नहीं) संवत् १६०२ दिया गया है।

जमाल की 'दोहावली' का संपादन करते समय मेरे शिष्य श्री महावीरसिंह गहलोत, जो पुरानी रचनाओं के संग्रह में विशेष रुचि रखते हैं, इनके कई कठिन दोहे लेकर आए। उनमें से और दोहों का अर्थ तो उस समय लग गया, पर 'अंकाक्षरी' वाले पाँच दोहों का अर्थ करने के लिए मैंने कुछ समय चाहा। इस 'अंकाक्षरी' का ज्ञान मुझे नहीं था। बहुत माथापच्ची करने पर भी कोई मार्ग न निकल सका। हस्तलिखित ग्रंथों में बहुत खोज की,

पर इस विद्या का 'गुर' बतानेवाली किसी पोथी का पता न चला। अंत में इन दोहों का विचार 'फुरसत' को सौंपकर छुट्टी पाई। इधर जब मैं 'आनंदघन' की रचना की खोज में छतरपुर गया तो प्राचीनकाल के पुराने रसिक और अलंकारमर्मज्ञ स्व. श्री शिवकुमारजी केडिया ने मेरा साथ दिया। यात्रा में कभी-कभी ऐसे पेंच के अवसर आ जाते हैं जिनमें बिना संकेतविद्या के काम नहीं चलता। संकेत के ऐसे कई अवसर आए। अतः एक दिन यह निश्चित हुआ कि संकेत की कोई प्रणाली स्थिर कर ली जाय तो काम चले। विचारविमर्श के समय केडियाजी ने मुझे एक पुराना पद्य 'संकेताक्षरी' का सुनाया और उसका तात्पर्य भी बतलाया, जो इस प्रकार है—

अहिफन कमल चक्र टंकार।
तरुन पवन यौवन श्रृंगार।
अँगुली अच्छर चुटकी मात।
राम करैं लछिमन सों बात॥

संकेत से जो अक्षर कहना हो उसका निर्देश करने के लिए पहले तो उस अक्षर के वर्ग का संकेत होना चाहिए, फिर वर्ग में उसकी क्रमसंख्या और तदनंतर उसमें लगी मात्रा का संकेत किया जाना चाहिए। 'वर्ग' का संकेत तो 'अहिगन' से 'श्रृंगार' तक के आठ इंगितों से होगा। हाथ की दस अँगुलियों में से जितनी अँगुलियाँ दिखाई जाएँगी वे उस अक्षर की क्रमसंख्या इंगित करेंगी और फिर जितनी बार चुटकी बजाई जाएगी उससे मात्राओं की क्रमसंख्या का बोध हो जाएगा। इस प्रकार प्रत्येक मात्रायुक्त अक्षर के लिए तीन बार संकेत करने पड़ेंगे।

इस 'संकेताक्षरी' का विवरण नीचे दिया जाता है—

वर्ग **क्रमसंख्या**

१. **अहिफन**—अ^{१} आ^{२} इ^{३} ई^{४} उ^{५} ऊ^{६} ए^{७} ऐ^{८} ओ^{९} औ^{१०} अं^{११} अः^{१२}
२. **कमल**—क^{१} ख^{२} ग^{३} घ^{४} ङ^{५}
३. **चक्र**—च^{१} छ^{२} ज^{३} झ^{४} ञ^{५}
४. **टंकार**—ट^{१} ठ^{२} ड^{३} ढ^{४} ण^{५}
५. **तरुन**—त^{१} थ^{२} द^{३} ध^{४} न^{५}
५. **पवन**—प^{१} फ^{२} ब^{३} भ^{४} म^{५}
६. **यौवन**—य^{१} र^{२} ल^{३} व^{४}
७. **श्रृंगार**—श^{१} ष^{२} स^{३} ह^{४}

पहले वर्ग का संकेत 'अहिफन' है, जिसमें पहला अक्षर 'अ' है। इससे स्वरों का संकेत हो जाता है। हाथ को कुहनी के पास से मोड़कर ऊपर उठाना और हथेली को 'फण' की भाँति बनाकर हाथ को दाहिने-बाएँ हिलाना 'अहिफन' का इंगित होगा।

'कमल' में 'क' पहले है, वह कवर्ग का संकेत करता है। हथेली को कमल की

कली की भाँति बनाना, एक हाथ की पाँचों अँगुलियों को सिरे पर मिलाकर ऊर्ध्वमुख रखना होगा।

'चक्र' में 'च' पहले है इससे चवर्ग का बोध होगा। दाहिने हाथ की तर्जनी अँगुली को खड़ी करने और शेष अँगुलियों को नीचे कर लेने तथा हाथ को वृत्ताकार घुमाने से यह संकेत होगा।

'टंकार' में 'ट' पहले है। इससे टवर्ग का पता चलेगा। धनुष-टंकार की मुद्रा दिखाने के लिए दाहिने हाथ की तर्जनी को अँगूठे से मिलाकर शीघ्रता से कई बार पृथक् करना होगा।

'तरुण' में 'त' पहले रहकर तवर्ग को व्यक्त करता है। 'तरुण' की मुद्रा के लिए शरीर कड़ा करना, वक्षःस्थल तानना, अकड़ की चेष्टा करनी पड़ेगी।

'पवन' में 'प' आदि में पवर्ग का सूचक है। हाथ से पंखा झलने की क्रिया दिखाने से इसका संकेत मिलगा।

'यौवन' में 'य' अंतःस्थ अक्षरों (य र ल व) का बोधक है। 'यौवन' का प्रदर्शन दाहिने हाथ से मूँछों को उमेठकर करना होगा। जिन्हें मूँछें न हों वे और कोई मुद्रा निकालें, स्त्रियों को भी तो कोई मुद्रा प्रदर्शित करनी होगी।

'शृंगार' के आदि में 'श' है, इससे ऊष्म (श ष स ह) का बोध होगा। इसकी मुद्रा के लिए दोनों हाथों या दाहिने हाथ को बालों पर से पीछे की ओर फेरना पड़ेगा। इसके बाद दिखाइए अँगुली और बजाइए चुटकी।

'आज' का संकेत करने के लिए पहले 'अहिफन' का प्रदर्शन करके दो अँगुलियाँ दिखानी होंगी, फिर 'चक्र' लगाने की मुद्रा करके तीन अँगुलियाँ दिखाकर एक बार चुटकी बजानी पड़ेगी। पहले वर्ग में जितने स्वर हैं उनकी संख्याएँ मात्राओं का काम भी देंगी।

इस 'संकेताक्षरी' से जमाल की अंकाक्षरी की ओर ध्यान गया और मैंने समझ लिया कि अब जमाल के दोहे लग जाएँगे। एक दिन यों ही फुरसत में 'जमालमाला' उठाकर देखने लगा तो उसके इन आरंभिक पाँच दोहों को लगाने में लगने की धुन सवार हुई। पर ऊपर की 'संकेताक्षरी' का जो विवरण या तलपट दिया गया है उससे ठीक-ठीक काम नहीं निकल रहा था। अतः समझ में आ गया कि इसका तलपट कुछ भिन्न है। देखा कि पाँचों दोहों के आदि में 'तिन तिन सत' पड़ा है। अब यह सोचने में लगा कि यह कौन-सा शब्द हो सकता है। 'ओम्', 'श्री' आदि पर ध्यान जाने से काम न चला पर ज्योंही 'जय' या 'जै' पर दृष्टि गई 'अंकाक्षरी' का तलपट भी बन गया और दोहों का अर्थ भी निकल आया। कदाचित् कभी किसी कवि की ऐसी ही कारीगरी से किसी अनुसंधायक को पाला पड़े, इसलिए उसे यहाँ दिखलाता हूँ। सबसे पहले उन दोहों को उद्धृत कर देता हूँ जिन्होंने यह 'अंकाक्षरी' निकालने के लिए प्रेरित या विवश किया।

तिन तिन सत, दुइ तीन, चर पाँच छवो, सत पाँच।
बिघ्न हरहु कल्यान करु, भज जमाल करि जाँच॥ १ ॥
तिन तिन सत, अठ दूइ, सत दुइ, अठ दुइ, पँच एक।
तीन पुनहि मम कंठ मँह, कर जमाल करि टेक॥ २ ॥
तिन तिन सत, सत दूइ इक, छौ पाँचो करि ध्यान।
नासहु दुख दारिद सबै, कहत जमाल सुजान॥ ३ ॥
तिन तिन सत, छौ पाँच, अठ, तीन, एक, पँच तीन।
छवो, सात चर ध्यान धरि कहत जमाल प्रबीन॥ ४ ॥
तिन तिन सत, पँच तीन चर, सात दूइ, दूइ तीन।
एक अंक यहि भाँति लिखि, सुकबि जमाल प्रबीन॥ ५ ॥

तलपट

वर्गसंख्या **क्रमसंख्या**

१. अ^{१} आ^{२} इ^{३} ई^{४} उ^{५} ऊ^{६} ए^{७} ऐ^{८} ओ^{९} औ^{१०} अं^{११} अः^{१२}
२. क^{१} ख^{२} ग^{३} घ^{४} ङ^{५}
३. च^{१} छ^{२} ज^{३} झ^{४} ञ^{५}
४. ट^{१} ठ^{२} ड^{३} ढ^{४} ण^{५}
५. त^{१} थ^{२} द^{३} ध^{४} न^{५}
६. प^{१} फ^{२} ब^{३} भ^{४} म^{५}
७. य^{१} र^{२} ल^{३} व^{४} श^{५}
८. ष^{१} स^{२} ह^{३}
ा^{१} ि^{२} ी^{३} ु^{४} ू^{५} े^{६} ै^{७} ो^{८} ौ^{९}

मात्राओं की क्रमसंख्या

इस तलपट में दो बातें ध्यान देने योग्य हैं। एक यह कि 'अंतःस्थ' के साथ 'श' 'ऊष्म' होकर भी पाँचवाँ वर्ण माना गया है। कदाचित् ऊपर के पाँच वर्गों के साहचर्य के कारण ऐसा किया गया होगा। दूसरी बात यह कि मात्राओं की क्रमसंख्या 'ा' से प्रारंभ होती है। अन्य विधि वही है जो 'संकेताक्षरी' में है। जहाँ व्यंजन में 'अ' होता है वहाँ मात्रा की संख्या का निर्देश नहीं किया जाता। 'संकेताक्षरी' में जहाँ स्वर का उल्लेख करना होता है वहाँ केवल दो संकेत ही काम में आते हैं। यहाँ व्यंजन में भी दो ही संख्याएँ अकारांत अक्षर के लिए आती हैं। अब इस तलपट के सहारे पूर्वोक्त दोहों का अर्थ बैठाइए, बिना किसी कष्ट के अर्थ लग जाएगा। हाँ, इस बात का विचार अवश्य रखना पड़ेगा कि अमुक अक्षर अकारांत है। दोहों में अल्पविराम (कामा) लगाकर मैंने पार्थक्य बतलाया है—

पहला दोहा

तिन[३] तिन[३] सत[७]—तीसरे वर्ग (चवर्ग) के तीसरे अक्षर 'ज' में सातवीं मात्रा है—'जै'।

दुइ[२] तीन[३]—दूसरे वर्ग (कवर्ग) का तीसरा अक्षर—'ग'।

चर[४] पाँच[५] छवो[६]—चौथे वर्ग (टवर्ग) के पाँचवें अक्षर 'ण' में छठी मात्रा है—णे।

सत[७] पाँच[५]—सातवें वर्ग (यवर्ग) का पाँचवाँ अक्षर—'श'।

इसी प्रकार अन्य दोहों का संक्षेप में अर्थ देखिए—

दूसरा दोहा

तिन[३] तिन[३] सत[७]—'जै'
अठ[८] दुइ[२] —'स'
सत[७] दुइ[२] —'र'
अठ[८] दुइ[२] —'स'
पँच[२] एक[१] तीन[३]—'ती'

तीसरा दोहा

तिन[३] तिन[३] सत[७]—'जै'
सत[७] दुइ[२] इक[१] —'रा'
छौ[६] पाँचो[५] —'म'

चौथा दोहा

तिन[३] तिन[३] सत[७] —'जै'
छौ[६] पाँच[५] —'म'
अठ[८] तीन[३] एक[१]—'हा'
पँच[५] तीन[३] छवौ[६]—'दे'
सात[७] चर[४] —'व'

पाँचवाँ दोहा

तिन[३] तिन[३] सत[७]—'जै'
पँच[५] तीन[३] चर[४] —'दु'
सात[७] दुइ[२] —'र्'
दुइ[२] तीन[३] एक[१]—'गा'

जमालमाला' में छैल कवि की टिप्पणी है कि 'इन दोहों का अर्थ वे ही महाशय कर सकेंगे जो अंकावली अक्षरों के विज्ञ होंगे'। इससे अनुमान होता है कि ऐसा और कवियों ने भी किया होगा और इन अंकावली अक्षरों पर कोई पुरानी पोथी भी कदाचित् बनी हो। अब यह घोषणा बड़े मजे में की जा सकती है कि 'जमाल' की जितनी रचना प्राप्त है उतनी का अर्थ लग गया, क्योंकि अन्य कठिन दोहों के अर्थ पहले लगाए जा चुके हैं।

वृंद

इनका पूरा नाम वृंदावन था, पर कविता में छाप के लिए ये 'वृंद' शब्द का व्यवहार करते थे और इसी नाम से विख्यात हैं। इनका जन्म संवत् १७०० में हुआ। ये शाकद्वीपी (मग) भोजक ब्राह्मण थे। इनके पिता रूपजी सोलहवीं शताब्दी में बीकानेर से मेड़ता (जोधपुर राज्य) में आ बसे। आरंभिक शिक्षा-दीक्षा के अनंतर इन्होंने काशी में तारा नामक संस्कृत के विद्वान् से व्याकरण और छंदशास्त्र का अध्ययन किया। कहते हैं कि इन्होंने वहाँ सरस्वती का अनुष्ठान भी किया। इनके इस अनुष्ठान की चर्चा माधवदास ने अपने 'शक्तिभक्तप्रकाश' में सरस्वती की वंदना करते हुए की है—

भक्तन की पति राखी ताके सुनै गीत साखी पति राखी मेड़ताके बासी कबिबृंद की

जोधपुर के महाराज जसवंतसिंह प्रथम ने इनकी रचना पर प्रसन्न होकर इन्हें डोहरी' नामक स्थान दिया जो इनके वंशजों के पास है। संवत् १७३० में ये औरंगजेब के दरबार में पहुँचे और वहाँ 'पयोनिधि पैर्‌यौ चाहै मिसरी की पुतरी' समस्या की पूर्ति कर इन्होंने 'करोड़ पसाव' प्राप्त किया। कुछ दिनों वहाँ रहने के अनंतर बादशाह ने इन्हें अपने पुत्र अजीमुश्शान (मुअज्जम) के पास रख दिया। संवत् १७३६ में महाराज जसवंतसिंह के स्वर्गवास पर जब जोधपुर के मंदिर तोड़े गए तब इन्होंने उसके विरोध में रचनाएँ कीं और बादशाहत की निंदा की—

राज जसवंतजू के आयुर्बल खूटत ही खूट गयो खूबी को खजानो पातसाही को

संवत् १७३८ में कृष्णगढ़ के महाराज मानसिंह ने इन्हें अपने आश्रय में ले लिया। पहले तो ये राज्य की हवेली में (जो दिल्ली के बिट्ठलपुरे में थी) रहते थे, पर संवत् १७६४ में सपरिवार कृष्णगढ़ में जो बसे। संवत् १७४२ में ये कुमार राजसिंह की शिक्षा के लिए नियत किए गए। उनके लिए इन्होंने ८५ दोहों में 'अकारादि क्रम को वर्णमाला' प्रस्तुत की। सं० १७४३ में इन्होंने 'भावपंचाशिका' नामक ग्रंथ लिखा। इसकी रचना में यह विलक्षणता है कि प्रत्येक सवैये में कोई न कोई गुप्त स्थिति रखी गई है, जिसे उसके अंत

में दोहा लिखकर प्रकट किया है। इसमें कुल पचास सवैये हैं। इन्होंने लिखा ही है—

कीन्हैं कबित्त मँजूष बराबरि तामे जवाहरि भाव भरे हैं।
सुच्छ सुदेस सुलक्षन पेखि महा, ा निरदोष खरे सुथरे हैं।
ताके दुरग्न के ताला दए समुझे बुधिवान दुराइ धरे हैं।
बृंद कहे पुनि ताके प्रकास को कुँची समान के दोहा करे हैं॥

इसका एक उदाहरण यों है—

जानकीनाथ अनाथ के नाथ भुजा भुवमंडल भार गहे तैं।
बैठे हैं राजसभा महि आइ मिले पुरलोक बिलोक सहे तैं।
बृंद कहे सबही या कही यह बात बिबेक बिचार लहे तैं।
आजु ही तैं मेरो नाम पृथीपति कोऊ कहो जिन मेरे कहे तैं॥
दोहा—सीता पृथ्वी की सुता सासु भई इहि हेत।
तातैं युक्त न पतिपनौ समुझहु भाव सचेत॥

सं० १७४८ में इन्होंने अजमेर के नवाब मिर्जा कादरी की प्रेरणा से 'शृंगारशिक्षा' नामक पुस्तक लिखी। इसमें आरंभ में वरकन्या के गुण-दोष का कथन है और फिर शृंगाररस का वर्णन है। इन्हें प्रायः दिल्ली, लाहौर आदि की यात्रा करनी पड़ती थी। इन्हीं यात्राओं में इन्होंने 'यमकसतसई', 'पवनपचीसी' और 'हितोपदेश' ग्रंथ लिखे। हितोपदेश में आठ उपदेशात्मक छंद हैं, इसीलिए इसका नाम हितोपदेशाष्टक भी है। संवत् १७५९ में राजसिंह के राजकुमारों के अध्ययन के लिए ये उनके साथ ढाका, बंगाल में रहने लगे। वहाँ रहते हुए संस्कृत के हितोपदेश का भाषानुवाद 'भाषाहितोपदेश' नाम से किया—

निधि सर मुनि ससि के बरस माह बहुल दिवसेस।
द्वादसि को पूरन भयो भाषाहित उपदेस॥
मान महीपति कुवरमनि राजसिंह जस नेत।
बृंद लिख्यौ ढाका नगर राजसुतन के हेत॥

ढाका में ही इन्होंने अपनी सुप्रसिद्ध रचना 'बृंदविनोद-सतसई' संवत् १७६१ में लिखी। इस सतसई के दोहों को अजीमुश्शान ने पसंद किया था। इसका उल्लेख भी इसमें है—

समय सार दोहानि कौ सुनत होय मन मोद।
प्रगट भई यह सतसई भाषा बृंदबिनोद॥
अति उदार रिझवार जग साह अजीमुस्सान।
सतसैया सुनि बृंद को कीन्हो अति सम्मान॥
संबत ससि रस बार ससि कातिक सुदि ससिबार।
यातैं ढाका सहर में उपज्यौ यहै बिचार॥

सं० १७६२ में इन्होंने 'वचनिका' नाम से किशनगढ़ का इतिहास गद्य-पद्य अर्थात् चंपूकाव्य के रूप में लिखा। इसमें आए गद्य का नमूना यह है—

जय जय लंबोदर बरबरद। सुखद सारद बिसारद जन अरज सुनि मानि लीजै कृपादृष्टि कीजै। बर दीजै। बर पाई महाराज श्री रूपसिंह जू को जस सरस बरनीजै। अंग उमंग धरूँ वाके बंस को बरनन करूँ।

इसमें कन्नौज के सीहाजी के लेकर मानसिंहजी तक वंशावली का वर्णन है। सं० १७६४ में औरंगजेब के पुत्र बहादुरशाह और आलमशाह के मध्य जो युद्ध हुआ उसमें महाराज राजसिंह आलमसाह की ओर से लड़े थे और विजय प्राप्त की थी। इस युद्ध का वर्णन इन्होंने 'सत्स्वरूपरूपक' नाम से किया। इस प्रसंग पर इन्होंने स्पष्टवादी रचना की है। इस रचना के अतिरिक्त उस अवसर का एक कबित्त भी है जिसमें राजसिंह की प्रशंसा बादशाह के सम्मुख की गई है और जिसका अंतिम चरण है—

ह्वैही गईहुती पातसाही साहआजम की आलमको मीर राजसिंह जो न आबतो।

सं० १७८० भाद्रपद कृष्ण अमावस्या रविवार को वृंदजी का देहावसान हुआ[१]।

वृंद की उपर्युक्त रचना के अतिरिक्त मेरे प्रिय शिष्य श्री जनार्दनराव चेलेर ने कुछ रचनाओं का और पता चलाया है—सम्मेतशिखर, बा हमासा, नयनबत्तीसी, पुष्कराष्टक, भारतकथा, देवीस्तुति, पतिमिलन, प्रतापविलास, हुक्मनामे और प्रकीर्ण छंद। कुछ रचनाएँ डिंगल की भी हैं और कुछ फुटकल रचनाएँ पिंगल अर्थात् व्रजभाषा में हैं। इन समस्त रचनाओं के अवलोकन से स्पष्ट हो जाता है कि वृंद कवि ने अनेक प्रकार की रचनाएँ की हैं। यमक-सतसई में यमक अलंकार की छटा दिखाई देती है। इनकी यमक की रचना चक्करदार नहीं है।

आप बरद बाहन बरद कर त्रिसूल हरसूल।
अहितन अहित न हितन कर सिव प्रभु सिव सुखमूल॥

पवनपचीसी में विभिन्न ऋतुओं का वर्णन छप्पय छंद में किया गया है। शरद् ऋतु के पवन का वर्णन इस प्रकार है—

प्रातसमै जल न्हात बिमल जल भरित सरितबर।
अमल कमलकुलकलित ललित कमला कमलाकर।
भयो जहाँ रस बास सहित सहितन सुखकारी।
अलिहिं बतावत पंथ जात जित जित उदकारी।
जहँ तहँ लस बिलसत बसत परमहंस पदरज हरस।
कहि बृंद सरस सम्मीर यह सज्जन सम सोभा सरस॥

१. वृंदकवि का विस्तृत जीवनचरित्र शाकद्वीपीय ब्राह्मणबंधु आषाढ़ १९८५ तथा पारीक पत्र १९२९ में प्रकाशित हुआ है। उसका संक्षिप्त रूप रघुनाथ-रूपकगीतारो की भूमिका में भी दिया हुआ है।

इससे स्पष्ट है कि वृंद कोरे नीति के ही रचयिता नहीं थे। इन्होंने रसोक्ति और वक्रोक्तिवाली भी कुछ रचना की है। पर इनकी प्रसिद्धि नीतिसंबंधी रचनाओं को ही लेकर है। इन्होंने जो नीति के दोहे कहे हैं वे सब इन्हीं के मस्तिष्क की उपज नहीं हैं। उनमें से पर्याप्त संस्कृत मूल के अनुवाद हैं। इससे सिद्ध हो जाता है कि ये बहुश्रुत थे। इनकी सतसई दृष्टांतसतसई के नाम से विख्यात है। इसके अधिकतर दोहों में कथित नीति के उदाहरण या दृष्टांत दिए गए हैं। वृंद की रचना गिरिधरदास, वैताल आदि की रचना से सर्वथा भिन्न है। तथ्य का कोरा कथन मात्र होने से इनकी नीति-विषयक रचना उत्तम काव्य में भले ही परिगणित न हो, पर अवर काव्य में वह अवश्य रखी जा सकती है। नीति के रचयिताओं में वृंद, दीनदयाल गिरि के साथ रखे जा सकते हैं। यह अवश्य कहा जा सकता है कि गिरिजी में चमत्कार की प्रवृत्ति इनकी अपेक्षा अधिक है। उनकी रचनाओं में कहीं-कही विशेष उलझन है। वृंद की रचना की विशेषता यह है कि इसमें उलझन प्रायः नहीं है, यहाँ तक कि यमकसतसई में भी उलझाऊ प्रवृत्ति का प्रायः परित्याग है।

इन्होंने पौराणिक आधार लेकर लौकिक नीति अनूठे ढंग से कही है। इनका कहना है कि उदरपूर्ति कठिनाई से होती है। महादेव ने दो पेट भरने के डर से अपने अर्द्धांग में अपनी पत्नी को अंतर्भुक्त कर लिया। इतने पर भी जब लड़का हुआ तो इसी डर से उसका ब्याह तक नहीं किया—

करी उदर दुइ भरन भय हर अरधंगी दार।
जौ न होय तौ क्यों रहै अब लौं तनय कुमार॥

देवसेनापति स्वामी कार्तिकेय अविवाहित ही रह गए।

वैताल

गिरिधर कविराय ने जिस प्रकार कुंडलिया छंद में नीति के कथन किए उसी प्रकार वैताल ने छप्पय छंदों में नीति की उक्तियाँ कहीं। इनकी रचना भी उक्तिमात्र ही है, इसमें किसी प्रकार की साहित्यिक साज-सज्जा नहीं दिखाई देती। एक ही प्रकार की कई समानांतर स्थितियों को एकत्र कर उपस्थित करने के कारण इस प्रकार की रचनाओं में अनोखापन दिखाई पड़ता है। इन्होंने सभी उक्तियाँ विक्रम को संबोधित करके लिखी हैं। किसी को संबोधित कर कहने की शैली नीति की शैली ही हो गई थी। गिरिधर ने अपनी रचना में बहुधा 'साँई' से अपने को ही संबोधित किया है। ये 'साँई' वे स्वयं हैं, वे स्वामी थे। वैताल ने जिन विक्रम को संबोध्य बनाया वे विक्रम कौन हैं, यह अनिश्चित है। 'शिवसिंहसरोज' में इनका कविताकाल (जन्मकाल नही) सं० १७३४ दिया हुआ है। उन्होंने

यह भी लिखा है कि ये राजा विक्रमशाह के यहाँ थे। इस आधार पर पं० रामचंद्र शुक्ल ने यह अनुमान किया है कि यदि ये चरखारीवाले विक्रमशाह ही हैं जिन्होंने विक्रमसतसई आदि ग्रंथ लिखे हैं तो वैताल का समय सं० १८३९ और १८८६ के बीच मानना पड़ेगा। शिवसिंहसरोज ने विक्रम राजा विजयबहादुर चरखारीवाले का कविताकाल सं० १८८० माना है। इसलिए वैताल के आश्रमदाता कोई और हैं। 'बैताल कहै बिक्रम सुनो' यह अंश विक्रम और वैताल की प्रसिद्ध जनश्रुति को प्रामाण्य घोषित करने के लिए भी लिख दिया गया होगा। जनता में प्रसिद्धि की दृष्टि से गिरिधर के समकक्ष ही इनका भी स्थान है। जीभ की अधिक यात्रा के कारण इनकी रचना के बहुत से शब्द और बहुत से अंश परिवर्तित भी हो गए हैं। जैसे इनके निम्नलिखित छप्पय के दो विभिन्न पाठ यों हैं—

मरै सूम जिजमान मरै कटखन्ना टट्टू।
मरै करकसा नारि मरै वो पुरुष निखट्टू।
पुत्र वही मरि जाय जो कुल में दाग लगावै।
मित्र वही मरि जाय अड़ी पर काम न आवै।
बेनियाव राजा मरै तो इनके मरे न रोइए।
बैताल कहै सुन बिक्रम जबै नींद भर सोइए॥[1]

मरै बैल गरियार मरै वह अड़ियल टट्टू।
मरै करकसा नारि मरै वह खसम निखट्टू।
बाँभन सो मरि जाय हाथ लै मदिरा प्यावै।
पूत वही मरि जाय जु कुल में दाग लगावै।
अरु बेनियाउ राजा मरै तबै नींद भरि सोइए।
बैताल कहे बिक्रम सुनो एते मरे न रोइए॥

इनकी अन्य विषयों पर रचना नहीं मिलती। एकाध शृंगाररस का छंद मिलता है। भाषा इनकी बोलचाल के शब्दों का व्यवहार करनेवाली मिश्रित है। फिर भी प्रवाह अच्छा है। गिरिधर कविराय से ये अधिक अक्खड़ जान पड़ते हैं।

गिरिधर कविराय

यद्यपि इनकी बहुत थोड़ी रचनाएँ प्राप्त हैं तथापि उनका प्रचार जनसमाज में बहुत अधिक है। इन्होंने कुंडलिया छंद में ही रचना की है। इनकी रचना में 'साँई' शब्द का व्यवहार अधिकतर पाया जाता है और वह भी छंद के आरंभ में। कुंडलिया छंद होने के कारण यह शब्द कुंडलित होकर छंद की अंतिम पंक्ति के अंत में भी आया है। इसके

१. मतवे असफी, लखनऊ में सन् १८९१ ई० में लीथो में छपी प्रति से।

आधार पर कल्पना की जाती है कि जिन कुंडलियों में 'साँई' शब्द प्रयुक्त है वे इनकी पत्नी की लिखी हुई हैं और इन्हीं को संबोधित करके लिखी गई हैं। एक कुंडलिया में साँई के बदले सैयाँ शब्द भी आया है—

सैयाँ भए तिलंगवा बौहर चली नहाय।
देख डरी कपतान कहँ कौन जनावर आय।
कौन जनावर आय कहा धौं पहिरे बाटै।
बिनु गुनाह तसबीर पिया की ठाढ़े डाटै।
कह गिरधर कबिराय नचै जस बंदर छैयाँ।
तोसदान[१] बंदूक पथरकल्ला[२] कर सैयाँ॥

इस कुंडलिया से जान पड़ता है कि कविनिबद्धवक्ता द्वारा बात कहलाई जा रही है। यदि ऐसी ही स्थिति अन्यत्र भी हो तो कहा जाएगा कि कल्पित नारी के वक्ता होने के कारण इस प्रकार की योजना इन्होंने की है, अर्थात् यह गिरिधर कविराय की एक प्रकार की अभिव्यक्ति की शैली है।

डॉ० किशोरीलाल गुप्त ने अथक श्रम से गिरधर ग्रंथावली का अभी हाल में संपादन-प्रकाशन किया है। इसमें इन्हें साधु हरिदास बताया गया है। इसमें साँई शब्द कवि ने अपने लिये प्रयुक्त किया है और वह स्वामी का ही विकसित रूप है। शिवसिंहरोज में इनका कविताकाल (जन्मकाल नहीं) सं० १७७० दिया हुआ है। ऐसा उसमें किस आधार पर लिखा गया, कुछ कहा नहीं जा सकता। कुंडलिया के अतिरिक्त इनकी अन्य रचना का भी पता डॉ० किशोरीलाल गुप्त ने लगाया है। कुंडलिया नाम से इनकी रचना सं० १९५८ में भारतजीवन प्रेस से प्रकाशित की गई, जिसमें ८८ छंद हैं। 'मिश्रबंधुविनोद' में मिश्रबंधुओं ने लिखा है कि इनका कोई ग्रंथ हमारे देखने में नहीं आया। एक ग्रंथ में इनकी ९१ कुंडलियाँ ही लिखी हुई हैं।[३] यह ग्रंथ हमारे पुस्तकालय में वर्तमान है। शिवसिंहसरोज में इनकी चार कुंडलियाँ ही दी हुई हैं, जिनमें से केवल एक भारतजीवन वाले संस्करण में मुद्रित है।

लोकप्रचलित होने के कारण कुछ लोग इनकी रचना का साहित्यगत विशेष मूल्य मानते हैं। पर तत्त्व की बात यह है कि जनवाङ्मय और सुजन या सहृदय वाङ्मय दोनों में तात्त्विक अंतर है। कविरायजी ने रचना में केवल नीति का कथन किया है। उसमें तथ्यकथन की बहुत ही सुबोध पद्धति है और बिना किसी साज-सज्जा के प्रस्तुत है। जनवाङ्मय निरलंकृत रूप में सहज उद्‍गार होकर अत्यधिक ग्राह्य और व्यापक हो जाया करता है। कविराय की रचना की ग्राहकता का मुख्य कारण उसकी सरलता है।

---

१. तोसदान = चमड़े की वह थैली जिसमें कारतूस रहता है, तोशादान।

२. पथरकल्ला = एक प्रकार की कड़ाबीन जो चकमक पत्थर से आग उत्पन्न करके चलाई जाती थी। इसकी कल या घोड़े में पथरी लगी रहती थी। इसी से इसे पथरकल्ला कहते हैं।

३. मतबे असफी लखनऊ में सन् १८९१ ई० में लीथो में छपी प्रति में भी ९१ ही छंद हैं।

जीवन और गार्हस्थ्यजीवन संबंधी बहुत-सी नीतियाँ अनेक उदाहरणों सहित इनकी रचना में मिलती हैं। कुछ का रूप अन्योक्ति का भी दिखाई पड़ता है। एक कुंडलिया में इन्होंने भाषा और संस्कृत दोनों को त्यागने की सलाह दी है—

भाषा भूसा छोड़िकै सरी संसकृत डारि।
सब जड़ तू चेतन सदा ब्रह्म यहै उर धारि।
ब्रह्म यहै उर धारि छाँडि सबही सिर दर की।
पर को किस्सा छाँडि खबर ले अपने घर की।
कहि गिरधर कबिराय समुझि बेदन की आसा।
सब कलपित तुम माँहि देवबानी नरभाषा॥

इनकी यह उक्ति निर्गुनिया फकीरों की-सी दिखाई देती है। इधर शोध से ये साधु प्रमाणित हुए हैं। 'गतं न शोचामि कृतं न मन्ये' के ढंग पर 'बीती ताहि बिसारि दे आगे की सुधि लेय' उक्ति इन्होंने मार्मिक ढंग से लिखी है। इनकी एकाध उक्ति रहीम की उक्ति से मिलती-जुलती है—

साँई एकै गिरि धर्‌यौ गिरिधर गिरिधर होय।
हनूमान बहु गिरि धर्‌यौ गिरिधर कहै न कोय।
गिरिधर कहै न कोय हनू द्रोनागिरि लायो।
ताको कनुका टूटि पर्‌यो सो कृष्न उठायो।
कह गिरिधर कबिराय बड़न की बड़ी बड़ाई।
थोरेही जस होय जसी पुरुषन की साँई॥

रहीम का दोहा यों है—

थोरी किये बड़ेन की बड़ी बड़ाई होय।
ज्यों रहीम हनुमंत को गिरिधर कहत न कोय॥

दीनदलाय गिरि

जीवनवृत्त

हिंदी-साहित्य के अनेक सुकवियों का वैयक्तिक वृत्त उपलब्ध नहीं है अथवा उनके विषय में संतोषप्रद घटनाएँ अज्ञात हैं। ऐसे सुकवियों में गिरिजी भी हैं। इसका मुख्य कारण कवियों के जीवनवृत्त-संबंधी इतिहास का अभाव है। फिर भी पूछताछ, खोज

और अध्ययन से अनेक तथ्य ज्ञात हुए हैं। इनका जो वृत्त प्रकाशित है उसमें यत्र-तत्र कुछ छूट है, कुछ भ्रामक कथन है और कुछ भूल है। गिरिजी के वृत्त के संबंध में इनके शिष्य के शिष्य पंडित चुन्नीलाल वैद्य से अनेक तथ्य ज्ञात हुए।

गिरिजी का जन्म कब हुआ, यह नहीं कहा जा सकता, किन्तु एक दृढ़ आधार पर कुछ अनुमान किया जा सकता है। गिरिजी के शिष्य गोस्वामी दंपतिकिशोर का स्वर्गवास सं० १९६५ विक्रमीय में ८८ वर्ष की वय में हुआ। गोस्वामीजी लड़कपन में गिरिजी के यहाँ विद्याध्ययन करते थे। अतएव गिरिजी कम-से-कम २० वर्ष पहले हुए होंगे, अर्थात् गिरिजी की वय उस समय दंपतिकिशोरजी से २० वर्ष अधिक रही होगी। अतएव गिरिजी का जन्म लगभग (सं० १९६५—८८ + २०) सं० १८५७ विक्रमी में हुआ होगा।

अब मृत्युकाल पर आइए। विजयानंद त्रिपाठी 'श्रीकवि' ने निज संपादित 'अन्योक्तिकल्पद्रुम' की भूमिका में लिखा है कि 'लगभग २५ वर्ष इनको काशीवास पाए हुआ'।[१] इससे ज्ञात होता है कि १९२०-२२ के लगभग इनकी मृत्यु हुई होगी, क्योंकि भूमिका सं० १९४७ विक्रमी की लिखी है।

संन्यासी होने के पहले गिरिजी का वर्ण क्या था ज्ञात नहीं, किन्तु अनुमान से कहा जा सकता है कि ये ब्राह्मण थे। गिरि, पुरी आदि ब्राह्मणों को ही शिष्य करते हैं।

ये संगरे[२] वासी कुशा गिरि के शिष्य थे। कुशा गिरि ने काशी में आकर देहली-विनायक के पास कुछ जमींदारी ले ली और यहीं रहने लगे। देहली-विनायक काशीपरिक्रमा की पंचक्रोशी-यात्रा में भीमचंडी से रामेश्वर जाते समय बीच में पड़ते हैं। यहाँ एक कुआँ और तालाब भी है।

कुशा गिरि के दो शिष्य और थे—स्वयंवर गिरि और रामदयाल गिरि। इन सबमें दीनदयाल बड़े थे। कुशा गिरि में योग्यता का अभाव था और वे अपव्यय भी बहुत करते थे। इस कारण उनके मरने के पश्चात् बहुत-सा ऋण रह गया। ऋण के कारण सारी जमींदारी कुड़क हो गई। बची-खुची जमींदारी को लेकर तीनों शिष्यों में झगड़ा हो गया। सारी जमीन मुकदमेबाजी में चली गई। ये अंत तक विनायकजी की सेवा में डटे रहे। जायदाद तो नहीं बची, पर आसपास के व्यक्तियों की उदारता तथा देहली-विनायक की कृपा से गिरिजी का निर्वाह होता रहा। इनका कुछ भाग 'आदिकेशव' (राजघाट) में भी था।

देहली-विनायक के पास ही मटौली गाँव में इनका मठ था, जिसका छिन्न-भिन्न भाग अब भी पड़ा है। कहते हैं, इनका एक चित्र भी इसकी दीवाल पर खिंचा था। ये मठ में न रहकर देहली-विनायक पर ही प्रायः रहा करते थे। 'अनुरागबाग' के अंत में ये लिखते हैं—

---

१. इनकी मृत्यु छप्पन विनायक (यव-विनायक) में हुई, जो मणिकर्णिका से विश्वनाथजी जाते समय मार्ग में पड़ते हैं।

२. यह मालवा के पास है।

सुखद देहली पै जहाँ बसत विनायक देव।
पच्छिम द्वार उदार है कासी को सुरसेव॥
तहै निवास गनपति कृपा बूझि पस्यौ कबिपंथ।
दीनदयाल गिरीस-पद बंदि कर्‌यो यह ग्रंथ॥
मनिकरनी सुरसरि सरन परि करि कियो प्रकासु।
गति सरनी बरनी कबिन महिमा धरनी जासु॥

इनके यहाँ कई विद्यार्थी अध्ययन करते थे। सुकवि सरदार, गोस्वामी दंपतिकिशोर, राधारमण आदि इनके शिष्य थे। ये शिष्यों को संस्कृत के अतिरिक्त भाषा (हिंदी) की भी शिक्षा देते थे।

इनके बनाए ग्रंथ अनुरागबाग, दृष्टांततरंगिणी, अन्योक्तिमाला, वैराग्यदिनेश, अन्योक्तिकल्पद्रुम और बागबहार हैं।

'अनुरागबाग' ग्रंथ सं० १८८८ में प्रारंभ हुआ था—

बसु[८] बसु[८] बसु[८] ससि[१] साल मैं ऋतु बसंत मधु मास।
रामजनम तिथि भौम दिन भयो सु बागबिकास॥

इसमें ४०० के लगभग छंद हैं। 'दीनदयालगिरि-ग्रंथावली' के 'अनुरागबाग' में कुछ छंद नहीं हैं वे सब भूमिका में दिए हुए हैं। संपादक को संदेह हुआ है कि वे 'अनरागबाग' के अंश हैं या नहीं। किंतु पं० चुन्नीलालजी की प्रति में मुझे सब छंद मिल गए हैं। 'अनुरागबाग' में कृष्णवियोग श्लेषमय षड्ऋतुओं का वर्णन अतीव उत्तम है।

'दृष्टांततरंगिणी' सं० १८७९ में बनी—

निधि[९] मुनि[७] बसु[८] ससि[१] साज में आसुन मास प्रकास।
प्रतिपद मंगल दिबस को कीन्यो ग्रंथबिकास॥

इसमें बड़े सुंदर-सुंदर दृष्टांत दिए गए हैं। कुछ दोहे इसमें ऐसे भी हैं जो 'पंचतंत्र' के श्लोकों के ठीक अनुवाद हैं।

'अन्योक्तिमाला' में समय नहीं दिया है। अंत में लिखा है—

यह कल्पद्रुम सुमनमय माला सुखद सुबेस।
बिलसै दीनदयाल गिरि सुमनस हिये हमेस॥

'अन्योक्तिमाला' की सभी अन्योक्तियाँ 'अन्योक्तिकल्पद्रुम' में हैं। इसमें दो बातें विचार में आती हैं। या तो इन्होंने इसे पहले बनाया और पीछे से 'अन्योक्तिकल्पद्रुम' में इसकी अन्योक्तियाँ रख दीं या इनके किसी शिष्य ने इसका अलग संग्रह किया।

'वैराग्यदिनेश' सं० १९०६ में आरंभ हुआ—

—— -

रितु[६] नभ[०] निधि[९] ससि[१] साल में माधव कृष्न रसाल।
बर बैराग्य दिनेस यह उदै भयौ तिहि काल॥

इस ग्रंथ में समस्यापूर्तियाँ और कुछ स्वतंत्र लिखित कविताओं का संग्रह तथा चित्रकाव्य है। कविता इसकी भी उत्तम है।

'अन्योक्तिकल्पद्रुम' सं० १९१२ में बना—

कर[२] छिति[१] निधि[९] ससि[१] साल में माघ मास सित पच्छ।
तिथि बसंत जुत पंचमी रबिबासर सुभ स्वच्छ॥
सोभित तेहि अवसर बिषे बसि कासी सुभ धाम।
बिरच्यो दीनदयाल गिरि कल्पद्रुम अभिराम॥

इसमें इनकी एक से एक अनोखी अन्योक्तियाँ हैं।

'बागबहार' ग्रंथ अप्राप्य है। बाबू श्यामसुंदरदास लिखते हैं कि 'मेरी समझ में 'अनुरागबाग' और 'बागबहार' एक ही ग्रंथ के दो नाम हैं। ये दो स्वतंत्र ग्रंथ नहीं।' किंतु ऐसी बात नहीं है। शिवसिंह सेंगर ने जो इसका उल्लेख किया है वह ठीक है। 'बागबहार' नामक ग्रंथ इन्होंने बनाया था, पर एक विद्यार्थी चुरा ले गया, अब उसका पता नहीं लगता।

ये हिंदी और संस्कृत के विद्वान् थे। कुछ-कुछ फारसी भी जानते थे। काव्यरीति के पूर्ण ज्ञाता थे। किंतु लड़कपन से संस्कृत की ओर झुकाव होने से कहीं-कहीं हिंदी के प्रयोग ठीक नहीं हुए हैं।

कहते हैं कि ये गेरुवे की कत्तनीदार पगड़ी बाँधते थे। जैसा पुरानी चाल से चलनेवाले गिरि, पुरी आदि बाँधते हैं। ये घोड़े पर चढ़कर घूमते थे। इन्हें घोड़े का बड़ा शौक था। घोड़े की पहचान अच्छी करते थे।

ये बड़े उदार और विनोदप्रिय थे। हाजिरजवाबी भी इनमें थी। श्लेष और यमकमय बात अधिक करते थे। यही कारण है कि इनकी कविता में श्लेष की मात्रा अधिक है।

ये सच्चरित्र और सरलचित्त थे। इन्हें आडंबर भाता न था। स्वाभाविकता प्रिय थी। इसी कारण इनकी कविता हृदय पर चोट करनेवाली हुई। इन्हें स्वतंत्रता अधिक प्रिय थी। महाराज अमेठी के लाख कहने पर भी ये उनके दरबार में रहने नहीं गए। हठी भी ये बहुत थे।

धन इनके पास कुछ भी नहीं था। पर इनके गुण और विद्याबल के कारण राजा, महाराजा इनकी गुप्तरूपेण सहायता करते थे। अच्छे-अच्छे कवि और राजा दर्शन को आते थे। बांधवेश कविवर महाराज रघुराजसिंह इनसे मिलने आए। उन्होंने इनकी सहृदयता, उदारता, अतिथिसत्कार तथा कविता पर मुग्ध होकर इनकी प्रशंसा में दो दोहे कहे—

हौ दयाल तुम दीन पर श्रीगिरि दीनदयाल।
बांछा जौ लौं करत नर तौ लौं होत निहाल ॥
सुकबि जहाँ लगि जगत में भए होहिंगे और।
करि बिचार मैं दीख अब तुम सबके सिरमौर ॥

इनसे और गोपालचंद्र 'गिरिधरदास' से बड़ी मित्रता थी। ये प्रायः नित्य ही बाबू हरिश्चंद्र के पास आया करते थे।

हिंदी-साहित्य में इनका स्थान ऊँचा है। इनके कुछ छंद देव और बिहारी की टक्कर के हैं। हास्य, करुण, वात्सल्य रसों में इनकी कविता है। शृंगाररस में भी थोड़ी रचना है। किंतु वीररस में नहीं। संन्यासी की रचना शृंगार-वीर में नहीं शांत में ही छजती है। भाषा परिमार्जित है। किन्तु इन्होंने कई भाषाओं का मिश्रण कर डाला है। व्रजी, बुंदेली, अवधी, वैसवाड़ी ही नहीं, कहीं-कहीं खड़ी बोली का भी मेल है। कोई-कोई छंद शुद्ध खड़ी बोली का है।

इनकी कविता में श्लेष और यमक अधिक है। साहित्य के प्रायः समस्त अंगों का इन्होंने ग्रहण किया है, यहाँ तक कि चित्रकाव्य का भी। समस्यापूर्तियाँ भी इनकी एक से बढ़कर एक हैं।

कुछ सूक्तियाँ

इनकी संपूर्ण कविता में सूक्तियों का अधिकांश है। इस दृष्टि से 'अनुरागबाग' और 'अन्योक्तिकल्पद्रुम' दर्शनीय हैं। रीतिकालीन अनेक कवियों ने अनुप्रास के पीछे भाव को त्याग दिया है, पर इन्होंने ऐसा नहीं किया है। जो आनुप्रासिक शब्द भावप्रदर्शित करते हुए आ गए हैं उन्हें इन्होंने सहर्ष स्वीकार किया है, अन्य का त्याग ही इन्हें इष्ट था।

सुकवि और माली का रूपक बाँधते हुए ये बतलाते हैं—

मूरुख मतंग ढिग आवन न देत क्योंहू पापी पसु पामर को करत किनारे हैं।
पूरि मद कंटक को दूरि करि यातें भूरि ईरषा कुसन खनि बाहिर निसारे हैं।
सूकर कुचाली नीच निंदक बिदारक जे बाटिका बिरोधी तिन्हैं दंड दै बिडारे हैं।
धारे बनमाली अनुराग घट प्रेमसाली माली यहि बाग के सुकबि रखवारे हैं ॥

इन्होंने षड्ऋतु का वर्णन श्लेषमय किया है। वसंतवर्णन देखिए—

जामैं पंचसुर धुनि सुखमा बिराजि रही देइ सु बिनोद मै सुबास सदा गति है।
कुंदन की कला चहूँ ओर झलामलै होति मनों उमापति की उदोत ज्योति अति है।
माधव सेवैं रसाल बिकसे बिसाल बेला ठौर ठौर जामैं सुक बानीहू लसति है।
किधौं सुखरासी है बसंत रितु दीनद्याल किधौं अबिनासी पुरी कासी बिलसति है ॥

कबित्त वसंत ऋतु और काशी दोनों पर घटेगा—

वसंतऋतु पक्ष में—जिसमें पंचसुरधुनि (कोकिल की पंचम स्वर की बोली) की शोभा शोभित है जो प्रसन्नता देती है, सुवास (सुगंध) युक्त जिसकी गति (चाल) है। कुंद (पुष्प) की प्रभा चारों ओर झलक रही है, मानो महादेव की ज्योति उदित हुई है। माधव (भौंरे) रसाल (आम) सेते हैं, बेला (पुष्प) विकसे हैं। स्थान-स्थान पर सुक (तोते) बोल रहे हैं। यह सुख की राशि वसंत ऋतु तो नहीं है।

काशीपक्ष में—जिसमें पंचसुरधुनि (पंचगंगा) की शोभा विराजती है, जो आह्लाद देनेवाली है, जहाँ सुवास (बसने) से ही गति (मुक्ति) है। जहाँ कुंदन (सोना) की छटा चारों ओर छाई है। मानो महादेव की प्रभा उदित हुई है। रसाल (रसयुक्त, रसिक) माधव (बिंदुमाधव) को सेते हैं (पूजते हैं)। विशाल (बहुत) बेला (समय) विकसे (बीते) अर्थात् रात्रि में संध्या समय सुक (शुकदेव) की वाणी (श्रीमद्‌भागवत की कथा) शोभित होती है अर्थात् व्यास कथा कहते हैं। सो क्या यह अक्षयपुरी काशी है।

सूरदास की भाँति इन्होंने भी कालिमा की खुटाई का वर्णन किया है। काले रंगवाले सभी भ्रष्ट या बुरी प्रकृति के होते हैं। कोकिल षोषण करनेवाले कौए का उपकार नहीं मानती, कौए दोष की खान हैं, नाग काट लेते हैं, चाहे उन्हें कोई दूध पिलाकर भी जिलाए। भौंरा मालती का रस चूसकर उसे त्याग देता है। काले बादलों की आशा में चातक रट लगाए रहते हैं, पर वह ध्यान नहीं देता। ठीक है, ईश्वर ने काले रंगवालों को ही बुरा बनाया है। पर कृष्णजी में तो इन सबके अवगुण पराकाष्ठा को पहुँचे हुए हैं—

कोकिल न मानैं पोस दोस ते भरे हैं काग नाग डसै तिन्हैं पय प्याय जे उबारे हैं।
मालतीलता मैं फिरैं भाँवरी भरत भौंर गंधहीन देखि और ठौर को सिधारे हैं।
पूरैं नदनारे भारे जलसों जलद कारे चातक बिचारे बूँदहेत रटि हारे हैं।
कारे कारे एक से सँवारे करतार ऊधो एते सब कारे स्याम अंगनि पै वारे हैं॥

विरह से जली गोपियाँ दीनता से विधि की ही विडंबना दिखाती हैं। श्याम का क्या दोष, 'कारे कारे एक से सँवारे करतार ऊधो'। सारे श्यामों से गोपियाँ वैर करेंगी—

छ्वैहैं नहिं इंदीबर न्है हैं न कलिंदी माहिं नाहिं अब सखी स्याम बिंदीहू लगाय हैं।
आनि जनि नीलमनिभूषननि मेरी बीर दूरि करि एरी मृगमद को न लाय हैं।
आली काकपाली की न सुनि हैं रसाली कूक अब तो तमालन के कुंज में न जाय हैं।
देखिहैं घटान कों न चढ़िकै अटान भूलि स्याम संग बैर अब हमहूँ बढ़ाय हैं॥

मुद्रालंकारमय अन्योक्ति की छटा इस कुडलिया में देखें—

बासा यहि तरु पै तुम्हैं बासा बासर एक।
बकै न इत ब्याधा जुरे वाही ओर अनेक।

वाही ओर अनेक का कहौं बाज रहै ना।
जाल परे वा होय जौन दुख सो कहुँ मैंना।
बरनै दीनदयाल करै तू के की आसा।
लाल मानि अब टेरि भजो सर आवत बासा॥

अन्योक्ति बासा (बाज) के प्रति है, पर घटित होती है संसार के मनुष्यों पर। मुद्रालंकार की विशेषता अलग। जो शब्द मोटे अक्षरों में हैं वे पक्षियों के नाम हैं।

कबीर आदि निर्गुनिया संतों की भाँति इन्होंने रहस्यात्मक अन्योक्तियाँ भी कही हैं—

पनिहारी यहि सर परैं लरति रही सब पाह।
रीतो घट लै घर चली उतै मारिहै नाह।
उतै मारिहै नाह काह तेहि ऊतर दैहै।
रोय रोय पति खोय फेरि सर पै फिरि ऐहै।
बरनै दीनदयाल इतौ हँसिहैं सब नारी।
ख्वारी दुहुँ दिसि परी अरी ग्वारी पनिहारी॥

साहित्यिक परंपरा का इनका अध्ययन तो गहरा था ही, साथ ही उसका अनुमान भी आदर्श है। ब्याजस्तुतिशैली में पद्माकर ने गंगा की प्रशस्ति लिखी है। इसका अनुवर्तन इन्होंने नवीन कल्पना द्वारा किया है—

कहैं यम लखो गुन त्रिदसतरंगिनी के नीके अवनी के बीच याकी कला जाने को।
रचित अनेक हर एक ही लहर माहिं कहर निहारे होय हहर सयाने को।
नाम है अनंत सो अनंत हार ह्वैहै गरै खंड खंड सुधानिधि ह्वैहै सीसवाने को।
बाहन को एक है सवार के ठिकाने नाहि दरद न जान्यो याने बरद पुराने को।

प्रत्येक लहर में गंगाजी सैकड़ों, करोड़ों महादेव बनाती हैं। उन सबको सर्प, चंद्रमा और सवारी के लिए बैल भी चाहिए। अनंत (शेषनाग) के अनंत हार हो जाएँगे और शीश पर के चंद्रमा को सब खंड-खंड बाँट लेंगे। पर नंदी तो एक ही है। न जाने कितने कल्पों का पुराना है। सबको एक ही नंदी पर बैठना होगा, फिर भला वह बेचारा मरेगा या बचेगा?

बाबाजी ने निर्गुनिया तर्ज पर कवियों को फटकार भी बताई है—

थूक औ खखार को अगार मुख ताकों कहि चंद अरबिंद कंद मोहै मतिहीन को।
हाड़ के लसंत दंत दुरगंध के समेत देत उपमान तिन्हैं कुंद की कलीन को।
माँस के निवास कुच तिन्हैं कहैं श्रीफलसे कंचन की बेलि कहैं ती-तन मलीन को।
देखत मसान माहि खाल को बिहाल हाल होत नाहिं लाज अहो निलज कवीन को॥

संतों के 'कस्तूरिया मृग को अंग' की-सी उक्ति देखिए—

तेरे ही बिच बस्तु वह जाको जगत सुगंध।
खोजत कहा कुरंग, तू अंबक आछत अंध।
अंबक आछत अंध कदा दिसिदिसि भरमैहै।
अपनी दिसि अबलोकि तबै बाको सुख पैहै।
बरनै दीनदयाल मिलै नहि बाहर हेरे।
अंतरमुख ह्वै ढूँढ सुगंध सबै घट तेरे॥

इनकी कवित्वशक्ति अच्छी थी। अन्योक्तिकल्पद्रुम की सभी अन्योक्तियाँ आकर्षक हैं। इनका चित्रकाव्य भी उत्तम और परिमाण में पर्याप्त है। अलंकारशास्त्र के ये पूर्ण ज्ञाता थे, श्लेष में इनकी कविता प्रचुर है। अन्योक्ति पर तो दो ग्रंथ ही रच दिए। दृष्टांततरंगिणी में दृष्टांतालंकार की बहार है।

दृष्टांततरंगिणी

कवि लोग जिस प्रकार रससंचार द्वारा जनता का हृदयप्रदेश प्रफुल्ल करते आए हैं उसी प्रकार उपदेशकों की भाँति नीतिसुधा पिलाकर उसे सन्मार्ग पर लगाने को भी प्रयत्नशील रहे हैं। संस्कृत-साहित्य में जिस प्रकार सूक्तियों का प्रणयन और चयन होता रहा है उसी प्रकार नीति के पद्यों का भी । अधिक-से-अधिक इन नीतिविषयक पद्यों को काव्याभ्यासी काव्यत्व के दायरे में रखने से आनाकानी भर कर सकते हैं, पर इनकी उपयोगिता वे भी अस्वीकार नहीं कर सकते।

जिस प्रकार मुक्तक रचना के लिए संस्कृत में विशेषतः श्लोक का प्रचार रहा और प्राकृत में गाथा का, उसी प्रकार अपभ्रंश के अनुकरण पर हिंदी में 'दोहा' गृहीत हुआ। नीतिकथन के लिए यह एक निश्चित छंद ही बन गया। कबीर आदि संतों से लेकर नीति कहनेवाले पुराने कैंडे के कवियों तक ने यही छंद अपनाया है। बाबा दीनदयाल गिरि ने भी दोहे में ही 'दृष्टांततरंगिणी' लिखी।

हिंदी में कवियों की वाणी द्वारा जितना दोहा माँजा गया संभवतः उतना कोई दूसरा छंद नहीं। अपभ्रंश की संपत्ति होने से इसे व्रजी ने भी बरता और अवधी ने भी। कुछ कवियों ने इसे खड़ी बोली में भी बरतकर इसकी परंपरा ठीक कर दी। बरवै को छोड़कर दोहा प्रायः प्रचलित छंदों में छोटा पड़ता है। नीति के लिए ऐसे ही छोटे साँचे की आवश्यकता भी होती है।

छंद को छोड़कर जब 'दृष्टांततरंगिणी' की वर्णनशैली की ओर आते हैं तब उसमें

भी प्राचीन परंपरा का ही पालन मिलता है। नीति की कोई बात कहकर उसके भली-भाँति समझ में आने के विचार से उदाहरण देने की प्रथा बहुत पहले से चली आती है। संसार की किसी घटना में नीति ढूँढ़ निकालने का काम पहले से ही हो रहा है। कबीर, रहीम, तुलसी, बिहारी, वृंद सभी ने यथास्थान ऐसा किया है। इसे सामान्य रूप में 'दृष्टांत' कहते है। 'दृष्टांत' शब्द यहाँ सामान्य रूप में ही गृहीत है, अलंकारशास्त्र के पारिभाषिक रूप में नहीं। इसे पारिभाषिक रूप में ग्रहण करने से इसके नाम पर बने छंद शुद्ध 'दृष्टांत' के उदाहरण सिद्ध न होंगे। 'दृष्टांत' शब्द के सामान्य अथवा व्यापक अर्थ की सीमा में अर्थांतरन्यास, उदाहरण, काव्यलिंग, निदर्शना आदि कई अलंकार आ जाते हैं। 'उदाहरण' को कुछ लोगों ने 'दृष्टांत' से भिन्न नहीं माना है। उनका कहना है कि 'दृष्टांत' यदि आर्थ है तो उदाहरण शाब्द। पर 'दृष्टांत' अलंकार के लक्षण पर विचार करने और उसकी भेदकता सामने रखने पर वह 'उदाहरण' से बिलकुल अलग अलंकार जान पड़ता है।

'दृष्टांत' में उपमेयवाक्य और उपमानवाक्य तथा उन दोनों के धर्मों का बिंबप्रतिबिंब भाव से कथन होता है।[१] जैसे—

भरतहिं होहि न राजमद बिधि हरि हर पद पाइ।
कबहुँ कि काँजी सीकरनि छीरसिंधु बिनसाइ॥ —तुलसीदास

यहाँ पहला वाक्य उपमेय और दूसरा उपमान है। 'बिधि हरि हर पद पा राजमद न होना' और 'काँजीसीकरों से विनष्ट न होना' दोनों के यथाक्रम धर्म हैं। ये सब बिंब-प्रतिबिंबरूप से कहे गए हैं। उपमेयवाक्य में जो कुछ कहा गया ठीक उसी की छाया उपमानवाक्य में भी है। इसलिए यह 'दृष्टांत' है। किंतु 'उदाहरण' में ऐसा नहीं होता। वहाँ सामान्य रूप से कहे गए अर्थ की प्रतिपत्ति के लिए उपमानवाक्य का कथन अवयवावयविभाव से किया जाता है।[२] जैसे—

आए ऐगुन एक के गुन सब जाय नसाय।
जथा खार जलरासि को नहिं कोउ जल खाय॥ —दृष्टांततरंगिणी

यहाँ पहला वाक्य सामान्य है, उसकी प्रतिपत्ति के लिए दूसरा उपमान-वाक्य कहा गया है। अतः ये दोनों अलंकार सर्वथा भिन्न हैं। यही नहीं 'काव्य-प्रदीप' के तिलक 'उद्योत' में नागोजी भट्ट ने 'उदाहरण' को 'दृष्टांत' नहीं अपितु 'अर्थांतरन्यास' के अंतर्गत माना है। उनके कथनानुसार सामान्य का समर्थन विशेष से होने के कारण इसे 'अर्थांतरन्यास' में ही रखना चाहिए। 'जैसे' आदि वाचकों के प्रयोग से 'उदाहरण' में 'उपमा' की भ्रांति तो होती है, पर वस्तुतः है यह एक प्रकार का 'अर्थांतरन्यास' ही।

---

१. **दृष्टांतः पुनरेतेषां सर्वेषां प्रतिबिंबनम्**—काव्यप्रकाश।

२. **सामान्येन निरूपितस्यार्थस्य सुखप्रतिपत्तये तदेकदेशं निरूण्य तथोरवयवावयविभाव उच्यमान उदाहरणम्॥**—रसगंगाधर।

हिंदी के अलंकारग्रंथों में भ्रम के 'उदाहरण' और 'अर्थांतरन्यास' के उदाहरण 'दृष्टांतालंकार' के अंतर्गत रख दिए गए हैं। वस्तुतः इन अलंकारों के सूक्ष्म भेद पर बिना विचार किए यह निर्णय करना कठिन हो जाता है कि उदाहृत पद्य में कौन-सा अलंकार है। 'दृष्टांत' में सामान्य का समर्थन सामान्य से अथवा विशेष का समर्थन विशेष से किया जाता है।[१] पर 'अर्थांतरन्यास' में सामान्य का समर्थन विशेष से और विशेष का समर्थन सामान्य से होता है। 'दृष्टांत' का उदाहरण ऊपर दे चुके हैं, एक 'अर्थांतरन्यास' का भी उदाहरण लीजिए—

अधम मलीन प्रसंग तें अधमै ही फल होत।
स्वाति अमृत अहिमुख परे बनि बिध होत उदोथ॥ —दृष्टांततरंगिणी

स्पष्ट है कि पहली पंक्ति सामान्य वाक्य है और दूसरी विशेष। दूसरी पंक्ति पहली का समर्थन भी कर रही है। इससे स्पष्ट है कि अर्थांतरन्यास में समर्थन की आवश्यकता कही बात को भली-भाँति खोलने के लिए पड़ती है।

अर्थांतरन्यास के अतिरिक्त 'दृष्टांत', 'निदर्शना' से भी मिलता-जुलता है। 'निदर्शना' में उपमा की कल्पना के द्वारा उन वस्तुओं का भी संबंध दिखाया जाता है जिनका संबंध होने की संभावना न हो।[२] इससे स्पष्ट है कि 'दृष्टांत' में न होनेवाले संबंध का मेल नहीं मिलाया जाता । पर संभव-संबंध में भी 'निदर्शना' मानी गई है।[३] इसलिए महामात्र विश्वनाथ का मत है कि 'निदर्शना' में जब तक बिंब-प्रतिबिंबभाव का आक्षेप न किया जाए तब तक वाक्यार्थ का पर्यवसान नहीं होता, पर 'दृष्टांत' में वाक्यार्थ का पर्यवसान हो जाने पर सामर्थ्य के कारण सादृश्य का ज्ञान होता है। सीधे शब्दों में यह कि 'निदर्शना' में उपमेय और उपमान वाक्यों की एकरूपता आवश्यक है, 'दृष्टांत' में नहीं। पर जिसे साहित्यदर्पणकार के संभव-संबंध माना है, उसे मम्मट आदि आचार्यों ने अपनी क्रिया के द्वारा किसी प्रकार के अर्थ का बोध कराना कहा।[४] 'निदर्शना' और 'दृष्टांत' के भेद को न समझकर 'वाग्भट्ट' ने 'दृष्टांत' का लक्षण बिलकुल 'निदर्शना' से मिला दिया है।[५] पर इसमें भेद वही है जो साहित्यदर्पणकार ने माना है।

जो स्थिति 'निदर्शना' के संबंध में है वही 'प्रतिवस्तूपमा' के संबंध में भी है। 'प्रतिवस्तूपमा' में भी दोनों के धर्मों की एकरूपता होती है, केवल पुनरुक्ति के बचाव के

---

१. **अनुपपद्यमानतया संभाव्यमानस्यार्थस्योपपादनार्थ यदर्थान्तरं न्यस्यते सोऽर्थान्तरन्यासः। दृष्टान्ते तु सामान्यं सामान्येन विशेषो विशेषेण समर्थ्यते इति ततो भेदः** ।—उद्योत।

२. **अभवन्वस्तुसम्बन्ध उपमापरिकल्पकः** ।—काव्यप्रकाश।

३. **संभवन्वस्तुसंबंधोः सम्भवन्वापि कुत्रचित्।**
यत्र बिम्बानुबिम्बत्वं बोधयेत् सा निदर्शना ॥—साहित्यदर्पण।

४. **स्वस्वहेत्वन्वयस्योक्तिः क्रिययैव च सा परा** ।—काव्यप्रकाश।

५. **अन्वयख्यापनं यत्र क्रियया स्वतदर्थयोः।**
तं दृष्टान्तमिति प्राहुरलकारं मनीषिणः ॥—वाग्भटालंकार।

लिए भिन्न-भिन्न शब्दों द्वारा उनका निर्देश कर दिया जाता है, पर 'दृष्टांत' में एकरूपता नहीं होती, समानता ही रहती है।

यदि आकारिक दृष्टि से दृष्टांतरंगिणी में 'दृष्टांतालंकार' के शुद्ध उदाहरण ढूँढे जाएँ तो बहुत कम निकलेंगे। कवि ने इस शब्द का प्रयोग व्यापक अर्थ में किया है।

संस्कृत-साहित्य का थोड़ा-सा भी अभ्यास या परिचय रखनेवाले को बताने की आवश्यकता नहीं कि 'दृष्टांततरंगिणी' के अधिकांश दोहे संस्कृत श्लोकों या पद्यों के उल्था मात्र हैं। केवल स्वामीजी ने ही नहीं हिन्दी के अन्य नीतिपद्यकारों ने भी संस्कृत के नीतिविषयक पद्यों का कोरा अनुवाद कर डाला है। इस बात में 'वृंद' बढ़े-चढ़े हैं। ये 'वृंद' से भी बढ़े हुए हैं। यदि समानभाव के संस्कृत श्लोक खोजकर प्रत्येक पद्य के साथ रख दिए जाएँ तो प्रस्तुत पुस्तक के बहुत-थोड़े पद्य ऐसे मिलेंगे जो स्वतंत्र होंगे। बानगी के लिए कुछ प्रसिद्ध श्लोक और दोहे नीचे उद्धृत हैं—

(१) बिद्या बिनु सोहै नहीं छवि यौवन कुल मूल।
रहित सुगंध सजै न बन जैसे सेमल फूल॥
रूपयौवनसम्पन्ना विशालकुलसम्भवाः।
विद्याहीना न शोभन्ते निर्गन्धा इब किंशुकाः॥

(२) साधु रहैं नहिं सकल थल कबिजन कहैं बखानि।
बन बन चंदन होहिं नहिं गिरि गिरि मानिकखानि॥
शैले शैले न माणिक्यं मौक्तिकं न गजे गजे।
साधवो न हि सर्वत्र चन्दनं न वने वने॥

(३) केहरि को अभिसेख कब कीन्हो बिप्रसमाज।
निज भुज के बल तेज में विपिन भयो मृगराज॥
नाभिषेको न संस्कारः सिंहस्य क्रियते मृगैः।
विक्रमार्जितराज्यस्य स्वयमेव मृगेन्द्रता॥

(४) कुलहि प्रकासै एक सुत नहिं अनेक सुत निंद।
चंद एक सब तम हरै नहिं उड़गन के बृंद॥
वरमेको गुणी पुत्रो न च मूर्खशतान्यपि।
एकश्चन्द्रस्तमो हन्ति न च तारागणाऽपि॥

(५) नही पढ़ायो पुत्र कों सो पितु बड़ो अभाग।
सोहत बैठी बुधसभा ज्यों हंसन में काग॥
माता शत्रुः पिता वैरी येन बालो न पाठितः।
न शोभते सभामध्ये हंसमध्ये वको यथा॥

ध्यानपूर्वक मिलाने से स्पष्ट है कि कहीं कुछ छोड़ दिया गया है, कहीं कुछ परिवर्तन कर दिया गया है और कहीं नई बात जोड़ दी गई है। इन्होंने संस्कृत से जितना उल्था किया है

उसमें पांडित्य से काम लिया है। इसमें कुछ ऐसे दोहे भी हैं जो हिंदी के प्राचीन नीतिपद्यकारों अथवा कवियों के पद्यों से भाव में बहुत मेल खाते हैं।

दृष्टांततरंगिणी की भाषा इनके अन्य ग्रंथों की भाषा से बहुत कुछ व्यवस्थित है। इनकी समस्त रचना में दो ही पुस्तकें ऐसी हैं जिनकी भाषा परिनिष्ठित है—एक दृष्टांततरंगिणी और दूसरे अन्योक्तिकल्पद्रुम। यद्यपि इन्होंने हिंदी की प्राचीन कविता का मनन किया था और शब्दों का परंपरा से सिद्ध रूप ग्रहण किया है तथापि संस्कृत की पंडिताई कहीं-कहीं झलक अवश्य गई है—

(१) श्री को **उद्यम ते** बिना।

(२) नींब न **मीठी** होय।

(३) **कृपन** धनी नहि।

(४) उठे **तरंग** उमंग सों।

इसके अतिरिक्त भाषा में बनारसीपन भी कहीं-कहीं आ गया है—

(१) भाग्य **फलति** है।

(२) बट **अंकुर की** न्याय।

(३) जन जन करैं **गिलान**।

(४) **चाभत** निचै अंगार।

(५) **ऐगुन** सबै नसाय। आदि

काव्यभाषा में व्याकरणव्यवस्था न होने पर भी इन्होंने भाषा का जो रूप रखा है वह काव्यभाषा का भरपूर मनन सिद्ध करता है।

इनकी रचना में 'गे' आदि पूर्वी प्रयोग किसी प्रकार के अनुरोध से रखने पड़े हैं। 'क्या' आदि के आधुनिक प्रयोग खड़ी बोली के आगमन की सूचना देते हैं। इनकी भाषा वैसी ही माननी पड़ेगी जैसी भारतेंदु बाबू की थी। किंतु पदावली में ये उतनी मधुरता और भाषा में वैसी सफाई नहीं दिखला सके जैसी पिछले खेवे के कुछ 'आनंदी' कवियों में दिखाई पड़ी थी और जिसका अनुकरण भारतेंदु ने किया था। गिरिजी की कविता का प्रचार इनके समय में ही होने लगा था। इनकी दृष्टांततरंगिणी और अन्योक्तिकल्पद्रुम के कितने ही पद्य लोगों के मुख से बहुत दिनों से सुने जाते हैं। इनकी ये दोनों पुस्तकें हैं भी उत्कृष्ट। ये हिंदी-साहित्य में अपना विशेष स्थान रखती हैं।

—नाट्यकाव्य

मध्यकाल में दृश्यकाव्य का रूप

(१)

मध्यकाल में दृश्यकाव्य की रचनाएँ नहीं मिलतीं। उसके कारणों पर कई दृष्टियों से विचार किया गया है। संस्कृत में दृश्यकाव्य या रूपक गद्यपद्यमिश्रित रचना के रूप में दिखाई देता है। हिंदी के मध्यकाल में गद्य का साहित्यिक विकास नहीं हुआ। कहीं-कहीं साहित्य के क्षेत्र में टीकाओं में ही वह दिखाई देता है, पर उसका रूप भी ऐसा नहीं है कि नाटकों में प्रयुक्त हो सके। लौकिक दृष्टि से नाट्यरचना समाज से कहीं अधिक संबद्ध है, उसमें सामाजिकता विशेष है। इस सामाजिकता का अवसर तभी आता है जब उसका अभिनय हो। भारतवर्ष में प्राचीनकाल में अभिनय होते थे और अभिनय करनेवाली मंडलियाँ तक होती थीं। भास के नाटकों के संबंध में कुछ विद्वानों ने यह कल्पना की है कि जिस रूप में वे प्राप्त हुए हैं वह नाटक-मंडलियों के बीच प्रचलित रूप है। उनका वास्तविक रूप उपलब्ध रूप से कुछ भिन्न रहा होगा। नाटक खेले जाते रहे हों और नाटकमंडलियाँ भी रही हों, फिर भी संस्कृत के महानाटकों के संबंध में कहा जाता है कि वे केवल पढ़े जाते थे। बड़े नाटक भी खेले न जाते हों ऐसा प्रतीत नहीं होता। नाटक क्रमबद्ध कई दिनों तक भी हो सकते हैं। फिर भी इतना निश्चित है कि संस्कृत में जितने नाटक लिखे गए उन सबको रंगशाला में अवतरित होने का अवसर नहीं मिला। भारतवर्ष में राजनीतिक दृष्टि से उत्तरापथ में बहुत दिनों तक रणवाद्य और अस्त्र-शस्त्र का नाद ऐसा छाया रहा कि अभिनय के लिए न दर्शक निश्चिंत थे न अभिनेता। दक्षिणापथ में जहाँ ऐसी स्थिति नहीं थी वहाँ रंगशाला नाट्य की मुद्राओं, नृत्य की गतों और वाद्य की नादलहरियों से सुसंपन्न होती रही। इसलिए संस्कृत के नाटकों में से भी कुछ तो खेले गए, पर कुछ अभिनीत हुए ही नहीं। प्राकृत में नाटकों की रचना परिमाण में कम हुई है। जो हुई भी है उसका अभिनय हुआ इसके प्रमाण नहीं मिलते। अपभ्रंश में नाटक रचना नहीं हुई। अपभ्रंश का प्रभूत वाङ्मय जैनों का मिलता है। ये श्रावकों को श्रव्यकाव्य सुनाने के पक्षपाती थे, दर्शकों को रूपक दिखाने के नहीं। भारत में मुसलमान नाट्यविरोधी धार्मिक मनोवृत्ति लिये आए। आभीरादिकों में नृत और नृत्य की प्रवृत्तियाँ तो थीं, पर नाट्य की नहीं। परिणाम यह हुआ कि भारत में पुराकाल से प्रचलित नाटक

की परंपरा को गहरा आघात पहुँचा। उसकी सारी प्रवृत्तियाँ प्रचलित साहित्य-रूपों की प्रवृत्तियों में अंतर्भुक्त की जाने लगीं। संवादरूप में नाटक की प्रवत्तियाँ सिकुड़कर अवशिष्ट रह गईं। जो रामचंद्रचंद्रिका और रामचरितमानस में संवादों की योजना के आधार पर उन्हें नाटक कहते हैं वे भ्रम में हैं। साहित्य की शाखा के रूप में इन ग्रंथों का निर्माण श्रव्यकाव्य के अंतर्गत ही हुआ है। यह अवश्य कहा जा सकता है कि इनका प्रयोग नाटक अथवा लीला में हो सके इसका लक्ष्य भी इनके कर्ताओं ने कदाचित् रखा हो। जब किसी नाटक में खेलते समय अपेक्षित परिवर्तन किया ही जाता है तब साहित्य की श्रव्यकाव्य-शाखा को दृश्यकाव्य-शाखा में परिणत करके अभिनेता कोई नाटक रच ले सकते हैं। जब आधुनिक समृद्ध युग में कामायनी ऐसी श्रव्यकाव्य की रचना को, जिसमें दृश्यकाव्य के वस्तुतत्त्व परिमाण में बहुत कम हैं, दृश्यकाव्य के रूप में दिखाया जा सकता है तब 'मानस' और 'चंद्रिका' को लीलाओं में विनियुक्त कर देना विशेष कठिन नहीं था। इसलिए संवादों को देखकर या रूपक, रासक, साटक आदि नामों के आधार पर नाटकों की कल्पना कर लेना ठीक नहीं। जिन ग्रंथों में संवाद हुआ करते थे उनको नाटक कहने का चलन था। दूसरे ढंग से यों कह सकते हैं कि नाटकों की पिपासा संवादों के द्वारा साहित्यगत प्रचलित रूपों के माध्यम से शांत की जाती थी। धार्मिक दृष्टि से लीलाएँ और विनोद की दृष्टि से भाँडों के खेल जनता का मनोरंजन करते थे। साहित्यिक अभिरुचि की तृप्ति से संस्कृत के पद्यबद्ध अनुवाद द्वारा कर ली जाती थी। अन्यत्र 'वाद' और 'चर्चा' के रूप में संवादात्मक काव्य दिखाकर नाटकीयता की रिरंसा पूर्ण कर ली जाती। जो यह समझते हैं कि हिंदी-साहित्य के अतीत में नाटकों का निर्माण न होने में मुक्तक-काव्यों का प्रचार प्रमुख है वे अनिवार्य कारणों की उपेक्षा करके नवीन उद्भावना द्वारा यश लूटना चाहते हैं।

नाटक के निर्माण के लिए कई अपेक्षित अनुबंध हैं। सबसे प्रथम तो रंगशाला है, दूसरे प्रवाहपूर्ण गद्य की आवश्यकता है। तीसरे जनता के द्वारा उसकी तीव्र माँग अपेक्षित है। चौथे उस प्रकार के प्रतिद्वंद्वी का या तो अभाव होना चाहिए या दुर्बल सद्भाव। पाँचवें यदि और कुछ न हो तो कम-से-कम साहित्य की स्वच्छंद शाखा के रूप में उसके निर्माण का संकल्प होना चाहिए। आधुनिक युग में मुक्तक-रचनाएँ परिमाण में बहुत हो रही हैं फिर भी नाटकों का निर्माण बहुत हो रहा है। ये नाटक खेले तक नहीं जाते, साहित्य की एक शाखा के रूप में ही कर्ता इनका निर्माण अपेक्षित समझते हैं। कुछ नाटक खेले भी जाते हैं। यों सवाक् चित्रपट और आकाशवाणी के लिए रूपकरचना भी होती है, पर उन सबका साहित्यिक महत्त्व विचारणीय है।

(२)

रसात्मक अभिव्यक्ति काव्य और नाट्य दो रूपों में भारतीय साहित्यप्रवाह ने अत्यंत प्राचीन कल्प से स्वीकृत कर रखी है। इनमें से सबसे अधिक प्रभावकारी होती है नाट्यप्रवृत्ति। काव्य अर्थात् श्रव्यकाव्य में कर्ता अथवा द्रष्टा केवल 'दर्शन' लोक के

सम्मुख उपस्थित करता है। नाट्य अथवा दृश्यकाव्य में उसे प्रदर्शनपूर्वक उपस्थित करता है। दर्शन और प्रदर्शन दोनों के योग से उसकी शक्ति बहुत बढ़ जाती है। फलस्वरूप काव्य को भी नाट्य का रूप देने का प्रयास किया जाता है। किंतु स्मरण रखना चाहिए कि वही काव्य नाट्य का रूप धारण कर सकता है जिसमें रसात्मक अभिव्यक्ति का अधिक ध्यान रखा गया हो। महर्षि वाल्मीकि ने मर्यादापुरुषोत्तम रामचंद्र का पवित्र चरित्र निबद्ध करते हुए रामायण उपस्थित किया, उसी को नाट्य का रूप उन्हीं के शिष्यों ने दिया। आधुनिक भाषा-विज्ञान अभिनेता के लिए प्रयुक्त होनेवाले कुशीलव का संबंध वाल्मीकि के दो शिष्यों कुश और लव से जोड़ता है। यह तो निश्चित है कि वाल्मीकि ने जो रचना की उसे कुश और लव गाकर तथा दिखाकर श्रोताओं या दर्शकों को रसमग्न किया करते थे, इसलिए श्रव्यकाव्य की दृश्यकाव्य में परिणति बहुत प्राचीन कल्प से अर्थात् संस्कृत के आदिकाव्य से ही दिखाई देती है। वाल्मीकि रामायण रसात्मकता पर विशेष ध्यान देनेवाला है, इसे उसके उद्‌भव के संबंध में प्रचलित अनुश्रुति ही बतला देती है। क्रौंचमिथुन में से एक के निषाद द्वारा हत किए जाने पर जो शोक हुआ वही श्लोक हो गया। करुणा उत्पन्न होने पर अपने कठोर और साहसी भाई (क्रोध) की सहायता से कार्य संपन्न करती है, दुःखी अथवा शोकसंतप्त की सेवा-अर्चा में स्वयं प्रवृत्त होती है और उस दुःख पहुँचानेवाले का दमन करने के लिए अपने दुर्दांत भाई क्रोध को भेज देती है। इसलिए कभी-कभी यह प्रश्न उठ खड़ा होता है कि वाल्मीकि के अंतःकरण में शोक होने पर निषाद के प्रति शाप की वाणी क्यों फूट पड़ी। वस्तुतः दो विभिन्न आलंबनों के प्रति दो प्रकार के भाव जग जाया करते हैं। 'स्व' की सीमा से परे किसी 'पर' के शोक से जो परदुःखकातरता उत्पन्न होती है वह करुणा का रूप धारण करती है। स्वयं कुछ प्रतिकार करने में समर्थ न होने के कारण वह क्रोध से सहायता लेती है। काम तो क्रोध करता है पर नाम करुणा का ही होता है। क्योंकि उसी के लिए क्रोध वह काम करता है, अर्थात् क्रोध दो प्रकार होता है—एक करुणाप्रेरित और दूसरे स्वतः उद्‌बुद्ध या अहंप्रेरित। वाल्मीकीय रामायण में करुणाप्रेरित क्रोध की ही अभिव्यक्ति है। यह बताने की आवश्यकता नहीं कि करुणाप्रेरित क्रोध रसमग्न करने में समर्थ होता है।

वाल्मीकीय रामायण की परंपरा अन्य किन-किन काव्यग्रंथों ने ग्रहण की, इसके ऐतिहासिक प्रमाण उपलब्ध नहीं हैं। अतः किसी ऐतिहासिक क्रम की स्थापना कर सकना संभवत प्रतीत नहीं होता। किंतु हिंदी के कुछ ग्रंथों को देखने और उनके संबंध में होनेवाले प्रयोग से यह स्पष्ट हो जाता है कि इस प्रकार की कदाचित् कोई परंपरा रही होगी। मानससंबंधी रामलीला के प्रसंग में यह जनश्रुति है कि काशी में तुलसीदास के समय में होनेवाले मेघा भगत वाल्मीकीय रामायण के अनुसार रामलीला का आयोजन किया करते थे। तुलसीदास से घनिष्ठता बढ़ने पर उन्होंने उसके स्थान पर मानस की रामलीला चलाई। केशव की रामचंद्रचंद्रिका में नाटकीय ढंग से संवादों की अत्यधिक योजना निरुद्देश्य नहीं जान पड़ती। उसके दो प्रकार के उद्देश्य अनुमित होते हैं—एक तो

साहित्यिक प्रवाह में नाटकों का निर्माण स्थगित हो जाने से उसकी संवादात्मक शैली का श्रव्यकाव्य में नियोजन करके प्रबंधकाव्य में नूतन उन्मेष उत्पन्न करना और दूसरे आवश्यकता पड़ने पर श्रव्यकाव्य को दृश्यकाव्य में परिणत कर देना। केशव के समय में रामचंद्रचंद्रिका के अनुसार रामलीला करने का आयोजन इसलिए संभाव्य जान पड़ता है कि मानस की रामलीला में बहुत से स्थानों पर उसका अत्यधिक उपयोग होता है। उत्तरप्रदेश के पश्चिमी अंचल में उसका इस कार्य में सबसे अधिक प्रयोग होता रहा है। ऐसा जान पड़ता है कि रामलीला को अधिक आकर्षक बनाने के प्रयास में बहुतों ने चुने हुए प्रसंगों पर संवाद लिखने का कार्य किया। ज्यों-ज्यों मानस की शब्दावली का ही अनुगमन करने की वृत्ति बढ़ती गई इस प्रकार के संवाद कम होते गए।

मध्यकाल में नाटकीय रचना न होने के संबंध में अनेक कारण उपस्थित किए गए हैं। कहा गया है कि शासक के रूप में मुसलमान बंधुओं के आ जाने से उनके साहित्य अर्थात् फारसी-साहित्य तथा उनके धार्मिक विश्वास दोनों का प्रभाव पड़ना अनिवार्य था। कट्टर मुसलमानी मनोवृत्ति के अनुसार काव्य के अनिवार्य उपादानों नाद और चित्र दोनों का ग्रहण अधार्मिक था। कहते हैं कि औरंगजेब के कट्टरपन को लक्ष्य कर कुछ लोगों ने महलों की ओर से होकर संगीत का जनाजा निकाला। बादशाह ने कौतूहलपूर्वक जब जिज्ञासा की कि जनाजा किसका है तब बताया गया कि संगीत का। बादशाह ने कहा कि इसकी कब्र गहरी खोदी जाए जिससे यह फिर बाहर न निकल सके। संगीत और चित्र दोनों की कलाओं के प्रति धार्मिक दृष्टि से असहिष्णुता होते हुए भी मुगलकाल में इन दोनों कलाओं का नूतन उन्मेष कुछ-न-कुछ अवश्य दिखाई देता है। फिर भी नाटकों की ओर अभिरुचि नहीं हुई। अतः जान पड़ता है कि इसका कारण इतना ही नहीं है। वास्तविकता यह थी कि जिस फारसी-साहित्य के संपर्क में भारतीय साहित्य आया उसमें भी रूपकात्मक विकास नहीं था। केवल विदेशियों के शासन और विदेशी साहित्य का संपर्क ही सब कुछ नहीं हो सकता। विशेषतया ऐसी स्थिति में जब किसी साहित्य की परंपरा जिस प्राचीन साहित्य से संबद्ध हो वह नाटक की दृष्टि से समृद्ध हो। यह मानना पड़ेगा कि कोई-न-कोई देशी कारण भी इसमें अवश्य है। इस विचार को लिए-दिए यह कहा गया कि मध्ययुग में भक्ति का जो आंदोलन प्रबल हुआ और उसमें पदशैली का जो बहुत अधिक व्यवहार किया गया उसका प्रभाव साहित्य के लिए अनेक क्षेत्रों में अहितकर हुआ। प्रबंधकाव्यों का निर्माण और नाटकों का लेखन बहुत कम या कुछ भी नहीं हुआ। उसका मुख्य हेतु भक्ति की विशेष प्रकार की प्रवृत्ति है। निर्गुणभक्ति का प्रवाह नाटक के अनुकूल किसी प्रकार नहीं हो सकता, चाहे वह ज्ञानमार्गी हो चाहे प्रेममार्गी। सगुणभक्ति के कृष्णभक्तिप्रवाह में जितनी कथा ली गई वह किसी अच्छे प्रबंधकाव्य अथवा अच्छे नाटक के लिए पर्याप्त या अनुकूल नहीं थी। छोटे-छोटे संवादात्मक प्रसंगों की ही योजना उसमें हो सकती थी। फल यह हुआ कि दानलीला आदि के संवादात्मक प्रसंग ही लिखे गए। नाटकीय अभिरुचि वैसी नहीं हुई जैसी संस्कृत-साहित्य में हुई। रामभक्ति का

स्वरूप कुछ व्यापक था। यही कारण है कि उस क्षेत्र में दोनों प्रकार की प्रवृत्तियों के लिए कुछ अवकाश निकल आया। इतना होने पर भी अधिक ग्रंथ क्यों नहीं लिखे गए वह समस्या फिर भी सामने आ खड़ी होती है।

इस तथ्य पर विचार करने से स्पष्ट होता है कि सम्यक् नाटकीय मनोवृत्ति का अभाव अवश्य हो गया था। उसका हेतु यह था कि नाटकों के लिए न कोई रंगमंच था और न उसके अनुरूप साहित्य में गद्य का विकास ही। नाटक के लिए गद्य परिमाण में अधिक अपेक्षित है, वह संस्कृत के नाटकों से भी सिद्ध है। मध्यकाल में साहित्यिक रचना पद्यात्मक ही होती थी। उन्हीं पद्यों के बीच नाटकीय तत्त्व सिमटकर रह गए। नवीन या पृथक् काव्यरूप की ही दृष्टि से नाटकों का ग्रहण हो सकता था। फल यह हुआ कि जो साहित्यिक प्रबंधकाव्य लिखे गए उनमें कहीं कम कहीं अधिक संवादात्मक योजना ली गई। जो प्रबंधकाव्य नहीं लिखते थे वे मुक्तक के क्षेत्र में संवादात्मक प्रसंग लिखने में प्रस्तुत होते थे। 'वाद' और 'चर्चा' नाम से कई संवादात्मक प्रसंग लिखे गए। सबको संपिड़ित करके कहना यह है कि मध्यकाल में नाटकीय तत्त्व संवाद के रूप में संकुचित होकर रह गया था। इसी की योजना विविधरूपों में तत्कालीन साहित्य में की गई है। जहाँ संवादात्मक प्रसंग रखे जाते थे उन ग्रंथों का नाम नाटक रख दिया जाता था। जैनों के उपदेशात्मक कई ग्रंथ नाटक के नाम से इसीलिए प्रसिद्ध हैं कि उनमें संवाद की योजना हुई है।

हिंदी में साहित्यरचना का आरंभ चाहे अधिक प्राचीन समय से माना जाए, पर निर्भ्रांत रूप से उसके जो प्रथम कवि ज्ञात हैं वे विद्यापति हैं। उनके दो नाटक 'पारिजातहरण' और 'रुक्मिणीपरिणय' प्रख्यात हैं। नेपाल में गोरक्ष-नाटक की भी खंडित प्रति मिली है जो विद्यापति के पुत्र की रचना कही जाती है। केवल विद्यापति या उनके परिवार ने ही नहीं पूर्वी अंचल के अन्य कई कवियों ने नाटक लिखे, जैसे लाल झा ने 'गौरीपरिणय', भानुनाथ ने 'प्रभावतीहरण' और हर्षनाथ झा ने 'उषाहरण'। पूर्वी अंचल के नाटकों के निर्माण का असली कारण यही है कि वह क्षेत्र मुसलमान प्रभाव से उस समय बहुत कुछ बचा हुआ था। ये सभी पौराणिक कथाओं को आधार बनाकर लिखे गए शृंगार के नाटक हैं। आगे चलकर यह धारा अवरुद्ध हो गई। संस्कृत के नाटकों का पद्यबद्ध अनुवाद करने की प्रवृत्ति विशेष रूप से जगी। यों तो कालिदास के 'अभिज्ञानशाकुंतल' और भवभूति के 'मालतीमाधव' के भी अनुवाद हुए, किंतु जिन नाटकों की ओर विशेष ध्यान दिया गया वे 'प्रबोधचंद्रोदय' और 'हनुमन्नाटक' हैं। प्रबोधचंद्रोदय के कई अनुवाद हुए। महाराज जसवंतसिंह ने इसका अनुवाद अधिकतर गद्य में किया, जिसकी चर्चा पहले की जा चुकी है। व्रजवासीदास, जनअनन्य, प्रसिद्ध काव्यमर्मज्ञ और टीकाकार सूरति मिश्र ने भी इसका अनुवाद किया। इस नाटक को आधार बनाकर लिखनेवाले प्रसिद्ध कवि केशवदास और देव भी हैं। केशवदास की विज्ञानगीता इसी पर अवलंबित है जिसका उल्लेख पहले किया जा चुका है और देव ने भी देवमायाप्रपंच इसी के आधार पर प्रस्तुत किया है। हनुमन्नाटक के भी चार-पाँच

अनुवाद हुए जिनमें सबसे प्रसिद्ध हृदयराम का अनुवाद है। नेवाज ने 'शकुंतला' नाटक का उल्था और सोमनाथ ने 'मालतीमाधव' नाटक का माधवविनोद नाम से अनुवाद किया। यह कहने की आवश्यकता नहीं कि ये नाटक तत्त्वतः गद्य अथवा पद्य में संवादरूप में ही रह गए थे। अभिनय के लिए नाटक का जो रूप अपेक्षित होता है वह इनमें नहीं दिखाई देता। प्राणदास चौहान का रामायण महानाटक और लछीराम जैन का करुणाभरण संवाद मात्र हैं। सदाराम की नाटकदीपिका, जो सं. १८७३ के आसपास लिखी गई, कैसी रचना है कुछ कहा नहीं जा सकता। जान पड़ता है कि इसमें भी कुछ संवाद लिखे गए हैं।

सच बात तो है कि अभिनय का कुछ ध्यान रखते हुए जो नाटक मध्यकाल के अंत में प्रस्तुत किया गया वह महाराज विश्वनाथसिंह का आनंदरघुनंदन है। इसका प्रणयन व्रजभाषा में हुआ है। गद्य भी व्रजभाषा ही का है। महाराज रघुराजसिंह का रामस्वयंवर संवादात्मक रचना मात्र है। उसे रामचंद्रचंद्रिका के ढंग का नाटकीय प्रबंधकाव्य ही कहना चाहिए। इस युग का सबसे अंतिम नाटक भारतेंदु हरिश्चंद्र के पिता गिरिधरदास का 'नहुष' नाटक कहा जा सकता है। यह भी आनंदरघुनंदन की भाँति व्रजभाषा में ही लिखा गया है।

इन सब स्थितियों पर विचार करने से स्पष्ट हो जाता है कि हिंदी के अतीतकाल में नाटक केवल पूर्वी अंचल में मौलिक रूप में प्रस्तुत हुए। उनमें पौराणिक वृत्त ग्रहण किया गया। मध्ययुग में केवल अनुवाद ही होते रहे। अनुवाद की प्रवृत्ति इससे भी स्पष्ट है कि ज्ञानभक्ति-विषयक नाटक ही अधिक परिमाण में गृहीत हुए। 'अभिज्ञानशाकुंतलम्' पौराणिक या ऐतिहासिक नाटक माना जाएगा। केवल भवभूति का मालतीमाधव प्रकरण है अर्थात् कल्पित वृत्त पर लिखा गया है। 'आनंदरघुनंदन' और 'नहुष' पौराणिक वृत्त और भक्तिसंबंधी नाटक हैं। इससे स्पष्ट है कि नाटकों के क्षेत्र में भी पुराण-भक्ति की ही धारा प्रवाहित होती रही।

विश्वनाथसिंह

आनंदरघुनंदन के कर्ता विश्वनाथसिंह बांधव अर्थात् रीवा के महाराज थे। प्रसिद्ध रामोपासक महाराज रघुराजसिंह इन्हीं के पुत्र थे। ये वस्तुतः प्रवृत्तिमार्गी रामोपासक भक्त थे। किंतु कबीर के शिष्य धर्मदास द्वारा रीवा में होनेवाले उपदेशों के कारण इनके पूर्वज निर्गुनिया संतों के निवृत्तिमार्ग की ओर भी उन्मुख हुए। इसलिए इनकी दो प्रकार की रचनाएँ मिलती हैं। एक सगुणभक्ति-संबंधी और दूसरी निर्गुणप्रवाह के शीर्षकों पर लिखी। रामोपासक होने के कारण इन्होंने निर्गुण और सगुण की एकवाक्यता उसी प्रकार स्वीकार की है जैसे रामभक्त तुलसीदास ने। इन्होंने कबीर के बीजक की जो टीका की है

वह भी सगुणपरक है। इसी से स्पष्ट हो जाता है कि ये तत्त्वतः समन्वयवादी सगुणोपासक थे। निर्गुणमार्गी निवृत्तिमुखी प्रवाह धीरे-धीरे किस प्रकार सगुणमार्गी प्रवृत्तिमुखी प्रवाह में लीन हो गया,इसका रहस्य इस प्रकार के प्रयत्नों में निहित है। ये केवल रचना ही नहीं करते थे, अनेक कवियों को इन्होंने आश्रय भी दे रखा था। इनके दरबार में बख्शी शमनसिंह, शिवनाथ, गंगाप्रसाद, अजबेस आदि अनेक कवि रहते थे। किसी-किसी का अनुमान है कि इनके नाम पर जितनी रचनाएँ मिलती हैं उनमें सब इन्हीं की लिखी नहीं हैं, बहुत-सी इनके आश्रित 'पंडितों' की लिखी हैं। इस बात को कोई अस्वीकार नहीं कर सकता कि दरबार के पंडितों और कवियों द्वारा ये नरेश अपनी रचनाओं का परिष्कार कराते थे। पर यह नहीं कहा जा सकता कि इनमें निर्माण की शक्ति थी ही नहीं। उस युग में प्रत्येक नरेश अच्छी शिक्षा-दीक्षा पाता था, शक्ति और अभिरुचि होने पर वह निर्माण भी किया करता था। इनके नाम पर जितने ग्रंथ मिलते हैं उनमें से इनके लिखे ग्रंथ भी अवश्य होंगे। हस्तलिखित हिंदी ग्रंथों की खोज के संक्षिप्त विवरण (पहले भाग) में इनके निम्नलिखित ग्रंथ दिए गए हैं—(१) अष्टयाम आह्निक, (२) गीतरघुनंदन प्रमाणिकाटीका-सहित, (३) धनुर्विद्या, (४) परमतत्त्व-प्रकाश, (५) आनंदरामायण, (६) परमधर्मनिर्णय, (७) कबीर के बीजक की पाखंडखंडिनी टीका (इसी का नाम खोज १९०३ में 'अनुभव पद-प्रदर्शनी टीका' दिया है। इस टीका के अंतर्गत कबीर के बारह ग्रंथों का तिलक है— (क) आदिमंगल वा बीजक, (ख) रमैनी, (ग) शब्द, (घ) ककहरा, (ङ) वसंत, (च) चौंतीसी, (छ) बिप्रबतीसी, (ज) बेलि, (झ) चाचरी, (ञ) हिंडोला, (ट) विरहली, (ठ) साखी का। इसीलिए इनके नाम पर जो आदिमंगल, वसंत, चौंतीसी, चौरासी रमैनी, ककहरा, शब्द, साखी आदि स्वतंत्र ग्रंथ लिखे गए हैं। वे तत्त्वतः बीजक की टीका के अंग हैं), (८) उत्तमकाव्यप्रकाश, (९) शांतिशतक, (१०) रामायण, (११) भजन, (१२) आनंदरघुनंदन, (१३) वेदांतपंचक सटीक, (१४) गीतावली पूर्वार्ध, (१५) उत्तमनीतिचंद्रिका या ध्रुवाष्टकनीति (ध्रुवाष्टक नाम से जो इनकी रचना पृथक् दी हुई है वह स्वतंत्र ग्रंथ नहीं जान पड़ती), (१६) विश्वभोजनप्रकाश। इसके अतिरिक्त शुक्लजी के इतिहास में सर्वसंग्रह, विनयपत्रिका की टीका, रामचंद्र की सवारी, पदार्थ, अबोधनीति, ध्यानमंजरी, संगीतरघुनंदन पुस्तकों का भी उल्लेख है।

मिश्रबंधुविनोद (प्रथम संस्करण, द्वितीय भाग) में इनके निम्नलिखित ३० ग्रंथों का उल्लेख है—(१) अष्टयाम का आह्निक, (२) आनंदरघुनंदन नाटक, (३) उत्तमकाव्यप्रकाश, (४) गीतरघुनंदनशतिका, (५) रामायण, (६) गीतरघुनंदनप्रमाणिक, (७) सर्वसंग्रह, (८) कबीर के बीजक की टीका, (९) विनयपत्रिका की टीका, (१०) रामचंद्र की सवारी, (११) भजन, (१२) पदार्थ, (१३) धनुर्विद्या, (१४) परानीयतत्त्वप्रकाश, (१५) आनंदरामायण, (१६) परमधर्मनिर्णय, (१७) शांतिशतक, (१८) वेदांतपंचकशतिका, (१९) गीतावली पूर्वार्ध, (२०) ध्रुवाष्टक, (२१) उत्तमनीतिचंद्रिका, (२२) अबोधनीति, (२३) पाखंडखंडिनी, (२४) आदिमंगल, (२५) वसंत, (२६) चौंतीसी, (२७) चौरासी रमैनी, (२८) कहरा, (२९) शब्द, (३०) विश्वभोजनप्रसाद।

अप्रकाशित खोजविवरणों में निम्नलिखित छह ग्रंथों का उल्लेख है—(१) पैंतीसी (सं० २०१२), (२) उत्तम व्यंगप्रकाश (सं० २०१२), (३) अमृतसागर और यूनानी (सं० २०१३), (४) विनैमाल (सं० २०१४), (५) कृष्णाह्निक टीका (सं० २०१४), (६) विश्वनाथप्रकाश (सं० २०१४)। श्रीरघुराजसिंह ने आनंदांबुनिधि में इनके ग्रंथों की सूची इस प्रकार दी है—

बिनैमाल आनंदरमायन। गीतावली नौटकौ चायन।
कृस्नावली सुमारग टीका। सांतसतक कृस्नान्हिक नीका।
श्रीरघुनंदनगीत सुभासा। तत्वप्रकासहु व्यंग्यप्रकासा।
ग्रंथ बिस्वभोजनहु प्रकासा। बैदिक विश्वनाथपरकासा।
धर्मसास्त्र अरु बीजक तिलकै। राजनीति द्वै बिरच्यौ भल कै॥
हतुमतपैंतीसी रच्यो और बिचारसुचार।
धनुर्विद्या आरामबिधि सालहोत्र सुखसार॥
नाटक परमप्रबोधबिधि येते भाषा ग्रंथ।
बिरचि चलाए पहुमि पर जे सिगरे सत पंथ॥
येते ग्रंथ संस्कृत जानो। प्रथम सर्वसिद्धांत बखानो।
राधाबल्लभभाष्य सुहाई। रामान्हिक बिरच्यो सुखदाई।
अतिसुंदर सँगीतरघुनंदन। नाटकहू आनँदरघुनंदन।
रामायन अध्यात्महि तिलकै। तिलकबाह्मनी को किय भल कै।
तिलक भागवत को अंति भारी। बिरच्यो बरनत नित्य बिहारी॥

—(खोज २६-३७१ ए)

छानबीन करने से दिखाई देता है कि जितने अधिक ग्रंथ इनके नाम पर दिखाई देते हैं वे तत्त्वतः खोजविवरण से उत्पन्न भ्रम के कारण। एक ग्रंथ के दो नाम होने से दो ग्रंथ मान लिये गए हैं, किसी ग्रंथ के खंडों को स्वतंत्र ग्रंथ मान लिया गया है। जान पड़ता है कि गीतरघुनंदन और संगीतरघुनंदन भी एक ही हैं। इनके नाम पर संख्याधिक्य देखकर ही लोगों ने अनुमान कर लिया है कि इनके बहुत से ग्रंथ तत्त्वतः इनके लिखे नहीं हैं। ये सं० १८७८ से लेकर १८९७ तक कुल बीस वर्ष रीवा की गद्दी पर थे। ये राधावल्लभ संप्रदाय के प्रियादास के शिष्य थे। इनकी रचनाएँ अधिकतर वर्णन या उपदेश से युक्त हैं। फिर भी यथास्थान रसात्मकता पाई जाती है।

आनंदरघुनंदन

आनंदरघुनंदन व्रजभाषा का प्रथम नाटक है। इसमें गद्य-पद्य दोनों में व्रजभाषा का ही व्यवहार है। पात्रों के नाम और रंगशाला-संबंधी सूचनाएँ संस्कृत में दी गई हैं। प्रस्तावना में सूत्रधार पारिपार्श्वक से पूछता है कि ऐसा कौन-सा नाटक है जो अभी तक

खेला नहीं गया। सूत्रधार कहता है कि मेरे अंतःकरण में सरस्वती की प्रेरणा हुई है कि अकस्मात् अनुपम नाटक प्राप्त होगा। इसके अनंतर भाव का प्रवेश होता है, जो सूत्रधार को त्रिकालज्ञ आदिकवि की पत्रिका देता है, जिसे सूत्रधार पढ़ता है। उस पत्रिका में लिखा हुआ है कि ब्रह्मा की विनय से पृथ्वी का भार उतारने के लिए भगवान् का अवतार होगा। इस प्रकार के चरित्र का संस्कृत में पहले ही निर्माण हो चुका है। इसी को आनंदरघुनंदन के नाम से विंध्यपति जयसिंह के पुत्र श्री विश्वनाथसिंह भाषा में प्रस्तुत करेंगे। पत्रिका पढ़ लेने के अनंतर शिष्यों का प्रवेश होता है और उनके साथ समित्पाणि गुरु भी आते हैं। सूत्रधार उन्हें प्रणाम करता है। विष्कंभक के अनंतर सचिव का प्रवेश होता है। दिग्यान महाराज का प्रवेश होता है। उनके चार पुत्रों के गुरु ने क्रमशः ये नाम रखे हैं — हितकारी, डहडहजगकारी, डीलधराधर और डिंभोदर। नट आकाश की ओर देखकर कहता है कि इंद्र और दैत्यों में युद्ध हो रहा है इसलिए मैं रस्सी फेंककर देवताओं का साथ देने जाता हूँ। सभासदों के देखते सचमुच वह रस्सी के सहारे आकाश पर चढ़ा गया। ऊपर जाने के अनंतर नट जूझ मरा और उसके अंग कटकर पृथ्वी पर गिरे। इस पर दूसरी नटी रोने लगी। पहली नटी कटे हुए अंगों को लेकर सती हो गई। दूसरी नटी ने देखा कि आकाश से नट आ रहा है। नट ने आकर अपनी दूसरी नटी से पूछा कि मेरी पहली नटी कहाँ है? यह सूचना मिलने पर कि वह जलकर सती हो गई, नट ने कहा कि वह राजभवन में है। आज्ञा हो तो उसे बुलाऊँ। अंत में वह उपस्थित होती है। विदूषक और नर्तक आदि से वार्तालाप करने के अनंतर उन्हें पुरस्कार देकर महाराज ने पुत्रों को देखने की इच्छा व्यक्त की। महारानी कुशला आती हैं जिन्हें महाराज बतलाते हैं कि पुत्रों के कल्याण के लिए ब्राह्मणों और वैष्णवों की सेवा करनी चाहिए। रानी की इच्छा पुत्रवधुओं को देखने की होती है। महाराज के सम्मुख जब राजकुमार पहुँच जाते हैं तब मुनि अपने मख की रक्षा के लिए उन्हें माँगने आते हैं। अंत में वे हितकारी और डीलधराधर को ले जाते हैं। ये दोनों घातिनी राक्षसी और उसके पुत्र का वध करते हैं।

इस प्रकार इसमें रामायण की सारी कथा वर्णित है। उसके प्रमुख पात्रों के पर्यायवाची नामों का व्यवहार किया गाया है, जो इस प्रकार हैं—

दिग्यान = दशरथ। कुशला = कौसल्या। हितकारी = राम। जगद्योनिज = वसिष्ठ। घातिका = ताड़का। भुवनहित = विश्वामित्र। डहडहजगकारी = भरत। डीलधराधर = लक्ष्मण। डिंभोदर = शत्रुघ्न। शतानंद = अहल्या का पुत्र। दिक्शिर = दशानन। सहस्रकर = सहस्रबाहु। महिजा = सीता। रेणुकेय = परशुराम। काश्मीरी = कैकेयी। कुटिला = मंथरा। वायस = जयंत। सोमजनक = अत्रि। अनीर्ष्या = अनुसूया। सौपर्ण्य ' = जटायु। दीर्घनखी = सूर्पणखा। किराती = शबरी। सुगल = सुग्रीव। रिच्छपति = जामवंत। त्रेतामल्ल = हनुमान। बासवी = बालि। तारका = तारा। नयनकुमार = अक्षयकुमार। घनध्वनि = मेघनाद। भयानक = विभीषण। भुजभूषण = अंगद। श्याम = नील। घटकान = कुंभकर्ण। दीर्घदेह =

अतिकाय। ग्राहनयन = मकराक्ष।

रामायण के पात्रों के नामों के पर्यायवाची देकर इन्होंने नाटक में नवीनता लाने का प्रयास किया है। इसमें बीच-बीच में अनेक छंदों तथा पदों का भी व्यवहार किया गया है। नाटक में पदों का प्रवेश ध्यान देने योग्य है। हिंदी के नाटकों में आगे चलकर गान की योजना दिखाई देती है। इस प्रकार के गानों का प्रवेश आनंदरघुनंदन के ही समय से हो गया था, यह ऐतिहासिक क्रम में ध्यान देने योग्य है। यह पता नहीं कि आनंदरघुनंदन का कभी अभिनय हुआ या नहीं। जान पड़ता है अभिनय को मनोरजंक बनाने के लिए इन पदों का समावेश स्थान-स्थान पर किया गया है।

दूसरी ध्यान देने की बात यह है कि इसमें पात्र प्राकृत भाषा में भी बोलते हैं और उनकी प्राकृत भाषा का अर्थ भी आगे दे दिया गया है।

तीसरी ध्यान देने की बात है कि पद विभिन्न भाषाओं में हैं—मैथिली भाषा, कर्नाटकी भाषा, द्राविड़ भाषा, पैशाची बोली में। इनका तिलक या अर्थ भी दिया गया है। कोई पात्र स्व-देशीय भाषा भी बोलते हैं, जैसे बंगदेशीय छात्र बँगला बोलता है। ऐसे स्थान पर उस भाषा का अर्थ भी देकर पढ़नेवालों के लिए सुभीता कर दिया गया है। राज्यारोहण के अवसर पर पैंतीस अप्सराएँ तो गान करती ही हैं, गुरंडदेशीय नर्तक भी अपनी भाषा में अर्थात् अँगरेजी में गान करता है। अरबदेशीय और मरुदेशीय वारवधूटी का भी गान होता है। जितने भी गान हैं उनमें कवि की छाप भी है। सब बातों को देखने पर कहा जा सकता है कि इसका निर्माण नाटक के रूप में निश्चित हुआ।

रघुराजसिंह

रीवानरेश महाराज विश्वनाथसिंह के पुत्र महाराज रघुराजसिंह रामलीला से विशेष प्रेम रखते थे। काशीनरेश महाराज ईश्वरीनारायणसिंह से इनका बड़ा सौहार्द था। महाराज ईश्वरीनारायण बड़े मानसमर्मज्ञ और रामलीला के प्रेमी थे। उन्होंने तुलसीदास के रामचरितमानस पर कुछ टिप्पणियाँ भी लिखी हैं। उनके समय में प्रसिद्ध महात्मा काष्ठजिह्वा स्वामी उनके राज्य में विद्यमान थे। वे भी बड़े मानसप्रेमी थे। उस समय महाराज के वंश के महात्मा हरिहरप्रसाद भी बहुत बड़े मानसमर्मज्ञ और भगवद्भक्त थे। देवस्वामी, महाराज ईश्वरीनारायण और हरिहरप्रसाद ने मानस पर क्रमशः परिचर्या, परिशिष्ट और प्रकाश नामक टिप्पण, अनुटिप्पण और टीका लिखी। उनके समय में रामलीला जनता के तत्त्वावधान में पंचायती ढंग से होती है। उन्होंने उसे राज्याश्रय दिया और उसकी सुव्यवस्था के लिए लीला के प्रदर्शन तथा संवादादि के संबंध में दो व्यक्तियों से सहायता ली—भारतेंदु बाबू हरिश्चंद्र से और श्री रघुराजसिंह से। रामनगर की रामलीला

जो इतने विशाल आयोजन के साथ प्रतिवर्ष होती है। उसका समारंभ उक्त काशीनरेश तथा उपर्युक्त दो व्यक्तियों के सहयोग से हुआ। संवादों के नियोजन में रघुराजसिंह ने अत्यधिक सहायता की थी। लीलाप्रदर्शन की व्यवस्था में अधिक योग भारतेंदु बाबू हरिश्चंद्र का था। श्री रघुराजसिंह, श्री रामानुजदास के सांप्रदायिक शिष्य और स्वामी मुकुंदाचार्य के मंत्रोपदिष्ट शिष्य थे। इनकी सभा में जितने आश्रित पंडित और कवि थे उनका उल्लेख भी खोजविवरण (१९०१) में है—पं. गोकुलप्रसाद, पं. सुदर्शनप्रसाद, पं० विश्वनाथशास्त्री, पं० रामचंद्रशास्त्री, नैयायिक, रसिकनारायण, रसिकबिहारी, गोविंद, किशोर कवि, बालगोविंद आदि। इनके लगभग पच्चीस ग्रंथ कहे जाते हैं, जिनमें से कुछ संस्कृत के हैं। हस्तलिखित ग्रंथों के संक्षिप्त विवरण (पहले भाग) में इनके निम्नलिखित ग्रंथों का उल्लेख है— (१) सुंदरशतक, (२) आनंदांबुनिधि, (३) भागवतमाहात्म्य, (४) रुक्मिणीपरिणय, (५) विनयपत्रिका, (६) यदुराजविलास (७) जगदीशशतक, (८) रामरसिकावली और (९) रामस्वयंवर। मिश्रबंधुविनोद। (प्रथम संस्करण, तृतीय भाग) में इन ग्रंथों के अतिरिक्त भक्तिविलास, रहस्यपंचाध्यायी, भक्तमाल, विनयमाला, गद्यशतक, चित्रकूट माहात्म्य, मृगयाशतक पदावली, रघुराजविलास, विनयप्रकाश, रामअष्टयाम, भागवत भाषा, रघुपतिशतक, गंगाशतक, धर्मविलास, शंभुशतक, राजरंजन, हनुमतचरित्र, भ्रमरगीत, परमप्रबोध नामक ग्रंथों का और उल्लेख है। उसमें उल्लिखित जगन्नाथशतक जगदीशशतक ही है। वहीं यह भी लिखा हुआ है कि 'इनमें से सब ग्रंथ इन्हीं महाराज ने नहीं बनाए हैं किंतु दो-एक के कुछ भाग इन्होंने स्वयं रचे और कुछ इनके आश्रित कवीश्वरों ने बनाए जिनके नाम रसिकनारायण, रसिकबिहारी, श्रीगोविंद, बालगोविंद और रामचंद्र शास्त्री हैं। इस प्रकार का उल्लेख सं० १९०० के खोजविवरण में यदुराजविलास के अंतर्गत उद्धृत उद्धरणों में भी मिलता है। वहाँ लिखा है—

सुकबि महान गुरुदत्त पुनि ताके तनै जगन्नाथ रघुनाथ द्विज सरुआर को।
औरो बहु कालहि ते ताके कुल दीन्ह्यो प्रभु करि अति कृपा गानसास्त्र अधिकार को।
बास अब जाकी अहै गोविंद सुगढ़ मध्यदेस सो बघेलखंड करत उचार को।
रघुराज और जदुराज को बिलास क्रम रचना कियो है सम अज्ञा अनुसार को॥

उसमें यह भी लिखा हुआ है कि रागों की व्यवस्था गायकों ने की है। उद्धरण में सभी गायकों के नाम नहीं आ सके हैं। केवल 'साधु' नामक एक गायक का उल्लेख है।

रामस्वयंबर ग्रंथ के अंत में इन्होंने अपने बनाए ग्रंथों के नाम यों दिए हैं—

मोहि अस जान परत जग माहीं। राम सरिस कृपाल कोउ नाहीं।
मोहि सम अघी अपावन मुख ते। रामस्वयंबर बिरच्यो सुख ते।
सज्जन सुमति सुसील सुजाना। छमहु मोर अपराध महाना।
कहहुँ सत्य करि रामदोहाई। रच्यो ग्रंथ केवल रघुराई।

आनँदअबुधि ग्रंथ सोहावन। मो मुख रच्यो पतित के पावन।
रसिकावली सु भक्तिबिलासा। औरहु ग्रंथ सु धर्मबिलासा।
संभुसतक जगदीससतक बर। सुभगसतक रघुपति मृगया कर।
सुंदरसतक सतक पुनि गंगा। नीलाचलपतिसतक प्रसंगा।
चित्रकूटमहिमा अति भारी। त्यों रुक्मिनिपरिनय मनहारी।
पदावली रघुराजबिलासा। बिनयपत्रिका बिनयप्रकासा।
रुचिर राजरंजन सुरबानी। लघु बड़ अष्टक जौन बखानी।
जानहुँ नहिं मम रचित सुजाना। निरमान्यो जदुबंस प्रधाना।

साहित्यान्वेषक ने अज्ञान के कारण इन ग्रंथों के संबंध में यह टिप्पणी लगाई है—अंत में कवि ने उन-उन ग्रंथों के नाम लिखे हैं जिनकी सहायता से ग्रंथ रचा है।

'आनंदाबुनिधि' श्रीमद्‌भागवत का पद्यबद्ध अनुवाद है। इसमें यथास्थान हरिवंश, महाभारत और गर्गसंहिता के आधार पर तत्तत् अंशों का विस्तार भी किया गया है। इस ग्रंथ का आरंभिक अंश इनके मंत्री के वंशज हनुमान का लिखा है। ग्रंथ लिखने में ४ वर्ष लगे और सं० १९११ पूस बदी दशमी गुरु को यह समाप्त हुआ। इनका सबसे विशालकाय ग्रंथ यही है। इसका पद्मपुराणांतर्गत जो माहात्म्य है उसका भी इन्होंने उल्था किया। 'भागवतभाषा' से जान पड़ता है कि गद्य (व्रजी) में भी इसका अनुवाद हुआ। 'सुंदरशतक' हनुमच्चरित्र पर है। ये रामभक्त थे और आगे चलकर सखीभाव के उपासक हो गए थे। रामभक्ति में शृंगारी वृति का प्रवेश मानस के प्रसिद्ध टीकाकार रामचरणदास के समय से होता है।[१] उन्होंने कांतभाव से स्वमुखी शाखा प्रस्फुटित की। आगे चलकर सख्यभाव से तत्सुखी शाखा निकली, जिसका अत्यधिक प्रचार लक्ष्मणकिला अयोध्या के श्री युगलानन्यशरण ने किया। इन्हीं के प्रभाव में महाराज रघुराजसिंह थे। इन्होंने इस सखीभावोपासना के अनुरूप चित्रकूट में प्रमोदवन आदि का निर्माण कराया। सख्यभाव के ही कारण इन्होंने अपने ग्रंथ का नाम रामस्वयंवर रखा है, परमार्थतया जब उसे सीतास्वयंवर होना चाहिए था। सीताश्रयी वृत्ति की प्रमुखता के ही कारण वरेण्य सीता मानी गई हैं।

'रामस्वयंवर' प्रबंधबद्ध रचना है। यों तो इसमें वाल्मीकि के अनुगमन हैं और सातों कांडों की कथा है पर विस्तार बालकांड का ही है। मतगत धारणा के अनुसार ही चलने का इन्होंने प्रयास किया है। रसिकमार्गी रामकथा का वास्तविक अंश विवाह तक ही मानते हैं। उनकी दृष्टि में रसलीला प्रधान और ऐश्वर्यलीला गौण है। साधना का निर्वाह करनेवाले जब रामलीला देखते तब सीतास्वयंवर तक ही। रामनगर की प्रसिद्ध लीला में इस भावना वाले सभी साधक विवाह के अनंतर लौट जाते हैं। सारी कथा कहकर भी इन्होंने इस ग्रंथ का नाम जो स्वयंवर ही रखा उसका भी हेतु यही है। इन्होंने इसे स्पष्ट कहा है—

१. देखिए ऊपर।

बहुरि स्वामिनीहरन महा दुख बरनि जा कहु कैसे।
पुनि बियोग जगजननिनाथ को लागत कथन अनैसे।
ताते मम हरि गुरु निदेस दिय बालकांड भरि पाठा।
करहु तजहु दुखकथा जथा लै घृत बुध त्यागत माठा।
ताते रामस्वयंवर गाथा रचन आस उर आई।
बालकांड को बिसद चरित संछेप कथा षट काँडा।
बरनहुँ रीति बालमीकि जेहि सुनि पुनीत ब्रह्मांडा।
उक्ति जुक्ति तुलसीकृत केरी और कहाँ मैं पाऊँ।
बालमीकि अरु ब्यास गोसाईं सूरहि को सिर नाऊँ॥

इसलिए जिस अभिनिवेश से इन्होंने फुलवारी और स्वयंवर के प्रसंग लिखे हैं उससे अन्य नहीं। ग्रंथ का 'घृत' वही है। इसी से मानस की रामलीला में इस अवसर के इनके लिखे संवादों और वर्णनों का नियोजन किया जाता है।

खोज १९०१ में राम स्वयंवर की जो हस्तलिखित प्रति विवृत हुई है उसमें लिखा हुआ है कि इसमें रामचंद्रजी के जन्म से लेकर सीताजी के स्वयंवर तक का सविस्तार वर्णन है। हस्तलिखित प्रति दरबार लाइब्रेरी रीवा की है। इसकी पुष्पिका में लिखा है—**रामस्वयंबरग्रंथे राजतिलकप्रसादवर्णनो नाम त्रयोदश प्रबंधः**। इससे स्पष्ट हो जाता है कि इस ग्रंथ में पूरा रामचरित वर्णित है। खोज के अन्वेषक ने रामस्वयंवर के नाम के आधार पर मनमाना उल्लेख कर दिया है। यह अवश्य है कि नागरी प्रचारणी सभा से जो संक्षिप्त रामस्वयंवर प्रकाशित किया गया है उसमें मूलकथासंबंधी अंशों के अतिरिक्त ग्रंथविषयक और वर्णन भी छोड़ दिए गए हैं। भूमिका में स्पष्ट लिखा हुआ है कि **रामनगर में आश्विन मास पर्यंत रामलीला देखने के अनंतर काशिराज महाराज ईश्वरीनारायण के परामर्श से इस ग्रंथ का निर्माण किया गया है**। ग्रंथ दो वर्षों में लिखा गया और सं० १९३४ की आश्विन पूर्णिमा को पूरा हुआ। रामनगर की रामलीला के अंत में जो कोटोबिदाई होती है उसपर रघुराजसिंह की पूरी छाप दिखाई देती है।

इनकी 'रामरसिकावली' में भक्तमाल के ढंग पर भक्तों का वर्णन किया गया है। यह २१ वर्षों में लिखकर सं० १९२१ में समाप्त किया गया। बहुत बृहत् ग्रंथ है।

गिरिधरदास

विश्वनाथसिंह के आनंदरघुनंदन के अतिरिक्त गणेश कवि के 'प्रद्युम्न-विजय' नाटक का उल्लेख हस्तलिखित हिंदी ग्रंथों के संक्षिप्त विवरण (पहले भाग) में किया गया

है। ये गणेश कवि गुलाब कवि के पुत्र थे और महाराज काशिराज उदितनारायणसिंह और ईश्वरीनारायणसिंह के आश्रित थे। पहले काशीनरेश की प्रेरणा से वाल्मीकिरामायण की श्लोकार्थप्रकाश नामक व्याख्या प्रस्तुत की और दूसरे काशीनरेश की प्रेरणा से 'हनुमतपचीसी' नामक पुस्तक लिखी। प्रद्युम्नविजय के संबंध में कोई विवरण वहाँ नहीं है। इसलिए यह निर्णय करना कठिन है कि वह किस प्रकार का नाटक है; फलतः यही मानना पड़ता है कि आनंदरघुनंदन के अनंतर गिरिधरदास का 'नहुष' नाटक ही हिंदी के मध्यकाल का नाटक है। 'नहुष' की पुराणप्रसिद्ध कथा के आधार पर इसकी रचना हुई है। नाटक व्रजभाषा में है। गद्य का प्रयोग बहुत थोड़ा है। वस्तु के लघुकाय होने से नाना प्रकार के वर्णनों द्वारा नाटक का आकार बड़ा किया गया है। इसमें छह अंक हैं और चौंतीस पात्र रखे गए हैं। सूत, मागध, दूती, चेटी आदि इनसे भिन्न हैं। आरंभ में प्रस्तावना के अंतर्गत केवल तीन स्थलों पर रंगशालाविषयक निर्देश संस्कृत में दिए गए हैं। इसकी नाटकीयता विचारणीय है। इसलिए सर्वतोभावेन यह भी नाटक के अंतर्गत नहीं आता। संस्कृत के नाटकों में रसदृष्टि से जिस प्रकार का नियोजन किया जाता था न तो वही परिपूर्णतया इसमें है और न अभिनय के सौकर्य का ध्यान ही रखा गया है। हिंदी में मौलिक नाटक के रूप में इसका केवल ऐतिहासिक महत्त्व माना जा सकता है। कहते हैं आनंदरघुनंदन पहले संस्कृत में लिखा गया, फिर उसका उल्था किया गया। इसलिए वह अनुवाद मात्र ही कहा जा सकता है। अतः भारतेंदु बाबू हरिश्चंद्र का यह कथन अब भी सत्य दिखाई देता है कि हिंदी का सबसे पहला नाटक गिरिधरदास का 'नहुष' नाटक है। यद्यपि ये भक्त थे तथापि इन्होंने शुद्ध साहित्यिक कार्य भी किया। 'भारतीभूषण' इनका अलंकार का ग्रंथ है और अधूरा 'रसरत्नाकर' रससंबंधी ग्रंथ। 'भाषाव्याकरण' नाम से पिंगल का भी इन्होंने विचार किया है। राधाकृष्णदास ने इनके 'छंदार्णव' नामक ग्रंथ का भी उल्लेख किया है। इन ग्रंथों के अतिरिक्त 'ग्रीष्म-वर्णन' और 'जरासंधवध' महाकाव्य भी इनकी साहित्यिक रुचि के द्योतक हैं।

—अनुवादकाव्य

अनुवादकाव्य

हिंदी में संस्कृत-साहित्य का सबसे अधिक अनुवाद हुआ। संस्कृत, प्राकृत या अपभ्रंश का आधार लेकर रचना करना दूसरी बात है और किसी ग्रंथ का अनुवाद करना

दूसरी बात। यदि संस्कृत आदि भाषाओं की सूक्तियों का आधार लेकर लिखी गई रचनाओं को भी सन्निविष्ट किया जाए तो हिंदी में अनुवाद का क्षेत्र बहुत व्यापक हो जाए। हिंदी का प्रत्येक लिखनेवाला अवसर मिलने पर संस्कृत का आधार लेता है। बिहारीसतसैया का उदाहरण लीजिए। सात सौ दोहों में से लगभग पाँच सौ दोहे ऐसे होंगे जिनके मिलते-जुलते भाव पूर्ववर्ती साहित्य में मिलते हैं। स्व. पं. बलदेवप्रसाद मिश्र बहुत दिनों से बिहारी के दोहों के समकल्प संस्कृत-प्राकृत-अपभ्रंश के छंदों के संकलन में लगे हुए थे। उनका कहना था कि बिहारी के दोहों से मिलते हुए पूर्ववर्ती छंद लगभग निन्यानवे प्रतिशत मिल जाएँगे। चार-पाँच सौ समानांतर रचनाओं का संकलन उन्होंने कर भी लिया था। तो क्या यह मान लिया जाए कि बिहारी ने पूर्ववर्ती रचनाओं का अनुवाद मात्र किया है। इससे तो यह प्रमाणित होता है कि बिहारी ने बहुत अधिक ग्रंथों का आलोड़न किया था। दूसरे यह कि वे पूर्ववर्ती उक्तियों में यथास्थान वैशिष्ट्य उत्पन्न करने का प्रयास भी करते रहे हैं। अनेक समानांतर रचनाओं से हिंदी के इन परवर्ती कवियों की रचनाओं का मिलान करने से कभी-कभी यह भी दिखाई पड़ता है कि उभयत्र साम्य आंतरिक कल्पना के स्वतंत्र किंतु समान प्रयास के कारण है। उत्तरवर्ती कवि ने पूर्ववर्ती की रचना देखी तक नहीं थी।

बिहारी आदि कवियों की अपेक्षा तुलसीदास, सूरदास, केशवदास ऐसे कवियों की रचना में आधारभूत ग्रंथों से जो अंश अनुकथित हैं उन्हें भी अनुवाद मात्र नहीं कहा जा सकता, क्योंकि इन कवियों ने आधार लेते हुए भी अनुवाद करने के प्रयोजन से पूर्ववर्ती रचनाओं का ग्रहण नहीं किया। तुलसीदास के आधारभूत ग्रंथों की संख्या अधिक देखकर कुछ करतबी संस्कृत के पंडितों ने 'रामचरितमानस' को लेकर उलटी गंगा बहाई। मानस के विशिष्ट स्थलों, संवादों, उक्तियों आदि का विविध छंदों में भाषांतर करके मनमाने ग्रंथों का और ज्ञात ग्रंथों के प्रकल्पित स्थलों का उल्लेख करके विस्तृत ग्रंथ ही निर्मित कर डाला। ऐसे प्रयत्न रायबरेली और बलिया दो स्थलों से हुए। बहुत से अनुसंधायक वस्तुगति को न समझकर शोधग्रंथों के रूप में इनका उपयोग करके भ्रांति में पड़ गए हैं। केवल रामचरितमानस में ही नहीं तुलसीदास ने अपने ग्रंथों में संस्कृतग्रंथों का यथेच्छ उपयोग किया है। गीतावली के धनुषयज्ञ-प्रसंग का आधार संस्कृत का निम्नलिखित छंद है—

उत्क्षिप्तं सह कौशिकस्य पुलकैः सार्धं मुखैर्नामितं
भूपानां जनकस्य संशयधिया साकं समास्फालितम्।
वैदेह्या मनसा समं तदधुनाकृष्टं ततो भार्गव-
प्रौढाहंकृनिकन्दलेन च समं भग्नं तदैशं धनुः॥

गीतावली के अंतर्गत ८८ संख्या का पद पर्याप्त लंबा है, जिसके भीतर उक्त छंद के आधार पर की ये चार पंक्तियाँ आई हैं—

गहि करतल मुनि पुलक सहित कौतुकहि उठाइ लियो।
नृपगनमुखनि समेत नमित करि सजि सुख सबहि दियो।
आकरष्यो सियमन समेत हरि हरष्यो जनक हियो।
भंज्यो भृगुपति गर्ब सहित तिहुँ लोक बिमोह कियो॥

तात्पर्य यह कि जहाँ कवि आधार मात्र लेकर कोई रचना करता है वहाँ उसकी रचना अनुवाद के अंतर्गत नहीं आ सकती। किसी ग्रंथ के निर्माण से यह स्पष्ट होना चाहिए कि वह अनुवाद के प्रयोजन से लिखा गया है। जैसे संस्कृत के प्रबोधचंद्रोदय का अनुगमन और अनुकथन हिंदी में अत्यधिक हुआ। केशवदास ने विज्ञानगीता में उसका आधार लिया किंतु अन्य धार्मिक ग्रंथों से भी पर्याप्त सामग्री उसमें रखी। इसलिए वह शुद्ध अनुवाद के प्रयोजन से नहीं लिखी गई, किंतु महाराज जसवंतसिंह ने 'प्रबोधनाटक' प्रबोधचंद्रोदय के अनुवाद के रूप में ही लिखा। यह दूसरी बात है कि बहुत से स्थलों पर भावानुवाद ही किया गया है। संक्षेप करके अनुवाद हो, भावानुवाद हो अथवा परिपूर्ण अनुवाद हो ये सभी अनुवाद के प्रयोजन से होते हैं, इसलिए इन्हें अनुवाद की कोटि में रखना चाहिए।

अब देखना यह है कि अनुवाद किन-किन ग्रंथों का या किन-किन विषयों का अधिकतर हुआ। अधिकतर अनुवाद ऐसे ग्रंथों के हुए हैं जो साहित्येतर कोटि में आते हैं। ज्योतिष, वैद्यक, धर्म, दर्शन, राजनीति आदि के ग्रंथों का अधिक अनुवाद हुआ, जिनकी विस्तृत चर्चा यहाँ अनावश्यक है। महाभारत यद्यपि संस्कृत में इतिहासग्रंथ माना जाता है तथापि साहित्य का उपजीव्य होने के कारण उनके अनुवाद की चर्चा यहाँ अनपेक्षित नहीं है। यही स्थिति श्रीमद्भागवत की है। अन्य पुराणों की चर्चा उतनी प्रासंगिक नहीं है। श्रीमद्भागवत भक्ति का प्रमुख ग्रंथ है। वाल्मीकि रामायण साहित्यिक ग्रंथ है। इसके भी कई अनुवाद हुए। अन्य श्रव्यकाव्यों में नैषधचरित प्रमुख है। रीतिकाव्य लिखने वालों ने कई संस्कृत ग्रंथों का अनुवाद किया जैसे संस्कृत-रसमंजरी का रघुनाथ ब्राह्मण ने रघुनाथविलास नाम से भावानुवाद किया। यह कहना कठिन है कि इसमें उदाहरण आदि के रूप में कुछ स्वतंत्र भी लिखा गया है या नहीं। नाटकों में सबसे अधिक प्रबोधचंद्रोदय की ओर लोगों की दृष्टि गई। किसी ने केवल पद्य में ही अनुवाद किया और किसी ने गद्य-पद्य दोनों का व्यवहार किया। कुछ ग्रंथों ने भावार्थ मात्र रखा है और कुछ में नया निर्माण भी है। दूसरा नाटक है हनुमन्नाटक। इसके भी कई अनुवाद हुए। तीसरा कालिदास का अभिज्ञानशाकुंतलम् है और चौथा भवभूति का मालतीमाधव। इससे स्पष्ट है कि बहुत प्रसिद्ध और चुनी हुई रचनाओं के अनुवाद पर ही लोगों का ध्यान गया।

सबलसिंह

सबलसिंह चौहान कृत महाभारत का अनुवाद सबसे अधिक प्रसिद्ध हुआ। दोहे-चौपाई में बड़ी सरल भाषा में यह अनुवाद किया गया है। सं० १७१८ से सं० १७८१ तक ६३ वर्षों नें यह विशालकाय ग्रंथ इन्होंने लिखकर पूरा किया। एक प्रकार से सारा जीवन ही इस कार्य में इन्होंने लगा दिया। महाभारत ऐसे ऐतिहासिक ग्रंथ के अनुवाद में ही इनका प्रयास सफल नहीं हुआ अपितु इन्होंने ऋतुसंहार का भी अनुवाद 'रूपविलास' के नाम से किया। कहा जाता है कि इन्होंने छंद का भी कोई ग्रंथ लिखा था। इनका महाप्रयास महाभारतसंबंधी ही था, अन्यथा ये साहित्यिक रुचि रखनेवाले व्यक्ति जान पड़ते हैं। पिंगलग्रंथ लिखने से रीतिबद्ध रचना करनेवाले आचार्य कवियों की श्रेणी में इनका स्थान नियत है। 'शिवसिंहसरोज' में इनके संबंध में लिखा है कि 'कोई कहता है कि कवि चंदगढ़ के राजा थे कोई कहता है सबलगढ़ के हैं। इनके वंशवाले आजतक जिले हरदोई में हैं परंतु हमारा सम्मत नहीं। हम कहते हैं नहीं। कवि इटावा के किसी ग्राम के जमींदार थे।' दोहे-चौपाई का सबसे अधिक प्रचलन अवध प्रांत में था। सन् १९०४ की खोजरिपोर्ट में विराट पर्व के अनुवाद में सम्मन का निम्नोक्त दोहा और तुलसी का एक दोहा दिया हुआ है। ये सम्मन मल्लावा जिला हरदोई के रहनेवाले थे, इसलिए इनका स्थान हरदोई जान पड़ता है, शिवसिंह सेंगर के अनुसार इनके वंशज वहाँ रहते ही थे—

संमन इह मन सूप फरु नित उठि मनहि पछोरु।
हरुआ होइ तेहि जान दैं गरुआ तें जित जोरु॥

गोकुलनाथ, गोपीनाथ, मणिदेव

महाभारत का दूसरा बड़ा अनुवाद काशिराज के तीन पंडितों ने किया। काशिराज के प्रसिद्ध राजकवि रघुनाथ बंदीजन थे। इन्हीं के पुत्र गोकुलनाथ और पौत्र गोपीनाथ थे। गोपीनाथ के शिष्य मणिदेव थे। इन तीनों ने मिलकर उक्त अनुवाद पूरा किया। वह केवल, महाभारत का ही नहीं हरिवंशसहित महाभारत[1] का अनुवाद है। जिसने जितने अंश का अनुवाद किया है उसका उतने अंश पर नामोल्लेख किया गया है। गोकुलनाथ

१. खोज (सन् १९०४-६५) के अनुसार इस ग्रंथ का नाम महाभारत दर्पण है।

ने आदि, सभा, वन, विराट् और उद्योग पर्वों का उल्था किया। वनपर्व के चार अध्याय इनके द्वारा अनूदित नहीं हैं। उसके दो अध्याय गोपीनाथ ने और दो मणिदेव ने अनूदित किए। इसके अतिरिक्त भीष्मपर्व के पाँच, द्रोणपर्व के चार और शांतिपर्व के नौ अध्यायों का भी इन्होंने उल्था किया था। गोपीनाथ ने भीष्म, द्रोण, अश्वमेध, आश्रमवासिक, मुशल और स्वर्गारोहण पर्वों का तथा पूरे हरिवंश का उल्था किया। इसके अतिरिक्त शांतिपर्व के तीन अध्यायों का भी इन्होंने अनुवाद किया। मणिदेव ने कर्ण, शल्य, गदा, सौप्तिक ऐषिक, विशोक, स्त्री तथा महाप्रस्थान पर्वों का अनुवाद किया। शांतिपर्व के उन्तालीस अध्यायों के अतिरिक्त शेष अध्यायों का अनुवाद इन्होंने किया। तीनों व्यक्तियों ने लगभग सम[illegible] अंश का अनुवाद किया है। दोहे-चौपाई की शैली इतने विशालकाय ग्रंथ के लिए उपय[illegible] समझकर अन्य छंदों की भी योजना की गई है। प्रसंग और रसप्रवाह के अनुकूल [illegible] चुनाव किया है। तीन व्याक्तियों के द्वारा कार्य होने पर भी ऐसी समानता है [illegible] यदि कोई यह न जानता हो कि अनुवाद तीन व्यक्तियों ने किया है तो उसे सहसा ऐसा लक्षित न होगा। भाषा परिमार्जित और शैली प्रभावकारी है। किसी प्रकार का आग्रह न होने से रचना बड़ी ओजस्विनी और प्रकृतप्रवाहपूर्ण है। बीच-बीच में कथाभाग दोहे-चौपाई में भी है। केशव और तुलसी की शैलियों का गुणपक्ष इन्होंने ग्रहण किया है और दोनों के मेल से नूतन शैली की उद्‌भावना की है। छंदों का झटिति परिवर्तन न होने से और अनुप्रास आदि का निर्बंध न रखने से काव्य के गांभीर्य के प्रति रचयिताओं की पूर्ण आस्था स्पष्ट प्रतीत होती है। पूरा ग्रंथ बड़े आकार के १८६६ पृष्ठों में मुद्रित हुआ है। इत[illegible] बड़े ग्रंथ में एकरसता का निर्वाह आद्योपांत कर ले जाना सरल काम नहीं था। हिंदी स[illegible]हित्य में इस त्रिमूर्ति का यह महाप्रयास सचमुच श्लाघ्य है और इस बात का प्रमाण है कि मध्ययुग के कवि जो नाना प्रकार के काव्यगत निर्बंध के लिए लांछित किये जाते हैं वह वस्तुतः सर्वात्मना सत्य नहीं है। इस ग्रंथ के निर्माण करने में पचास वर्ष से अधिक लगे। सं० १८८४ में यह परिसमाप्त हुआ। तत्कालीन काशीनरेश महाराज उदितनारायणसिंह के आदेश से इसका निर्माण हुआ। कहते हैं कि उन्होंने निर्माताओं को इस ग्रंथ के निर्माण के लिए एक लाख रुपए दिए। इस ग्रंथ का पहला संस्करण बड़े अच्छे ढंग से कलकत्ता से प्रकाशित हुआ था। दूसरी बार अमेठी के राजा माधवसिंह की इच्छा से नवलकिशोर प्रेस से सं० १९३० में प्रकाशित हुआ। इसका तीसरा संस्करण भी प्रकाशित हुआ। इतने बड़े ग्रंथ के तीन-तीन संस्करण हो जाना उसकी लोकप्रियता का हिंदी में बहुत बड़ा प्रमाण है।

गोकुलनाथ के निम्नलिखित ग्रंथ और हैं। 'शिवसिंहसरोज' के अनुसार 'चेतचंद्रिका' और गोविंदसुखदविहार, 'खोज' के अनुसार—नामरत्नमाला या अमरकोष (सं० १८७०), राधाकृष्णविलास (निर्माणकाल १८५८ वैशाख शुक्ल पूर्णिमा), सीतारामगुणार्णव, कविसुखमंडन, राधाजू को नखशिख। चेतचंद्रिका का नाम काव्यचंद्रिका भी है। इसमें काशिराज की वंशावली के अतिरिक्त अलंकारों का वर्णन है।

कविमुखमंडन भी अलंकारों का ग्रंथ है और महाराज बरिबंडसिंह की आज्ञा से इक्कीस दिनों में निर्मित हुआ था। इसके आरंभ में ब्रह्मा से लेकर उस समय तक की काशिराज की वंशावली भी दी हुई है। 'राधाकृष्णविलास' रस-नायिकाभेद का ग्रंथ है। 'राधाजू को नखशिख' में दोहे-सोरठे में नखशिख का वर्णन किया गया है। नामरत्नमाला और अमरकोष भाषा एक ही ग्रंथ के दो नाम हैं। गोविंदसुखदविहार या तो नायिकाभेद का ग्रंथ होगा या श्रीकृष्ण की लीलाओं का। सीतारामगुणार्णव अध्यात्मरामायण का पद्यबद्ध अनुवाद है। पंचकोसी के अंतर्गत चौरा ग्राम में इनका वासस्थान था।

गोपीनाथ का कोई स्वतंत्र ग्रंथ नहीं मिलता। फुटकल दो रचनाएँ मिलती हैं। उदाहरण शिवसिंहसरोज में दिए हुए हैं। दोनों ही शृंगाररस के छंद हैं।

मणिदेव भरतपुर के जहानपुर ग्राम के निवासी थे और सौतेली माता के असद व्यवहार से खिन्न होकर गोकुलनाथ के यहाँ आकर रहने लगे थे। इनकी योग्यता के कारण इनका अन्य स्थानों में भी बड़ा आदर-सत्कार हुआ। कहते हैं कि ये जीवन के अंतिम समय में कभी-कभी विक्षिप्त हो जाते थे। इनका काशीवास सं० १९२० में हुआ। शिवसिंहसरोज में इनके भी दो छंद दिए हुए हैं। पहला छंद शृंगार का है और दूसरे में भाषा की प्रशंसा यों की गई है—

याही माहिं संकर बनाए सिद्धमंत्र सब तिन सों भयंकर बिलात लखि दुंद की।
मोहनादि होत सब तिन सों सहज मानि दूरि करैं कठिन कलेसन के कंद की।
और सुनौ तुसली गोसाईं सूर आदिन की कब्ति सी भाषै मनिदेव बुधबृंद की।
मन को लगाई सुनौ मेरी बात भाषा अति लागती है प्यारी रघुनंद व्रजचंद्र की॥

गुमान मिश्र

यद्यपि गुमान मिश्र संस्कृत नैषधचरित के अनुवाद के लिए विशेष प्रसिद्ध हैं तथापि खोज में इनके चार अन्य ग्रंथों का भी उल्लेख है और चारों पर्याप्त महत्त्व के हैं। इन चारों ग्रंथों के नाम हैं—कृष्णचंद्रिका, गुलालचंद्रोदय, अलंकारदर्पण और छंदाटवी। इन पर यथालब्ध सामग्री के आधार पर कुछ विचार किया जाता है। पहली बात तो यह है कि गुमान मिश्र नाम के दो कवि प्रतीत होते हैं। गुमानचंद्रोदय और अलंकारदर्पण के कर्ता अन्य गुमान मिश्र हैं।

नैषधचरित के अनुवाद पर विचार करने के पूर्व सबसे अधिक ध्यान में रखने की बात यह है कि हिंदी भाषा और साहित्य की प्रवृत्ति सरलता की ओर रही है। इसी से अनुवाद करने के लिए हिंदीवाले उन्हीं ग्रंथों का चुनाव अधिकतर किया करते थे जो

महत्त्वपूर्ण होते हुए भी अनुवाद की दृष्टि से सरल पड़ते थे। यह सत्य है कि अपेक्षित होने पर साहित्यशास्त्र के काव्यप्रकाश ऐसे कठिन ग्रंथ को भी हिंदी के कुछ आचार्यों ने आधार बनाया और उसके वांछित बहुत से अंशों का अनुवाद भी किया, फिर भी विवेचन के बहुत से अंश छोड़ दिए गए। काव्य या नाट्य ग्रंथों का चुनाव करते समय उन्हीं ग्रंथों की ओर अधिक दृष्टि रही जो अपेक्षाकृत सरल थे। संस्कृत के काव्यग्रंथों में गद्य में लिखी कांदबरी और पद्य में निबद्ध नैषधचरित अत्यंत कठिन ग्रंथ माने जाते हैं। गुमान मिश्र ने ऐसे कठिन ग्रंथ के अनुवाद का साहस किया, इसीलिए उनकी अधिक प्रशस्ति और ख्याति हुई। खोज में कादंबरी के अनुवाद का भी पता चला है। वह भी महत्त्वपूर्ण कार्य अवश्य है, फिर भी यह कहा जा सकता है कि उसका अनुवाद भावात्मक या कथात्मक ही होगा। किसी भाषा की अभिव्यक्ति में जितनी स्वकीय विशेषताएँ होती हैं उन सबका प्रदर्शन दूसरी भाषा में अनुवाद करते हुए कर सकना दुरूह ही नहीं असंभव भी है। उधर नैषध में जितने अधिक लाक्षणिक प्रयोग हैं और उनके द्वारा जितनी व्यंजनाएँ की गई हैं वे शब्दांतर मात्र से विलीन हो जाती हैं। इसलिए गुमान मिश्र के अनुवाद में उसकी सारी विशेषताएँ कभी आ ही नहीं सकती थीं। परिणाम यह हुआ कि जहाँ जटिलताएँ हैं उन स्थलों पर इन्होंने अनुवाद सरल रूप में ही प्रस्तुत करने का प्रयास किया। तात्त्विक दृष्टि से अनुवाद का विचार करने पर भले ही विफलता दिखाई दे, पर ऐसे कठिन ग्रंथ को हिंदी में उपस्थित करना ही बहुत बड़े साहस का कार्य था और यही इनकी प्रशस्ति का हेतु है।

इनकी दूसरी महत्त्वपूर्ण रचना कृष्णचंद्रिका (१८३८ वि०) है। गुमान महोबा के गोपालमणि के पुत्र थे और इनके तीन भाई और थे—दीपासाहि, खुमान और अमान। गुमान और खुमान इन दो भाइयों ने निश्चय किया कि रामचरित को लेकर जिस प्रकार का प्रयास तुलसीदास और केशवदास ने किया है उसी प्रकार का महत्त्वपूर्ण प्रयास कृष्णचरित को लेकर हमें करना चाहिए। तुलसीदास की रामायण की शैली पर खुमान ने कृष्णायन का निर्माण किया और केशव की रामचंद्रचंद्रिका की शैली में गुमान ने कृष्णचंद्रचंद्रिका प्रस्तुत की। केशव ने रामचंद्रचंद्रिका लिखते समय आरंभ में ही निश्चय कर लिया था कि 'रामचंद्र की चंद्रिका बरनत हौं बहु छंद'। सानुबंध कथा नाना प्रकार के छंदों में वर्णित होकर रसप्रवाह को समुचित रूप में सुरक्षित नहीं रख सकती, इसका विचार छोड़कर केशव ने प्रबंधकाव्य का निर्माण किया। रामचंद्रचंद्रिका का निर्माण करते हुए काव्यशास्त्र का व्यवहारपक्ष (साथ ही पिंगल का भी व्यवहारपक्ष) अधिक-से-अधिक सन्निविष्ट करने का उत्साह उनमें दिखाई पड़ता है। छंदों की झटिति परिवृति से रसप्रवाह को धक्का भले ही लगता हो और भले ही नाद की एकरसता दूर तक न रहती हो पर नाना प्रकार के नादमय छंदों द्वारा जो विशेष झंकृति उत्पन्न होती है उसके प्रदर्शन का महत्त्व अवश्य था। केशव के इसी महत्त्व को मानकर गुमान ने विविध छंदों में कृष्णचंद्रचंद्रिका का निर्माण किया। कोई भी परवर्ती निर्माता यदि समर्थ और विचारशील है तो अनुकार्य पूर्ववर्ती में जो स्पष्ट त्रुटियाँ

लक्षित होती हैं उनसे निश्चय ही बच सकता है। कृष्णचंद्रचंद्रिका में इसी प्रकार का प्रयास दिखाई पड़ता है। छंदों की विविधता होने पर भी पिंगलशास्त्र के अध्यापन का लक्ष्य न होने से इसमें वैविध्य उतना रसविघातक नहीं है।

जिस प्रकार रामचंद्रचंद्रिका में नए-नए छंदों का प्रयोग करते समय उनके लक्षण भी साथ ही साथ दे दिए गए हैं उसी प्रकार इसमें भी छंदों के लक्षण नए छंदों के साथ दिए गए हैं। आरंभ में गणविचार को देखकर किसी ने कल्पना कर ली कि इसमें आदि में छंदों का विचार है। प्राचीन ग्रंथों की पद्धति रही है कि जब उनमें नए छंद प्रयुक्त होते थे तब पढ़नेवालों की सुविधा के विचार से उनके लक्षण भी दे दिए जाते थे। रामचंद्रचंद्रिका में अधिकतर लक्षण केशव की छंदमाला से ही दिए गए हैं। आगे चलकर बहुत से प्रतिलिपिकारों ने छंदलक्षणों को अनुपयोगी समझकर निकाल दिया। तदनंतर अनुलिपि करनेवालों ने फिर उपयोगी समझकर दूसरे ग्रंथों से छंदों के लक्षण दे दिए। कृष्णचंद्रचंद्रिका में जो लक्षण दिए गए हैं वे सब कहाँ के हैं यह बतला सकना कुछ कठिन है। फिर भी गुमान मिश्र की जो छंदावली खोज में प्राप्त हुई है और उसमें जो उद्धरण खोजविवरण (१९०६-४४ बी) में दिए गए हैं उनमें दिया हुआ दोहे का लक्षण कृष्णचंद्रिका में दिए दोहे के लक्षण से अक्षरशः मिल जाता है—

प्रथम चरन तेरा कला दूजे ग्यारह देव।
फिर तेरा गेरा कला दोहा हम रच लेव॥

—छंदाटवी (खोजविवरण)

प्रथम चरन तेरह कला दूजे ग्यारह देव।
फिरि तेरह ग्यारह कला दोहा इमि रचि लेव॥

—कृष्णचंद्रचंद्रिका (श्री उदयशंकर भट्ट संपादित, पृष्ठ ११ टिप्पणी)

इससे अनुमान किया जा सकता है कि कृष्णचंद्रचंद्रिका में छंदों के जितने लक्षण दिए गए हैं वे सबके सब कदाचित् छंदाटवी के लक्षण हैं। केशव ने छंदमाला में बहुत से उदाहरण रामचंद्रचंद्रिका के ही दिए हैं। यह भी संभावना की जा सकती है कि छंदाटवी में यदि उदाहरण दिए गए हैं तो उनमें से बहुत से कृष्णचंद्रचंद्रिका के होंगे। छंदाटवी के संबंध में विस्तृत सूचना खोजविवरण में नहीं दी गई है, इसलिए यह निश्चय करना कठिन है कि उसमें उदाहरण संकलित किए गए हैं या नहीं। जितना अंश खोजविवरण में उद्धृत है उसमें कोई उदाहरण नहीं है। अंतिम अंश के देखने से यह भी जान पड़ता है कि ग्रंथ अपूर्ण है। पर जितने लक्षण दिए हुए हैं सब दोहे में हैं। यही स्थिति कृष्णचंद्रचंद्रिका में भी है। छंदाटवी के प्राप्य अंश में छंद की अंतिम संख्या १९७ है। कृष्णचंद्रचंद्रिका में लक्षणों के दोहों की संख्या इससे कम ही है। अनुष्टुप् में परिमाण २३७ दिया हुआ है। यदि एक दोहे को एक अनुष्टुप् के बराबर भी मान लें तो परिमाण की संख्या कुछ अधिक है। जान पड़ता है कि बीच में लक्षणों या उदाहरणों में बड़े छंदों का प्रयोग किया गया है।

कृष्णचंद्रचंद्रिका में उद्‌धृत लक्षणों पर भट्टजी ने स्थान-स्थान पर टिप्पणी दी है कि लक्षण ठीक नहीं है। इसमें भानुजी के छंदप्रभाकर से प्राचीन छंदों के नाम भिन्न हैं। नामभेद के अतिरिक्त कहीं-कहीं लक्षण समझने में भी भ्रांति हुई है, जैसे करहची छंद का लक्षण यह दिया गया है—

द्विजबर जग्गन दीजिए जबहि करहची सोइ।

अर्थ यह है कि करहची छंद के प्रत्येक चरण में चार लघु और एक जगण होना चाहिए (।।।। ।ऽ।)। इस प्रकार इसमें सात अक्षर होते हैं। छंदप्रभाकर में पूर्ण गणपद्धति का व्यवहार है इसलिए वहाँ इसका लक्षण न स ल (।।।। ।ऽ।) दिया गया है और नाम करहंस लिखा है। भट्टजी लिखते हैं—"करहची छंद का लक्षण ठीक नहीं है। छंदप्रभाकर में इसका नाम करहंस है। इसका लक्षण है न, स, ल करहंस।" पर ऊपर के विवरण से स्पष्ट है कि लक्षण ठीक है। हिंदी के प्राचीन पिंगल-ग्रंथों में छंदों के लक्षण बतलाने की विविध प्रकार की पद्धतियाँ थीं उनको न जानने से बहुत-सी भूलें हो गई हैं। प्रतिलिपि-कारों ने कुछ-का-कुछ लिख दिया है। इस कारण बहुत लक्षण अशुद्ध हो गए हैं। यह भी स्मरण रखना चाहिए कि छंदप्रभाकर में किसी छंद का जो लक्षण दिया गया है। वह प्राचीन पिंगलग्रंथों से भिन्न भी है। ऐसे ही पृष्ठ ८७ पर सारंगिका का लक्षण है—

दुजबर करन जु सगन जहँ सारंगिका बखानि।

इसका लक्षण अशुद्ध कहकर शुद्ध लक्षण न, य, स लिखा गया है। न, य, स का रूप यों है— ।।। ।ऽऽ ।।ऽ; यही 'दुजबर करन सगन' का अर्थ है—

न य स

दुजबर करन सगन

।।।। ऽऽ ।।ऽ

कृष्णचंद्रचंद्रिका में उद्धृत छंदों के लक्षण एकत्र करके और उनपर विवेचन करके छंदाटवी के अभाव की पूर्ति की जा सकती है।

कृष्णचंद्रचंद्रिका में प्रकृतिवर्णन केशव की अपेक्षा बहुत सरस दिखाई देता है। इसका मुख्य कारण यह है कि इन्होंने अलंकार के अनावश्यक लदाव से वर्णन विकृत नहीं किए हैं। कहीं-कहीं तो निरलंकृत शुद्ध वर्णन मात्र रख दिया है, जैसे—

कालिंदी उठती अनंद करती देखौ तरंगें घनी।
तैसी सोहति है बयारि बहती मीठी सुगंधी सनी।
राजैं जे अरबिंदबृंद बिकसे लै मत्त भृगै जहाँ।
फूली है नवमल्लिका पुलिन में बाहैं सुगंधैं महाँ।।

यथास्थान उत्प्रेक्षा आदि का व्यवहार इन्होंने अवश्य किया है, पर उसके कारण वर्ण्य

आच्छन्न नहीं हुआ है। कहीं-कहीं अनुप्रास आदि का कुछ निर्बंध अवश्य दिखाई देता है, फिर भी अलंकारज्ञानप्रदर्शन के चक्कर में ये नहीं पड़े। श्रीमद्भागवत की कथा ही आधारभूत होने के कारण यथास्थान उसके कुछ अंशों का आधार अवश्य लिया गया है। जैसे श्रीमद्भागवत का विशेष अवलंबन करके भी तुलसीदास ने अनेक अपेक्षित अंशों का ग्रहण नहीं किया, पर वर्षा और शरद् के वर्णनों का अनुगमन किया। वैसे ही इन्होंने भी वर्षा और शरद् के वर्णन वहीं से लेकर रखे हैं।

इसकी भाषा भी प्रवाहपूर्ण है। संस्कृत के प्रयोग और संस्कृतपदावली के लदाव द्वारा उसे लद्धड़ नहीं बनाया गया। केशव की भाँति ही इन्होंने 'राख्यो' आदि परवर्ती प्रयोग कहीं नहीं दिए हैं, 'राखियो' का ही प्रयोग किया है। 'राख्यो' आदि इसी 'राखियो' के घिसे रूप हैं। इसे न जानने के कारण कुछ लोग 'राख्यो' आदि को निरर्थक ही अशुद्ध मानते हैं। उपर्युक्त संक्षिप्त विचार से यह स्पष्ट है कि कृष्णचंद्रचंद्रिका में रामचंद्रचंद्रिका के दुर्गुणों का बहिष्कार करने का प्रयास है।

कृष्णचंद्रचंद्रिका में २७ प्रकाश हैं। केशव की भाँति इन्होंने भी प्रत्येक प्रकाश में कथ्य घटना की सूचना आरंभ में ही दे दी है। प्रथम प्रकाश में अपेक्षाकृत लंबी प्रार्थना की गई है। प्रार्थना करने में तुलसीदास की पद्धति का अनुगमन किया गया है। यहाँ तक कि अंत में सब ग्रहों की भी वंदना कर डाली गई है, जिनमें राहु-केतु भी मौजूद हैं। द्वितीय प्रकाश में परीक्षित् की कथा है। तीसरे प्रकाश में पृथ्वी का गोरूप में ब्रह्मलोक जाने का वर्णन है। श्रीकृष्णजन्म का आरंभ चौथे प्रकाश से होता है और क्रमशः भागवत दशम स्कंध पूर्वार्ध की प्रमुख कथाएँ रखी गई हैं। बाईसवें प्रकाश में अक्रूर आकर श्रीकृष्ण को मथुरा ले जाते हैं। मथुरालीला के वर्णन बाईसवें-तेईसवें प्रकाशों में हैं। चौबीसवें में कंसवध की कथा है। इसी के अंतर्गत नारदादि द्वारा कंसवध के अनंतर श्रीकृष्ण की हरिगीतिका छंद में मनोहर स्तुति है। पच्चीसवें में उग्रसेन के राज्याभिषेक और श्रीकृष्ण के गुरुगृहगमन का वर्णन है। छब्बीसवें में उद्धवप्रसंग या भ्रमरवृत्तांत है। अंतिम अध्याय में अक्रूर द्वारा पांडवों के कुशलप्रश्न पूछे जाने का वर्णन है। फलश्रुति यों दी गई है—

पढ़न सुनन श्रवनन करै नेम रचित मन ल्याइ।
ताहि मुक्ति भक्त्यै मिलैं अर्थ धर्म फल पाइ॥

इस पुस्तक का नाम कृष्णचंद्रचंद्रिका ही है, रामचंद्रचंद्रिका की भाँति। प्रत्येक प्रकाश की पुष्पिका में 'श्रीकृष्णचंद्रचंद्रिका' लिखा गया है और फलश्रुति के दोहे में भी स्पष्ट लिखा है—

कृष्नचंद्र की चंद्रिका जे नर करिहैं गान।
पाइ परमपद प्रथम ही ब्रह्मसौक्य को जान॥

जैसा ऊपर कहा जा चुका है, कृष्णचंद्रचंद्रिका में आए हुए छंदों के लक्षण इनके छंदाटवी नामक ग्रंथ में पाए जाते हैं। अतः छंदाटवी का रचनाकाल भी कृष्णचंद्रचंद्रिका के आसपास ही समझना चाहिए। खोज (१९०६-४४ बी) में जो उद्धरण दिए गए हैं, उनमें रचनाकाल नहीं है और ग्रंथ अपूर्ण है।

दूसरे गुमान कवि

'अलंकारदर्पण' (खोज १९१२-६८ ए) लाला आत्माराम गुलालचंद्र की प्रेरणा से लिखा गया है। इसका निर्णाण सं० १८१८ में हुआ।

संबत दस बसु सै जहाँ वोई आगे देहु।
माधव सुक्ला पंचमी बार सु कबि गान लेहु॥

इन्होंने लिखा है कि अलंकार का वर्णन संक्षेप में मम्मटाचार्य के अनुसार किया गया है। 'अलंकार' शब्द कदाचित् व्यापक अर्थ में गृहीत है, क्योंकि अलंकारप्रकरण (दशम उल्लास) का ही नहीं उसके आरंभिक अंग का भी सहारा इसमें लिया गया है। खोजविवरण में उत्तम काव्य का लक्षण भी उद्धृत है। अलंकार का यह ग्रंथ पर्याप्त बड़ा है, क्योंकि इसका परिमाण श्लोकों में ६६१ दिया गया है—उद्धरण में अंतिम संख्या ४३० दी हुई है। इसमें मंगलाचरण के ही छंद हैं, जिनमें से पहला दोहा और दूसरा छप्पय है। छप्पय का दूसरा चरण हस्तलेख में नहीं है। रचना की प्रौढ़ता मंगलाचरण से ही दिखाई देती है—

गुंजत सुभ सौरभ सने कवि मलिंद लहि मोज।
मंगल सिव के आभरन गिरजाचरन सरोज॥
स्वच्छ सैल कैलास देखि प्रतिबिंबित मूरति।

× × ×

दुरत मुरत पुनि जुरत दुरत हेरत मुख हँसि हँसि।
ललित स्वेदकन भाल मालमुक्ता सम लसि लसि।
इमि बालकेलि खेलत तनय हँसत अंब चूँमत तनय।
दिन दिन दयाल गजमुख रहो श्रीगुलाल संपतसदन॥

उत्तम काव्य का लक्षण यह दिया गया है—

शब्द अर्थ व्यंजक जहाँ करै कछू उत्साह।
सो प्रधान उत्तम कहौ पुनि ताही के माह॥

उदाहरण यह है—

तेज भरी करवारि जु राजत ऊँचे उदै दिन ही दिन आने।
गात सबै कुँभिलात लखे छपि जात हैं चोर लगोर डराने।
मारग चारु चलावत साध सुहावत कोक बिभा तब साने।
तोरि अनीति महातम मूरति सूर भुजा तब कौन बखाने॥

उपसंहार के दो छंद ये हैं—

अलंकार संक्षेप सों मैं बरने बुधि बोधि।
मम्मटमत अनुसार सो लीजो कबिजन सोधि॥
जौ लगि सुरसरि सूर ससि सुर सारदा समेत।
अलंकारदर्पण रहौ तौ लगि जतन निकेत॥

गुलालचंद्रोदय बिसवाँ (सीतापुर) के गुलालचंद्र के नाम पर लिखा गया रसनायिकाभेद का ग्रंथ है। इन्होंने बिसवाँ को विश्वनाथपुर माना है—

बीसनाथपुर पुहमि पै पावन अति परसिद्ध।
देवी देव समान जहँ नारी नर सुखसिद्ध॥
बेदनि गुनति गुनगननि चुनति परदोष न सुनति दुजअवली लसती है।
नीति ही सो राज करै कोटिन को काज जहाँ सजनसमाज की सुसेवा सरसति है।
धवल अटानि की छटानि छूटनि मिस मानो अमरावती को हेरिकै हँसति है।
धरम के धाम नरनारी अभिराम ऐसी बीसनाथनगरी सु बिसवाँ बसति है।

आश्रयदाता का वर्णन यों है—

राज दयो ता नगर को संपति सहित महेस।
सेठबंस भूषत भयो द्यानितराइ नरेस।
द्यानितराइ नरेस के पाँच तनै बरिबंड।
राजत मानों कल्पतरु साजत तेज प्रचंड।
तिनमें भूप गुलालचँद उदित महा बुधिवंत।
सेवत चतुर चकोर ज्यों चाहत संत अनंत॥

उपसंहार में लिखा है—

निरखि सकल साहित्यमत भरत मुनिस विचार।
सो गुलालचँद चंद को रच्यो उदय विस्तार॥
जो गुलालचंद्रोदयहि अवलोकय चित लाय।
रसमारग मन बिमल ह्वै मोहतिमिर मिट जाय॥

इस ग्रंथ के हस्तलेखों की पुष्पिका में 'दसखत खान अली पठान के' मिलता है। ये अली खाँ कौन हैं पता नहीं। नैषध के उपसंहार में भी एक खाँ साहब अकबरअली खाँ हैं।

खाँ साहब के सुजस बर श्रीगुरचरन सहाइ।
सो बिचारि अनुसार मति भाषा रच्यौ बनाइ॥
गौरीनँद गिरिजा गिरिस गुरु गोबिंद गुनगान।
जुग तौ लगि अब चलि रहो अकबरअली सुजान॥

नैषध की पुष्पिका में स्पष्ट लिखा है—इति श्रीखान साहब अकबर अली प्रोत्साहित मिश्र गुमान विरचिते काव्यकलानिधौ नैषधग्रंथः।

गुलालचंद्रोदय के पर्याप्त उद्धरण न होने से उस पर विस्तृत विचार नहीं हो सकता। उसका रचनाकाल (१८२०) यों दिया गया है—

संबत नभ[०] लोचन[२] दुरद[८] भू[१] प्रमान सुखसार।
पोष सुकल दसमी गुरौ भयो ग्रंथ अवतार॥

इसमें उत्कंठा का उदाहरण यह है—

काल्हि परौं पिय आवहिंगे सुनि नेक धरै धन धीरज ही में।
अंग अलिंगन को उमगो सब बीतत सौ जुग सोपन ही में।
रोम उठे अँगरात जम्हात सुहात न बात सखीसंग ही में।
द्वारि लौं देखिबे कौ दुरि दौरि चले मुरि पौरि परे घर ही में।

इसमें सोलह कथाएँ अर्थात् अध्याय हैं। इसका परिमाण १८६० श्लोक होने से यह पर्याप्त बड़ा ग्रंथ जान पड़ता है। यह पद्माकर के जगद्विनोद के ढंग का माना जा सकता है।

—गद्य

गद्य का स्वरूप

वाणी का प्रस्फुटन पद्य में हुआ या गद्य में इसमें विवाद है। पर साहित्य में पद्य पहले गृहीत हुआ और गद्य तदनंतर, यह निर्विवाद है। भारतवर्ष में संस्कृत का साहित्य प्राचीन है। इसमें गद्य और पद्य दोनों का व्यवहार होने पर भी गद्य वैसा सरल नहीं दिखाई देता

दिखाई देता जैसा सम्प्रति देशी भाषाओं में दृष्टिगोचर होता है। संस्कृत में कुछ सरल गद्य पंचतंत्र-हितोपदेश वैतालपंचविंशतिका आदि के कथात्मक प्रवाह में मिलता है। फिर भी यह निःसंकोच कहा जा सकता है कि जैसे सरल गद्य का विकास आधुनिक युग में दिखाई देता है वैसा उसमें नहीं था। संस्कृत में जिस प्रकार के गद्य का व्यवहार प्रतिष्ठित था वह परमार्थतः पद्य से भी कठिन था, इसलिए वहाँ यह उक्ति प्रचलित थी कि कवियों की जाँच गद्य के क्षेत्र में होती है—'गद्यं कवीनां निकषं वदन्ति'। अतः काव्य अर्थात् श्रव्यकाव्य के क्षेत्र में कठिन गद्य ही दिखाई देता है। कठिनाई का वास्तविक कारण है नाना प्रकार के समासों का गुंफन करके वाक्य का आयाम विस्तृत कर देना। इस प्रकार के गद्य का सर्वश्रेष्ठ उदाहरण कादंबरी है। अँगरेजी भाषा में इस प्रकार के गुंफित गद्य का विकास न होने के कारण कादंबरी की आलोचना करते हुए डॉ० कीथ ने लिखा कि कादंबरी में समासों का ऐसा घना जंगल है कि उसे पार कर सकना किसी साधारण व्यक्ति का काम नहीं।

हिंदी के पद्यात्मक ग्रंथों में जब गद्यरचना का उत्साह कवियों ने दिखाया तब कादंबरी की इसी सामासिक पद्धति का अनुगमन करने का प्रयास किया। फिर भी वैसी गद्यरचना नहीं हो सकी। इसका मुख्य कारण यह है कि संस्कृत के अनंतर साहित्यिक स्तर पर विकसित होनेवाली प्राकृत भाषाओं का प्रेम वैसे सामासिक गुंफन से नहीं है। प्राकृत भाषा से आगे विकसित होनेवाली भाषाओं में अपेक्षाकृत अधिक सामासिक गुंफन है। इसका एक कारण तो यह है कि साहित्यिक ग्रंथों में जो प्राकृत मिलती है वह बहुत कुछ संस्कृत के आधार पर प्राकृतव्याकरणों के सहारे निर्मित हुई है। इसी से आलोचक उसे कृत्रिम प्राकृत कहते हैं। पर जहाँ ऐसा नहीं है, अपने सहज विकास या प्रवाह में प्राकृत के दर्शन होते हैं, वहाँ उसमें सामासिकता से विच्छेद के लक्षण स्पष्ट दिखाई देते हैं; जैसे अशोक के अभिलेखों में प्रयुक्त प्राकृत में। यही स्थिति आगे भी समझनी चाहिए अर्थात् अपभ्रंश में सरलीकरण की यही प्रवृत्ति अपेक्षाकृत और विकसित हुई तथा देशी भाषा के सोपान पर आकर लंबे समास बहुत कुछ हट गए।

दैनंदिन वार्त्तालाप के प्रसंग जहाँ आए हैं और गद्य में उनकी अभिव्यक्ति हुई है वहाँ संस्कृत में भी स्पष्ट सरलता दिखाई देती है। इस प्रकार निष्कर्ष यह निकला कि साहित्य के और जनता के क्षेत्र में गद्य का जो प्रयोग होता था उसमें भिन्नता थी। जनता की वाणी में अलंकरण की प्रवृत्ति बहुत कम थी। संस्कृतसाहित्याचार्यों ने इसीलिए जनवाणी में या जनवाणी की शैली में कही गई उक्तियों को निरलंकार होने के कारण 'वार्त्ता' कहकर आत्मतुष्टि कर ली है। इससे यह भी स्पष्ट होता है कि संस्कृत-साहित्य में प्रयत्नपूर्वक लिखे गए गद्य की ही उपलब्धि अधिक होती है। यदि जनवाणी का गद्य विकसित होता तो उसमें अवश्य अपेक्षाकृत सरलता होती। इस सरलता की ही झलक हितोपदेश आदि ग्रंथों में मिल जाती है। प्राकृत आदि भाषाएँ जनवाणी का रूप लेकर सामने आईं, इसलिए उनमें सरलता की ओर झुकाव नैसर्गिक था। नाटकों में जो गद्य प्रयुक्त है उसमें स्पष्ट दिखाई देता है कि संस्कृतवाला गद्य सामासिकता का अंश सामान्य

वार्त्तालाप के अवसर पर भी कुछ अधिक लिये हुए है। इसका कारण यही था कि नाटकों में भी संस्कृतगद्य में बोलने का अधिकार उन्हीं पात्रों को दिया गया है जो तत्कालीन सामाजिक स्थिति के कारण परिष्कृत भाषा का प्रयोग करनेवाले थे।

टीकाओं और शास्त्रों में जिस प्रकार के गद्य का व्यवहार हुआ वह भी सरलता की ओर प्रवृत्त दिखाई देता है। यह अवश्य कह सकते हैं कि शास्त्रों में प्रयुक्त गद्य जितना दुरूह है उतना टीकाओं का नहीं। इसका हेतु यह है कि शास्त्र में तद्विषयक ज्ञान के प्रदर्शन की जो पद्धति निर्मित हुई वह सूक्ष्मता की ओर प्रवृत्त हुई। वैयाकरण ही आधी मात्रा की कमी को पुत्रोत्सव नहीं मानते थे, अन्य शास्त्रकार भी मानते थे और लाघव की ओर ही प्रवृत्त रहते थे। शास्त्रों की टीकाएँ कुछ सरल होने पर भी उतनी स्पष्ट नहीं हो सकीं जितनी काव्यग्रंथों की टीकाएँ स्पष्ट हैं। फिर भी इन टीकाओं में जिस प्रकार का गद्य है वह उतना चलता और प्रवाहपूर्ण नहीं है जितना पंचतंत्र आदि के कथात्मक प्रवाह का गद्य दिखाई देता है। कहने का तात्पर्य यह कि संस्कृत में सरल गद्य का विकास हो सकता था, पर विशेष प्रकार की प्रवृत्तियों और परिस्थितियों के कारण वैसा नहीं हो सका। प्राकृत, अपभ्रंश में क्रमशः सरलता का विकास होते रहने पर भी वैसी सरलता नहीं आ सकी जैसी देशी भाषा के सोपान पर आकार दिखाई देती है।

देशी भाषा के क्षेत्र में जो गद्य आरंभ में दिखाई देता है वह विशेष प्रकार के प्रयोजनों के कारण यथास्थान प्रयुक्त हुआ है। अधिकतर निर्माण देशी भाषा के सोपान पर भी पद्यात्मक ही होता था। कहीं उपदेश देने के लिए, कहीं बातों को स्पष्ट करने के लिए, कहीं टीका के रूप में थोड़ा-थोड़ा गद्य प्रयुक्त होता था। साहित्य के क्षेत्र में गद्य का व्यवहार किसी स्थिति को स्पष्ट करने के लिए ही करते थे, इसलिए सरल गद्य के प्रयोग का क्षेत्र साहित्य से इतर वाङ्मय के क्षेत्रों को ही समझना चाहिए।

देशी भाषा का जिस समय उत्थान हुआ उस समय क्षेत्रभेद से भाषागत स्वरूपभेद थोड़ा-थोड़ा दिखाई देने लगा। विभिन्न क्षेत्रों के गद्य की भाषा क्या थी इसके जानने के साधन कम हैं। उक्तिव्यक्तिप्रकरण ऐसे ग्रंथों के सामने आ जाने से किसी विशेष क्षेत्र की भाषा की झलक मिल जाती है। उसी के सहारे अनुमान लगाया जा सकता है कि विभिन्न क्षेत्रों में भाषा के विभिन्न रूपों का जो विकास हुआ उसमें गद्यात्मक प्रयोग के विविध रूप और निश्चय ही पूर्वापेक्षया अधिक सरल रूप आ गए थे। जैसा कहा जा चुका है, साहित्य से इतर वाङ्मय के क्षेत्र में ही गद्य अपने सहज रूप में विशेष दिखाई देता है। धार्मिक, राजनीतिक और सामाजिक आवश्यकताओं के कारण गद्य का प्राकृतिक विकास होता आया है। इसलिए मध्यकाल के गद्य के संबंध में भी यही समझना चाहिए कि वह यदि परिमाण में अधिक और सहज रूप में मिलता है तो साहित्येतर क्षेत्रों में ही।

इसके साथ ही एक दूसरा विचारणीय प्रश्न भी सामने आ जाता है। यद्यपि हिंदी के अंतर्गत तीन उपभाषाएँ मानी जाती हैं तथापि जहाँ तक गद्य के स्वरूप का प्रश्न है वह अतीत में अधिकतर व्रजी में ही मिलता है। पद्यक्षेत्रों में अवधी का प्रयोग होने पर भी गद्य

आ गई है। पद्य ही नहीं गद्य में भी मुहावरों का प्रयोग धीरे-धीरे हट गया है। इसलिए हिंदी का गद्य जिस रूप में विकसित हो रहा है वह पारंपरिक विकास से विच्छिन्न-सा होता जा रहा है। इसमें अँगरेजी भाषा के बहुत से प्रयोग ज्ञात अथवा अज्ञात रूप में मिलते जा रहे हैं। कहीं-कहीं तो शब्दावली अँगरेजी-पदावली का अनुगमन करती हुई दिखाई देती है। हिंदी के लिए यह खटके की बात है। फिर भी यह अवश्य कहा जा सकता है कि गद्य का ऐसे आकार में और इतने प्रकारों में विकास हो चुका है कि हिंदी किसी भी समर्थ भाषा से किसी प्रकार पीछे नहीं कही जा सकती, चाहे वह समर्थ-समृद्ध भाषा विदेशी हो या देशी। सही शुभ लक्षण है।

—परिशिष्ट

शिवसिंहसरोज के सन्-संवत्

संवत् १९३४ में शिवसिंह सेंगर ने लगभग १००० कवियों का बृहत् इतिवृत्त संग्रह किया, जो नवलकिशोर प्रेस (लखनऊ) से मुद्रित भी हो चुका है। वहाँ से इसकी सात आवृत्तियाँ प्रकाशित हो चुकी हैं। इस संग्रह का नाम 'शिवसिंहसरोज' है। इसके दो खंड हैं। प्रथम खंड में कवियों की कविताएँ नमूने के रूप में उद्धृत की गई हैं और दूसरे खंड में कवियों का संक्षिप्त परिचय दिया गया है। आधुनिककाल का हिंदी में यह सबसे पुराना कविवृत्त-संग्रह है। इसके अनंतर जितने भी प्रामाणिक हिंदी-साहित्य के इतिहास प्रकाशित हुए उनमें इसका आधार ग्रहण किया गया है। डॉ० ग्रियर्सन, मिश्रबंधु महोदय, आचार्य रामचंद्र शुक्ल आदि हिंदी-साहित्य के सभी इतिहासलेखकों ने 'सरोज' में दिए गए विवरणों का ग्रहण किया गया है और उसमें उल्लिखित सन्-संवत् को स्वीकृत किया है, उसे प्रमाण माना है। पर ऐसा करने में बहुत बड़ा भ्रम हो गया है। नवलकिशोर प्रेस से 'शिवसिंहसरोज' जिस समय प्रकाशित हुआ उसमें सन्-संवतों के अनंतर 'उ.' छापा गया। सबसे पहले नाम के आगे 'उ०' 'उत्पन्न हुए' रूप में सामने आया। फल यह हुआ कि 'सरोज' में जितने सन्-संवत् दिए गए वे कवियों के जन्मकाल मान लिये गए। ऐसा करने से हिंदी-साहित्य के इतिहासों में भारी भ्रांति हो गई। इसका निराकरण हिंदी-हित के विचार से अत्यंत आवश्यक है।

ऐसा जान पड़ता है कि सरोज में पहले 'उ०' नहीं था। सन् १९२३-२५ की हिंदी-हस्तलिखित ग्रंथों की 'खोज' में 'शिवसिंहसरोज' का जो विवरण छापा गया है उसमें किसी कवि के संवत् के आगे 'उ०' या 'उत्पन्न हुए' नहीं है। इस हस्तलेख का प्राप्तिस्थान ठाकुर दिग्विजयसिंह ताल्लुकेदार, दिकौली, बिकवाँ, सीतापुर है। हस्तलेख में 'उ०' न होते हुए भी मुद्रित में यह 'उ०' कैसे आ गया, इसका कारण एक तो यह हो सकता है कि स्वयं ग्रंथकार ने अपनी प्रति में 'उ०' लिखा हो और जब वह प्रकाशित होने लगी हो तो संपादक ने 'उ०' को 'उत्पन्न हुए' का संक्षिप्त रूप मान लिया हो तथा पहले नाम के 'उ०' को 'उत्पन्न हुए' छाप दिया हो। दूसरा कारण यह हो सकता है कि स्वयं संपादक ने इन सन्-संवतों को जन्मकाल या उत्पत्तिकाल मानकर अपनी ओर से इसे बढ़ा दिया हो। यदि स्वयं लेखक ने 'उ०' लिखा हो तो उसे 'उपस्थितिकाल' का संक्षिप्त रूप मानना पड़ेगा, क्योंकि 'शिवसिंहसरोज' के सन्-संवत् काव्यकाल के ही हैं, जन्मकाल के नहीं। पहले इन्हें जन्मकाल मानकर इनकी छानबीन करनी चाहिए। फिर इस बात के अनेक प्रमाण दिए जाएँगे कि 'सरोज' में काव्यकाल या उपस्थितिकाल दिया गया है।

बाँई ओर से होती है) के नियम से १७९४ हुआ।

विस्तार न करके थोड़े में उत्तरार्ध-पूर्वार्ध के सन्-संवत् नीचे की तालिका में सरोज से उद्धृत किए जाते हैं—

	उत्तरार्ध	पूर्वार्ध
कवि	**सन्-संवत्**	**कवि का ग्रंथनिर्माणकाल**
कालिदास	१७४९	वधूविनोद १७४९
बिहारी	१६०२	१६०३ आश्रयदाता का स्थितिकाल
बेनीदास	१८९२	१८९० में प्रबंधलेखक थे[1]
मीराबाई	१४७५	१४७० विवाहकाल[2]

यहाँ तक स्वतः 'सरोज' के ही प्रमाणों से यह सिद्ध होता है कि उसमें नाम से जुड़े संवत् रचनाकाल हैं। इस अतःसाक्ष्य के अनंतर बाह्य साक्ष्य के आधार पर भी अन्य संवतों का, जो ऊपर उदाहरण के लिए नहीं लाए गए हैं, काव्यकाल होना सिद्ध होता है। थोड़े से उदाहरण लीजिए—

(१) अजबेस नवीन भाट का संवत् 'सरोज' में १८९२ है। यही संवत् खोजविवरण में रचना का है। देखिए हस्तलिखित हिंदीग्रंथों की खोज सन् १९०१ संख्या १५ का विवरण (नागरी प्रचारिणी सभा काशी द्वारा प्रवर्तित)।

(२) अहमद कवि का संवत् १९७० दिया गया है। खोज १९२० से इनके 'गुनसागर' ग्रंथ का रचनाकाल १६७८ ज्ञात होता है—'संवत् सोरह सै बरस अठहत्तरि अधिकाय'। आठ वर्ष की अवस्था में ग्रंथ की रचना असंभव है। अतः यह कविताकाल ही है। विस्तारभय से ऐसे कुछ कवियों की केवल तालिका दी जाती है—

कवि	सरोज का सं०	ग्रंथ	रचनाकाल
कुमारमणि	१८०३	रसिकरसाल	१७७६ (खोज, १०-९१)
कुलपति मिश्र	१७१४	रसरहस्य	१७२७ (खोज २०-८९)
गोकुलनाथ	१८३०	चेतचंद्रिका	१८२८ (खोज २०-५१)
गुलाब सिंह	१८४६	मोक्षपंथ	१८३५ (खोज २०-५४)
दूलह	१८१९	कविकुलकंठाभरण	१८७७ (खोज २०-४५)
प्रियादास	१८१९	भक्तिरसबोधिनी सन्	१७१२ (खोज २०-१३५)
बेनी प्रवीन	१८०६	नवरसतरंग	१८७४ (खोज २०-१३)
वंशीधर	१९०१	साहित्यतरंगिणी	१९०७ (खोज २०-१२७)
सुखदेव मिश्र	१७२८	वृत्तविचार	१७२८ (खोज २०-१९७)

इन उदाहरणों से ही प्रमाणित है कि सरोज में रचनाकाल के ही सन्-संवत् दिए गए हैं। सब कवियों के नाम के साथ उन्होंने संवत् नहीं दिए हैं। सरोज में कुल १००३ के

---

१. १८९२ में जन्म लेनेवाला १८९० में प्रबंधलेखक कैसे था?

२. १४७५ में जन्म लेनेवाली का विवाह १४७० में कैसे हो गया?

विवरण हैं। पूर्वार्ध में ८३९ कवियों की कविताएँ उदधृत हैं। २६० कवियों के परिचय में नाम के साथ सन्-संवत् नहीं दिए गए हैं। ५१ कवियों के साथ 'विद्यमान' या उसका संक्षिप्त रूप 'वि०' दिया गया है। इस प्रकार केवल ६८२ कवियों के नाम के साथ संवत् दिए गए हैं। इनमें से लगभग ४०७ के सन्-संवत् स्वयं 'सरोज' के प्रमाण से या अन्य प्रमाणों से रचनाकाल सिद्ध हो जाते हैं। अतः यह निश्चित है कि अन्य लगभग ३०० कवियों के सन्-संवत् उनके रचनाकालों के ही होंगे। ये सन्-संवत् जन्मकाल नहीं हैं। इसके लिए यह प्रमाण भी दिया जा सकता है कि यदि लेखक ने जन्मकाल ही देने की पद्धति रखी होती तो जिन कवियों को उन्होंने 'विद्यमान है' लिखा है, उनके जन्मकाल भी वे दे सकते थे। अन्य कवियों की अपेक्षा उनके जन्मकाल उन्हें थोड़ा-सा ही प्रयत्न करने पर ठीक-ठीक मिल भी जाते। उन्हें 'विद्यमान हैं' लिखने से प्रमाणित है कि कवियों के संबंध में वे काव्यकाल या उपस्थितिकाल देने की पद्धति का अनुगमन कर रहे हैं, जिसका उल्लेख उन्होंने अपनी भूमिका में स्पष्ट शब्दों में किया है। कुछ कवियों के विवरण में भी उन्होंने लिखा है कि हमें इनका कोई ग्रंथ नहीं मिला। इसी से सन्-संवत् नहीं दिए। इन सब बातों से स्पष्ट है कि सन्-संवत् देने में वे उपस्थितिकाल का उल्लेख करते थे।

किंतु इसका तात्पर्य यह नहीं कि उन्होंने कविताकाल देने में बहुत सावधानी रखी है। जहाँ कवि के रचित ग्रंथों से सन्-संवत् मिले वहाँ उन्हें दे दिया। कहीं-कहीं जिस ग्रंथ में कवि की कविता संगृहीत है उस ग्रंथ का संग्रहकाल ही उस कवि का सन्-संवत् मान लिया गया है, जैसे कमंच कवि के विवरण में। कहीं संवत् विक्रमीय और कहीं सन् ईसाई दे दिया गया है। ईसाई संवत् का व्यवहार अधिकतर राजा या दरबार के मुसाहिबों के परिचय में किया गया है। ये सन्-संवत् ऐतिहासिक ग्रंथों से उठाकर रखे गए हैं, ऐसा स्पष्ट प्रतीत होता है। एकत्र जन्मकाल भी रख दिया है और अन्यत्र मृत्युकाल दे दिया है। इस प्रकार समस्त सन्-संवतों को जन्मकाल मानकर चलना सरासर भ्रांति है। जहाँ अन्य प्रमाणों से निश्चय न हो जाय 'सरोज' के संवतों को प्रामाणिक मान लेना इतिहास की दृष्टि से भ्रमपूर्ण पद्धति है। मिश्रबंधु महोदयों को अन्य प्रमाणों से जब दिखाई पड़ा कि जन्मकाल मान लेने में अड़चन है तब उन्होंने एकाध स्थल पर 'मिश्रबंधु विनोद' में लिखा है 'सरोज में प्रायः कविताकाल को उत्पत्तिकाल लिखा गया है' (—मिश्रबंधुविनोद, प्रथम भाग, पृष्ठ ७, चतुर्थ संस्करण)।

इस प्रकार हिंदी के इतिहासप्रेमी व्यक्तियों की सरोज में दिए गए सन्-संवतों का उपयोग करते समय लेखक की प्रणाली और भूमिका में दी गई उसकी प्रतिज्ञा पर विचार करके तब उसके सन्-संवतों का उपयोग करना चाहिए। यदि किसी अन्य प्रमाण से दूसरा समय निकले तो 'सरोज' में कवि के नाम के साथ जुड़े संवत् को उसका कविताकाल मानकर मिलान करें। अन्यथा जो भ्रांतियाँ पहले हो चुकी हैं उनकी पुनरावृति होती रहेगी।[१]

---

१. हर्ष है कि मेरे प्रिय शिष्य श्री किशोरीलाल गुप्त ने 'सरोज-सर्वेक्षण' नामक शोधप्रबंध प्रस्तुत कर इन स्थापनाओं की सिद्धि द्वारा पी-एच.डी. की उपाधि प्राप्त की है। प्रबंध हिंदुस्तानी अकादमी, प्रयाग से प्रकाशित हो गया है।